Mi nombre es Bibendum y nací en 1898; hace por lo tanto cien años que le acompaño por todas las carreteras del mundo. Durante este tiempo me he preocupado por mejorar la seguridad en sus desplazamientos y por ofrecerle todas las informaciones que podían hacer sus viajes más interesantes y agradables.

La experiencia y profesionalidad que he adquirido, se la he ido transmitiendo cada año a la Guía Roja.

Y en esta 26ª edición, un consejo: si desea encontrar buenos establecimientos a precios moderados, decídase por alguno de los muchos restaurantes que aparecen indicados con el símbolo de ¡"**Bib Gourmand**"*!*

No dude en escribirme…

Quedo a su disposición para un nuevo siglo de descubrimientos.

Un cordial saludo,

Bibendum

Sumario

La elección de un hotel, de un restaurante

Esta guía propone una selección de hoteles y restaurantes para uso de los automovilistas. Los establecimientos, clasificados según su confort, se citan por orden de preferencia dentro de cada categoría.

Categorías

	XXXXX	*Gran lujo y tradición*
	XXXX	*Gran confort*
	XXX	*Muy confortable*
	XX	*Confortable*
	X	*Sencillo pero confortable*
		Sencillo pero correcto
sin rest.	sem rest.	*El hotel no dispone de restaurante*
con hab	com qto	*El restaurante tiene habitaciones*

Atractivo y tranquilidad

Ciertos establecimientos se distinguen en la guía por los símbolos en rojo que indicamos a continuación. La estancia en estos hoteles es especialmente agradable o tranquila.

Esto puede deberse a las características del edificio, a la decoración original, al emplazamiento, a la acogida y a los servicios que ofrece, o también a la tranquilidad del lugar.

...	*Hoteles agradables*
XXXXX ... X	*Restaurantes agradables*
« Parque »	*Elemento particularmente agradable*
	Hotel muy tranquilo, o aislado y tranquilo
	Hotel tranquilo
mar	*Vista excepcional*
	Vista interesante o extensa

Las localidades que poseen establecimientos agradables o muy tranquilos están señaladas en los mapas de las páginas 73 a 81, 612 y 613.

Consúltenos para la preparación de sus viajes y envíenos sus impresiones a su regreso. Así nos ayudará en nuestra selección.

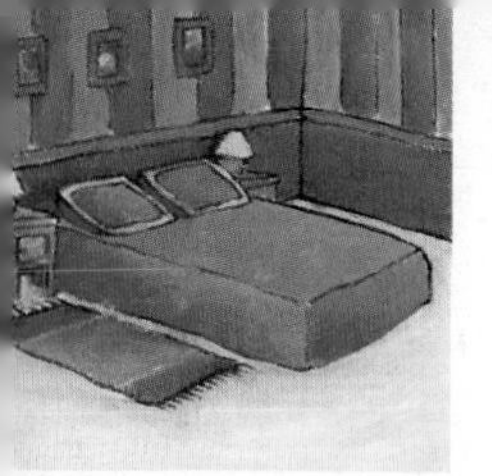

La instalación

Las habitaciones de los hoteles que recomendamos poseen, en general, cuarto de baño completo. No obstante puede suceder que en las categorías , y algunas habitaciones carezcan de él.

30 hab/30 qto	*Número de habitaciones*
	Ascensor
	Aire acondicionado
TV	*Televisión en la habitación*
	Teléfono en la habitación directo con el exterior
	Habitaciones de fácil acceso para minusválidos
	Comidas servidas en el jardín o en la terraza
	Fitness club (gimnasio, sauna...)
	Piscina: al aire libre – cubierta
	Playa equipada – Jardín
18	*Tenis – Golf y número de hoyos*
25/150	*Salas de conferencias: capacidad de las salas*
	Garaje en el hotel (generalmente de pago)
P	*Aparcamiento reservado a la clientela*
	Prohibidos los perros (en todo o en parte del establecimiento)
Fax	*Transmisión de documentos por telefax*
mayo-octubre.	*Período de apertura comunicado por el hotelero*
temp.	*Apertura probable en temporada sin precisar fechas. Sin mención, el establecimiento está abierto todo el año*
28 012 1 200	*Código postal*

La mesa

Las estrellas

Algunos establecimientos merecen ser destacados por la calidad de su cocina. Los distinguimos con ***las estrellas de buena mesa.***

En estos casos indicamos tres especialidades culinarias que pueden orientarles en su elección.

✪✪✪ **Una de las mejores mesas, justifica el viaje**
Cocina del más alto nivel, generalmente excepcional. Grandes vinos, servicio impecable, marco elegante... Precio en consonancia.

✪✪ **Mesa excelente, vale la pena desviarse**
Especialidades y vinos selectos... Cuente con un gasto en proporción.

✪ **Muy buena mesa en su categoría**
La estrella indica una buena etapa en su itinerario. Pero no compare la estrella de un establecimiento de lujo, de precios altos, con la de un establecimiento más sencillo en el que, a precios razonables, se sirve también una cocina de calidad.

El "Bib Gourmand"

Buenas comidas a precios moderados

Hemos realizado una selección de restaurantes que ofrecen, con una acertada relación calidad-precio, una buena comida, generalmente de tipo regional, para cuando Vd. desee encontrar establecimientos más sencillos a precios moderados.
Estos restaurantes se señalan con el **"Bib Gourmand"** *y* Comida *(España), o el* **"Bib Gourmand"** *y* Refeição *(Portugal). Ej.* Comida 3100/4000, Refeição 2800/3500.

Consulte los mapas con estrellas ✪✪✪, ✪✪, ✪ y con **"Bib Gourmand"**, *páginas 73 a 81, 612 y 613.*

Los vinos: ver páginas 63 y 615

Los precios

Los precios que indicamos en esta guía nos fueron proporcionados en el verano de 1997 y se aplican en ***temporada alta****. Pueden producirse modificaciones debidas a variaciones de los precios de bienes y servicios. El servicio está incluido.*
En España el I.V.A. se añadirá al total de la factura (7 %), salvo en Andorra (exento), Canarias (4,5 % I.G.I.C. ya incluido), Ceuta y Melilla (4 % I.P.S.I.). En Portugal (12 %) ya está incluido.
En algunas ciudades y con motivo de ciertas manifestaciones comerciales o turísticas (ferias, fiestas religiosas o patronales...), los precios indicados por los hoteleros pueden sufrir importantes aumentos.
Los hoteles y restaurantes figuran en negrita cuando los hoteleros nos han señalado todos sus precios comprometiéndose, bajo su responsabilidad, a respetarlos ante los turistas de paso portadores de nuestra Guía.
En temporada baja, algunos establecimientos ofrecen condiciones ventajosas, infórmese al reservar.
Entre en el hotel o en el restaurante con su Guía en la mano, demostrando, así, que ésta le conduce allí con confianza.
Los precios se indican en pesetas o en escudos.

Comidas

Comida 2 500 **Refeição** 2 300	**Menú a precio fijo.** *Almuerzo o cena servido a las horas habituales*
carta 3 200 a 5 800 lista 2 500 a 4 700	**Comida a la carta.** *El primer precio corresponde a una comida normal que comprende: entrada, plato fuerte del día y postre.* *El 2º precio se refiere a una comida más completa (con especialidad de la casa) que comprende: dos platos y postre*
☕ 500	*Precio del desayuno*

Habitaciones

hab 4 500/6 700 **qto** 4 500/6 700	*Precio de una habitación individual / Precio de una habitación doble, en temporada alta*
Suites, apartamentos	*Consulte al hotelero*
hab ☕ 4 800/7 000 **qto** ☕ 4 800/7 000	*Precio de la habitación con desayuno incluido*

Pensión

PA 3 600	*Precio de la Pensión Alimenticia (desayuno, comida y cena).* *El precio de la pensión completa por persona y por día se obtendrá añadiendo al importe de la habitación individual el de la pensión alimenticia.* *Conviene concretar de antemano los precios con el hotelero.*

Las arras

Algunos hoteleros piden una señal al hacer la reserva. Se trata de un depósito-garantía que compromete tanto al hotelero como al cliente. Conviene precisar con detalle las cláusulas de esta garantía.

Tarjetas de crédito

Tarjetas de crédito aceptadas por el establecimiento:

AE ⓓ E (MC)	*American Express – Diners Club – Eurocard (Master Card)*
VISA JCB	*Visa – Japan Credit Bureau*

Las poblaciones

2200	*Código postal*
✉ 7800 Beja	*Código postal y Oficina de Correos distribuidora*
P	*Capital de Provincia*
445 M 27	*Mapa Michelin y coordenadas*
24 000 h.	*Población*
alt. 175	*Altitud de la localidad*
3	*Número de teleféricos o telecabinas*
7	*Número de telesquíes o telesillas*
AX A	*Letras para localizar un emplazamiento en el plano*
18	*Golf y número de hoyos*
	Panorama, vista
	Aeropuerto
	Localidad con servicio Auto-Expreso. Información en el número indicado
	Transportes marítimos
	Información turística

Las curiosidades

Grado de interés

★★★	*De interés excepcional*
★★	*Muy interesante*
★	*Interesante*

Situación de las curiosidades

Ver	*En la población*
Alred./Arred.	*En los alrededores de la población*
Excurs.	*Excursión en la región*
N, S, E, O	*La curiosidad está situada al Norte, al Sur, al Este, al Oeste*
①, ④	*Salir por la salida ① o ④, localizada por el mismo signo en el plano*
6 km	*Distancia en kilómetros*

El coche, los neumáticos

Marcas de automóviles

Al final de la Guía encontrará una relación de las principales marcas de automóviles. En caso de avería, en el teléfono indicado, de 9 h. a 17 h., le facilitarán la dirección del agente más cercano.

Velocidad máxima autorizada

	Autopista	Carretera	Población
España / Portugal	120 km/h	90/100 km/h	50 km/h

El uso del cinturón de seguridad es obligatorio delante y detrás.

Sus neumáticos

Cuando un agente de neumáticos carezca del artículo que necesite, diríjase: en **España,** *a la División Comercial Michelin en Madrid o a cualquiera de sus Sucursales en las poblaciones siguientes: Santa Perpètua de Mogoda (Barcelona), León, Coslada (Madrid), Valencia, Sevilla. En* **Portugal**, *diríjase a la Dirección Comercial Michelin en Sacavém (Lisboa).*

Las direcciones y números de teléfono de las Sucursales Michelin figuran en el texto de estas localidades.

Nuestras sucursales tendrán mucho gusto en dar a nuestros clientes todos los consejos necesarios para la mejor utilización de sus neumáticos.

Ver también las páginas con borde azul.

"Los Automóvil Club"

RACE	*Real Automóvil Club de España*
RACC	*Reial Automòbil Club de Catalunya*
RACVN	*Real Automóvil Club Vasco Navarro*
RACV	*Real Automóvil Club de Valencia*
ACA	*Automóvil Club de Andorra*
ACP	*Automóvel Club de Portugal*

Ver las direcciones y los números de teléfono en el texto de las localidades correspondientes.

Los planos

Hoteles
Restaurantes

Curiosidades

Edificio interesante y entrada principal
Edificio religioso interesante :
catedral, iglesia o capilla

Vías de circulación

Autopista, autovía
número del acceso : completo-parcial
Vía importante de circulación
Sentido único – Calle impracticable, de uso restringido
Calle peatonal – Tranvía
Colón P P *Calle comercial – Aparcamiento*
Puerta – Pasaje cubierto – Túnel
Estación y línea férrea
Funicular – Teleférico, telecabina
B *Puente móvil – Barcaza para coches*

Signos diversos

Oficina de Información de Turismo
Mezquita – Sinagoga
Torre – Ruinas – Molino de viento – Depósito de agua
Jardín, parque, bosque – Cementerio – Crucero
Estadio – Golf – Hipódromo
Piscina al aire libre, cubierta
Vista – Panorama
Monumento – Fuente – Fábrica – Centro comercial
Puerto deportivo – Faro
Aeropuerto – Boca de metro – Estación de autobuses
Transporte por barco :
pasajeros y vehículos, pasajeros solamente
3 *Referencia común a los planos y a los mapas detallados Michelin*
Oficina central de lista de correos – Teléfonos
Hospital – Mercado cubierto
Edificio público localizado con letra :
D H J *- Diputación – Ayuntamiento – Palacio de Justicia*
G *- Delegación del Gobierno (España), Gobierno del distrito (Portugal)*
M T U *- Museo – Teatro – Universidad, Escuela Superior*
POL. *- Policía (en las grandes ciudades : Jefatura)*

Amigo Leitor

Foi em 1898 que nasci. Desde há cem anos que, sob o nome de Bibendum, o acompanho em todas as estradas do mundo, empenhado no conforto da sua condução, na segurança da sua deslocação e na satisfação dos caminhos percorridos.

A experiência e o saber adquiridos, é ao Guia Vermelho que os confio cada ano.

E nesta 26ª edição, um conselho: para conseguir refeições cuidadas a preços moderados, siga alguns dos muitos restaurantes assinalados com a minha face de **"Bib Gourmand"***!*

Não hesite em escrever-me...

Estou à sua disposição para um novo século de descobertas.

Com toda a confiança.

Bibendum

Sumário

A escolha de um hotel, de um restaurante

A nossa classificação está estabelecida para servir os automobilistas de passagem. Em cada categoria, os estabelecimentos são classificados por ordem de preferência.

Classe e conforto

Hotel	Restaurante	
	XXXXX	*Grande luxo e tradição*
	XXXX	*Grande conforto*
	XXX	*Muito confortável*
	XX	*Confortável*
	X	*Simples, mas confortável*
		Simples, mas aceitável
sin rest.	sem rest.	*O hotel não tem restaurante*
con hab	com qto	*O restaurante tem quartos*

Atractivos

A estadia em certos hotéis torna-se por vezes particularmente agradável ou repousante.

Isto deve-se, por um lado às características do edifício, à decoração original, à localização, ao acolhimento e aos serviços prestados, e por outro lado à tranquilidade dos locais.

Tais estabelecimentos distinguem-se no Guia pelos símbolos a vermelho que abaixo se indicam.

...	*Hotéis agradáveis*
XXXXX ... X	*Restaurantes agradáveis*
« Parque »	*Elemento particularmente agradável*
	Hotel muito tranquilo, ou isolado e tranquilo
	Hotel tranquilo
≤ mar	*Vista excepcional*
≤	*Vista interessante ou ampla*

As localidades que possuem hotéis e restaurantes agradáveis ou muito tranquilos encontram-se nos mapas nas páginas 73 a 81, 612 e 613.

Consulte-as para a preparação das suas viagens e dê-nos as suas impressões no seu regresso. Assim facilitará os nossos inquéritos.

A instalação

Os quartos dos hotéis que lhe recomendamos têm em geral quarto de banho completo. No entanto pode acontecer que certos quartos, nas categorias , e , o não tenham.

30 hab/30 qto	*Número de quartos*
	Elevador
	Ar condicionado
TV	*Televisão no quarto*
	Telefone no quarto, directo com o exterior
	Quartos de fácil acesso para deficientes físicos
	Refeições servidas no jardim ou no terraço
	Fitness club
	Piscina ao ar livre ou coberta
	Praia equipada – Jardim de repouso
	Ténis
18	*Golfe e número de buracos*
25/150	*Salas de conferências: capacidade mínima e máxima das salas*
	Garagem (geralmente a pagar)
P	*Parque de estacionamento reservado aos clientes*
	Proibido a cães: em todo ou em parte do estabelecimento
Fax	*Transmissão de documentos por telecópias*
maio-outubro	*Período de abertura comunicado pelo hoteleiro*
temp.	*Abertura provável na estação, mas sem datas precisas. Os estabelecimentos abertos todo o ano são os que não têm qualquer menção*
28 012 1 200	*Código postal*

A mesa

As estrelas

Entre os numerosos estabelecimentos recomendados neste guia, alguns merecem ser assinalados pela qualidade da sua cozinha.
Nós classificamo-los por **estrelas**.
Indicamos, para esses estabelecimentos, três especialidades culinárias que poderão orientar-vos na escolha.

✿✿✿ **Uma das melhores mesas, vale a viagem**
Come-se sempre muito bem e por vezes maravilhosamente. Vinhos de marca, serviço impecável, ambiente elegante...
Preços em conformidade.

✿✿ **Uma mesa excelente, merece um desvio**
Especialidades e vinhos seleccionados ; deve estar preparado para uma despesa em concordância.

✿ **Uma muito boa mesa na sua categoria**
A estrela marca uma boa etapa no seu itinerário.
Mas não compare a estrela dum estabelecimento de luxo com preços elevados com a estrela duma casa mais simples onde, com preços moderados, se serve também uma cozinha de qualidade.

O "Bib Gourmand"

Refeições cuidadas a preços moderados

Deseja por vezes encontrar refeições mais simples a preços moderados, por isso nós selecionamos restaurantes propondo por um lado uma relação qualidade-preço particularmente favorável, por outro uma refeicão cuidada frequentemente de tipo regional.

Estes restaurantes estão sinalizados por o
"Bib Gourmand" *e* Comida *(Espanha) ou o*
"Bib Gourmand" *e* Refeição *(Portugal).*
Exemplo: Comida 3100/4000, Refeição 2800/3500.

Consulte os mapas com estrelas ✿✿✿, ✿✿, ✿ *e com* **"Bib Gourmand"**, *páginas 73 a 81, 612 e 613.*
Os vinhos : ver páginas 63 e 615

Os preços

Os preços indicados neste Guia foram estabelecidos no Verão de 1997 e são preços de ***época alta****. Podem portanto ser modificados, nomeadamente se se verificarem alterações no custo de vida ou nos preços dos bens e serviços. Em Espanha o I.V.A. será aplicado à totalidade da factura (7 %), salvo em Andorra (isento), Canarias (4,5 % I.G.I.C. já-incluído), Ceuta e Melilla (4 % I.P.S.I.). Em Portugal (12 %) já está incluído.*

Em algumas cidades, por ocasião de manifestações comerciais ou turísticas os preços pedidos pelos hotéis poderão sofrer aumentos consideráveis.

Quando os hotéis e restaurantes figuram em caràcteres destacados, significa que os hoteleiros nos deram todos os seus preços e se comprometeram sob a sua própria responsabilidade, a aplicá-los aos turistas de passagem, portadores do nosso Guia.

Em época baixa alguns estabelecimentos oferecem condições vantajosas, informe-se ao fazer a reserva.

Entre no hotel ou no restaurante com o Guia na mão e assim mostrará que ele o conduziu com confiança.

Os preços são indicados em pesetas ou em escudos.

Refeições

Comida 2 500
Refeição 2 300

Preço fixo
Preço da refeição servida às horas normais

Refeições à lista

carta 3 200 a 5 800
lista 2 500 a 4 700

O primeiro preço corresponde a uma refeição simples, mas esmerada, compreendendo: entrada, prato do dia guarnecido e sobremesa. O segundo preço, refere-se a uma refeição mais completa (com especialidade), compreendendo: dois pratos e sobremesa.

☕ 500 *Preço do pequeno almoço*

Quartos

hab 4 500/6 700 qto 4 500/6 700	*Preço para um quarto de uma pessoa / Preço para um quarto de duas pessoas em plena estação*
Suites, apartamentos	*Consulte ao hoteleiro*
hab ☕ 4 800/7 000 qto ☕ 4 800/7 000	*O preço do pequeno almoço está incluído no preço do quarto*

Pensão

PA 3 600	*Preço das refeições (almoço e jantar). Este preço deve juntar-se ao preço do quarto individual (pequeno almoço incluído) para se obter o custo da pensão completa por pessoa e por dia. É indispensável um contacto antecipado com o hotel para se obter o custo definitivo.*

O sinal

Alguns hoteleiros pedem por vezes o pagamento de um sinal. Trata-se de um depósito de garantia que compromete tanto o hoteleiro como o cliente.

Cartões de crédito

Principais cartões de crédito aceites no estabelecimento:

AE ⓓ E (MC) VISA JCB	*American Express – Diners Club – Eurocard (Master Card) Visa – Japan Credit Bureau*

As cidades

2200	*Código postal*
✉ 7800 Beja	*Código postal e nome do Centro de Distribuição Postal*
P	*Capital de distrito*
445 M 27	*Mapa Michelin e quadrícula*
24 000 h.	*População*
alt. 175	*Altitude da localidade*
3	*Número de teleféricos ou telecabinas*
7	*Número de teleskis e telecadeiras*
AX A	*Letras determinando um local na planta*
18	*Golfe e número de buracos*
	Panorama, vista
	Aeroporto
	Localidade com serviço de transporte de viaturas em caminho-de-ferro. Informações pelo número de telefone indicado
	Transportes marítimos
	Informação turística

As curiosidades

Interesses

★★★	*De interesse excepcional*
★★	*Muito interessante*
★	*Interessante*

Localização

Ver	*Na cidade*
Alred./Arred.	*Nos arredores da cidade*
Excurs.	*Excursões pela região*
N, S, E, O	*A curiosidade está situada a Norte, a Sul, a Este, a Oeste*
①, ④	*Chega-se lá pela saída ① ou ④, assinalada pelo mesmo sinal na planta*
6 km	*Distância em quilómetros*

O automóvel, os pneus

Marcas de automóveis

No final do Guia existe uma lista das principais marcas de automóveis. Em caso de avaría, o endereço do mais próximo agente da marca pretendida ser-lhe-á comunicado se ligar, entre as 9 h. e 17 h. para o número de telefone indicado.

Velocidade: límites autorizados

	Auto-estrada	*Estrada*	*Localidade*
Espanha / *Portugal*	*120 km/h*	*90/100 km/h*	*50 km/h*

O uso do cinto de segurança é obrigatorio para todos os ocupantes do veículo.

Os seus pneus

Desde que um agente de pneus não tenha o artigo de que necessita, dirija – se: em **Espanha**, *à Divisão Comercial Michelin, em Madrid, ou à Sucursal da Michelin de qualquer das seguintes cidades: Santa Perpètua de Mogoda (Barcelona), León, Coslada (Madrid), Valencia, Sevilla.*
Em **Portugal***: à Direcção Comercial Michelin em Sacavém (Lisboa).*

Os endereços e os números de telefone das agências Michelin figuram no texto das localidades correspondentes.

Ver también as páginas marginadas a azul.

Automóvel clubes

RACE	*Real Automóvil Club de España*
RACC	*Reial Automòbil Club de Catalunya*
RACVN	*Real Automóvil Club Vasco Navarro*
RACV	*Real Automóvil Club de Valencia*
ACA	*Automóvil Club de Andorra*
ACP	*Automóvel Club de Portugal*

Ver no texto da maior parte das grandes cidades, a morada e o número de telefone de cada um dos Clubes Automóvel.

As plantas

Hotéis
Restaurantes

Curiosidades

Edifício interessante e entrada principal
Edifício religioso interessante:
sé, igreja ou capela

Vias de circulação

Auto-estrada, estrada com faixas de rodagem separadas
- número do acesso: completo-parcial
Grande via de circulação
Sentido único – Rua impraticável, regulamentada
Via reservada aos peões – Eléctrico
Colón *Rua comercial – Parque de estacionamento*
Porta – Passagem sob arco – Túnel
Estação e via férrea
Funicular – Teleférico, telecabine
Ponte móvel – Barcaça para automóveis

Diversos símbolos

Centro de Turismo
Mesquita – Sinagoga
Torre – Ruínas – Moinho de vento – Mãe d'água
Jardim, parque, bosque – Cemitério – Cruzeiro
Estádio – Golfe – Hipódromo
Piscina ao ar livre, coberta
Vista – Panorama
Monumento – Fonte – Fábrica – Centro Comercial
Porto de abrigo – Farol
Aeroporto – Estação de metro – Estação de autocarros
Transporte por barco:
passageiros e automóveis, só de passageiros
③ *Referência comum às plantas e aos mapas Michelin detalhados*
Correio principal com posta-restante – Telefone
Hospital – Mercado coberto
Edifício público indicado por letra:
D H J *- Conselho provincial – Câmara municipal – Tribunal*
G *- Delegação do Governo (Espanha),*
Governo civil (Portugal)
M T U *- Museu – Teatro – Universidade, grande escola*
POL. *- Polícia (nas cidades principais: esquadra central)*

Ami lecteur

C'est en 1898 que je suis né. Voici donc cent ans que, sous le nom de Bibendum, je vous accompagne sur toutes les routes du monde, soucieux du confort de votre conduite, de la sécurité de votre déplacement, de l'agrément de vos étapes.

L'expérience et le savoir-faire que j'ai acquis, c'est au Guide Rouge que je les confie chaque année.

Et dans cette 26e édition, pour trouver de bonnes adresses à petits prix, un conseil : suivez donc les nombreux restaurants que vous signale mon visage de **"Bib Gourmand"** *!*

N'hésitez pas à m'écrire...

Je reste à votre service pour un nouveau siècle de découvertes.

En toute confiance.

Bibendum

Sommaire

Le choix d'un hôtel, d'un restaurant

Ce guide vous propose une sélection d'hôtels et restaurants établie à l'usage de l'automobiliste de passage. Les établissements, classés selon leur confort, sont cités par ordre de préférence dans chaque catégorie.

Catégories

Hôtels	Restaurants	
	XXXXX	*Grand luxe et tradition*
	XXXX	*Grand confort*
	XXX	*Très confortable*
	XX	*De bon confort*
	X	*Assez confortable*
		Simple mais convenable
sin rest.	sem rest.	*L'hôtel n'a pas de restaurant*
con hab	com qto	*Le restaurant possède des chambres*

Agrément et tranquillité

Certains établissements se distinguent dans le guide par les symboles rouges indiqués ci-après.
Le séjour dans ces hôtels se révèle particulièrement agréable ou reposant.
Cela peut tenir d'une part au caractère de l'édifice, au décor original, au site, à l'accueil et aux services qui sont proposés, d'autre part à la tranquillité des lieux.

...	*Hôtels agréables*
XXXXX ... X	*Restaurants agréables*
« Parque »	*Élément particulièrement agréable*
	Hôtel très tranquille ou isolé et tranquille
	Hôtel tranquille
mar	*Vue exceptionnelle*
	Vue intéressante ou étendue.

Les localités possédant des établissements agréables ou très tranquilles sont repérées sur les cartes pages 73 a 81, 612 y 613.
Consultez-les pour la préparation de vos voyages et donnez-nous vos appréciations à votre retour, vous faciliterez ainsi nos enquêtes.

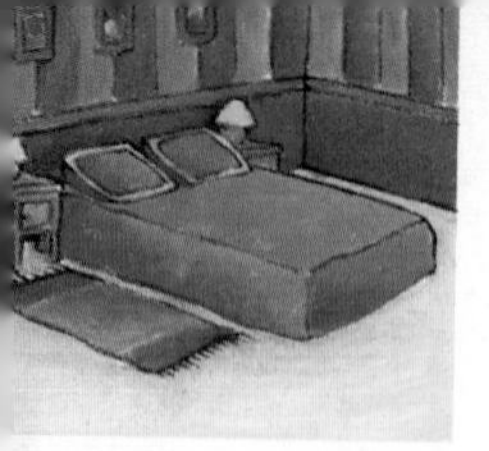

L'installation

Les chambres des hôtels que nous recommandons possèdent, en général, des installations sanitaires complètes. Il est toutefois possible que dans les catégories , et , certaines chambres en soient dépourvues.

30 hab/30 qto	*Nombre de chambres*
	Ascenseur
	Air conditionné
TV	*Télévision dans la chambre*
	Téléphone dans la chambre, direct avec l'extérieur
	Chambres accessibles aux handicapés physiques
	Repas servis au jardin ou en terrasse
	Salle de remise en forme
	Piscine : de plein air ou couverte
	Plage aménagée – Jardin de repos
18	*Tennis – Golf et nombre de trous*
25/150	*Salles de conférences : capacité des salles*
	Garage dans l'hôtel (généralement payant)
P	*Parking réservé à la clientèle*
	Accès interdit aux chiens (dans tout ou partie de l'établissement)
Fax	*Transmission de documents par télécopie*
mayo-octubre	*Période d'ouverture, communiquée par l'hôtelier*
temp.	*Ouverture probable en saison mais dates non précisées. En l'absence de mention, l'établissement est ouvert toute l'année.*
28 012 1 200	*Code postal*

La table

Les étoiles

Certains établissements méritent d'être signalés à votre attention pour la qualité de leur cuisine. Nous les distinguons par **les étoiles de bonne table.**

Nous indiquons, pour ces établissements, trois spécialités culinaires qui pourront orienter votre choix.

✿✿✿ **Une des meilleures tables, vaut le voyage**

On y mange toujours très bien, parfois merveilleusement. Grands vins, service impeccable, cadre élégant... Prix en conséquence.

✿✿ **Table excellente, mérite un détour**

Spécialités et vins de choix... Attendez-vous à une dépense en rapport.

✿ **Une très bonne table dans sa catégorie**

L'étoile marque une bonne étape sur votre itinéraire. Mais ne comparez pas l'étoile d'un établissement de luxe à prix élevés avec celle d'une petite maison où à prix raisonnables, on sert également une cuisine de qualité.

Le "Bib Gourmand"

Repas soignés à prix modérés

Vous souhaitez parfois trouver des tables plus simples, à prix modérés ; c'est pourquoi nous avons sélectionné des restaurants proposant, pour un rapport qualité-prix particulièrement favorable, un repas soigné, souvent de type régional.

Ces restaurants sont signalés par le "Bib Gourmand" *et* Comida *(Espagne) ou le* "Bib Gourmand" *et* Refeição *(Portugal) ; Ex.* Comida 3100/4000, Refeição 2800/3500.

Consultez les cartes des étoiles ✿✿✿, ✿✿, ✿ et des "Bib Gourmand" *, pages 73 à 81, 612 et 613.*

Les vins : voir pages 63 et 615

Les prix

Les prix que nous indiquons dans ce guide ont été établis en été 1997 et s'appliquent à **la haute saison**. *Ils sont susceptibles de modifications, notamment en cas de variations des prix des biens et services. Ils s'entendent service compris.*
En Espagne la T.V.A. (I.V.A.) sera ajoutée à la note (7 %), sauf en Andorre (pas de T.V.A.), aux Canaries (4,5 % I.G.I.C. comprise), Ceuta et Melilla (4 % I.P.S.I.). Au Portugal (12 %) elle est comprise dans les prix.
Dans certaines villes, à l'occasion de manifestations commerciales ou touristiques, les prix demandés par les hôteliers risquent d'être considérablement majorés.
Les hôtels et restaurants figurent en gros caractères lorsque les hôteliers nous ont donné tous leurs prix et se sont engagés, sous leur propre responsabilité, à les appliquer aux touristes de passage porteurs de notre Guide.
Hors saison, certains établissements proposent des conditions avantageuses, renseignez-vous lors de votre réservation.
Entrez à l'hôtel le Guide à la main, vous montrerez ainsi qu'il vous conduit là en confiance.
Les prix sont indiqués en pesetas ou en escudos.

Repas

Comida 2 500
Refeição 2 300

Menu à prix fixe :
Prix du menu servi aux heures normales

carta 3 200 a 5 800
lista 2 500 a 4 700

Repas à la carte
Le premier prix correspond à un repas normal comprenant : entrée, plat garni et dessert.
Le 2e prix concerne un repas plus complet (avec spécialité) comprenant : deux plats et dessert

☕ 500
Prix du petit déjeuner

Chambres

hab 4 500/6 700 **qto** 4 500/6 700	*Prix pour une chambre d'une personne / Prix pour une chambre de deux personnes en haute saison*
Suites, apartamentos	*Se renseigner auprès de l'hôtelier*
hab ☕ 4 800/7 000 **qto** ☕ 4 800/7 000	*Prix des chambres petit déjeuner compris*

Pension

PA 3 600	*Prix de la « Pensión Alimenticia » (petit déjeuner et les deux repas), à ajouter à celui de la chambre individuelle pour obtenir le prix de la pension complète par personne et par jour. Il est indispensable de s'entendre par avance avec l'hôtelier pour conclure un arrangement définitif.*

Les arrhes

Certains hôteliers demandent le versement d'arrhes. Il s'agit d'un dépôt-garantie qui engage l'hôtelier comme le client. Bien faire préciser les dispositions de cette garantie.

Cartes de crédit

Cartes de crédit acceptées par l'établissement :

AE (D) E (MC)	*American Express – Diners Club – Eurocard (Master Card)*
VISA JCB	*Visa – Japan Credit Bureau*

Les villes

2200	*Numéro de code postal*
✉ 7800 Beja	*Numéro de code postal et nom du bureau distributeur du courrier*
P	*Capitale de Province*
445 M 27	*Numéro de la Carte Michelin et carroyage*
24 000 h.	*Population*
alt. 175	*Altitude de la localité*
3	*Nombre de téléphériques ou télécabines*
7	*Nombre de remonte-pentes et télésièges*
AX A	*Lettres repérant un emplacement sur le plan*
18	*Golf et nombre de trous*
	Panorama, point de vue
	Aéroport
	Localité desservie par train-auto. Renseignements au numéro de téléphone indiqué
	Transports maritimes
	Information touristique

Les curiosités

Intérêt

★★★	*Vaut le voyage*
★★	*Mérite un détour*
★	*Intéressant*

Situation

Ver	*Dans la ville*
Alred./Arred.	*Aux environs de la ville*
Excurs.	*Excursions dans la région*
N, S, E, O	*La curiosité est située : au Nord, au Sud, à l'Est, à l'Ouest*
①, ④	*On s'y rend par la sortie ① ou ④ repérée par le même signe sur le plan du Guide et sur la carte*
6 km	*Distance en kilomètres*

La voiture, les pneus

Marques automobiles

Une liste des principales marques automobiles figure en fin de Guide.
En cas de panne, l'adresse du plus proche agent de la marque vous sera communiquée en appelant le numéro de téléphone indiqué, entre 9 h et 17 h.

Vitesse : limites autorisées

	Autoroute	*Route*	*Agglomération*
Espagne / *Portugal*	*120 km/h*	*90/100 km/h*	*50 km/h*

Le port de la ceinture de sécurité est obligatoire à l'avant et à l'arrière des véhicules.

Vos pneumatiques

Lorsqu'un agent de pneus n'a pas l'article dont vous avez besoin, adressez-vous : en **Espagne** *à la Division Commerciale Michelin à Madrid ou à la Succursale Michelin de l'une des villes suivantes : Santa Perpètua de Mogoda (Barcelone), León, Coslada (Madrid), Valencia, Sevilla. Au* **Portugal**, *à la Direction Commerciale à Sacavém (Lisbonne).*

Les adresses et les numéros de téléphone des agences Michelin figurent au texte des localités correspondantes.

Dans nos agences, nous nous faisons un plaisir de donner à nos clients tous conseils pour la meilleure utilisation de leurs pneus.

Voir aussi les pages bordées de bleu.

Automobile clubs

RACE	*Real Automóvil Club de España*
RACC	*Reial Automòbil Club de Catalunya*
RACVN	*Real Automóvil Club Vasco Navarro*
RACV	*Real Automóvil Club de Valencia*
ACA	*Automóvil Club de Andorra*
ACP	*Automóvel Club de Portugal*

Voir au texte de la plupart des grandes villes, l'adresse et le numéro de téléphone de ces différents Automobile Clubs.

Les plans

Hôtels
Restaurants

Curiosités

Bâtiment intéressant et entrée principale
Édifice religieux intéressant :
cathédrale, église ou chapelle

Voirie

Autoroute, route à chaussées séparées
échangeur : complet, partiel, numéro
Grande voie de circulation
Sens unique – Rue impraticable, réglementée
Rue piétonne – Tramway
Colón *Rue commerçante – Parc de stationnement*
Porte – Passage sous voûte – Tunnel
Gare et voie ferrée
Funiculaire – Téléphérique, télécabine
Pont mobile – Bac pour autos

Signes divers

Information touristique
Mosquée – Synagogue
Tour – Ruines
Moulin à vent – Château d'eau
Jardin, parc, bois – Cimetière – Calvaire
Stade – Golf – Hippodrome
Piscine de plein air, couverte
Vue – Panorama
Monument – Fontaine – Usine – Centre commercial
Port de plaisance – Phare
Aéroport – Station de métro – gare routière
Transport par bateau :
passagers et voitures, passagers seulement
3 *Repère commun aux plans et aux cartes Michelin détaillées*
Bureau principal de poste restante – Téléphone
Hôpital – Marché couvert
Bâtiment public repéré par une lettre :
D H J *- Conseil provincial – Hôtel de ville – Palais de justice*
G *- Délégation du gouvernement (Espagne),*
Gouvernement du district (Portugal)
M T U *- Musée – Théâtre – Université, grande école*
POL. *- Police (commissariat central)*

Amico Lettore

E' nel 1898 che sono nato e da cento anni quindi, con il nome di Bibendum, vi accompagno per le strade del mondo, attento al comfort della vostra guida, alla sicurezza dei vostri spostamenti, alla piacevolezza delle vostre soste.

L'esperienza ed il savoir-faire acquisiti li affido ogni anno alla Guida Rossa.

E, in questa 26esima edizione, un consiglio per trovare dei buoni indirizzi a prezzi interessanti: cercate i tanti ristoranti contrassegnati dal mio faccino di **"Bib Gourmand"**!

Non esitate a scrivermi...

Resto al vostro servizio per un nuovo secolo di scoperte.

Cordialmente.

Bibendum

Sommario

La scelta di un albergo, di un ristorante

Questa guida propone una selezione di alberghi e ristoranti per orientare la scelta, dell'automobilista. Gli esercizi, classificati in base al confort che offrono, vengono citati in ordine di preferenza per ogni categoria.

Categorie

		Gran lusso e tradizione
		Gran confort
		Molto confortevole
		Di buon confort
		Abbastanza confortevole
		Semplice, ma conveniente
sin rest.	sem rest.	*L'albergo non ha ristorante*
con hab	com qto	*Il ristorante dispone di camere*

Amenità e tranquillità

Alcuni esercizi sono evidenziati nella guida dai simboli rossi indicati qui di seguito. Il soggiorno in questi alberghi si rivela particolarmente ameno o riposante.

Ciò può dipendere sia dalle caratteristiche dell'edificio, dalle decorazioni non comuni, dalla sua posizione e dal servizio offerto, sia dalla tranquillità dei luoghi.

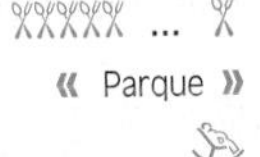

... *Alberghi ameni*

... *Ristoranti ameni*

« Parque » *Un particolare piacevole*

Albergo molto tranquillo o isolato e tranquillo

Albergo tranquillo

mar *Vista eccezionale*

Vista interessante o estesa

Le località che possiedono degli esercizi ameni o molto tranquilli sono riportate sulle carte da pagina 73 a 81, 612 e 613.

Consultatele per la preparazione dei vostri viaggi e, al ritorno, inviateci i vostri pareri; in tal modo agevolerete le nostre inchieste.

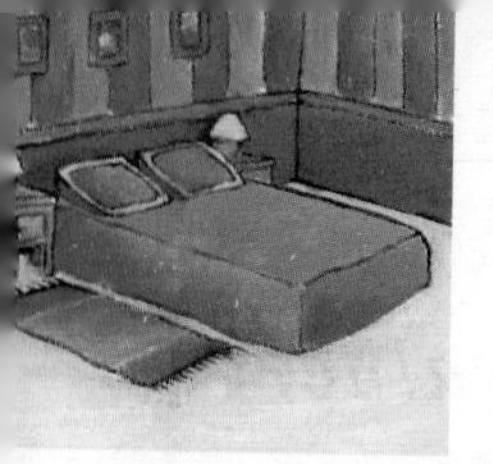

Installazioni

Le camere degli alberghi che raccomandiamo possiedono, generalmente, delle installazioni sanitarie complete. È possibile tuttavia che nelle categorie , e alcune camere ne siano sprovviste.

30 hab/30 qto	*Numero di camere*
	Ascensore
	Aria condizionata
TV	*Televisione in camera*
	Telefono in camera comunicante direttamente con l'esterno
	Camere di agevole accesso per i portatori di handicap
	Pasti serviti in giardino o in terrazza
	Palestra
	Piscina: all'aperto – coperta
	Spiaggia attrezzata – Giardino
9	*Tennis – Golf e numero di buche*
25/150	*Sale per conferenze: capienza minima e massima delle sale*
	Garage nell'albergo (generalmente a pagamento)
P	*Parcheggio riservato alla clientela*
	Accesso vietato ai cani (in tutto o in parte dell'esercizio)
Fax	*Trasmissione telefonica di documenti*
mayo-octubre	*Periodo di apertura, comunicato dall'albergatore*
temp.	*Probabile apertura in stagione, ma periodo non precisato. Gli esercizi senza tali menzioni sono aperti tutto l'anno.*
28 012 1 200	*Codice postale*

La tavola

Le stelle

*Alcuni esercizi meritano di essere segnalati alla vostra attenzione per la qualità particolare della loro cucina ; li abbiamo evidenziati con le « **stelle di ottima tavola** ».*
Per ognuno di questi ristoranti indichiamo tre specialità culinarie che potranno aiutarvi nella scelta.

✿✿✿ **Una delle migliori tavole, vale il viaggio**
Vi si mangia sempre molto bene, a volte meravigliosamente. Grandi vini, servizio impeccabile, ambientazione accurata... Prezzi conformi.

✿✿ **Tavola eccellente, merita una deviazione**
Specialità e vini scelti... Aspettatevi una spesa in proporzione.

✿ **Un'ottima tavola nella sua categoria**
La stella indica una tappa gastronomica sul vostro itinerario.
Non mettete però a confronto la stella di un esercizio di lusso, dai prezzi elevati, con quella di un piccolo esercizio dove, a prezzi ragionevoli, viene offerta una cucina di qualità.

Il "Bib Gourmand"

Pasti accurati a prezzi contenuti
Talvolta desiderate trovare delle tavole più semplici a prezzi contenuti. Per questo motivo abbiamo selezionato dei ristoranti che, per un rapporto qualità-prezzo particolarmente favorevole, offrono un pasto accurato spesso a carattere tipicamente regionale.
Questi ristoranti sono evidenziati nel testo con il "Bib Gourmand" *e* Comida *(Spagna) o il* "Bib Gourmand" *e* Refeição *(Portogallo), es.* Comida 3100/4000, Refeição 2800/3500.

Consultate le carte con stelle ✿✿✿, ✿✿, ✿ e con "Bib Gourmand", *pagine 73 a 81, 612 e 613.*
I vini: vedere pagine 63 e 615

I prezzi

I prezzi che indichiamo in questa guida sono stati stabiliti nell'estate 1997 e si applicano in **alta stagione**. *Potranno pertanto subire delle variazioni in relazione ai cambiamenti dei prezzi di beni e servizi. Essi s'intendono comprensivi del servizio. In Spagna l'I.V.A. sarà aggiunta al conto (7 %) salvo in Andorra (non c'è l'I.V.A.), Canarie (4,5 % I.G.I.C. già compresa), Ceuta e Melilla (4 % I.P.S.I.). In Portogallo (12 %) è già compresa.*

In alcune città, in occasione di manifestazioni turistiche o commerciali, i prezzi richiesti dagli albergatori potrebbero risultare considerevolmente più alti.

Gli alberghi e i ristoranti vengono menzionati in carattere grassetto quando gli albergatori ci hanno comunicato tutti i loro prezzi e si sono impegnati, sotto la propria responsabilità, ad applicarli ai turisti di passaggio, in possesso della nostra Guida.

In bassa stagione, certi esercizi applicano condizioni più vantaggiose, informatevi al momento de la prenotazione.

Entrate nell'albergo o nel ristorante con la Guida in mano, dimostrando in tal modo la fiducia in chi vi ha indirizzato.

I prezzi sono indicati in pesetas o in escudos.

Pasti

Comida 2 500
Refeição 2 300

Menu a prezzo fisso
Prezzo del menu servito ad ore normali

Pasto alla carta

carta 3 200 a 5 800
lista 2 500 a 4 700

Il primo prezzo corrisponde ad un pasto semplice comprendente: antipasto, piatto con contorno e dessert. Il secondo prezzo corrisponde ad un pasto più completo (con specialità) comprendente: due piatti e dessert.

☕ 500
Prezzo della prima colazione

Camere

hab 4 500/6 700 **qto** 4 500/6 700	*Prezzo per una camera singola / Prezzo per una camera per due persone in alta stagione.*
Suites, apartamentos	*Informarsi presso l'albergatore*
hab ☕ 4 800/7 000 **qto** ☕ 4 800/7 000	*Prezzo della camera compresa la prima colazione*

Pensione

PA 3 600	*Prezzo della « Pensión Alimenticia » (prima colazione più due pasti) da sommare a quello della camera per una persona per ottenere il prezzo della pensione completa per persona e per giorno. E' tuttavia indispensabile prendere accordi preventivi con l'albergatore per stabilire le condizioni definitive.*

La caparra

Alcuni albergatori chiedono il versamento di una caparra. Si tratta di un deposito-garanzia che impegna tanto l'albergatore che il cliente. Vi consigliamo di farvi precisare le norme riguardanti la reciproca garanzia di tale caparra.

Carte di credito

Carte di credito accettate dall'esercizio:

AE ⓓ E (MC)	*American Express – Diners Club – Eurocard (Master Card)*
VISA JCB	*Visa – Japan Credit Bureau*

Le città

2200	*Codice di avviamento postale*
✉ 7800 Beja	*Numero di codice e sede dell'Ufficio Postale*
P	*Capoluogo di Provincia*
445 M 27	*Numero della carta Michelin e del riquadro*
24 000 h.	*Popolazione*
alt. 175	*Altitudine della località*
3	*Numero di funivie o cabinovie*
7	*Numero di sciovie e seggiovie*
AX A	*Lettere indicanti l'ubicazione sulla pianta*
18	*Golf e numero di buche*
	Panorama, vista
	Aeroporto
	Località con servizio auto su treno. Informarsi al numero di telefono indicato
	Trasporti marittimi
	Ufficio informazioni turistiche

Le curiosità

Grado di interesse

★★★	*Vale il viaggio*
★★	*Merita una deviazione*
★	*Interessante*

Ubicazione

Ver	*Nella città*
Alred.Arred.	*Nei dintorni della città*
Excurs.	*Nella regione*
N, S, E, O	*La curiosità è situata: a Nord, a Sud, a Est, a Ovest*
①, ④	*Ci si va dall'uscita ① o ④ indicata con lo stesso segno sulla pianta della guida e sulla carta stradale*
6 km	*Distanza chilometrica*

L'automobile, i pneumatici

Marche automobilistiche

L'elenco delle principali case automobilistiche si trova in fondo alla Guida.
In caso di necessità l'indirizzo della più vicina officina autorizzata, vi sarà comunicato chiamando dalle 9 alle 17, il numero telefonico indicato.

Velocità massima autorizzata

	Autostrada	*Strada*	*Abitato*
Spagna / *Portogallo*	*120 km/h*	*90/100 km/h*	*50 km/h*

L'uso della cintura di sicurezza è obbligatorio sia sui sedili anteriori che su quelli posteriori degli autoveicoli.

I vostri pneumatici

Se vi occorre rintracciare un rivenditore di pneumatici potete rivolgervi: in **Spagna** *alla Divisione Commerciale Michelin di Madrid o alla Succursale Michelin di una delle seguenti città: Santa Perpètua de Mogoda (Barcelona), León, Coslada (Madrid), Valencia, Sevilla. Per il* **Portogallo**, *potete rivolgervi alla Direzione Commerciale Michelin di Sacavém (Lisboa).*
Gli indirizzi ed i numeri telefonici delle Succursali Michelin figurano nel testo delle relative località.
Le nostre Succursali sono in grado di dare ai nostri clienti tutti i consigli relativi alla migliore utilizzazione dei pneumatici.
Vedere anche le pagine bordate di blu.

Automobile clubs

RACE	*Real Automóvil Club de España*
RACC	*Reial Automòbil Club de Catalunya*
RACVN	*Real Automóvil Club Vasco Navarro*
RACV	*Real Automóvil Club de Valencia*
ACA	*Automóvil Club de Andorra*
ACP	*Automóvel Club de Portugal*

Troverete l'indirizzo e il numero di telefono di questi Automobile Clubs nel testo della maggior parte delle grandi città.

Le piante

Alberghi
Ristoranti

Curiosità

Edificio interessante ed entrata principale
Costruzione religiosa interessante: cattedrale, chiesa, cappella

Viabilità

Autostrada, strada a carreggiate separate
Svincolo: completo, parziale, numero
Grande via di circolazione
Senso unico – Via impraticabile, a circolazione regolamentata
Via pedonale – Tranvia
Colón *Via commerciale – Parcheggio*
Porta – Sottopassaggio – Galleria
Stazione e ferrovia
Funicolare – Funivia, Cabinovia
Ponte mobile – Traghetto per auto

Simboli vari

Ufficio informazioni turistiche
Moschea – Sinagoga
Torre – Ruderi – Mulino a vento – Torre idrica
Giardino, parco, bosco – Cimitero – Calvario
Stadio – Golf – Ippodromo
Piscina: all'aperto, coperta
Vista – Panorama
Monumento – Fontana – Fabbrica – Centro commerciale
Porto per imbarcazioni da diporto – Faro
Aeroporto – Stazione della Metropolitana – Autostazione
Trasporto con traghetto: passeggeri ed autovetture, solo passeggeri
③ *Simbolo di riferimento comune alle piante ed alle carte Michelin particolareggiate*
Ufficio centrale di fermo posta e telefono
Ospedale – Mercato coperto
Edificio pubblico indicato con lettera:
D H *- Sede del Governo della Provincia – Municipio*
G *- Delegazione del governo (Spagna), Governo distrettuale (Portogallo)*
J M T U *- Palazzo di Giustizia – Museo – Teatro – Università*
POL. *- Polizia (Questura, nelle grandi città)*

Lieber Leser

Im Jahre 1898 habe ich das Licht der Welt erblickt. So bin ich schon seit hundert Jahren als Bibendum Ihr treuer Wegbegleiter auf all Ihren Reisen und sorge für Ihre Sicherheit während der Fahrt und für Ihre Bequemlichkeit bei Ihren Aufenthalten in Hotels und Restaurants.

Es sind meine Erfahrungen und mein Know how, die alljährlich in den Roten Hotelführer einfliessen.

Um in dieser 26. Ausgabe gute Restaurants mit kleinen Preisen zu finden, hier mein Typ: folgenSie meinem fröhlichen **"Bib Gourmand"** *Gesicht, es wird Ihnen den Weg zu zahlreichen Restaurants mir besonders günstigem Preis- /Leistungsverhältnis weisen!*

Ihre Kommentare sind uns jederzeit herzlich willkommen.

Stets zu Diensten im Hinblick auf ein neues Jahrhundert voller Entdeckungen.

Mit freundlichen Grüssen

Bibendum

Inhaltsverzeichnis

Wahl eines Hotels, eines Restaurants

Die Auswahl der in diesem Führer aufgeführten Hotels und Restaurants ist für Reisende gedacht. In jeder Kategorie drückt die Reihenfolge der Betriebe (sie sind nach ihrem Komfort klassifiziert) eine weitere Rangordnung aus.

Kategorien

		Großer Luxus und Tradition
		Großer Komfort
		Sehr komfortabel
		Mit gutem Komfort
		Mit Standard-Komfort
		Bürgerlich
sin rest.	sem rest.	*Hotel ohne Restaurant*
con hab	com qto	*Restaurant vermietet auch Zimmer*

Annehmlichkeiten

Manche Häuser sind im Führer durch rote Symbole gekennzeichnet (s. unten.) Der Aufenthalt in diesen ist wegen der schönen, ruhigen Lage, der nicht alltäglichen Einrichtung und Atmosphäre sowie dem gebotenen Service besonders angenehm und erholsam.

...	*Angenehme Hotels*
...	*Angenehme Restaurants*
« Parque »	*Besondere Annehmlichkeit*
	Sehr ruhiges, oder abgelegenes und ruhiges Hotel
	Ruhiges Hotel
mar	*Reizvolle Aussicht*
	Interessante oder weite Sicht

Die Übersichtskarten S. 73 – S. 81, 612 und 613, auf denen die Orte mit besonders angenehmen oder sehr ruhigen Häusern eingezeichnet sind, helfen Ihnen bei der Reisevorbereitung. Teilen Sie uns bitte nach der Reise Ihre Erfahrungen und Meinungen mit. Sie helfen uns damit, den Führer weiter zu verbessern.

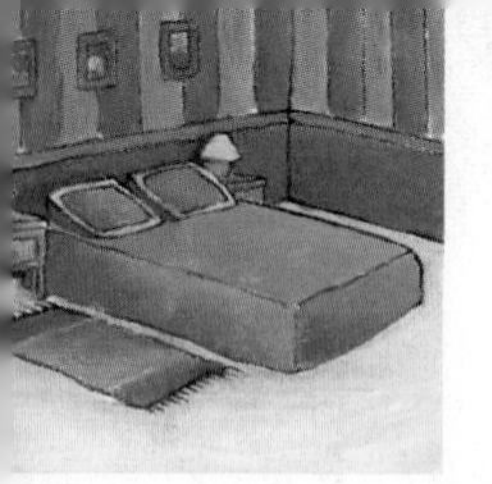

Einrichtung

Die meisten der empfohlenen Hotels verfügen über Zimmer, die alle oder doch zum größten Teil mit Bad oder Dusche ausgestattet sind. In den Häusern der Kategorien 🏘, 🏠 und 🏡 kann diese jedoch in einigen Zimmern fehlen.

30 hab/30 qto	*Anzahl der Zimmer*
[Symbol]	*Fahrstuhl*
[Symbol]	*Klimaanlage*
TV	*Fernsehen im Zimmer*
☎	*Zimmertelefon mit direkter Außenverbindung*
♿	*Für Körperbehinderte leicht zugängliche Zimmer*
[Symbol]	*Garten-, Terrassenrestaurant*
[Symbol]	*Fitneßraum*
[Symbol] [Symbol]	*Freibad – Hallenbad*
[Symbol] [Symbol]	*Strandbad – Liegewiese, Garten*
[Symbol] 18	*Tennisplatz – Golfplatz und Lochzahl*
[Symbol] 25/150	*Konferenzräume: Mindest- und Höchstkapazität*
[Symbol]	*Hotelgarage (wird gewöhnlich berechnet)*
P	*Parkplatz reserviert für Gäste*
[Symbol]	*Hunde sind unerwünscht (im ganzen Haus bzw. in den Zimmern oder im Restaurant)*
Fax	*Telefonische Dokumentenübermittlung*
mayo-octubre	*Öffnungszeit, vom Hotelier mitgeteilt*
temp.	*Unbestimmte Öffnungszeit eines Saisonhotels. Häuser ohne Angabe von Schließungszeiten sind ganzjährig geöffnet.*
✉ 28 012 ✉ 1 200	*Postleitzahl*

Küche

Die Sterne

Einige Häuser verdienen wegen ihrer überdurchschnittlich guten Küche Ihre besondere Beachtung. Auf diese Häuser weisen die Sterne hin.

*Bei den mit « **Stern** » ausgezeichneten Betrieben nennen wir drei kulinarische Spezialitäten, die Sie probieren sollten.*

✿✿✿ **Eine der besten Küchen: eine Reise wert**
Man ißt hier immer sehr gut, öfters auch exzellent. Edle Weine, tadelloser Service, gepflegte Atmosphäre... entsprechende Preise.

✿✿ **Eine hervorragende Küche: verdient einen Umweg**
Ausgesuchte Menus und Weine... angemessene Preise.

✿ **Eine sehr gute Küche: verdient Ihre besondere Beachtung**
Der Stern bedeutet eine angenehme Unterbrechung Ihrer Reise.
Vergleichen Sie aber bitte nicht den Stern eines sehr teuren Luxusrestaurants mit dem Stern eines kleineren oder mittleren Hauses, wo man Ihnen zu einem annehmbaren Preis eine ebenfalls vorzügliche Mahlzeit reicht.

Der "Bib Gourmand"

Sorgfältig zubereitete, preiswerte Mahlzeiten

Für Sie wird es interessant sein, auch solche Häuser kennenzulernen, die eine etwas einfachere, vorzugsweise regionale Küche zu einem besonders günstigen Preis/Leistungs-Verhältnis bieten.
Im Text sind die betreffenden Restaurants durch die roten Angaben "Bib Gourmand" *und* Comida *(Spanien) oder* "Bib Gourmand" *und* Refeição *(Portugal) kenntlich gemacht, z. B.* Comida 3100/4000, Refeição 2800/3500.

Siehe Karten der Sterne ✿✿✿, ✿✿, ✿ und "Bib Gourmand", *S. 73 bis S. 81, 612 und 613.*

Weine: siehe S. 63 und S. 615.

Preise

Die in diesem Führer genannten Preise wurden uns im Sommer 1997 es sind **Hochsaisonpreise** *angegeben. Sie können sich mit den Preisen von Waren und Dienstleistungen ändern. Sie enthalten das Bedienungsgeld ; in Spanien, die MWSt. (I.V.A.) wird der Rechnung hinzugefügt (7 %), mit Ausnahme von Andorra (keine MWSt), Kanarische Inseln (4,5 % inkl.), Ceuta und Melilla (4 %). In Portugal sind die angegebenen Preise Inklusivpreise (12 %).*

In einigen Städten werden bei kommerziellen oder touristischen Veranstaltungen von den Hotels beträchtlich erhöhte Preise verlangt.

Die Namen der Hotels und Restaurants, die ihre Preise genannt haben, sind fettgedruckt. Gleichzeitig haben sich diese Häuser verpflichtet, die von den Hoteliers selbst angegebenen Preise den Benutzern des Michelin-Führers zu berechnen.

Außerhalb der Saison bieten einige Betriebe günstigere Preise an. Erkundigen Sie sich bei Ihrer Reservierung danach.

Halten Sie beim Betreten des Hotels den Führer in der Hand. Sie zeigen damit, daß Sie aufgrund dieser Empfehlung gekommen sind.

Die Preise sind in Pesetas oder Escudos angegeben.

Mahlzeiten

Comida 2 500
Refeição 2 300

Feste Menupreise

Preis für ein Menu, das zu den normalen Tischzeiten serviert wird

Mahlzeiten « à la carte »

carta 3 200 a 5 800
lista 2 500 a 4 700

Der erste Preis entspricht einer einfachen Mahlzeit und umfaßt Vorspeise, Tagesgericht mit Beilage, Dessert. Der zweite Preis entspricht einer reichlicheren Mahlzeit (mit Spezialgericht) bestehend aus zwei Hauptgängen und Dessert

☕ 500 *Preis des Frühstücks*

Zimmer

hab 4 500/6 700 **qto** 4 500/6 700	*Preis für ein Einzelzimmer / Preis für ein Doppelzimmer während der Hauptsaison*
Suites, apartamentos	*Preise auf Anfrage*
hab ☕ 4 800/7 000 **qto** ☕ 4 800/7 000	*Zimmerpreis inkl. Frühstück*

Pension

PA 3 600	*Preis der « Pensión Alimenticia » (= Frühstück und zwei Hauptmahlzeiten). Die Addition des Einzelzimmerpreises und des Preises der « Pensión Alimenticia » ergibt den Vollpensionspreis pro Person und Tag. Es ist unerläßlich, sich im voraus mit dem Hotelier über den definitiven Endpreis zu verständigen.*

Anzahlung

Einige Hoteliers verlangen eine Anzahlung. Diese ist als Garantie sowohl für den Hotelier als auch für den Gast anzusehen. Es ist ratsam, sich beim Hotelier nach den genauen Bestimmungen zu erkundigen.

Kreditkarten

Vom Haus akzeptierte Kreditkarten:

AE ⓓ E (MC)	*American Express – Diners Club – Eurocard (Master Card)*
VISA JCB	*Visa – Japan Credit Bureau*

Städte

2200	*Postleitzahl*
✉ 7800 Beja	*Postleitzahl und Name des Verteilerpostamtes*
P	*Provinzhauptstadt*
445 M 27	*Nummer der Michelin-Karte und Koordinaten des Planquadrats*
24 000 h.	*Einwohnerzahl*
alt. 175	*Höhe*
3	*Anzahl der Kabinenbahnen*
7	*Anzahl der Schlepp- oder Sessellifts*
AX A	*Markierung auf dem Stadtplan*
18	*Golfplatz und Lochzahl*
	Rundblick – Aussichtspunkt
	Flughafen
	Ladestelle für Autoreisezüge – Nähere Auskunft unter der angegebenen Telefonnummer
	Autofähre
	Informationsstelle

Sehenswürdigkeiten

Bewertung

★★★	*Eine Reise wert*
★★	*Verdient einen Umweg*
★	*Sehenswert*

Lage

Ver	*In der Stadt*
Alred./Arred.	*In der Umgebung der Stadt*
Excurs.	*Ausflugsziele*
N, S, E, O	*Im Norden (N), Süden (S), Osten (E), Westen (O) der Stadt*
①, ④	*Zu erreichen über die Ausfallstraße ① bzw. ④, die auf dem Stadtplan und auf der Michelin-Karte identisch gekennzeichnet sind*
6 km	*Entfernung in Kilometern*

Das Auto, die Reifen

Automobilfirmen

Am Ende des Führers finden Sie eine Adress-Liste der wichtigsten Automarken.
Im Pannenfall erfahren Sie zwischen 9 und 17 Uhr die Adresse der nächstgelegenen Vertragswerkstatt, wenn Sie die angegebene Rufnummer wählen.

Geschwindigkeitsbegrenzung (in km/h)

	Autobahn	*Landstrasse*	*Geschlossene*
Spanien / *Portugal*	*120 km/h*	*90/100 km/h*	*50 km/h*

Das Tragen von Sicherheitsgurten ist auf Vorder-und Rücksitzen obligatorisch.

Ihre Reifen

Sollte ein Reifenhändler den von Ihnen benötigten Artikel nicht vorrätig haben, wenden Sie sich bitte in **Spanien** *an die Michelin-Hauptverwaltung in Madrid, oder an eine der Michelin-Niederlassungen in den Städten: Santa Perpètua de Mogoda (Barcelona), León, Coslada (Madrid), Valencia, Sevilla.*
In **Portugal** *können Sie sich an die Michelin-Hauptverwaltung in Sacavém (Lissabon) wenden.*

Die Anschriften und Telefonnummern der Michelin-Niederlassungen sind jeweils bei den entsprechenden Orten vermerkt.

In unseren Depots geben wir unseren Kunden gerne Auskunft über alle Reifenfragen.

Siehe auch die blau umrandeten Seiten.

Automobil-clubs

RACE	*Real Automóvil Club de España*
RACC	*Reial Automòbil Club de Catalunya*
RACVN	*Real Automóvil Club Vasco Navarro*
RACV	*Real Automóvil Club de Valencia*
ACA	*Automóvil Club de Andorra*
ACP	*Automóvel Club de Portugal*

Im Ortstext der meisten großen Städte sind Adresse und Telefonnummer der einzelnen Automobil-Clubs angegeben.

Stadtpläne

Hotels
Restaurants

Sehenswürdigkeiten

Sehenswertes Gebäude mit Haupteingang
Sehenswerter Sakralbau
Kathedrale, Kirche oder Kapelle

Straßen

Autobahn, Schnellstraße
4 4 *Anschlußstelle: Autobahneinfahrt und/oder -ausfahrt, Nummer*
Hauptverkehrsstraße
Einbahnstraße – Gesperrte Straße, mit Verkehrsbeschränkungen
Fußgängerzone – Straßenbahn
Colón P P *Einkaufsstraße – Parkplatz, parkhaus*
Tor – Passage – Tunnel
Bahnhof und Bahnlinie
Standseilbahn – Seilschwebebahn
B *Bewegliche Brücke – Autofähre*

Sonstige Zeichen

Informationsstelle
Moschee – Synagoge
Turm – Ruine – Windmühle – Wasserturm
Garten, Park, Wäldchen – Friedhof – Bildstock
Stadion – Golfplatz – Pferderennbahn
Freibad – Hallenbad
Aussicht – Rundblick
Denkmal – Brunnen – Fabrik – Einkaufszentrum
Jachthafen – Leuchtturm
Flughafen – U-Bahnstation – Autobusbahnhof
Schiffsverbindungen: Autofähre – Personenfähre
3 *Straßenkennzeichnung (identisch auf Michelin Stadtplänen und -Abschnittskarten)*
Hauptpostamt (postlagernde Sendungen), Telefon
Krankenhaus – Markthalle
Öffentliches Gebäude, durch einen Buchstaben gekennzeichnet:
D H J *- Provinzverwaltung – Rathaus – Gerichtsgebäude*
G *- Vertretung der Zentralregierung (Spanien), Bezirksverwaltung (Portugal)*
M T U *- Museum – Theater – Universität, Hochschule*
POL. *- Polizei (in größeren Städten Polizeipräsidium)*

Dear Reader

I was born in 1898. During my hundred years as Bibendum I have accompanied you all over the world, attentive to your safety while travelling and your comfort and enjoyment on and off the road.

The knowledge and experience I acquire each year is summarised for you in the Red Guide.

In this, the 26th edition, I offer some advice to help you find good food at moderate prices: look for the many restaurants identified by my red face, **"Bib Gourmand"**.

I look forward to receiving your comments...

I remain at your service for a new century of discoveries.

Bibendum

Contents

Choosing a hotel or restaurant

This guide offers a selection of hotels and restaurants to help the motorist on his travels. In each category establishments are listed in order of preference according to the degree of comfort they offer.

Categories

Hotel	Restaurant	
	XXXXX	*Luxury in the traditional style*
	XXXX	*Top class comfort*
	XXX	*Very comfortable*
	XX	*Comfortable*
	X	*Quite comfortable*
		Simple comfort
sin rest.	sem rest.	*The hotel has no restaurant*
con hab	com qto	*The restaurant also offers accommodation*

Peaceful atmosphere and setting

Certain establishments are distinguished in the guide by the red symbols shown below.

Your stay in such hotels will be particularly pleasant or restful, owing to the character of the building, its decor, the setting, the welcome and services offered, or simply the peace and quiet to be enjoyed there.

...	*Pleasant hotels*
XXXXX ... X	*Pleasant restaurants*
« Parque »	*Particularly attractive feature*
	Very quiet or quiet, secluded hotel
	Quiet hotel
< mar	*Exceptional view*
<	*Interesting or extensive view*

The maps on pages 73 to 81, 612 and 613 indicate places with such peaceful, pleasant hotels and restaurants.

By consulting them before setting out and sending us your comments on your return you can help us with our enquiries.

Hotel facilities

In general the hotels we recommend have full bathroom and toilet facilities in each room. This may not be the case, however, for certain rooms in categories 🏘, 🏠 and ⛱.

30 hab/30 qto	*Number of rooms*
[lift symbol]	*Lift (elevator)*
[air conditioning symbol]	*Air conditioning*
TV	*Television in room*
☎	*Direct-dial phone in room*
♿	*Rooms accessible to disabled people*
[terrace symbol]	*Meals served in garden or on terrace*
[exercise symbol]	*Exercise room*
[pool symbols]	*Outdoor or indoor swimming pool*
[beach symbol] [garden symbol]	*Beach with bathing facilities – Garden*
[tennis symbol] [golf symbol] 18	*Tennis court – Golf course and number of holes*
[conference symbol] 25/150	*Equipped conference hall (minimum and maximum capacity)*
[garage symbol]	*Hotel garage (additional charge in most cases)*
P	*Car park for customers only*
[no dogs symbol]	*Dogs are excluded from all or part of the hotel*
Fax	*Telephone document transmission*
mayo-octubre	*Dates when open, as indicated by the hotelier*
temp.	*Probably open for the season – precise dates not available.*
	Where no date or season is shown, establishments are open all year round.
✉ 28 012 ✉ 1 200	*Postal number*

Cuisine

Stars

Certain establishments deserve to be brought to your attention for the particularly fine quality of their cooking. ***Michelin stars*** *are awarded for the standard of meals served.*

For such restaurants we list three culinary specialities to assist you in your choice.

✿✿✿ **Exceptional cuisine, worth a special journey**

One always eats here extremely well, sometimes superbly. Fine wines, faultless service, elegant surroundings. One will pay accordingly !

✿✿ **Excellent cooking, worth a detour**

Specialities and wines of first class quality. This will be reflected in the price.

✿ **A very good restaurant in its category**

The star indicates a good place to stop on your journey. But beware of comparing the star given to an expensive « de luxe » establishment to that of a simple restaurant where you can appreciate fine cuisine at a reasonable price.

The "Bib Gourmand"

Good food at moderate prices

You may also like to know of other restaurants with less elaborate, moderately priced menus that offer good value for money and serve carefully prepared meals, often of regional cooking. In the guide such establishments are marked *the* "Bib Gourmand" *and* Comida *(Spain) or* *the* "Bib Gourmand" *and* Refeição *(Portugal) just before the price of the menu, for example* Comida 3100/4000, Refeição 2800/3500.

Please refer to the map of star-rated restaurants ✿✿✿, ✿✿, ✿ *and* "Bib Gourmand", *on pp 73 to 81, 612 and 613.*

Wines: see pp 63 and 615

Prices

Prices quoted are valid for summer 1997, apply to ***high season.*** *Changes may arise if goods and service costs are revised. The rates include service charge. In Spain the V.A.T. (I.V.A.) will be added to the bill (7 %), except in Andorra (no V.A.T.), Canary Islands (4,5 % incl.), Ceuta and Melilla (4 %). In Portugal, the V.A.T. (12 %) is already included.*

In some towns, when commercial or tourist events are taking place, the hotel rates are likely to be considerably higher.

Hotels and restaurants in bold type have supplied details of all their rates and have assumed responsibility for maintaining them for all travellers in possession of this Guide.

Out of season, certain establishments offer special rates. Ask when booking.

Your recommendation is self-evident if you always walk into a hotel, Guide in hand.

Prices are given in pesetas or escudos.

Meals

Comida 2 500
Refeição 2 300

Set meals

Price for set meal served at normal hours

carta 3 200 a 5 800
lista 2 500 a 4 700

« A la carte » meals

The first figure is for a plain meal and includes hors-d'œuvre, main dish of the day with vegetables and dessert

The second figure is for a fuller meal (with speciality) and includes two main courses and dessert

☕ 500

Price of continental breakfast

Rooms

hab 4 500/6 700 **qto** 4 500/6 700	*Price for a single room / Price for a double in the season*
Suites, apartamentos	*Ask the hotelier*
hab ☕ 4 800/7 000 **qto** ☕ 4 800/7 000	*Price includes breakfast*

Full board

PA 3 600	*Price of the « Pensión Alimenticia » (breakfast, lunch and dinner). Add the charge for the « Pensión Alimenticia » to the room rate to give you the price for full board per person per day. To avoid any risk of confusion it is essential to agree terms in advance with the hotel.*

Deposits

Some hotels will require a deposit, which confirms the commitment of customer and hotelier alike. Make sure the terms of the agreement are clear.

Credit cards

Credit cards accepted by the establishment:

AE ⓓ E (MC)	*American Express – Diners Club – Eurocard (Master Card)*
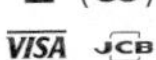	*Visa – Japan Credit Bureau*

Towns

2200	*Postal number*
✉ 7800 Beja	*Postal number and name of the post office serving the town*
P	*Provincial capital*
445 M 27	*Michelin map number and co-ordinates*
24 000 h.	*Population*
alt. 175	*Altitude (in metres)*
3	*Number of cable-cars*
7	*Number of ski and chair-lifts*
AX A	*Letters giving the location of a place on the town plan*
18	*Golf course and number of holes*
	Panoramic view, viewpoint
	Airport
	Place with a motorail connection; further information from telephone number listed
	Shipping line
	Tourist Information Centre

Sights

Star-rating

★★★	*Worth a journey*
★★	*Worth a detour*
★	*Interesting*

Location

Ver	*Sights in town*
Alred./Arred.	*On the outskirts*
Excurs.	*In the surrounding area*
N, S, E, O	*The sight lies north, south, east or west of the town*
①, ④	*Sign on town plan and on the Michelin road map indicating the road leading to a place of interest*
6 km	*Distance in kilometres*

Car, tyres

Car manufacturers

A list of the main Car Manufacturers is to be found at the end of the Guide.

Maximum speed limits

	Motorways	All other roads	Built-up areas
Spain / Portugal	120 km/h	90/100 km/h	50 km/h

The wearing of seat belts is compulsory in the front and rear of vehicles.

Your tyres

When a tyre dealer is unable to supply your needs, get in touch: in **Spain** *with the Michelin Head Office in Madrid or with the Michelin Branch in one of the following towns: Santa Perpètua de Mogoda (Barcelona), León, Coslada (Madrid), Valencia, Sevilla. In* **Portugal** *with the Michelin Head Office in Sacavém (Lisbon).*

Addresses and phone numbers of Michelin Agencies are listed in the text of the towns concerned.

The staff at our depots will be pleased to give advice on the best way to look after your tyres.

See also the pages bordered in blue

Motoring organisations

RACE	Real Automóvil Club de España
RACC	Reial Automòbil Club de Catalunya
RACVN	Real Automóvil Club Vasco Navarro
RACV	Real Automóvil Club de Valencia
ACA	Automóvil Club de Andorra
ACP	Automóvel Club de Portugal

The address and telephone number of the various motoring organisations are given in the text of most of the large towns.

Town plans

Hotels
Restaurants

Sights

Place of interest and its main entrance
Interesting place of worship:
cathedral, church or chapel

Roads

Motorway, dual carriageway
Junction complete, limited, number
Major through route
One-way street – Unsuitable for traffic, street subject to restrictions
Pedestrian street – Tramway
Colón Shopping street – Car park
Gateway – Street passing under arch – Tunnel
Station and railway
Funicular – Cable-car
Lever bridge – Car ferry

Various signs

Tourist Information Centre
Mosque – Synagogue
Tower – Ruins – Windmill – Water tower
Garden, park, wood – Cemetery – Cross
Stadium – Golf course – Racecourse
Outdoor or indoor swimming pool
View – Panorama
Monument – Fountain – Factory – Shopping centre
Pleasure boat harbour – Lighthouse
Airport – Underground station – Coach station
Ferry services:
- passengers and cars, passengers only

(3) Reference number common to town plans and Michelin maps

Main post office with poste restante and telephone
Hospital – Covered market
Public buildings located by letter:

D H J - Provincial Government Office – Town Hall – Law Courts
G - Central government representation (Spain), District government office (Portugal)
M T U - Museum – Theatre – University, College
POL. - Police (in large towns police headquarters)

Los vinos
Os vinhos
Les vins
I vini
Weine
Wines

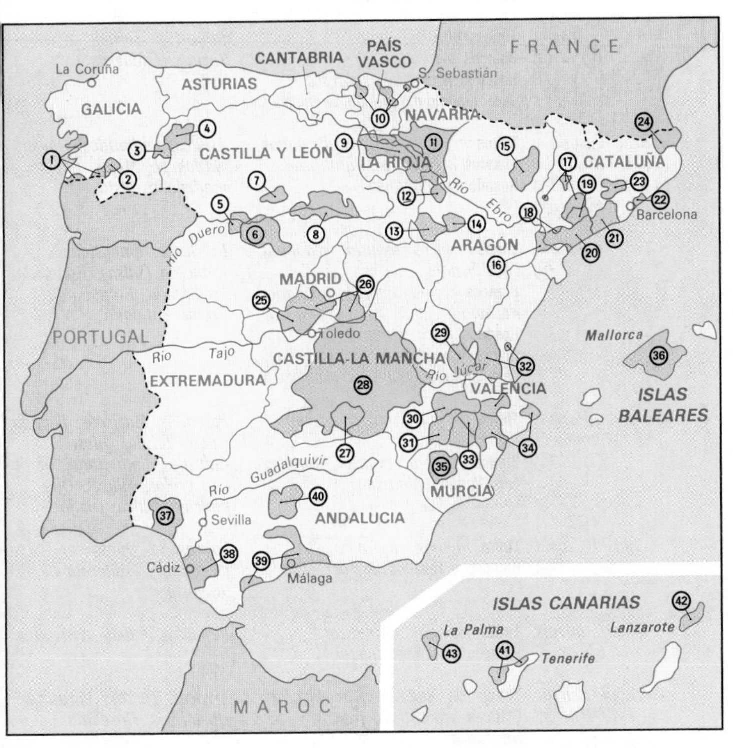

①, ②	*Rías Baixas, Ribeiro*
③, ④	*Valdeorras, Bierzo*
⑤, ⑥	*Toro, Rueda*
⑦	*Cigales*
⑧	*Ribera del Duero*
⑨	*Rioja*
⑩	*Chacolí*
⑪	*Navarra*
⑫ *al* ⑮	*Campo de Borja, Calatayud, Cariñena, Somontano*
⑯ *al* ㉑	*Terra Alta, Costers del Segre, Priorato, Conca de Barberá, Tarragona, Penedès*
㉒, ㉓	*Alella – Pla de Bages*
㉔	*Ampurdán – Costa Brava*
㉕ *y* ㉖	*Méntrida, Vinos de Madrid*
㉗ *y* ㉘	*Valdepeñas, La Mancha*
㉙ *al* ㉟	*Utiel – Requena, Almansa, Jumilla, Valencia, Yecla, Alicante, Bullas*
㊱	*Binissalem*
㊲ *al* ㊵	*Condado de Huelva, Jerez – Manzanilla – Sanlúcar de Barrameda, Málaga, Montilla-Moriles*
㊶	*Tacoronte-Acentejo, Ycoden-Daute-Isora*
㊷	*Lanzarote*
㊸	*La Palma*

CAVA ⑨, ⑪, ⑫, ⑭, ⑳ *al* ㉔

Vinos y especialidades regionales

En el mapa indicamos las Denominaciones de Origen que la legislación española controla y protege.

Regiones y localización en el mapa	Características de los vinos	Especialidades regionales
Andalucía ㊲ *al* ㊵	**Blancos** *afrutados* **Amontillados** *secos, avellanados* **Finos** *secos, punzantes* **Olorosos** *abocados, aromáticos*	*Jamón, Gazpacho, Fritura de pescados*
Aragón ⑫ *al* ⑮	**Tintos** *robustos* **Blancos** *afrutados* **Rosados** *afrutados, sabrosos* **Cava** *espumoso (método champenoise)*	*Jamón de Teruel, Ternasco, Magras*
Madrid, Castilla y León, Castilla-La Mancha, Extremadura ④ *al* ⑧ *y* ㉕ *al* ㉘	**Tintos** *aromáticos, muy afrutados* **Blancos** *aromáticos, equilibrados* **Rosados** *refrescantes*	*Asados, Embutidos, Queso Manchego, Migas, Cocido madrileño, Pisto*
Cataluña ⑯ *al* ㉔	**Tintos** *francos, robustos, redondos, equilibrados* **Blancos** *recios, amplios, afrutados, de aguja* **Rosados** *finos, elegantes* **Dulces y mistelas** *(postres)* **Cava** *espumoso (método champenoise)*	*Butifarra, Embutidos, Romesco (salsa), Escudella, Escalivada, Esqueixada, Crema catalana*
Galicia, Asturias, Cantabria ① *al* ③	**Tintos** *de mucha capa, elevada acidez* **Blancos** *muy aromáticos, amplios, persistentes (Albariño)*	*Pescados, Mariscos, Fabada, Queso Tetilla, Queso Cabrales, Empanada, Lacón con grelos, Filloas, Olla podrida, Sidra, Orujo*
Islas Baleares ㊱	**Tintos** *jugosos, elegantes* **Blancos y rosados** *ligeros*	*Sobrasada, Queso de Mahón, Caldereta de langosta*
Islas Canarias ㊶ *al* ㊸	**Tintos** *jóvenes, aromáticos* **Blancos y rosados** *ligeros*	*Pescados, Papas arrugadas*
Valencia, Murcia ㉙ *al* ㉟	**Tintos** *robustos, de gran extracto* **Blancos** *aromáticos, frescos, afrutados*	*Arroces, Turrón, Verduras, Hortalizas, Horchata*
Navarra ⑪	**Tintos** *sabrosos, con plenitud, muy aromáticos* **Rosados** *suaves, afrutados* **Cava** *espumoso (método champenoise)*	*Verduras, Hortalizas, Pochas, Espárragos, Queso Roncal*
País Vasco ⑩	**Blancos** *frescos, aromáticos, ácidos* **Tintos** *fragantes*	*Changurro, Cocochas, Porrusalda, Marmitako, Pantxineta, Queso Idiazábal*
La Rioja (Alta, Baja, Alavesa) ⑨	**Tintos** *de gran nivel, equilibrados, francos, aromáticos, poco ácidos* **Blancos** *secos* **Cava** *espumoso (método champenoise)*	*Pimientos, Chilindrón*

Vinhos e especialidades regionais

Indicamos no mapa as Denominações de Origem (Denominaciones de Origen) que são controladas e protegidas pela legislação.

Regiões e localização no mapa	Características dos vinhos	Especialidades regionais
Andalucía ㊲ *a* ㊵	**Brancos** *frutados* **Amontillados** *secos, avelanados* **Finos** *secos, pungentes* **Olorosos** *com bouquet, aromáticos*	*Presunto, Gazpacho (Sopa fria de tomate), Fritada de peixe*
Aragón ⑫ *a* ⑮	**Tintos** *robustos* **Brancos** *frutados* **Rosés** *frutados, saborosos* **Cava** *espumante (método champenoise)*	*Presunto de Teruel, Ternasco (Borrego), Magras (Fatias de fiambre)*
Madrid, Castilla y León, Castilla-La Mancha, Extremadura ④ *a* ⑧ *e* ㉕ *a* ㉘	**Tintos** *aromáticos, muito frutados* **Brancos** *aromáticos, equilibrados* **Rosés** *refrescantes*	*Assados, Enchidos, Queijo Manchego, Migas, Cozido madrilense, Pisto (Caldeirada de legumes)*
Cataluña ⑯ *a* ㉔	**Tintos** *francos, robustos, redondos, equilibrados* **Brancos** *secos, amplos, frutados, « perlants »* **Rosés** *finos, elegantes* **Doces e « mistelas »** *(sobremesas)* **Cava** *espumante (método champenoise)*	*Butifarra (Linguiça catalana), Enchidos, Romesco (molho), Escudella (Cozido), Escalivada (Pimentos e biringelas no forno), Esqueixada (Salada de bacalhau cru), Crema catalana (Leite creme)*
Galicia, Asturias, Cantabria ① *a* ③	**Tintos** *espessos, elevada acidêz* **Brancos** *muito aromáticos, amplos, persistentes (Albariño)*	*Peixes, Mariscos, Fabada (Feijoada), Queijo Tetilla, Queijo Cabrales, Empanada (Empada), Lacón con grelos (Pernil de porco com grelos), Filloas (Crêpes), Olla podrida (Cozido), Sidra, Aguardente*
Islas Baleares ㊱	**Tintos** *com bouquet, elegantes* **Brancos e rosés** *ligeiros*	*Sobrasada (Embuchado de porco), Queijo de Mahón, Guisado de lagosta*
Islas Canarias ㊶ *a* ㊸	**Tintos** *novos, aromáticos* **Brancos e rosés** *ligeiros*	*Peixes, Papas arrugadas (Batatas)*
Valencia, Murcia ㉙ *a* ㉟	**Tintos** *robustos, de grande extracto* **Brancos** *aromáticos, frescos, frutados*	*Arroz, Nogado, Legumes, Hortaliças, Horchata (Orchata)*
Navarra ⑪	**Tintos** *saborosos, cheios, muito aromáticos* **Rosés** *suaves, frutados* **Cava** *Espumante (método champenoise)*	*Legumes, Hortaliças, Pochas (Feijão branco), Espargos, Queijo Roncal*
País Vasco ⑩	**Brancos** *frescos, aromáticos, acídulos* **Tintos** *perfumados*	*Changurro (Santola), Cocochas (Glândulas de peixe), Porrusalda (Sopa de bacalhau), Marmitako (Guisado de atum), Pantxineta (Folhado de amêndoas), Queijo Idiazábal*
La Rioja (Alta, Baja, Alavesa) ⑨	**Tintos** *de grande nivel, equilibrados, francos, aromáticos, de pouca acidêz* **Brancos** *secos* **Cava** *espumante (método champenoise)*	*Pimentos, Chilindrón (Guisado de galinha ou borrego)*

Vins et spécialités régionales

Les Appellations d'Origine Contrôlées (Denominaciones de Origen) sont indiquées sur la carte.

Régions et localisation sur la carte	Caractéristiques des vins	Spécialités régionales
Andalucía ㊲ *à* ㊵	**Blancs** *fruités* **Amontillados** *secs au goût de noisette* **Finos** *secs, piquants* **Olorosos** *bouquetés, aromatiques*	*Jambon, Gazpacho (Soupe froide à la tomate), Fritura de pescados (Friture de poissons)*
Aragón ⑫ *à* ⑮	**Rouges** *corsés* **Blancs** *fruités* **Rosés** *fruités, équilibrés* **Cava** *mousseux (méthode champenoise)*	*Jambon de Teruel, Ternasco (Agneau), Magras (Tranches de jambon)*
Madrid, Castilla y León, Castilla-La Mancha Extremadura ④ *à* ⑧ *et* ㉕ *à* ㉘	**Rouges** *aromatiques, très fruités* **Blancs** *aromatiques, équilibrés* **Rosés** *frais*	*Rôtis, Charcuteries, Fromage Manchego, Migas (Pain et lardons frits) Pot-au-feu madrilène, Pisto (Ratatouille)*
Cataluña ⑯ *à* ㉔	**Rouges** *francs, corsés, ronds équilibrés* **Blancs** *secs, amples, fruités, perlants* **Rosés** *fins, élégants* **Vins doux et mistelles** *(de dessert)* **Cava** *mousseux (méthode champenoise)*	*Butifarra (saucisse catalane) Charcuterie, « Romesco » (sauce), Escudella (Pot-au-feu), Escalivada (Poivron et aubergine au four), Esqueixada (Salade de morue crue), Crema catalana (Crème brûlée)*
Galicia, Asturias, Cantabria ① *à* ③	**Rouges** *épais à l'acidité élevée* **Blancs** *très aromatiques, amples, persistants (Albariño)*	*Poissons et fruits de mer, Fabada (Cassoulet au lard) Fromage Tetilla, Fromage Cabrales, Empanada (Friand), Lacón con grelos (Jambonneau au tendre de navet), Filloas (Crêpes), Olla podrida (Pot-au-feu), Cidre, Eau de vie*
Islas Baleares ㊱	**Rouges** *bouquetés, élégants* **Blancs et rosés** *légers*	*Sobrasada (Saucisse pimentée), Fromage de Mahón, Ragoût de langouste*
Islas Canarias ㊶ *à* ㊸	**Rouges** *jeunes, aromatiques* **Blancs et rosés** *légers*	*Poissons, Papas arrugadas (Pommes de terre)*
Valencia, Murcia ㉙ *à* ㉟	**Rouges** *charpentés, tanniques* **Blancs** *aromatiques, frais, fruités*	*Riz, Nougat, Légumes, Primeurs, Horchata (Orgeat)*
Navarra ⑪	**Rouges** *bouquetés, pleins, très aromatiques* **Rosés** *fins, fruités* **Cava** *mousseux (méthode champenoise)*	*Légumes, Primeurs, Pochas (Haricots blancs), Asperges, Fromage Roncal*
País Vasco ⑩	**Blancs** *frais, aromatiques, acides* **Rouges** *parfumés*	*Changurro (Araignée de mer), Cocochas (Glandes de poisson), Porrusalda (Soupe de morue), Marmitako (Ragoût de thon), Pantxineta (Gâteau feuilleté aux amandes), Fromage Idiazábal*
La Rioja (Alta, Baja, Alavesa) ⑨	**Rouges** *équilibrés, francs, aromatiques, peu acides* **Blancs** *secs* **Cava** *mousseux (méthode champenoise)*	*Poivrons, Chilindrón (Ragoût de poulet ou agneau)*

Vini e specialità regionali

Sulla carta indichiamo le Denominazioni d'Origine (Denominaciones de Origen) controllate e protette dalla legislazione spagnola.

Regioni e localizzazione sulla carta	Caratteristiche dei vini	Specialità regionali
Andalucía ㊲ *a* ㊵	**Bianchi** *fruttati* **Amontillados** *secchi dal gusto di nocciola* **Finos** *secchi, frizzanti* **Olorosos** *con bouquet, aromatici*	*Prosciutto, Gazpacho (Zuppa fredda di pomodoro), Fritura de pescados (Frittura di pesce)*
Aragón ⑫ *a* ⑮	**Rossi** *corposi* **Bianchi** *fruttati* **Rosati** *fruttati, equilibrati* **Cava** *spumoso (metodo champenoise)*	*Prosciutto di Teruel, Ternasco (Agnello), Magras (Fette di prosciutto)*
Madrid, Castilla y Léon, Castilla-La Mancha Extremadura ④ *a* ⑧ *e* ㉕ *a* ㉘	**Rossi** *aromatici, molto fruttati* **Bianchi** *aromatici, equilibrati* **Rosati** *freschi*	*Arrosti, Salumi, Formaggio Manchego, Migas (Pane e pancetta fritta), Bollito madrileno, Pisto (Peperonata)*
Cataluña ⑯ *a* ㉔	**Rossi** *franchi, corposi, rotondi, equilibrati* **Bianchi** *secchi, ampi, fruttati, effervescenti* **Rosati** *fini, eleganti* **Vini dolci, Mistelle** *(da dessert)* **Cava** *spumoso (metodo champenoise)*	*Butifarra (Salsiccia catalana), Salumi, « Romesco » (salsa), Escudella (Bollito), Escalivada (Peperoni e melanzane al forno), Esqueixada (Insalata di merluzo crudo), Crema catalana*
Galicia, Asturias, Cantabria ① *a* ③	**Rossi** *aciduli* **Bianchi** *molto aromatici, ampi, persistenti (Albariño)*	*Pesci e frutti di mare, Fabada (Stufato di lardo), Formaggio Tetilla, Formaggio Cabrales, Empanada (Pasticcino), Lacón con grelos (Prosciuttino con rape), Filloas (Crespelle), Olla podrida (Bollito), Sidro, Acquavite*
Islas Baleares ㊱	**Rossi** *con bouquet, eleganti* **Bianchi e rosati** *leggeri*	*Sobrasada (Salsiccia piccante), Formaggio di Mahón, Spezzatino di aragosta*
Islas Canarias ㊶ *a* ㊸	**Rossi** *giovani, aromatici* **Bianchi e rosati** *leggeri*	*Pesci, Papas arrugadas (Patate)*
Valencia, Murcia ㉙ *a* ㉟	**Rossi** *strutturati, tannici* **Bianchi** *aromatici, freschi*	*Riso, Torrone, Verdure, Primizie, Horchata (Orzata)*
Navarra ⑪	**Rossi** *con bouquet, pieni, molto aromatici* **Rosati** *fini, fruttati* **Cava** *spumoso (metodo champenoise)*	*Verdure, Primizie, Pochas (Fagioli bianchi), Asparagi, Formaggio Roncal*
País Vasco ⑩	**Bianchi** *freschi, aromatici, aciduli* **Rossi** *profumati*	*Changurro (Granseola), Cocochas (Guanciale di pesce), Porrusalda (Zuppa di merluzo), Marmitako (Ragù di tonno), Pantxineta (Sfoglia alle mandorle), Formaggio Idiazábal*
La Rioja (Alta, Baja, Alavesa) ⑨	**Rossi nobili** *equilibrati, franchi, aromatici, sapidi* **Bianchi** *secchi* **Cava** *spumoso (metodo champenoise)*	*Peperoni, Chilindrón (Ragù di pollo o agnello)*

Weine und regionale Spezialitäten

Auf der Karte sind die geprüften und gesetzlich geschützten Herkunftsbezeichnungen (Denominaciones de Origen) angegeben.

Regionen und Lage auf der Karte	Charakteristik der Weine	Regionale Spezialitäten
Andalucía ㊲ *bis* ㊵	*Fruchtige* **Weißweine** **Amontillados** *trocken Nußgeschmack* **Finos** *trocken, pikant-bissig* **Olorosos** *Bukettreich, aromatisch*	*Schinken, Gazpacho (Kalte Tomatensuppe), Fritura de pescados (Fisch friture : ausgebackene Fische)*
Aragón ⑫ *bis* ⑮	*Vollmundige* **Rotweine** *Fruchtige* **Weißweine** *Fruchtige ausgewogene* **Rotweine** **Cava** *(Flaschengärung oder méthode champenoise)*	*Schinken von Teruel, Ternasco (Lamm), Magras (Schinkenscheiben)*
Madrid, Castilla y León, Castilla-La Mancha Extremadura ④ *bis* ⑧ *y* ㉕ *bis* ㉘	*Aromatische, sehr fruchtige* **Rotweine** *Aromatische, ausgewogene* **Weißweine** *Erfrischende* **Roséweine**	*Braten, Würste, Manchego-Käse, Migas (Brot und frischer Speck), Pot-au-feu Madrider Art, Pisto (Ratatonille)*
Cataluña ⑯ *bis* ㉔	*Natürliche, körperreiche, ausgewogene, runde* **Rotweine** *Trockene, reiche, fruchtige spritzige* **Weißweine** *Feine, elegante* **Roséweine** **Süße Weine, Mistella** *(Dessertweine)* **Cava** *(Flaschengärung oder méthode champenoise)*	*Butifarra (Katalanische Wurst), Wurste, « Romesco » (sauce), Escudella (Eintopf), Escalivada (Paprika und Auberginen übesbacken), Esqueixada (Salat von Stockfisch : roh), Crema catalana (Karamelisierte Vanillecreme)*
Galicia, Asturias, Cantabria ① *bis* ③	*Schwere* **Rotweine** *mit hohem Säuregehalt* *Sehr aromatische, volle, nachaltige* **Weißweine** *(Albariño)*	*Fische und Meeresfrüchte, Fabada (Bohneneintopf mit Speck), Tetilla-Käse, Cabrales-Käse, Empanada (Fleischpastete), Lacón con grelos (Schinken mit weißen Rüben), Filloas (Pfannkuchen), Olla podrida (Eintopf), Cidre, Schnaps*
Islas Baleares ㊱	*Bukettreiche, elegante* **Rotweine** *Leichte Weiß- und* **Roséweine**	*Sobrasada (Paprikawurst), Mahón-Kase, Langoustenragout*
Islas Canarias ㊶ *bis* ㊸	*Junge aromatische* **Rotweine** *Leichte Weiß- und* **Roséweine**	*Fische, Papas arrugadas (Kartoffeln)*
Valencia, Murcia ㉙ *bis* ㉟	*Kräftige tanninhaltige* **Rotweine** *Frische, fruchtige aromatische* **Weißweine**	*Reis, Nougat, Frühgemüse, Gemüse, Horchata (Mandelmilchgetränk)*
Navarra ⑪	*Bukettreiche, volle sehr aromatische* **Rotweine** *Feine, fruchtige* **Roséweine** **Cava** *(Flaschengärung oder méthode champenoise)*	*Frühgemüse, Gemüse, Pochas (Weiße Bohnen), Spargel, Roncal-Käse*
País Vasco ⑩	*Frische, aromatische, Säuvebetont* **Weißweine** *Parfümiert* **Rotweine**	*Changurro (Mecresspinne), Cocochas, Porrusalda (Stockfischsuppe), Marmitako (Thnnfischragout), Pantxineta (Blätterteigkuchen mit Mandeln), Idiazábal-Käse*
La Rioja (Alta, Baja, Alavesa) ⑨	*Hochwertige, ausgeglichene, saubere, aromatische* **Rotweine** *mit geringem Säuregehalt* *Trockene* **Weißweine** **Cava** *(Flaschengärung oder méthode champenoise)*	*Paprika, Chilindrón (Ragout vom Hahn oder Lamm)*

Wines and regional specialities

The map shows the official wine regions (Denominaciones de Origen) which are controlled and protected by Spanish law.

Regions and location on the map	Wine's characteristics	Regional Specialities
Andalucía ㊲ *to* ㊵	*Fruity* **whites** **Amontillados** *medium dry and nutty* **Finos** *very dry and piquant* **Olorosos** *smooth and aromatic*	*Gazpacho (Cold tomato soup), Fritura de pescados (Fried Fish)*
Aragón ⑫ *to* ⑮	*Robust* **reds** *Fruity* **whites** *Pleasant, fruity* **rosés** **Sparkling wines** *(méthode champenoise)*	*Teruel ham, Ternasco (Roast Lamb), Magras (Aragonese Ham Platter)*
Madrid, Castilla y León, Castilla-La Mancha Extremadura ④ *to* ⑧ *e* ㉕ *to* ㉘	*Aromatic and very fruity* **reds** *Aromatic and well balanced* **whites** *Refreshing* **rosés**	*Roast, Sausages, Manchego Cheese, Migas (fried breadcrumbs), Madrid stew, Pisto (Ratatouille)*
Cataluña ⑯ *to* ㉔	*Open, robust, rounded and well balanced* **reds** *Strong, full bodied and fruity* **whites** *Fine, elegant* **rosés** **Sweet, subtle** *dessert wines* **Sparking wines** *(méthode champenoise)*	*Butifarra (Catalan sausage), « Romesco » (sauce), Escudella (Stew), Escalivada (Mixed boiled vegetables), Esqueixada (Raw Cod Salad), Crema catalana (Crème brûlée)*
Galicia, Asturias, Cantabria ① *to* ③	*Complex, highly acidic* **reds** *Very aromatic and full bodied* **whites** *(Albariño)*	*Fish and seafood, Fabada (pork and bean stew), Tetilla Cheese, Cabrales Cheese, Empanada (Savoury Tart), Lacón con grelos (Salted shoulder of Pork with sprouting turnip tops), Filloas (Crêpes), Olla podrida (Hot Pot), Cider, Orujo (distilled grape skins and pips)*
Islas Baleares ㊱	*Meaty, elegant* **reds** *Light* **whites and rosés**	*Sobrasada (Sausage spiced with pimento), Mahón Cheese, Lobster ragout*
Islas Canarias ㊶ *to* ㊸	*Young, aromatic* **reds** *Light* **whites and rosés**	*Fish, Papas arrugadas (Potatoes)*
Valencia, Murcia ㉙ *to* ㉟	*Robust* **reds** *Fresh, fruity and aromatic* **whites**	*Rice dishes, Nougat, Market garden produce, Horchata (Tiger Nut Summer Drink)*
Navarra ⑪	*Pleasant, full bodied and highly aromatic* **reds** *Smooth and fruity* **rosés** **Sparkling wines** *(méthode champenoise)*	*Green vegetables, Market garden produce, Pochas (Haricot Beans), Asparagus, Roncal Cheese*
País Vasco ⑩	*Fresh, aromatic and acidic* **whites** *Fragrant* **reds**	*Changurro (Spider Crab), Cocochas (Hake jaws), Porrusalda (Cod soup), Marmitako (Tuna & Potato stew), Pantxineta (Almond Pastry), Idiazábal Cheese*
La Rioja (Alta, Baja, Alavesa) ⑨	*High quality, well balanced, open and aromatic* **reds** *with little acidity* *Dry* **whites** **Sparkling wines** *(méthode champenoise)*	*Peppers, Chilindrón (Chicken/Lamb in a spicy tomato & pepper sauce)*

España

✿✿✿ *Las estrellas*
✿✿ *As estrelas*
✿ *Les étoiles*
Le stelle
Die Sterne
The stars

"Bib Gourmand"

Comida 3100/4000 *Buenas comidas a precios moderados*
Refeições cuidadas a preços moderados
Repas soignés à prix modérés
Pasti accurati a prezzi contenuti
Sorgfältig zubereitete, preiswerte Mahlzeiten
Good food at moderate prices

Atractivo y tranquilidad
Atractivos
L'agrément
Amenità e tranquillità
Annehmlichkeit
Peaceful atmosphere and setting

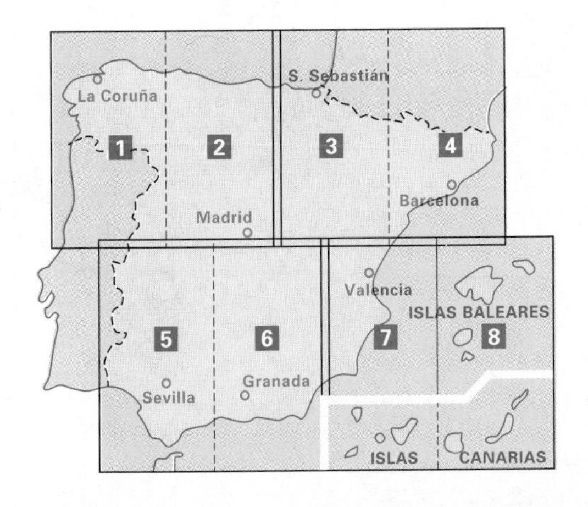

1

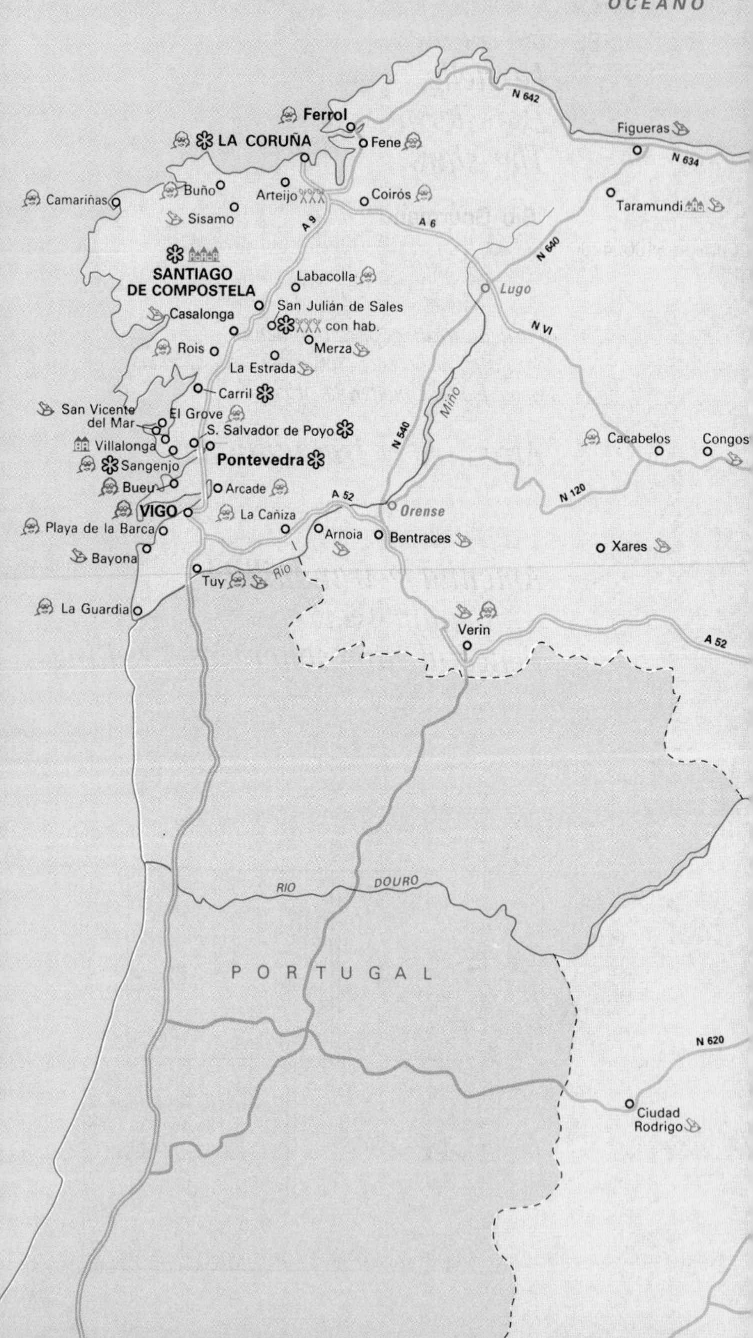
OCÉANO
N 642
Ferrol
LA CORUÑA
Fene
Figueras
N 634
Buño
Arteijo
Coirós
Camariñas
Taramundi
Sísamo
A 9
A 6
N 640
SANTIAGO
DE COMPOSTELA
Labacolla
Lugo
San Julián de Sales
con hab.
Casalonga
N VI
Rois
Merza
La Estrada
Carril
San Vicente
del Mar
El Grove
S. Salvador de Poyo
Miño
N 540
Villalonga
Cacabelos
Congos
Sangenjo
Pontevedra
Bueu
Arcade
N 120
A 52
VIGO
Orense
La Cañiza
Playa de la Barca
Arnoia
Bentraces
Xares
Bayona
Tuy
Rio
La Guardia
Verin
A 52
RIO
DOURO
PORTUGAL
N 620
Ciudad
Rodrigo

ATLÁNTICO

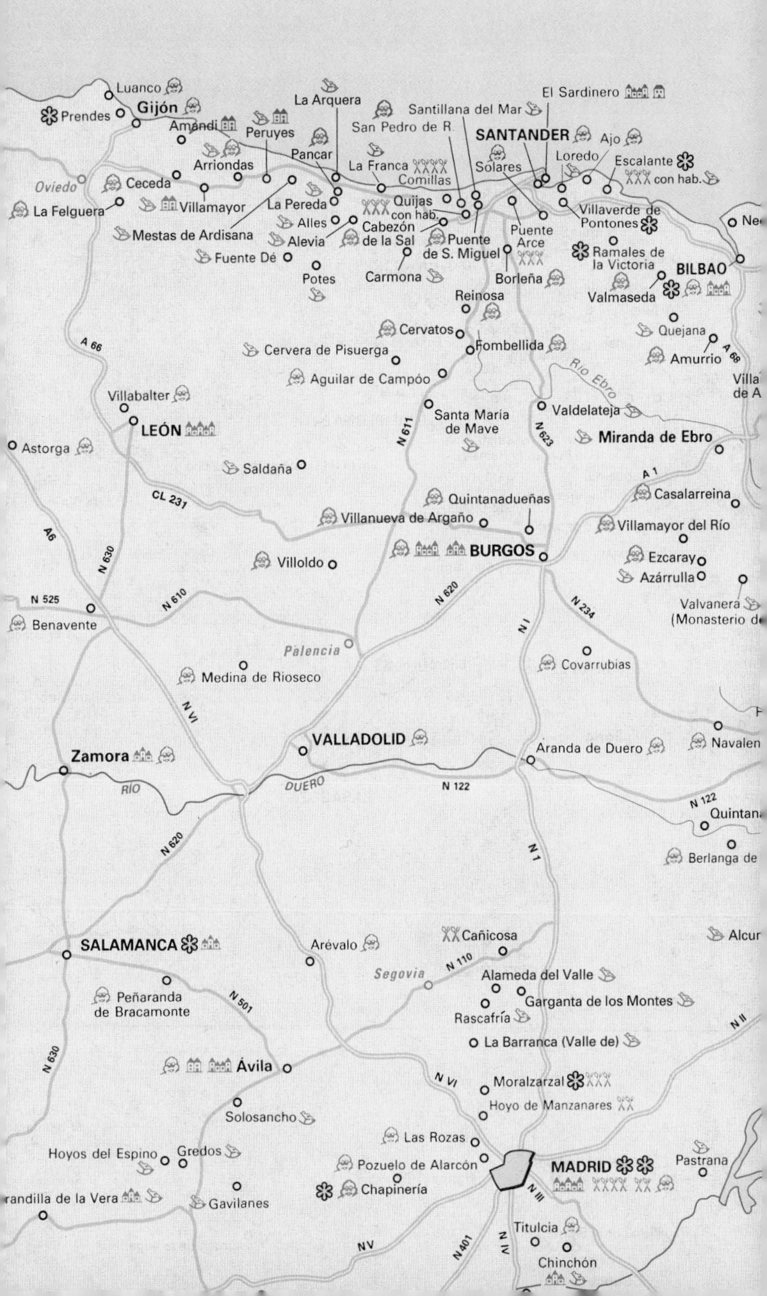
Luanco
Prendes
Gijón
Amandi
Peruyes
La Arquera
Santillana del Mar
San Pedro de R.
El Sardinero
SANTANDER
Ajo
Arriondas
Pancar
La Franca
Comillas
Solares
Loredo
Escalante
con hab.
Oviedo
Ceceda
La Felguera
Villamayor
La Pereda
Quijas
con hab.
Villaverde de
Pontones
Mestas de Ardisana
Alles
Alevia
Cabezón
de la Sal
Puente
de S. Miguel
Puente
Arce
Ramales de
la Victoria
BILBAO
Fuente Dé
Potes
Carmona
Borleña
Valmaseda
Reinosa
Cervatos
Quejana
Cervera de Pisuerga
Fombellida
Amurrio
A 66
A 68
Aguilar de Campóo
Río Ebro
Villabalter
LEÓN
Santa María
de Mave
Valdelateja
Astorga
N 611
N 623
Miranda de Ebro
Saldaña
A 1
CL 231
Quintanadueñas
Casalarreina
Villanueva de Argaño
Villamayor del Río
A6
BURGOS
Ezcaray
Villoldo
Azárrulla
N 630
N 620
Valvanera
(Monasterio d
N 525
N 610
N 234
Benavente
N I
Palencia
Covarrubias
Medina de Rioseco
N VI
VALLADOLID
Aranda de Duero
Navalen
Zamora
RÍO
DUERO
N 122
N 122
Quintan
N 620
N I
Berlanga de
Cañicosa
Alcur
SALAMANCA
Arévalo
N 110
Segovia
Alameda del Valle
Peñaranda
de Bracamonte
N 501
Garganta de los Montes
Rascafría
N II
La Barranca (Valle de)
N 630
Ávila
N VI
Moralzarzal
Hoyo de Manzanares
Solosancho
Las Rozas
Hoyos del Espino
Gredos
Pastrana
Pozuelo de Alarcón
MADRID
Chapinería
randilla de la Vera
Gavilanes
N III
Titulcia
N V
N401
N IV
Chinchón

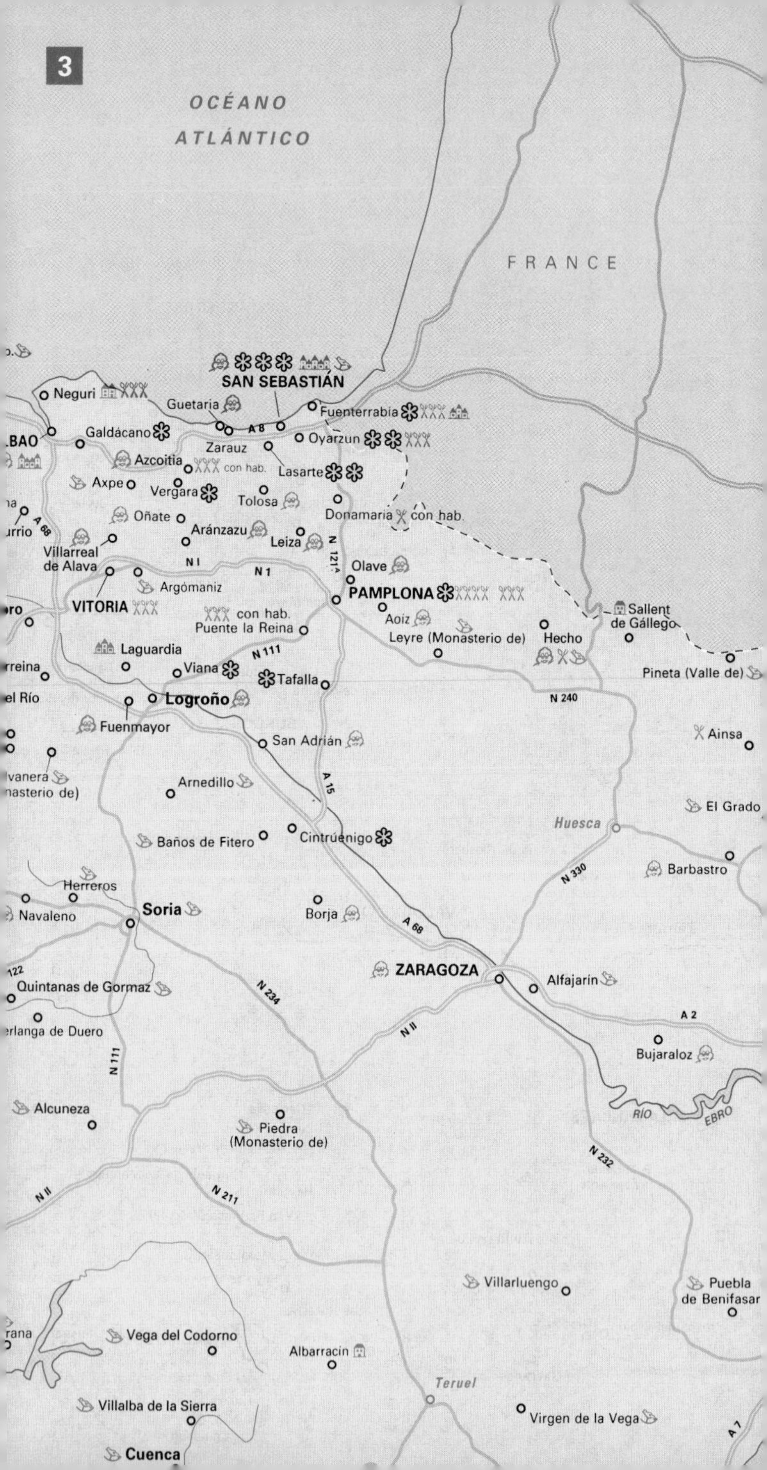
3
OCÉANO ATLÁNTICO
FRANCE
SAN SEBASTIÁN
Neguri
Guetaria
Galdácano
Zarauz
A 8
Fuenterrabía
Oyarzun
Azcoitia
con hab.
Lasarte
Axpe
Vergara
Tolosa
Donamaria
con hab.
Oñate
A 68
Aránzazu
Leiza
N 121A
Villarreal de Alava
N I
N 1
Olave
VITORIA
Argómaniz
PAMPLONA
con hab.
Puente la Reina
Aoiz
Leyre (Monasterio de)
Hecho
Sallent de Gállego
Laguardia
N 111
Viana
Tafalla
Pineta (Valle de)
Logroño
N 240
Fuenmayor
San Adrián
Ainsa
Arnedillo
A 15
El Grado
Huesca
Baños de Fitero
Cintrúenigo
N 330
Barbastro
Herreros
Navaleno
Soria
Borja
A 68
ZARAGOZA
Alfajarín
Quintanas de Gormaz
N 234
A 2
N II
Bujaraloz
N 111
Alcuneza
Piedra (Monasterio de)
RÍO EBRO
N 232
N II
N 211
Villarluengo
Puebla de Benifasar
Vega del Codorno
Albarracín
Teruel
Villalba de la Sierra
Virgen de la Vega
A 7
Cuenca

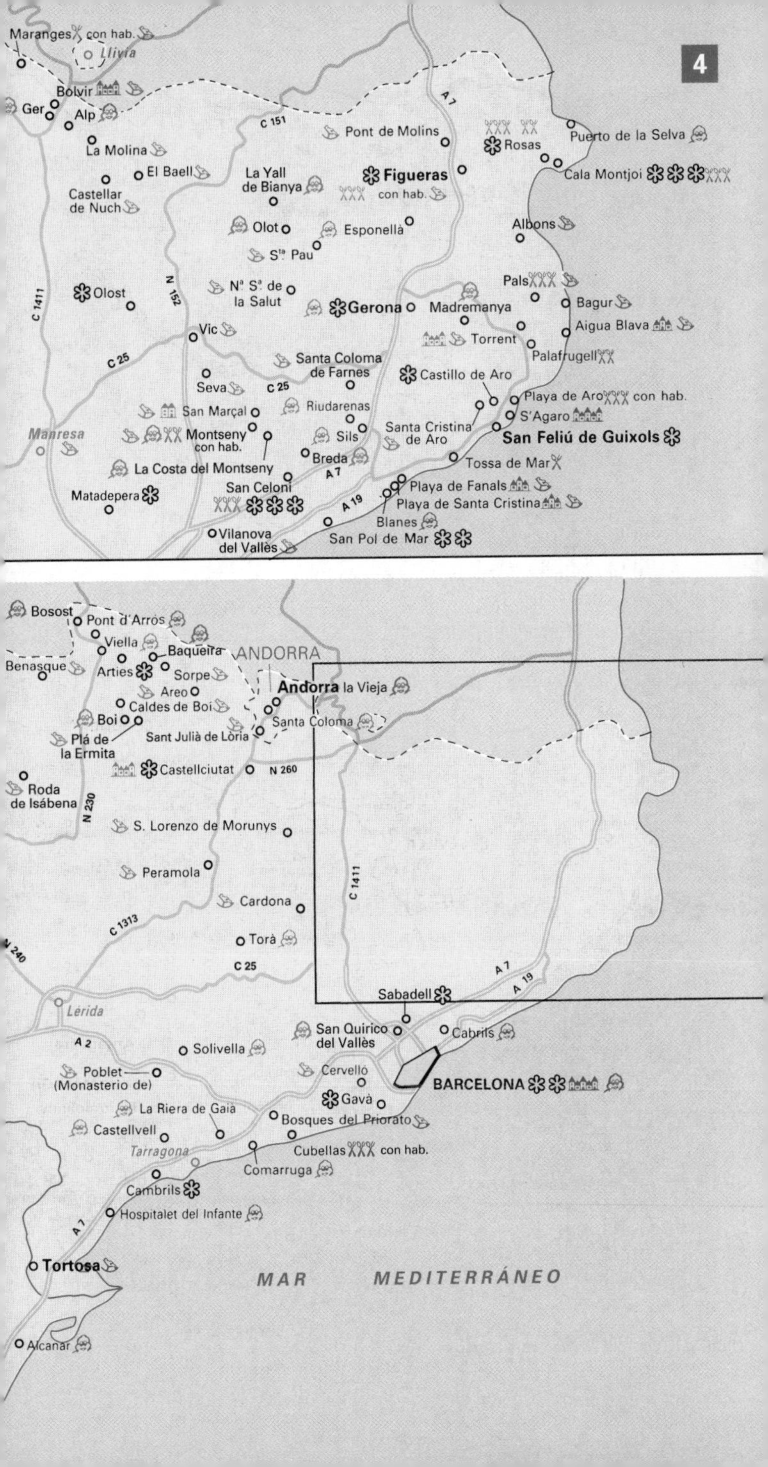
4
Maranges con hab.
Llivia
Bolvir
Ger
Alp
La Molina
El Baell
Castellar de Nuch
C 151
A 7
Pont de Molins
Rosas
Puerto de la Selva
Cala Montjoi
Figueras
con hab.
La Yall de Bianya
Olot
Esponellà
Sta. Pau
Albons
Pals
Bagur
Aigua Blava
Olost
C 1411
N 152
Nª Sª de la Salut
Gerona
Madremanya
Torrent
Palafrugell
Vic
C 25
Santa Coloma de Farnes
Castillo de Aro
Seva
C 25
Playa de Aro con hab.
S'Agaro
San Marçal
Riudarenas
Manresa
Montseny con hab.
Sils
Santa Cristina de Aro
San Feliú de Guixols
Breda
Tossa de Mar
La Costa del Montseny
A 7
Matadepera
San Celoni
Playa de Fanals
Playa de Santa Cristina
A 19
Blanes
Vilanova del Vallès
San Pol de Mar
Bosost
Pont d'Arròs
Viella
Baqueira
ANDORRA
Benasque
Arties
Sorpe
Areo
Andorra la Vieja
Caldes de Boí
Boi
Santa Coloma
Plá de la Ermita
Sant Julià de Lòria
Castellciutat
N 260
Roda de Isábena
N 230
S. Lorenzo de Morunys
Peramola
C 1411
Cardona
C 1313
N 240
Torà
C 25
A 7
A 19
Sabadell
Lérida
A 2
San Quirico del Vallès
Cabrils
Solivella
Poblet (Monasterio de)
Cervelló
BARCELONA
Gavà
La Riera de Gaià
Bosques del Priorato
Castellvell
Tarragona
Cubellas con hab.
Comarruga
Cambrils
Hospitalet del Infante
A 7
Tortosa
MAR MEDITERRÁNEO
Alcanar

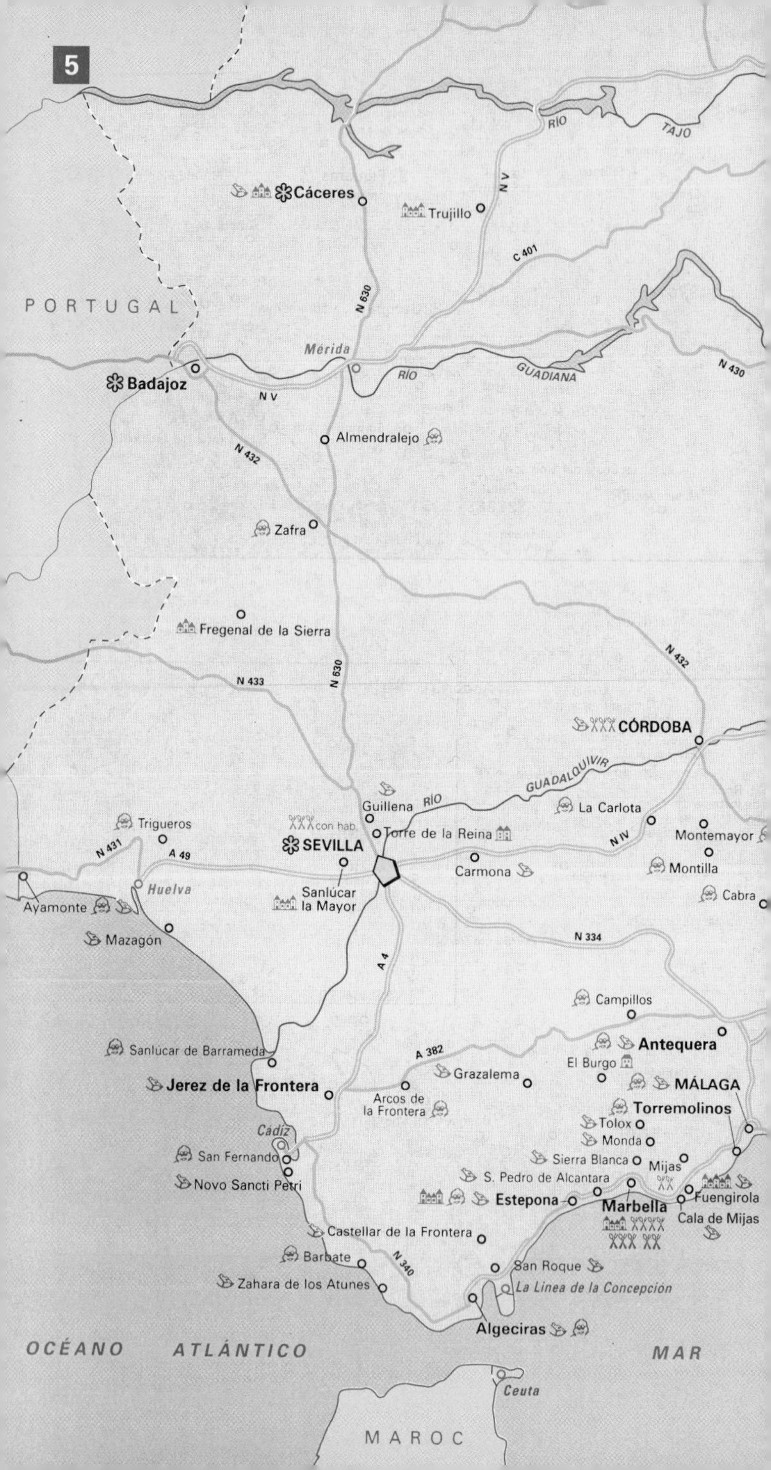
5
PORTUGAL
Cáceres
Trujillo
RÍO
TAJO
N V
C 401
N 630
Mérida
Badajoz
RÍO
GUADIANA
N 430
N V
Almendralejo
N 432
Zafra
Fregenal de la Sierra
N 432
N 433
N 630
CÓRDOBA
GUADALQUIVIR
RÍO
Guillena
La Carlota
Trigueros
con hab.
Torre de la Reina
N IV
Montemayor
N 431
A 49
SEVILLA
Carmona
Montilla
Ayamonte
Huelva
Sanlúcar
la Mayor
Cabra
Mazagón
N 334
A 4
Campillos
Sanlúcar de Barrameda
Antequera
A 382
El Burgo
Grazalema
MÁLAGA
Jerez de la Frontera
Arcos de
la Frontera
Torremolinos
Tolox
Cádiz
Monda
San Fernando
Sierra Blanca
Mijas
S. Pedro de Alcantara
Novo Sancti Petri
Estepona
Fuengirola
Marbella
Cala de Mijas
Castellar de la Frontera
N 340
Barbate
San Roque
Zahara de los Atunes
La Linea de la Concepción
Algeciras
OCÉANO
ATLÁNTICO
MAR
Ceuta
MAROC

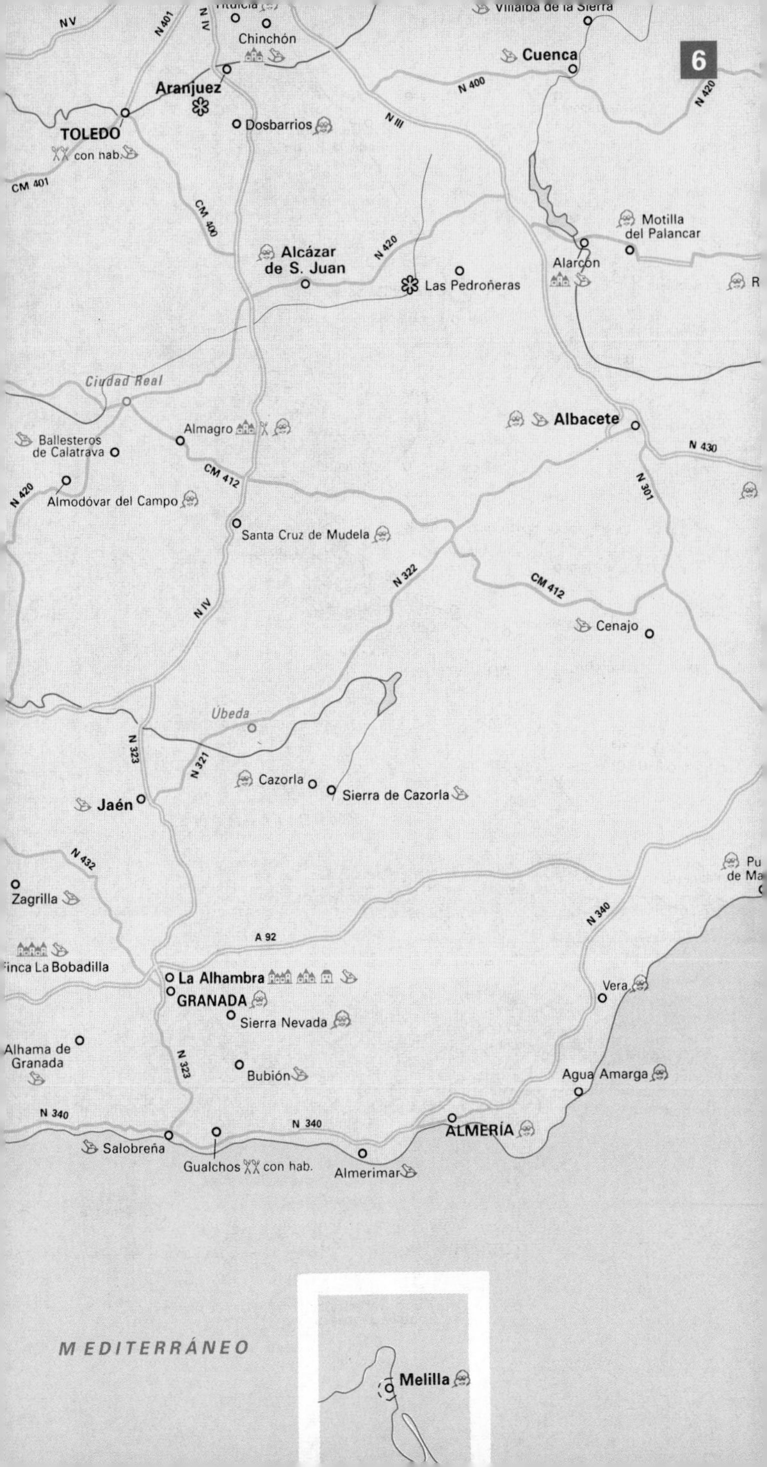

6
N V
N 401
N IV
Chinchón
Villalba de la Sierra
Cuenca
N 400
N 420
Aranjuez
TOLEDO
con hab.
Dosbarrios
N III
CM 401
CM 400
Alcázar
de S. Juan
N 420
Las Pedroñeras
Motilla
del Palancar
Alarcón
Ciudad Real
Almagro
Ballesteros
de Calatrava
Albacete
N 430
CM 412
N 420
Almodóvar del Campo
N 301
Santa Cruz de Mudela
N 322
CM 412
N IV
Cenajo
Úbeda
N 323
N 321
Cazorla
Sierra de Cazorla
Jaén
N 432
Zagrilla
A 92
N 340
Finca La Bobadilla
La Alhambra
GRANADA
Sierra Nevada
Vera
Alhama de
Granada
N 323
Bubión
Agua Amarga
N 340
N 340
ALMERÍA
Salobreña
Gualchos
con hab.
Almerimar
MEDITERRÁNEO
Melilla

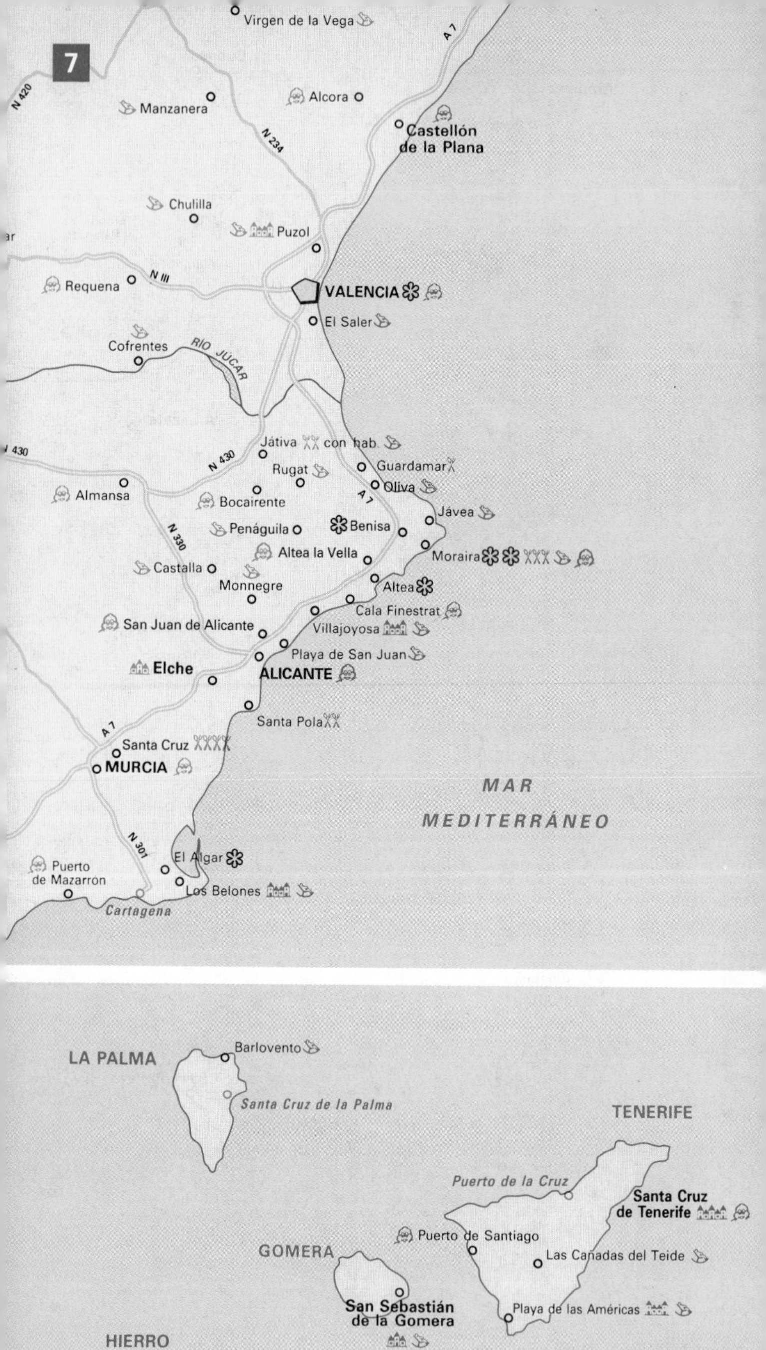

7
Virgen de la Vega
A 7
N 420
Manzanera
Alcora
N 234
Castellón
de la Plana
Chulilla
Puzol
Requena
N III
VALENCIA
El Saler
Cofrentes
RÍO JÚCAR
N 430
Játiva con hab.
Guardamar
Rugat
Oliva
Almansa
Bocairente
A 7
Jávea
N 330
Penáguila
Benisa
Altea la Vella
Moraira
Castalla
Monnegre
Altea
Cala Finestrat
San Juan de Alicante
Villajoyosa
Playa de San Juan
Elche
ALICANTE
Santa Pola
A 7
Santa Cruz
MURCIA
MAR
MEDITERRÁNEO
N 301
El Algar
Puerto
de Mazarrón
Los Belones
Cartagena
LA PALMA
Barlovento
Santa Cruz de la Palma
TENERIFE
Puerto de la Cruz
Santa Cruz
de Tenerife
Puerto de Santiago
GOMERA
Las Cañadas del Teide
San Sebastián
de la Gomera
Playa de las Américas
HIERRO
Valverde
Las Playas

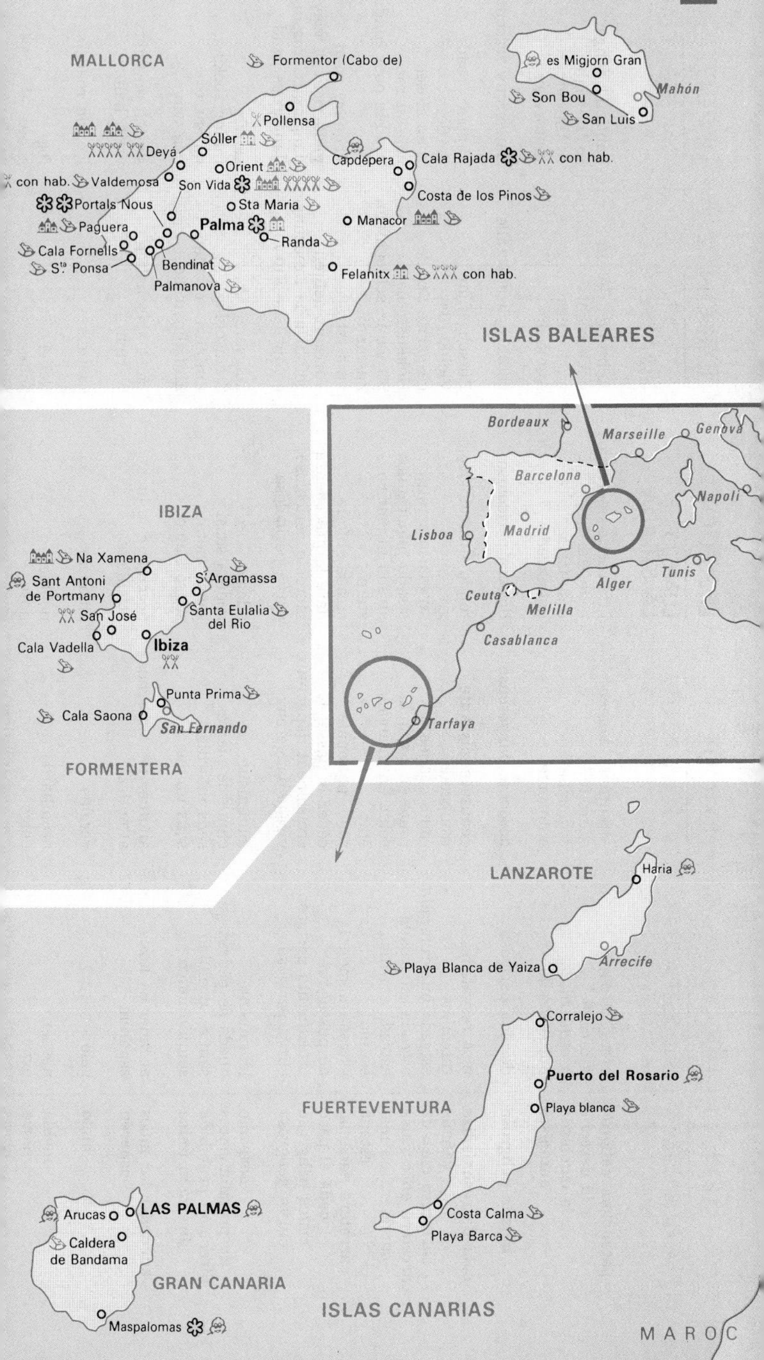
MENORCA
es Migjorn Gran
Mahón
Son Bou
San Luis
MALLORCA
Formentor (Cabo de)
Pollensa
Sóller
Deyá
Orient
Capdepera
Cala Rajada
con hab.
con hab.
Valldemosa
Son Vida
Costa de los Pinos
Portals Nous
Sta Maria
Paguera
Palma
Manacor
Randa
Cala Fornells
Sta. Ponsa
Bendinat
Felanitx
con hab.
Palmanova
ISLAS BALEARES
Bordeaux
Marseille
Genova
Barcelona
Napoli
Lisboa
Madrid
Tunis
Alger
Ceuta
Melilla
Casablanca
Tarfaya
IBIZA
Na Xamena
Sant Antoni de Portmany
S'Argamassa
Santa Eulalia del Rio
San José
Cala Vadella
Ibiza
Punta Prima
Cala Saona
San Fernando
FORMENTERA
LANZAROTE
Haria
Arrecife
Playa Blanca de Yaiza
Corralejo
Puerto del Rosario
FUERTEVENTURA
Playa blanca
Costa Calma
Playa Barca
Arucas
LAS PALMAS
Caldera de Bandama
GRAN CANARIA
ISLAS CANARIAS
Maspalomas
MAROC

LÉXICO EN LA CARRETERA	LÉXICO NA ESTRADA	LEXIQUE SUR LA ROUTE	LESSICO LUNGO LA STRADA	LEXIKON AUF DER STRASSE	LEXICON ON THE ROAD
¡ atención, peligro !	atenção! perigo !	attention ! danger !	attenzione ! pericolo !	Achtung ! Gefahr !	caution ! danger !
a la derecha	à direita	à droite	a destra	nach rechts	to the right
a la izquierda	à esquerda	à gauche	a sinistra	nach links	to the left
autopista	auto-estrada	autoroute	autostrada	Autobahn	motorway
bajada peligrosa	descida perigosa	descente dangereuse	discesa pericolosa	gefährliches Gefälle	dangerous descent
calzada resbaladiza	piso resvaladiço	chaussée glissante	fondo sdrucciolevole	Rutschgefahr	slippery road
cañada	rebanhos	troupeaux	greggi	Viehherde	cattle
carretera cortada	estrada interrompida	route coupée	strada interrotta	gesperrte Straße	road closed
carretera en cornisa	estrada escarpada	route en corniche	strada panoramica	Höhenstraße	coastal road
carretera en mal estado	estrada em mau estado	route en mauvais état	strada in cattivo stato	Straße in schlechtem Zustand	road in poor condition
carretera nacional	estrada nacional	route nationale	strada statale	Staatsstraße	Primary road
ceda el paso	dê passagem	cédez le passage	dare la precedenza	Vorfahrt achten	yield right of way
cruce peligroso	cruzamento perigoso	croisement dangereux	incrocio pericoloso	gefährliche Kreuzung	dangerous crossing
curva peligrosa	curva perigosa	virage dangereux	curva pericolosa	gefährliche Kurve	dangerous bend
despacio	lentamente	lentement	adagio	langsam	slowly
desprendimientos	queda de pedras	chute de pierres	caduta sassi	Steinschlag	falling rocks
dirección prohibida	sentido proibido	sens interdit	senso vietato	Einfahrt verboten	no entry
dirección única	sentido único	sens unique	senso unico	Einbahnstraße	one way
encender las luces	acender as luzes	allumer les lanternes	accendere le luci	Licht einschalten	switch on lights
esperen	esperem	attendez	attendete	warten	wait, halt
hielo	gelo	verglas	ghiaccio	Glatteis	ice (on roads)
niebla	nevoeiro	brouillard	nebbia	Nebel	fog
nieve	neve	neige	neve	Schnee	snow
obras	trabalhos na estrada	travaux (routiers)	lavori in corso	Straßenbauarbeiten	road works

parada obligatoria	paragem obrigatória	arrêt obligatoire	fermata obbligatoria	Halt !	compulsory stop
paso de ganado	passagem de gado	passage de troupeaux	passaggio di mandrie	Viehtrieb	cattle crossing
paso a nivel sin barreras	passagem de nível sem guarda	passage à niveau non gardé	passaggio a livello incustodito	unbewachter Bahnübergang	unattended level crossing
peaje	portagem	péage	pedaggio	Gebühr	toll
peatones	peões	piétons	pedoni	Fußgänger	pedestrians
¡ peligro !	perigo !	danger !	pericolo !	Gefahr !	danger !
precaución	prudência	prudence	prudenza	Vorsicht	caution
prohibido	proibido	interdit	vietato	verboten	prohibited
prohibido aparcar	estacionamento proibido	stationnement interdit	divieto di sosta	Parkverbot	no parking
prohibido el adelantamiento	proibido ultrapassar	défense de doubler	divieto di sorpasso	Überholverbot	no overtaking
puente estrecho	ponte estreita	pont étroit	ponte stretto	enge Brücke	narrow bridge
puesto de socorro	pronto socorro	poste de secours	pronto soccorso	Unfall-Hilfsposten	first aid station
salida de camiones	saída de camiões	sortie de camions	uscita camion	LKW-Ausfahrt	lorry exit
travesía peligrosa	perigoso atravessar	traversée dangereuse	attraversamento pericoloso	gefährliche Durchfahrt	dangerous crossing

PALABRAS DE USO CORRIENTE	PALAVRAS DE USO CORRENTE	MOTS USUELS	PAROLE D'USO CORRENTE	ALLGEMEINER WORTSCHATZ	COMMON WORDS
abierto	aberto	ouvert	aperto	offen	open
abril	Abril	avril	aprile	April	April
acantilado	falésia	falaise	scogliera	Steilküste	cliff
acceso	acesso	accès	accesso	Zugang, Zufahrt	access
acueducto	aqueduto	aqueduc	acquedotto	Aquadukt	aqueduct
adornado	adornado, enfeitado	orné, décoré	decorato	geschmückt	decorated
agencia de viajes	agencia de viagens	bureau de voyages	agenzia viaggi	Reisebüro	travel bureau
agosto	Agosto	août	agosto	August	August
agua potable	água potável	eau potable	acqua potabile	Trinkwasser	drinking water

alameda	alameda	promenade	passeggiata	Promenade	promenade
alcazaba	antiga fortaleza árabe	ancienne forteresse arabe	antica fortezza araba	alte arabische Festung	old Arab fortress
alcázar	antigo palácio árabe	ancien palais arabe	antico palazzo arabo	alter arabischer Palast	old Arab palace
almuerzo	almoço	déjeuner	colazione	Mittagessen	lunch
alrededores	arredores	environs	dintorni	Umgebung	surroundings
altar esculpido	altar esculpido	autel sculpté	altare scolpito	Schnitzaltar	carved altar
ambiente	ambiente	ambiance	ambiente	Stimmung	ambience
antiguo	antigo	ancien	antico	alt	ancient
aparcamiento	parque de estacionamento	parc à voitures	parcheggio	Parkplatz	car park
apartado	apartado, caixa postal	boîte postale	casella postale	Postfach	post office box
arbolado	arborizado	ombragé	ombreggiato	schattig	shady
arcos	arcadas	arcades	portici	Arkaden	arcades
artesanía	artesanato	artisanat	artigianato	Handwerkskunst	craftwork
artesonado	tecto de talha	plafond à caissons	soffitto a cassettoni	Kassettendecke	stuccoed ceiling
avenida	avenida	avenue	viale, corso	Boulevard, breite Straße	avenue
bahía	baía	baie	baia	Bucht	bay
bajo pena de multa	sob pena de multa	sous peine d'amende	passibile di contravvenzione	bei Geldstrafe	under penalty of fine
balneario	termas	établissement thermal	stabilimento termale	Kurhaus	health resort
baños	termas	bains, thermes	terme	Thermen	public baths, thermal bath
barranco	barranco, ravina	ravin	burrone	Schlucht	ravine
barrio	bairro	quartier	quartiere	Stadtteil	quarter, district
bodega	adega	chais, cave	cantina	Keller	cellar
bonito	bonito	joli	bello	schön	beautiful
bosque	bosque	bois	bosco	Wäldchen	wood
bóveda	abóbada	voûte	volta	Gewölbe, Wölbung	vault, arch
cabo	cabo	cap	capo	Kap	headland
caja	caixa	caisse	cassa	Kasse	cash desk

cala	enseada	crique, calanque	insenatura	Bucht	creek
calle	rua	rue	via	Straße	street
callejón sin salida	beco	impasse	vicolo cieco	Sackgasse	no through road
cama	cama	lit	letto	Bett	bed
camarero	criado, empregado	garçon, serveur	cameriere	Ober, Kellner	waiter
camino	caminho	chemin	cammino	Weg	way, path
campanario	campanário	clocher	campanile	Glockenturm	belfry, steeple
campo, campiña	campo	campagne	campagna	Land	country, countryside
capilla	capela	chapelle	cappella	Kapelle	chapel
capitel	capitel	chapiteau	capitello	Kapitell	capital (of column)
cartuja	cartuxa	chartreuse	certosa	Kartäuserkloster	monastery
casa señorial	solar	manoir	villa	Herrensitz	manor house
cascada	cascata	cascade	cascata	Wasserfall	waterfall
castillo	castelo	château	castello	Burg, Schloß	castle
cena	jantar	dîner	pranzo	Abendessen	dinner
cenicero	cinzeiro	cendrier	portacenere	Aschenbecher	ashtray
centro urbano	baixa, centro urbano	centre ville	centro città	Stadtzentrum	town centre
cercano	próximo	proche	prossimo	nah	near
cerillas	fósforos	allumettes	fiammiferi	Zündhölzer	matches
cerrado	fechado	fermé	chiuso	geschlossen	closed
certificado	registado	recommandé (objet)	raccomandato	Einschreiben	registered
césped	relvado	pelouse	prato	Rasen	lawn
circunvalación	circunvalação	contournement	circonvallazione	Umgehung	by-pass
ciudad	cidade	ville	città	Stadt	town
claustro	claustro	cloître	chiostro	Kreuzgang	cloisters
climatizado	climatizado	climatisé	con aria condizionata	mit Klimaanlage	air conditioned
cocina	cozinha	cuisine	cucina	Küche	kitchen
colección	colecção	collection	collezione	Sammlung	collection
colegiata	colegiada	collégiale	collegiata	Stiftskirche	collegiate church
colina	colina	colline	colle, collina	Hügel	hill
columna	coluna	colonne	colonna	Säule	column
comedor	casa de jantar	salle à manger	sala da pranzo	Speisesaal	dining room
comisaría	esquadra de policia	commissariat de police	commissariato di polizia	Polizeistation	police headquarters
conjunto	conjunto	ensemble	insieme	Gesamtheit	group
conserje	porteiro	concierge	portiere	Portier	porter

convento	convento	couvent	convento	Kloster	convent
coro	coro	chœur	coro	Chor	chancel
correos	correios	bureau de poste	ufficio postale	Postamt	post office
crucero	transepto	transept	transetto	Querschiff	transept
crucifijo, cruz	crucifixo, cruz	crucifix, croix	crocifisso, croce	Kruzifix, Kreuz	crucifix, cross
cuadro, pintura	quadro, pintura	tableau, peinture	quadro, pittura	Gemälde, Malerei	painting
cuenta	conta	note	conto	Rechnung	bill
cueva, gruta	gruta	grotte	grotta	Höhle	cave
cuchara	colher	cuillère	cucchiaio	Löffel	spoon
cuchillo	faca	couteau	coltello	Messer	knife
cúpula	cúpula	coupole, dôme	cupola	Kuppel	dome, cupola
dentista	dentista	dentiste	dentista	Zahnarzt	dentist
deporte	desporto	sport	sport	Sport	sport
desembocadura	foz	embouchure	foce	Mündung	mouth
desfiladero	desfiladeiro	défilé	gola	Engpaß	pass
diario	jornal	journal	giornale	Zeitung	newspaper
diciembre	Dezembro	décembre	dicembre	Dezember	December
dique	dique	digue	diga	Damm	dike, dam
domingo	Domingo	dimanche	domenica	Sonntag	Sunday
embalse	barragem	barrage	sbarramento	Talsperre	dam
encinar	azinhal	chênaie	querceto	Eichenwald	oak-grove
enero	Janeiro	janvier	gennaio	Januar	January
entrada	entrada	entrée	entrata, ingresso	Eingang, Eintritt	entrance, admission
equipaje	bagagem	bagages	bagagli	Gepäck	luggage
ermita	eremitério, retiro	ermitage	eremo	Einsiedelei	hermitage
escalera	escada	escalier	scala	Treppe	stairs
escuelas	escolas	écoles	scuole	Schulen	schools
escultura	escultura	sculpture	scultura	Schnitzwerk	carving
espectáculo	espectáculo	spectacle	spettacolo	Schauspiel	show, sight
estanco	tabacaria	bureau de tabac	tabaccaio	Tabakladen	tobacconist
estanque	lago, tanque	étang	stagno	Teich	pond, pool
estatua	estátua	statue	statua	Standbild	statue
estrecho	estreito	détroit	stretto	Meerenge	strait
estuario	estuário	estuaire	estuario	Mündung	estuary

fachada	fachada	façade	facciata	Vorderseite	façade
farmacia	farmácia	pharmacie	farmacia	Apotheke	chemist
faro	farol	phare	faro	Leuchtturm	lighthouse
febrero	Fevereiro	février	febbraio	Februar	February
festivo	feriado	férié	festivo	Feiertag	holiday
florido	florido	fleuri	fiorito	blümend	in bloom
fortaleza	fortaleza	forteresse, château fort	fortezza	Festung, Burg	fortress, fortified castle
fortificado	fortificado	fortifié	fortificato	befestigt	fortified
frescos	frescos	fresques	affreschi	Fresken	frescoes
frío	frio	froid	freddo	kalt	cold
friso	friso	frise	fregio	Fries	frieze
frontera	fronteira	frontière	frontiera	Grenze	frontier
fuente	fonte	source	sorgente	Quelle	source, stream
garganta	garganta	gorge	gola	Schlucht	gorge, stream
gasolina	gasolina	essence	benzina	Benzin	petrol
guardia civil	polícia	gendarme	poliziotto	Polizist	policeman
habitación	quarto	chambre	camera	Zimmer	room
hermoso	belo, formoso	beau	bello	schön	beautiful
huerto (a)	horta	potager	orto	Gemüsegarten	kitchen-garden
iglesia	igreja	église	chiesa	Kirche	church
informaciones	informações	renseignements	informazioni	Auskünfte	information
instalado	instalado	installé	installato	eingerichtet	established
invierno	Inverno	hiver	inverno	Winter	winter
isla	ilha	île	isola, isolotto	Insel	island
jardín	jardim	jardin	giardino	Garten	garden
jueves	5ª feira	jeudi	giovedì	Donnerstag	Thursday
julio	Julho	juillet	luglio	Juli	July
junio	Junho	juin	giugno	Juni	June
lago	lago	lac	lago	See	lake
laguna	lagoa	lagune	laguna	Lagune	lagoon
lavado	lavagem de roupa	blanchissage	lavanderia	Wäscherei	laundry

lonja	bolsa de comércio	bourse de commerce	borsa	Handelsbörse	Trade exchange
lunes	2ª feira	lundi	lunedì	Montag	Monday
llanura	planície	plaine	pianura	Ebene	plain
mar	mar	mer	mare	Meer	sea
martes	3ª feira	mardi	martedì	Dienstag	Tuesday
marzo	Março	mars	marzo	März	March
mayo	Maio	mai	maggio	Mai	May
médico	medico	médecin	medico	Arzt	doctor
mediodía	meio-dia	midi	mezzogiorno	Mittag	midday
mesón	estalagem	auberge	albergo	Gasthof	inn
mezquita	mesquita	mosquée	moschea	Moschee	mosque
miércoles	4ª feira	mercredi	mercoledì	Mittwoch	Wednesday
mirador	miradouro	belvédère	belvedere	Aussichtspunkt	belvedere
mobiliario	mobiliário	ameublement	arredamento	Einrichtung	furniture
molino	moinho	moulin	mulino	Mühle	windmill
monasterio	mosteiro	monastère	monastero	Kloster	monastery
montaña	montanha	montagne	montagna	Berg	mountain
muelle	cais, molhe	quai, môle	molo	Mole, Kai	quay
murallas	muralhas	murailles	mura	Mauern	walls
nacimiento	presépio	crèche	presepio	Krippe	crib
nave	nave	nef	navata	Kirchenschiff	nave
Navidad	Natal	Noël	Natale	Weihnachten	Christmas
noviembre	Novembro	novembre	novembre	November	November
obra de arte	obra de arte	œuvre d'art	opera d'arte	Kunstwerk	work of art
octubre	Outubro	octobre	ottobre	Oktober	October
orilla	orla, borda	bord	orlo	Rand	edge
otoño	Outono	automne	autunno	Herbst	autumn
pagar	pagar	payer	pagare	bezahlen	to pay
paisaje	paisagem	paysage	paesaggio	Landschaft	landscape
palacio real	palácio real	palais royal	palazzo reale	Königsschloß	royal palace
palmera, palmeral	palmeira, palmar	palmier, palmeraie	palma, palmeto	Palme, Palmenhain	palm-tree, palm grove

pantano	barragem	barrage	sbarramento	Talsperre	dam
papel de carta	papel de carta	papier à lettre	carta da lettera	Briefpapier	writing paper
parada	paragem	arrêt	fermata	Haltestelle	stopping place
paraje, emplazamiento	local	site	posizione	Lage	site
parque	parque	parc	parco	Park	park
pasajeros	passageiros	passagers	passeggeri	Fahrgäste	passengers
Pascua	Páscoa	Pâques	Pasqua	Ostern	Easter
paseo	passeio	promenade	passeggiata	Spaziergang, Promenade	walk, promenade
patio	pátio interior	cour intérieure	cortile interno	Innenhof	inner courtyard
peluquería	cabeleireiro	coiffeur	parrucchiere	Friseur	hairdresser, barber
peñón	rochedo	rocher	roccia	Felsen	rock
pico	pico	pic	picco	Gipfel	peak
pinar, pineda	pinhal	pinède	pineta	Pinienhain	pine wood
piso	andar	étage	piano (di casa)	Etage	floor
planchado	engomado	repassage	stiratura	bügeln	pressing, ironing
plato	prato	assiette	piatto	Teller	plate
playa	praia	plage	spiaggia	Strand	beach
plaza de toros	praça de touros	arènes	arena	Stierkampfarena	bull ring
portada, pórtico	portal, pórtico	portail	portale	Haupttor, Portal	doorway
prado, pradera	prado, pradaria	pré, prairie	prato, prateria	Wiese	meadow
primavera	Primavera	printemps	primavera	Frühling	spring (season)
prohibido fumar	proibido fumar	défense de fumer	vietato fumare	Rauchen verboten	no smoking
promontorio	promontório	promontoire	promontorio	Vorgebirge	promontory
propina	gorjeta	pourboire	mancia	Trinkgeld	tip
pueblo	aldeia	village	villaggio	Dorf	village
puente	ponte	pont	ponte	Brücke	bridge
puerta	porta	porte	porta	Tür	door
puerto	colo, porto	col, port	passo, porto	Gebirgspaß, Hafen	mountain pass, harbour
púlpito	púlpito	chaire	pulpito	Kanzel	pulpit
punto de vista	vista	point de vue	vista	Aussichtspunkt	viewpoint
recinto	recinto	enceinte	recinto	Ringmauer	perimeter walls
recorrido	percurso	parcours	percorso	Strecke	course
reja, verja	grade	grille	cancello	Gitter	iron gate

reliquia	relíquia	relique	reliquia	Reliquie	relic
reloj	relógio	horloge	orologio	Uhr	clock
Renacimiento	Renascença	Renaissance	Rinascimento	Renaissance	Renaissance
recepción	recepção	réception	ricevimento	Empfang	reception
retablo	retábulo	retable	pala d'altare	Altaraufsatz	altarpiece, retable
río	rio	fleuve	fiume	Fluß	river
roca, peñón	rochedo, rocha	rocher, roche	roccia	Felsen	rock
rocoso	rochoso	rocheux	roccioso	felsig	rocky
rodeado	rodeado	entouré	circondato	umgeben	surrounded
románico, romano	românico, romano	roman, romain	romanico, romano	romanisch, römisch	Romanesque, Roman
ruinas	ruínas	ruines	ruderi	Ruinen	ruins
sábado	Sábado	samedi	sabato	Samstag	Saturday
sacristía	sacristia	sacristie	sagrestia	Sakristei	sacristy
sala capitular	sala capitular	salle capitulaire	sala capitolare	Kapitelsaal	chapterhouse
salida	partida	départ	partenza	Abfahrt	departure
salida de socorro	saída de socorro	sortie de secours	uscita di sicurezza	Notausgang	emergency exit
salón	salão, sala	salon, grande salle	sala, salotto, salone	Salon	drawing room, sitting room
santuario	santuário	sanctuaire	santuario	Heiligtum	shrine
sello	selo	timbre-poste	francobollo	Briefmarke	stamp
septiembre	Setembro	septembre	settembre	September	September
sepulcro, tumba	sepúlcro, túmulo	sépulcre, tombeau	sepolcro, tomba	Grabmal	tomb
servicio incluido	serviço incluído	service compris	servizio compreso	Bedienung inbegriffen	service included
servicios	toilette, casa de banho	toilettes	gabinetti	Toiletten	toilets
sierra	serra	chaîne de montagnes	catena montuosa	Gebirgskette	mountain range
siglo	século	siècle	secolo	Jahrhundert	century
sillería del coro	cadeiras de coro	stalles	stalli	Chorgestühl	choir stalls
sobres	envelopes	enveloppes	buste	Briefumschläge	envelopes
sótano	cave	sous-sol, cave	sottosuolo	Keller	basement
subida	subida	montée	salita	Steigung	hill
tapices, tapicerías	tapeçarias	tapisseries	tappezzerie, arazzi	Wandteppiche	tapestries
tarjeta postal	bilhete postal	carte postale	cartolina	Postkarte	postcard
techo	tecto	plafond	soffitto	Zimmerdecke	ceiling

tenedor	garfo	fourchette	forchetta	Gabel	fork
tesoro	tesouro	trésor	tesoro	Schatz	treasure, treasury
torre	torre	tour	torre	Turm	tower
tribuna	tribuna, galeria	jubé	tribuna, galleria	Lettner	rood screen
valle	vale	val, vallée	valle, vallata	Tal	valley
vaso	copo	verre	bicchiere	Glas	glass
vega	veiga	vallée fertile	valle fertile	fruchtbare Ebene	fertile valley
verano	Verão	été	estate	Sommer	summer
vergel	pomar	verger	frutteto	Obstgarten	orchard
vidriera	vitral	verrière, vitrail	vetrata	Kirchenfenster	stained glass windows
viernes	6ª feira	vendredi	venerdì	Freitag	Friday
viñedos	vinhedos, vinhas	vignes, vignoble	vigne, vigneto	Reben, Weinberg	vines, vineyard
víspera, vigilia	véspera	veille	vigilia	Vorabend	preceding day, eve
vista pintoresca	vista pitoresca	vue pittoresque	vista pittoresca	malerische Aussicht	picturesque view
vuelta, circuito	volta, circuito	tour, circuit	giro, circuito	Rundreise	tour

COMIDAS Y BEBIDAS

COMIDAS Y BEBIDAS	COMIDAS E BEBIDAS	NOURRITURE ET BOISSONS	CIBI E BEVANDE	SPEISEN UND GETRÄNKE	FOOD AND DRINK
aceite, aceitunas	azeite, azeitonas	huiles, olives	olio, olive	Öl, Oliven	oil, olives
agua con gas	água gaseificada	eau gazeuse	acqua gasata	Sprudel	soda water
agua mineral	água mineral	eau minérale	acqua minerale	Mineralwasser	mineral water
ahumado	fumado	fumé	affumicato	geräuchert	smoked
ajo	alho	ail	aglio	Knoblauch	garlic
alcachofa	alcachofra	artichaut	carciofo	Artischocke	artichoke
almendras	amêndoas	amandes	mandorle	Mandeln	almonds
alubias	feijão	haricots	fagioli	Bohnen	beans
anchoas	anchovas	anchois	acciughe	Sardellen	anchovies
arroz	arroz	riz	riso	Reis	rice
asado	assado	rôti	arrosto	gebraten	roast
atún	atum	thon	tonno	Thunfisch	tunny
ave	aves, criação	volaille	pollame	Geflügel	poultry
azúcar	açúcar	sucre	zucchero	Zucker	sugar

bacalao	bacalhau fresco	morue fraîche, cabillaud	merluzzo	Kabeljau, Dorsch	cod
bacalao en salazón	bacalhau salgado	morue salée	baccalà, stoccafisso	Laberdan	dried cod
berenjena	beringela	aubergine	melanzana	Aubergine	aubergine
bogavante	lavagante	homard	gambero di mare	Hummer	lobster
brasa (a la)	na brasa	à la braise	brasato	geschmort	braised
café con leche	café com leite	café au lait	caffelatte	Milchkaffee	coffee with milk
café solo	café simples	café nature	caffè nero	schwarzer Kaffee	black coffee
calamares	lulas, chocos	calmars	calamari	Tintenfische	squid
caldo	caldo	bouillon	brodo	Fleischbrühe	clear soup
cangrejo	caranguejo	crabe	granchio	Krabbe	crab
caracoles	caracóis	escargots	lumache	Schnecken	snails
carne	carne	viande	carne	Fleisch	meat
castañas	castanhas	châtaignes	castagne	Kastanien	chestnuts
caza mayor	caça grossa	gros gibier	cacciagione	Wildbret	game
cebolla	cebola	oignon	cipolla	Zwiebel	onion
cerdo	porco	porc	maiale	Schweinefleisch	pork
cerezas	cerejas	cerises	ciliegie	Kirschen	cherries
cerveza	cerveja	bière	birra	Bier	beer
chipirones	lulas pequenas	petits calmars	calamaretti	kleine Tintenfische	small squid
chorizos	chouriços	saucisses au piment	salsicce piccanti	Pfefferwurst	spiced sausages.
chuleta, costilla	costeleta	côtelette	costoletta	Kotelett	cutlet
ciervo venado	veado	cerf	cervo	Hirsch	deer
cigalas	lagostins	langoustines	scampi	Meerkrebse, Langustinen	crayfish
ciruelas	ameixas	prunes	prugne	Pflaumen	plums
cochinillo, tostón	leitão assado	cochon de lait grillé	maialino grigliato, porchetta	Spanferkelbraten	roast suckling pig
cordero	carneiro	mouton	montone	Hammelfleisch	mutton
cordero lechal	cordeiro	agneau de lait	agnello	Lammfleisch	lamb
corzo	cabrito montês	chevreuil	capriolo	Reh	venison
fiambres	charcutaria	charcuterie	salumi	Aufschnitt (Wurst)	pork-butchers' meat
dorada, besugo	dourada, besugo	daurade	orata	Goldbrassen	sea bream

ensalada	salada	salade	insalata	Salat	green salad
entremeses	entrada	hors-d'œuvre	antipasti	Vorspeise	hors d'œuvre
espárragos	espargos	asperges	asparagi	Spargel	asparagus
espinacas	espinafres	épinards	spinaci	Spinat	spinach
fiambres	carnes frias	viandes froides	carni fredde	kalter Braten	cold meats
filete	filete, bife de lombo	filet	filetto	Filetsteak	fillet
fresas	morangos	fraises	fragole	Erdbeeren	strawberries
frutas	fruta	fruits	frutta	Früchte	fruit
frutas en almíbar	fruta em calda	fruits au sirop	frutta sciroppata	Früchte in Sirup	fruit in syrup
galletas	bolos sêcos	gâteaux secs	biscotti secchi	Gebäck	cakes
gambas	camarões	crevettes (bouquets)	gamberetti	Garnelen	prawns
garbanzos	grão	pois chiches	ceci	Kichererbsen	chick peas
guisantes	ervilhas	petits pois	piselli	junge Erbsen	garden peas
helado	gelado	glace	gelato	Speiseeis	ice cream
hígado	figado	foie	fegato	Leber	liver
higos	figos	figues	fichi	Feigen	figs
horno (al)	no forno	au four	al forno	im Ofen gebacken	baked in the oven
huevos al plato	ovos estrelados	œufs au plat	uova fritte	Spiegeleier	fried eggs
huevo pasado por agua	ovo quente	œufs à la coque	uovo à la coque	weiches Ei	soft boiled egg
jamón	presunto, fiambre	jambon (cru ou cuit)	prosciutto (crudo o cotto)	Schinken (roh, gekocht)	ham (raw or cooked)
judías verdes	feijão verde	haricots verts	fagiolini	grüne Bohnen	French beans
langosta	lagosta	langouste	aragosta	Languste	crawfish
langostino	gamba	crevette géante	gamberone	große Garnele	prawns
legumbres	legumes	légumes	verdura	Gemüse	vegetables
lenguado	linguado	sole	sogliola	Seezunge	sole
lentejas	lentilhas	lentilles	lenticchie	Linsen	lentils
limón	limão	citron	limone	Zitrone	lemon
lobarro, perca	perca	perche	pesce persico	Barsch	perch
lomo	lombo	filet, échine	lombata, lombo	Rückenstück	loin chine
lubina	robalo	bar	spigola	Barsch	bass

mantequilla	manteiga	beurre	burro	Butter	butter
manzana	maçã	pomme	mela	Apfel	apple
mariscos	mariscos	fruits de mer	frutti di mare	Meeresfrüchte	seafood
mejillones	mexilhões	moules	cozze	Muscheln	mussels
melocotón	pêssego	pêche	pesca	Pfirsich	peach
membrillo	marmelo	coing	cotogna	Quitte	quince
merluza	pescada	colin, merlan	nasello	Kohlfisch, Weißling	hake
mero	cherne	mérou	cernia	Rautenscholle	brill
naranja	laranja	orange	arancia	Orange	orange
ostras	ostras	huîtres	ostriche	Austern	oyster
paloma, pichón	pombo, borracho	palombe, pigeon	piccione	Taube	pigeon
pan	pão	pain	pane	Brot	bread
parrilla (a la)	grelhado	à la broche, grillé	allo spiedo	am Spieß	grilled
pasteles	bolos	pâtisseries	dolci, pasticceria	Kuchen, Torten	pastries
patatas	batatas	pommes de terre	patate	Kartoffeln	potatoes
pato	pato	canard	anitra	Ente	duck
pepino, pepinillo	pepino	concombre, cornichon	cetriolo, cetriolino	Gurke, Essiggürkchen	cucumber, gherkin
pepitoria	fricassé	fricassée	fricassea	Frikassee	fricassée
pera	pêra	poire	pera	Birne	pear
perdiz	perdiz	perdrix	pernice	Rebhuhn	partridge
pescados	peixes	poissons	pesci	Fische	fish
pimienta	pimenta	poivre	pepe	Pfeffer	pepper
pimiento	pimento	poivron	peperone	Pfefferschote	pimento
plátano	banana	banane	banana	Banane	banana
pollo	frango	poulet	pollo	Hähnchen	chicken
postres	sobremesas	desserts	dessert	Nachspeise	dessert
potaje	sopa	potage	minestra	Suppe	soup
queso	queijo	fromage	formaggio	Käse	cheese
rape	lota	lotte	rana pescatrice, coda di rospo	Seeteufel	monkfish, angler fish

relleno	recheado	farci	ripieno, farcito	gefüllt	stuffed
riñones	rins	rognons	rognoni	Nieren	kidneys
rodaballo	pregado	turbot	rombo	Steinbutt	turbot
sal	sal	sel	sale	Salz	salt
salchichas	salsichas	saucisses	salsicce	Würstchen	sausages
salchichón	salpicão	saucisson	salame	Hartuurst, Salami	salami, sausage
salmón	salmão	saumon	salmone	Lachs	salmon
salmonete	salmonete	rouget	triglia	Barbe, Rötling	red mullet
salsa	molho	sauce	salsa	Soße	sauce
sandía	melancia	pastèque	cocomero	Wassermelone	water-melon
sesos	miolos, mioleira	cervelle	cervella	Hirn	brains
setas, hongos	cogumelos	champignons	funghi	Pilze	mushrooms
sidra	cidra	cidre	sidro	Apfelwein	cider
solomillo	bife de lombo	filet	filetto	Filetsteak	fillet
sopa	sopa	soupe	minestra, zuppa	Suppe	soup
tarta	torta, tarte	tarte, grand gâteau	torta	Kuchen	tart, pie
ternera	vitela	veau	vitello	Kalbfleisch	veal
tortilla	omelete	omelette	frittata	Omelett	omelette
trucha	truta	truite	trota	Forelle	trout
turrón	torrão de Alicante, nougat	nougat	torrone	Nugat, Mandelkonfekt	nougat
uva	uva	raisin	uva	Traube	grapes
vaca, buey	vaca, boi	bœuf	manzo	Rindfleisch	beef
vieira	vieira	coquille St-Jacques	cappesante	Jakobsmuschel	scallop
vinagre	vinagre	vinaigre	aceto	Essig	vinegar
vino blanco dulce	vinho branco doce	vin blanc doux	vino bianco amabile	süßer Weißwein	sweet white wine
vino blanco seco	vinho branco seco	vin blanc sec	vino bianco secco	herber Weißwein	dry white wine
vino rosado	vinho « rosé »	vin rosé	vino rosato	Roséwein	rosé wine
vino de marca	vinho de marca	grand vin	vino pregiato	Prädikatswein	fine wine
vino tinto	vinho tinto	vin rouge	vino rosso	Rotwein	red wine
zanahoria	cenoura	carotte	carota	Karotte	carrot
zumo de frutas	sumo de frutas	jus de fruits	succo di frutta	Fruchtsaft	fruit juice

Poblaciones

Cidades

Villes

Città

Städte

Towns

ABADIANO o ABADIÑO *48220 Vizcaya* 442 C 22 – *7 008 h. alt. 133.*
Madrid 399 – Bilbao/Bilbo 35 – Vitoria/Gasteiz 43.

en la carretera N 634 *N : 2 km* – ✉ *48220 Abadiano :*

San Blas, Laubideta 7 ☎ (94) 681 42 00, *Fax (94) 681 42 00* – rest, TV ☎ P. AE ⓓ E VISA. rest
Comida 950 – ☕ 300 – **17 hab** 4100/6200.

ACANTILADO DE LOS GIGANTES *Santa Cruz de Tenerife – ver Canarias (Tenerife) : Puerto de Santiago.*

ADEMUZ *46140 Valencia* 445 L 26 – *1 208 h. alt. 670.*
Madrid 286 – Cuenca 120 – Teruel 44 – Valencia 136.

Casa Domingo, av. de Valencia 1 ☎ (978) 78 20 30, *Fax (978) 78 20 56* – rest, ☎ P. E VISA.
Comida 1425 – ☕ 380 – **30 hab** 2575/4125 – PA 2830.

ADRA *04770 Almería* 446 V 20 – *20 002 h. alt. 15 – Playa.*
Madrid 541 – Almería 59 – Granada 127 – Málaga 145.

Meliá Adra, Fábricas 86 ☎ (950) 56 04 04, *Fax (950) 56 04 44*, ←, – TV ☎ – 25/300. AE ⓓ E VISA.
Comida 1950 – ☕ 1025 – **64 hab** 9400/15500, 1 suite – PA 4900.

ADRALL *25797 Lérida* 443 F 34.
Madrid 592 – Andorra la Vella 26 – Lérida/Lleida 132 – Font-Romeu-Odeillo Via 74.

La Perdiu d'Argent, carret. C 1313 - SO : 1 km ☎ (973) 38 72 52, ← – P. ⓓ E VISA.
cerrado miércoles, del 1 al 15 de febrero y del 1 al 15 de junio – **Comida** carta 2775 a 3950.

AGAETE *Las Palmas – ver Canarias (Gran Canaria).*

AGOITZ *Navarra – ver Aoiz.*

AGRAMUNT *25310 Lérida* 443 G 33 – *4 702 h. alt. 337.*
Madrid 520 – Barcelona 123 – Lérida/Lleida 51 – Seo de Urgel/La Seu d'Urgell 98.

Kipps, carret. de Tarragona ☎ (973) 39 08 25, *Fax (973) 39 05 73*, – TV ☎ P – 25/150. E VISA
Comida carta aprox. 3350 – **25 hab** ☕ 3625/5200.

Blanc i Negre 2, carret. de Cervera - SE : 1,2 km ☎ (973) 39 12 13, *Fax (973) 39 12 13* – TV ☎ P. E VISA JCB
Comida 1200 – ☕ 700 – **24 hab** 3000/6000 – PA 2900.

ÁGREDA *42100 Soria* 442 G 24 – *3 617 h.*
Madrid 276 – Logroño 115 – Pamplona/Iruñea 118 – Soria 50 – Zaragoza 107.

Doña Juana, av. de Soria 16 ☎ (976) 64 72 16, *Fax (976) 64 76 69* – TV ☎ P. VISA. rest
Juani : **Comida** carta 2300 a 2650 – ☕ 995 – **47 hab** 3000/4850.

AGUA AMARGA *04149 Almería* 446 V 24 – *Playa.*
Madrid 568 – Almería 62 – Mojácar 33 – Níjar 32.

La Chumbera, carret. de Carboneras - N : 1 km ☎ (950) 16 83 21, *Fax (950) 16 83 21*, – P. E VISA
cerrado martes, febrero y del 1 al 15 de noviembre – **Comida** - sólo cena en verano - carta 2900 a 3950.

AGUADULCE *04720 Almería* 446 V 22 – *Playa.*
Madrid 560 – Almería 10 – Motril 102.

Andarax, Santa Fé (carret. N 340) ☎ (950) 34 07 08, *Fax (950) 34 07 55*, – TV ☎ – 25/100. AE ⓓ E VISA. rest
Comida 1800 – **108 hab** ☕ 6000/12500 – PA 3200.

Club Náutico, edificio puerto deportivo ☎ (950) 34 66 16, *Fax (950) 34 66 16*, ← – . AE ⓓ E VISA.
cerrado lunes y 7 enero-4 febrero – **Comida** carta 2700 a 4000.

AGÜERO *22808 Huesca* 443 **E 27** - *165 h.*
Alred. : *Los Mallos★ E : 11 km.*
Madrid 432 - Huesca 42 - Jaca 59 - Pamplona/Iruñea 132.

AGUILAR DE CAMPÓO *34800 Palencia* 442 **D 17** - *7594 h. alt. 895.*
pl. de España 32 ☎ (979) 12 20 24 (temp).
Madrid 323 - Palencia 97 - Santander 104.

Valentín, av. Generalísimo 23 ☎ (979) 12 21 25, *Fax (979) 12 24 42* - rest, - 25/250. AE E VISA.
Comida 1500 - 550 - **50 hab** 6500/8500.

Posada de Santa María la Real, carret. de Cervera de Pisuerga ☎ (979) 12 20 00, *Fax (979) 12 56 80,* « Conjunto rústico con jardín » - E VISA.
Comida *(cerrado lunes)* 1600 - **18 hab** 5500/7500.

Cortés con hab, Puente 39 ☎ (979) 12 30 55
E VISA.
Comida carta 3150 a 3950 - 650 - **12 hab** 4000/6000.

ÁGUILAS *30880 Murcia* 445 **T 25** - *24 610 h. - Playa.*
pl. Antonio Cortijos ☎ (968) 41 33 03 Fax (968) 44 60 82.
Madrid 494 - Almería 132 - Cartagena 84 - Lorca 42 - Murcia 104.

Carlos III, Rey Carlos III-22 ☎ (968) 41 16 50, *Fax (968) 41 16 58* - AE E VISA. rest
Comida 1100 - 600 - **32 hab** 7000/10500.

El Paso, carret. de Calabardina 13 ☎ (968) 44 71 25, *Fax (968) 44 71 27* - E VISA.
Comida 1300 - 300 - **24 hab** 5600/7000 - PA 2500.

Ruano, Iberia 8 ☎ (968) 41 11 25 - VISA
cerrado martes noche - **Comida** carta 2300 a 3300.

en Calabardina *NE : 8,5 km - ✉ 30889 Águilas :*

El Paraíso, ☎ (968) 41 94 44, *Fax (968) 41 94 44,* - rest, AE E VISA.
cerrado 20 diciembre-10 enero - **Comida** 1100 - 275 - **37 hab** 4000/6300 - PA 2300.

AIGUA BLAVA *Gerona - ver Bagur.*

AIGUADOLÇ (Puerto de) *Barcelona - ver Sitges.*

AINSA *22330 Huesca* 443 **E 30** - *1387 h. alt. 589.*
Ver : *Plaza Mayor★.*
av. de Pineta ☎ (974) 50 07 67 (temp).
Madrid 510 - Huesca 120 - Lérida/Lleida 136 - Pamplona/Iruñea 204.

Dos Ríos sin rest. con cafetería, av. Central 4 ☎ (974) 50 09 61, *Fax (974) 51 00 25* - AE E VISA.
abril-octubre - 500 - **18 hab** 6200/8200.

Mesón de L'Ainsa, Sobrarbe 12 ☎ (974) 50 00 28, *Fax (974) 50 07 33* - E VISA. rest
cerrado enero y febrero - **Comida** 1350 - 650 - **40 hab** 4950/5950 - PA 2750.

Dos Ríos sin rest, av. Central 2 ☎ (974) 50 01 06, *Fax (974) 51 00 25* - AE E VISA.
abril-octubre - 500 - **17 hab** 3900/5200.

Bodegas del Sobrarbe, pl. Mayor 2 ☎ (974) 50 02 37, *Fax (974) 50 09 37,* « Antiguas bodegas decoradas en estilo medieval » - AE E VISA.
cerrado 15 diciembre-15 marzo - **Comida** carta 2600 a 3500.

Bodegón de Mallacán, pl. Mayor 6 ☎ (974) 50 09 77, *Fax (974) 50 09 77,* - AE E VISA
Comida carta 2300 a 3700.

AJO *39170 Cantabria* 442 **B 19** - *Playa.*
Madrid 416 - Bilbao/Bilbo 86 - Santander 38.

La Casuca, Benedicto Ruiz ☎ (942) 62 10 54, *Fax (942) 62 10 54* - VISA.
cerrado martes (salvo de julio a septiembre), Navidades y enero - **Comida** carta aprox. 3800.

ALACANT - *ver Alicante.*

ALAGÓN *50630 Zaragoza* 443 **G 26** - *5 487 h.*
Madrid 350 - Pamplona/Iruñea 150 - Zaragoza 23.

Los Ángeles, pl. de la Alhóndiga 4 ☎ (976) 61 13 40, *Fax (976) 61 21 11* - ▤ TV ☎
E VISA. ✂
Comida 1400 - ☐ 425 - **17 hab** 3500/6000 - PA 2900.

ALAIOR *Baleares - ver Baleares (Menorca).*

ALAMEDA DE LA SAGRA *45240 Toledo* 444 **L 18** - *2 724 h.*
Madrid 52 - Toledo 31.

La Maruxiña, carret. de Ocaña - NO : 0,7 km ☎ (925) 50 04 92, *Fax (925) 50 02 11*
|$| ▤ TV ☎ P. E VISA. ✂ hab
Comida 1000 - ☐ 250 - **32 hab** 3350/6500.

ALAMEDA DEL VALLE *28749 Madrid* 444 **J 18** - *137 h. alt. 1 135.*
Madrid 83 - Segovia 59.

La Posada de Alameda ⑤, Grande 34 ☎ (91) 869 13 37, *Fax (91) 869 01 63* - TV
☎ P - 25/35. AE ① E VISA. ✂
Comida carta 3650 a 4550 - ☐ 750 - **22 hab** 8500/10500.

ALARCÓN *16213 Cuenca* 444 **N 23** - *245 h. alt. 845.*
Ver : *Emplazamiento★★.*
Madrid 189 - Albacete 94 - Cuenca 85 - Valencia 163.

Parador de Alarcón ⑤, av. Amigos de los Castillos 3 ☎ (969) 33 03 15
Fax (969) 33 03 03, « Castillo medieval sobre un peñón rocoso dominando el río Júcar »
- |$| ▤ TV ☎ P. AE ① VISA. ✂ rest
Comida 3500 - ☐ 1300 - **13 hab** 15200/19000 - PA 6960.

ALÁS o **ALÀS i CERC** *25718 Lérida* 443 **E 34** - *388 h. alt. 768.*
Madrid 603 - Lérida/Lleida 146 - Seo de Urgel/La Seu d'Urgell 7.

Alás, Zulueta 10 ☎ (973) 35 41 92, *Fax (973) 35 41 92* - AE ① E VISA JCB. ✂
cerrado lunes y febrero - **Comida** carta 2800 a 3800.

ALAYOR *Baleares - ver Baleares (Menorca).*

ALBA DE TORMES *37800 Salamanca* 441 **J 13** - *4 422 h. alt. 826.*
Ver : *Iglesia de San Juan (grupo escultórico★).*
Lepanto 4 ☎ (923) 30 08 98.
Madrid 191 - Ávila 85 - Plasencia 123 - Salamanca 19.

Alameda, av. Juan Pablo II ☎ (923) 30 00 31, *Fax (923) 37 02 81,* ⛱ - ▤ rest, TV ☎
P. AE ① E VISA. ✂
Comida 1100 - ☐ 400 - **34 hab** 3300/5500 - PA 2500.

La Villa, carret. de Peñaranda 49 ☎ (923) 30 09 85 - ▤.

ALBACETE *02000* P 444 **O y P 24** - *135 889 h. alt. 686.*
Ver : *Museo (Muñecas romanas articuladas★)* BY **M1.**
Tinte 2-edificio Posada del Rosario ✉ 02001 ☎ (967) 58 05 22.
Madrid 249 ⑥ - Córdoba 358 ④ - Granada 350 ④ - Murcia 147 ③ - Valencia 183 ②

Plano página siguiente

Los Llanos sin rest, av. de España 9, ✉ 02002, ☎ (967) 22 37 50, *Fax (967) 23 46 07*
- |$| ▤ TV ☎ ⇔ - 25/400. AE ① E VISA BZ
☐ 900 - **102 hab** 12400/15600.

Manila sin rest, San José de Calasanz 12, ✉ 02002, ☎ (967) 50 74 02
Fax (967) 50 61 27 - |$| ▤ TV ☎ ⇔. AE ① E VISA JCB. ✂ ABZ
☐ 500 - **46 hab** 6000/7500, 1 apartamento.

Europa, San Antonio 39, ✉ 02001, ☎ (967) 24 15 12, *Fax (967) 21 45 69* - |$| ▤ TV
☎ ⇔ - 25/350. AE ① E VISA JCB. ✂ rest BY
Comida 2000 - ☐ 500 - **116 hab** 8000/12000, 3 suites.

ALBACETE

Marqués de Molins . . . . . BZ 24
Mayor . . . . AYZ 28

Arcángel San Gabriel . . . AZ 3
Arquitecto Julio Carrilero (Av. del) . . . . . AY 4
Batalla del Salado . . . . . . BZ 5
Caba . . . . AZ 6
Carretas (Pl. de las) . . . . . BZ 7
Catedral (Pl. de la) . . . . . . AY 8
Comandante Padilla . . . . . AZ 9
Fernán Pérez de Oliva . . . AY 14
Francisco Fontecha . . . . . . BY 16
G. Lodares (Pl. de) . . . . . . AZ 17
Granada . . . . AY 18
Iris . . . . BY 19
Isabel la Católica . . . . AY 20
Joaquín Quijada . . . . AY 21
Libertad (Pas. de la) . . . . . BY 22
Martínez Villena . . . . BY 26
Mayor (Pl.) . . . . AY 29
Pedro Martínez Gutiérrez . . . AY 30
Pedro Simón Abril (Pas. de) . AZ 32
Rosario . . . . AY 33
San Antonio . . . . BY 34
San Julián . . . . AY 35
San Sebastián . . . . AY 36
Santa Quiteria . . . . BZ 37
Tesifonte Gallego . . . . AZ 38
Tinte . . . . AZ 39
Valencia (Puerta de) . . . . . . BZ 42
Virgen de las Maravillas . . . . AY 44
Zapateros . . . . AY 46

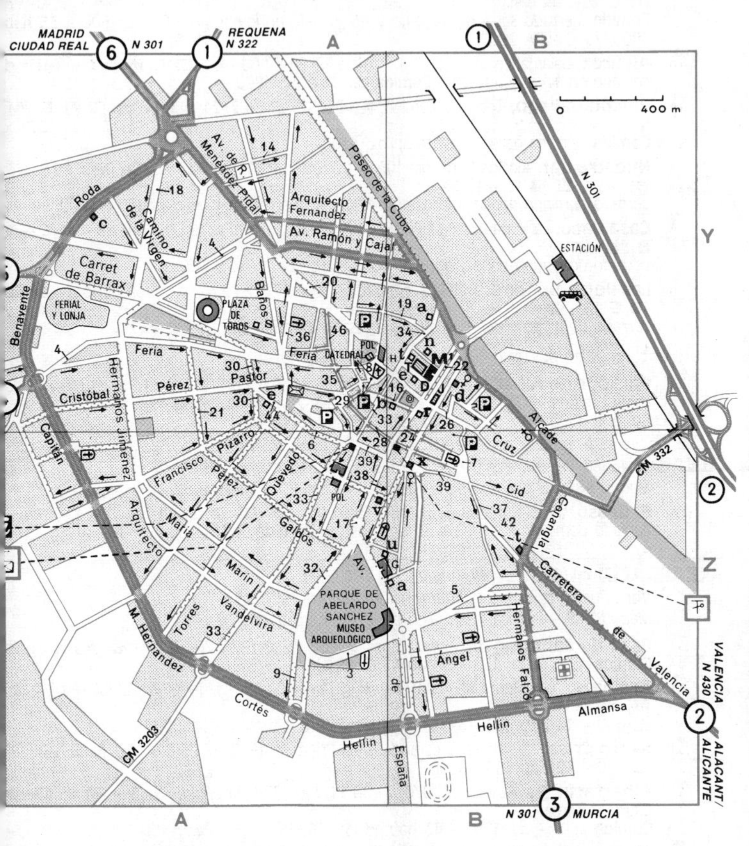

San Antonio, San Antonio 8, ✉ 02001, ☎ (967) 52 35 35, *Fax (967) 52 31 30* – 25/40. rest — BY t
Comida 2000 – 600 – **32 hab** 11000/15000.

Gran Hotel sin rest, Marqués de Molins 1, ✉ 02001, ☎ (967) 21 37 87, *Fax (967) 24 00 63* – 25/60. — BY r
600 – **64 hab** 8000/11900.

NH Albar, Isaac Peral 3, ✉ 02001, ☎ (967) 21 68 61, *Fax (967) 21 43 79* – — BY e
Comida 1500 – 900 – **51 hab** 10000/13000 – PA 3900.

Green Universidad, av. de España 71, ✉ 02006, ☎ (967) 50 88 95, *Fax (967) 23 69 79*, – por av. de España BZ
Comida 1350 – 500 – **80 hab** 8560/10700.

Florida, Ibáñez Íbero 14, ✉ 02005, ☎ (967) 22 70 58, *Fax (967) 22 91 15* – — AY s
Comida 1400 – 350 – **79 hab** 8000/12000 – PA 2750.

Altozano sin rest y sin ☕, pl. Altozano 7, ✉ 02001, ✆ (967) 21 04 62, *Fax (967) 52 13 66* – 🛗 ▤ 📺 ☎ 🚗. E VISA. ✗ ABY b
40 hab 4500/7900.

Cardinal sin rest, Virgen de las Maravillas 5, ✉ 02004, ✆ (967) 50 87 78 *Fax (967) 50 87 79* – 🛗 ▤ 📺 ☎ 🚗. AE E VISA. ✗ AY e
15 hab ☕ 5000/7800.

Albacete, Carcelén 8, ✉ 02001, ✆ (967) 21 81 11, *Fax (967) 21 87 25* – ▤ 📺 ☎. AE ⊙ E VISA. ✗ rest BY n
Comida *(cerrado sábado, domingo y 15 julio-1 septiembre)* 1400 – ☕ 500 – **36 hab** 3800/7000 – PA 2800.

Álvarez, Salamanca 12, ✉ 02001, ✆ (967) 21 82 69 – ▤. AE E VISA. ✗ BY d
cerrado domingo y agosto – **Comida** carta aprox. 3800.

Rincón Gallego, Teodoro Camino, ✉ 02002, ✆ (967) 21 14 94 – ▤. AE ⊙ E VISA ✗ BZ x
Comida - cocina gallega - carta aprox. 3700.

Nuestro Bar, Alcalde Conangla 102, ✉ 02002, ✆ (967) 24 33 73, *Fax (967) 24 33 73*, ☂ – ▤. AE ⊙ E VISA. ✗ BZ t
cerrado domingo noche y julio – **Comida** - cocina regional - carta 3150 a 4000.

Casa Paco, La Roda 26, ✉ 02005, ✆ (967) 50 06 18, *Fax (967) 50 06 18* – ▤. AE ⊙ E VISA. ✗ AY c
cerrado domingo noche y agosto – **Comida** carta aprox. 3400.

Las Rejas, Dionisio Guardiola 9, ✉ 02002, ✆ (967) 22 72 42, « Mesón típico » – ▤. AE ⊙ E VISA. ✗ AZ v
cerrado domingo y del 15 al 30 de agosto – **Comida** carta 3800 a 5200.

al Sureste : *5 km por ② o ③*

Parador de Albacete 🐦, ✆ (967) 24 53 21, *Fax (967) 24 32 71*, ≤, « Conjunto de estilo regional », 🏊, 🎾 – ▤ 📺 ☎ P – 🏛 25/200. AE ⊙ E VISA. ✗
Comida 3500 – ☕ 1300 – **70 hab** 11600/14500.

ALBAIDA *46860 Valencia* 445 **P 28** – *5 862 h. alt. 315.*
Madrid 381 – Albacete 132 – Alicante/Alacant 80 – Valencia 82.

El Bessó, av. El Romeral 6 ✆ (96) 239 02 91 – ▤. AE ⊙ E VISA. ✗
cerrado domingo y del 10 al 30 de agosto – **Comida** carta 2450 a 3600.

ALBARRACÍN *44100 Teruel* 443 **K 25** – *1 164 h. alt. 1 200.*
Ver : *Pueblo típico★ Emplazamiento★ Catedral (tapices★).*
Madrid 268 – Cuenca 105 – Teruel 38 – Zaragoza 191.

Casa de Santiago 🐦, Subida a las Torres 11 ✆ (978) 70 03 16 – ☎. VISA. ✗ rest
Comida 1500 – ☕ 450 – **9 hab** 4500/7900.

Arabia sin rest, Bernardo Zapater 2 ✆ (978) 71 02 12, *Fax (978) 71 02 37*, ≤ – 📺 ☎. VISA. ✗
☕ 400 – **11 hab** 5200/6950, 10 apartamentos.

Santo Cristo 🐦 sin rest, camino Santo Cristo ✆ (978) 70 03 01 – 📺 P. E VISA. ✗
☕ 350 – **12 hab** 3500/4900.

Albarracín 🐦, Azagra ✆ (978) 71 00 11, *Fax (978) 71 00 11*, ≤, 🏊 – 📺 ☎. AE ⊙ E VISA. ✗ rest
Comida 3500 – ☕ 1265 – **43 hab** 13035/16335.

Mesón del Gallo, Los Puentes 1 ✆ (978) 71 00 32 – 📺 ☎. VISA. ✗
Comida 1400 – ☕ 300 – **17 hab** 2500/5000 – PA 3100.

El Portal, Portal de Molina 14 ✆ (978) 70 03 90, « Decoración castellana » – ⊙ E VISA. ✗
cerrado domingo noche y lunes (salvo julio-agosto) – **Comida** carta 2000 a 2750.

en la carretera de Teruel *NE : 1,5 km – ✉ 44100 Albarracín :*

Montes Universales, ✆ (978) 71 01 58, *Fax (978) 71 02 12* – 📺 ☎ 🚗 P. VISA. ✗
Comida 1250 – ☕ 390 – **32 hab** 3950/5500 – PA 2590.

Do not mix up :

Comfort of hotels	: 🏨 ... 🏠, 🏡
Comfort of restaurants	: XXXXX ... X
Quality of the cuisine	: ✿✿✿, ✿✿, ✿, 🙂

La ALBERCA *37624 Salamanca* 441 K 11 - *958 h. alt. 1 050.*

Ver : *Pueblo típico★★.*

Alred. : *S : Carretera de Las Batuecas★ - Peña de Francia★★ : ※★★ O : 15 km.*

pl. Mayor ☎ *(923) 41 52 91 (temp).*

Madrid 299 - Béjar 54 - Ciudad Rodrigo 49 - Salamanca 94.

Doña Teresa, carret. de Mogarraz ☎ (923) 41 53 08, *Fax (923) 41 53 08*, - ▤ ☎. AE ⓓ E VISA. ✕
Comida 2000 - ☕ 550 - **41 hab** 9000/11000 - PA 4550.

Las Batuecas, carret. de Las Batuecas ☎ (923) 41 51 88, *Fax (923) 41 50 55* - ▤ rest, ☎ Ⓟ. E VISA. ✕ rest
cerrado 8 enero-8 febrero - **Comida** 1750 - ☕ 550 - **24 hab** 5000/7500.

París, San Antonio 2 ☎ (923) 41 51 31, *Fax (923) 41 50 40* - ▤ rest, ☎ Ⓟ. AE E VISA. ✕
Comida 1500 - ☕ 600 - **22 hab** 5000/7500 - PA 3000.

ALBERIQUE o ALBERIC *46260 Valencia* 445 O 28 - *8 587 h. alt. 28.*

Madrid 392 - Albacete 145 - Alicante/Alacant 126 - Valencia 41.

en la carretera N 340 *S : 3 km - ✉ 46260 Alberique :*

Balcón del Júcar, ☎ (96) 244 00 87, *Fax (96) 244 00 87*, - ▤ Ⓟ. AE ⓓ E VISA. ✕ hab
Comida 1250 - ☕ 475 - **18 hab** 3500/6000.

ALBIR (Playa de) *Alicante - ver Alfaz del Pi.*

ALBOLOTE *18220 Granada* 446 U 19 - *10 070 h. alt. 654.*

Madrid 415 - Antequera 91 - Granada 8.

Príncipe Felipe, av. Jacobo Camarero 32 ☎ (958) 46 54 11, *Fax (958) 46 54 46*, - ▤ ☎ - 25/200
57 hab.

en la autovía N 323 *NE : 3 km - ✉ 18220 Albolote :*

Villa Blanca, urb. Villas Blancas ☎ (958) 45 30 02, *Fax (958) 45 31 61*, ←, - ▤ ☎ Ⓟ. AE ⓓ E VISA. ✕ rest
Comida 2700 - ☕ 800 - **36 hab** 8500/10500.

ALBONS *17136 Gerona* 443 F 39 - *45 h. alt. 25.*

Madrid 735 - Barcelona 136 - Figueras/Figueres 25 - Gerona/Girona 39.

en la carretera C 252 *O : 2 km - ✉ 17136 Albons :*

Albons Calm H., ☎ (972) 78 82 99, *Fax (972) 78 81 17*, - ▤ ☎ Ⓟ - 25/100. AE ⓓ E VISA. ✕ rest
Comida - sólo cena salvo en Semana Santa y verano - 2500 - **29 hab** ☕ 15840/19800, 3 suites - PA 5000.

La ALBUFERETA (Playa de) *Alicante - ver Alicante.*

ALBURQUERQUE *06510 Badajoz* 444 O 8 y 9 - *5 714 h. alt. 440.*

Madrid 372 - Badajoz 46 - Cáceres 72 - Castelo de Vide 65 - Elvas 59.

Las Alcabalas, carret. C 530 ☎ (924) 40 11 02, *Fax (924) 40 11 89*, ← - ▤ ☎ Ⓟ. AE E VISA. ✕
Comida 1100 - **14 hab** ☕ 3800/5800 - PA 2500.

ALCALÁ DE GUADAIRA *41500 Sevilla* 446 T 12 - *52 515 h. alt. 92.*

Madrid 529 - Cádiz 117 - Córdoba 131 - Málaga 193 - Sevilla 14.

Guadaira sin rest. con cafetería, Mairena 8 ☎ (95) 568 14 00, *Fax (95) 568 14 00* - ▤ ☎. ⓓ E VISA
☕ 225 - **27 hab** 8000/10000.

Zambra, av. Antonio Mairena 98 ☎ (95) 561 28 29, *Fax (95) 561 07 13*, - ▤. AE ⓓ E VISA. ✕
cerrado domingo noche - **Comida** - pescados y mariscos - carta aprox. 4200.

ALCALÁ DE HENARES *28800 Madrid 444 K 19 – 162 780 h. alt. 588.*

Ver : *Antigua Universidad o Colegio de San Ildefonso (fachada plateresca★) – Capilla de San Ildefonso (sepulcro★ del Cardenal Cisneros).*

Valdeláguila, SE : 8 km (91) 885 96 59 Fax (91) 885 96 59.

Callejón de Santa María 1 (91) 889 26 94 ✉ 28801.

Madrid 31 – Guadalajara 25 – Zaragoza 290.

El Bedel sin rest. con cafetería, pl. San Diego 6, ✉ 28801, (91) 889 37 00 *Fax (91) 889 37 16* – 25/90. AE E VISA.
900 – **51 hab** 7900/11850.

Green Cisneros, paseo de Pastrana 32, ✉ 28803, (91) 888 25 11 *Fax (91) 883 19 95,* – AE E VISA JCB. rest
Comida 1300 – 575 – **42 hab** 7700/11300 – PA 2615.

Bari, Vía Complutense 112, ✉ 28805, (91) 888 14 50, *Fax (91) 883 38 36* – AE E VISA.
Comida 2300 – 550 – **49 hab** 6300/10000.

Hostería del Estudiante, Colegios 3, ✉ 28801, (91) 888 03 30 *Fax (91) 888 05 27,* « Decoración de estilo castellano. Claustro del siglo XV » – AE E VISA.
Comida carta 3200 a 5000.

ALCALÁ DEL JÚCAR *02210 Albacete 444 O 25 – 1 609 h. alt. 596.*

Ver : *Emplazamiento★.*

Madrid 278 – Albacete 66 – Alicante/Alacant 158 – Murcia 203 – Valencia 135.

ALCALÁ DE LA SELVA *44432 Teruel 445 K 27 – 409 h. alt. 1 500.*

Madrid 360 – Castellón de la Plana/Castelló de la Plana 111 – Teruel 59 – Valencia 148.

en Virgen de la Vega *SE : 2 km – ✉ 44431 Virgen de la Vega :*

Mesón de la Nieve con hab, (978) 80 10 83, *Fax (978) 80 10 83,* ← – E VISA
Comida carta 1950 a 2650 – 500 – **9 hab** 3800/6600.

ALCANAR *43530 Tarragona 443 K 31 – 7 828 h. alt. 72 – Playa.*

Madrid 507 – Castellón de la Plana/Castelló de la Plana 85 – Tarragona 101 – Tortosa 37.

Can Bunyoles, av. d'Abril 5 (977) 73 20 14
AE E VISA.
cerrado domingo noche, lunes y septiembre – **Comida** carta 2950 a 3990.

en Cases d'Alcanar *NE : 4,5 km – ✉ 43569 Cases d'Alcanar :*

Racó del Port, Lepanto 41 (977) 73 70 50 – AE E VISA.
cerrado del 5 al 30 de noviembre – **Comida** - pescados y mariscos - carta 2485 a 4575.

ALCÁNTARA *10980 Cáceres 444 M 9 – 1 948 h. alt. 232.*

Ver : *Puente Romano★.*

Madrid 339 – Cáceres 64 – Castelo Branco 78 – Plasencia 109.

ALCANTARILLA *30820 Murcia 445 S 26 – 30 070 h. alt. 66.*

Madrid 397 – Granada 276 – Murcia 7.

Mesón de la Huerta, av. del Príncipe (carret. N 340) (968) 80 23 90, « Mesón típico » – E VISA.
cerrado domingo en julio y agosto – **Comida** - sólo almuerzo - carta aprox. 3100.

junto a la autovía N 340 *SO : 5 km – ✉ 30835 Sangonera la Seca :*

La Paz, (968) 80 13 37, *Fax (968) 80 13 37,* – 25/500 AE E VISA.
Comida 2000 – 1000 – **111 hab** 6200/10000 – PA 4400.

ALCAÑIZ *44600 Teruel 443 I 29 – 12 820 h. alt. 338.*

Ver : *Colegiata (portada★).*

Madrid 397 – Teruel 156 – Tortosa 102 – Zaragoza 103.

Parador de Alcañiz, castillo de Calatravos (978) 83 04 00, *Fax (978) 83 03 66* ← valle y colinas, « Edificio medieval. Decoración castellana » – AE E VISA.
cerrado 18 diciembre-2 febrero – **Comida** 3500 – 1200 – **12 hab** 13200/16500.

Calpe, carret. de Zaragoza - O : 1 km ☎ (978) 83 07 32, *Fax (978) 83 00 54* – AE ⊙ E VISA. rest
Comida *(cerrado domingo noche)* 1400 – 550 – **40 hab** 5000/9000 – PA 3000.

Meseguer, av. Maestrazgo 9 ☎ (978) 83 10 02, *Fax (978) 83 01 41* – ⊙ E VISA.
Comida *(cerrado domingo y del 13 al 30 de septiembre)* 1215 – 500 – **24 hab** 3800/6800.

Senante, carret. de Zaragoza 13 ☎ (978) 83 05 50, *Fax (978) 87 02 67* – 25/500. AE E VISA. rest
cerrado del 23 al 31 de diciembre – **Comida** *(cerrado domingo noche)* 1150 – 300 – **29 hab** 5350/7450 – PA 2600.

Alcañiz, pl. Santo Domingo 6 ☎ (978) 87 01 55 – AE ⊙ E VISA.
Comida *(cerrado domingo)* 1000 – 400 – **21 hab** 2500/4500.

ALCÁZAR DE SAN JUAN *13600 Ciudad Real* 444 N 20 – *25 706 h. alt. 651.*

Madrid 149 – Albacete 147 – Aranjuez 102 – Ciudad Real 87 – Cuenca 156 – Toledo 99.

Ercilla Don Quijote, av. de Criptana 5 ☎ (926) 54 38 00, *Fax (926) 54 63 00* – AE ⊙ E VISA. rest
Comida 1470 - ***Sancho*** *(cerrado domingo noche y festivos noche)* **Comida** carta 2850 a 5450 – 475 – **44 hab** 6065/9700.

Casa Paco, av. Álvarez Guerra 5 ☎ (926) 54 06 06
⊙ E VISA JCB.
cerrado lunes – **Comida** carta 1900 a 3450.

La Mancha, av. de la Constitución ☎ (926) 54 10 47, – AE VISA
cerrado miércoles y agosto – **Comida** - cocina regional - carta 2100 a 3250.

en la carretera de Herencia *O : 2 km – ✉ 13600 Alcázar de San Juan :*

Ercilla Barataria, av. de Herencia ☎ (926) 54 06 17, *Fax (926) 54 32 32* – 25/500. AE ⊙ E VISA. rest
Comida *(cerrado domingo y festivos noche)* 1365 – 475 – **37 hab** 6065/9700 – PA 3205.

LOS ALCÁZARES *30710 Murcia* 445 S 27 – *4 052 h. – Playa.*

Fuster 63 ☎ (968) 17 13 61 Fax (968) 57 52 49.
Madrid 444 – Alicante/Alacant 85 – Cartagena 25 – Murcia 54.

Corzo, La Base 6 ☎ (968) 57 51 25, *Fax (968) 17 14 51* – 25/40
44 hab.

Cristina sin rest, La Base 4 ☎ (968) 17 11 10, *Fax (968) 17 11 10* – ⊙ E VISA.
300 – **35 hab** 4800/6800.

ALCIRA o ALZIRA *46600 Valencia* 445 O 28 – *40 055 h. alt. 24.*

Madrid 387 – Albacete 153 – Alicante/Alacant 127 – Valencia 39.

Reconquista, Sueca 14 ☎ (96) 240 30 61, *Fax (96) 240 25 36* – AE ⊙ E VISA.
Comida 1500 – 600 – **78 hab** 5540/7730 – PA 3000.

ALCOBENDAS *28100 Madrid* 444 K 19 – *78 916 h. alt. 670.*

Madrid 16 – Ávila 124 – Guadalajara 60.

junto a la autovía N I *SO : 3 km – ✉ 28100 Alcobendas :*

La Moraleja sin rest, av. de Europa 17 - parque empresarial La Moraleja ☎ (91) 661 80 55, *Fax (91) 661 21 88,* – AE ⊙ E VISA.
1350 – **37 suites** 25600.

en La Moraleja *S : 4 km – ✉ 28109 La Moraleja :*

Ascot, pl. de La Moraleja ☎ (91) 650 13 53, – AE ⊙ E VISA.
Comida carta 4150 a 5700.

Do not use yesterday's maps for today's journey.

ALCOCÉBER o **ALCOSSEBRE** *12579 Castellón* 445 L 30 - *Playa.*
Madrid 471 - Castellón de la Plana/Castelló de la Plana 49 - Tarragona 139.

en la playa :

Jeremías, S : 1 km (964) 41 44 37, *Fax (964) 41 45 12*, - rest,
VISA.
cerrado diciembre - **Comida** 1500 - **39 hab** 5500/6600.

Can Roig, S : 3 km (964) 41 43 91, - AE E VISA.
cerrado martes salvo verano y 2 noviembre-febrero - **Comida** carta 2700 a 3700.

Sancho Panza, Jai-Alai - urb. Las Fuentes (964) 41 22 65, - . AE E VISA
Comida carta 2640 a 3375.

hacia la carretera N 340 *NO : 2 km - 12579 Alcocéber :*

D'el Tossalet sin rest, (964) 41 44 69, - . E VISA.
julio-septiembre - 250 - **16 hab** 4000/5965.

ALCORA o **L'ALCORA** *12110 Castellón* 445 L 29 - *8 372 h. alt. 279.*
Madrid 407 - Castellón de la Plana/Castelló de la Plana 19 - Teruel 130 - Valencia 94.

Sant Francesc, av. Castelló 19 (964) 36 09 24
. AE E VISA.
Comida - sólo almuerzo salvo sábado - carta 2600 a 3500.

ALCOSSEBRE *Castellón - ver Alcocéber.*

ALCOY o **ALCOI** *03803 Alicante* 445 P 28 - *64 579 h. alt. 545.*
Alred. : *Puerto de la Carrasqueta★ S : 15 km.*
Madrid 405 - Albacete 156 - Alicante/Alacant 55 - Murcia 136 - Valencia 110.

Reconquista, puente de San Jorge 1 (96) 533 09 00, *Fax (96) 533 09 55*, -
- 25/260. AE E VISA. rest
Comida *(cerrado domingo y viernes)* 1800 - 850 - **70 hab** 6300/8500.

Lolo, Castalla 5 (96) 533 69 42, *Fax (96) 533 69 42* - . AE VISA.
cerrado lunes - **Comida** carta 3100 a 3750.

ALCUDIA DE CARLET o **L'ALCUDIA** *46250 Valencia* 445 O 28 - *9 988 h.*
Madrid 362 - Albacete 153 - Alicante/Alacant 134 - Valencia 33.

Galbis, av. Antonio Almela 15 (96) 254 10 93, *Fax (96) 299 65 84* - . AE E VISA
cerrado domingo - **Comida** carta 3650 a 5550.

ALCUNEZA *Guadalajara - ver Sigüenza.*

ALDEA o **L'ALDEA** *43896 Tarragona* 443 J 31 - *3 543 h. alt. 5.*
Madrid 498 - Castellón de la Plana/Castelló de la Plana 118 - Tarragona 72 - Tortosa 13

Can Quimet, av. Catalunya 328 (977) 45 00 03, *Fax (977) 45 00 03* -
. AE E VISA.
cerrado 23 diciembre-15 enero - **Comida** 1300 - 500 - **38 hab** 3500/7000.

ALDEANUEVA DE LA VERA *10440 Cáceres* 444 L 12 - *2 476 h. alt. 658.*
Madrid 217 - Ávila 149 - Cáceres 128 - Plasencia 49.

Chiquete, av. Extremadura 3 (927) 57 24 94 - . AE E VISA.
Comida 900 - 200 - **13 hab** 2000/3000.

La ALDOSA *Andorra - ver Andorra (Principado de) : La Massana.*

ALELLA *08328 Barcelona* 443 H 36 - *6 865 h. alt. 90.*
Madrid 641 - Barcelona 15 - Granollers 16.

El Niu, rambla Angel Guimerà 16 (interior) (93) 555 17 00, *Fax (93) 555 17 00* - .
AE E VISA.
cerrado domingo noche y lunes - **Comida** carta aprox. 4400.

ALEVIA *Asturias - ver Panes.*

ALFAJARÍN *50172 Zaragoza* 443 **H 27** – *1 546 h. alt. 199.*
Madrid 342 – Lérida/Lleida 129 – Zaragoza 23.

Rausán, carret. N II (autopista A 2 - salida 1) ☎ (976) 10 00 02, *Fax (976) 10 10 17* – ▤ TV ☎ P. AE VISA. ✂
Comida 1150 – ☕ 500 – **42 hab** 3425/5500.

por la carretera N II y carretera particular *E : 3 km* – ✉ *50172 Alfajarín :*

Casino de Zaragoza sin rest, ☎ (976) 10 20 04, *Fax (976) 10 20 87,* ≤, 🏊, 🎾 – ▤ TV ☎ P – 🏊 25/200. AE E VISA
37 hab 6990.

ALFARO *26540 La Rioja* 442 **F 24** – *9 432 h. alt. 301.*
Madrid 319 – Logroño 78 – Pamplona/Iruñea 81 – Soria 93 – Zaragoza 102.

Palacios, av. de Zaragoza 6 ☎ (941) 18 01 00, *Fax (941) 18 36 22,* « Museo del vino de Rioja », 🏊, 🌳, 🎾 – ▤ TV ☎ P – 25/250. AE ⓓ E VISA. ✂ rest
Comida 1400 - ***El Museo :*** **Comida** carta 2100 a 4425 – ☕ 600 – **86 hab** 4950/6950.

ALFAZ DEL PÍ *03580 Alicante* 445 **Q 29** – *6 671 h. alt. 80.*
Madrid 468 – Alicante/Alacant 50 – Benidorm 7.

El Molí, Calvari 12 ☎ (96) 588 82 44, *Fax (96) 588 82 44,* 🏖, 🏊 – TV ☎. ⓓ E VISA. ✂ rest
Comida 1850 – ☕ 750 – **10 hab** 4200/6800.

en la carretera N 332 *E : 3 km* – ✉ *03580 Alfaz del Pí :*

XX **La Torreta,** ☎ (96) 686 65 07, 🏖 – ▤ P. AE ⓓ E VISA. ✂
cerrado sábado mediodía y domingo – **Comida** carta 3450 a 5250.

en la playa de Albir *E : 4 km* – ✉ *03580 Alfaz del Pí :*

La Riviera, camino al Faro 1 ☎ (96) 686 53 86, *Fax (96) 686 66 53,* ≤ mar, montaña y Altea, 🏊 – ▤ hab, TV ☎. E VISA
Comida *(cerrado jueves y 20 enero-febrero)* 1900 – **11 hab** ☕ 5000/10000.

La ALGABA *41980 Sevilla* 446 **T 11** – *12 298 h. alt. 10.*
Madrid 560 – Huelva 61 – Sevilla 11.

en la carretera C 431 *N : 2 km* – ✉ *41980 La Algaba :*

Torre de los Guzmanes sin rest, ☎ (95) 578 91 75, *Fax (95) 578 92 05,* 🏊 – ▤ TV ☎ 🚗 P – 25/120. AE ⓓ E VISA. ✂
☕ 600 – **40 hab** 10000/15000.

ALGAIDA *Baleares – ver Baleares (Mallorca).*

ALGAR *11369 Cádiz* 446 **W 13** – *1 846 h. alt. 204.*
Madrid 597 – Algeciras 74 – Arcos de la Frontera 20 – Cádiz 87 – Marbella 121.

Villa de Algar, camino Arroyo Vinateros ☎ (956) 71 02 75, *Fax (956) 71 02 66,* ≤ – 🛗 ▤ TV ☎ P
20 hab.

El ALGAR *30366 Murcia* 445 **T 27.**
Madrid 457 – Alicante/Alacant 95 – Cartagena 15 – Murcia 64.

XX ✿ **José María Los Churrascos,** av. Filipinas 24 ☎ (968) 13 60 28, *Fax (968) 13 62 30* – ▤ P. AE ⓓ E VISA. ✂
Comida 3200 y carta 3550 a 4600
Espec. Pierna de cabrito al estilo algareño. Mero a la cazuela estilo José María. Bacalao Don Bibiano.

ALGECIRAS *11200 Cádiz* 446 **X 13** – *101 556 h. – Playas en El Rinconcillo y Getares.*
Ver : *≤★★ (Peñón de Gibraltar).*
🚗 ☎ *(956) 65 49 07.*
⛴ *para Tánger y Ceuta : Cía Trasmediterránea, recinto del puerto ☎ (956) 66 52 00 Telex 78002 Fax (956) 66 52 16.*
ℹ *Juan de la Cierva ✉ 11207 ☎ (956) 57 26 36 Fax (956) 57 04 75.*
Madrid 681 ① – Cádiz 124 ② – Jerez de la Frontera 141 ② – Málaga 133 ① – Ronda 102 ①

ALGECIRAS

Alta (Pl.) . . . . BY 2
Emilio Santacana . . . . BY 14
Monet . . . . BZ 27
Regino Martinez . . . . BY 31
Tarifa . . . . BZ 37
Velarde . . . . BZ 40

Cádiz (Carret. de) . . . . BZ 3
Cayetano del Toro . . . . BZ 4
Carteya . . . . AZ 5

Conferencia (Pas. de la) . . . . AYZ 8
Domingo Savio . . . . AY 9
Duque de Almodóvar . . . . . BZ 10
Fray Tomás del Valle . . . . . BY 17
Fuente Nueva . . . . AY 18
Fuerzas Armadas (Av. de las) . BY 20
José Antonio . . . . BY 21
José Santacana . . . . BZ 23
Juan de la Cierva . . . . BZ 24
Marina (Av. de la) . . . . BZ 26
Muñoz Cobos . . . . BY 28
N.S. de la Palma (Pl.) . . . . . BY 29
Ramón Puyol (Av.) . . . . AY 30

Reyes Católicos . . . . AZ 3
Salvador Allende . . . . BY 3
San Bernardo . . . . BZ 3
Santiago Ramón y Cajal . BY 3
Segismundo Moret (Av.) . BZ 3
Teniente Miranda . . . . . . BY 3
Vicente de Paul . . . . AY 4
Virgen de Europa (Av.) . . BY 4

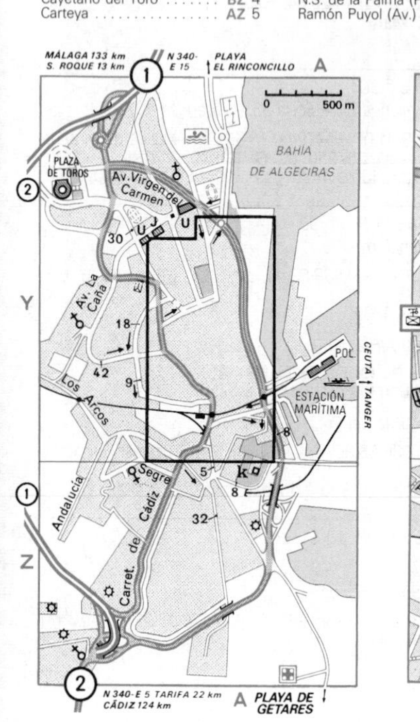

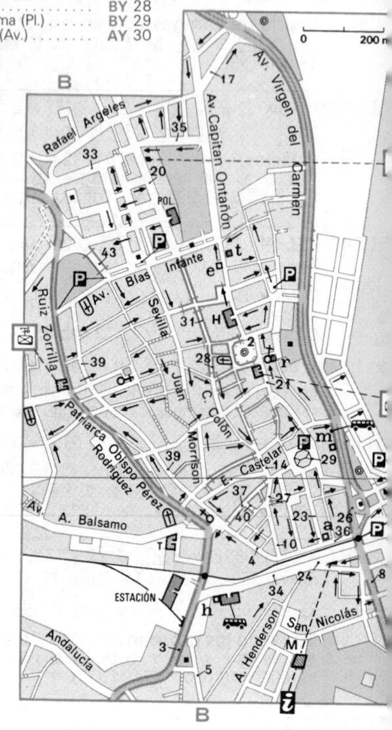

Reina Cristina, paseo de la Conferencia, ✉ 11207, ✆ (956) 60 26 22, *Fax (956) 60 33 23*, « En un parque », – 25/100. AZ k
Comida 2750 – **158 hab** 15000/20000, 2 suites – PA 5700.

Octavio sin rest, San Bernardo 1, ✉ 11207, ✆ (956) 65 27 00, *Fax (956) 65 28 02* – 25/30 BZ h
74 hab, 3 suites.

Alarde sin rest. con cafetería, Alfonso XI-4, ✉ 11201, ✆ (956) 66 04 08, *Fax (956) 65 49 01* – 25/45 BY e
68 hab.

Don Manuel sin rest y sin, Segismundo Moret 4, ✉ 11201, ✆ (956) 63 46 06, *Fax (956) 63 47 16* – BZ a
15 hab.

El Estrecho sin rest y sin, av. Virgen del Carmen 15-7º, ✉ 11201, ✆ (956) 65 35 11, *Fax (956) 65 35 11*, – . AE VISA. BY m
20 hab 3100/4100.

La Capilla, Murillo, ✉ 11201, ✆ (956) 66 65 00 – . AE VISA. BY r
cerrado domingo y del 15 al 31 de agosto – **Comida** carta aprox. 3500.

Asador Iruña, Alfonso XI-11, ✉ 11201, ✆ (956) 63 28 18 – . AE VISA. BY t
Comida - carnes - carta 2400 a 4550.

en la autovía N 340 por ① : 4 km – ✉ 11205 Algeciras :

Alborán, Álamo ☏ (956) 63 28 70, Fax (956) 63 23 20 – ▯ ▤ TV ☎ P – 25/550. AE ⓓ E VISA. rest
Comida 1350 – 500 – **79 hab** 8400/11000 – PA 3200.

Ver también : **Palmones** *por ① : 8 km.*

ALGORTA *Vizcaya – ver Getxo.*

ALHAMA DE ARAGÓN *50230 Zaragoza* 443 **I 24** – *1 195 h. alt. 634 – Balneario.*
Madrid 206 – Soria 99 – Teruel 166 – Zaragoza 115.

Balneario Termas Pallarés, Constitución 20 ☏ (976) 84 00 11, *Fax (976) 84 05 35,* « Lago de agua termal en un gran parque », , de agua termal, – ▯ ☎ P – 25/120. AE ⓓ E VISA JCB. rest
cerrado diciembre-febrero – **Comida** 2800 – 600 – **126 hab** 6800/9400.

Ver también : **Piedra (Monasterio de)** *SE : 17 km.*

ALHAMA DE GRANADA *18120 Granada* 446 **U 17 y 18** – *5 783 h. alt. 960 – Balneario.*
Ver : *Emplazamiento★★.*
Madrid 483 – Córdoba 158 – Granada 54 – Málaga 82.

al Norte : *3 km*

Balneario , carret. de Granada ☏ (958) 35 00 11, *Fax (958) 35 02 97,* « En un parque », de agua termal – ▯ TV P. ⓓ VISA.
10 junio-10 octubre – **Comida** 2600 – 575 – **116 hab** 5100/8300 – PA 4350.

La ALHAMBRA *Granada – ver Granada.*

ALICANTE o **ALACANT** *03000* P 445 **Q 28** – *275 111 h. – Playa.*
Ver : *Explanada de España★* DEZ - *Colección de Arte del S. XX. Museo de La Asegurada★* EY **M.**
✈ *de Alicante por ② : 12 km ☏ (96) 691 90 00 – Iberia : av. Dr. Gadea 12 (entreplanta) ✉ 03001 ☏ (96) 521 86 13* DYZ.
☏ (96) 592 50 47.
explanada de España 2 ✉ 03002 ☏ (96) 520 00 00 Fax (96) 520 02 43 y Portugal 17 ✉ 03003 ☏ (96) 592 98 02 Fax (96) 592 01 12 – **R.A.C.E.** *Orense 3 ✉ 03003 ☏ (96) 522 93 49 Fax (96) 512 55 97.*
Madrid 417 ③ – Albacete 168 ③ – Cartagena 110 ② – Murcia 81 ② – Valencia (por la costa) 174 ①

Planos páginas siguientes

Meliá Alicante, playa de El Postiguet, ✉ 03001, ☏ (96) 520 50 00, *Fax (96) 520 47 56,* ≤, – ▯ ▤ TV ☎ P – 25/500. AE ⓓ E VISA. EZ r
Comida 3300 – 1200 – **540 hab** 16000/19400, 5 suites – PA 7800.

Eurhotel, Pintor Lorenzo Casanova 33, ✉ 03003, ☏ (96) 513 04 40, *Fax (96) 592 83 23* – ▯ ▤ TV ☎ – 25/250. AE ⓓ E VISA. CZ a
Comida 1500 – 975 – **115 hab** 11000/12000, 1 suite.

Covadonga sin rest, pl. de los Luceros 17, ✉ 03004, ☏ (96) 520 28 44, *Fax (96) 521 43 97* – ▯ ▤ TV ☎ . AE ⓓ VISA. CY d
650 – **83 hab** 5000/8000.

NH Cristal sin rest. con cafetería por la noche, López Torregrosa 9, ✉ 03002, ☏ (96) 514 36 59, *Fax (96) 520 66 96* – ▯ ▤ TV ☎ – 35/40. AE ⓓ E VISA DY c
1100 – **53 hab** 10000/11000.

Sol Inn Alicante sin rest, Gravina 9, ✉ 03002, ☏ (96) 521 07 00, *Fax (96) 521 09 76* – ▯ ▤ TV ☎ – 25/150. AE ⓓ E VISA JCB EY r
800 – **66 hab** 7400/8700.

Leuka sin rest. con cafetería, Segura 23, ✉ 03004, ☏ (96) 520 27 44, *Fax (96) 514 12 22* – ▯ ▤ TV ☎ . AE ⓓ E VISA. CY h
650 – **108 hab** 5990/9745.

La Reforma sin rest. con cafetería por la noche, Reyes Católicos 7, ✉ 03003, ☏ (96) 592 81 47, *Fax (96) 592 39 50* – ▯ ▤ TV ☎ . AE ⓓ E VISA DZ h
600 – **52 hab** 5000/9220.

ALACANT
ALICANTE

Alfonso X el Sabio (Av. de)	DY	
Constitución (Av. de la)	DY	21
Major	EY	
Méndez Núñez (Rambla)	DYZ	
Adolfo Muñoz Alonso (Av.)	CY	
Aguilera (Av. de)	CZ	
Alcoy (Av. de)	DY	
Ayuntamiento (Pl. del)	EY	7
Bailén	DY	
Bazán	DY	
Benito Pérez Galdós (Av.)	CY	
Bono Guarner	CY	
Calderón de la Barca	DY	
Calvo Sotelo (Pl.)	DZ	10
Canalejas	DZ	
Capitán Segarra	DY	
Castaños	DYZ	14
Catedrático Soler (Av.)	CZ	
Churruca	CZ	
Condes de Soto Ameno (Av.)	CY	20
Díaz Moreu	DY	
Doctor Gadea (Av. del)	DZ	
Doctor Rico (Av.)	CY	
Elche (Av. de)	CZ	
Elche (Portal de)	DZ	28
España (Explanada de)	DEZ	
España (Pl. de)	DY	
Estación (Av. de la)	CY	
Eusebio Sempere (Av.)	CZ	
Fábrica (Cuesta de la)	EY	
Federico Soto (Av. de)	DZ	
Foglieti	CZ	
Gabriel Miró (Pl. de)	DZ	31
García Morato	DY	
General Marvá (Av. del)	CY	
Gerona	DZ	
Gomiz (Paseo de)	EY	
Hermanos Pascual (Pl.)	DY	
Isabel la Católica	CZ	
Italia	CZ	
Jijona (Av. de)	DY	33
Jorge Juan	EY	
Jovellanos (Av. de)	EY	35
López Torregrosa	DY	37
Loring (Av. de)	CZ	
Maisonnave (Av. de)	CZ	
Montañeta (Pl. de la)	DZ	41
Navas	DYZ	
Oliveretes (Pl. de los)	DY	
Oscar Esplá (Av.)	CZ	
Pablo Iglesias	DY	
Padre Mariana	DY	
Pintor Aparicio	CZ	
Pintor Gisbert	CY	
Pintor Murillo	DY	
Poeta Carmelo Calvo (Av.)	DY	47
Portugal	DZ	
Puerta del Mar (Pl.)	EZ	48
Rafael Altamira	EZ	50
Rafael Terol	DZ	
Ramiro (Pas.)	EY	51
Ramón y Cajal (Av. de)	DZ	
Reyes Católicos	CZ	
Salamanca (Av. de)	CY	
San Carlos	EY	
San Fernando	DEZ	53
San Francisco	DZ	
San Vicente	DY	
Santa Teresa (Pl.)	DY	
Teatre Chapí	DY	58
Vázquez de Mella (Av.)	EY	

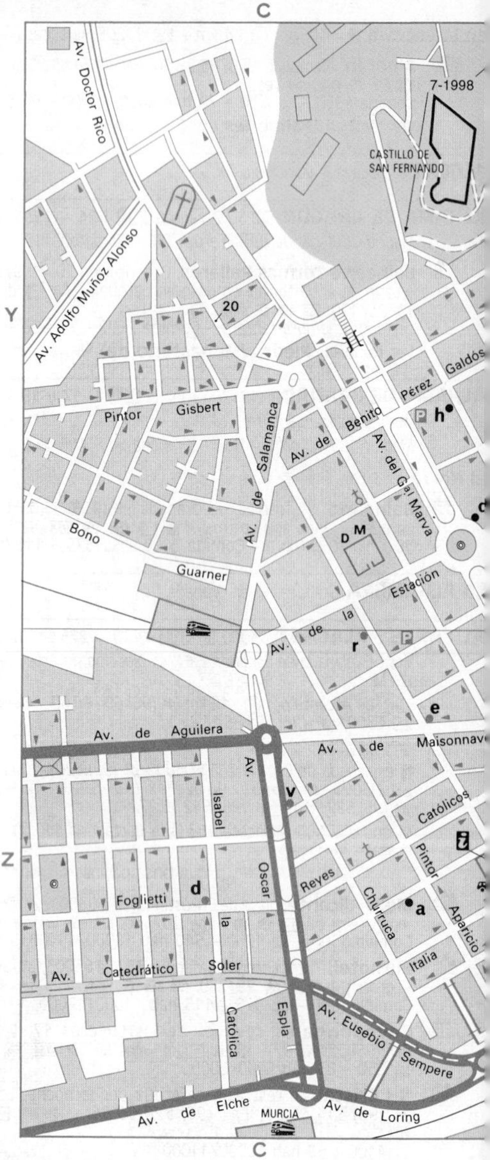

XXX **Delfín,** explanada de España 12, ✉ 03001, ☎ (96) 521 49 11, *Fax (96) 521 99 07*, ≤, – ▤. AE ◑ E VISA. – **Comida** carta 4600 a 5100. DZ y

XX **Nou Manolín,** Villegas 3, ✉ 03001, ☎ (96) 520 03 68, *Fax (96) 521 70 07*, Vinoteca – ▤. AE ◑ E VISA – **Comida** carta 4050 a 4200. DY m

XX **Piripi,** Oscar Esplá 30, ✉ 03003, ☎ (96) 522 79 40, *Fax (96) 521 70 07* – ▤. AE ◑ E VISA. – **Comida** carta 2800 a 4000. CZ v

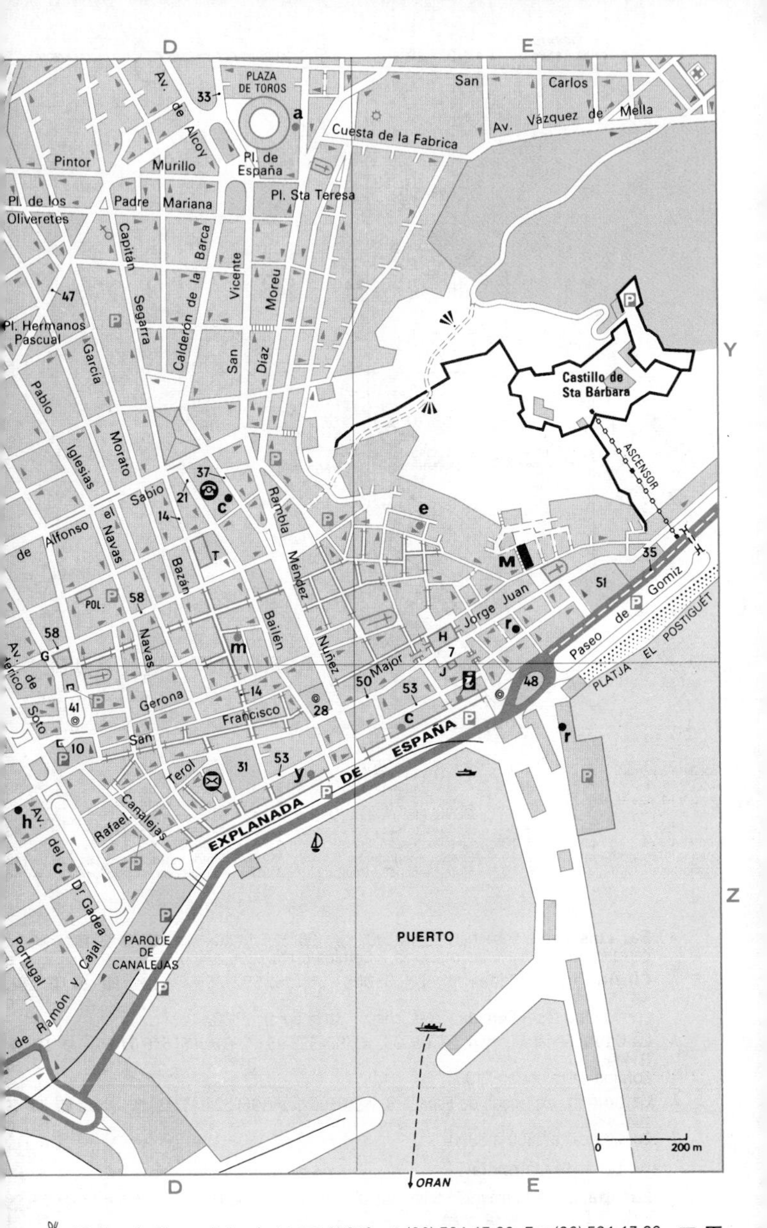

Valencia Once, Valencia 11, ✉ 03012, ☎ (96) 521 13 09, *Fax (96) 521 13 09* – ▤. AE E VISA. ✂ DY a
cerrado domingo noche, lunes y 10 agosto-10 septiembre – **Comida** carta 3200 a 3900.

Govana, General Lacy 17, ✉ 03003, ☎ (96) 592 56 58, *Fax (96) 592 56 58* – ▤. AE E VISA. ✂ CZ r
cerrado domingo noche y agosto – **Comida** carta 2400 a 3400.

El Bocaíto, Isabel la Católica 22, ✉ 03007, ☎ (96) 592 26 30 – ▤. AE ⓓ E VISA JCB. ✂ CZ d
cerrado domingo – **Comida** carta aprox. 3850.

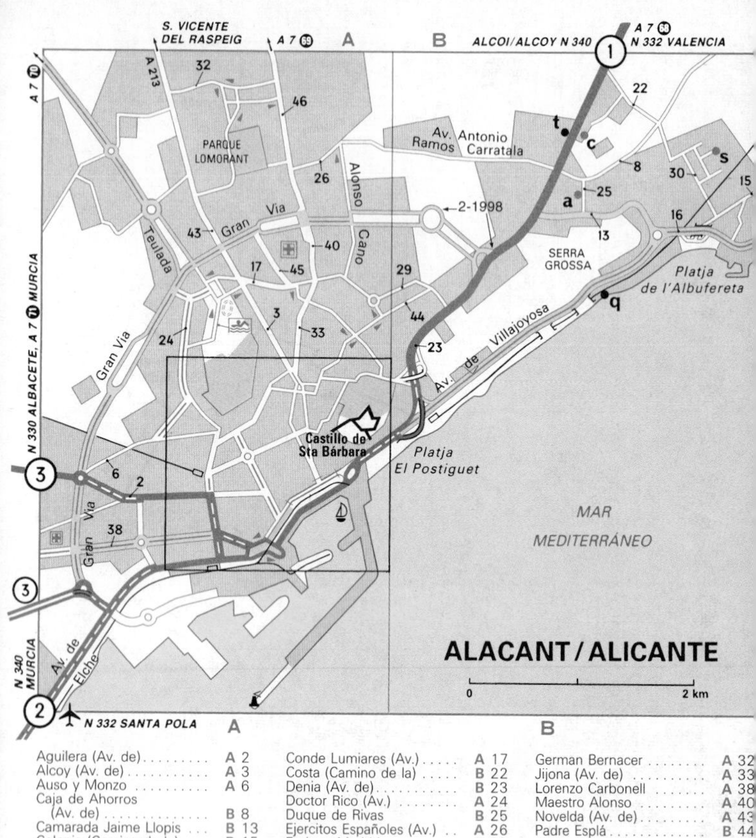

X **Bar Luis,** Pedro Sebastiá 7, ✉ 03002, ✆ (96) 521 14 46 – ▤. AE ⓓ E VISA. ✈
cerrado domingo y lunes mediodía – **Comida** carta 3100 a 4300. EY e

X **China,** av. Dr. Gadea 11, ✉ 03003, ✆ (96) 592 75 74 – ▤. AE ⓓ E VISA. ✈ DZ c
cerrado martes – **Comida** - rest. chino - carta aprox. 2300.

X **La Cava,** General Lacy 4, ✉ 03003, ✆ (96) 592 93 61, *Fax (96) 516 01 95* – ▤. AE ⓓ E VISA CZ e
Comida carta aprox. 3100.

X **La Goleta,** explanada de España 8, ✉ 03002, ✆ (96) 521 43 92, 🏖 – ▤. AE ⓓ E VISA. ✈ EZ c
Comida carta 2800 a 3800.

en la carretera de Valencia :

🏨 **Europa,** av. de Denia 133 : 5 km, ✉ 03015, ✆ (96) 515 03 09, *Fax (96) 515 05 93*, 🏊 – |♦| ▤ TV ☎ 🚗 P – 🏫 25/30. E VISA. ✈ rest B t
Comida 1500 – ☕ 800 – **141 hab** 7000/9000 – PA 4900.

XXX **Maestral,** Andalucía 18-Vistahermosa, cruce Albufereta : 3 km, ✉ 03016, ✆ (96) 516 46 18, *Fax (96) 516 18 88*, 🏖, « Villa con terraza rodeada de jardín » – ▤. AE ⓓ E VISA. ✈ B a
cerrado domingo noche – **Comida** carta 3650 a 4800.

XX **La Piel del Oso,** Vistahermosa : 3,5 km, ✉ 03016, ✆ (96) 526 06 01, *Fax (96) 515 20 47* – ▤ P. AE ⓓ E VISA B c
cerrado domingo noche y lunes – **Comida** carta 2600 a 4350.

en la playa de la Albufereta - ✉ 03016 Alicante :

Albahía sin rest, Sol Naciente 6 : 4 km ☎ (96) 515 59 79, *Fax (96) 515 53 73*, - - 25/50. AE VISA. B q
750 - **93 hab** 8000/10000.

Auberge de France, Flora de España 32 - Finca Las Palmeras : 5 km ☎ (96) 526 06 02, *Fax (96) 526 44 42*, « En un pinar » - . AE VISA B s
cerrado martes y del 15 al 31 de octubre - **Comida** - cocina francesa - carta 3380 a 5300.

Ver también : **Playa de San Juan** *por A 190 : 7 km* B
San Juan de Alicante *por ① : 9 km.*

ALISEDA *10550 Cáceres* 444 **N 9** - *2 342 h. alt. 351.*
Madrid 325 - Alcántara 42 - Badajoz 77 - Cáceres 28.

El Ciervo, carret. N 521 ☎ (927) 27 72 92, *Fax (927) 27 74 84* - . VISA.
Comida 1100 - 300 - **20 hab** 4000/6400 - PA 2210.

ALJARAQUE *21110 Huelva* 446 **U 8** - *6 720 h.*
Bellavista, NE : 3 km ☎ (959) 31 90 17 Fax (959) 31 90 25.
Madrid 652 - Faro 77 - Huelva 10.

Las Candelas, SE : 0,5 km ☎ (959) 31 84 33, *Fax (959) 31 83 02* - . AE VISA.
cerrado domingo - **Comida** carta 3400 a 4850.

ALLARIZ *32660 Orense* 441 **F 6** - *5 218 h. alt. 470.*
Emilia Pardo Bazán ☎ (988) 44 20 08.
Madrid 482 - Orense/Ourense 19 - Vigo 112.

Acea da Costa, Parque Portovello ☎ (988) 44 22 88, « Antiguo molino en un parque junto al río » - VISA.
cerrado domingo noche, lunes y 8 enero-8 febrero - **Comida** carta 2100 a 2500.

ALLES *Asturias - ver Panes.*

La ALMADRABA (Playa de) *Gerona - ver Rosas.*

LA ALMADRABA DE MONTELEVA *Almería - ver Cabo de Gata.*

L'ALMADRAVA (Playa de) *Tarragona - ver Hospitalet del Infante.*

ALMADRONES *19414 Guadalajara* 444 **J 21** - *112 h. alt. 1 054.*
Madrid 100 - Guadalajara 44 - Soria 127.

en la autovía N II *E : 1 km - ✉ 19414 Almadrones :*

103, ☎ (949) 28 55 11, *Fax (949) 28 55 45* - . AE VISA.
Comida 2070 - 625 - **40 hab** 3115/5915.

103 - II, ☎ (949) 28 55 95, *Fax (949) 28 55 45* - . AE VISA.
Comida carta 2575 a 5600.

ALMAGRO *13270 Ciudad Real* 444 **P 18** - *8 962 h. alt. 643.*
Ver : *Pueblo típico★, Plaza Mayor★★ (Corral de Comedias★).*
Bernardas 2 (Palacio Valdeparaiso) ☎ (926) 86 07 17.
Madrid 189 - Albacete 204 - Ciudad Real 23 - Córdoba 230 - Jaén 165.

Parador de Almagro , Ronda de San Francisco 31 ☎ (926) 86 01 00, *Fax (926) 86 01 50*, « Instalado en el convento de Santa Catalina - siglo XVI », - - 25/100. AE VISA JCB.
Comida 3500 - 1200 - **54 hab** 13000/16500, 1 suite.

Confortel Almagro, carret. de Bolaños ☎ (926) 86 00 11, *Fax (926) 86 06 18*, , - - 25/150. AE VISA.
Comida 1500 - **50 hab** 9300/13600 - PA 3000.

Don Diego sin rest, Bolaños 1 ☎ (926) 86 12 87, *Fax (926) 86 05 74* -
31 hab.

Hospedería Municipal de Almagro, Ejido de Calatrava ✆ (926) 88 20 87, Fax (926) 88 21 22, « Instalado parcialmente en un convento » – ☎ Ⓟ. VISA.
Comida *(cerrado lunes)* 1200 – ☕ 300 – **42 hab** 3000/4500.

Mesón El Corregidor, pl. Fray Fernando Fernández de Córdoba 2 ✆ (926) 86 06 48, Fax (926) 88 27 69, « Antigua posada » – ▤. AE ⓓ E VISA JCB
cerrado lunes – **Comida** carta 3150 a 4600.

La Cuerda, pl. General Jorreto 6 ✆ (926) 88 28 05,
▤. AE E VISA.
cerrado lunes y 2ª semana de agosto – **Comida** carta aprox. 3000.

ALMANDOZ *31976 Navarra* 442 C 25.
Madrid 437 – Bayonne 76 – Pamplona/Iruñea 42.

Beola, Mayor ✆ (948) 58 50 02, *Fax (948) 58 50 30,* « Decoración rústica » – Ⓟ. AE VISA
cerrado lunes y 15 diciembre-febrero – **Comida** - sólo almuerzo salvo sábado - carta 2500 a 3500.

ALMANSA *02640 Albacete* 444 P 26 – *22 488 h. alt. 685.*
Madrid 325 – Albacete 76 – Alicante/Alacant 96 – Murcia 131 – Valencia 111.

Los Rosales, carret. de circunvalación ✆ (967) 34 07 50, *Fax (967) 31 18 82* – ▤ rest, TV ☎ Ⓟ. AE ⓓ E VISA.
Comida 1600 – ☕ 330 – **33 hab** 3725/6415.

Mesón de Pincelín, Las Norias 10 ✆ (967) 34 00 07, *Fax (967) 34 54 27,* « Decoración regional » – ▤. AE ⓓ E VISA.
cerrado domingo noche, lunes, del 13 al 19 de abril y del 1 al 20 de agosto – **Comida** carta 2650 a 3990.

Bodegón, Corredera 128 ✆ (967) 31 06 37, *Fax (967) 31 00 66* – ▤. AE ⓓ E VISA.
cerrado martes y del 1 al 15 de julio – **Comida** carta 2000 a 3800.

Casa Valencia, carret. de circunvalación 20 ✆ (967) 31 16 52 – ▤ Ⓟ. ⓓ E VISA.
cerrado lunes y del 15 al 31 de julio – **Comida** carta 2900 a 4100.

al Noroeste : *2,3 km*

Confortel Almansa, av. de Madrid - salida 586 autovía ✆ (967) 34 47 00, *Fax (967) 31 15 60,* – ▤ TV ☎ Ⓟ – 25/200. AE ⓓ E VISA.
Comida 2000 – **50 hab** ☕ 7000/10800 – PA 4400.

ALMARZA *42169 Soria* 442 G 22 – *627 h. alt. 1 600.*
Madrid 251 – Burgos 165 – Logroño 83 – Soria 22 – Tudela 113.

en la carretera N 111 *S : 4,5 km – ✉ 42169 Almarza :*

El Valle, ✆ (975) 25 01 24, *Fax (975) 25 01 08,* ← – TV ☎ Ⓟ – 25/200. VISA.
Comida 1100 – ☕ 250 – **29 hab** 5000/6700.

ALMÀSSERA *Valencia – ver Valencia.*

ALMAZÁN *42200 Soria* 442 H 22 – *5 975 h. alt. 950.*
Madrid 191 – Aranda de Duero 107 – Soria 35 – Zaragoza 179.

Antonio, av. de Soria 13 ✆ (975) 30 07 11 – Ⓟ. AE ⓓ E VISA.
cerrado 24 diciembre-20 enero – **Comida** *(cerrado domingo noche)* carta aprox. 3150 – ☕ 500 – **28 hab** 1800/3700.

ALMAZCARA *24170 León* 441 E 10.
Madrid 378 – León 99 – Ponferrada 10.

Los Rosales, carret. N VI ✆ (987) 46 71 67, *Fax (987) 46 72 00* – ▤ TV ☎ Ⓟ. AE E VISA.
Comida 1100 – ☕ 300 – **40 hab** 3400/4700.

ALMENDRALEJO *06200 Badajoz 444 P 10 – 24 120 h. alt. 336.*
Madrid 368 – Badajoz 56 – Mérida 25 – Sevilla 172.

Vetonia, carret. N 630 - NE : 2 km ☎ (924) 67 11 51, *Fax (924) 67 11 51* – 25/500. AE E VISA JCB
Comida 1400 – 450 – **30 hab** 6460/7600.

España, av. San Antonio 69 ☎ (924) 67 01 20, *Fax (924) 67 01 20* – E VISA
cerrado 20 diciembre-7 enero – **Comida** (ver rest. ***Zara***) – 500 – **26 hab** 3500/5000.

El Paraíso, carret. N 630 - SE : 2 km ☎ (924) 66 10 01, *Fax (924) 67 02 55,* – AE E VISA.
cerrado lunes noche – **Comida** carta 2700 a 3950.

El Danubio, carret. N 630 - SE : 1 km ☎ (924) 66 10 84 – E VISA
Comida carta 1425 a 2350.

Nandos, Ricardo Romero 16 ☎ (924) 66 12 71 – AE E VISA.
cerrado domingo noche, miércoles noche y 2ª quincena de agosto – **Comida** carta aprox. 3500.

Zara, carret. N 630 ☎ (924) 66 10 78 – E VISA.
cerrado 23 diciembre-5 enero – **Comida** carta 2100 a 2900.

ALMERÍA *04000* P 446 **V 22** – *159 587 h. – Playa.*
Ver : *Alcazaba★ (jardines★)* Y – *Catedral★* Z.
Alred. : *Cabo de Gata★ (playas de los Genoveses y Monsul★) E : 29 km por ② – Ruta★ de Benahadux a Tabernas NO : 55 km por ①.*
de Almería por ② : 8 km ☎ (96) 21 37 15.
para Melilla : Cía. Trasmediterránea, parque Nicolás Salmerón 19 ✉ 04002 ☎ (950) 23 61 55 Telex 78811 Fax (950) 26 37 14.
Parque de Nicolás Salmerón ✉ 04002 ☎ (950) 27 43 55 Fax (950) 27 43 60.
Madrid 550 ② – Cartagena 240 ② – Granada 171 ① – Jaén 232 ① – Lorca 157 ② – Motril 112 ③

Plano página siguiente

Torreluz IV, pl. Flores 5, ✉ 04001, ☎ (950) 23 49 99, *Fax (950) 23 49 99,* « Terraza con » – 25/220. AE VISA. Y e
Comida (ver rest. ***Asador Torreluz***) – 1170 – **100 hab** 10170/13830, 5 suites.

G.H. Almería sin rest. con cafetería, av. Reina Regente 8, ✉ 04001, ☎ (950) 23 80 11, *Fax (950) 27 06 91,* ≤, – 25/300 Z c
114 hab, 3 suites.

Torreluz II, pl. Flores 6, ✉ 04001, ☎ (950) 23 43 99, *Fax (950) 23 43 99* – 25/250. AE E VISA. Y v
Comida (ver rest. ***Asador Torreluz***) – 725 – **73 hab** 7275/9675.

Costasol sin rest. con cafetería, paseo de Almería 58, ✉ 04001, ☎ (950) 23 40 11, *Fax (950) 23 40 11* – 25/100. AE E VISA. Z e
650 – **55 hab** 7210/9800.

Indálico sin rest. con cafetería, Dolores R. Sopeña 4, ✉ 04004, ☎ (950) 23 11 11, *Fax (950) 23 10 28* – AE E VISA Y s
575 – **52 hab** 7900/9900.

Torreluz, pl. Flores 1, ✉ 04001, ☎ (950) 23 43 99, *Fax (950) 23 43 99* – AE E VISA. Y v
Comida 1525 – 725 – **24 hab** 5000/7500 – PA 3750.

Sol Almería sin rest. con cafetería, carret. de Ronda 193, ✉ 04005, ☎ (950) 27 18 11, *Fax (950) 27 37 09* – E VISA Y q
300 – **25 hab** 4500/9750.

Embajador sin rest. con cafetería, Calzada de Castro 4, ✉ 04006, ☎ (950) 25 55 11, *Fax (950) 25 93 64* – VISA Z b
300 – **67 hab** 3800/5900.

Nixar sin rest, Antonio Vico 24, ✉ 04003, ☎ (950) 23 72 55, *Fax (950) 23 72 55* – VISA. Y f
275 – **37 hab** 3150/5355.

Balzac, Gerona 29, ✉ 04002, ☎ (950) 26 61 60, Cenas amenizadas con música – E VISA. Z x
cerrado domingo – **Comida** carta 3600 a 4100.

Asador Torreluz, Fructuoso Pérez 8, ✉ 04001, ☎ (950) 23 45 45, *Fax (950) 23 49 99* – AE E VISA. Y a
cerrado domingo – **Comida** carta aprox. 3900.

Valentín, Tenor Iribarne 7, ✉ 04001, ☎ (950) 26 44 75 – AE E VISA. Y n
cerrado domingo y septiembre – **Comida** carta aprox. 3550.

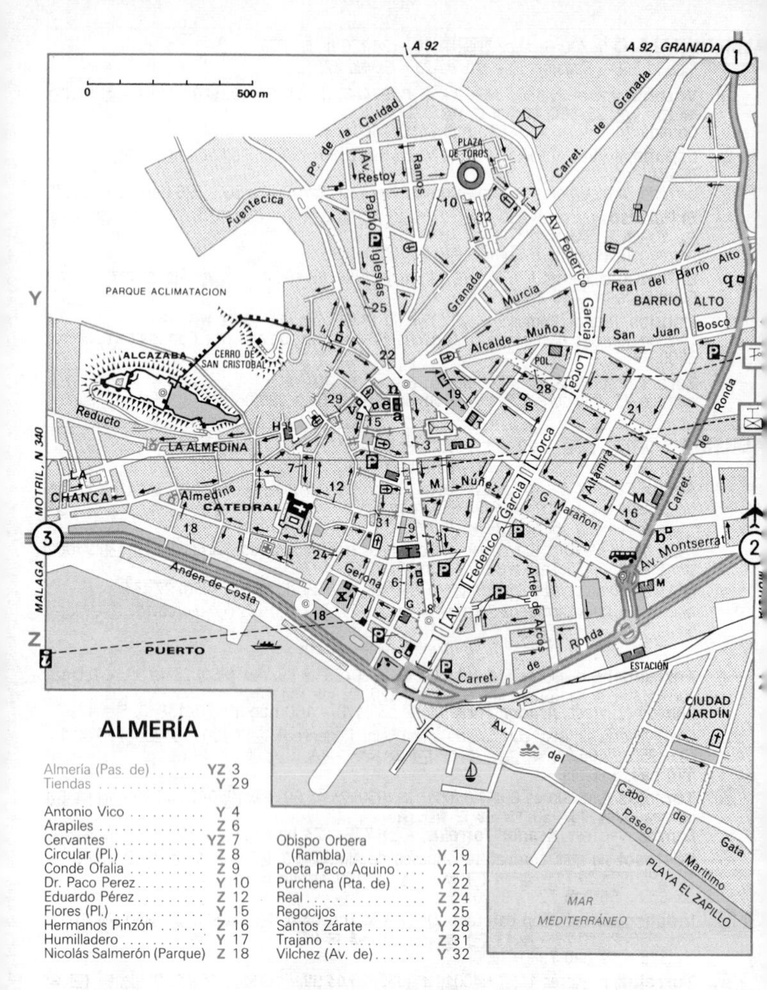

en la carretera de Málaga *por* ③ – ✉ *04002 Almería :*

Solymar, 2,5 km ☎ (950) 27 70 00, *Fax (950) 27 70 10,* ← – |♦| ▤ TV ☎ P. E VISA
Comida 2400 – ☕ 1000 – **15 hab** 8640/11200 – PA 5800.

La Gruta, 5 km ☎ (950) 23 93 35, *Fax (950) 27 56 27,* « En una gruta » – P. AE ⓓ E VISA JCB.
cerrado domingo y noviembre – **Comida** - carnes, sólo cena - carta 2550 a 3850.

El Bello Rincón, 5 km ☎ (950) 23 84 27, *Fax (950) 23 84 27,* – ▤ P. AE ⓓ E VISA.
cerrado lunes, julio y agosto – **Comida** - pescados y mariscos, sólo almuerzo con reserva - carta 3200 a 4450.

ALMERIMAR *Almería – ver El Ejido.*

ALMODÓVAR DEL CAMPO *13580 Ciudad Real* 444 **P 17** – *7 718 h. alt. 670.*
Madrid 234 – Alcázar de San Juan 135 – Ciudad Real 47 – Puertollano 7 – Valdepeñas 89

El Comendador, Jardín ☎ (926) 48 39 53, , « En una bodega »
AE ⓓ VISA
cerrado lunes y del 1 al 15 de octubre – **Comida** carta 2500 a 3900.

ALMODÓVAR DEL RIO *14720 Córdoba* 446 **S 14** – *6 960 h. alt. 123.*
Ver : *Castillo★.*
Madrid 414 – Córdoba 17 – Sevilla 123.

ALMONTE *21730 Huelva* 446 **U 10** – *16 350 h. alt. 75.*
Madrid 593 – Huelva 53 – Sevilla 63.

en la carretera de El Rocío *S : 5 km – ✉ 21730 Almonte :*

El Pastorcito, ✆ (959) 45 02 05, *Fax (959) 45 02 69* – ▤ Ⓟ. AE ⓓ E VISA. ✂
cerrado lunes y semana del Rocío – **Comida** carta 2450 a 3350.

ALMORADÍ *03160 Alicante* 445 **R 27** – *12 304 h. alt. 9.*
Madrid 428 – Alicante/Alacant 52 – Cartagena 74 – Murcia 39.

El Cruce, Camino de Catral 169 - N : 1 km ✆ (96) 570 03 56 – ▤ Ⓟ. AE E VISA. ✂
cerrado lunes y del 1 al 15 de agosto – **Comida** carta 1900 a 3500.

ALMOSTER *43393 Tarragona* 443 **I 33** – *474 h. alt. 290.*
Madrid 535 – Lérida/Lleida 81 – Tarragona 22 – Tortosa 88.

Morrofi, Raval 9 ✆ (977) 85 54 45, ☂ – ▤. ⓓ E VISA JCB. ✂
cerrado domingo noche salvo vísperas de festivos – **Comida** carta 2550 a 3225.

La ALMUNIA DE DOÑA GODINA *50100 Zaragoza* 443 **H 25** – *5 775 h. alt. 366.*
Madrid 270 – Tudela 87 – Zaragoza 52.

El Patio, av. del Generalísimo 6 ✆ (976) 60 10 37, *Fax (976) 60 05 63* – |‡| ▤ TV ☎ Ⓟ. AE ⓓ E VISA. ✂
Comida *(cerrado domingo noche)* 1500 – ☕ 500 – **24 hab** 4500/6500 – PA 3250.

ALMUÑA *Asturias – ver Luarca.*

ALMUÑÉCAR *18690 Granada* 446 **V 18** – *20 461 h. alt. 24 – Playa.*
ℹ *av. Europa-Palacete La Najarra ✆ (958) 63 11 25 Fax (958) 63 50 07.*
Madrid 516 – Almería 136 – Granada 87 – Málaga 85.

Helios, paseo de las Flores ✆ (958) 63 44 59, *Fax (958) 63 44 69*, ≤, ☂, ⛱ – |‡| ▤ ☎ Ⓟ – 🎪 25/200
232 hab.

Goya, av. de Europa 31 ✆ (958) 63 05 50, *Fax (958) 63 11 92* – ☎. E VISA. ✂
cerrado diciembre-febrero – **Comida** 1200 – ☕ 250 – **26 hab** 2800/5500 – PA 2650.

Casablanca, pl. San Cristóbal 4 ✆ (958) 63 55 75, ☂ – |‡|, ▤ hab, TV ☎ 🚗. AE ⓓ E VISA JCB. ✂
cerrado noviembre – **Comida** *(cerrado miércoles)* 850 – ☕ 300 – **15 hab** 5000/8000 – PA 1700.

Playa de San Cristóbal sin rest, pl. San Cristóbal 5 ✆ (958) 63 11 12, *Fax (958) 63 36 12* – ☎. AE E VISA
abril-septiembre – ☕ 250 – **22 hab** 3700/5700.

Carmen sin rest, av. de Europa 19 ✆ (958) 63 14 13, *Fax (958) 63 14 13* – AE ⓓ E VISA
☕ 350 – **24 hab** 4000/6000.

San Sebastián sin rest, Ingenio Real 18 ✆ (958) 63 04 66
19 hab.

El Puente sin rest, av. de la Costa del Sol 14 ✆ (958) 63 01 23 – ✂
☕ 250 – **24 hab** 2300/3700.

Tropical sin rest, av. de Europa 39 ✆ (958) 63 34 58 – E VISA. ✂
☕ 200 – **11 hab** 3200/5200.

Antonio, bajos del Paseo 12 ✆ (958) 63 00 20, ☂ – ▤. E VISA
cerrado martes – **Comida** carta 2500 a 4100.

Los Geranios, pl. de la Rosa 4 ✆ (958) 63 07 24, ☂, « Decoración típica regional » – AE ⓓ E VISA JCB
cerrado domingo y 15 noviembre-15 diciembre – **Comida** - sólo cena salvo en verano - carta 1700 a 3050.

Mar de Plata, paseo San Cristóbal ☎ (958) 63 30 79, – AE ⓓ E VISA JCB.
cerrado martes – **Comida** carta 2075 a 3150.

La Última Ola, Manila 17 ☎ (958) 63 00 18, – ▤. AE ⓓ E VISA
cerrado lunes en invierno y 15 enero-15 marzo – **Comida** carta 2750 a 3800.

en la playa de Velilla *E : 2,5 km* – ✉ *18690 Velilla :*

Velilla sin rest, edificio Inti-Yan IV ☎ (958) 63 07 58, *Fax (958) 88 10 30* – AE VISA.
500 – **28 hab** 4900/6500.

al Oeste : *2,5 km*

Cotobro, Bajada del Mar 1 (playa de Cotobro) ☎ (958) 63 18 02, ← – E VISA
cerrado lunes (salvo 15 junio-15 septiembre) y del 21 al 30 de noviembre – **Comida** car
aprox. 4150.

Los Arcos, Bajada del Mar 25 (alto de Cotobro) ☎ (958) 63 52 75, *Fax (958) 63 52 7*
←, – AE E VISA.
cerrado martes y noviembre – **Comida** carta 3500 a 5000.

ALMUSAFES o ALMUSSAFES *46440 Valencia* 445 **O 28** – *6 335 h. alt. 30.*

Madrid 402 – Albacete 172 – Alicante/Alacant 146 – Valencia 18.

Reig, Llavradors 13 ☎ (96) 178 02 91, *Fax (96) 178 03 42* – ▤ TV ☎. VISA.
Comida 1300 – **36 hab** 4500/7000 – PA 2150.

ALOVERA *19208 Guadalajara* 444 **K 20** – *1 371 h. alt. 644.*

Madrid 52 – Guadalajara 13 – Segovia 139 – Toledo 122.

junto a la autovía N II *SE : 4,5 km* – ✉ *19208 Alovera :*

Lux sin rest, ☎ (949) 27 01 61, *Fax (949) 27 04 12* – ▤ TV ☎ P. AE ⓓ E VISA JC
48 hab 6000/7500.

ALP *17538 Gerona* 443 **E 35** – *908 h. alt. 1 158 – Deportes de invierno en Masella SE : 7 km* 11.

Madrid 644 – Lérida/Lleida 175 – Puigcerdá 8.

Aero Hotel Cerdanya, passeig Agnès Fabra 4 ☎ (972) 89 00 33, *Fax (972) 89 03 5*
– AE ⓓ E VISA.
Comida 1500 - ***Ca l'Eudald :*** **Comida** carta 2700 a 3900 – **36 hab** 4500/8500 – P
3700.

Casa Patxi, Orient 23 ☎ (972) 89 01 82, , « Decoración rústica » – ⓓ E VISA.
cerrado miércoles, del 7 al 23 de julio y del 10 al 26 de noviembre – **Comida** carta 245
a 3800.

Les Lloses, av. Sports ☎ (972) 89 00 96, – ▤ P.

ALPEDRETE *28430 Madrid* 444 **K 17** – *3 482 h. alt. 919.*

Madrid 41 – Segovia 54.

Sierra Real , Primavera 20 ☎ (91) 857 15 00, *Fax (91) 857 13 54,* « Terraza-átic
con ← valle y sierra de Guadarrama », – ▤ TV ☎ P – 50/170. E VISA

Comida 3275 – **48 hab** 8850/12975.

ALQUÉZAR *22145 Huesca* 443 **F 30** – *215 h. alt. 660.*

Ver : *Paraje★★.*

Alred. : *Cañón de río Vero★.*

Madrid 434 – Huesca 48 – Lérida/Lleida 105.

Villa de Alquézar sin rest, Pedro Arnal Cavero 12 ☎ (974) 31 84 16
Fax (974) 31 84 16 – TV P. E VISA.
cerrado del 15 al 28 de febrero – **20 hab** 3500/6000.

ALSÁSUA o ALTSASU *31800 Navarra* 442 **D 23** – *6 793 h. alt. 532.*

Alred. : *S : carretera★★ del Puerto de Urbasa – E : carretera★★ del Puerto de Lizárrag (mirador★★).*

Excurs. : *Santuario de San Miguel de Aralar★ (iglesia : frontal de altar★★) NE : 19 km.*

Madrid 402 – Pamplona/Iruñea 50 – San Sebastián/Donostia 71 – Vitoria/Gasteiz 46.

ALTEA *03590 Alicante* 445 Q 29 – *12 829 h. – Playa.*

Don Cayo, N : 4 km ✆ (96) 584 80 46 Fax (96) 584 80 46.
San Pedro 9 ✆ (96) 584 41 14 Fax (96) 584 42 13.
Madrid 475 – Alicante/Alacant 57 – Benidorm 11 – Gandía 60.

Altaya sin rest, La Mar 115 (zona del puerto) ✆ (96) 584 08 00 – ☎ P. AE O E VISA.
450 – **24 hab** 4000/6000.

Club Náutico, av. del Puerto-edificio Club Náutico ✆ (96) 584 47 19, ←, – P.

Racó de Toni, La Mar 127 (zona del puerto) ✆ (96) 584 17 63, *Fax (96) 584 16 97* – AE O E VISA
cerrado noviembre – **Comida** carta 3150 a 3900.

Oustau de Altea, Mayor 5 (casco antiguo) ✆ (96) 584 20 78, *Fax (96) 584 23 01,* – AE O E VISA
cerrado lunes (octubre-mayo) y febrero – **Comida** - sólo cena - carta aprox. 3850.

El Negro, Santa Bárbara 4 (casco antiguo) ✆ (96) 584 18 26, ← bahía, , « En una cueva » – E VISA
cerrado lunes – **Comida** - sólo cena - carta aprox. 3500.

por la carretera de Valencia – ✉ *03590 Altea :*

Monte Molar, NE : 2,5 y desvío a la izquierda 1 km ✆ (96) 584 15 81, *Fax (96) 584 15 81,* , « Instalado en una villa con terraza » – P. AE O E VISA
cerrado miércoles (salvo julio-agosto) y 8 enero-1 abril – **Comida** - almuerzos por encargo - 8500 y carta 5700 a 8800
Espec. Vieiras maceradas a la vinagreta de balsámico. Mero sobre salsa de perejil y arroz salvaje. Solomillo de buey con mostaza de Dijon caramelizado.

Flamingo, urb. Altea Hills - NE : 6 km ✆ (96) 584 52 23, – E VISA.
cerrado viernes y sábado salvo julio-septiembre – **Comida** carta 2800 a 5325.

ALTEA LA VELLA *03599 Alicante* 445 Q 29.

Madrid 462 – Alicante/Alacant 48 – Benidorm 16 – Gandía 63.

Ca Toni, Rector Llinares 3 ✆ (96) 584 84 37,
AE O E VISA
cerrado miércoles – **Comida** carta 1750 a 3980.

ALTO CAMPÓO *Cantabria – ver Reinosa.*

ALTO DE MEAGAS *Guipúzcoa – ver Zarauz.*

ALTRÓN *Lérida – ver Llessuy.*

ALTSASU *Navarra – ver Alsasua.*

ALZIRA *Valencia – ver Alcira.*

AMANDI *33311 Asturias* 441 B 13.

Ver : *Iglesia de San Juan (ábside★, decoración★ de la cabecera).*
Madrid 495 – Gijón 31 – Oviedo 42.

La Casona de Amandi sin rest, ✆ (98) 589 01 30, *Fax (98) 589 01 29,* « Antigua casa solariega », – TV ☎ P. E VISA.
cerrado enero – 850 – **9 hab** 13900.

AMASA *Guipúzcoa – ver Villabona.*

AMENEIRO *15866 La Coruña* 441 D 4.

Madrid 611 – La Coruña/A Coruña 71 – Pontevedra 50 – Santiago de Compostela 9.

Cierto Blanco, carret. N 550 ✆ (981) 54 83 83 – P.

Questa guida non é un repertorio di tutti gli alberghi e ristoranti,
né comprende tutti i buoni alberghi e ristoranti di Spagna e Portogallo.

Nell'intento di tornare utili a tutti i turisti, siamo indotti ad indicare stabilimenti di tutte le classi ed a citarne soltanto un certo numero di ognuna.

AMETLLA DE MAR o **L'AMETLLA DE MAR** *43860 Tarragona* 443 **J 32** – *4 183 h. alt. 2*
– Playa.

Amistad Hispano Italiana ☏ (977) 45 64 77 Fax (977) 45 64 77 y St. Joan 5. ☏ (977) 45 64 77 Fax (977) 45 68 38.

Madrid 509 – Castellón de la Plana/Castelló de la Plana 132 – Tarragona 50 – Tortosa 3

L'Alguer sin rest, Mar 20 ☏ (977) 49 33 72, *Fax (977) 49 33 75* – TV ☎. AE E VISA.
525 – **37 hab** 4500/7500.

Bon Repòs, pl. Catalunya 49 ☏ (977) 45 60 25, *Fax (977) 45 65 82,* « Jardín co arbolado », – hab, TV ☎ P. E VISA. rest
marzo-octubre – **Comida** *(sólo verano)* 1700 – 630 – **38 hab** 5000/8200.

L'Alguer, Trafalgar 21 ☏ (977) 45 61 24, ←, – . AE E VISA.
cerrado lunes y 20 diciembre-10 enero – **Comida** - pescados y mariscos - carta 3450 a 5300.

La AMETLLA DEL VALLÉS o **L'AMETLLA DEL VALLÈS** *08480 Barcelona* 443 **G 36** – *3 459 h. alt. 312.*

Madrid 648 – Barcelona 35 – Gerona/Girona 83.

La Masía, passeig Torregassa 77 ☏ (93) 843 00 02, *Fax (93) 843 00 02* – P. AE E VISA JCB.
cerrado martes salvo festivos y del 10 al 23 de agosto – **Comida** carta 2100 a 4650.

AMEYUGO *09219 Burgos* 442 **E 20** – *57 h.*

Madrid 311 – Burgos 67 – Logroño 60 – Vitoria/Gasteiz 44.

en el monumento al Pastor *NO : 1 km – ✉ 09219 Ameyugo :*

Mesón El Pastor, carret. N I ☏ (947) 34 43 75, *Fax (947) 35 42 54* – P. AE E VISA.
Comida carta aprox. 2950.

AMOREBIETA o **ZORNOTZA** *48340 Vizcaya* 442 **C 21** – *15 798 h. alt. 70.*

Madrid 415 – Bilbao/Bilbo 22 – San Sebastián/Donostia 79 – Vitoria/Gasteiz 51.

El Cojo, San Miguel 11 ☏ (94) 673 00 25, *Fax (94) 673 15 29* – .

en la carretera de Gernika-Lumo *NE : 1 km – ✉ 48340 Amorebieta :*

Juantxu, barrio Enartze ☏ (94) 673 26 50, ←, – P. AE E VISA
cerrado lunes noche y martes de julio a septiembre y 23 agosto-15 septiembre – **Comida** - sólo almuerzo salvo fines de semana de octubre a junio - carta 4000 a 6000.

por la carretera N 634 *SE : 1,5 km – ✉ 48340 Amorebieta :*

Andikoa, barrio Zelaieta 29 ☏ (94) 673 45 55, *Fax (94) 673 45 55* – P. AE E VISA.
cerrado martes – **Comida** carta 3400 a 5600.

AMPUERO *39840 Cantabria* 442 **B 19** – *3 324 h. alt. 11.*

Alred. : *Santuario de Nuestra Señora La Bien Aparecida* ★ *SO : 4 km.*

Madrid 430 – Bilbao/Bilbo 68 – Santander 52.

La Pinta con hab, José Antonio 31 ☏ (942) 62 23 35, *Fax (942) 62 22 98* – rest, TV ☎ P. AE E VISA.
Comida carta 2350 a 3500 – 300 – **16 hab** 4500/5500.

Casa Sarabia, Melchor Torío 3 ☏ (942) 62 23 65 – . AE E VISA.
Comida carta 3100 a 4000.

AMPURIABRAVA o **EMPURIABRAVA** *17487 Gerona* 443 **F 39** – *Playa.*

Ver : *Urbanización*★.

Puigmal 1 ☏ (972) 45 08 02 Fax (972) 45 06 00 Pompeu Fabra.

Madrid 752 – Figueras/Figueres 15 – Gerona/Girona 53.

Briaxis, Port Principal 25 ☏ (972) 45 15 45, *Fax (972) 45 18 89,* « Junto al canal principal con ← », – TV ☎ P. E VISA
Comida 2100 – 1000 – **52 hab** 11000/12500 – PA 4800.

Silvia, Puigmal 14 ☏ (972) 45 29 92, *Fax (972) 45 28 55,* – TV ☎ P. E VISA.
Comida 1200 – 700 – **33 hab** 4500/6500 – PA 3000.

Ver también : **Castelló de Ampurias.**

AMURRIO *01470 Álava* 442 C 20 – *9849 h. alt. 219.*

Madrid 342 – Bilbao/Bilbo 37 – Burgos 124 – Vitoria/Gasteiz 38.

Arenalde, Cerrajería 1 ℘ (945) 89 24 26, *Fax (945) 89 20 27* – AE VISA.
cerrado domingo noche, Semana Santa, del 17 al 31 de agosto y 24 diciembre-2 enero – Comida carta aprox. 4350.

ANDORRA (Principado de) ★★ 443 E 34 y 35 86 ⑭ ⑮ – *61599 h. alt. 1029.*

Andorra la Vieja (Andorra la Vella) *Capital del Principado – alt. 1029.*

Dr. Vilanova ℘ (07-376) 82 02 14 Fax (07-376) 82 58 23 – **A.C.A.** *Babot Camp 13 ℘ (07-376) 82 08 90 Fax (07-376) 82 25 60.*

Madrid 625 – Barcelona 220 – Carcassonne 168 – Foix 105 – Gerona/Girona 245 – Lérida/Lleida 155 – Perpignan 166 – Tarragona 208 – Toulouse 185.

Plaza, María Pla 19 ℘ (07-376) 86 44 44, *Fax (07-376) 82 17 21,* – 25/300. AE VISA JCB. rest
Comida 1600 - ***La Cúpula*** : Comida carta aprox. 2950 – 1200 – **93 hab** 13600/17000, 8 suites.

Andorra Park H., Les Canals 24 ℘ (07-376) 82 09 79, *Fax (07-376) 82 09 83,* « rodeada de jardines », – 25/80. AE VISA
Comida 4350 – 1800 – **38 hab** 18650/23300, 2 suites.

Andorra Center, Dr. Nequi 12 ℘ (07-376) 82 48 00, *Fax (07-376) 82 86 06,* rest, – 25/50. AE VISA
Comida 3500 - ***La Dama Blanca*** : Comida carta 2500 a 4400 – 1150 – **130 hab** 10600/12800, 10 suites.

Mercure, de La Roda ℘ (07-376) 82 07 73, *Fax (07-376) 82 85 52,* – 25/175. AE VISA
Comida 2700 – 1200 – **145 hab** 14700/17000.

Novotel Andorra, Prat de la Creu ℘ (07-376) 86 11 16, *Fax (07-376) 86 11 20,* – 25/200. AE VISA
Comida 2700 – 1200 – **97 hab** 15500/18250, 5 suites.

President, av. Santa Coloma 44 ℘ (07-376) 82 29 22, *Fax (07-376) 86 14 14,* – 25/110
111 hab.

Eden Roc, av. Dr. Mitjavila 1 ℘ (07-376) 82 10 00, *Fax (07-376) 86 03 19* – AE VISA.
Comida *(cerrado junio)* 2200 – **56 hab** 10500/15000.

Flora sin rest, antic carrer Major 25 ℘ (07-376) 82 15 08, *Fax (07-376) 86 20 85,* AE VISA JCB.
45 hab 6500/11000.

Xalet Sasplugas, La Creu Grossa 15 ℘ (07-376) 82 03 11, *Fax (07-376) 82 86 98,* AE VISA. rest
Comida 2500 - ***Metropol*** *(cerrado domingo noche, lunes mediodía y del 1 al 15 de julio)* Comida carta 3450 a 4350 – **26 hab** 6800/9500.

Ibis, av. Meritxell 58 ℘ (07-376) 82 07 77, *Fax (07-376) 82 82 45,* rest, AE VISA
Comida 2700 – 1200 – **70 hab** 12500/15000.

Pyrénées, av. Príncep Benlloch 20 ℘ (07-376) 86 00 06, *Fax (07-376) 82 02 65,* rest, AE VISA. rest
Comida 2500 – **74 hab** 5950/9500.

Font del Marge, Baixada del Molí 49 ℘ (07-376) 82 34 43, *Fax (07-376) 82 31 82,* rest, VISA
Comida 2100 – 750 – **42 hab** 5400/7100.

De l'Isard, av. Meritxell 36 ℘ (07-376) 82 00 96, *Fax (07-376) 86 66 95* – rest, AE VISA
Comida 2600 – 1100 – **61 hab** 6650/8100.

Cassany sin rest, av. Meritxell 28 ℘ (07-376) 82 06 36, *Fax (07-376) 86 36 09* – VISA
800 – **54 hab** 6500/8000.

Florida sin rest, Llacuna 15 ℘ (07-376) 82 01 05, *Fax (07-376) 86 19 25* – AE VISA JCB
48 hab 4000/8500.

Sant Jordi sin rest. con cafetería, av. Príncep Benlloch 45 ℘ (07-376) 82 08 65 – **30 hab.**

XX **Celler d'En Toni** con hab, Verge del Pilar 4 ✆ (07-376) 82 12 52, *Fax (07-376) 82 1 72* – |‡| TV ☎. AE ⊙ E VISA. ✂
Comida carta aprox. 5330 – **17 hab** ☕ 3400/5800.

XX **Borda Estevet,** carret. de La Comella 2 ✆ (07-376) 86 40 26, *Fax (07-376) 82 31 42*
« Decoración rústica » – ▤ P. AE E VISA JCB
Comida carta aprox. 3900.

X **Can Manel,** Mestre Xavier Plana 6 ✆ (07-376) 82 23 97
▤ P. AE VISA
cerrado miércoles – Comida carta 2900 a 4100.

Arinsal
– *alt. 1 145 – ✉ La Massana – Deportes de invierno : 1 550/2 800 m. ⚡14.*
Andorra la Vieja/Andorra la Vella 12.

🏠 **Solana,** ✆ (07-376) 83 51 27, *Fax (07-376) 83 73 95*, ≤, ⛆ – |‡| TV ☎ 🚗 – 🏔 25/40
AE ⊙ E VISA. ✂ rest
cerrado noviembre – **Comida** 2500 – ☕ 800 – **95 hab** 5500/8500.

Canillo
– *alt. 1 531 – ✉ Canillo.*
Alred. : *Crucifixión★ en la iglesia de Sant Joan de Caselles NE : 1 km – Santuari de Meritxell (paraje★) SO : 3 km.*
Andorra la Vieja/Andorra la Vella 12.

🏠 **Bonavida,** pl. Major ✆ (07-376) 85 13 00, *Fax (07-376) 85 17 22*, ≤ – |‡| TV ☎ 🚗
AE ⊙ E VISA. ✂
cerrado octubre y noviembre – **Comida** *(cerrado mayo-junio y octubre-noviembre)* - sólo cena salvo julio-septiembre - 2525 – **43 hab** ☕ 9150/12000.

🏠 **Roc del Castell** sin rest, carretera General ✆ (07-376) 85 18 25, *Fax (07-376) 85 17 07* – |‡| TV ☎ 🚗. AE VISA. ✂
☕ 950 – **44 hab** 6000/9000.

Encamp
– *alt. 1 313 – ✉ Encamp.*
Andorra la Vieja/Andorra la Vella 6.

🏠 **Coray,** Caballers 38 ✆ (07-376) 83 15 13, *Fax (07-376) 83 18 06*, ≤, 🌳 – |‡| TV ☎
🚗. E VISA. ✂ hab
cerrado del 4 al 30 de noviembre – **Comida** 1250 – **85 hab** ☕ 4500/6000.

🏠 **Univers,** René Baulard 13 ✆ (07-376) 83 10 05, *Fax (07-376) 83 19 70* – |‡| TV ☎ P
AE E VISA. ✂
cerrado 2 noviembre-2 diciembre – **Comida** 1400 – **36 hab** ☕ 4400/6200.

Les Escaldes Engordany
– *alt. 1 105 – ✉ Les Escaldes Engordany.*
Andorra la Vieja/Andorra la Vella 2.

🏠 **Roc de Caldes** 🐦, carret. d'Engolasters ✆ (07-376) 86 27 67, *Fax (07-376) 86 33 25*
« En el flanco de una montaña con ≤ », ⛆ – |‡| ▤ TV ☎ ♿ 🚗 P – 🏔 25/120. AE ⊙ E VISA. ✂ rest
Comida 3800 – **45 hab** ☕ 16000/21500.

🏠 **Roc Blanc,** pl. dels Co-Prínceps 5 ✆ (07-376) 82 14 86, *Fax (07-376) 86 02 44*, 🏋, ⛆, ⛆ – |‡|, ▤ rest, TV ☎ 🚗 P – 🏔 25/600. AE ⊙ E VISA. ✂ rest
Comida 3950 - ***Brasserie L'Entrecôte :*** Comida carta aprox. 3900 - ***El Pí :*** Comida carta 3900 a 5300 – ☕ 1700 – **184 hab** 14600/18400.

🏠 **Delfos,** av. del Fener 17 ✆ (07-376) 82 46 42, *Fax (07-376) 86 16 42* – |‡|, ▤ rest, TV ☎ 🚗 – 🏔 25/75. AE ⊙ E VISA JCB. ✂ rest
Comida 2800 – **200 hab** ☕ 9000/12000.

🏠 **Panorama,** carret. de l'Obac ✆ (07-376) 86 18 61, *Fax (07-376) 86 17 42*, « Terraza con ≤ valle y montañas », 🏋, ⛆ – |‡|, ▤ rest, TV ☎ ♿ 🚗 – 🏔 25/500. AE ⊙ E VISA. ✂ rest
Comida 3250 – ☕ 1350 – **177 hab** 11290/13230 – PA 6500.

🏠 **Valira,** av. Carlemany 37 ✆ (07-376) 82 05 65, *Fax (07-376) 86 67 80* – |‡| TV ☎ P.
AE E VISA
Comida 2600 – ☕ 1100 – **55 hab** 6400/8100.

🏠 **Eureka,** av. Carlemany 36 ✆ (07-376) 86 66 00, *Fax (07-376) 86 68 00* – |‡| ▤ TV ☎.
AE ⊙ E VISA. ✂ rest
Comida 1200 – **75 hab** ☕ 7200/9600.

🏠 **Eurotel,** av. Fiter i Rosell 51 ✆ (07-376) 86 30 31, *Fax (07-376) 86 30 24* – |‡| TV ☎
🚗 P. AE ⊙ E VISA. ✂ rest
Comida 1300 – **70 hab** ☕ 6900/9800 – PA 2600.

🏠 **Comtes d'Urgell,** av. Escoles 29 ✆ (07-376) 82 06 21, *Fax (07-376) 82 04 65* – |‡|,
▤ rest, TV ☎ 🚗. AE ⊙ E VISA JCB. ✂ rest
Comida 2600 – **200 hab** ☕ 5800/8450.

Les Closes sin rest. con cafetería, av. Carlemany 93 ☎ (07-376) 82 83 11, *Fax (07-376) 86 39 70* –
78 hab.

Espel, pl. Creu Blanca 1 ☎ (07-376) 82 08 55, *Fax (07-376) 82 80 56* – AE E VISA.
cerrado noviembre – **Comida** 1900 – **102 hab** 4800/7000.

Aquarius, Parc de la Mola 10 (Caldea) ☎ (07-376) 80 09 90, *Fax (07-376) 82 92 22*, « Decoración moderna con ← al centro termolúdico » – P. AE E VISA
cerrado martes, 10 días en abril o mayo y 15 días en noviembre – **Comida** carta 3900 a 4700.

Don Denis, Isabel Sandy 3 ☎ (07-376) 82 06 92, *Fax (07-376) 86 31 30* – . AE E VISA.
Comida carta aprox. 3500.

La Massana – *alt. 1 241 – La Massana.*
Andorra la Vieja/Andorra la Vella 5.

Xalet Ritz, carret. de Sispony - S : 1,8 km ☎ (07-376) 83 78 77, *Fax (07-376) 83 77 20*, ←, « Bonita decoración interior », – P. AE E VISA.
Comida 3000 – **47 hab** 14000/19000.

Rutllan, av. del Ravell ☎ (07-376) 83 50 00, *Fax (07-376) 83 51 80*, ←, climatizada, – . AE E VISA. rest
Comida 3000 – 1300 – **100 hab** 6000/10000 – PA 6000.

El Rusc, carret. de Arinsal 1,5 km ☎ (07-376) 83 82 00, *Fax (07-376) 83 51 80*, « Rústico elegante » – P. AE E VISA.
cerrado domingo noche y lunes – **Comida** carta aprox. 5100.

La Borda de l'Avi, carret. de Arinsal 0,7 km ☎ (07-376) 83 51 54, *Fax (07-376) 83 53 90* – P. AE E VISA.
Comida - carnes - carta aprox. 4500.

Borda Raubert, carret. de Arinsal 2 km ☎ (07-376) 83 54 20, *Fax (07-376) 86 61 65*, « Decoración rústica » – P. AE E VISA.
cerrado martes y junio – **Comida** - cocina regional - carta 2600 a 3500.

en La Aldosa *NE : 2,7 km – La Massana :*

Del Bisset, carret. de Ordino ☎ (07-376) 83 75 55, *Fax (07-376) 83 79 89*, ← – P
30 hab.

Ordino – *alt. 1 304 – Ordino – Deportes de invierno : 1940/2600 m. 12.*
Andorra la Vieja/Andorra la Vella 9.

Coma, ☎ (07-376) 83 51 16, *Fax (07-376) 83 79 38*, ←, , climatizada, – , rest, P. AE E VISA.
cerrado 2 noviembre-2 diciembre – **Comida** 2500 – **48 hab** 8000/11000.

en Ansalonga *NO : 1,8 km – Ordino :*

Sant Miquel, carret. del Serrat ☎ (07-376) 85 07 70, *Fax (07-376) 85 05 71*, ←, – P
19 hab.

Pas de la Casa – *alt. 2 091 – Pas de la Casa – Deportes de invierno : 2 050/2 600 m. 29.*
Ver : *Emplazamiento*★. – **Alred.** : *Port d'Envalira*★★.
Andorra la Vieja/Andorra la Vella 29.

Le Sporting, Catalunya 1 ☎ (07-376) 85 54 51, *Fax (07-376) 85 54 65* – – 25/60
temp – **76 hab.**

Esquí d'Or, Catalunya 9 ☎ (07-376) 85 51 27, *Fax (07-376) 85 51 78*, – . E VISA. rest
diciembre-abril – **Comida** 2600 – 1000 – **62 hab** 13000.

Campistrano, Bearn 30 ☎ (07-376) 85 64 88 – E VISA.
cerrado miércoles y julio – **Comida** - pescados y mariscos - carta 2800 a 4550.

por la carretera de Soldeu *SO : 10 km – Pas de la Casa*

Refugi Grau Roig, Grau Roig ☎ (07-376) 85 55 56, *Fax (07-376) 85 50 37*, ←, , – P. AE E VISA. rest
diciembre-3 mayo y junio-septiembre – **Comida** 2500 – **44 hab** 12000/18000.

Santa Coloma - *alt. 970 - ✉ Andorra la Vieja.*
Andorra la Vieja/Andorra la Vella 4.

Cerqueda, Mossèn Lluís Pujol ☏ (07-376) 82 02 35, *Fax (07-376) 86 19 09*, ←, – ▯ TV ☎ P. AE ⓓ E VISA. rest
cerrado 8 enero-8 febrero – **Comida** 2400 – 600 – **65 hab** 4400/8100.

Don Pernil, av. d'Enclar 94 ☏ (07-376) 86 52 55, *Fax (07-376) 86 36 24*,
« Decoración rústica » – ▤ P. AE ⓓ E VISA JCB
Comida - carnes a la brasa - carta 2750 a 3500.

Sant Julià de Lòria - *alt. 909 - ✉ Sant Julià de Lòria.*
Andorra la Vieja/Andorra la Vella 7.

Pol, Verge de Canolich 52 ☏ (07-376) 84 11 22, *Fax (07-376) 84 18 52* – ▯, ▤ rest
TV ☎ P. AE E VISA.
cerrado 7 enero-9 febrero – **Comida** - sólo cena - 2400 – **80 hab** 9800.

Imperial sin rest, av. Rocafort 27 ☏ (07-376) 84 33 92, *Fax (07-376) 84 34 79* – ▯ ▤
TV ☎ P. AE E VISA
cerrado del 16 al 30 de junio y del 16 al 30 de noviembre – **44 hab** 7500/9500.

La Guingueta, carret. de La Rabassa ☏ (07-376) 84 29 45, *Fax (07-376) 84 39 45*,
« Decoración rústica » – AE VISA
cerrado domingo noche y lunes – **Comida** carta 5100 a 6900.

al Sureste : *7 km*

Coma Bella, alt. 1 300 ☏ (07-376) 84 12 20, *Fax (07-376) 84 14 60*, ←, « En el bosque de La Rabassa », – ▯ TV ☎ P. E VISA. rest
Comida 1700 – **35 hab** 8600.

Soldeu - *alt. 1826 - ✉ Canillo - Deportes de invierno : 1 700/2 560 m. 20 1.*
Andorra la Vieja/Andorra la Vella 19.

en Incles *O : 1,8 km – ✉ Canillo :*

Parador Canaro, ☏ (07-376) 85 10 46, *Fax (07-376) 85 17 20*, ← – TV ☎ P.
AE ⓓ E VISA JCB.
cerrado 10 mayo-junio – **Comida** 1800 – 550 – **18 hab** 4300/7000.

en El Tarter *O : 3 km – ✉ Canillo :*

Del Tarter, ☏ (07-376) 85 11 65, *Fax (07-376) 85 14 74*, ← – ▯ TV ☎ P. AE
ⓓ E VISA.
cerrado mayo y 15 octubre-3 diciembre – **Comida** 2200 – 950 – **37 hab** 6500/9000.

Llop Gris, ☏ (07-376) 85 15 59, *Fax (07-376) 85 12 29*, ←, – ▯ TV ☎
P – 30/80. AE E VISA. rest
cerrado noviembre – **Comida** 3100 – **68 hab** 14500/18300.

Del Clos, ☏ (07-376) 85 15 00, *Fax (07-376) 85 15 54*, ← – ▯ TV ☎ . AE ⓓ E
VISA.
Comida - sólo cena, buffet en invierno - 1750 – **54 hab** 10200/15750.

De Sant Pere con hab, ☏ (07-376) 85 10 87, *Fax (07-376) 85 10 87*, ←, ,
« Decoración rústica » – TV ☎ P. AE ⓓ E VISA.
Comida carta aprox. 5100 – **6 hab** 9000/12000.

ANDRÍN *33596 Asturias* 441 **B 15** – *241 h.*
Madrid 441 – Gijón 99 – Oviedo 110 – Santander 94.

La Boriza sin rest, ☏ (98) 541 70 49, *Fax (98) 541 70 49*, ← – TV ☎ P. E VISA.
cerrado del 15 al 30 de octubre – **11 hab** 7000/9000.

ANDÚJAR *23740 Jaén* 446 **R 17** – *35 803 h. alt. 212.*
Ver : *Iglesia de Santa María (reja★).*
Excurs. : *Santuario de la Virgen de la Cabeza : carretera en cornisa ←★★ N : 32 km.*
Madrid 321 – Córdoba 77 – Jaén 66 – Linares 41.

Del Val, av. Puerta de Madrid 29 ☏ (953) 50 09 50, *Fax (953) 50 66 06*, , , –
▤ TV ☎ P – 25/200. AE ⓓ E VISA. rest
Comida 1400 – 500 – **79 hab** 5500/8500 – PA 2850.

Don Pedro, Gabriel Zamora 5 ☏ (953) 50 12 74, *Fax (953) 50 47 85*, – ▯ ▤ TV ☎
. AE ⓓ E VISA. rest
Comida 1250 – 250 – **29 hab** 2995/5195 – PA 2750.

La Fuente, Vendederas 4 ☏ (953) 50 46 29, *Fax (953) 50 19 00* – ▤ TV ☎ . AE E VISA
Comida 1100 – 250 – **17 hab** 2500/5000.

Los ÁNGELES u **OS ÁNXELES** *15280 La Coruña* 441 D 3.
Madrid 626 – Noya 24 – Pontevedra 50 – Santiago de Compostela 13.

Pousada Rosalía, ✆ (981) 88 75 65, *Fax (981) 88 75 57*, « Antigua casa de labranza », – TV ☎ – 25/60. AE E VISA.
Comida *(cerrado domingo noche y lunes mediodía en invierno)* 1600 – 435 – **31 hab** 5450/6950 – PA 3635.

ANSALONGA *Andorra – ver Andorra (Principado de) : Ordino.*

ANTEQUERA *29200 Málaga* 446 **U 16** – *38 827 h. alt. 512.*
Ver : *Castillo* ≤★ *- Museo Municipal (Efebo de Antequera★).*
Alred. : *NE : Los dólmenes★ (cuevas de Menga, Viera y del Romeral) – El Torcal★ S : 16 km – Carretera★ de Antequera a Málaga* ≤★★.
pl. de San Sebastián 7 ✆ *(95) 270 25 05 Fax (95) 284 02 56.*
Madrid 521 – Córdoba 125 – Granada 99 – Jaén 185 – Málaga 52 – Sevilla 164.

Parador de Antequera , paseo García del Olmo ✆ (95) 284 02 61, *Fax (95) 284 13 12*, ≤, – TV ☎ P – 25/60. AE E VISA JCB.
Comida 3500 – 1200 – **55 hab** 10800/13500.

Nuevo Infante sin rest, Infante Don Fernando 5-2º ✆ (95) 270 02 93, *Fax (95) 270 00 86* – TV ☎
12 hab.

Noelia, Alameda de Andalucía 12 ✆ (95) 284 54 07
. AE E VISA.
cerrado miércoles y 20 días en septiembre – **Comida** carta 2850 a 3900.

en la antigua carretera de Málaga *E : 2,5 km – 29200 Antequera :*

Lozano con hab, av. Principal 1 ✆ (95) 284 27 12, *Fax (95) 284 27 12*, – TV ☎ P. AE E VISA.
Comida carta 1800 a 3500 – 475 – **17 hab** 4300/6500.

en la autovía de Málaga *SE : 12 km – 29200 Antequera :*

La Sierra, ✆ (95) 284 54 10, *Fax (95) 284 52 65*, ≤ – TV ☎ P. AE E VISA.
Comida 1300 – 500 – **30 hab** 6000/9000.

La ANTILLA *21449 Huelva* 446 **U 8** – *Playa.*
Madrid 656 – Ayamonte 28 – Faro 88 – Huelva 39 – Lepe 6.

Lepe-Mar, Delfín 12 ✆ (959) 48 10 01, *Fax (959) 48 14 78*, ≤ – rest, ☎ . E VISA.
Comida 1600 – 700 – **73 hab** 8250/10275.

OS ÁNXELES *La Coruña – ver Los Ángeles.*

AOÍZ o **AGOITZ** *31430 Navarra* 442 **D 25** – *360 h.*
Francisco Indurain 12 - 1º ✆ *(948) 33 65 98 Fax (948) 33 65 98.*
Madrid 413 – Pamplona/Iruñea 28 – St-Jean-Pied-de-Port 58.

Beti Jai con hab, Santa Águeda 2 ✆ (948) 33 60 52, *Fax (948) 33 60 52* – rest, TV.
VISA.
Comida *(cerrado del 15 al 31 de agosto)* carta 2800 a 3900 – 350 – **14 hab** 4000/6000.

ARACENA *21200 Huelva* 446 **S 10** – *6 739 h. alt. 682.*
Ver : *Gruta de las Maravillas★★.*
Excurs. : *S : Sierra de Aracena★.*
Madrid 514 – Beja 132 – Cáceres 243 – Huelva 108 – Sevilla 93.

Los Castaños, av. de Huelva 5 ✆ (959) 12 63 00, *Fax (959) 12 62 87* – TV ☎ – 25/60. AE VISA.
Comida *(cerrado lunes)* 1500 – 400 – **33 hab** 4000/7000 – PA 3400.

Sierra de Aracena sin rest, Gran Vía 21 ✆ (959) 12 60 19, *Fax (959) 12 60 19* – TV ☎ – 25/75. AE E VISA.
450 – **43 hab** 4200/6300.

Casas, Colmenetas 41 ✆ (959) 12 80 44, *Fax (959) 12 82 12*, « Decoración de estilo andaluz » – AE VISA
Comida - sólo almuerzo - carta 3200 a 4000.

ARANDA DE DUERO *09400 Burgos* 442 G 18 – *29 446 h. alt. 798.*

Alred. : *Peñaranda de Duero (plaza Mayor★) – Palacio de Avellaneda★ : artesonados★ E 18 km.*

La Sal ☎ (947) 51 04 76 (temp).

Madrid 156 – Burgos 83 – Segovia 115 – Soria 114 – Valladolid 93.

Tres Condes, av. Castilla 66 ☎ (947) 50 24 00, *Fax (947) 50 24 04* – rest, – 25/200. AE E VISA. rest
Comida *(cerrado domingo noche)* carta aprox. 3700 – 625 – **35 hab** 5600/8100.

Julia, pl. de la Virgencilla ☎ (947) 50 12 00, *Fax (947) 50 04 49* – rest, 25/60. VISA
Comida 1650 – 495 – **60 hab** 3600/6300 – PA 3350.

Aranda, San Francisco 51 ☎ (947) 50 16 00, *Fax (947) 50 16 04* – rest, E VISA. rest
Comida 1700 – 500 – **44 hab** 4200/6700.

Mesón de la Villa, pl. Mayor 3 ☎ (947) 50 10 25, *Fax (947) 50 83 19,* « Decoración castellana » – .

Casa Florencio, Isilla 14 ☎ (947) 50 02 30 – . E VISA
Comida - cordero asado - carta 2260 a 3150.

El Ciprés, pl. Jardines de Don Diego 1 ☎ (947) 50 74 14 – . AE E VISA.
cerrado domingo noche – **Comida** - cordero asado - carta aprox. 5700.

El Asador de Aranda-Mesón El Roble, pl. Jardines de Don Diego 7 ☎ (947) 50 29 02, « Decoración rústica castellana » – . VISA
cerrado martes noche – **Comida** - cordero asado - carta 2700 a 3300.

El Lagar, Isilla 18 ☎ (947) 51 06 83, *Fax (947) 50 43 16,* « Decoración rústica castellana » – . VISA.
Comida - pescados y carnes a la brasa - carta 2900 a 3450.

Chef Fermín, av. Castilla 69 ☎ (947) 50 23 58 – . AE E VISA.
cerrado martes (salvo festivos o vísperas) y 3 noviembre-3 diciembre – **Comida** carta 2800 a 3475.

La Perla, pl. Arco Isilla 13 ☎ (947) 50 00 20 – . E VISA.
cerrado miércoles salvo festivos vísperas, y 23 febrero-15 marzo – **Comida** carta 2925 a 3775.

en la antigua carretera N I – ✉ *09400 Aranda de Duero :*

Montermoso, salida 164 o 165 autovía - N : 4,5 km ☎ (947) 50 15 50, *Fax (947) 50 15 50,* – rest, – 25/250. AE E VISA JCB. rest
Comida 1950 – 700 – **51 hab** 5500/7000 – PA 4600.

Motel Tudanca con hab. y self-service, salida 152 o 153 autovía - S : 6,5 km ☎ (947) 50 60 11, *Fax (947) 50 60 15* – rest, – 25/1000. AE E VISA.
Comida 1975 – 600 – **20 hab** 7900.

en la carretera N 122 *O : 5,5 km* – ✉ *09400 Aranda de Duero :*

El Ventorro, carret. de Valladolid ☎ (947) 53 60 00, *Fax (947) 53 61 34* – rest, . AE E VISA.
cerrado una semana en enero – **Comida** 1950 – 400 – **21 hab** 3300/4800.

ARANJUEZ *28300 Madrid* 444 L 19 – *35 872 h. alt. 489.*

Ver : *Reales Sitios★★ : Palacio Real★ (salón de porcelana★★), parterre y Jardín de la Isla★ – Jardín del Príncipe★★ (Casa del Labrador★★, Casa de Marinos : falúas reales★★).*

Los Pinos, antigua carret. N IV - NO : 2km ☎ (91) 891 07 81.

pl. de San Antonio 9 ☎ (91) 891 04 27.

Madrid 47 – Albacete 202 – Ciudad Real 156 – Cuenca 147 – Toledo 48.

Isabel II sin rest. con cafetería, av. Infantas 15 ☎ (91) 891 09 45, *Fax (91) 891 52 44* – – 25/150. AE E VISA.
720 – **25 hab** 7200/10700.

Casa José, Abastos 32 ☎ (91) 891 14 88 – . AE E VISA.
cerrado domingo noche, lunes y 25 julio-25 agosto – **Comida** carta 4200 a 5000
Espec. Corazones de alcachofas glaseadas con yemas de erizos. Suprema de lubina escalfada a la pimienta rosa. Pichón de Bresse asado en costra de sal.

Casa Pablo, Almíbar 42 ☎ (91) 891 14 51, *Fax (91) 892 50 49,* « Decoración castellana » – . AE E VISA.
cerrado agosto – **Comida** carta 3600 a 4900.

Chirón, Real 10 ☎ (91) 891 09 41, *Fax (91) 895 69 60* – . AE E VISA.
Comida carta 3600 a 4300.

Almíbar, Almíbar 138 (91) 891 00 97, *Fax (91) 892 53 02* – . AE VISA.
Comida carta 3500 a 4900.

El Faisán, Capitán Angosto 21 (91) 892 16 83 – . AE VISA
cerrado lunes noche – **Comida** carta 3300 a 4400.

ARÁNZAZU o ARANTZAZU *20567 Guipúzcoa 442 D 22 – alt. 800.*

Ver : *Paraje★ – Carretera★ de Aránzazu a Oñate.*
Madrid 410 – San Sebastián/Donostia 83 – Vitoria/Gasteiz 54.

Hospedería , (943) 78 13 13, *Fax (943) 78 13 14* – . VISA.
cerrado enero – **Comida** 1750 – 375 – **47 hab** 2500/4100.

Zelai Zabal, carret. de Oñate - NO : 1 km (943) 78 13 06 – . AE VISA.
cerrado domingo noche, lunes y enero-10 febrero – **Comida** carta 2900 a 3900.

ARAYA o ARAIA *01250 Álava 442 D 23.*

Madrid 408 – Pamplona/Iruñea 64 – San Sebastián/Donostia 84 – Vitoria/Gasteiz 35.

Caserío Marutegui, NO : 1,8 km (945) 30 44 55, « Caserío típico » – . VISA
Comida carta 2800 a 4450.

L'ARBOCET *43312 Tarragona 443 I 32.*

Madrid 553 – Cambrils 8 – Lérida/Lleida 98 – Tarragona 25 – Tortosa 71.

El Celler de l'Arbocet, Baix 11 (977) 83 75 91, « Ambiente acogedor en un marco rústico » – . VISA JCB.
cerrado domingo noche y lunes no festivos (salvo julio-agosto) y octubre – **Comida** carta 3050 a 5275.

ARBOLÍ *43365 Tarragona 443 I 32 – 138 h. alt. 715.*

Madrid 538 – Barcelona 142 – Lérida/Lleida 86 – Tarragona 39.

El Pigot, Trinquet 7 (977) 81 60 63, « Decoración regional » – VISA
cerrado martes (salvo festivos) y junio – **Comida** - sólo almuerzo del 21 septiembre a junio - carta 2550 a 3700.

ARCADE *36690 Pontevedra 441 E 4.*

Madrid 612 – Orense/Ourense 113 – Pontevedra 12 – Vigo 22.

Arcadia, av. Castelao 25 (986) 70 00 37 – . AE VISA.
cerrado domingo noche, lunes (salvo festivos) y octubre – **Comida** - pescados y mariscos - carta 2250 a 3800.

ARCENIEGA o ARTZINIEGA *01474 Álava 442 C 20 – 1216 h. alt. 210.*

Madrid 384 – Bilbao/Bilbo 25 – Vitoria/Gasteiz 55 – San Sebastián/Donostia 123 – Santander 122.

Torre de Artziniega, Cuesta de Luciano 3 (945) 39 65 00, *Fax (945) 39 65 65*, « Instalado en una torre medieval » – . VISA.
Comida *(cerrado domingo noche y festivos noche)* 1000 – 600 – **8 hab** 4200/7300 – PA 2210.

ARCHENA *30600 Murcia 445 R 26 – 13852 h. alt. 100 – Balneario.*

Madrid 374 – Albacete 127 – Lorca 76 – Murcia 24.

La Parra sin rest, carret. Balneario 3 (968) 67 04 44, *Fax (968) 67 04 44* – .
250 – **27 hab** 2900/4900.

en el balneario *O : 2 km – 30600 Archena :*

Termas , 902 33 32 22, *Fax (968) 67 10 02*, , de agua termal, , – . AE VISA.
Comida 2900 – 950 – **65 hab** 8750/10800, 6 suites.

León , 902 33 32 22, *Fax (968) 67 10 02*, , de agua termal, , – – 25/300. AE VISA.
Comida 2000 – 575 – **103 hab** 7625/9500.

Levante sin rest y sin , 902 33 32 22, *Fax (968) 67 10 02*, , de agua termal, , – . AE VISA.
abril-22 diciembre – **81 hab** 6200/7800.

ARCONES *40164 Segovia* 442 I 18 – *255 h. alt. 1 152.*
Madrid 113 – Aranda de Duero 78 – Segovia 42 – Valladolid 120.

La Berrocosa, carret. N 110 ☎ (921) 50 41 45, ← – TV P. E VISA.
Comida 1200 – ☕ 300 – **21 hab** 3500/5500 – PA 2650.

Los ARCOS *31210 Navarra* 442 E 23 – *1 381 h. alt. 444.*
Alred. : *Torres del Río (iglesia del Santo Sepulcro★) SO : 7 km.*
Madrid 360 – Logroño 28 – Pamplona/Iruñea 64 – Vitoria/Gasteiz 63.

ARCOS DE LA FRONTERA *11630 Cádiz* 446 V 12 – *26 466 h. alt. 187.*
Ver : *Emplazamiento★★ – Plaza del Cabildo ←★ – Iglesia de Santa María (fachada occidental★).*
pl. del Cabildo ☎ (956) 70 22 64 Fax (956) 70 09 00.
Madrid 586 – Cádiz 65 – Jerez de la Frontera 32 – Ronda 86 – Sevilla 91.

Parador de Arcos de la Frontera, pl. del Cabildo ☎ (956) 70 05 00, *Fax (956) 70 11 16*, ←, « Magnífica situación dominando un amplio panorama » – TV ☎. AE O E VISA JCB.
Comida 3500 – ☕ 1300 – **24 hab** 13000/17500.

Marqués de Torresoto sin rest, Marqués de Torresoto 4 ☎ (956) 70 07 17, *Fax (956) 70 42 05* – TV ☎. AE O E VISA.
☕ 525 – **15 hab** 7590/10120.

Los Olivos sin rest, paseo de Boliches 30 ☎ (956) 70 08 11, *Fax (956) 70 20 18* – TV ☎. AE O E VISA.
☕ 600 – **19 hab** 5000/9000.

El Convento, Maldonado 2 ☎ (956) 70 23 33, *Fax (956) 70 23 33*, ← – TV ☎. AE O E VISA.
Comida (ver rest ***El Convento***) – ☕ 700 – **11 hab** 5000/10000.

El Convento, Marqués de Torresoto 7 ☎ (956) 70 32 22, *Fax (956) 70 23 33*, « Patio de estilo andaluz » – . AE O E VISA.
Comida carta 2900 a 3800.

El Lago con hab, carret. N 342 - E : 1 km ☎ (956) 70 11 17, *Fax (956) 70 04 67*, – TV ☎ P. AE O E VISA.
Comida carta aprox. 2800 – ☕ 600 – **10 hab** 4800/8600 – PA 4400.

AREA (Playa de) *Lugo – ver Vivero.*

AREETA *Vizcaya – ver Getxo (Las Arenas).*

La ARENA (Playa de) *Cantabria – ver Isla.*

S'ARENAL *Baleares – ver Baleares (Mallorca) : Palma.*

Los ARENALES DEL SOL *03195 Alicante* 445 R 28 – *Playa.*
Madrid 434 – Alicante/Alacant 14 – Cartagena 90 – Elche/Elx 20 – Murcia 76.

Las Palomas, Isla de Ibiza 7 ☎ (96) 691 07 76, – AE VISA.
cerrado domingo noche – **Comida** - asados por encargo - carta 2525 a 4050.

Las ARENAS *Vizcaya – ver Getxo.*

ARENAS DE CABRALES *33554 Asturias* 441 C 15.
Alred. : *Desfiladero del Cares★ (Garganta divina del Cares★★ 3 h. y media a pie ida) Gargantas del Cares★.*
Madrid 458 – Oviedo 100 – Santander 106.

Picos de Europa, carretera General ☎ (98) 584 64 91, *Fax (98) 584 65 45*, ←, – TV ☎ P. AE E VISA.
Comida 1500 – ☕ 600 – **36 hab** 8500/11000 – PA 3250.

Villa de Cabrales sin rest, carretera General ☎ (98) 584 67 19, *Fax (98) 584 67 33* – TV ☎ P. E VISA.
23 hab ☕ 5000/8000.

Naranjo de Bulnes, carretera General ☎ (98) 584 65 19, *Fax (98) 584 65 20*, ← – . AE VISA. rest
cerrado enero-15 marzo – **Comida** 1300 – ☕ 450 – **30 hab** 4000/6600 – PA 3000.

ARENAS DE SAN PEDRO *05400 Ávila* 442 L 14 – *6 153 h.*

Alred. : *Cuevas del Águila★ : 9 km.*

Madrid 143 – Ávila 73 – Plasencia 120 – Talavera de la Reina 46.

Hostería Los Galayos con hab, pl. del Castillo 2 ✆ (920) 37 13 79, *Fax (920) 37 13 79,* « Bodegón típico » – TV. VISA.
Comida carta 2650 a 3700 – 325 – **20 hab** 4000/6500.

Les ARENES *Valencia – ver Valencia (playa de Levante).*

ARENYS DE MAR *08350 Barcelona* 443 H 37 – *11 048 h.* – *Playa.*

Madrid 672 – Barcelona 37 – Gerona/Girona 60.

en la carretera N II *SO : 2 km – ✉ 08350 Arenys de Mar :*

Hispania, Real 54 ✆ (93) 791 03 06, *Fax (93) 791 26 61* – P. AE E VISA
cerrado domingo noche, martes, Semana Santa y octubre – **Comida** carta aprox. 5700.

AREO o **AREU** *25575 Lérida* 443 E 33 – *alt. 920.*

Madrid 613 – Lérida/Lleida 157 – Seo de Urgel/La Seu d'Urgell 83.

Vall Ferrera *(anexo)*, Martí 1 ✆ (973) 62 43 43, *Fax (973) 62 43 43,* ← – E VISA. rest
3 abril-octubre, del 4 al 8 de diciembre y 27 diciembre-6 enero – **Comida** 1975 – 750 – **28 hab** 3675/5118, 6 apartamentos.

ARETA *Álava – ver Llodio.*

ARÉVALO *05200 Ávila* 442 I 15 – *7 267 h. alt. 827.*

Ver : *Plaza de la Villa★.*

Madrid 121 – Ávila 55 – Salamanca 95 – Valladolid 78.

Fray Juan Gil sin rest y sin , av. de los Deportes 2 ✆ (920) 30 08 00, *Fax (920) 30 08 00* – TV. VISA.
27 hab 5500/7500, 3 suites.

El Tostón de Oro, av. de los Deportes 2 ✆ (920) 30 07 98 – . E VISA.
cerrado lunes y 10 diciembre-10 enero – **Comida** carta 2300 a 2900.

Las Cubas, Figones 9 ✆ (920) 30 01 25 – . AE E VISA.
cerrado 2ª quincena de junio – **Comida** - sólo almuerzo - carta 2550 a 3150.

La Pinilla, Figones 1 ✆ (920) 30 00 63
. AE E VISA.
cerrado lunes, festivos noche y del 15 al 31 de julio – **Comida** carta aprox. 2850.

Donis, pl. El Salvador 2 ✆ (920) 30 06 92 – . VISA.
cerrado martes noche y miércoles (salvo festivos vísperas) y del 15 al 30 de septiembre – **Comida** carta 3000 a 4850.

junto a la autovía N VI *NO : 3 km – ✉ 05200 Arevalo :*

Las Fuentes, salida 129 ✆ (920) 30 37 67, *Fax (920) 30 16 56* – TV P – 25/400. AE E VISA JCB.
Comida 1000 – 250 – **14 hab** 3000/4000 – PA 2250.

S'ARGAMASSA (Urbanización) *Baleares – ver Baleares (Ibiza) : Santa Eulalia del Río.*

ARGENTONA *08310 Barcelona* 443 H 37 – *7 819 h. alt. 75.*

Madrid 657 – Barcelona 27 – Mataró 4.

El Celler d'Argentona, Bernat de Riudemeya 6 ✆ (93) 797 02 69, « Celler típico » – . AE E VISA
cerrado domingo noche y lunes – **Comida** carta 3200 a 4775.

ARGÓMANIZ o **ARGOMAIZ** *01192 Álava* 442 D 22.

Madrid 364 – San Sebastián/Donostia 95 – Vitoria/Gasteiz 15.

Parador de Argómaniz , ✆ (945) 29 32 00, *Fax (945) 29 32 87,* ← – TV P – 25/65. AE E VISA JCB.
Comida 3500 – 1300 – **53 hab** 12000/15000.

ARGOÑOS *39197 Cantabria* 442 B 19 – *650 h. alt. 24.*
Madrid 482 – Bilbao/Bilbo 85 – Santander 43.

Noray, av. de Trasmiera 2 ☎ (942) 62 61 11, *Fax (942) 62 62 52* – rest, ☎ P. E VISA.
Semana Santa y mayo-octubre – **Comida** 1625 – 375 – **50 hab** 4500/7700.

ARGUINEGUÍN *Las Palmas – ver Canarias (Gran Canaria).*

ARGUIS *22150 Huesca* 443 F 28 – *62 h. alt. 1 044.*
Ver : *Embalse*★.
Madrid 404 – Huesca 21 – Jaca 52 – Pamplona/Iruñea 163.

en la carretera N 330 *E : 2 km – ✉ 22150 Arguis :*

Hospedería de Arguis, ☎ (974) 27 12 11, *Fax (974) 27 12 11,* – rest, ☎ P. AE E VISA.
Comida 1500 – 600 – **36 hab** 4400/6900.

ARINSAL *Andorra – ver Andorra (Principado de).*

ARLABÁN (Puerto de) *Guipúzcoa – ver Salinas de Leniz.*

ARMENTIA *Álava – ver Vitoria.*

ARMILLA *18100 Granada* 446 U 19 – *10 990 h. alt. 675.*
Madrid 435 – Granada 6 – Guadix 64 – Jaén 99 – Motril 60.

Los Galanes, carret. de Granada - NE : 1 km ☎ (958) 55 05 08, *Fax (958) 57 05 13,* – ☎ P
27 hab.

ARNEDILLO *26589 La Rioja* 442 F 23 – *393 h. alt. 640 – Balneario.*
Madrid 294 – Calahorra 26 – Logroño 61 – Soria 68 – Zaragoza 150.

Spa Arnedillo, ☎ (941) 39 40 00, *Fax (941) 39 40 75,* de agua termal, – ☎ P – 25/220. AE E VISA. rest
Comida 2950 – 950 – **136 hab** 8900/13900, 4 suites – PA 5100.

El Olivar, ☎ (941) 39 41 05, *Fax (941) 39 40 75,* de agua termal – ☎ P – 25/200. AE VISA. rest
mayo-1 noviembre – **Comida** 2400 – 850 – **45 hab** 8100/10200 – PA 4200.

ARNEDO *26580 La Rioja* 442 F 23 – *12 463 h. alt. 550.*
Madrid 306 – Calahorra 14 – Logroño 49 – Soria 80 – Zaragoza 138.

Victoria, paseo de la Constitución 97 ☎ (941) 38 01 00, *Fax (941) 38 10 50,* – rest, ☎ – 25/500. AE E VISA.
Comida 1750 – 750 – **46 hab** 7000/12000 – PA 3400.

Virrey, paseo de la Constitución 27 ☎ (941) 38 01 50, *Fax (941) 38 30 17* – rest, ☎ P. AE E VISA.
Comida 1700 – 300 – **36 hab** 4500/8000 – PA 3000.

ARNOIA *32234 Orense* 441 F 5 – *1 028 h. alt. 95 – Balneario.*
Madrid 516 – Orense/Ourense 37 – Pontevedra 92 – Santiago de Compostela 153 – Vigo 72.

Arnoia, Vilatermal 1 ☎ (988) 49 24 00, *Fax (988) 49 24 22,* Servicios terapéuticos, « En un bonito paraje de viñedos y montes junto al Miño », de agua termal, – rest, ☎ P. AE E VISA.
Comida 1800 – 700 – **24 hab** 6420/8860, 1 suite – PA 4000.

ARONA *Santa Cruz de Tenerife – ver Canarias (Tenerife).*

La ARQUERA *Asturias – ver Llanes.*

ARRASATE *Guipúzcoa – ver Mondragón.*

ARRECIFE *Las Palmas – ver Canarias (Lanzarote).*

ARRIONDAS *33540 Asturias* 441 **B 14** – *2 214 h. alt. 39.*

Alred. : *Mirador del Fito★★ N : 10,5 km.*

Madrid 426 – Gijón 62 – Oviedo 66 – Ribadesella 18.

Carús, carret. N 625 - S : 1 km ☎ (98) 584 05 31, *Fax (98) 584 09 51,* – TV ☎ P. AE ① E VISA.
Comida *(cerrado lunes y noviembre)* 1500 – 600 – **21 hab** 4500/8000 – PA 3600.

El Corral del Indianu, av. Europa 14 ☎ (98) 584 10 72, – ① E VISA.
cerrado jueves noche y domingo noche (salvo julio-septiembre) – **Comida** carta 3500 a 4000.

en la carretera AS 342 :

Posada del Valle sin rest, Collía - N : 2,5 km ☎ (98) 584 11 57, *Fax (98) 584 15 59,* ≤ valle, – TV ☎ P. E VISA.
15 marzo-15 octubre – 700 – **8 hab** 6300/9000.

Casa Marcial, La Salgar 10 - NE : 4 km ☎ (98) 584 09 91 – VISA.
cerrado domingo noche, lunes (salvo verano), festivos y Semana Santa – **Comida** carta 2700 a 4000.

ARROYO DE LA ENCOMIENDA *47195 Valladolid* 442 **H 15** – *1 427 h. alt. 690.*

Madrid 189 – Ávila 121 – Salamanca 108 – Segovia 119 – Valladolid 10 – Zamora 88.

La Vega, av. de Salamanca - NE : 2 km ☎ (983) 40 71 00, *Fax (983) 40 70 70,* – TV ☎ P – 25/400. AE ① E VISA.
Comida 2500 – 1200 – **143 hab** 12000/15000, 6 suites.

ARROYO DE LA MIEL *29630 Málaga* 446 **W 16** – *15 180 h.*

Madrid 552 – Málaga 18 – Marbella 40.

Ventorrillo de la Perra, av. de la Constitución 85 (carret. de Torremolinos) ☎ (95) 244 19 66, *Fax (95) 244 19 66,* – AE ① E VISA.
cerrado lunes – **Comida** carta 3175 a 4145.

ARTÁ (Cuevas de) *Baleares – ver Baleares (Mallorca).*

ARTEIJO o **ARTEIXO** *15142 La Coruña* 441 **C 4** – *17 934 h. alt. 32.*

Madrid 615 – La Coruña/A Coruña 12 – Santiago de Compostela 78.

en la carretera C 552 – ✉ *15142 Arteijo :*

Europa, av. de Finisterre 31 - NE : 1,5 km ☎ (981) 64 04 44, *Fax (981) 64 04 44* – TV ☎ P. AE ① E VISA.
Comida 1500 – 500 – **24 hab** 5000/7500.

El Gallo de Oro, av. de Finisterre 8 ☎ (981) 60 04 10, *Fax (981) 60 27 41,* Vivero propio – P. AE ① E VISA.
cerrado domingo noche, lunes y febrero – **Comida** - pescados y mariscos - carta aprox. 6500.

en Villarrodis *NE : 3 km* – ✉ *15141 Villarrodis :*

Las Camelias, carret. LC 410 ☎ (981) 64 03 25, *Fax (981) 64 03 25* – TV ☎. AE ① E VISA.
Comida *(cerrado domingo)* 1200 – 400 – **35 hab** 5000/7500.

ARTENARA *Las Palmas – ver Canarias (Gran Canaria).*

ARTESA DE SEGRE *25730 Lérida* 443 **G 33** – *3 141 h. alt. 400.*

Madrid 519 – Barcelona 141 – Lérida/Lleida 50.

Montaña, carret. de Agramunt 84 ☎ (973) 40 01 86, *Fax (973) 40 20 05* – rest, TV P. E VISA. rest
Comida 1150 – 425 – **29 hab** 1600/3950 – PA 2300.

por la carretera de Foradada *SO : 3 km* – ✉ *25737 Montsonis :*

El Celler de L'Arnau, Montsonis ☎ (973) 40 11 18, *Fax (973) 40 11 18* – . VISA.
cerrado lunes y enero – **Comida** carta 2750 a 3500.

ARTIES *25599 Lérida* 443 **D 32** - *alt. 1 143 - Deportes de invierno.*
Madrid 603 - Lérida/Lleida 169 - Viella 6.

Parador de Arties, carret. de Baqueira ☎ (973) 64 08 01, *Fax (973) 64 10 01,* ≤, - rest, ☎ - 25/100. AE E VISA. rest
Comida 3500 - 1300 - **54 hab** 14000/17000, 4 suites.

Valartiés, Mayor 3 ☎ (973) 64 43 64, *Fax (973) 64 21 74,* ≤, - ☎. AE E VISA.
cerrado 15 octubre-1 diciembre - **Comida** (ver a continuación rest. ***Casa Irene***) - 950 - **26 hab** 5200/8750, 1 suite.

Edelweiss, carret. de Baqueira ☎ (973) 64 09 02, *Fax (973) 64 09 02,* ≤, - ☎. E VISA.
cerrado del 3 al 30 de noviembre - ***Montarto*** *(cerrado martes, del 5 al 25 de mayo y del 2 al 25 de noviembre)* **Comida** carta 2250 a 3850 - 650 - **25 hab** 5500/8800.

Besiberri sin rest, Deth Fort 4 ☎ (973) 64 08 29, *Fax (973) 64 42 60* - ☎. VISA.
cerrado del 4 al 31 de mayo y noviembre - **16 hab** 7000/10000.

Casa Irene - *Hotel Valartiés,* Mayor 3 ☎ (973) 64 43 64, *Fax (973) 64 21 74* - . AE E VISA.
cerrado 15 octubre-1 diciembre - **Comida** *(cerrado lunes en invierno)* carta 4500 a 6500
Espec. Solomillo de buey gascón con trufas y foie gras. Lomos de corzo con frambuesas y crema de calabaza (temp). Salmonetes con cilantro y miel.

Urtau, pl. Urtau 2 ☎ (973) 64 09 26 - AE E VISA.
cerrado miércoles en invierno, mayo-15 junio y 15 octubre-noviembre - **Comida** - carnes, sólo cena en invierno - carta 2550 a 3200.

ARTZINIEGA *Álava - ver Arceniega.*

ARUCAS *Las Palmas - ver Canarias (Gran Canaria).*

ARURE *Santa Cruz de Tenerife - ver Canarias (Gomera).*

El ASTILLERO *39610 Cantabria* 442 **B 18** - *12 587 h. alt. 20 - Playa.*
Alred. : *Peña Cabarga ** SE : 8 km.*
Madrid 394 - Bilbao/Bilbo 99 - Santander 10.

Las Anclas, San José 11 ☎ (942) 54 08 50, *Fax (942) 54 07 15* - , rest, ☎. AE E VISA.
Comida 1800 - 650 - **58 hab** 9000/11000 - PA 4250.

ASTORGA *24700 León* 441 **E 11** - *13 802 h. alt. 869.*
Ver : *Catedral* (retablo mayor*, pórtico*).*
pl. Eduardo de Castro (iglesia Santa Marta) ☎ (987) 61 68 38.
Madrid 320 - León 47 - Lugo 184 - Orense/Ourense 232 - Ponferrada 62.

Gaudí, pl. Eduardo de Castro 6 ☎ (987) 61 56 54, *Fax (987) 61 50 40* - ☎. AE E VISA.
Comida 1500 - 950 - **32 hab** 6250/10000, 3 suites.

La Peseta con hab, pl. San Bartolomé 3 ☎ (987) 61 72 75, *Fax (987) 61 53 00* - , rest, . AE E VISA
Comida *(cerrado domingo noche salvo agosto y del 15 al 31 de octubre)* carta 2600 a 3350 - 550 - **19 hab** 5500/7200.

en la carretera N VI :

Motel de Pradorrey, NO : 5 km, 24700, ☎ (987) 61 57 29, *Fax (987) 61 92 20,* « En un marco medieval » - rest, ☎. AE E VISA JCB
Comida 1500 - 850 - **64 hab** 8600/11800.

Monterrey, NO : 8,5 km, 24714 Pradorrey, ☎ (987) 60 66 11, *Fax (987) 60 66 33,* ≤ - ☎. E VISA.
Comida (ver rest. ***Monterrey***) - 375 - **22 hab** 3800/6600.

Monterrey, NO : 8,5 km, 24714 Pradorrey, ☎ (987) 60 65 87, *Fax (987) 60 66 33* - . E VISA
cerrado miércoles - **Comida** carta aprox. 2900.

ASTÚN (Valle de) *22889 Huesca* 443 **D 28** - *alt. 1 700 - Deportes de invierno : 15.*
Madrid 517 - Huesca 108 - Oloron-Ste. Marie 59 - Pamplona/Iruñea 147.

Europa , ☎ (974) 37 33 12, *Fax (974) 37 33 12,* ≤, - ☎. AE VISA.
diciembre-4 mayo - **Comida** 1750 - **36 hab** 11006/15244 - PA 3525.

Las ATALAYAS (Urbanización) *Castellón - ver Peñíscola.*

AURITZ *Navarra - ver Burguete.*

AUSEJO *26513 La Rioja* 442 **E 23** - *747 h.*
Madrid 326 - Logroño 29 - Pamplona/Iruñea 95 - Zaragoza 148.

Maite, carret. N 232 ☎ (941) 43 00 00, *Fax (941) 43 02 35,* - rest, ☎ P. AE ⓓ E VISA. rest
Comida 1200 - 300 - **24 hab** 2800/4500.

Els AVETS (Urbanización) *Barcelona - ver Rubí.*

ÁVILA *05000* P 442 **K 15** - *49 868 h. alt. 1 131.*
Ver : *Murallas★★ - Catedral★★* B *(obras de arte★★, sepulcro del Tostado★★, sacristía★★)* Y *- Basílica de San Vicente★★ (portada occidental★★, sepulcro de los Santos Titulares★★, cimborrio★)* B *- Monasterio de Santo Tomás★ (mausoleo★, Claustro del Silencio★, retablo de Santo Tomás★★)* B. *- pl. Catedral 4 ✉ 05001 ☎ (920) 21 13 87 Fax (920) 25 37 17.*
Madrid 107 ① - Cáceres 235 ③ - Salamanca 98 ④ - Segovia 67 ① - Valladolid 120 ①

ÁVILA

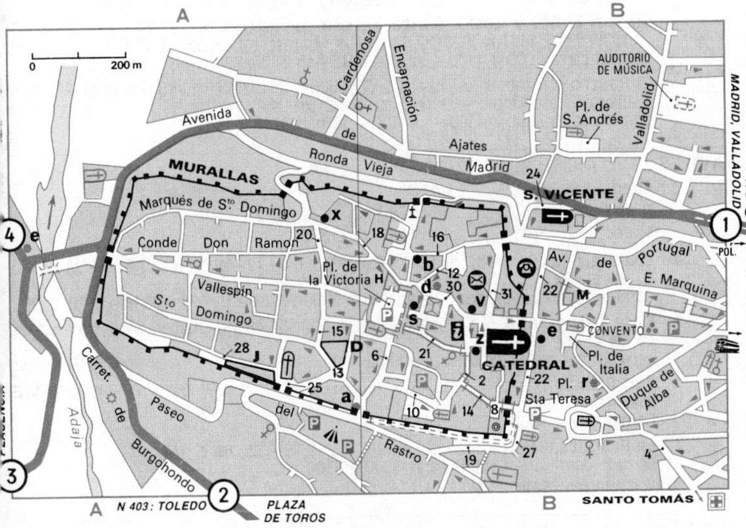

Meliá Palacio de Los Velada, pl. de la Catedral 10, ✉ 05001, ☎ (920) 25 51 00, *Fax (920) 25 49 00,* « Edificio del siglo XVI con bonito patio interior » - ☎ - 25/550. AE ⓓ E VISA JCB. B v
Comida carta aprox. 4000 - 1200 - **84 hab** 14200/16850, 1 suite.

Parador de Ávila, Marqués Canales de Chozas 2, ✉ 05001, ☎ (920) 21 13 40, *Fax (920) 22 61 66,* « Decoración castellana », - ☎ P - 25/80. AE ⓓ E VISA. A x
Comida 3700 - 1300 - **60 hab** 12000/15000, 1 suite.

G.H. Palacio de Valderrábanos, pl. Catedral 9, ✉ 05001, ☎ (920) 21 10 23, Telex 23539, *Fax (920) 25 16 91,* « Decoración elegante » - ☎ P - 25/290. AE ⓓ E VISA. rest B z
Comida 3700 - ***El Fogón de Santa Teresa*** : **Comida** carta aprox. 3700 - 1000 - **70 hab** 9000/14000, 3 suites.

Cuatro Postes, carret. de Salamanca 23, ✉ 05002, ☎ (920) 22 00 00, *Fax (920) 25 00 00,* ← – 🛗 ▤ TV ☎ ♿ 🚗 P – 🏛 25/250. AE ⓓ E VISA. ✻ por ④
Comida 2050 – ☕ 775 – **78 hab** 7125/11050.

Don Carmelo sin rest, paseo de Don Carmelo 30, ✉ 05001, ☎ (920) 22 80 50, *Fax (920) 25 12 41* – 🛗 TV ☎ 🚗. AE ⓓ E VISA. ✻ por ①
☕ 650 – **95 hab** 5050/7950, 2 suites.

Hostería de Bracamonte 🔇, Bracamonte 6, ✉ 05001, ☎ (920) 25 12 80, 🏡, « Decoración castellana » – TV ☎. E VISA. ✻ rest B b
Comida carta aprox. 3500 – ☕ 400 – **18 hab** 6000/10000, 2 suites.

San Segundo, San Segundo 28, ✉ 05001, ☎ (920) 25 25 90, *Fax (920) 25 27 90* – ▤ rest, TV ☎. AE ⓓ E VISA. ✻ rest B e
Comida 1800 – ☕ 500 – **14 hab** 5000/7000.

San Juan sin rest y sin ☕, Comuneros de Castilla 3, ✉ 05001, ☎ (920) 25 14 75, *Fax (920) 21 32 40* – TV ☎. AE E VISA B s
13 hab 3600/6500.

Copacabana, San Millán 9, ✉ 05001, ☎ (920) 21 11 10, *Fax (920) 25 04 28* – ▤. AE ⓓ E VISA JCB. ✻ B r
Comida carta 3200 a 3500.

Doña Guiomar, Tomás Luis de Victoria 3, ✉ 05001, ☎ (920) 25 37 09 – ▤. AE ⓓ E VISA JCB. ✻ – *cerrado domingo noche* – **Comida** carta 3750 a 4800. B d

La Cochera, av. de Portugal 47, ✉ 05001, ☎ (920) 21 37 89, *Fax (920) 25 05 91* – ▤. AE ⓓ E VISA JCB por av. de Portugal B
Comida carta 3000 a 4300.

El Almacén, carret. de Salamanca 6, ✉ 05002, ☎ (920) 25 44 55, *Fax (920) 21 10 26,* ← – ▤. AE ⓓ E VISA JCB. ✻ A e
cerrado domingo noche, lunes y septiembre – **Comida** carta 3400 a 4400.

Mesón El Sol y Resid. Santa Teresa con hab, av. 18 de Julio 25, ✉ 05003, ☎ (920) 22 02 11, *Fax (920) 22 41 13* – 🛗, ▤ rest, TV ☎. AE ⓓ E VISA. ✻ por ①
Comida carta 3000 a 4100 – ☕ 600 – **15 hab** 5400/7900.

El Rastro con hab, pl. del Rastro 1, ✉ 05001, ☎ (920) 21 12 18, *Fax (920) 25 16 26,* « Albergue castellano » – ▤ rest, AE ⓓ E VISA. ✻ AB a
Comida carta 3000 a 4300 – ☕ 400 – **10 hab** 3745/5350.

AVILÉS *33400 Asturias* 441 B 12 – *84 582 h. alt. 13.*

Alred. : *Salinas* ←★ *NO : 5 km.*
ℹ *Ruiz Gómez 21* ☎ *(98) 554 43 25 Fax (98) 554 43 25.*
Madrid 466 – Ferrol 280 – Gijón 25 – Oviedo 31.

Luzana, Fruta 9 ☎ (98) 556 58 40, *Fax (98) 556 49 12* – 🛗, ▤ rest, TV ☎ – 🏛 25/60. AE ⓓ E VISA JCB
Comida 2500 - ***La Serrana*** : **Comida** carta 2800 a 3700 – ☕ 675 – **73 hab** 9000/11000.

Casa Tataguyo 6, pl. del Carbayedo 6 ☎ (98) 556 48 15, « Decoración rústica » – ▤. AE ⓓ E VISA JCB. ✻
cerrado marzo – **Comida** carta 4000 a 4900.

San Félix, av. de los Telares 48 ☎ (98) 556 51 46, *Fax (98) 552 17 79* – P. AE ⓓ E VISA. ✻
Comida carta 3400 a 5200.

La Fragata, San Francisco 18 ☎ (98) 555 19 29 – AE ⓓ E VISA. ✻
cerrado domingo – **Comida** carta 3000 a 4300.
Ver también : **Salinas** *NO : 5 km.*

AXPE *48291 Vizcaya* 442 C 22.

Madrid 399 – Bilbao/Bilbo 37 – San Sebastián/Donostia 80 – Vitoria/Gasteiz 50.

Mendigoikoa 🔇 con hab, barrio San Juan 33, ✉ 48290 apartado 74 Abadiano, ☎ (94) 682 08 33, *Fax (94) 682 11 36,* « Decoración rústica » – ☎ P. AE E VISA. ✻
cerrado 21 diciembre-8 enero – **Comida** *(cerrado domingo noche y lunes)* carta 4600 a 5400 – ☕ 825 – **12 hab** 8500/12500.

Etxebarri, pl. San Juan 1 ☎ (94) 658 30 42, *Fax (94) 658 26 40* – ▤ P.

AYAMONTE *21400 Huelva* 446 U 7 – *14 937 h. alt. 84 – Playa.*

Ver : *Vista desde el Parador*★.
⛳18 *Isla Canela, carret. de la Playa* ☎ *(959) 47 12 88 Fax (959) 47 01 78.*
⛴ *para Vila Real de Santo António (Portugal).* – ℹ *av. Ramón y Cajal* ☎ *(959) 47 09 88 Fax (959) 47 09 88. – Madrid 680 – Beja 125 – Faro 53 – Huelva 52.*

Parador de Ayamonte, El Castillito (959) 32 07 00, *Fax (959) 32 07 00*, Ayamonte, el Guadiana, Portugal y el Atlántico, - - 25/110. AE VISA JCB.
Comida 3200 - 1200 - **54 hab** 12000/15000, 2 suites.

Andalucía 2, av. Alcalde Narciso Martín Navarro (959) 32 01 73
AE VISA.
Comida carta aprox. 3300.

en la playa de Isla Canela *SE : 6,5 km - 21470 Isla Canela :*

Riu Canela, paseo de los Gavilanes (959) 47 71 24, *Fax (959) 47 71 70*, « Conjunto de estilo andaluz. Agradables terrazas junto a la », - - 25/50 - *temp* - **Comida** (sólo cena buffet) - **300 hab.**

AYORA *46620 Valencia* 445 **O 26** - *5 402 h. alt. 552.*
Madrid 341 - Albacete 94 - Alicante/Alacant 117 - Valencia 132.

Murpimar sin rest y sin , Virgen del Rosario 70 (96) 219 10 33
21 hab 2200/4200.

El Rincón, Parras 10 (96) 219 17 05 - . AE VISA
cerrado viernes - **Comida** carta 2300 a 3325.

AZÁRRULLA *26289 La Rioja* 442 **F 20.**
Madrid 328 - Burgos 100 - Logroño 70 - Soria 170 - Vitoria/Gasteiz 85.

Hostería Valle del Oja, (941) 42 74 16, *Fax (941) 42 74 32*, « Conjunto rural de estilo rústico-regional », - . VISA - *cerrado febrero* - **Comida** *(cerrado domingo noche y lunes)* carta aprox. 3700 - **12 hab** 7350/10500, 8 apartamentos.

AZCOITIA o AZKOITIA *20720 Guipúzcoa* 442 **C 23** - *10 283 h. alt. 113.*
Madrid 417 - Bilbao/Bilbo 67 - Pamplona/Iruñea 94 - San Sebastián/Donostia 46 - Vitoria/Gasteiz 68.

Joseba, Pintor Iriarte 3 (943) 81 24 12 - . AE VISA.
cerrado domingo noche, lunes, 18 agosto-11 septiembre y 22 diciembre-2 enero - **Comida** carta 3550 a 4150.

AZPEITIA *20730 Guipúzcoa* 442 **C 23** - *13 170 h. alt. 84.*
Madrid 427 - Bilbao/Bilbo 74 - Pamplona/Iruñea 92 - San Sebastián/Donostia 44 - Vitoria/Gasteiz 71.

Loiola, av. de Loyola 47 (943) 15 16 16, *Fax (943) 15 16 18* - . AE VISA.
Comida *(cerrado domingo noche y 20 diciembre-18 enero)* 2000 - 750 - **36 hab** 6000/9000 - PA 3600.

Juantxo, av. de Loyola 3 (943) 81 43 15 - . AE VISA.
cerrado domingo, martes noche y 3 agosto-1 septiembre - **Comida** carta 2775 a 4200.

en Loyola *O : 1,5 km - 20730 Loyola :*

Kiruri, (943) 81 56 08, *Fax (943) 15 03 62*, - . AE VISA.
cerrado lunes noche y 20 diciembre-7 enero - **Comida** carta 3650 a 5200.

AZUQUECA DE HENARES *19200 Guadalajara* 444 **K 20** - *11 996 h. alt. 626.*
Madrid 46 - Guadalajara 12 - Segovia 139.

Green Alcor, av. de Alcalá - S : 1,5 km (949) 26 46 05, *Fax (949) 26 31 01*, - - 25/150. AE VISA. rest
Comida 1500 - ***La Gabarra*** **: Comida** carta 3600 a 4900 - 600 - **36 hab** 7500/9500 - PA 3000.

Azuqueca, av. de Alovera - N : 1 km (949) 26 44 88, *Fax (949) 26 44 98* - - 25/300. AE VISA. rest
Comida 1200 - **45 hab** 7000/9000 - PA 2465.

BADAJOZ *06000* P 444 **P 9** - *130 247 h. alt. 183.*
Guadiana, por ② : 8 km (924) 44 81 88 Fax (924) 44 80 33.
de Badajoz, por ② : 16 km 06195 (924) 21 04 00 Fax (924) 21 04 10.
pl. de la Libertad 3 06005 (924) 22 27 63.
Madrid 409 ② - Cáceres 91 ① - Córdoba 278 ③ - Lisboa 247 ④ - Mérida 62 ② - Sevilla 218 ③

BADAJOZ

Francisco Pizarro . . . . BY 7
Obispo San Juan de Rivera . BZ 17
San Juan . . . . BY

Antonio Masa
Campos (Av.) . . . . AZ 2
Calatrava . . . . BCZ 3
Carolina Coronado . . . . AY 4
Doblados . . . . CZ 5
España (Pl. de) . . . . BZ 6
Hernán Cortés . . . . BZ 8
Huelva (Av. de) . . . . AZ 9
Joaquín Costa (Av. de) . . . . AY 12
Juan Sebastián Elcano
(Av. de) . . . . CZ 14
Minayo (Pl. de) . . . . BZ 15
Muñoz Torrero . . . . BYZ 16
Pedro de Valdivia . . . . BZ 18
Reyes Católicos
(Pl.) . . . . AY 19
San Blas . . . . BZ 20
San Francisco
(Paseo) . . . . AZ 21
Soledad (Pl. de la) . . . . BY 23

G.H. Zurbarán, paseo Castelar, ✉ 06001, ✆ (924) 22 37 41, Telex 28818, *Fax (924) 22 01 42,* – ▯ ▤ TV ☎ – 25/500. AE ⓓ E VISA JCB. AY k
Los Monjes : **Comida** carta 3500 a 4400 – ☕ 1150 – **215 hab** 10750/18375.

Río, av. Adolfo Díaz Ambrona 13, ✉ 06006, ✆ (924) 27 26 00, Telex 28784, *Fax (924) 27 38 74,* – ▯ ▤ TV ☎ Ⓟ – 25/400. AE ⓓ E VISA. rest por ④
Comida carta 3025 a 3525 – ☕ 725 – **85 hab** 9125/12350.

Condedu sin rest, Muñoz Torrero 27, ✉ 06001, ✆ (924) 22 46 41, *Fax (924) 22 00 03* – ▯ ▤ TV ☎. AE ⓓ E VISA JCB. BY r
☕ 400 – **34 hab** 4600/6600.

Cervantes sin rest y sin ☕, Trinidad 2, ✉ 06002, ✆ (924) 22 09 31, *Fax (924) 22 29 35* – ▯ ▤ TV ☎. E VISA. CZ e
38 hab 3500/5400.

Aldebarán, av. de Elvas - urb. Guadiana, ✉ 06006, ✆ (924) 27 42 61, *Fax (924) 27 42 61,* « Decoración elegante » – ▤. AE ⓓ VISA. por ④
cerrado domingo – **Comida** 4700 y carta 3950 a 5100
Espec. Merluza al aroma de romero con verduritas fritas. Pechuga de paloma torcaz asada con foie (temp). Helado de queso fresco y albahaca.

Los Gabrieles, Vicente Barrantes 21, ✉ 06001, ✆ (924) 22 00 01 – ▤. AE ⓓ E VISA BY a
cerrado domingo noche – **Comida** carta 2250 a 3900.

en la antigua carretera N V *por ② : 8 km – ✉ 06080 Badajoz :*

Confortel Badajoz ⛺, Golf del Guadiana ☎ (924) 44 37 11, *Fax (924) 44 37 08*, – 🛗 ▤ TV ☎ ♿ 🚗 – 🏊 25/200. AE ◑ E VISA. ✂
Comida 1800 – ☕ 1500 – **104 hab** 11000/13800, 16 suites – PA 4600.

BADALONA *08911 Barcelona* **443** **H 36** – *218 171 h. – Playa.*
Madrid 635 – Barcelona 8,5 – Mataró 19.

Miramar sin rest. con cafetería por la noche, Santa Madrona 60 ☎ (93) 384 03 11, *Fax (93) 389 16 27*, ≤ – 🛗 ▤ TV ☎ 🚗. AE E VISA. ✂
☕ 850 – **42 hab** 4500/8000.

Obiols, Prim 170 ☎ (93) 384 42 78, *Fax (93) 384 42 78* – ▤. AE ◑ E VISA JCB. ✂
cerrado lunes y del 15 al 30 de agosto – **Comida** carta 3000 a 4800.

El BAELL *Gerona – ver Campellas.*

BAENA *14850 Córdoba* **446** **T 16** – *16 599 h. alt. 407.*
Madrid 392 – Antequera 88 – Andújar 89 – Córdoba 66 – Granada 105 – Jaén 66.

Iponuba, Nicolás Alcalá 7 ☎ (957) 67 00 75, *Fax (957) 69 07 02* – 🛗 ▤ TV ☎ 🚗. VISA. ✂
Comida *(cerrado domingo noche)* 1500 – ☕ 500 – **31 hab** 3600/6400 – PA 3500.

BAEZA *23440 Jaén* **446** **S 19** – *17 691 h. alt. 760.*
Ver : *Centro monumental★★ : plaza del Pópulo★* Z - *Catedral (interior★)* Z - *Palacio de Jabalquinto★ (fachada★)* Z - *Ayuntamiento★* Y – *Iglesia de San Andrés (tablas góticas★)* Y.
🅸 *pl. del Pópulo ☎ (953) 74 04 44 Fax (953) 74 04 44.*
Madrid 319 ① – Jaén 48 ③ – Linares 20 ① – Úbeda 9 ②

BAEZA

San Francisco	Y
Aguayo	Y 2
Alcalde Garzón Nebrera (Av. del)	Y
Barbacana	Z 3
Cardenal Benavides (Pasaje)	Y 5
Carmen	Z
Cipriano Tornero o del Rojo	Y
Compañía	Z 6
Concepción	Y
Conde de Romanones	Z 7
Constitución (Paseo de la)	Z 8
Córdoba (Puerta de)	Z 9
Corvera	Y
España (Pl. de)	Y
Gaspar Becerra	Y 12
General Cuadros	Y 13
José M. Cortés	Y 15
Julio Burel	YZ
Los Molinos	Y
Magdalena	Y 16
Merced	Z
Motilla	Y
Obispo Mengíbar	Z 17
Obispo Narváez o Barreras	YZ
Pintada Baja	Y
Pópulo (Pl. del)	Z
Real (Camino)	Z 19
Sacramento	Z 20
San Andrés	Y 21
San Felipe Neri (Cuesta)	Z 23
San Gil (Cuesta de)	Z 25
San Juan Bautista	Z
San Pablo	Y
Santa María (Pl. de)	Z

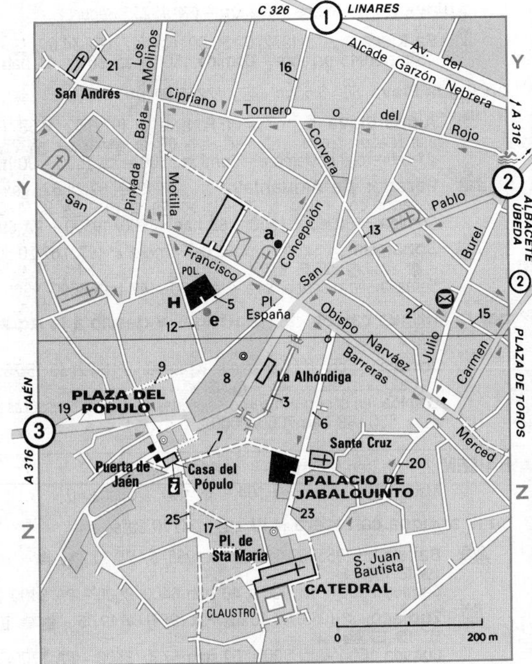

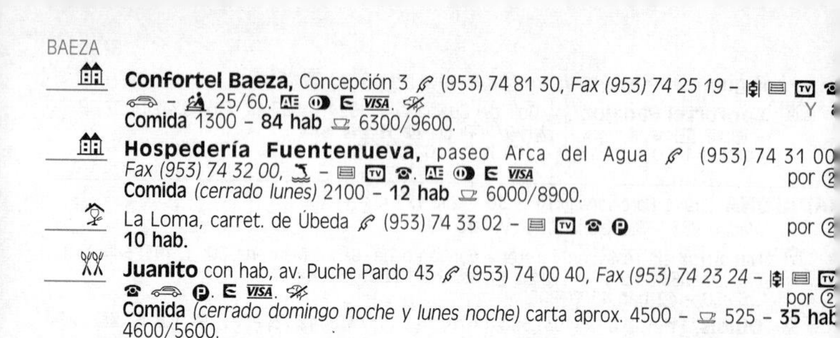

Confortel Baeza, Concepción 3 ✆ (953) 74 81 30, *Fax (953) 74 25 19* – |♦| ▤ TV ☎ – 🚗 – 🏛 25/60. AE ⊙ E VISA. ✂
Comida 1300 – **84 hab** ☕ 6300/9600.

Hospedería Fuentenueva, paseo Arca del Agua ✆ (953) 74 31 00, *Fax (953) 74 32 00,* 🏊 – ▤ TV ☎. AE ⊙ E VISA — por ②
Comida *(cerrado lunes)* 2100 – **12 hab** ☕ 6000/8900.

La Loma, carret. de Úbeda ✆ (953) 74 33 02 – ▤ TV ☎ P — por ②
10 hab.

Juanito con hab, av. Puche Pardo 43 ✆ (953) 74 00 40, *Fax (953) 74 23 24* – |♦| ▤ TV ☎ 🚗 P. E VISA. ✂ — por ②
Comida *(cerrado domingo noche y lunes noche)* carta aprox. 4500 – ☕ 525 – **35 hab** 4600/5600.

Sali, pasaje Cardenal Benavides 15 ✆ (953) 74 13 65, 🏖 – ▤. AE ⊙ E VISA. ✂
cerrado miércoles noche y octubre – **Comida** carta 2000 a 4500.

BAGERGUE *Lérida – ver Salardú.*

BAGUR o BEGUR *17255 Gerona* **443** G 39 – *2 734 h.*

Ver : *Pueblo★.*

🅸 *pl. de la Iglesia 8 ✆ (972) 62 40 20 Fax (972) 62 35 88.*

Madrid 739 – Gerona/Girona 46 – Palamós 17.

Begur, Comas y Ros 8 ✆ (972) 62 34 00, *Fax (972) 62 29 38,* 🏖 – |♦| TV. AE E VISA ✂ rest
cerrado enero – **Comida** 1500 – **31 hab** ☕ 5000/9500.

Rosa, Pi i Rallo 11 ✆ (972) 62 30 15, *Fax (972) 62 29 38* – TV ☎ 🚗. AE ⊙ E VISA. ✂
mayo-septiembre y fines de semana (abril y octubre-diciembre) – **Comida** 1400 – **23 hab** ☕ 4425/9050 – PA 2820.

Mas Comangau con hab, carret. de Fornells ✆ (972) 62 32 10, *Fax (972) 62 36 40,* « Decoración típica catalana » – ▤ P. AE ⊙ E VISA JCB. ✂
cerrado noviembre – **Comida** *(cerrado martes)* carta 2900 a 4400 – ☕ 750 – **4 hab** 9500.

en la playa de Sa Riera *N : 2 km – ✉ 17255 Begur :*

Sa Riera 🐚, ✆ (972) 62 30 00, *Fax (972) 62 34 60,* 🏊 – |♦| ☎ P. E VISA. ✂ rest
15 marzo-15 octubre – **Comida** 1500 – ☕ 600 – **43 hab** 4700/9000.

en Aigua Blava *SE : 3,5 km – ✉ 17255 Begur :*

Aigua Blava 🐚, playa de Fornells ✆ (972) 62 20 58, *Fax (972) 62 21 12,* « Parque ajardinado, ≤ cala », 🏊, 🎾 – ▤ TV ☎ 🚗 P – 🏛 25/60. AE E VISA. ✂ rest
21 febrero-8 noviembre – **Comida** 3500 – ☕ 1500 – **90 hab** 10800/17700 – PA 6800.

Parador de Aiguablava 🐚, ✆ (972) 62 21 62, *Fax (972) 62 21 66,* « Magnífica situación con ≤ cala », 🏊 – |♦| ▤ TV ☎ P – 🏛 25/180. AE ⊙ E VISA. ✂
Comida 3500 – ☕ 1200 – **83 hab** 13500/19500 – PA 6970.

Bonaigua 🐚 sin rest, playa de Fornells ✆ (972) 62 20 50, *Fax (972) 62 20 54,* ≤, 🎾 – |♦| 🚗 P. AE E VISA
Semana Santa-septiembre – ☕ 600 – **47 hab** 6690/9900.

por la antigua carret. de Palafrugell y desvío a la izquierda *S : 5 km – ✉ 17255 Begur :*

Jordi's 🐚 con hab, apartado 47 Begur ✆ (972) 30 15 70, *Fax (972) 61 01 66,* ≤, 🏖, « Antigua masía », 🌳 – P. E VISA
Comida *(en otoño e invierno sólo fines de semana, vísperas y festivos)* carta aprox. 4850 – ☕ 550 – **8 hab** 7000/9000.

BAILÉN *23710 Jaén* **446** R 18 – *16 814 h. alt. 349.*

Madrid 294 – Córdoba 104 – Jaén 37 – Úbeda 40.

en la antigua carretera N IV – *✉ 23710 Bailén :*

Bailén, ✆ (953) 67 01 00, *Fax (953) 67 25 30,* 🏊, 🌳 – ▤ TV ☎ P – 🏛 25/80. AE ⊙ E VISA. ✂
Comida 2500 – ☕ 900 – **40 hab** 6400/8000 – PA 5100.

Zodíaco, ✆ (953) 67 10 62, *Fax (953) 67 19 06* – |♦| ▤ TV ☎ 🚗 P – 🏛 25/120. AE ⊙ E VISA. ✂
Comida 1600 – ☕ 500 – **52 hab** 6750/8300 – PA 3700.

BAIONA *Pontevedra - ver Bayona.*

BAKIO *Vizcaya - ver Baquio.*

BALAGUER *25600 Lérida* 443 **G 32** - *13 086 h. alt. 233.*

pl. Mercadal 1 (973) 44 66 06 Fax (973) 44 86 21.

Madrid 496 - Barcelona 149 - Huesca 125 - Lérida/Lleida 27.

Balaguer sin rest, La Banqueta 7 (973) 44 57 50, *Fax (973) 44 57 50* - AE E VISA
750 - **30 hab** 4500/7500.

Cal Morell, passeig Estació 18 (973) 44 80 09, *Fax (973) 44 66 59* - . AE E VISA JCB
cerrado lunes (salvo festivos o vísperas) y del 1 al 9 de octubre - **Comida** carta 4400 a 6300.

El Turó, Hostal Nou (carret. C 148) - E : 1 km (973) 44 50 59 - VISA.
cerrado lunes (salvo festivos y vísperas) y del 1 al 15 de septiembre - **Comida** carta 1875 a 3100.

en la carretera C 1313 *E : 2 km - 25600 Balaguer :*

El Bosquet, (973) 44 68 68, - . E VISA.
cerrado martes y febrero - **Comida** carta 2500 a 4300.

BALEARES (Islas) o BALEARS (Illas)★★★

443 - *745 944 h.*

● *El archipiélago balear se extiende sobre una superficie de 5.000 km². Está formado por cinco islas (Mallorca, Menorca, Ibiza, Formentera y Cabrera), siendo Palma su capital administrativa.*

● *O arquipélago das Baleares, com uma superfície de 5.000 km², é composto de cinco ilhas (Maiorca, Menorca, Ibiza, Formentera e Cabrera), e tem como capital administrativa Palma.*

● *L'archipel des Baléares qui s'étend sur une superficie de 5.000 km², est composé de cinq îles (Majorque, Minorque, Ibiza, Formentera et Cabrera). Palma en est la capitale administrative.*

● *L'arcipelago delle Baleari, che si estende su una superficie di 5.000 Kmq, è composto da cinque isole (Maiorca, Minorca, Ibiza, Formentera e Cabrera). Palma è la capitale amministrativa.*

● *Die Inselgruppe der Balearen hat eine Fläche von 5.000 km². Sie besteht aus fünf insein (Mallorca, Menorca, Ibiza, Formentera und Cabrera). Der Verwaltungssitz der Provinz ist Palma.*

● *The Balearics are made up of 5 islands (Majorca, Minorca, Ibiza, Formentera and Cabrera) covering 5.000 km². Palma is the administrative capital.*

BALEARES (Islas) o BALEARS (Illes) ★★★ 443 - *745 944 h.*

ver : Palma de Mallorca, Mahón, Ibiza.
para Baleares ver : Barcelona, Valencia. En Baleares ver : Palma de Mallorca, Mahón, Ibiza.

MALLORCA

Algaida *07210* 443 N 38 - *3 157 h.*

Palma 23.

Binicomprat, carret. de Manacor - NO : 1 km ℘ (971) 12 54 11, *Fax (971) 12 54 09,* - P. AE VISA.
cerrado lunes - **Comida** carta 2900 a 3550.

Es 4 Vents, carret. de Manacor ℘ (971) 66 51 73, *Fax (971) 12 54 09,* - P. VISA.
cerrado jueves y 15 junio-15 julio - **Comida** carta 2375 a 2950.

Hostal Algaida, carret. de Manacor ℘ (971) 66 51 09, - P.

Artà (Cuevas de) *07570* ★★★ 443 N 40.

Palma 78.
Hoteles y restaurantes ver : **Cala Rajada** *N : 11,5 km,* **Son Servera** *SO : 13 km.*

Bañalbufar o Banyalbufar *07191* 443 M 37 - *440 h.*

Alred. : *Mirador de Ses Ànimes★★ SO : 2 km.*
Palma 23.

Sa Coma , Camí d'es Molí ℘ (971) 61 80 34, *Fax (971) 61 81 98,* ←, - P. E VISA.
15 marzo-octubre - **Comida** - sólo cena - 2500 - 2000 - **32 hab** 6500/10000.

Mar i Vent , Major 49 ℘ (971) 61 80 00, *Fax (971) 61 82 01,* ← mar y montaña, - P. E VISA.
cerrado diciembre-enero - **Comida** *(cerrado domingo noche)* 2700 - 1200 - **23 hab** 8000/11000 - PA 6000.

Son Tomás, Baronía 17 ℘ (971) 61 81 49, *Fax (971) 61 81 35,* ←, - AE E VISA.
cerrado martes y 5 noviembre-5 diciembre - **Comida** carta 2215 a 3710.

Bendinat 443 N 37.

Palma 11.

Bendinat , ✉ 07015 Portals Nous, ℘ (971) 67 57 25, *Fax (971) 67 72 76,* « Bungalows en un jardín con árboles y terrazas junto al mar », - TV P. AE E VISA.
febrero-octubre - **Comida** carta aprox. 5400 - **38 hab** 17000/31500.

Bunyola *07110* 443 M 38 - *4 045 h.*

Palma 14.

en la carretera de Sóller - ✉ *07110 Bunyola :*

Ses Porxeres, NO : 3,5 km ℘ (971) 61 37 62, « Decoración rústica » - P.

Ca'n Penasso, O : 1,5 km ℘ (971) 61 32 12, ←, « Conjunto de estilo rústico regional », - P.

Cala de San Vicente o Cala Sant Vicenç 443 M 39 - ✉ *07469 Pollença - Playa.*

Palma 58.

Cala Sant Vicenç , Maresers ℘ (971) 53 02 50, *Fax (971) 53 20 84,* climatizada - TV AE E VISA.
febrero-noviembre - **Comida** 4000 - ***Cavall Bernat*** *(sólo cena)* **Comida** carta 3500 a 5900 - **38 hab** 17000/34000.

Molins , Cala Molins ℘ (971) 53 02 00, *Fax (971) 53 02 16,* Amplias terrazas con ←, - TV P. AE E VISA.
15 marzo-15 noviembre - **Comida** 2500 - **100 hab** 8000/11500.

Cala d'Or *07660* 443 N 39 - *Playa.*
Ver : *Paraje★.*
Vall d'Or, N : 7 km *(971) 83 70 68 Fax 83 72 99.*
av. Cala Llonga 10 *(971) 65 74 63 Fax (971) 65 74 63.*
Palma 69.

Rocador, Marqués de Comillas 3 (971) 65 70 75, *Fax (971) 65 77 51,* ≤, - rest, - **105 hab**, 1 suite.

Cala D'Or, av. de Bélgica 33 (971) 65 72 49, *Fax (971) 65 93 51,* « Terrazas bajo los pinos », climatizada - . AE E VISA.
15 marzo-octubre - **Comida** - sólo cena - 3000 - **95 hab** 11550/16800.

Rocador Playa, Marqués de Comillas 1 (971) 65 77 25, *Fax (971) 65 77 51,* ≤, - rest, - 25/100 - *temp* - **105 hab.**

XXX **Port Petit,** av. Cala Llonga (971) 64 30 39, *Fax (971) 64 30 73,* ≤, - AE E VISA.
Semana Santa-octubre - **Comida** - sólo cena - carta 3550 a 5050.

XX **Cala Llonga,** av. Cala Llonga - Porto Cari (971) 65 80 36, - . AE E VISA.
cerrado lunes (salvo verano) y noviembre - **Comida** carta 2200 a 4350.

X **Ca'n Trompé,** av. de Bélgica 12 (971) 65 73 41, - . E VISA.
cerrado martes en invierno, martes mediodía en verano y diciembre-enero - **Comida** carta 2300 a 3675.

Cala Figuera *07659* 443 O 39.
Ver : *Paraje★.*
Palma 59.

Cala Pí *07639* 443 N 38.
Palma 41.

X **Miquel,** Torre de Cala Pí 13 (971) 12 30 00, *Fax (971) 12 30 92,* « Decoración regional » - E VISA
marzo-noviembre - **Comida** *(cerrado lunes)* carta aprox. 3750.

Cala Rajada *07590* 443 M 40 - *Playa.*
Alred. : *Capdepera (murallas ≤★) O : 2,5 km.*
pl. dels Pins *(971) 56 30 33 Fax (971) 56 52 56.*
Palma 79.

Aguait, av. des Pins 61 - S : 2 km (971) 56 34 08, *Fax (971) 56 51 06,* ≤, - . E VISA.
cerrado 7 noviembre-24 enero - **Comida** - sólo buffet - 1800 - **188 hab** 7800/8500.

Son Moll, Tritón 25 (971) 56 31 00, *Fax (971) 56 35 81,* ≤, - . E VISA.
abril-octubre - **Comida** - sólo buffet - 2700 - 1100 - **125 hab** 7000/12000 - PA 5500.

L'Illot, Hernán Cortés 41 (971) 81 82 84, *Fax (971) 81 81 67,* - . AE E VISA. rest
Comida - sólo cena buffet - 2500 - 1500 - **102 apartamentos** 17825/20945.

XX **Ses Rotges** con hab, Rafael Blanes 21 (971) 56 31 08, *Fax (971) 56 43 45,* « Terraza rústico-regional con plantas » - hab, . AE E VISA.
marzo-noviembre - **Comida** - cocina francesa - carta 5445 a 7100 - 1400 - **24 hab** 9000/11200
Espec. Ensalada de raya tibia. Ragout de lenguado con trufas y coulis de tomates. Carré de cordero adobado con especias.

La Calobra o **sa Calobra** *07008* 443 M 38 - *Playa.*
Ver : *Paraje★ - Carretera de acceso★★★ - Torrente de Pareis★, mirador★.*
Palma 66.

Calvià *07184* 443 N 37 - *alt. 156.*
Ca'n Vich 29 *(971) 13 91 00 Fax (971) 13 91 46.*
Palma 20.

X **Ses Forquetes,** C'an Vich (edificio Ayuntamiento) (971) 67 06 13, ≤, - . AE E VISA.
cerrado domingo noche - **Comida** *(sólo almuerzo en invierno salvo viernes y sábado)* carta 2825 a 4100.

Can Picafort *07458* 443 M 39 - *Playa.*
Palma 56.

Mandilego, Isabel Garau 49 (971) 85 00 89, - . AE E VISA.
cerrado lunes y 15 diciembre-15 febrero – **Comida** carta 2950 a 4500.

Capdepera *07580* 443 M 40 - *7 017 h. alt. 102.*
Capdepera, carret de Palma km 71 (971) 56 58 75 Fax (971) 56 58 74.
Palma 77.

en la carretera de Artá-Canyamel *S : 5 km – 07580 Capdepera :*

Porxada de Sa Torre, Torre de Canyamel (971) 84 13 10, *Fax (971) 84 12 92,* « Decoración rústica » – AE E VISA.
cerrado lunes y 12 diciembre-enero – **Comida** carta aprox. 2900.

en Canyamel *SE : 9 km – 07580 Capdepera :*

Canyamel Park, Via de Melesigeni (971) 84 10 11, *Fax (971) 84 10 14,* , , – . AE E VISA.
febrero-octubre – **Comida** - sólo cena buffet - 1700 – **133 hab** 8900/15500.

Colònia de Sant Jordi *07638* 443 O 38 - *Playa.*
Palma 9.

Marisol, Gabriel Roca 65 (971) 65 50 70, *Fax (971) 65 50 70,* , – AE E VISA
abril-octubre – **Comida** carta aprox. 3670.

Deyá o **Deià** *07179* 443 M 37 - *616 h. alt. 184.*
Palma 27.

La Residencia , finca Son Canals (971) 63 90 11, *Fax (971) 63 93 70,* , « Antigua casa señorial de estilo mallorquín », , climatizada, , – – 25/50. AE E VISA
Comida (ver rest. ***El Olivo***) – **62 hab** 22500/33800, 2 suite.

Es Molí , carret. de Valldemosa - SO : 1 km (971) 63 90 00, *Fax (971) 63 93 33,* valle y mar, , « Jardín escalonado », climatizada, – . AE E VISA. rest
3 abril-octubre – **Comida** - sólo cena - 4900 – **86 hab** 20200/36000, 1 suite.

El Olivo - *Hotel La Residencia* finca Son Canals (971) 63 90 11, *Fax (971) 63 93 70,* , « Instalado en un antiguo molino de aceite » – . AE E VISA.
Comida carta 6500 a 8700.

Ca'n Quet, carret. de Valldemosa - SO : 1,2 km (971) 63 91 96, *Fax (971) 63 93 33,* montaña, , – . AE E VISA.
3 abril-octubre – **Comida** *(cerrado lunes)* carta 3800 a 4900.

Sebastián, Felipe Bauzá (971) 63 94 17 – E VISA
cerrado miércoles, 10 enero-20 febrero y del 1 al 20 de diciembre – **Comida** - sólo cena - carta 3650 a 4900.

Drach (Cuevas del) ★★★ 443 N 39.
Palma 63 – Porto Cristo 1.
Hoteles y restaurantes ver : **Portocristo** *N : 1 km.*

Escorca *07315* 443 M 38 - *402 h.*
Palma 46.

en la carretera C 710 *O : 5 km – 07315 Escorca :*

Escorca, (971) 51 70 95, *Fax (971) 51 70 73,* , , « Decoración rústica » –
Comida - sólo almuerzo -.

Estellenchs o **Estellencs** *07192* 443 N 37 - *411 h.*
Alred. : *Mirador Ricardo Roca*★★ *SO : 8 km.*
Palma 30.

Son Llarg, pl. Constitució 6 (971) 61 85 64, .

Montimar, pl. Constitució 7 (971) 61 85 76, – E VISA.
cerrado lunes y 15 diciembre-enero – **Comida** carta 2825 a 3600.

Felanitx *07200* 443 **N 39** – *14 176 h. alt. 151.*
Palma 51.

al Noroeste : *6,5 km*

Sa Posada d'Aumallía ⑤, camino Son Prohens 1027 ☎ (971) 58 26 57, *Fax (971) 58 32 69*, ≤, « En pleno campo », – ▤ ☎ Ⓟ. AE ⓓ E VISA.
cerrado diciembre-enero – **Comida** 3000 – **14 hab** ☐ 15750/21000.

al Suroeste : *6 km*

Vista Hermosa ⑤ con hab, carret. de Portocolom ☎ (971) 82 49 60, *Fax (971) 82 45 92*, ≤ valle, monte y mar, – ▤ hab, ☎ & Ⓟ. AE E VISA
cerrado 8 enero-15 febrero – **Comida** carta aprox. 4750 – **6 hab** ☐ 26500/32500, 4 suites.

Formentor (Cabo de) *07470* 443 **M 39.**
Ver : *Carretera★ de Puerto de Pollensa al Cabo Formentor – Mirador des Colomer★★★ – Cabo Formentor★.*
Palma 78 – Puerto de Pollensa 20.

Formentor ⑤, ☎ (971) 89 91 00, Telex 68523, *Fax (971) 86 51 55*, ≤ bahía y montañas, « Magnífica situación frente al mar rodeado de un extenso pinar », climatizada, – ▤ ☎ Ⓟ – 25/200. AE ⓓ E VISA.
cerrado 11 enero-20 febrero – **Comida** 7200 - ***El Pi*** *(sólo cena, cerrado enero-marzo)* **Comida** carta 5700 a 8200 – **107 hab** ☐ 27000/44000, 20 suites.

Illetas o **ses Illetes** *07015* 443 **N 37** – *Playa.*
Palma 4.

Meliá de Mar ⑤, passeig d'Illetes 7 ☎ (971) 40 25 11, *Fax (971) 40 58 52*, ≤ mar y costa, « Jardín con arbolado », – ▤ ☎ Ⓟ – 25/220. AE ⓓ E VISA JCB.
marzo-octubre – **Comida** - sólo cena - 5200 – ☐ 2500 – **133 hab** 27900/35200, 11 suites.

Bonsol ⑤, passeig d'Illetes 30 ☎ (971) 40 21 11, *Fax (971) 40 25 59*, ≤, « Terrazas bajo los pinos. Decoración castellana », climatizada, – ▤ ☎ Ⓟ – 25/80. AE ⓓ E VISA JCB. rest
cerrado 5 enero-8 febrero – **Comida** 3000 – **92 hab** ☐ 17000/23000.

G.H. Bonanza Playa ⑤, passeig d'Illetes ☎ (971) 40 11 12, Telex 68782, *Fax (971) 40 56 15*, ≤ mar, « Amplia terraza con al borde del mar », – ▤ ☎ Ⓟ – 25/225
274 hab, 7 suites.

Confortel Albatros ⑤, passeig d'Illetes 15 ☎ (971) 40 22 11, *Fax (971) 40 21 54*, ≤, – ▤ ☎ & Ⓟ – 25/150
119 hab.

Bonanza Park ⑤, passeig d'Illetes ☎ (971) 40 11 12, Telex 68782, *Fax (971) 40 56 15*, – ▤ ☎ Ⓟ
temp – **112 hab**, 5 suites.

s'Illot *07687* 443 **N 40** – *Playa.*
Palma 66.

La Gamba de Oro, Camí de la Mar 25 ☎ (971) 81 04 97 – ▤. AE ⓓ E VISA JCB.
cerrado lunes y del 15 al 30 de enero – **Comida** carta aprox. 6000.

Inca *07300* 443 **M 38** – *20 415 h. alt. 120.*
Palma 28.

Ca'n Amer, Pau 39 ☎ (971) 50 12 61, « Celler típico » – ▤.

Ca'n Moreno, Gloria 103 ☎ (971) 50 35 20 – ▤. ⓓ E VISA.
cerrado domingo y agosto – **Comida** carta 1750 a 3700.

Magaluf *07182* 443 **N 37** – *Playa.*
av. Pere Vaquer Ranif 1 ☎ (971) 13 11 26 Fax (971) 13 11 26.
Palma 17.

Flamboyan, Martí Ros García 16 ☎ (971) 68 04 62, *Fax (971) 68 22 67*, – ▤ ☎ Ⓟ. AE ⓓ E VISA.
abril-octubre – **Comida** - sólo buffet - 2000 – ☐ 800 – **128 hab** 13000.

en Cala Vinyes *S : 2 km – ✉ 07184 Cala Viñas :*

Cala Viñas, Sirenes 17 ☎ (971) 13 11 00, *Fax (971) 13 09 82*, ≤, – 25/250
240 hab, 10 suites, 25 apartamentos.

Manacor *07500* 443 N 39 – *26 021 h. alt. 110.*

Palma 50.

Ses Arcades, carret. Palma-Artà, km 49 ☎ (971) 55 47 66, – . AE VISA.
Comida carta 3700 a 4250.

al Norte : *4 km*

La Reserva Rotana *(anexo)* , camí de s'Avall ☎ (971) 84 56 85, *Fax (971) 55 52 58*, « Finca señorial acogedora y elegante en una extensa reserva natural », – . AE VISA.
cerrado junio – **Comida** 5000 – **25 hab** 30450/39400, 1 suite.

Orient *07349* 443 M 38.

Palma 25.

L'Hermitage, carret. de Alaró - NE : 1,3 km ☎ (971) 18 03 03, *Fax (971) 18 04 11*, ≤, « Antigua casa de campo », – . AE VISA.
6 febrero-8 noviembre – **Comida** carta 4200 a 5500 – **24 hab** 18000/27500.

Mandala, Nueva 1 ☎ (971) 61 52 85, – VISA.
cerrado domingo noche, lunes, 15 junio-3 julio y 22 noviembre-14 diciembre – **Comida** - sólo cena de julio-15 septiembre - carta 3100 a 3750.

Paguera o Peguera *07160* 443 N 37 – *Playa.*

pl. del Parking 78 ☎ (971) 68 70 83 Fax (971) 68 54 68.

Palma 22.

Villamil, av. de Peguera 66 ☎ (971) 68 60 50, Telex 68841, *Fax (971) 68 68 15*, ≤, « Terraza bajo los pinos con », – – 25/50. AE VISA.
Comida 3000 - ***La Terrasse*** *(15 mayo-15 octubre, sólo cena)* **Comida** carta 3150 a 4800 – **125 hab** 17925/32900.

G.H. Sunna Park, Gavines 19 ☎ (971) 68 67 50, *Fax (971) 68 67 66*, – . VISA.
cerrado 8 noviembre-23 enero – **Comida** - sólo cena buffet - 2800 – 1980 – **131 hab** 10500/15000.

Bahía Club, av. de Peguera 81 ☎ (971) 68 61 00, *Fax (971) 68 61 04*, – . AE VISA.
20 marzo-10 noviembre – **Comida** - sólo cena - 2500 – **55 hab** 9000/16000.

La Gran Tortuga, carret. de Cala Fornells ☎ (971) 68 60 23, *Fax (971) 68 52 20*, « Terrazas con y ≤ bahía y mar » – AE VISA
cerrado lunes y del 1 al 20 de diciembre – **Comida** carta 3445 a 4675.

La Gritta, L'Espiga 5 ☎ (971) 68 60 22, *Fax (971) 68 60 22*, « Terraza con ≤ mar » – . AE VISA.
15 febrero-15 noviembre – **Comida** carta aprox. 3780.

en la carretera de Palma *E : 2 km – ✉ 07160 Peguera :*

Galatzó, ☎ (971) 68 62 70, *Fax (971) 68 78 52*, « Magnífica situación sobre un promontorio, ≤ mar y colinas circundantes », – – 25/50. VISA. rest
Comida 3000 - ***Vista de Rey*** *(cerrado domingo noche y 15 noviembre-7 febrero)* **Comida** carta 3350 a 4900 – **165 hab** 11350/20600, 32 suites.

en Cala Fornells *SO : 1,5 km – ✉ 07160 Peguera :*

Coronado, ☎ (971) 68 68 00, *Fax (971) 68 74 57*, ≤ cala y mar, « Rodeado de pinos », – – 25/150. VISA.
cerrado noviembre-17 diciembre – **Comida** - sólo cena - 1900 – 650 – **139 hab** 15000/22000.

Palma *07000* P 443 **N 37** – *308 616 h. – Playas : Portixol* DX , *Can Pastilla por* ④ : *10 km y s'Arenal por* ④ : *14 km.*

Ver : *Barrio de la Catedral★ : Catedral★★* FZ – *Iglesia de Sant Francesc (claustro★)* GZ **Y** – *Museo de Mallorca (Sección de Bellas Artes★ : San Jorge★)* GZ **M1** - *Museo Diocesano (cuadro de Pere Nisart : San Jorge★)* FGZ **M2.**

Otras Curiosidades : La Lonja★ EZ - *Palacio Sollerich (patio★)* FY **Z** - *Pueblo Español★* BV **A** *Castillo de Bellver★* BV ✻★★.

18 *Son Vida, NO : 5 km* ✆ *(971) 79 12 10 Fax (971) 79 11 27* BU – 9 *Bendinat, carret. de Bendinat O : 15 km* ✆ *(971) 40 52 00.*

✈ *de Palma de Mallorca por* ④ : *11 km* ✆ *(971) 78 90 99 – Iberia : passeig des Born 10* ✉ *07006* ✆ *(971) 26 26 00* FYZ *y Aviaco : aeropuerto* ✆ *(971) 26 28 26.*

⛴ *para la Península, Menorca e Ibiza : Cía. Trasmediterránea, Muelle de Peraires* ✉ *07012* ✆ *(971) 40 50 14 Telex 68555 Fax (971) 70 06 11* EZ.

ℹ *Santo Domingo 11* ✉ *07001* ✆ *(971) 72 40 90 Fax (971) 72 02 40 pl. Espanya* ✉ *07002* ✆ *(971) 71 15 27 y en el aeropuerto* ✆ *(971) 26 08 03 Fax (971) 26 08 03* – **R.A.C.E.** *Capitán Salom 39 (bajo)* ✉ *07004* ✆ *(971) 75 01 10 Fax (971) 75 04 03.*

Alcudia 52 ② – *Paguera 22* ⑤ – *Sóller 30* ① – *Son Servera 64* ③

Planos páginas siguientes

En la ciudad :

Saratoga, passeig Mallorca 6, ✉ 07012, ✆ (971) 72 72 40, *Fax (971) 72 73 12,* – – 25/50. AE E VISA. EY s
Comida - sólo buffet - 1600 – **187 hab** 9200/14200.

Palacio Ca Sa Galesa sin rest, Miramar 8, ✉ 07001, ✆ (971) 71 54 00, *Fax (971) 72 15 79,* « Decoración elegante en un antiguo palacete. Mobiliario de época » – . AE E VISA. GZ a
2200 – **12 hab** 18500/25750.

Sol Inn Jaime III sin rest. con cafetería, passeig Mallorca 14-B, ✉ 07012, ✆ (971) 72 59 43, *Fax (971) 72 59 46* – . AE E VISA JCB. EY n
700 – **88 hab** 9800/12500.

San Lorenzo sin rest, San Lorenzo 14, ✉ 07012, ✆ (971) 72 82 00, *Fax (971) 71 19 01,* « Antigua casa señorial », – . AE E VISA EZ v
1000 – **6 hab** 13400/15500.

Almudaina sin rest. con cafetería, av. Jaume III-9, ✉ 07012, ✆ (971) 72 73 40, *Fax (971) 72 25 99* – – 25/35. AE E VISA. FY a
80 hab 7650/10750.

Palladium sin rest. con cafetería, passeig Mallorca 40, ✉ 07012, ✆ (971) 71 28 41, *Fax (971) 71 46 65* – . AE E VISA JCB. EY z
1000 – **53 hab** 8500/12850.

Born sin rest, Sant Jaume 3, ✉ 07012, ✆ (971) 71 29 42, *Fax (971) 71 86 18,* « Antigua casa solariega. Patio con palmeras » – . AE VISA. FY b
30 hab 7500/12500.

Barceló Cannes sin rest, Cardenal Pou 8, ✉ 07003, ✆ (971) 72 69 43, *Fax (971) 72 69 43* – . E VISA. GY b
450 – **56 hab** 4600/6700.

Gran Dragón, Ruiz de Alda 5, ✉ 07011, ✆ (971) 28 02 00, *Fax (971) 28 02 00* – . AE E VISA. BX k
Comida - rest. chino - carta 1920 a 3850.

Diplomatic, Palau Reial 5, ✉ 07001, ✆ (971) 72 64 82, *Fax (971) 72 64 82* – . AE E VISA. FGZ s
cerrado sábado noche y domingo – **Comida** carta 3950 a 4300.

Parlament, Conquistador 11, ✉ 07001, ✆ (971) 72 60 26 – . FZ e
cerrado domingo y agosto – **Comida** carta 2100 a 3850.

Xoriguer, Fábrica 60, ✉ 07013, ✆ (971) 28 83 32 – CV a

Peppone, Bayarte 14, ✉ 07013, ✆ (971) 45 42 42 – . AE E VISA. EY d
cerrado domingo y lunes mediodía – **Comida** - cocina italiana - carta 2640 a 3600.

La Lubina, Muelle Viejo, ✉ 07012, ✆ (971) 72 33 50, *Fax (971) 72 46 56,* ←, –
Comida - pescados y mariscos -. EZ c

Caballito de Mar, passeig de Sagrera 5, ✉ 07012, ✆ (971) 72 10 74, *Fax (971) 72 46 56,* – – **Comida** - pescados y mariscos -. EZ a

Los Gauchos, Sant Magí 80, ✉ 07013, ✆ (971) 28 00 23 – . AE E VISA. EY f
cerrado domingo y agosto – **Comida** - carnes - carta 2575 a 3750.

Casa Gallega, Pueyo 4, ✉ 07003, ✆ (971) 72 11 41 – . VISA. GY a
Comida - cocina gallega - carta aprox. 4600.

Ca'n Nofre, Manacor 27, ✉ 07006, ☎ (971) 46 23 59 – ▤. AE ◑ E VISA. – cerrado miércoles noche, jueves y julio – **Comida** carta 2650 a 3200. HY a

Casa Sophie, Apuntadors 24, ✉ 07012, ☎ (971) 72 60 86 – ▤. AE ◑ E VISA *cerrado domingo, lunes mediodía y 15 noviembre-15 diciembre* – **Comida** - cocina francesa, sólo cena en julio-agosto - carta 3400 a 5050. EZ u

Celler Pagès, Felip Bauzà 2, ✉ 07012, ☎ (971) 72 60 36 – ▤ FZ a

Al Oeste de la Bahía : al borde del mar :

Meliá Victoria, av. Joan Miró 21, ✉ 07014, ☎ (971) 73 25 42, *Fax (971) 45 08 24*, ≤ bahía y ciudad, , , – ▤ TV ☎ P – 25/120. AE ◑ E VISA JCB. **Comida** carta 4600 a 6300 – ☐ 1900 – **161 hab** 15500/33000, 6 suites. BV u

Meliá Confort Palas Atenea, av. Gabriel Roca 29, ✉ 07014, ☎ (971) 28 14 00, Telex 69644, *Fax (971) 45 19 89*, ≤, , – ▤ TV ☎ – 25/300. AE ◑ E VISA JCB. **Comida** 4200 – ☐ 1050 – **362 hab** 19000/21900, 8 suites. BV e

PALMA

Adrià Ferràn	DV	2
Andrea Doria	BV	5
Arquebisbe Aspàreg	DV	12
Arquitecte Bennàzar (Av.)	CU	15
Capità Vila	DV	26
Del Pont (Pl.)	CV	45
Espartero	CV	48
Fàbrica		50
Federico García Lorca	BV	51
Fra Juníper Serra	BCV	54
Francesc M. de los Herreros	DV	61
Francesc Pi i Margall	DV	63
General Ricardo Ortega	DV	74
Guillem Forteza	CU	79
Jaume Balmes	CU-DV	82
Joan Crespí	CV	85
Joan Maragall	CDV	88
Joan Miró (Av.)	BVX	90
Josep Darder	DV	93
Marquès de la Sènia	BCV	101
Miquel Arcas	CU	103
Niceto Alcalá Zamora	CV	106
Pere Garau (Pl.)	DV	110
Quetglas	CV	114
Rosselló i Caçador	CU	128
Teniente C. Franco (Pl.)	DV	152
Valldemossa (Carret. de)	CU	155

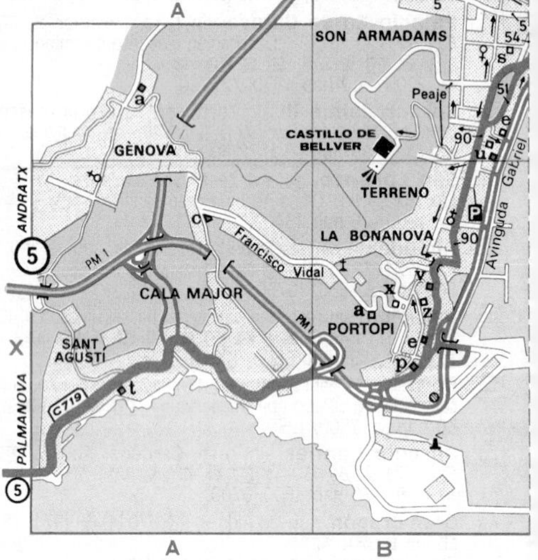

Meliá Confort Bellver, av. Gabriel Roca 11, ✉ 07014, ☎ (971) 73 51 42, *Fax (971) 73 14 51*, ≤ bahía y ciudad, , – ▤ TV ☎ – 25/150. AE ◑ E VISA JCB. CV v
Comida - sólo cena - 2140 – ☐ 1020 – **385 hab** 15450/19250, 3 suites.

Mirador sin rest, av. Gabriel Roca 10, ✉ 07014, ☎ (971) 73 20 46, *Fax (971) 73 39 15*, ≤ – ▤ TV ☎ – 25/50. AE ◑ E VISA. CV x
☐ 1000 – **87 hab** 8900/13300.

Mediterráneo 1930, av. Gabriel Roca 33, ✉ 07014, ☎ (971) 73 03 77, *Fax (971) 28 92 66*, « Decoración estilo años treinta » – ▤. AE E VISA. BVX u
Comida carta 3100 a 4200.

Koldo Royo, av. Gabriel Roca 3, ✉ 07014, ☎ (971) 73 24 35, *Fax (971) 73 24 35*, ≤ – ▤. AE E VISA. *– cerrado sábado mediodía, domingo, del 16 al 31 de enero y del 16 al 30 de junio* – **Comida** carta 4500 a 5400 CV c
Espec. Ensalada templada de gamba roja con berros. Salmonetes rellenos de aceitunas negras. Costillitas de cordero lechal rellenas de mollejas (abril-julio).

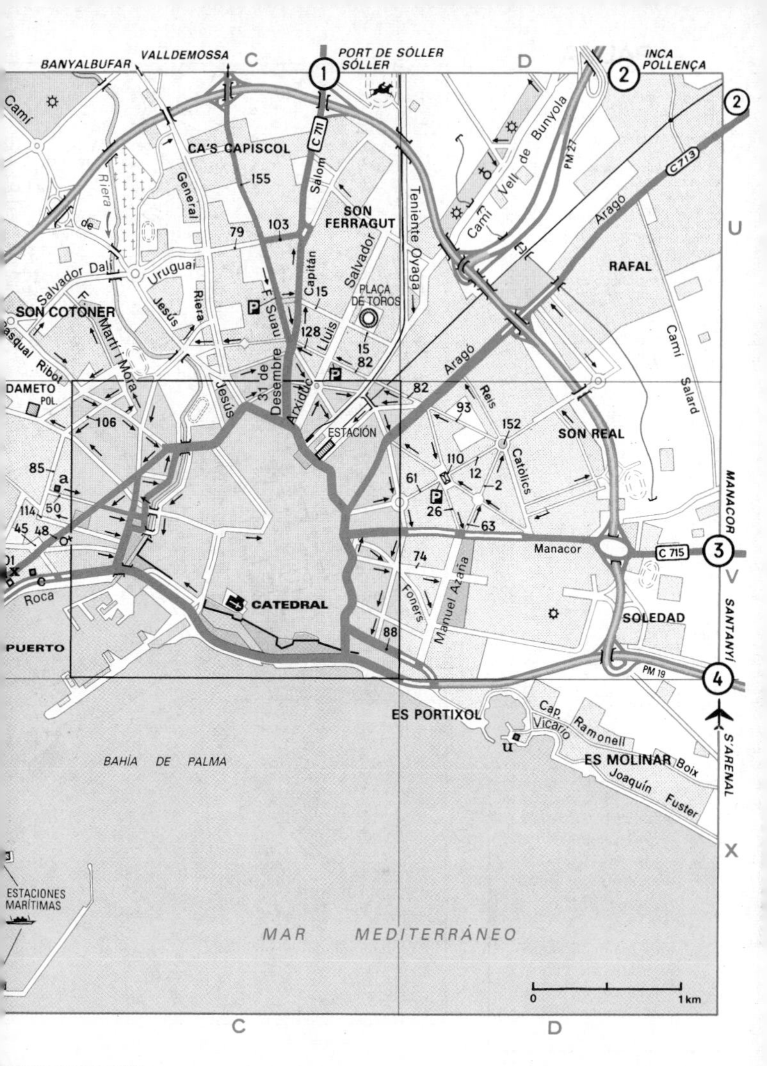

en Terreno BVX :

Isla Mallorca, pl. Almirante Churruca 5, ✉ 07014, ☎ (971) 28 12 00, *Fax (971) 45 65 03*, Fitness, piscina - ascensor ▤ TV ☎ - 🏃 25/90. AE ⓓ E VISA JCB. ✂ BV s
Comida 1100 - ☕ 750 - **110 hab** 7700/10750 - PA 2950.

en La Bonanova BX - ✉ *07015 Palma* :

Valparaíso Palace ☙, Francisco Vidal Siureda 23 ☎ (971) 40 03 00, *Fax (971) 40 59 04*, « Magnífica situación con ≤ bahía, puerto y ciudad », Fitness, piscina, piscina cubierta, jardín, tenis - ascensor ▤ TV ☎ P - 🏃 25/300. AE ⓓ E VISA. ✂ BX a
Comida 6700 - ☕ 2500 - **168 hab** 17000/26000, 6 suites - PA 12550.

Ciutat de Mallorca, Francisco Vidal Sureda 24 ☎ (971) 70 13 06, *Fax (971) 70 14 16*, Fitness, piscina - ascensor ▤ TV ☎ P - 🏃 25/75. AE ⓓ E VISA. ✂ BX x
Comida 1900 - ☕ 1000 - **59 hab** 10800/14400.

Majórica, Garita 3 ☎ (971) 40 02 61, *Fax (971) 40 33 58*, ≤ Palma, bahía y puerto, piscina - ascensor, ▤ rest, TV ☎ - 🏃 25/80. AE ⓓ E VISA. ✂ BX z
Comida - sólo buffet - 1750 - ☕ 1000 - **153 hab** 9000/15000 - PA 3500.

PALMA

Born (Pas. des)	FYZ	21
Jaume III (Av.)	EY	
Antoni Maura (Av. d')	FZ	7
Apuntadors	EZ	10
Arxiduc Lluís Salvador	GY	18
Bayarte	EY	20
Bosseria	GY	23
Can Savellà	GZ	25
Can Serra	GZ	26
Cardenal Reig (Pl.)	GHY	31
Conquistador	FZ	34
Constitució	FZ	36
Convent dels Caputxins	GY	38
Convent Sant Francesc	GZ	39
Corderia	GYZ	42
Felip Bauça	FZ	52
Francesc Barceló i Combis	HY	56
Francesc Martí i Mora	EY	58
Gabriel Alomar i Villalonga (Av.)	HYZ	69
Gabriel Roca (Av.)	EZ	71
Gloria (Forn de la)	EZ	76
Josep Tous i Ferrer	GY	95
Julià Álvarez	GY	98
Mercat (Pl.)	FY	102
Miramar	GZ	104
Morey	GZ	105
Olivar (Pl.)	GY	107
Palau Reial	FZ	109
Pueyo	GY	112
Quadrado	GZ	113
Rafael Rodríguez Méndez	EY	116
Ramón Llull	GZ	118
Rei Joan Carles I (Pl.)	FY	121
Reina (Pl.)	FZ	123
Riera	GY	125
Rubén Darío	FY	130
Ruiz de Alda	EY	132
Sant Francesc (Pl.)	GZ	133
Sant Gaieta	FY	135
Santa Eulalia (Pl.)	GZ	141
Temple (Pl.)	HZ	149
Teodor Llorente	EY	154

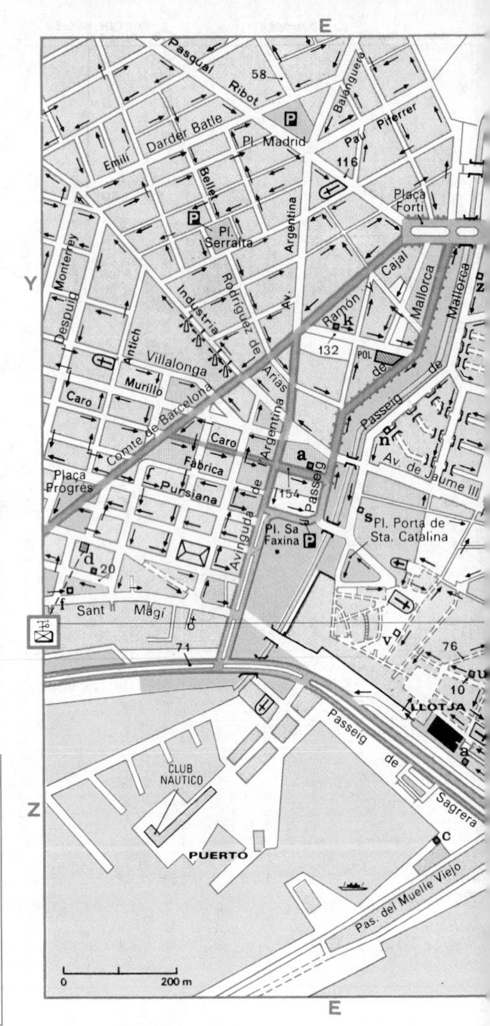

Para el buen uso
de los planos
de ciudades,
consulte los signos
convencionales.

Pour un bon usage
des plans de villes,
voir les signes
conventionnels.

XXX **Samantha's,** Francisco Vidal Sureda 115 ☎ (971) 70 00 00, *Fax (971) 70 09 99* – ▤ Ⓟ. AE ⦿ E VISA JCB. ✂ AX
Comida carta 3500 a 6100.

en Portopí BX – ✉ *07015 Palma :*

XXX **Porto Pí,** Joan Miró 174 ☎ (971) 40 00 87, 🏠, « Antigua villa mallorquina » – ▤. AE ⦿ E VISA. ✂ BX
cerrado domingo – **Comida** carta 3200 a 4950.

XX **Gran Dragón III,** Joan Miró 146 ☎ (971) 70 17 17, *Fax (971) 28 02 00* – ▤. AE ⦿ E VISA. ✂ BX
Comida - rest. chino - carta 1920 a 3855.

X **Rififí,** Joan Miró 182 ☎ (971) 40 20 35, *Fax (971) 40 09 06* – ▤. AE ⦿ E VISA ✂
cerrado martes y enero – **Comida** - pescados y mariscos - carta 2450 a 4450. BX

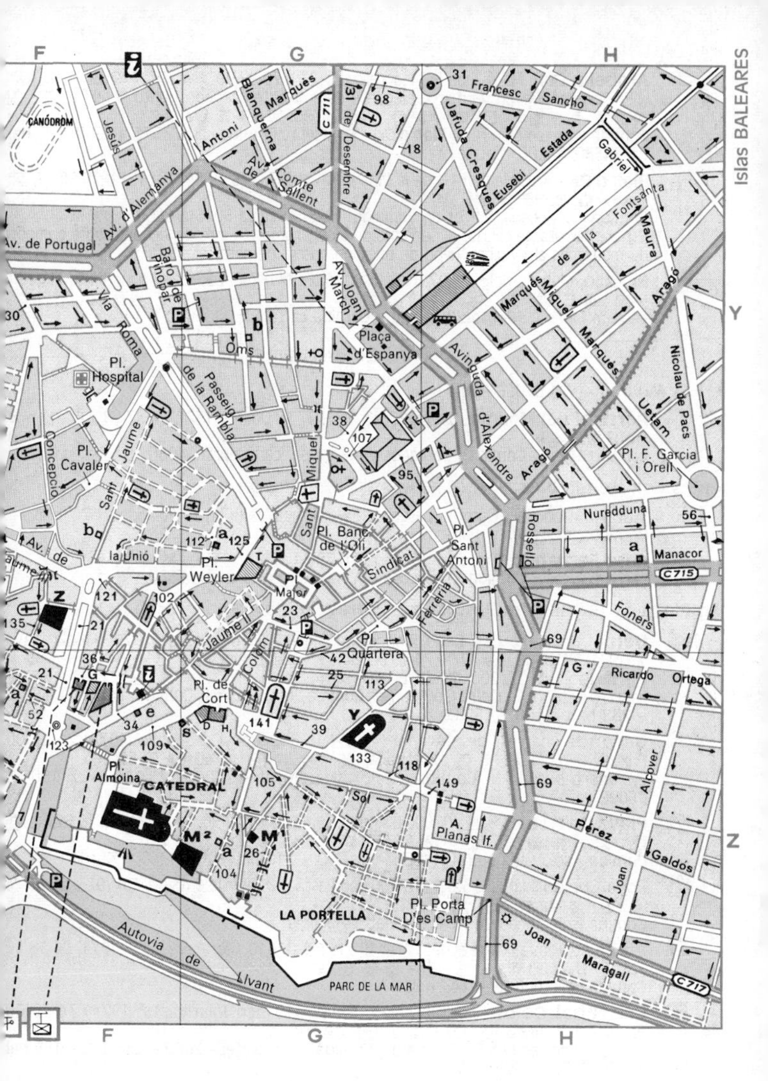

en San Agustín AX – ✉ *07015 San Agustín :*

X **Buona Sera,** Joan Miró 299 ☎ (971) 40 03 22 – ▤. AE E VISA. ✻ AX t
cerrado martes salvo en verano – **Comida** - cocina italiana - carta 2600 a 3550.

en Gènova AX – ✉ *07015 Gènova :*

X **Son Berga,** carret. Gènova km 4 ☎ (971) 45 38 69, *Fax (971) 45 38 69,* ⛱, « Decoracion típica regional » – ▤ P. AE ◐ E VISA JCB. ✻ AV a
Comida carta aprox. 3375.

en Son Vida *NO : 6 km* BU – ✉ *07013 Son Vida :*

Son Vida ⛰, Raixa 2 ☎ (971) 79 00 00, Telex 68651, *Fax (971) 79 00 17,* ⛱, « Antiguo palacio señorial entre pinos con ≤ ciudad, bahía y montañas », Fō, ⛱, ⛱, ⛱, ⚔, ⛳18 – ⇕ ▤ TV ☎ P – ⛭ 25/200. AE ◐ E VISA. ✻ rest
***El Jardín :* Comida** carta 6300 a 9650 - ***Bellver :* Comida** carta 4750 a 8450 – **158 hab** ☕ 29100/37600, 12 suites.

Arabella Golf H., de la Vinagrella ☎ (971) 79 99 99, *Fax (971) 79 99 97*, ←, «Edificio señorial en un marco elegante de ambiente acogedor junto al golf», – 25/90. AE VISA.
Comida (ver también rest. ***Plat d'Or***) - ***Foravila*** **: Comida** carta 3375 a 4650 – **92 hab** 24330/46100, 1 suite.

Plat d'Or - *Arabella Golf H.*, de la Vinagrella ☎ (971) 79 99 99, *Fax (971) 79 99 97*, – AE VISA.
Comida - sólo cena, buffet en domingo - 7250 y carta 5025 a 6800
Espec. Paletilla de cabrito al perfume de ajos y romero. Carré de lechona sobre compota de manzanas al jengibre. Rabo de buey en costra de patata.

El Pato, Club de Golf ☎ (971) 79 15 00, *Fax (971) 79 11 27*, ←, «Junto al golf» – VISA.
cerrado lunes y 10 julio-20 agosto – **Comida** carta 4150 a 5600.

Al Este de la Bahía :

en es Molinar – ✉ *07006 Palma :*

Portixol del Molinar, Sirena 27 ☎ (971) 27 18 00, *Fax (971) 24 37 58*, – AE VISA JCB DX u
cerrado lunes – **Comida** - pescados y mariscos - carta aprox. 4050.

en es Coll d'en Rabassa *por ④ : 6 km* – ✉ *07007 Palma :*

Club Náutico Cala Gamba, paseo de Cala Gamba ☎ (971) 26 10 45, ←, –
Comida - pescados y mariscos.

Casa Fernando, Trafalgar 27 ☎ (971) 26 54 17 – VISA.
cerrado lunes – **Comida** - pescados y mariscos - carta aprox. 5500.

en Playa de Palma (Can Pastilla, ses Meravelles, s'Arenal) *por ④ : 10 y 20 km*

Delta, carret. de Cabo Blanco km 6,4 - Puig de Ros, ✉ 07609 Cala Blava, ☎ (971) 74 10 00, *Fax (971) 74 10 00*, «En un pinar», – 25/200. AE VISA.
febrero-octubre – - ***Delta*** *(sólo buffet)* **Comida** 2000 - ***Argos*** **: Comida** carta 2370 a 4000 – **288 hab** 9875/14100.

Garonda, carret. de s'Arenal 28, ✉ 07610 Can Pastilla, ☎ (971) 26 22 00 *Fax (971) 26 21 09*, ←, climatizada, – AE VISA.
24 enero-octubre – **Comida** - sólo cena buffet - 2600 – **133 hab** 13000/16000.

Playa Golf, Laud 26, ✉ 07600 S'Arenal, ☎ (971) 26 26 50, *Fax (971) 49 18 52*, ←, – rest, – 25/60. AE VISA.
Comida - sólo cena buffet - 1900 – 950 – **210 hab** 8100/12400, 12 suites.

Royal Cupido, Marbella 32, ✉ 07600 Can Pastilla, ☎ (971) 26 43 00, *Fax (971) 26 55 10* ←, – – 25/100
Comida (sólo cena buffet) – **161 hab**, 18 suites.

Acapulco Playa, carret. de s'Arenal 21, ✉ 07610 Can Pastilla, ☎ (971) 26 18 00 *Fax (971) 26 80 85*, ←, –
Comida (sólo buffet) – **143 hab.**

Cristóbal Colón, Las Parcelas, ✉ 07610 Can Pastilla, ☎ (971) 74 40 00 *Fax (971) 74 34 42*, – VISA.
cerrado 2 noviembre-19 diciembre – **Comida** - sólo buffet - 2650 – 1210 – **158 hab** 10000/12500 – PA 5280.

Leman, av. Son Rigo 6, ✉ 07610 Can Pastilla, ☎ (971) 26 07 12, *Fax (971) 49 25 20* ←, – rest, VISA.
abril-octubre – **Comida** - sólo cena buffet - 1450 – 975 – **98 hab** 7230/9950, 23 apartamentos.

Aya, carret. de s'Arenal 60, ✉ 07600 s'Arenal, ☎ (971) 26 04 50, *Fax (971) 26 62 16* ←, – rest,. VISA.
abril-octubre – **Comida** 2400 – **145 hab** 6250/7450.

Neptuno, Laud 34, ✉ 07600 s'Arenal, ☎ (971) 26 65 50, ←, –
temp – **Comida** (sólo buffet) – **105 hab.**

Boreal, Mar Jónico 9, ✉ 07610 Can Pastilla, ☎ (971) 26 21 12, *Fax (971) 26 21 12*, – rest,.
cerrado noviembre-15 diciembre – **Comida** - sólo buffet - 1310 – **64 hab** 5555/9110

Luxor sin rest y sin , av. Son Rigo 23, ✉ 07610 Can Pastilla, ☎ (971) 26 05 12 *Fax (971) 49 25 09*, –
cerrado noviembre-15 diciembre – **52 hab** 5555/9110.

XX **Ca's Cotxer,** carret. de s'Arenal 31, ✉ 07600 Can Pastilla, ☎ (971) 26 20 49 – ▤. AE ⓓ E VISA. ✻
abril-diciembre – **Comida** *(cerrado domingo en noviembre-diciembre)* carta aprox. 4500.

X **Nuevo Club Naútico El Arenal,** Roses, ✉ 07600 s'Arenal, ☎ (971) 44 04 27, *Fax (971) 44 05 68,* ≤, ⛱ – ▤ Ⓟ. AE ⓓ E VISA. ✻
cerrado lunes – **Comida** carta 3300 a 4650.

Palmanova *07181* 443 N 37 – *Playa.*

18 *Poniente, zona de Magaluf ☎ (971) 72 36 15.*
Palma 14.

XXX **Gran Dragón II,** passeig de la Mar 2 ☎ (971) 68 13 38, *Fax (971) 73 58 71,* ≤, ⛱ – ▤. AE ⓓ E VISA. ✻
Comida - rest. chino - carta aprox. 3850.

XX **Ciro's,** passeig de la Mar 3 ☎ (971) 68 10 52, *Fax (971) 68 26 14,* ≤ – ▤. AE E VISA
Comida carta 2850 a 3950.

por la carretera de Palma – ✉ *07011 Portals Nous :*

🏨 **Punta Negra** ⛳, NE : 2,5 km ☎ (971) 68 07 62, *Fax (971) 68 39 19,* ≤ bahía, ⛱, « Magnífica situación al borde de una cala », 🏊, ⛱ – |♦| ▤ TV ☎ Ⓟ – 🎤 25/40. AE ⓓ E VISA. ✻
Comida 4000 – **69 hab** ☕ 16000/32000.

🏨 **Son Caliu** ⛳, urb. Son Caliu - NE : 2 km ☎ (971) 68 22 00, *Fax (971) 68 37 20,* ⛱, « Jardín con 🏊 », 🏊, 🎾 – |♦| ▤ TV ☎ – 🎤 25/200. AE ⓓ E VISA. ✻ rest
Comida 3000 – **235 hab** ☕ 15000/24000, 4 suites.

Pollensa o Pollença *07460* 443 M 39 – *11 256 h. alt. 200 – Playa en Port de Pollença.*

9 *Pollensa, carret. de Palma km 49,3 ☎ (971) 53 32 16 Fax (971) 53 32 65.*
Palma 52.

XXX **Clivia,** av. Pollentia ☎ (971) 53 36 35 – ▤. AE ⓓ E VISA. ✻
cerrado miércoles y 8 enero-8 febrero – **Comida** carta aprox. 3650.

XX **Ca'n Costa,** Costa i Llobera 11 ☎ (971) 53 00 42 – ▤. AE ⓓ E VISA
cerrado domingo, 15 noviembre-15 diciembre y 15 enero-15 marzo – **Comida** - sólo cena - carta 3550 a 4950.

X **Cantonet,** Montesión 20 ☎ (971) 53 04 29, *Fax (971) 53 48 29,* ⛱ – AE ⓓ E VISA JCB. ✻
cerrado martes y mayo – **Comida** carta aprox. 5000.

X **La Font del Gall,** Montesión 4 ☎ (971) 53 03 96 – ▤. AE ⓓ E VISA
cerrado lunes y 15 noviembre-15 diciembre – **Comida** carta 3050 a 3650.

en la carretera del Port de Pollença *E : 2 km* – ✉ *07470 Port de Pollença :*

X **Ca'n Pacienci,** ☎ (971) 53 07 87, ⛱ – Ⓟ. AE ⓓ E VISA. ✻
marzo-octubre – **Comida** *(cerrado domingo)* - sólo cena - carta aprox. 5500.

---

es Pont d'Inca *07009* 443 N 38.

Palma 5.

X **S'Altell,** av. Antonio Maura 69 (carret. de Inca C 713) ☎ (971) 60 10 01 – ▤. AE ⓓ E VISA. ✻
cerrado domingo, lunes y del 1 al 15 de agosto – **Comida** - sólo cena - carta 2800 a 3100.

Portals Nous *07015* 443 N 37 – *Puerto deportivo.*

Palma 5.

XXXX ✿✿ **Tristán,** Puerto Portals ☎ (971) 67 55 47, Telex 69804, *Fax (971) 17 11 17,* ≤, ⛱, « Elegante terraza en el puerto deportivo » – ▤. AE ⓓ E VISA
cerrado lunes (salvo mayo-septiembre), del 7 al 28 de enero y 27 noviembre-18 diciembre – **Comida** - sólo cena - carta 6900 a 9300
Espec. Raviolis de gambas con mantequilla ligera al Curry. Reyes con pasta de olivas y pesto. Empanadas de requesón con cassis y helado de vino tinto.

Portals Vells *07184* 443 N 37 – *Playa.*

Palma 20.

X **Ca'n Pau Perdiueta,** Ibiza 5 ☎ (971) 18 05 09, ⛱ – AE E VISA. ✻
cerrado lunes y 20 diciembre-5 enero – **Comida** - pescados y mariscos - carta 3825 a 6525.

Portocolom *07670* 443 N 39 - *Playa.*
Palma 63.

Ses Portadores, Ronda del Creuer Baleares 59 ☎ (971) 82 52 71, – E VISA
marzo-noviembre – **Comida** *(cerrado martes en invierno y martes mediodía en verano)* carta 2750 a 3950.

Celler Sa Sinia, Pescadors 25 ☎ (971) 82 43 23, – . E VISA.
cerrado lunes y noviembre-15 febrero – **Comida** carta 3900 a 4450.

Portocristo *07680* 443 N 40 - *Playa.*
Alred. : *Cuevas del Drach★★★ S : 1 km – Cuevas del Hams (sala de los Anzuelos★) O 1,5 km.*
Gual 31 A ☎ (971) 82 09 31 Fax (971) 82 09 31.
Palma 62.

Ses Comes, av. dels Pins 50 ☎ (971) 82 12 54 – AE E VISA
cerrado lunes (salvo festivos) y 15 noviembre-15 diciembre – **Comida** carta 3080 a 4050.

Sa Carrotja, av. d'en Joan Amer 45 ☎ (971) 82 15 03 – . AE E VISA.
cerrado lunes noche y noviembre – **Comida** carta 3300 a 5100.

Portopetro *07691* 443 N 39.
Alred. : *Cala Santanyí (paraje★) SO : 16 km.*
Palma 65.

Puerto de Alcudia o **Port d'Alcúdia** *07410* 443 M 39 - *Playa.*
carret. de Artà 68 ☎ (971) 89 26 15 Fax (971) 89 26 15.
Palma 54.

Golf Garden, av. Reina Sofía 13 ☎ (971) 89 24 26, *Fax (971) 89 24 26*, ←, , ,
– . AE E VISA.
Comida - sólo cena - 1400 – **117 hab** 14000/18000.

Bogavante, Teodor Canet 2 ☎ (971) 54 73 64, – . AE VISA
cerrado lunes mediodía y 20 noviembre-20 diciembre – **Comida** carta 3000 a 3700.

en la carretera de sa Pobla *SO : 4 km – ✉ 07410 Puerto de Alcudia :*

Mesón los Patos, ☎ (971) 89 02 65, *Fax (971) 89 02 64*, , « Decoración rústica »
– . AE E VISA
cerrado martes y 10 enero-20 febrero – **Comida** carta aprox. 4300.

en la playa de Muro *S : 6 km – ✉ 07458 Platja de Muro :*

Parc Natural, carret. de Alcúdia-Artà ☎ (971) 89 20 17, *Fax (971) 89 03 45*, ,
– – 25/175. AE E VISA.
cerrado 7 noviembre-diciembre – **Comida** 4200 – **120 hab** 15000/18800, 36 suites

Puerto de Andraitx o **Port d'Andratx** *07157* 443 N 37.
Alred. : *Paraje★ – Recorrido en cornisa★★★ de Puerto de Andraitx a Sóller.*
Palma 33.

Brismar, av. Almirante Riera Alemany 6 ☎ (971) 67 16 00, *Fax (971) 67 11 83*, ←,
– . AE E VISA.
7 febrero-4 noviembre – **Comida** 1200 – 600 – **56 hab** 6400/8800 – PA 2500.

Miramar, av. Mateo Bosch 22 ☎ (971) 67 16 17, *Fax (971) 67 34 11*, ←, – AE
E VISA JCB
cerrado 20 diciembre-20 enero – **Comida** carta 5030 a 5995.

Layn, av. Almirante Riera Alemany 20 ☎ (971) 67 18 55, *Fax (971) 67 30 11*, ←,
AE E VISA JCB
cerrado 24 diciembre-12 enero – **Comida** carta 2990 a 4200.

Rocamar, av. Almirante Riera Alemany 27 bis ☎ (971) 67 12 61, ←,
Comida - pescados y mariscos -.

Puerto de Pollensa o **Port de Pollença** *07470* 443 M 39 - *Playa.*
Ver : *Paraje★.*
Alred. : *Carretera★ de Puerto de Pollensa al Cabo Formentor★ : Mirador d'Es Colomer★★★*
carret. de Formentor 31 bajos ☎ (971) 86 54 67 Fax (971) 86 54 67.
Palma 58.

Illa d'Or, passeig Colón 265 (971) 86 51 00, *Fax (971) 86 42 13*, « Terraza con árboles », – AE E VISA.
cerrado diciembre-enero – **Comida** 4000 – 1250 – **119 hab** 10000/20000.

Daina sin rest, Atilio Boveri 2 (971) 86 62 50, *Fax (971) 86 61 45*, – AE E VISA.
14 marzo-noviembre – **62 hab** 8335/15170, 5 suites.

Uyal, passeig de Londres (971) 86 55 00, *Fax (971) 86 55 13*, « Terraza con árboles », – rest, E VISA
marzo-noviembre – **Comida** - sólo cena buffet - 1375 – **105 hab** 7925.

Miramar, passeig Anglada Camarasa 39 (971) 86 64 00, *Fax (971) 86 40 75*, – AE E VISA.
27 marzo-octubre – **Comida** - sólo cena - 1900 – **84 hab** 8100/12100.

Pollentia, passeig de Londres (971) 86 52 00, *Fax (971) 86 60 34*, « Terraza con palmeras » – AE E VISA.
mayo-octubre – **Comida** - sólo cena buffet - 1450 – **70 hab** 5500/10450.

Capri, passeig Anglada Camarasa 69 (971) 86 66 01, *Fax (971) 53 33 22* – VISA.
mayo-octubre – **Comida** - sólo cena - 1700 – **33 hab** 6655/11910.

Panorama Golden Beach, urb. Gommar 5 (971) 86 51 92, *Fax (971) 86 51 92*, – AE E VISA JCB. rest
25 marzo-octubre – **Comida** - sólo cena buffet - 1750 – 750 – **40 hab** 4000/6000.

Ca'n Pep, Verge del Carme (971) 86 40 10, *Fax (971) 86 60 92*, « Decoración regional » – AE E VISA JCB.
cerrado lunes y febrero – **Comida** carta 2575 a 3800.

Reial Club Nàutic, Muelle Viejo (971) 86 56 22, – E VISA.
Comida carta 3800 a 4900.

Corb Mari, passeig Anglada Camarasa 91 (971) 86 70 40, – AE E VISA.
cerrado lunes, diciembre y enero – **Comida** - carnes y pescados a la parrilla - carta 3175 a 4875.

Stay, Estación Marítima (971) 86 40 13, *Fax (971) 86 52 32*, « Terraza frente al mar » – E VISA
Comida carta 3550 a 5400.

Hibiscus, carret. de Formentor 5 (971) 86 64 83, –
temp.

Lonja del Pescado, Muelle Viejo (971) 86 65 04, – E VISA
cerrado domingo noche (salvo en verano), enero y febrero – **Comida** - pescados y mariscos - carta 3950 a 4750.

en la carretera de Alcudia *S : 3 km – 07470 Puerto de Pollensa :*

Ca'n Cuarassa, (971) 86 42 66, – E VISA
cerrado lunes salvo mayo-octubre – **Comida** carta 3150 a 4250.

Puerto de Sóller o Port de Sóller *07108* 443 M 38 – *Playa.*

Palma 35.

Edén, passeig Es Través 26 (971) 63 16 00, *Fax (971) 63 36 56*, – AE E VISA.
abril-octubre – **Comida** - sólo buffet - 2800 – 900 – **150 hab** 5100/9400 – PA 5700.

Edén Park sin rest, Lepanto (971) 63 12 00, *Fax (971) 63 36 56*, – AE E VISA.
mayo-15 octubre – 900 – **64 hab** 5100/9400.

Es Canyis, platja de'n Repic (971) 63 14 06, *Fax (971) 63 30 18*, – AE E VISA.
cerrado lunes, diciembre y enero – **Comida** carta 2600 a 3450.

Randemar, Es Través 16 (971) 63 45 78, *Fax (971) 63 45 78*, – AE E VISA.
cerrado miércoles (octubre-marzo) – **Comida** - cocina italiana - carta 2725 a 3350.

Randa *07629* 443 N 38.

Ver : *Santuario de Cura★ ★★.*

Palma 26.

Es Recó de Randa con hab, Font 13 (971) 66 09 97, *Fax (971) 66 25 58*, « Terrazas », – AE E VISA.
Comida carta aprox. 3500 – **14 hab** 14250/19000.

sa Ràpita *07639 Baleares* 443 N 38 – *Playa.*

Palma 50.

X Ca'n Pep, av. Miramar 16 ☎ (971) 64 01 02, *Fax (971) 64 01 02*, <,

San Salvador o **Sant Salvador** 443 N 39 – *alt. 509.*

Ver : *Monasterio★ (✻★★).*

Palma 55 – Felanitx 6.

Hoteles y restaurantes ver : **Cala d'Or** *SE : 21 km.*

Santa María o **Santa Maria del Camí** *07320* 443 N 38 – *3 972 h. alt. 150.*

Palma 16.

al Norte : *4 km*

Read's H. ⑤, ☎ (971) 14 02 62, *Fax (971) 14 07 62*, <, , « Antigua casa señorial de estilo mallorquín rodeada de césped con », – TV ☎ P. AE ⓓ E VISA. rest
Comida 3800 – **15 hab** 31000, 6 suites.

Santa Ponsa o **Santa Ponça** *07180* 443 N 37 – *Playa.*

18 *Santa Ponsa, urb. Nova Santa Ponsa ☎ (971) 69 48 54 Fax (971) 69 33 64.*

vía Puig de Galatzó ☎ (971) 69 17 12 Fax (971) 69 41 37.

Palma 20.

Bahía del Sol, av. Rei Jaume I-74 ☎ (971) 69 11 50, *Fax (971) 69 06 50*, , , – ☎ P – 25/60. AE ⓓ E VISA. rest
cerrado noviembre-15 diciembre – **Comida** - sólo cena buffet - 2300 – **209 hab** 8100/13800.

Casablanca, vía Rey Sancho 6 ☎ (971) 69 03 61, *Fax (971) 69 05 51*, <, – P. VISA.
mayo-octubre – **Comida** - sólo cena buffet - 1400 – 650 – **87 hab** 5900/8600.

X **Miguel,** av. Rei Jaume I-92 ☎ (971) 69 09 13, – . E VISA.
cerrado lunes y diciembre-febrero – **Comida** carta 3275 a 5000.

X **La Rotonda,** av. Rei Jaume I-105 ☎ (971) 69 02 19, – E VISA
cerrado lunes y 20 diciembre-30 enero – **Comida** carta 2400 a 4000.

X **Jackie's,** Vía Puig de Galatzó 18 ☎ (971) 69 00 67, – AE ⓓ E VISA.
abril-octubre – **Comida** carta 2400 a 3400.

en el Club de Golf *SE : 3 km – ✉ 07180 Santa Ponsa :*

Golf Santa Ponça ⑤, ☎ (971) 69 02 11, *Fax (971) 69 48 53*, < campo de golf y bahía, , , 18 – TV ☎ P
13 hab, 5 suites.

Sineu *07510 Baleares* 443 N 39 – *2 581 h. alt. 160.*

Palma 24.

León de Sineu ⑤ sin rest, dels Bous 129 ☎ (971) 52 02 11, *Fax (971) 85 50 58*, « Antigua casa con bonito patio ajardinado », – TV ☎. E VISA
8 hab 8000/16000.

Sóller *07100* 443 M 38 – *10 021 h. alt. 54 – Playa en Puerto de Sóller.*

pl. de Sa Constitució 1 ☎ (971) 63 02 00 Fax (971) 63 37 22.

Palma 30.

X **El Guía** con hab de abril a octubre, Castañer 3 ☎ (971) 63 02 27, *Fax (971) 63 26 34* – rest, E VISA.
Comida *(cerrado lunes de noviembre a Semana Santa)* carta 2800 a 4500 – 650 – **18 hab** 4500/6500.

en el camino de Son Puça *NO : 2 km – ✉ 07100 Soller :*

Ca N'ai ⑤, ☎ (971) 63 24 94, *Fax (971) 63 18 99*, < sierra de Alfabia y Puig Major, , « Casa de campo », – ☎ P. AE ⓓ E VISA.
cerrado 15 noviembre-enero – **Comida** *(cerrado lunes y martes mediodía)* carta 3700 a 4800 – **11 hab** 29500.

Ver también : **Puerto de Sóller** *NO : 5 km.*

Son Servera *07550* **443** **N 40** – *6 002 h. alt. 92 – Playa.*
Son Servera, NE : 7,5 km (971) 56 78 02 Fax (971) 56 81 46.
av. Joan Servera Camps (971) 58 58 64. – Palma 64.

en la carretera de Capdepera *NE : 3 km – 07550 Son Servera :*

S'Era de Pula, (971) 56 79 40, *Fax (971) 81 70 35*, « Decoración rústica regional » – . AE E VISA.
cerrado enero y febrero – **Comida** carta 3300 a 4350.

en Cala Millor *SE : 3 km – 07560 Cala Millor :*

Son Floriana con hab, urb. Son Floriana (971) 58 60 75, *Fax (971) 81 35 46*, « Decoracion rústica regional » – hab, TV . AE E VISA. rest
Comida carta 4400 a 6300 – **10 hab** 18000/25200.

en Costa de los Pinos *NE : 7,5 km – 07559 Costa de los Pinos :*

Eurotel Golf Punta Rotja , (971) 84 00 00, *Fax (971) 84 01 15*, mar y montaña, « Jardín bajo los pinos », , climatizada, , – TV – 25/250. AE E VISA.
Comida 3100 – **198 hab** 22350/27250, 2 suites.

Valdemosa o **Valldemossa** *07170* **443** **M 37** – *1 370 h. alt. 427.*
Cartuja de Valldemosa (971) 61 21 06 Fax (971) 61 21 06. – Palma 17.

Ca'n Pedro, av. Arxiduc Lluis Salvador (971) 61 21 70, *Fax (971) 61 60 27*, , « Mesón típico » – E VISA.
cerrado domingo noche y lunes – **Comida** - sólo almuerzo en invierno - carta 2170 a 3675.

en la carretera de Andratx *O : 2,5 km – 07170 Valdemosa :*

Vistamar con hab, (971) 61 23 00, *Fax (971) 61 25 83*, , « Conjunto de estilo mallorquín », – TV . AE E VISA.
febrero-octubre – **Comida** *(cerrado lunes mediodía)* carta 3950 a 4950 – 1500 – **18 hab** 19000/30000.

MENORCA

Alayor o **Alaior** *07730* **443** **M 42** – *6 406 h.*
Mahón 12.

en Son Bou *SO : 8,5 km – 07730 Alayor :*

San Valentín , urb. Torre Solí Nou, apartado 7, (971) 37 26 02, *Fax (971) 37 23 75*, , , , , , – TV – 25/100
temp – **Comida** (sólo cena buffet) – **210 hab**, 98 apartamentos.

Club San Jaime, urb. San Jaime (971) 37 27 87, , , – AE E VISA.
mayo-octubre – **Comida** - sólo cena salvo festivos - carta 3325 a 4325.

es Castell *07720* **443** **M 42.**
Mahón 3.

Barceló Hamilton , paseo de Santa Águeda 6 (971) 36 20 50, *Fax (971) 35 16 94*, , – , rest, TV
162 hab.

Rey Carlos III , Carlos III-2 (971) 36 31 00, *Fax (971) 36 31 08*, « Amplias terrazas con y » – , rest, . E VISA.
mayo-octubre – **Comida** 1900 – 600 – **84 hab** 6900/10500, 3 suites.

Ciudadela o **Ciutadella** *07760* **443** **M 41** – *20 707 h.*
Ver : *Localidad★.*
Mahón 44.

Patricia sin rest, passeig Sant Nicolau 90 (971) 38 55 11, *Fax (971) 48 11 20* – TV – 25/110. AE E VISA.
marzo-octubre – 900 – **44 hab** 15000/16000.

Casa Manolo, Marina 117 (971) 38 00 03, – . AE E VISA.
cerrado noviembre y martes en invierno – **Comida** carta 2900 a 5500.

Club Nàutic, Camí de Baix 8-1º (971) 38 27 73, – . VISA.
Comida carta 2800 a 5800.

Cas Quintu, pl. d'Alfons III-4 (971) 38 10 02, – VISA.
Comida carta 3025 a 5850.

El Horno, d'es Forn 12 (971) 38 07 67 – VISA
marzo-octubre – **Comida** carta 2700 a 3850.

Racó d'es Palau, Palau 3 (971) 38 54 02, – . VISA.
abril-octubre – **Comida** *(cerrado domingo mediodía)* carta aprox. 4950.

en la carretera del Cap d'Artrutx *S : 3 km – 07760 Ciudadela :*

Es Caliu, apartado 355, (971) 38 01 65, , « Decoración rústica » – . VISA.
cerrado diciembre – **Comida** - carnes a la brasa - carta 1725 a 3850.

en Cala Blanca *S : 4 km – 07760 Ciudadela :*

Sagitario, av. de la Playa 4 (971) 38 28 77, *Fax (971) 38 33 19,* , – , rest
Comida (sólo buffet) – **72 hab.**

Ferrerías o Ferreries *07750* 443 M 42 – *3 652 h.*

Mahón 29.

en Cala Santa Galdana *SO : 7 km – 07750 Cala Santa Galdana :*

Cala Galdana , (971) 15 45 00, *Fax (971) 15 45 26,* , , , , – . VISA.
mayo-octubre – **Comida** 1650 – 750 – **204 hab** 11500/13000.

Tornare, (971) 15 45 00, *Fax (971) 15 45 26,* – . VISA.
mayo-octubre – **Comida** carta 2500 a 3525.

Fornells *07748* 443 L 42.

Mahón 30.

S'Áncora, passeig Marítim 8 (971) 37 66 70, – .

Es Cranc, Escoles 31 (971) 37 64 42, Vivero propio – . VISA.
cerrado miércoles (salvo en verano), enero y febrero – **Comida** carta 3500 a 6950.

en la urbanización Playas de Fornells *SO : 4 km – 07748 Fornells :*

Tramontana Park , (971) 37 67 42, *Fax (971) 37 67 48,* , – rest,
. VISA.
mayo-octubre – **Comida** - sólo cena buffet - 1600 – 400 – **87 apartamentos**
14600/17100.

Mahón o Maó *07700* 443 M 42 – *21 814 h.*

Ver : *Emplazamiento*★, *La Rada*★.

de Menorca, San Clemente SO : 5 km (971) 15 70 00 Fax (971) 15 70 70 – Aviaco : aeropuerto (971) 36 90 15.

para la Península y Mallorca : Cía Trasmediterránea, Nuevo Muelle Comercial (971) 36 60 50 Telex 68888 Fax (971) 36 99 28.

pl. Explanada 40 07703 (971) 36 37 90 Fax (971) 36 37 90.

Port Mahón, av. Fort de l'Eau 13, 07701, (971) 36 26 00, *Fax (971) 35 10 50,* , , – – 25/40. VISA.
Comida 1750 – **80 hab** 12000/20000, 2 suites.

Sol Mirador des Port, Dalt Vilanova 1, 07701, (971) 36 00 16, *Fax (971) 36 73 46,* , – . VISA JCB. rest
Comida - sólo cena - 1500 – 750 – **69 hab** 8300/10400.

Capri sin rest. con cafetería, Sant Esteve 8, 07703, (971) 36 14 00, *Fax (971) 35 08 53* – – 25/50
75 hab.

La Minerva, Moll de Llevant 87 (puerto), 07701, (971) 35 19 95, *Fax (971) 35 20 76* – . VISA.
Comida carta 3300 a 4600.

Jardí Marivent, Moll de Llevant 314 (puerto), 07701, (971) 36 98 01, , –
. VISA
cerrado domingo y 22 diciembre-enero – **Comida** carta 4000 a 5500.

Club Marítimo, Moll de Llevant 287 (puerto), 07701, (971) 36 42 26, *Fax (971) 36 80 78,* , – VISA.
Comida carta 3000 a 4450.

Jàgaro, Moll de Llevant 334 (puerto), ✉ 07701, ☎ (971) 36 23 90, ←, terraza - ▤.

Pilar d'en Doro, des Forn 61, ✉ 07702, ☎ (971) 36 68 17, terraza - ⓓ E VISA. ✻
cerrado domingo, lunes (en invierno), lunes mediodía (en verano) y enero-15 febrero – **Comida** carta 3125 a 4175.

Gregal, Moll de Llevant 306 (puerto), ✉ 07701, ☎ (971) 36 66 06, ← - ▤. AE ⓓ E VISA. ✻
Comida carta 3300 a 4550.

en Cala Fonduco *E : 1 km – ✉ 07720 es Castell :*

Miramar ⛰ sin rest, Fonduco 46 ☎ (971) 36 29 00, *Fax (971) 35 12 40* – |‡|. AE ⓓ E VISA. ✻
Semana Santa-octubre – **25 hab** ☐ 9000/10000.

Rocamar, Fonduco 32-1º ☎ (971) 36 56 01, *Fax (971) 36 52 99*, ←, terraza – |‡| ▤. AE ⓓ E VISA JCB. ✻
cerrado domingo noche, lunes (en invierno) y noviembre – **Comida** carta aprox. 2800.

---

es Mercadal *07740* 443 M 42.

Alred. : *Monte Toro : ←★★ (3,5 km).*

Son Parc, NE : 6 km ☎ (971) 18 88 75.

Mahón 22.

Ca N'Aguedet, Lepanto 30-1º ☎ (971) 37 53 91 – ▤. AE ⓓ E VISA JCB. ✻
Comida - cocina regional - carta 2500 a 4250.

---

es Migjorn Gran *07749* 443 M 42 – *1051 h.*

Mahón 18.

S'Engolidor con hab, Major 3 ☎ (971) 37 01 93, terraza – E VISA. ✻
mayo-noviembre y fines de semana de febrero-abril – **Comida** *(cerrado lunes en verano)* - sólo cena - carta aprox. 3700 – ☐ 350 – **4 hab** 3700/4700.

San Luis o Sant Lluís *07710* 443 M 42 – *3404 h.*

Mahón 4.

en la carretera de Binibèquer *SO : 1,5 km – ✉ 07710 San Luis :*

Biniali ⛰ con hab, carret. S'Uestrá-Binibeca 50 ☎ (971) 15 17 24, *Fax (971) 15 03 52*, ←, terraza, « Antigua casa de campo », piscina – ☎ P. AE ⓓ E VISA JCB
Semana Santa-octubre – **Comida** carta 3300 a 4150 – ☐ 1200 – **9 hab** 14600/16350.

IBIZA

Ibiza o Eivissa *07800* 443 P 34 – *30376 h.*

Ver : *Emplazamiento★★, La ciudad alta★ (Dalt vila)* BZ : *Catedral* B ✻★ - *Museo Arqueológico★* **M1.**

Otras curiosidades : *Museo monográfico de Puig de Molins★* AZ **M2** *(busto de la Diosa Tanit★) - Sa Penya★* BY.

18 9 *Ibiza, por ② : 10 km ☎ (971) 19 60 52 Fax (971) 19 60 51.*

✈ *de Ibiza, por ③ : 9 km ☎ (971) 80 90 00 – Iberia : passeig Vara de Rey 15 ☎ (971) 30 08 33* BY.

⛴ *para la Península y Mallorca : Cía. Trasmediterránea, Andenes del Puerto, Estación Marítima ☎ (971) 31 50 50 Fax (971) 31 21 04* BY.

ℹ *passeig Vara de Rey 13 ☎ (971) 30 19 00 Fax (971) 30 15 62.*

Royal Plaza, Pere Francès 27 ☎ (971) 31 00 00, *Fax (971) 31 40 95*, piscina – |‡| ▤ TV ☎ garaje – 25/45. AE ⓓ E VISA. ✻ AY b
Comida 3200 – ☐ 975 – **112 hab** 15000/22000, 5 suites.

Montesol sin rest. con cafetería, passeig Vara de Rey 2 ☎ (971) 31 01 61, *Fax (971) 31 06 02* – |‡| ▤ TV ☎. E VISA. ✻ BY x
☐ 620 – **55 hab** 5450/9250.

La Ventana, Sa Carrossa 13 ☎ (971) 39 08 57, *Fax (971) 39 01 45*, terraza, « Decoración original » – TV ☎. AE E VISA. ✻ rest BZ r
Comida - sólo cena en verano - 3550 – ☐ 800 – **13 hab** 13000/22000, 1 suite.

El Corsario ⛰, Ponent 5 ☎ (971) 39 32 12, *Fax (971) 39 19 53*, ←, terraza, « Conjunto de estilo ibicenco » – E VISA. ✻ rest BZ a
Comida *(cerrado lunes)* - sólo cena - carta 3800 a 5600 – **14 hab** ☐ 8500/18000.

XX **El Cigarral,** Frare Vicent Nicolau 9 ℰ (971) 31 12 46, *Fax (971) 31 12 46* – ▤. AE ⓓ E VISA JCB. ✂ – *cerrado domingo noche en invierno, domingo mediodía en verano, del 1 al 15 de mayo y del 1 al 15 de septiembre* – **Comida** carta 3500 a 5100. AY a

X S'Oficina, av. d'Espanya 6 ℰ (971) 30 00 16, *Fax (971) 30 32 57*, 🏠 – ▤ AY t
Comida - cocina vasca -.

X **Sa Caldera,** Bisbe Huix 19 ℰ (971) 30 64 16 – ▤. AE ⓓ E VISA. ✂ AY s
cerrado domingo mediodía – **Comida** carta 2700 a 4800.

X **Ca n'Alfredo,** passeig Vara de Rey 16 ℰ (971) 31 12 74, *Fax (971) 31 12 74*, 🏠, Bistro – ▤. AE ⓓ E VISA. ✂ BY n
Comida carta 3250 a 5000.

en la playa de ses Figueretes AZ – ✉ *07800 Ibiza :*

Los Molinos, Ramón Muntaner 60 ℰ (971) 30 22 50, *Fax (971) 30 25 04*, ≤, « Bonito jardín y terraza con 🏊 al borde del mar », 🏋 – |♦| ▤ TV ☎ 🚗 – 🏛 25/150. AE ⓓ E VISA. ✂ – **Comida** carta 3550 a 5300 – ☕ 1000 – **154 hab** 11100/18900. AZ a

Ibiza Playa, Tarragona 5 ℰ (971) 30 48 00, *Fax (971) 30 69 02*, ≤, 🏋, 🏊 – |♦|, ▤ rest, TV ☎. AE ⓓ E VISA. ✂ rest AZ u
7 abril-7 noviembre – **Comida** - sólo cena - 3100 – **157 hab** ☕ 9000/14000.

Cenit sin rest, Arxiduc Lluís Salvador ℰ (971) 30 14 04, *Fax (971) 30 07 54*, ≤, 🏊 – |♦|. AE ⓓ E VISA. ✂ – *mayo-octubre* – ☕ 500 – **62 hab** 6000/7500. AZ r

Central Playa, Galicia 12 ℰ (971) 30 23 50, *Fax (971) 39 21 76* – |♦| AZ e
temp – **Comida** (sólo cena) – **72 hab.**

X **Príncipe,** passeig de Figueretes ℰ (971) 30 19 14, 🏠 – ▤. AE E VISA AZ s
abril-octubre – **Comida** carta 2700 a 4550.

en es Vivé AZ *SO : 2,5 km* – ✉ *07819 Es Vivé :*

Torre del Mar 🔇, platja d'en Bossa ℰ (971) 30 30 50, *Fax (971) 30 40 60*, ≤, « Jardín con terraza y 🏊 al borde del mar », 🏋, 🏊, 🎾 – |♦| ▤ TV ☎ P – 🏛 25/120. AE ⓓ E VISA. ✂
mayo-octubre – **Comida** - sólo cena - 3000 – ☕ 1000 – **213 hab** 16500/23700, 4 suites.

al Este *por ② :*

Anchorage sin rest, puerto deportivo Marina Botafoch : 2,5 km, ✉ apartado 750-Ibiza, ☎ (971) 31 17 11, *Fax (971) 31 15 57,* ≤ puerto y ciudad – ▤ TV ☎. AE ⓓ E VISA.
Semana Santa-15 octubre – ☕ 1250 – **20 hab** 18500/23000.

Argos, playa de Talamanca : 2,8 km, ✉ apartado 107 Ibiza, ☎ (971) 31 21 62, *Fax (971) 31 62 01,* ≤, – |♦|, ▤ rest, ☎ Ⓟ. AE ⓓ E VISA.
abril-octubre – **Comida** - sólo cena buffet - 2100 – ☕ 950 – **106 hab** 7200/13000.

Michelangelo, puerto deportivo Marina Botafoch : 2,5 km ☎ (971) 19 04 67, – ⓓ E VISA
cerrado miércoles y febrero – **Comida** - cocina italiana, sólo cena en verano - carta aprox. 4700.

en la carretera de San Miguel *por ② : 6,5 km – ✉ 07800 Ibiza :*

La Masía d'en Sord, ✉ apartado 897 Ibiza, ☎ (971) 31 02 28, , « Antigua masía ibicenca. Galería de arte » – Ⓟ. AE ⓓ E VISA.
abril-octubre – **Comida** - sólo cena - carta 3550 a 4800.

Portinatx *07820* 443 M 34 – *Playa.*

Ver : *Paraje★.*
Ibiza 29.

San Agustín o Sant Agustí des Vedrà *07839* 443 P 33.

Ibiza 20.

por la carretera de Sant Josep – *✉ 07830 San José :*

Sa Tasca, ☎ (971) 80 00 75, , « Rincón rústico en el campo » – Ⓟ. AE E VISA.
cerrado lunes – **Comida** carta 3300 a 5150.

San Antonio de Portmany o Sant Antoni de Portmany *07820* 443 P 33 – *14 663 h. – Playa.*

para la Península : Cía. Flebasa, edificio Faro ☎ (971) 34 28 71 Fax (971) 34 32 20.
passeig de Ses Fonts ☎ (971) 34 33 63.
Ibiza 15.

Tropical, Cervantes 28 ☎ (971) 34 00 50, *Fax (971) 34 40 69,* – |♦|. AE ⓓ E VISA.
mayo-octubre – **Comida** - sólo cena buffet - 1700 – ☕ 800 – **142 hab** 4100/8200.

Rías Baixas, Ignasi Riquer 4 ☎ (971) 34 04 80, *Fax (971) 34 07 71* – ▤. AE ⓓ E VISA.
15 marzo-15 diciembre – **Comida** *(cerrado lunes salvo junio-octubre)* - cocina gallega - carta 3400 a 3950.

Sa Prensa, General Prim 6 ☎ (971) 34 16 70, – ▤. AE ⓓ E VISA JCB.
Comida carta 2200 a 3800.

en la playa de s'Estanyol *SO : 2,5 km – ✉ 07820 San Antonio de Portmany :*

Bergantín, ☎ (971) 34 09 50, *Fax (971) 34 19 71,* climatizada, – |♦|, ▤ rest, ☎ Ⓟ. E VISA.
abril-octubre – **Comida** - sólo buffet - 2500 – ☕ 900 – **253 hab** 7000/12000 – PA 5000.

en la carretera de Santa Agnès *N : 1 km – ✉ 07820 San Antonio de Portmany :*

Sa Capella, ☎ (971) 34 00 57, « En una antigua capilla » – Ⓟ. E VISA.
abril-octubre – **Comida** - sólo cena - carta 3625 a 5300.

San José o Sant Josep de Sa Talaia *07830* 443 P 33.

Ibiza 14.

por la carretera de Ibiza – *✉ 07830 San José :*

Cana Joana, E : 2,5 km, ✉ apartado 149 San José, ☎ (971) 80 01 58, *Fax (971) 80 07 75,* ≤, , « Decoracion regional » – Ⓟ. AE E VISA
cerrado domingo noche y lunes (30 diciembre-mayo) y 3 noviembre-29 diciembre – **Comida** - sólo cena de junio-2 noviembre - carta 3475 a 5250.

Ca'n Domingo de Ca'n Botja, E : 3 km ☎ (971) 80 01 84, – Ⓟ. AE ⓓ E VISA
abril-septiembre – **Comida** *(cerrado domingo salvo julio-septiembre)* - sólo cena - carta 3825 a 4800.

en la playa de Cala Tarida *NO : 7 km – ✉ 07830 San José :*

C'as Milà, ✆ (971) 80 61 93, ≤, 🏖 – P. AE E VISA
mayo-octubre y fines de semana resto del año – **Comida** carta 3650 a 4650.

en Cala Vedella *SO : 8 km – ✉ 07830 San José :*

Village , urb. Caló d'en Real ✆ (971) 80 80 01, *Fax (971) 80 80 27*, 🏖, , , – ▤ TV ☎ P. AE O E VISA. rest
Comida 3500 – ☕ 1500 – **19 hab** 16000/24500, 1 suite – PA 7000.

San Miguel o Sant Miquel de Balansat 07815 443 O 34.

Ibiza 19.

en la urbanización Na Xamena *NO : 6 km*

Hacienda , ✆ (971) 33 45 00, *Fax (971) 33 45 14*, 🏖, « Edificio de estilo ibicenc con ≤ cala », , , – ▤ TV ☎ P. AE O E VISA. rest
25 abril-octubre – **Comida** carta 5200 a 6900 – ☕ 2300 – **56 hab** 29000/4000C 7 suites.

Santa Eulalia del Río o Santa Eulària des Riu 07840 443 P 34 – *15 545 h.* – *Playa*

Ver : *Puig de Missa*★.
Marià Riquer Wallis 4 ✆ (971) 33 07 28.
Ibiza 15.

San Marino sin rest. con cafetería, Ricardo Curtoys Gotarredona 1 ✆ (971) 33 03 16 *Fax (971) 33 90 76*, – ▤ TV ☎ . AE O E VISA
☕ 950 – **44 hab** 14500/18900.

Tres Torres , passeig Marítim (frente puerto deportivo), ✉ apartado 5 ✆ (971) 33 03 26, *Fax (971) 33 20 85*, ≤, climatizada – ▤ TV ☎ P. AE O E VISA
mayo-octubre – **Comida** - sólo cena buffet - 2500 – **110 hab** ☕ 9700/16400 2 suites.

La Cala, Huesca 1 ✆ (971) 33 00 09, *Fax (971) 33 15 12*, – , ▤ rest, ☎
temp – **Comida** (sólo buffet) – **180 hab.**

Celler Ca'n Pere, Sant Jaume 63 ✆ (971) 33 00 56, 🏖, « Celler típico » – AE O E VISA.
cerrado jueves y 15 enero-16 febrero – **Comida** carta 2950 a 5400.

La Posada, camino Puig de Missa ✆ (971) 33 00 17, *Fax (971) 33 00 17*, 🏖, « Decoración rústica regional » – P
temp – **Comida** - sólo cena -.

Doña Margarita Puerto, puerto deportivo ✆ (971) 33 22 00, ≤, 🏖 – AE O E VISA
cerrado lunes y 15 diciembre-12 febrero – **Comida** - sólo almuerzo de domingo a viernes de 12 febrero-6 abril - carta aprox. 5050.

El Naranjo, Sant Josep 31 ✆ (971) 33 03 24, 🏖 – AE E VISA.
cerrado lunes – **Comida** - sólo cena - carta 2900 a 4100.

Bahía, Molins de Rei 2 ✆ (971) 33 08 28, *Fax (971) 33 08 28*, 🏖 – ▤. E VISA
cerrado martes (en invierno) y enero – **Comida** carta 2900 a 3700.

en la urbanización s'Argamassa *NE : 3,5 km – ✉ 07849 Urbanización S'Argamassa :*

Sol S'Argamassa , ✆ (971) 33 00 51, *Fax (971) 33 00 76*, ≤, , , – P AE O E VISA JCB.
mayo-octubre – **Comida** - sólo buffet - 2200 – ☕ 800 – **217 hab** 8000/13000 – PA 4200.

por la carretera de Cala Llonga *S : 4 km – ✉ 07840 Santa Eulalia del Río :*

La Casita, urb. Valverde ✆ (971) 33 02 93, *Fax (971) 33 05 77*, 🏖, « Decoración regional » – P. AE O E VISA.
cerrado martes y 15 noviembre-15 diciembre – **Comida** - sólo cena salvo domingo - carta 3300 a 4700.

en la carretera de Ibiza *SO : 5,5 km – ✉ 07840 Santa Eulalia del Río :*

La Colina , ✆ (971) 33 27 67, *Fax (971) 33 27 67*, « Atigua casa de campo », – P. AE O E VISA
Comida 2800 – **16 hab** ☕ 10600/13600.

Santa Gertrudis de Fruitera *07814* 443 OP 34.
Ibiza 11.

en la carretera de Ibiza – ✉ *07814 Santa Gertrudis de Fruitera :*

Ama Lur, SE : 2,5 km ✆ (971) 31 45 54, – P. AE E VISA
cerrado miércoles (salvo verano) y noviembre-marzo – **Comida** - cocina vasca, sólo cena - carta 4400 a 5000.

Can Pau, S : 2 km ✆ (971) 19 70 07, « Antigua casa campesina. Terraza » – P. AE E VISA.
cerrado lunes en invierno – **Comida** carta aprox. 5200.

FORMENTERA

Cala Saona o Cala Sahona *07860* 443 P 35 – *Playa.*

Cala Saona, playa, ✉ 07860 apartado 88 San Francisco, ✆ (971) 32 20 30, *Fax (971) 32 25 09*, – TV P. AE E VISA.
mayo-octubre – **Comida** - sólo cena - 1600 – 800 – **116 hab** 11150/16000.

es Pujols *07871* 443 P 34 – *Playa.*
Port de la Savina ✆ (971) 32 20 57 Fax (971) 32 28 25.

Sa Volta sin rest. con cafetería, Miramar 94, ✉ 07860 apartado 71 San Francisco, ✆ (971) 32 81 25, *Fax (971) 32 82 28* – TV. AE E VISA.
875 – **25 hab** 6000/10600.

Le Cyrano, passeig Marítim, ✉ 07860 apartado 46 San Francisco, ✆ (971) 32 83 86, – AE E VISA
Comida - cocina francesa, sólo cena - carta 3150 a 4100.

Capri con hab, Miramar 41-47, ✉ 07871 San Fernando, ✆ (971) 32 83 52, *Fax (971) 32 88 39*, – P. AE E VISA.
mayo-octubre – **Comida** carta 2125 a 3200 – 500 – **15 hab** 3000/5500.

en Punta Prima *E : 2 km* – ✉ *07871 San Fernando :*

Club Punta Prima, ✆ (971) 32 82 44, *Fax (971) 32 81 28*, mar e isla de Ibiza, « Bungalows rodeados de jardín », – TV P. AE E VISA.
mayo-28 octubre – **Comida** - sólo cena buffet - 2000 – 1000 – **94 hab** 11940/14400.

al Noroeste : *5 km*

Es Molí de Sal, Ses Illetes ✆ 908 13 67 73, – P
temp.

San Fernando o Sant Ferran de ses Roques *07871* 443 P 34.

Illes Pitiüses sin rest, av. Joan Castelló 48 ✆ (971) 32 87 40, *Fax (971) 32 21 14* – P. AE E VISA.
625 – **26 hab** 4500/6875.

Las Ranas, carret. de Cala En Baster ✆ (971) 32 81 95, –
abril-octubre – **Comida** *(cerrado martes)* - sólo cena - carta 3250 a 5100.

BALLESTEROS DE CALATRAVA *13432 Ciudad Real* 444 P 18 – *644 h. alt. 659.*
Madrid 198 – Alcázar de San Juan 82 – Ciudad Real 21 – Puertollano 34 – Valdepeñas 60.

Palacio de la Serna, Cervantes 18 ✆ (926) 84 22 08, *Fax (926) 84 22 24*, « Palacio del siglo XVIII », – TV P – 25/150. AE E VISA. rest
Comida *(cerrado lunes)* 2000 – 1200 – **20 hab** 10000/16000 – PA 5200.

BALMASEDA *Vizcaya – ver Valmaseda.*

BALNEARIO – *ver el nombre propio del balneario.*

BANDEIRA *36570 Pontevedra* 441 D 5.
Madrid 581 – Lugo 91 – Orense/Ourense 80 – Pontevedra 83 – Santiago de Compostela 30.

Victorino, Empanada 1 ✆ (986) 58 53 30, *Fax (986) 58 53 30* – TV. VISA.
Comida 1700 – 350 – **12 hab** 3500/6000 – PA 3550.

BANYALBUFAR *Baleares - ver Baleares (Mallorca) : Bañalbufar.*

BANYOLES *Gerona - ver Bañolas.*

BAÑALBUFAR *Baleares - ver Baleares (Mallorca).*

BAÑERAS o **BANYERES DEL PENEDÉS** *43711 Tarragona* 443 **I 34** - *1 438 h.*
Madrid 558 - Barcelona 69 - Lérida/Lleida 101 - Tarragona 37.

en la urbanización Bosques del Priorato *S : 1,5 km - ✉ 43711 Banyeres del Penedés :*

El Bosque con hab, (977) 67 10 02, *Fax (977) 67 14 13,* « Terraza con césped, árboles y », - rest, TV. E VISA
cerrado febrero - **Comida** *(cerrado martes)* carta 2000 a 4100 - 575 - **9 hab** 6000.

La BAÑEZA *24750 León* 441 **F 12** - *9 722 h. alt. 771.*
Madrid 297 - León 48 - Ponferrada 85 - Zamora 106.

Los Ángeles, pl. Obispo Alcolea 2 (987) 65 57 30, *Fax (987) 66 61 82* - AE E VISA.
cerrado lunes - **Comida** carta 2750 a 3800.

Chipén, carret. de Madrid N VI - km 301 (987) 64 03 89 - P. AE O E VISA
Comida carta 1700 a 3000.

en la carretera LE 420 *N : 1,5 km - ✉ 24750 La Bañeza :*

Río Verde, (987) 64 17 12, - TV P. VISA. rest
Comida 1700 - 600 - **15 hab** 4500/5900 - PA 3500.

BAÑOLAS o **BANYOLES** *17820 Gerona* 443 **F 38** - *11 870 h. alt. 172.*
Ver : *Museo Arqueológico Comarcal★.* - **Alred. :** *Lago★ - Iglesia de Santa María de Porqueres★.* - *passeig Industria 25 (972) 57 55 73 Fax (972) 57 49 17.*
Madrid 729 - Figueras/Figueres 29 - Gerona/Girona 20.

Quatre Estacions, passeig de La Farga (972) 57 33 00 - AE O E VISA.
cerrado domingo noche, lunes, agosto y Navidades - **Comida** carta 2950 a 3850.

a orillas del lago :

L'Ast sin rest, passeig Dalmau 63 (972) 57 04 14, *Fax (972) 57 04 14,* - TV. AE O E VISA JCB.
27 hab 5500/9300.

BAÑOS DE FITERO *Navarra - ver Fitero.*

BAÑOS DE MOLGAS *32701 Orense* 441 **F 6** - *3 208 h. alt. 460 - Balneario.*
Madrid 536 - Orense/Ourense 36 - Ponferrada 154.

Balneario, Samuel González Movilla 26 (988) 43 02 46, *Fax (988) 43 04 05* - .
marzo-15 diciembre - **Comida** 1400 - 400 - **28 hab** 3500/6000 - PA 2500.

BAQUEIRA *Lérida - ver Salardú.*

BAQUIO o **BAKIO** *48130 Vizcaya* 442 **B 21** - *1 220 h. - Playa.*
Alred. : *Recorrido en cornisa★ de Baquio a Arminza ★ - Carretera de Baquio a Bermeo ★.*
Madrid 425 - Bilbao/Bilbo 26.

Hostería del Señorío de Bizkaia, Dr. José María Cirarda 4 (94) 619 47 25, *Fax (94) 619 47 25,* « Instalación rústica en un extenso césped con jardín » - TV P. AE O E VISA.
Comida 1975 - 495 - **16 hab** 6475/8475 - PA 3778.

Gotzón, carret. de Bermeo (94) 619 40 43, - AE O E VISA.
cerrado lunes y enero - **Comida** carta 2200 a 4500.

en la carretera de Bermeo *NE : 4 km - ✉ 48130 Baquio :*

Eneperi, barrio San Pelayo 89 (94) 619 40 65, *Fax (94) 619 34 17,* Museo de antiguos útiles de labranza, « En un caserío » - P. AE VISA.
cerrado domingo noche, lunes y 6 enero-6 febrero - **Comida** - sólo almuerzo salvo fines de semana y vísperas de festivos - carta 2800 a 4900.

BARAJAS *28042 Madrid* 444 **K 19.**
de Madrid-Barajas ☎ (91) 393 60 00.
Madrid 14.

Barajas, av. de Logroño 305 ☎ (91) 747 77 00, Telex 22255, *Fax (91) 747 87 17*, – 25/675. rest
Comida 4350 – **218 hab** 16950/20850, 12 suites – PA 7000.

Alameda, av. de Logroño 100 ☎ (91) 747 48 00, Telex 43809, *Fax (91) 747 89 28*, – 25/280. rest
Comida carta aprox. 4400 – 1300 – **136 hab** 18750/23500, 9 suites – PA 8800.

Villa de Barajas, av. de Logroño 331 ☎ (91) 329 28 18, *Fax (91) 329 27 04* – – 25.
Comida - sólo cena - 2500 – 900 – **36 hab** 10350/12950.

Mesón Don Fernando, Canal de Suez 1 ☎ (91) 747 75 51 – .
cerrado sábado y agosto – **Comida** carta 2400 a 4200.

en la carretera del aeropuerto a Madrid *S : 3 km – ✉ 28042 Madrid :*

Tryp Diana, Galeón 27 (Alameda de Osuna) ☎ (91) 747 13 55, Telex 45688, *Fax (91) 747 97 97*, – – 25/220. rest
Comida 2000 - ***Asador Duque de Osuna*** *(cerrado domingo, festivos y agosto)* **Comida** carta 3100 a 4500 – 1500 – **220 hab** 13450/16800, 40 suites – PA 4000.

BARAÑAIN *Navarra – ver Pamplona.*

BARBASTRO *22300 Huesca* 443 **F 30** – *15 827 h. alt. 215.*
Ver : Catedral★. – **Alred.** *: Torreciudad : ≤★★ (NE : 24 km).*
pl. de Aragón ☎ (974) 31 43 13 Fax (974) 31 43 13.
Madrid 442 – Huesca 52 – Lérida/Lleida 68.

Pirineos, General Ricardos 13 ☎ (974) 31 00 00, *Fax (974) 31 00 00* – . rest
Comida 1950 – 750 – **27 hab** 4000/6500 – PA 4350.

Palafox sin rest, Corona de Aragón 20 ☎ (974) 31 24 61 –
28 hab.

Flor, Goya 3 ☎ (974) 31 10 56, *Fax (974) 31 13 18* – .
Comida carta 2800 a 4000.

L'Arrabal, av. de los Pirineos 7 ☎ (974) 31 16 73 – .
cerrado domingo (salvo Semana Santa y Navidades) y del 15 al 31 de octubre – **Comida** carta aprox. 3375.

en la carretera de Huesca N 240 *O : 1 km – ✉ 22300 Barbastro :*

Rey Sancho Ramírez, ☎ (974) 31 00 50, *Fax (974) 31 00 58*, ≤, – .
Comida *(cerrado lunes y enero-febrero)* 2450 – 1060 – **75 hab** 11605/16000 – PA 5960.

BARBATE *11160 Cádiz* 446 **X 12** – *21 440 h. – Playa.*
Ramón y Cajal 43 ☎ (956) 43 10 06.
Madrid 677 – Algeciras 72 – Cádiz 60 – Córdoba 279 – Sevilla 169.

Galia sin rest, Dr. Valencia 5 ☎ (956) 43 33 76, *Fax (956) 43 04 82* –
23 hab.

Torres, Ruiz de Alda 1 ☎ (956) 43 09 85
.
cerrado lunes y octubre – **Comida** - pescados y mariscos - carta aprox. 3500.

BARBERÁ o BARBERÀ DEL VALLÈS *08210 Barcelona* 443 **H 36** – *30 905 h.*
Madrid 609 – Barcelona 19 – Mataró 39.

junto a la autopista A 7 *SE : 2 km – ✉ 08210 Barberà del Vallès :*

Campanile, carret. N 150 - sector Baricentro ☎ (93) 729 29 28, *Fax (93) 729 25 52* – – 60/220.
Comida carta aprox. 2550 – 850 – **212 hab** 7950.

La BARCA (Playa de) *Pontevedra – ver Vigo.*

BARCELONA

08000 P 443 H 36 - *1 681 132 h.*

Madrid 627 ⑥ - Bilbao Bilbo 607 ⑥ - Lérida/Lleida 169 ⑥ - Perpignan 187 ② - Tarragona 109 ⑥ - Toulouse 388 ② - Valencia 361 ⑥ - Zaragoza 307 ⑥.

OFICINAS DE TURISMO

pl. de Catalunya 17-S, ✉ 08002, ☎ (93) 304 31 34, Fax (93) 304 31 55, Sants Estació, ✉ 08014 ☎ (93) 491 44 31 y en el aeropuerto ☎ (93) 478 05 65 - **R.A.C.C.** *(R.A.C. de Catalunya) Santaló 8, ✉ 08021, ☎ (93) 200 33 11, Fax (93) 414 31 63.*

INFORMACIONES PRÁCTICAS

18, 18 *Prat por ⑤ : 16 km ☎ (93) 379 02 78.* - ✈ *de Barcelona por ⑤ : 12 km ☎ (93) 298 38 38 - Iberia : passeig de Gràcia 30, ✉ 08007, ☎ (93) 412 56 67* HV *y Aviaco : aeropuerto ☎ (93) 478 24 11* - *Sants ☎ (93) 490 75 91.*

para Baleares : Cia. Trasmediterránea, Moll de Barcelona - Estació Marítima, ✉ 08039, ☎ (93) 443 25 32, Fax (93) 443 27 81 CT

CURIOSIDADES

Barrio Gótico★★ : *Catedral*★ MX, *Carrer Paradis 10 (columnas romanas*★*)* MX **135**, *Plaça del Rei*★★ MX **149**, *Museu d'Història de la Ciutat*★ *(excavaciones ciudad romana*★★*)* MX **M1**, *Capilla de Santa Ágata*★ *(retablo del Condestable*★★*)* MX **F**, *Mirador del Rei Martí* ≤ ★★ MX **K** *Museu Frederic Marès*★ MX **M2**. - **La Rambla**★★ : *Museu d'Art Contemporani de Barcelona (MACBA)*★★ HX **M10**, *Centre de Cultura Contemporània de Barcelona (CCCB) : patio*★ HX **R**, *Antiguo Hospital de la Santa Creu (patio gótico*★*)* LY, *Iglesia de Santa Maria del Pi*★ LX, *Palau Güell*★★ LY, *Plaça Reial*★★ MY

La Fachada Marítima★ : *Atarazanas y Museo Marítimo*★★ MY, *Port Vell*★ NY, *Basílica de la Mercé*★ NY, *La Llotja*★ *(sala gótica*★★*)* NX, *Estació de França*★ NVX, *Parque de la Ciutadella*★ NV, KX *(Castell dels Tres Dragons*★★ NV **M7**, *Museo de Zoología*★ NV **M7**, *Parque Zoológico*★ KX*)*, *La Barceloneta*★ KXY, *Villa Olímpica*★ *(puerto deportivo*★★, *torres gemelas* ✳★★★*)* DT

Carrer de Montcada★★ : *Museo Picasso*★ NV, *Iglesia de Santa María del Mar*★★ *(rosetón*★*)* NX

Montjuïc★ : ≤★ CT, *Pavelló Mies van der Rohe*★★ BT **Z**, *Museu Nacional d'Art de Catalunya*★★★ CT **M4**, *Pueblo Español (Poble Espanyol)*★ BT **E**, *Anella Olímpica*★ *(Estadi Olimpic*★ CT, *Palau Sant Jordi*★★ BT **P1***)*, *Fundació Joan Miró*★★★ CT **W**, *Teatre Grec*★ CT **T1**, *Museo Arqueológico*★ CT **M5** - **El Ensanche**★★ : *Sagrada Familia*★★★ *(fachada este o del Nacimiento*★★, ≤ *desde la torre este*★★*)* JU, *Hospital de Sant Pau*★ CS, *Passeig de Gràcia*★★ HV *(Casa Lleó i Morera*★ HV **Y**, *Casa Amatller*★ HV **Y**, *Casa Batlló*★★ HV **Y**, *La Pedrera o Casa Milà*★★★ HV **P***)*, *Casa Terrades (les Punxes*★*)* HV **Q**, *Park Güell*★★ BS *(banco ondulado*★★*)*, *Palau de la Música Catalana*★★ MV *(fachada*★, *cúpula invertida*★★*)*, *Fundació Antoni Tàpies*★★ HV **S**

Otras curiosidades : *Monasterio de Santa María de Pedralbes*★★ *(iglesia*★, *claustro*★, *frescos de la capilla de Sant Miquel*★★★, *colección Thyssen-Bornemisza*★*)* AT, *Palacio de Pedralbes (colección de cerámica*★*)* EX *Pabellones Güell*★ EX *Iglesia de Sant Pau del Camp (claustro*★*)* LY

BARCELONA

Alfons XIII (Av. d') . . . . . . DS 2
Bartrina . . . . CS 8
Berlín . . . . BT 12
Bisbe Català . . . . AT 13
Bonanova (Pas. de la) . . . BT 16
Borbó (Av. de) . . . . CS 17
Brasil . . . . BT 25
Can Serra (Av. de) . . . . . AT 30
Carles III
(Gran Via de) . . . . BT 38
Constitució . . . . BT 50
Creu Coberta . . . . BT 53
Dalt (Travessera de) . . . . CS 56
Doctor Pi i Molist . . . . . . CS 65
Enric Prat de la Riba . . . . AT 66
Entença . . . . BT 71
Estadi (Av. de l') . . . . BCT 75
Fabra i Puig (Pas. de) . . . CS 77
FF. CC. (Pas. dels) . . . . . . AT 78
Gavà . . . . BT 84
Gran Sant Andreu . . . . . . CS 88
Hospital Militar (Av. de l') . BS 93
Isabel la Católica (Av. d') . AT 96
Josep Tarradellas (Av.) . . . BT 102
Just Oliveras (Rambla de) . AT 105
Llorens Serra (Pas.) . . . . . DS 107
Madrid (Av. de) . . . . BT 110
Manuel Girona (Pas. de) . BT 112
Mare de Déu de
Montserrat (Av. de la) . CS 113
Marina . . . . CT 114
Marquès de Comillas (Av.) BT 115
Marquès de Mont-Roig (Av.) DS 116
Marquès de Sant Mori
(Av. del) . . . . DS 117
Miramar (Av. de) . . . . CT 119
Numància . . . . BT 129
Pi i Margall . . . . CS 138
Príncep d'Astúries
(Av. del) . . . . BT 144
Pujades (Pas. de) . . . . CT 145
Ramiro de Maeztu . . . . . . CS 146
Reina Elisenda de
Montcada (Pas. de la) . BT 150
Reina Maria Cristina (Av.) . BT 151
Ribes (Carret.) . . . . CS 154
Sant Antoni (Ronda de) . . CT 160
Sant Antoni Maria Claret . CS 162
Sant Gervasi (Pas. de) . . . BS 164
Sant Joan (Rambla) . . . . . DS 166
Sant Pau (Ronda de) . . . . CT 174
Sant Sebastià
(Rambla de) . . . . DS 179
Santa Coloma (Av. de) . . . DS 184
Santa Coloma (Pas. de) . . CS 186
Sardenya . . . . CT 191
Tarragona . . . . BT 194
Tibidabo (Av. del) . . . . . . BS 196
Universitat (Pl. de la) . . . . CT 198
Verdum (Pas. de) . . . . CS 200
4 Camins . . . . BS 204

TERRASSA/ TARRASA
A
18
S. CUGAT DEL VALLÈS
B
0
1 km
E 9
VELODROM
LA VALL D'HEBRON
Montbau
PARC
TIBIDABO
(532)
Vall d'Hebron
Penitents
93
PARC GÜELL
S
DE
VALLVIDRERA
Estació inferior
Vallcarca
204
164
Av. del Tibidabo
16
Pl. de Lesseps
144
ST. GERVASI
Muntaner
Balmes
Gal Mitre
V. Augusta
COLLSEROLA
MONESTIR DE PEDRALBES
13
150
SARRIÀ
Ronda del
Pl. Francesc Macià
Av. de Pedralbes
112
Av. de Sarrià
Corts
102
Comte
Zona Universitaria
38
71
T
ESPLUGUES DE LLOBREGAT
S. JUST DESVERN
129
Av. de Roma
Aragó
110
Traves. de les
Sants
Carret. Reial
N 340
DIAGONAL
194
Laurea
Collblanc
25
53
A 2
Miró
96
Badal
Pl. d'Espanya
Carret. de Cornellà
Can Vidalet
Pubilla Cases
COLLBLANC
84
151
LLEIDA/LÉRIDA TARRAGONA
Torrassa
Sta Eulàlia
50
Gran
L'HOSPITALET DE LLOBREGAT
Florida
115
75
Carret. d'Esplugues
RONDA DE DALT
30
Can Serra
MONTJUÏC
St Ildefons
Can Boixeres
66
105
Rambla Just Oliveras
Carrilet
Av. de la Gran Via
Pl. Cerdà
Ildefons Cerdà
Pas. de la Zona Franca
Cornellà
Gavarra
St Josep
AUDITORI
CORNELLÀ DE LLOBREGAT
Av. Carrilet
FIRA DE MOSTRES
C 245
C 246
78
9.18
CASTELLDEFELS
CASTELLDEFELS SITGES

GIRONA/
GERONA
PUIGCERDÀ
VICH/VIC
MICHELIN
MATARÓ
N 150
A 18
A 17
N 152
Besòs
VALLBONA
STA COLOMA
DE GRAMENET
Trinitat
Vella
Sta Coloma
NOU BARRIS
A 19
Liszt
Roquetes
Torras i Bages
Pep Ventura
BADALONA
Gorg
Sant Andreu
S. ANDREU
Pas. de Valldaura
Llucmajor
Meridiana
Sant Roc
Joan
XXIII
S. ADRIÀ
DE BESÒS
Vilapicina
Virrei
Amat
Fabra i Puig
Santander
Verneda
Horta
Sagrera
La Pau
Maragall
Congrés
Prim
TÚNEL
DE LA ROVIRA
Sagrera
Guinardó
Sant
Martí
Besòs
SANT
PAU
Camp de
l'Arpa
Navas
Guipúscoa
Catalanes
Prim
Besòs Mar
LITORAL
Industria
Clot
Bac de Roda
Hospital
Sant Pau
Encants
Aragó
Corts
Selva de Mar
EUROPOLIS
Alfons X
Lepant
Pere
IV
Llull
Padilla
Poblenou
RONDA
DEL
SAGRADA
FAMILIA
Pl. de les
Glòries Catalanes
Llacuna
Travessera
de Joan
Carles I
Diagonal
PLAÇA BRAUS
MONUMENTAL
Badajoz
MAR MEDITERRÁNEO
DE GRÀCIA
Aragó
Pl. de
Tetuán
Zamora
Av. d'Icària
VILA
OLÍMPICA
PARC
ZOOLOGIC
Pl. de
Catalunya
França
CATEDRAL
BARRI
GÒTIC
Pas. de
Colom
d'Urgell
Av. del Paral. lel
LA BARCELONETA
ESTACIÓ
MARÍTIMA
PLATJA
MAR MEDITERRÀNIA
Parc
d'Atraccions
Castell de
Montjuïc
LITORAL
RONDA
DEL
BALEARES
GENOVA
E POBLE ESPANYOL
M4 MUSEU D'ART DE CATALUNYA
M5 MUSEU ARQUEOLÒGIC
P1 PALAU SANT JORDI
T1 TEATRE GREC
W FUNDACIÓ JOAN MIRÓ
Z PAVELLÓ MIES VAN DER ROHE

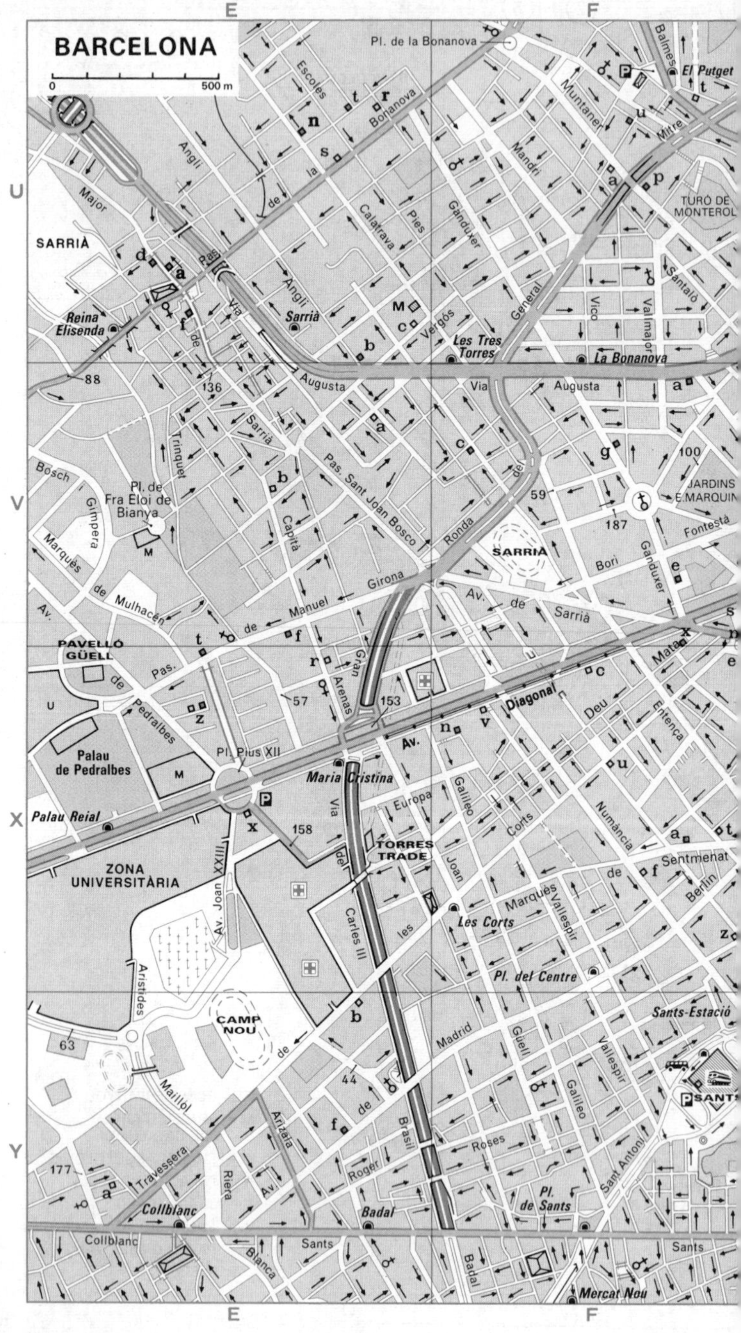
BARCELONA
0
500 m
E
F
U
V
X
Y
Pl. de la Bonanova
El Putget
Balmes
Muntaner
Mitre
Mandri
TURÓ DE MONTEROLS
Escoles
Bonanova
de la
Angli
Calatrava
Pies
Ganduxer
Major
SARRIÀ
Pas.
Angli
Sarrià
Vergós
Les Tres Torres
General
Vico
Valmajor
Santaló
La Bonanova
Reina Elisenda
Via
de
Augusta
Via
Augusta
88
136
Sarrià
Trinquet
Pas. Sant Joan Bosco
Ronda
del
100
JARDINS E.MARQUINA
59
187
Fontestà
Bosch
Gimpera
Pl. de Fra Eloi de Bianya
Capità
SARRIÀ
Ganduxer
Bori
Marquès
de
Mulhacén
Girona
Av.
de
Sarrià
Av.
Manuel
de
PAVELLÓ GÜELL
Pas.
de
Pedralbes
57
Gran
Arenas
153
Diagonal
Deu
Mata
Entença
Av.
Palau de Pedralbes
Pl. Pius XII
Maria Cristina
Galileo
Europa
Via
Corts
Numància
Palau Reial
158
TORRES TRADE
Joan
Sentmenat
de
Berlín
ZONA UNIVERSITÀRIA
del
Carles III
Marquès
Vallespir
Av. Joan XXIII
les
Les Corts
Pl. del Centre
Aristides
CAMP NOU
Madrid
Güell
Sants-Estació
63
de
Vallespir
Maillol
44
de
Galileo
SANTS
Arizala
Brasil
Roses
Travessera
Roger
Sant Antoni
177
Riera
Av.
Pl. de Sants
Collblanc
Badal
Collblanc
Sants
Blanca
Badal
Sants
Mercat Nou

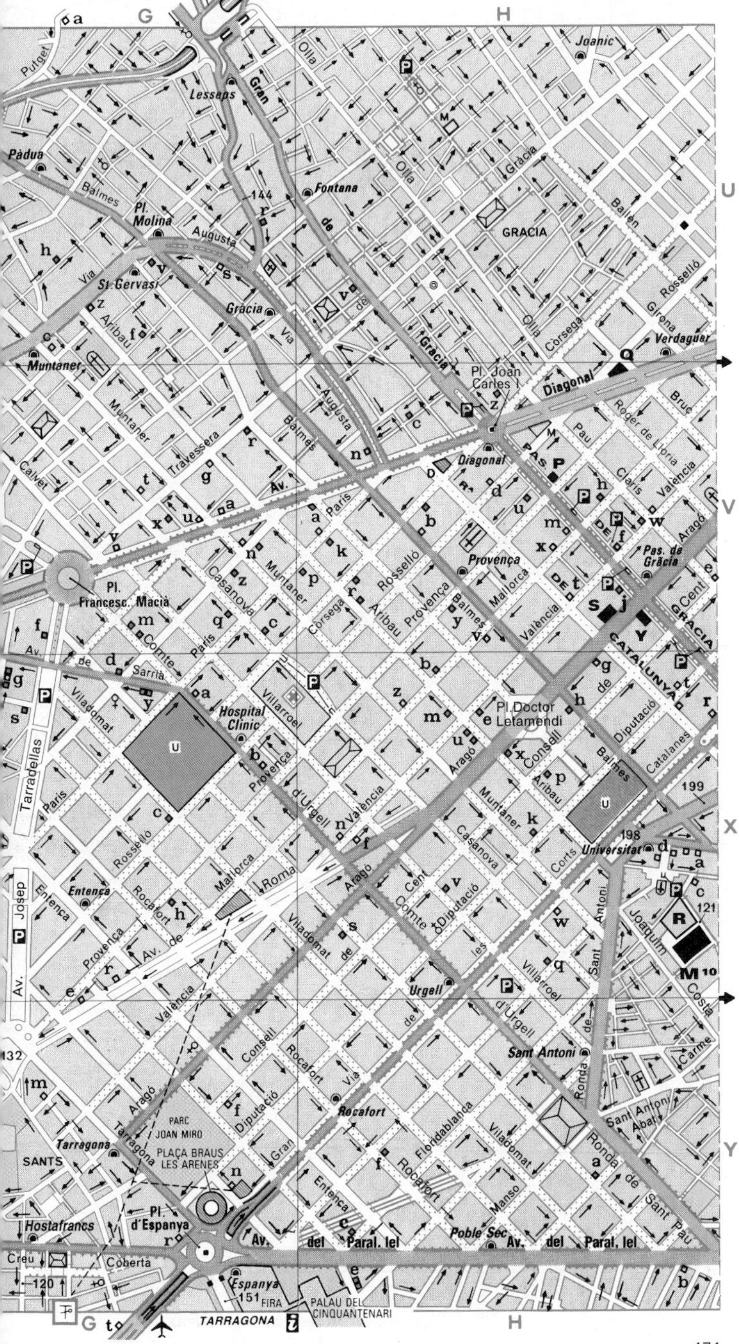

G H

Putget
Lesseps
Gran de Gràcia
Pàdua
Balmes
Pl. Molina
Augusta
Fontana
Olla
Joanic
Gràcia
GRACIA
Bailén
Rosselló
Girona
Verdaguer
Via Augusta
St. Gervasi
Aribau
Gràcia
Muntaner
Pl. Joan Carles I
Diagonal
Roger de Llúria
Bruc
Pau Claris
València
Aragó
Travessera
Av. Diagonal
PAS. DE GRÀCIA
Pas. de Gràcia
Calvet
Pl. Francesc. Macià
Casanova
París
Còrsega
Provença
Mallorca
Consell de Cent
Comte de Sarrià
Av. de Sarrià
Hospital Clínic
Villarroel
Pl. Doctor Letamendi
CATALUNYA
Diputació
Catalanes
Viladomat
Tarradellas
Comte d'Urgell
Universitat
Corts Catalanes
Sant Antoni
Joaquim Costa
Rosselló
Entença
Rocafort
Roma
Av. de Roma
Av. Josep Tarradellas
Urgell
Carme
Sant Antoni Abat
Ronda de Sant Antoni
Gran Via
Rocafort
Floridablanca
Manso
PARC JOAN MIRÓ
PLAÇA BRAUS LES ARENES
Tarragona
SANTS
Hostafrancs
Pl. d'Espanya
Creu Coberta
Espanya
FIRA
PALAU DEL CINQUANTENARI
Poble Sec
Av. del Paral. lel
Ronda de Sant Pau
TARRAGONA
U V X Y
144 199 198 121 132 120 151

G H

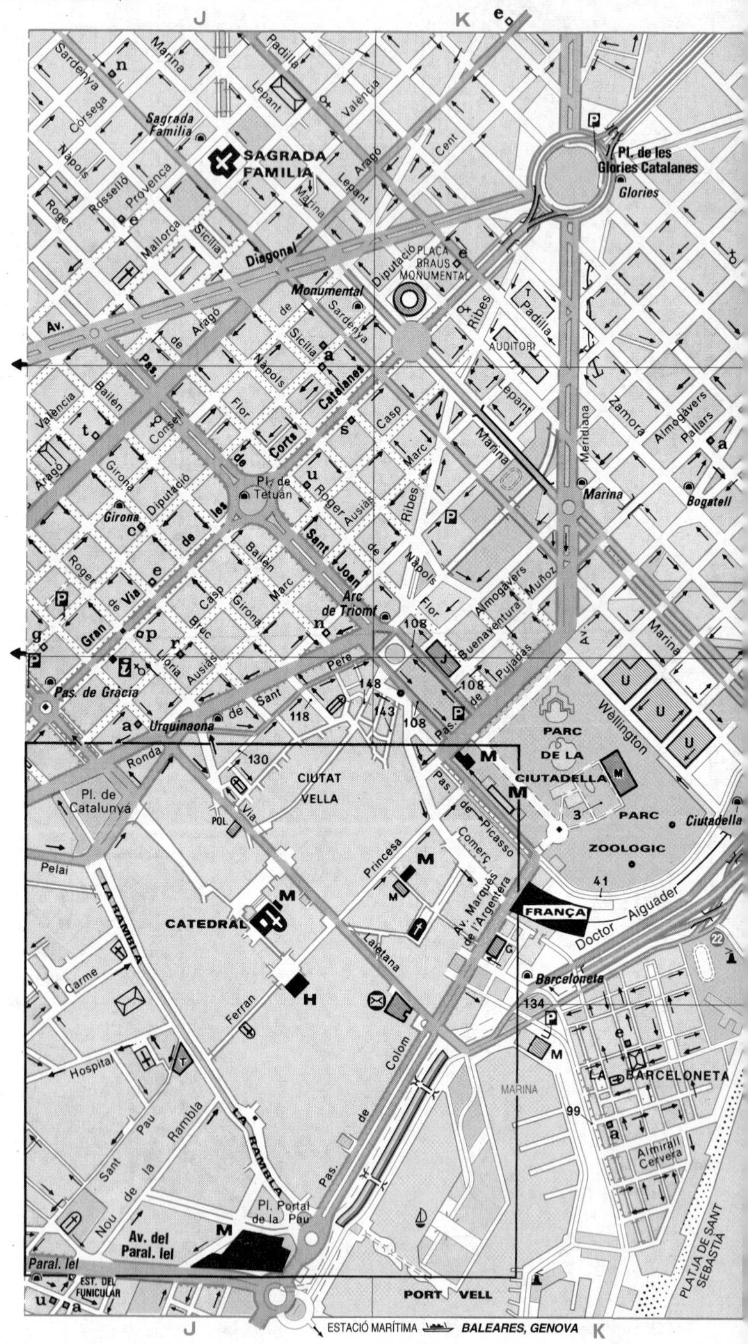
J
K
SAGRADA FAMILIA
Sagrada Familia
Pl. de les Glories Catalanes
Glories
Diagonal
PLAÇA BRAUS MONUMENTAL
Monumental
AUDITORI
Pas. de Gràcia
Urquinaona
Arc de Triomf
Pl. de Tetuan
Gran Via de les Corts Catalanes
Marina
Bogatell
PARC DE LA CIUTADELLA
PARC ZOOLOGIC
Ciutadella
FRANÇA
Barceloneta
LA BARCELONETA
CIUTAT VELLA
CATEDRAL
Pl. de Catalunya
LA RAMBLA
Pl. Portal de la Pau
Av. del Paral. lel
Paral. lel
EST. DEL FUNICULAR
PORT VELL
MARINA
PLATJA DE SANT SEBASTIÀ
ESTACIÓ MARÍTIMA
BALEARES, GENOVA

Continuación Barcelona p. 8

REPERTORIO DE CALLES (fin)

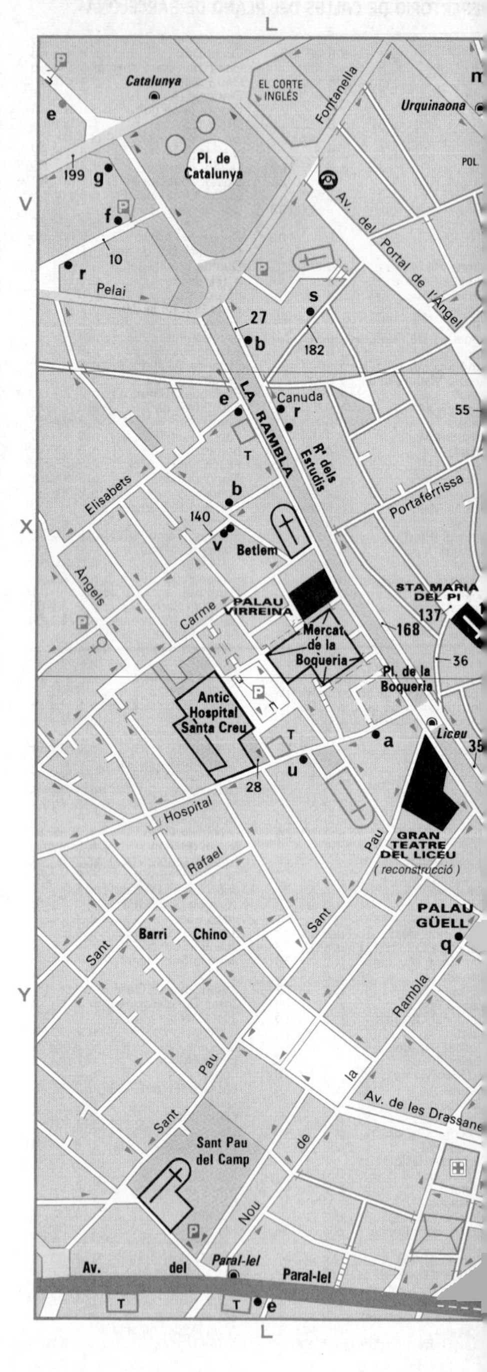

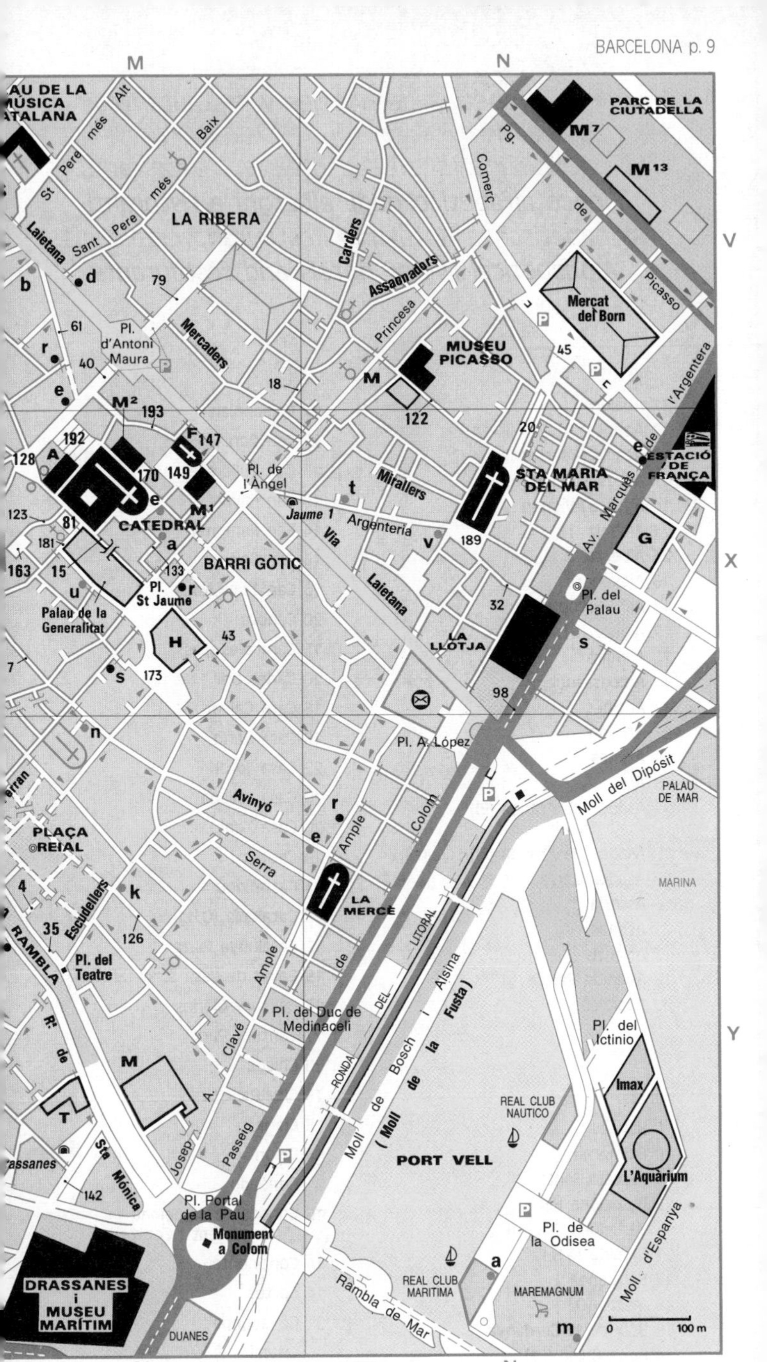
LA RIBERA
PARC DE LA CIUTADELLA
Mercat del Born
MUSEU PICASSO
STA MARIA DEL MAR
ESTACIÓ DE FRANÇA
CATEDRAL
BARRI GÒTIC
Palau de la Generalitat
Pl. St Jaume
LA LLOTJA
Pl. del Palau
Pl. A. López
Moll del Dipòsit
PALAU DE MAR
MARINA
PLAÇA REIAL
LA MERCÈ
Pl. del Teatre
Pl. del Duc de Medinaceli
RONDA DEL LITORAL
Moll de Bosch i Alsina (Moll de la Fusta)
PORT VELL
REAL CLUB NAUTICO
Pl. del Ictinio
Imax
L'Aquàrium
Pl. de la Odisea
MAREMAGNUM
REAL CLUB MARITIMA
Rambla de Mar
Moll d'Espanya
Pl. Portal de la Pau
Monument a Colom
DRASSANES i MUSEU MARÍTIM
DUANES
Passeig Josep A. Clavé
Pl. d'Antoni Maura
Pl. de l'Àngel
Jaume 1
Via Laietana
Argenteria
Miralles
Princesa
Assaonadors
Carders
Mercaders
Sant Pere més Baix
St Pere més Alt
Pg. de Picasso
Comerç
Av. Marquès de l'Argentera
Avinyó
Ample
Serra
Colom
Escudellers
RAMBLA
Rª de Sta Mònica
0 100 m

Lista alfabética de hoteles y restaurantes
Lista alfabética de hotéis e restaurantes
Liste alphabétique des hôtels et restaurants
Elenco alfabetico degli alberghi e ristoranti
Alphabetisches Hotel-und Restaurantverzeichnis
Alphabetical list of hotels and restaurants

Ciutat Vella y La Barceloneta : Ramblas, pl. de Catalunya, Via Laietana, pl. St. Jaume, passeig de Colom, passeig de Joan Borbó Comte de Barcelona (planos p. 5 a 9)

Le Meridien Barcelona, La Rambla 111, ✉ 08002, ☏ (93) 318 62 00, Telex 54634, *Fax (93) 301 77 76* – |♦| ≡ TV ☎ ♿ – 25/200. AE ① E VISA JCB LX b
Comida carta 3850 a 6350 – ☕ 2350 – **198 hab** 24000/30000, 7 suites.

Colón, av. de la Catedral 7, ✉ 08002, ☏ (93) 301 14 04, Telex 52654, *Fax (93) 317 29 15* – |♦| ≡ TV ☎ ♿ – 25/120. AE ① E VISA JCB. rest MV e
Comida 3500 – ☕ 1700 – **138 hab** 15500/23000, 9 suites – PA 6960.

Rivoli Rambla, La Rambla 128, ✉ 08002, ☏ (93) 302 66 43, Telex 99222, *Fax (93) 317 20 38*, – |♦| ≡ TV ☎ ♿ – 25/180. AE ① E VISA. LX r
Comida 3500 – ☕ 1900 – **81 hab** 19000/24000, 9 suites.

Royal sin rest. con cafetería, La Rambla 117, ✉ 08002, ☏ (93) 301 94 00, Telex 97565, *Fax (93) 317 31 79* – |♦| ≡ TV ☎ – 25/100. AE ① E VISA JCB. LX e
☕ 1500 – **108 hab** 20000/23000.

Meliá Confort Apolo sin rest, av. del Paral.lel 57, ✉ 08004, ☏ (93) 443 11 22, *Fax (93) 443 00 59* – |♦| ≡ TV ☎ ♿ P – 25/500. AE ① E VISA JCB. LY e
☕ 1000 – **314 hab** 16000/20000.

Ambassador, Pintor Fortuny 13, ✉ 08001, ☏ (93) 412 05 30, Telex 99222, *Fax (93) 317 20 38*, – |♦| ≡ TV ☎ ♿ – 25/200. AE ① E VISA. LX v
Comida 3000 – ☕ 1600 – **96 hab** 17000/21000, 9 suites – PA 6100.

Duques de Bergara, Bergara 11, ✉ 08002, ☏ (93) 301 51 51, *Fax (93) 317 34 42* – |♦| ≡ TV ☎ – 25/80. AE ① E VISA JCB. LV f
Comida 1900 – ☕ 1200 – **51 hab** 16800/20200 – PA 6950.

G.H. Barcino sin rest, Jaume I-6, ✉ 08002, ☏ (93) 302 20 12, *Fax (93) 301 42 42* – |♦| ≡ TV ☎ ♿. AE ① E VISA JCB MX r
☕ 1760 – **53 hab** 19360/24200.

Guitart Almirante, Via Laietana 42, ✉ 08003, ☏ (93) 268 30 20, *Fax (93) 268 31 92* – |♦| ≡ TV ☎ – 25/40. AE ① E VISA JCB. MV d
Comida 3000 – ☕ 1300 – **73 hab** 12150/16200, 3 suites – PA 7300.

Gravina sin rest. con cafetería, Gravina 12, ✉ 08001, ☏ (93) 301 68 68, *Fax (93) 317 28 38* – |♦| ≡ TV ☎ – 25/50. AE ① E VISA. HX d
☕ 1200 – **81 hab** 10900/15900, 4 suites.

Montecarlo sin rest, La Rambla 124, ✉ 08002, ☏ (93) 412 04 04, *Fax (93) 318 73 23* – |♦| ≡ TV ☎ ♿. AE ① E VISA. LX r
☕ 1200 – **80 hab** 10000/16000.

Regina sin rest. con cafetería, Bergara 2, ✉ 08002, ☏ (93) 301 32 32, Telex 59380, *Fax (93) 318 23 26* – |♦| ≡ TV ☎. AE ① E VISA JCB. LV r
☕ 1050 – **102 hab** 11350/16850.

Reding, Gravina 5, ✉ 08001, ☏ (93) 412 10 97, *Fax (93) 268 34 82* – |♦| ≡ TV ☎. AE ① E VISA JCB. HX d
Comida *(cerrado domingo y festivos)* 2350 – ☕ 1200 – **44 hab** 15200/19100.

Catalunya Plaza sin rest, pl. de Catalunya 7, ✉ 08002, ☏ (93) 317 71 71, *Fax (93) 317 78 55* – |♦| ≡ TV ☎ – 25. AE ① E VISA. LV g
☕ 1400 – **46 hab** 16000/18000.

Atlantis sin rest, Pelai 20, ✉ 08001, ☏ (93) 318 90 12, *Fax (93) 412 09 14* – |♦| ≡ TV ☎. AE ① E VISA JCB. HX a
☕ 1000 – **42 hab** 7500/10000.

Metropol sin rest, Ample 31, ✉ 08002, ☏ (93) 310 51 00, *Fax (93) 319 12 76* – |♦| ≡ TV ☎. AE ① E VISA. NY r
☕ 1050 – **68 hab** 9000/12900.

Gaudí sin rest. con cafetería, Nou de la Rambla 12, ✉ 08001, ☏ (93) 317 90 32, *Fax (93) 412 26 36* – |♦| ≡ TV ☎. AE ① E VISA JCB LY q
☕ 750 – **73 hab** 9250/12500.

Lleó sin rest. con cafetería, Pelai 22, ✉ 08001, ☏ (93) 318 13 12, *Fax (93) 412 26 57* – |♦| ≡ TV ☎ ♿. AE E VISA JCB HX a
☕ 1025 – **75 hab** 10000/13500.

Turín, Pintor Fortuny 9, ✉ 08001, ☏ (93) 302 48 12, *Fax (93) 302 10 05* – |♦| ≡ TV ☎ ♿. AE ① E VISA. LX v
Comida *(cerrado sábado)* 1000 – ☕ 900 – **60 hab** 8250/9900 – PA 2800.

Ramblas H. sin rest, Rambles 33, ✉ 08002, ☏ (93) 301 57 00, *Fax (93) 412 25 07* – |♦| ≡ TV ☎ ♿ – 25. AE E VISA MY z
70 hab ☕ 14000/18000.

Rialto sin rest. con cafetería, Ferran 42, ✉ 08002, ☏ (93) 318 52 12, Telex 97206, *Fax (93) 318 53 12* – |♦| ≡ TV ☎ – 25/50. AE ① E VISA JCB MX s
☕ 1430 – **149 hab** 11700/14630.

Park H., av. Marquès de l'Argentera 11, ✉ 08003, ☎ (93) 319 60 00, *Fax (93) 319 45 1*
- ... AE ⓓ E VISA JCB. ❀ NX
Comida 2500 - ☕ 975 - **87 hab** 9350/12650.

San Agustín, pl. Sant Agustí 3, ✉ 08001, ☎ (93) 318 17 08, *Fax (93) 317 29 28* -
... AE E VISA. ❀ rest LY
Comida 1300 - **77 hab** ☕ 7500/10000.

Regencia Colón sin rest, Sagristans 13, ✉ 08002, ☎ (93) 318 98 58, Telex 98175
Fax (93) 317 28 22 - ... AE ⓓ E VISA JCB MV
☕ 1100 - **55 hab** 8400/14000.

Mesón Castilla sin rest, Valldoncella 5, ✉ 08001, ☎ (93) 318 21 82, *Fax (93) 412 40 2*
- ... AE ⓓ E VISA HX
☕ 800 - **56 hab** 9000/10750.

Moderno, Hospital 11, ✉ 08001, ☎ (93) 301 41 54, Telex 98215, *Fax (93) 301 02 8*
- ... AE ⓓ E VISA JCB. ❀ hab LY
Comida *(cerrado lunes)* 1050 - ☕ 600 - **49 hab** 6000/10000.

Cortés, Santa Ana 25, ✉ 08002, ☎ (93) 317 91 12, Telex 98215, *Fax (93) 302 78 7*
- ..., rest, ... AE ⓓ E VISA JCB. ❀ LV
Comida *(cerrado domingo)* 1325 - ☕ 500 - **45 hab** 4600/7370.

Continental sin rest, Rambles 138-2º, ✉ 08002, ☎ (93) 301 25 70, *Fax (93) 302 73 6*
- ... AE ⓓ E VISA JCB LV
☕ 350 - **35 hab** 6950/9900.

Hofmann, Argenteria 74-78 (1º), ✉ 08003, ☎ (93) 319 58 89, *Fax (93) 319 58 89*
« Marco acogedor con plantas » - ... AE ⓓ E VISA. ❀ NX
cerrado sábado, domingo, festivos, Semana Santa y agosto - **Comida** carta 4690 a 6000

Agut d'Avignon, Trinitat 3, ✉ 08002, ☎ (93) 302 60 34, *Fax (93) 302 53 18* - ... AE
ⓓ E VISA JCB. ❀ MY
Comida carta 3870 a 5430.

Neyras, Julià Portet 1, ✉ 08003, ☎ (93) 302 46 47, *Fax (93) 302 67 41* - ... AE ⓓ
E VISA JCB. ❀ MV
cerrado agosto - **Comida** carta aprox. 5500.

La Bona Cuina, Pietat 12, ✉ 08002, ☎ (93) 268 23 94, *Fax (93) 315 07 98* - ... AE
ⓓ E VISA JCB. ❀ MX
Comida carta 3750 a 6050.

Flo, Jonqueres 10, ✉ 08003, ☎ (93) 319 31 02, *Fax (93) 268 23 95* - ... AE ⓓ E VISA
JCB LV
Comida carta 3110 a 5740.

Reial Club Marítim, Moll d'Espanya, ✉ 08039, ☎ (93) 221 71 43, *Fax (93) 221 44 12*
←, ... - ... E VISA JCB. ❀ NY
Comida carta 3650 a 4950.

Senyor Parellada, Argenteria 37, ✉ 08003, ☎ (93) 310 50 94 - ... AE ⓓ E VISA
JCB. ❀ NX
cerrado domingo y festivos - **Comida** carta 2800 a 3560.

7 Portes, passeig d'Isabel II-14, ✉ 08003, ☎ (93) 319 30 33, *Fax (93) 319 30 46* -
ⓓ E VISA. ❀ NX
Comida carta 3250 a 5390.

Tikal, Rambla de Catalunya 5, ✉ 08007, ☎ (93) 302 22 21 - ... AE ⓓ E VISA JCB. ❀
cerrado sábado mediodía y domingo noche - **Comida** carta 2680 a 3590. LV

La Cuineta, Paradís 4, ✉ 08002, ☎ (93) 315 01 11, *Fax (93) 315 07 98*, « Instalado en una bodega del siglo XVII » - ... AE ⓓ E VISA JCB. ❀ MX
Comida carta 3750 a 6050.

Can Ramonet, Maquinista 17, ✉ 08003, ☎ (93) 319 30 64, *Fax (93) 319 70 14* -
AE ⓓ E VISA JCB. ❀ KY
Comida - pescados y mariscos - carta 2975 a 4350.

Pitarra, Avinyó 56, ✉ 08002, ☎ (93) 301 16 47, *Fax (93) 301 85 62*, « Decoración evocadora con recuerdos del poeta Pitarra » - ... AE ⓓ E VISA JCB NY
cerrado domingo, festivos noche y agosto - **Comida** carta 2300 a 3450.

L'Elx al Moll, Moll d'Espanya-Maremagnun, Local 9, ✉ 08039, ☎ (93) 225 81 17,
Fax (93) 225 81 20, ←, ... - ... AE E VISA NY
Comida - arroces - carta 2810 a 4780.

Hostal El Pintor, Sant Honorat 7, ✉ 08002, ☎ (93) 301 40 65, « Decoración rústica »
- ... AE E VISA. ❀ MX
Comida carta aprox. 4050.

Can Solé, Sant Carles 4, ✉ 08003, ☎ (93) 221 50 12, *Fax (93) 221 58 15* - ... AE E
VISA KY
cerrado domingo noche, lunes y 15 días en agosto - **Comida** carta aprox. 4500.

Can Culleretes, Quintana 5, ✉ 08002, ☎ (93) 317 64 85, *Fax (93) 317 64 85*, « Rest. típico » – ▤. AE ⓓ E VISA JCB. ⚮ MY c
cerrado domingo noche, lunes y del 6 al 29 de julio – **Comida** carta 2200 a 3100.

Los Caracoles, Escudellers 14, ✉ 08002, ☎ (93) 302 31 85, *Fax (93) 302 07 43*, « Rest. típico. Decoración rústica regional » – ▤. AE ⓓ E VISA JCB. ⚮ MY k
Comida carta 2900 a 5375.

Sur Diagonal : Gran Via de les Corts Catalanes, passeig de Gràcia, Balmes, Muntaner, Aragó (planos p. 2 a 6)

Rey Juan Carlos I ⛰, av. Diagonal 661, ✉ 08028, ☎ (93) 448 08 08, *Fax (93) 448 06 07*, ≤ ciudad, 🏟, « Modernas instalaciones. Parque con estanque y 🏊 », 🏋, 🏊, 🌳 – 🛗 ▤ TV ☎ ♿ 🚗 P – 🏛 25/1000. AE ⓓ E VISA. ⚮ AT z
Chez Vous *(cerrado sábado mediodía y domingo)* **Comida** carta 4700 a 6850 - ***Café Polo :*** **Comida** carta 3850 a 5250 – ☕ 2300 – **375 hab** 28000/38000, 37 suites.

Arts ⛰, Marina 19, ✉ 08005, ☎ (93) 221 10 00, *Fax (93) 221 10 70*, ≤, 🏊 – 🛗 ▤ TV ☎ ♿ 🚗 – 🏛 25/900. AE ⓓ VISA JCB. ⚮ DT r
Newport Room *(cerrado domingo mediodía y agosto)* **Comida** carta 4950 a 7100 – ☕ 2700 – **397 hab** 27000, 58 suites.

Palace, Gran Via de les Corts Catalanes 668, ✉ 08010, ☎ (93) 318 52 00, Telex 52739, *Fax (93) 318 01 48*, 🏟 – 🛗 ▤ TV ☎ – 🏛 25/350. AE ⓓ E VISA. ⚮ rest JV p
Comida carta 5700 a 7650 – ☕ 2300 – **148 hab** 28000/35000, 13 suites.

Claris ⛰, Pau Claris 150, ✉ 08009, ☎ (93) 487 62 62, *Fax (93) 215 79 70*, « Modernas instalaciones con antigüedades. Museo arqueológico », 🏊 – 🛗 ▤ TV ☎ 🚗 – 🏛 25/60. AE ⓓ E VISA JCB. ⚮ rest HV w
Comida 6000 - ***Beluga :*** **Comida** carta 8000 – ☕ 2500 – **106 hab** 30000/37500, 18 suites.

Barcelona Hilton, av. Diagonal 589, ✉ 08014, ☎ (93) 419 22 33, *Fax (93) 405 25 73*, 🏟 – 🛗 ▤ TV ☎ ♿ 🚗 – 🏛 25/800. AE ⓓ E VISA JCB FX v
Comida 3500 – ☕ 2300 – **285 hab** 28000/34000, 2 suites.

Meliá Barcelona, av. de Sarrià 50, ✉ 08029, ☎ (93) 410 60 60, Telex 51638, *Fax (93) 321 51 79*, ≤ – 🛗 ▤ TV ☎ 🚗 – 🏛 25/500. AE ⓓ E VISA JCB. ⚮ FV n
Comida carta aprox. 6750 – ☕ 1875 – **308 hab** 23500/30500, 4 suites.

Princesa Sofía Inter-Continental, pl. Pius XII-4, ✉ 08028, ☎ (93) 330 71 11, Telex 51032, *Fax (93) 330 76 21*, ≤, 🏋, 🏊 – 🛗 ▤ TV ☎ 🚗 – 🏛 25/1200. AE ⓓ E VISA JCB. ⚮ EX x
Comida 3550 - ***L'Empordà*** *(cerrado sábado, domingo, julio y agosto)* **Comida** carta 4650 a 5900 – ☕ 1800 – **467 hab** 19000/22000, 20 suites.

G.H. Havana, Gran Via de les Corts Catalanes 647, ✉ 08010, ☎ (93) 412 11 15, *Fax (93) 412 26 11* – 🛗 ▤ TV ☎ 🚗 – 🏛 25/200. AE ⓓ E VISA JCB JV e
Comida 2950 – ☕ 1350 – **141 hab** 18500/20500, 4 suites.

Fira Palace, av. Rius i Taulet 1, ✉ 08004, ☎ (93) 426 22 23, Telex 97588, *Fax (93) 424 86 79*, 🏋, 🏊 – 🛗 ▤ TV ☎ ♿ 🚗 – 🏛 25/1300. AE ⓓ E VISA JCB. ⚮ CT s
Comida 3250 - ***El Mall :*** **Comida** carta 3250 a 4200 – ☕ 1500 – **258 hab** 19200/24000, 18 suites.

Barcelona Plaza H., pl. d'Espanya 6, ✉ 08014, ☎ (93) 426 26 00, *Fax (93) 426 04 00*, 🏋, 🏊 – 🛗 ▤ TV ☎ ♿ 🚗 – 🏛 25/600. AE ⓓ E VISA JCB. ⚮ GY r
Comida 3100 - ***Gourmet Plaza :*** **Comida** carta 3400 a 4800 – ☕ 1500 – **338 hab** 29000/35000, 9 suites.

Majestic, passeig de Gràcia 70, ✉ 08008, ☎ (93) 488 17 17, Telex 52211, *Fax (93) 488 18 80*, 🏊 – 🛗 ▤ TV ☎ – 🏛 25/600. AE ⓓ E VISA JCB. ⚮ HV f
Comida 2500 – ☕ 1900 – **328 hab** 19000/22000, 1 suite.

Diplomatic, Pau Claris 122, ✉ 08009, ☎ (93) 488 02 00, Telex 54701, *Fax (93) 488 12 22*, 🏊 – 🛗 ▤ TV ☎ 🚗 – 🏛 25/250. AE ⓓ E VISA JCB. ⚮ HV e
La Salsa : **Comida** carta 3400 a 4550 – ☕ 1600 – **210 hab** 17500/22000, 7 suites.

NH Calderón, Rambla de Catalunya 26, ✉ 08007, ☎ (93) 301 00 00, *Fax (93) 317 31 57*, 🏊, 🏊 – 🛗 ▤ TV ☎ 🚗 – 🏛 25/200. AE ⓓ E VISA JCB. ⚮ rest HX t
Comida carta aprox. 4600 – ☕ 2200 – **245 hab** 19000, 17 suites.

Barceló Sants, pl. dels Països Catalans (estació Barcelona Sants), ✉ 08014, ☎ (93) 490 95 95, Telex 97568, *Fax (93) 490 60 45*, ≤ – 🛗 ▤ TV ☎ ♿ P – 🏛 25/1500. AE ⓓ E VISA JCB. ⚮ FY
Comida 3550 – ☕ 1650 – **364 hab** 20000/22000, 13 suites.

G.H. Catalonia, Balmes 142, ✉ 08008, ☎ (93) 415 90 90, Telex 98718, *Fax (93) 415 22 09* – 🛗 ▤ TV ☎ ♿ 🚗 – 🏛 50/260. AE ⓓ E VISA JCB. ⚮ HV b
Comida 2700 – ☕ 1500 – **82 hab** 18850/22600, 2 suites – PA 8400.

Condes de Barcelona *(Monument i Centre)*, passeig de Gràcia 75, ✉ 0800
*(93) 488 11 52, Telex 51531, *Fax (93) 487 14 42*, – 25/30
AE E VISA JCB. HV
Comida carta aprox. 5500 – 1700 – **180 hab** 25000/27000, 2 suites.

L'Illa sin rest, av. Diagonal 555, ✉ 08029, (93) 410 33 00, *Fax (93) 410 88 92* –
– 25/100. AE E VISA. FX
1400 – **103 hab** 21800/26950, 10 suites.

Avenida Palace, Gran Via de les Corts Catalanes 605, ✉ 08007, (93) 301 96 0
Fax (93) 318 12 34 – – 25/350. AE E VISA JCB. rest HX
Comida *(cerrado sábado, domingo y festivos)* 3500 – 1700 – **146 hab** 19000/2400
14 suites.

Gallery H., Rosselló 249, ✉ 08008, (93) 415 99 11, Telex 97518, *Fax (93) 415 91 8*
– – 25/200. AE E VISA. HV
Comida 3075 – 1800 – **110 hab** 17500/20000, 5 suites.

St. Moritz, Diputació 262, ✉ 08007, (93) 412 15 00, Telex 97340, *Fax (93) 412 12 3*
– – 25/140. AE E VISA JCB. rest JV
Comida 2450 – 1950 – **92 hab** 20400/25500 – PA 5000.

Gran Derby sin rest, Loreto 28, ✉ 08029, (93) 322 20 62, Telex 9742
Fax (93) 419 68 20 – – 25/100. AE E VISA JCB GX
1700 – **31 hab** 18700/20900, 12 suites.

Balmes, Mallorca 216, ✉ 08008, (93) 451 19 14, *Fax (93) 451 00 49*, « Terraza co
» – – 25/70. AE E VISA JCB. rest HV
Comida 2000 – 1500 – **92 hab** 17050/19100, 8 suites.

City Park H., Nicaragua 47, ✉ 08029, (93) 419 95 00, *Fax (93) 419 71 63* –
– 25/40. AE E VISA JCB. rest FX
Comida 2800 – 1400 – **80 hab** 14500/20900.

NH Podium, Bailén 4, ✉ 08010, (93) 265 02 02, *Fax (93) 265 05 06*, , –
– 25/240. AE E VISA JCB. JV
Comida 2700 – 1800 – **140 hab** 15500, 5 suites.

Derby sin rest. con cafetería, Loreto 21, ✉ 08029, (93) 322 32 15, Telex 9742
Fax (93) 410 08 62 – – 25/100. AE E VISA JCB FX
1700 – **107 hab** 17050/19085, 4 suites.

Alexandra, Mallorca 251, ✉ 08008, (93) 467 71 66, Telex 81107, *Fax (93) 488 02 5*
– – 25/100. AE E VISA JCB. HV
Comida 2500 – 1900 – **73 hab** 16500/18000, 2 suites – PA 6900.

Astoria sin rest, París 203, ✉ 08036, (93) 209 83 11, Telex 81129
Fax (93) 202 30 08 – – 25/30. AE E VISA JCB HV
1300 – **114 hab** 15700/17900, 3 suites.

NH Master, València 105, ✉ 08011, (93) 323 62 15, Telex 81258, *Fax (93) 323 43 8*
– – 25/170. AE E VISA JCB. rest HX
Comida 2500 – 1400 – **80 hab** 14000, 1 suite.

Cristal, Diputació 257, ✉ 08007, (93) 487 87 78, Telex 54560, *Fax (93) 487 90 3*
– – 25/70. AE E VISA JCB HX
Comida 1400 – **148 hab** 10250/15150.

NH Numància, Numància 74, ✉ 08029, (93) 322 44 51, *Fax (93) 410 76 42* –
– 25/70. AE E VISA JCB. FX
Comida carta aprox. 3700 – 1400 – **140 hab** 14000.

NH Sant Angelo sin rest. con cafetería por la noche, Consell de Cent 74, ✉ 0801
(93) 423 46 47, *Fax (93) 423 88 40* – – 25. AE E VISA JCB
GY
1400 – **50 hab** 14000.

Guitart Grand Passage, Muntaner 212, ✉ 08036, (93) 201 03 06
Fax (93) 201 00 04 – – 25/80. AE E VISA. rest GV
Comida *(cerrado domingo noche y del 10 al 25 de agosto)* – 1200 – **40 suite**
16000/20000.

Núñez Urgel sin rest, Comte d'Urgell 232, ✉ 08036, (93) 322 41 53
Fax (93) 419 01 06 – – 25/100. AE E VISA JCB. GX
1450 – **106 hab** 10000/14500, 2 suites.

Expo H., Mallorca 1, ✉ 08014, (93) 325 12 12, Telex 54147, *Fax (93) 325 11 44*,
– – 25/900. AE E VISA JCB. GY
Comida 1900 – 1200 – **435 hab** 15000/18000 – PA 5000.

Dante sin rest. con cafetería por la noche, Mallorca 181, ✉ 08036, (93) 323 22 54
Fax (93) 323 74 72 – – 25/70. AE E VISA JCB HX
1350 – **81 hab** 11500/17800.

Regente sin rest, Rambla de Catalunya 76, ✉ 08008, ☎ (93) 487 59 89, Telex 51939, *Fax (93) 487 32 27*, - 25/120. HV t
1800 - **79 hab** 14900/17500.

Caledonian sin rest, Gran Via de les Corts Catalanes 574, ✉ 08011, ☎ (93) 453 02 00, *Fax (93) 451 77 03* - . HX w
900 - **44 hab** 9300/14800.

Roma sin rest, av. de Roma 31, ✉ 08029, ☎ (93) 410 66 33, Telex 98718, *Fax (93) 410 13 52* - - 25/60. GX r
950 - **49 hab** 12800.

Aparthotel Acàcia sin rest, Comte d'Urgell 194, ✉ 08036, ☎ (93) 454 07 37, *Fax (93) 451 85 82* - . GX b
950 - **26 apartamentos** 11500/13500.

Abbot sin rest, av. de Roma 23, ✉ 08029, ☎ (93) 430 04 05, *Fax (93) 419 57 41* - - 25/100. GXY e
1100 - **39 hab** 10500/13500.

NH Forum, Ecuador 20, ✉ 08029, ☎ (93) 419 36 36, *Fax (93) 419 89 10* - - 25/50. rest FX t
Comida 2500 - 1300 - **47 hab** 11900, 1 suite.

NH Rallye, Travessera de les Corts 150, ✉ 08028, ☎ (93) 339 90 50, *Fax (93) 411 07 90*, - - 25/200. rest EY b
Comida 2000 - 1400 - **106 hab** 14000.

Alfa Aeropuerto, Zona Franca - calle K (entrada principal Mercabarna), ✉ 08040, ☎ (93) 336 25 64, Telex 80820, *Fax (93) 335 55 92*, - - 25/80. rest por Pas. de la Zona Franca BT
Comida 2140 - ***Gran Mercat*** : **Comida** carta 3175 a 4700 - 1175 - **98 hab** 15775/19925, 1 suite.

NH Les Corts, Travessera de les Corts 292, ✉ 08029, ☎ (93) 322 08 11, *Fax (93) 322 09 08* - - 25/80. FX u
Comida *(cerrado sábado, domingo y agosto)* 2500 - 1400 - **80 hab** 14000, 1 suite - PA 6400.

Europark sin rest, Aragó 325, ✉ 08009, ☎ (93) 457 92 05, *Fax (93) 458 99 61* - . JV t
1000 - **66 hab** 11000/14000.

Aparthotel Accés sin rest, Gran Via de les Corts Catalanes 327, ✉ 08014, ☎ (93) 425 51 61, *Fax (93) 426 80 64* - - 25. GY t
880 - **22 apartamentos** 15620/17820.

Century Park sin rest, València 154, ✉ 08011, ☎ (93) 453 44 00, *Fax (93) 453 26 26* - . HX f
47 hab 8950/11200.

Century Glòries sin rest, Padilla 173, ✉ 08013, ☎ (93) 265 08 08, *Fax (93) 245 20 22* - - 25/50. KU e
950 - **68 hab** 10000/14000.

Paral.lel sin rest, Poeta Cabanyes 7, ✉ 08004, ☎ (93) 329 11 04, *Fax (93) 442 16 56* - . HY b
650 - **64 hab** 8000/12000, 2 suites.

Onix sin rest, Llançà 30, ✉ 08015, ☎ (93) 426 00 87, *Fax (93) 426 19 81*, - - 25/150. GY n
1050 - **80 hab** 11500/13500.

Taber sin rest, Aragó 256, ✉ 08007, ☎ (93) 487 38 87, *Fax (93) 488 13 50* - - 25/40. HX g
875 - **91 hab** 10500/14500.

Antibes sin rest, Diputació 394, ✉ 08013, ☎ (93) 232 62 11, *Fax (93) 265 74 48* - . JVU a
550 - **71 hab** 5800/7500.

L'Alguer sin rest, passatge Pere Rodriguez 20, ✉ 08028, ☎ (93) 334 60 50, *Fax (93) 333 83 65* - . EY a
700 - **33 hab** 6000/8000.

Beltxenea, Mallorca 275, ✉ 08008, ☎ (93) 215 30 24, *Fax (93) 487 00 81*, « Casa señorial de principios de siglo » - . HV h
cerrado sábado mediodía, domingo, Navidades y agosto - **Comida** carta aprox. 6400.

La Dama, av. Diagonal 423, ✉ 08036, ☎ (93) 202 06 86, *Fax (93) 200 72 99*, « En un edificio de estilo modernista » - . HV a
Comida carta 5275 a 6975
Espec. Pequeñas coles rellenas de centollo con salsa de caviar. Gratinado de bogavante sobre lecho de espinacas. Carro de pastelería.

XXX **Casa Calvet,** Casp 48, ✉ 08010, ☎ (93) 412 40 12, *Fax (93) 412 43 36* – ▤. AE ⓓ E VISA. ✂ JVX
cerrado domingo, festivos y 15 días en agosto – **Comida** carta 4600 a 6125.

XXX ✿ **Jaume de Provença,** Provença 88, ✉ 08029, ☎ (93) 430 00 29, *Fax (93) 439 29 5(* – ▤. AE ⓓ E VISA JCB. ✂ GX
cerrado domingo noche, lunes, Semana Santa, agosto y 4 días en Navidad – **Comida** 725(y carta 4850 a 6600
Espec. Ensalada de raya con escalivada al pesto. Tian de fideuá con mariscos y esencia de bullabesa. Crujiente de manitas de cerdo relleno de foie y trufas.

XXX **Windsor,** Còrsega 286, ✉ 08008, ☎ (93) 415 84 83, *Fax (93) 217 42 65* – ▤. AE ⓓ E VISA JCB. ✂ HV
cerrado domingo y agosto – **Comida** carta 4000 a 5300.

XXX **Oliver y Hardy,** av. Diagonal 593, ✉ 08014, ☎ (93) 419 31 81, *Fax (93) 419 18 99* – ▤. AE ⓓ E VISA. ✂ FX
cerrado sábado mediodía, domingo y Semana Santa – **Comida** carta 3800 a 5900.

XXX **Talaia Mar,** Marina 16, ✉ 08005, ☎ (93) 221 90 90, *Fax (93) 221 89 89*, ≤ – ▤ AE ⓓ E VISA. ✂ DT
cerrado del 6 al 29 de agosto – **Comida** carta 5050 a 6250.

XXX **El Tragaluz,** passatge de la Concepció 5-1º, ✉ 08008, ☎ (93) 487 01 96 *Fax (93) 217 01 19*, « Decoración original con techo acristalado » – ▤. AE ⓓ E VISA JCB ✂ HV
Comida carta aprox. 4500.

XX **Gargantua i Pantagruel,** Aragó 214, ✉ 08011, ☎ (93) 453 20 20, *Fax (93) 451 39 08* – ▤. AE ⓓ E VISA JCB. ✂ HX
cerrado domingo noche y Semana Santa – **Comida** - cocina ilerdense - carta 3300 a 4900

XX **Maitetxu,** Balmes 55, ✉ 08007, ☎ (93) 323 59 65 – ▤. AE ⓓ VISA HX
cerrado sábado mediodía, domingo y del 15 al 31 de agosto – **Comida** carta aprox. 4675

XX **Els Pescadors,** pl. Prim 1, ✉ 08005, ☎ (93) 225 20 18, *Fax (93) 225 20 18*, – ▤ AE ⓓ E VISA DT
cerrado Semana Santa – **Comida** carta 3510 a 5075.

XX **Koxkera,** Marquès de Sentmenat 67, ✉ 08029, ☎ (93) 322 35 56, *Fax (93) 322 35 56* – ▤. AE ⓓ E VISA. ✂ FX
cerrado domingo noche – **Comida** carta aprox. 4500.

XX **El Asador de Aranda,** Londres 94, ✉ 08036, ☎ (93) 414 67 90, *Fax (93) 414 67 9(* – ▤. AE ⓓ E VISA. ✂ GV
cerrado domingo noche y del 15 al 31 de agosto – **Comida** - cordero asado - carta aprox. 3900.

XX **Rías de Galicia,** Lleida 7, ✉ 08004, ☎ (93) 424 81 52, *Fax (93) 426 13 07* – ▤. AE ⓓ E VISA JCB. ✂ HY
Comida - pescados y mariscos - carta 4100 a 6400.

XX **Sí, Senyor,** Mallorca 199, ✉ 08036, ☎ (93) 453 21 49, *Fax (93) 451 10 02* – ▤. AE ⓓ E VISA HX
cerrado domingo noche – **Comida** carta aprox. 4500.

XX **El Yantar de la Ribera,** Roger de Flor 114, ✉ 08013, ☎ (93) 265 63 09, « Decoración castellana » – ▤. AE ⓓ E VISA. ✂ JV
cerrado domingo noche – **Comida** - asados - carta 2955 a 3900.

XX **La Provença,** Provença 242, ✉ 08008, ☎ (93) 323 23 67, *Fax (93) 451 23 89* – ▤. AE ⓓ E VISA HV
Comida carta 2570 a 3430.

XX **Boix de la Cerdanya,** passeig de Gràcia 51, ✉ 08007, ☎ (93) 487 38 20 – ▤. AE VISA. ✂ HV
cerrado domingo y festivos – **Comida** carta 3250 a 3800.

XX **Satélite,** av. de Sarrià 10, ✉ 08029, ☎ (93) 321 34 31, *Fax (93) 419 63 89* – ▤. AE E VISA GX
cerrado domingo noche – **Comida** carta 2900 a 5400.

XX **Vinya Rosa-Magí,** av. de Sarrià 17, ✉ 08029, ☎ (93) 430 00 03, *Fax (93) 430 00 41* – ▤. AE ⓓ E VISA GX
cerrado sábado mediodía y domingo – **Comida** carta 3865 a 5670.

XX **Gorría,** Diputació 421, ✉ 08013, ☎ (93) 245 11 64, *Fax (93) 232 78 57* – ▤. AE ⓓ E VISA JCB. ✂ JU
cerrado domingo, festivos noche, Semana Santa y agosto – **Comida** - cocina vasco-navarra - carta 4800 a 5500.

XX **Sibarit,** Aribau 65, ✉ 08011, ☎ (93) 453 93 03 – ▤. AE ⓓ E VISA. ✂ HX
cerrado sábado mediodía, domingo, festivos, Semana Santa y 2ª quincena de agosto – **Comida** carta aprox. 5200.

XX **Petit París,** París 196, ✉ 08036, ☎ (93) 218 26 78 – ▤. AE ⓓ E VISA JCB. ⚘
Comida carta 3750 a 6170. HV k

XX **Yashima,** Josep Tarradellas 145, ✉ 08029, ☎ (93) 419 06 97, *Fax (93) 410 80 25* – ▤. AE ⓓ VISA JCB. ⚘ GV f
cerrado domingo y festivos – **Comida** - rest. japonés - carta 4725 a 5750.

XX **Muffins,** València 210, ✉ 08011, ☎ (93) 454 02 21, *Fax (93) 453 91 39* – ▤. AE E VISA. ⚘ HX e
cerrado sábado mediodía, domingo, festivos y agosto – **Comida** carta aprox. 4200.

XX **Racó d'en Cesc,** Diputació 201, ✉ 08011, ☎ (93) 453 23 52 – ▤. AE ⓓ E VISA. ⚘ HX k
cerrado domingo, festivos noche, Semana Santa y agosto – **Comida** carta 3600 a 5300.

XX **La Llotja,** Aribau 55, ✉ 08011, ☎ (93) 453 89 58, *Fax (93) 453 89 58* – ▤. AE ⓓ E VISA. ⚘ HX u
cerrado domingo y agosto – **Comida** - carnes, pescados a la brasa y bacalaos - carta 2925 a 3900.

XX **La Maison du Languedoc Roussillon,** Pau Claris 77, ✉ 08010, ☎ (93) 301 04 98, *Fax (93) 301 05 65* – ▤. AE ⓓ E VISA JX a
cerrado sábado mediodía, domingo, festivos y agosto – **Comida** - cocina del suroeste francés - carta 3800 a 7500.

XX **Casa Darío,** Consell de Cent 256, ✉ 08011, ☎ (93) 453 31 35, *Fax (93) 451 33 95* – ▤. AE ⓓ E VISA JCB. ⚘ HX p
cerrado domingo y agosto – **Comida** carta 3850 a 6900.

XX **Les Ostres,** València 267, ✉ 08007, ☎ (93) 215 30 35, *Fax (93) 487 32 53* – ▤. AE ⓓ E VISA. ⚘ HV w
cerrado domingo y del 1 al 22 de agosto – **Comida** - pescados y mariscos - carta 4750 a 6100.

XX **Solera Gallega,** París 176, ✉ 08036, ☎ (93) 322 91 40, *Fax (93) 322 91 40* – ▤. AE ⓓ E VISA JCB. ⚘ GHV p
cerrado lunes y del 15 al 31 agosto – **Comida** - pescados y mariscos - carta 3900 a 5400.

XX **El Dento,** Loreto 32, ✉ 08029, ☎ (93) 321 67 56 – ▤. AE ⓓ E VISA. ⚘ GX g
cerrado festivos noche, Semana Santa y agosto – **Comida** carta 2630 a 4440.

XX **Can Fayos,** Loreto 22, ✉ 08029, ☎ (93) 439 30 22, *Fax (93) 439 30 22* – ▤. AE ⓓ E VISA. ⚘ GX g
cerrado domingo y agosto – **Comida** carta 4100 a 5000.

XX **El Túnel del Port,** moll de Gregal 12 (Port Olímpic), ✉ 08005, ☎ (93) 221 03 21, *Fax (93) 221 35 86*, ←, 🏠 – ▤. AE ⓓ E VISA DT a
cerrado domingo noche y lunes – **Comida** carta 3500 a 4900.

XX **La Vaquería,** Déu i Mata 141, ✉ 08029, ☎ (93) 419 07 35, « Instalado en una antigua vaquería » – ▤. AE ⓓ E VISA FVX x
cerrado sábado mediodía y domingo mediodía – **Comida** carta 3600 a 5000.

X **Tramonti 1980,** av. Diagonal 501, ✉ 08029, ☎ (93) 410 15 35, *Fax (93) 405 04 03* – ▤. AE ⓓ E VISA. ⚘ FV s
Comida - cocina italiana - carta 3500 a 4600.

X **Casimiro,** Londres 84, ✉ 08036, ☎ (93) 410 30 93 – ▤. AE ⓓ E VISA JCB. ⚘
cerrado domingo y agosto – **Comida** carta 3550 a 4900. GV z

X **El Celler de Casa Jordi,** Rita Bonnat 3, ✉ 08029, ☎ (93) 430 10 45 – ▤. AE ⓓ E VISA JCB. ⚘ GX s
cerrado domingo – **Comida** carta 2200 a 4100.

X **Dolceta 2,** Comte d'Urgell 266, ✉ 08036, ☎ (93) 321 83 51, *Fax (93) 321 83 51* – ▤. AE ⓓ E VISA JCB. ⚘ GV m
cerrado domingo y agosto – **Comida** - carnes a la brasa - carta 2650 a 4525.

X **As Vieiras,** Comte Borrell 171, ✉ 08015, ☎ (93) 453 11 25, *Fax (93) 453 11 25* – ▤. ⓓ E VISA. ⚘ HX s
cerrado domingo y del 5 al 25 de agosto – **Comida** - pescados y mariscos - carta 2775 a 4500.

X **El Portal,** Pallars 120, ✉ 08018, ☎ (93) 485 50 02, *Fax (93) 300 55 03*, 🏠 – ▤. E VISA. ⚘ KV a
cerrado domingo noche – **Comida** - carnes a la brasa - carta aprox. 3500.

X **O'Bierzo,** Vila i Vilà 73, ✉ 08004, ☎ (93) 441 82 04 – ▤. AE E VISA. ⚘ JY u
cerrado domingo noche, lunes, Semana Santa y del 15 al 31 de agosto – **Comida** carta aprox. 5000.

X **Nervión,** Còrsega 232, ✉ 08036, ☎ (93) 218 06 27 – ▤. AE E VISA JCB. ⚘ HV r
cerrado domingo, festivos noche y agosto – **Comida** - cocina vasca - carta 3200 a 4950.

Lázaro, Aribau 146 bis, ✉ 08036, ☎ (93) 218 74 18, *Fax (93) 218 77 47* – ▤. AE E VISA HV
cerrado domingo, festivos y del 7 al 28 de agosto – **Comida** carta 2800 a 4425.

La Manduca, Girona 59, ✉ 08009, ☎ (93) 487 99 89 – ▤. E VISA. JV
cerrado sábado, domingo y del 1 al 25 de agosto – **Comida** carta aprox. 3800.

Asador Izarra, Sicilia 135, ✉ 08013, ☎ (93) 245 21 03 – ▤. AE ⓓ E VISA. JV
cerrado domingo y tres semanas en agosto – **Comida** carta 3975 a 5500.

Racó de la Vila, Ciutat de Granada 33, ✉ 08005, ☎ (93) 485 47 72, *Fax (93) 309 14 71*
« Decoración rústica » – ▤. AE ⓓ E VISA JCB. DT
cerrado domingo noche – **Comida** carta 2900 a 4075.

La Lubina, Viladomat 257, ✉ 08029, ☎ (93) 430 03 33 – ▤. AE ⓓ E VISA JCB
cerrado domingo noche – **Comida** - pescados y mariscos - carta 3500 a 6400. GX

Rosamar, Sepúlveda 159, ✉ 08011, ☎ (93) 453 31 92
▤. AE ⓓ E VISA HX
cerrado domingo noche, lunes, Semana Santa y agosto – **Comida** carta 2100 a 2950.

Chicoa, Aribau 73, ✉ 08036, ☎ (93) 453 11 23, « Decoración rústica » – ▤. AE E VISA
cerrado domingo, festivos y agosto – **Comida** carta aprox. 4200. HX

Da Paolo, av. de Madrid 63, ✉ 08028, ☎ (93) 490 48 91, *Fax (93) 411 25 90* – ▤. AE
ⓓ E VISA. EY
cerrado domingo noche y 15 días en agosto – **Comida** - cocina italiana - carta 3100 a 4050

Els Perols de l'Empordà, Villarroel 88, ✉ 08011, ☎ (93) 323 10 33 – ▤. AE ⓓ E
VISA. HX
cerrado domingo y agosto – **Comida** carta 2700 a 4250.

Casa Toni, Sepúlveda 62, ✉ 08015, ☎ (93) 424 00 68 – ▤. AE ⓓ E VISA. HY
cerrado sábado en julio-agosto, domingo noche resto del año y Semana Santa – **Comida**
carta 2200 a 3400.

Casa Juliana, Casanova 178, ✉ 08036, ☎ (93) 410 10 15 – ▤. AE ⓓ VISA GV
cerrado domingo, lunes noche y agosto – **Comida** carta 2275 a 2765.

Marisqueiro Panduriño, Floridablanca 3, ✉ 08015, ☎ (93) 325 70 16
Fax (93) 426 13 07 – ▤. AE ⓓ E VISA JCB. HY
Comida - pescados y mariscos - carta 3400 a 5800.

Elche, Vila i Vilà 71, ✉ 08004, ☎ (93) 441 30 89, *Fax (93) 329 40 12* – ▤. AE ⓓ E VISA
JY
cerrado domingo noche – **Comida** - arroces - carta 2800 a 3400.

Cañota, Lleida 7, ✉ 08004, ☎ (93) 325 91 71, *Fax (93) 426 13 07* – ▤. VISA
HY
Comida - carnes a la brasa - carta 2450 a 3900.

Pá i Trago, Parlament 41, ✉ 08015, ☎ (93) 441 13 20, *Fax (93) 441 13 20,* « Rest
típico » – ▤. ⓓ E VISA HY
cerrado lunes no festivos y 22 junio-10 julio – **Comida** carta 2400 a 4200.

Carles Grill, Comte d'Urgell 280, ✉ 08036, ☎ (93) 410 43 00 – ▤. AE ⓓ E VISA.
cerrado domingo noche – **Comida** - carnes - carta 2535 a 3625. GV

Azpiolea, Casanova 167, ✉ 08036, ☎ (93) 430 90 30 – ▤. AE ⓓ E VISA.
cerrado domingo y agosto – **Comida** - cocina vasca - carta 3500 a 4500. GV

Da Peppo, av. de Sarrià 19, ✉ 08029, ☎ (93) 322 51 55 – ▤. AE ⓓ E VISA GX
cerrado domingo en verano, martes en invierno y agosto – **Comida** - cocina italiana - carta
1775 a 3400.

Norte Diagonal : Via Augusta, Capità Arenas, ronda General Mitre, passeig de la Bonanova, av. de Pedralbes (planos p. 2 a 6)

Tryp Presidente, av. Diagonal 570, ✉ 08021, ☎ (93) 200 21 11, *Fax (93) 209 51 06*
– ▤ TV ☎ – 25/420. AE ⓓ E VISA. GV
Comida carta aprox. 5500 – 1200 – **155 hab** 16000/20500.

Alimara, Berruguete 126, ✉ 08035, ☎ (93) 427 00 00, *Fax (93) 427 92 92* – ▤ TV
☎ – 25/470. AE ⓓ E VISA. rest BS
Comida 2950 – 1300 – **156 hab** 14900/17200.

Hesperia sin rest. con cafetería, Vergós 20, ✉ 08017, ☎ (93) 204 55 51, Telex 98403,
Fax (93) 204 43 92 – ▤ TV ☎ – 25/150. AE ⓓ E VISA. EU
1300 – **139 hab** 17450/21000.

Suite H., Muntaner 505, ✉ 08022, ☎ (93) 212 80 12, Telex 99077, *Fax (93) 211 23 17*
– ▤ TV ☎ – 25/90. AE ⓓ E VISA JCB. FU
Comida 1500 – 1200 – **77 suites** 13800/17800.

Balmoral sin rest, Via Augusta 5, ✉ 08006, ☎ (93) 217 87 00, *Fax (93) 415 14 21* –
▤ TV ☎ – 25/250. AE ⓓ E VISA JCB. HV
1250 – **106 hab** 9200/14800.

Turó de Vilana sin rest, Vilana 7, 08017, (93) 434 03 63, *Fax (93) 418 89 03* – . EU r
1500 – **20 hab** 14800/18500.

NH Cóndor, Via Augusta 127, 08006, (93) 209 45 11, *Fax (93) 202 27 13* – – 25/50. rest GU z
Comida *(cerrado domingo)* 2800 – 1200 – **78 hab** 13900/15000, 12 suites.

Arenas sin rest. con cafetería, Capità Arenas 20, 08034, (93) 280 03 03, *Fax (93) 280 33 92* – – 25/50. EX r
1300 – **58 hab** 14500/18000, 1 suite.

Victoria, av. de Pedralbes 16 bis, 08034, (93) 280 15 15, *Fax (93) 280 52 67*, – . rest EX z
Comida *(cerrado fines de semana, festivos y agosto)* 1575 – 1350 – **74 apartamentos** 14800/18600.

Park Putxet, Putxet 68, 08023, (93) 212 51 58, Telex 98718, *Fax (93) 418 58 17* – – 25/200. . GU a
Comida 1800 – 950 – **141 hab** 10200/13000 – PA 5900.

NH Belagua, Via Augusta 89, 08006, (93) 237 39 40, *Fax (93) 415 30 62* – – 25/90. rest GU s
Comida *(cerrado sábado y del 2 al 24 de agosto)* - sólo cena - 2500 – 1400 – **72 hab** 14000.

Atenas, av. Meridiana 151, 08026, (93) 232 20 11, Telex 98718, *Fax (93) 232 09 10*, – – 25/200. . CS z
Comida 1700 – 950 – **166 hab** 10200/13000 – PA 5500.

Mitre sin rest, Bertràn 9, 08023, (93) 212 11 04, *Fax (93) 418 94 81* – . FU t
800 – **57 hab** 11500/14700.

Condado sin rest, Aribau 201, 08021, (93) 200 23 11, *Fax (93) 200 25 86* – . GV g
1200 – **88 hab** 11110/12335.

NH Pedralbes sin rest. con cafetería por la noche, Fontcuberta 4, 08034, (93) 203 71 12, *Fax (93) 205 70 65* – – 25. EV b
1300 – **30 hab** 12500.

Covadonga sin rest, av. Diagonal 596, 08021, (93) 209 55 11, *Fax (93) 209 58 33* – . . GV v
1000 – **85 hab** 9100/15400.

Aragón, Aragó 569 bis, 08026, (93) 245 89 05, Telex 98718, *Fax (93) 447 09 23* – – 25/60. . KU e
Comida 1800 – 950 – **115 hab** 9500/13000 – PA 4600.

Wilson sin rest, av. Diagonal 568, 08021, (93) 209 25 11, *Fax (93) 200 83 70* – . . GV a
950 – **47 hab** 12100/15400, 5 suites.

Mikado, passeig de la Bonanova 58, 08017, (93) 211 41 66, *Fax (93) 211 42 10*, – – . . EU s
Comida 1950 – 950 – **66 hab** 11800/13800 – PA 5750.

Albéniz sin rest, Aragó 591, 08026, (93) 265 26 26, *Fax (93) 265 40 07* – – 25/50. . CS e
950 – **47 hab** 10700/13000.

Rubens, passeig de la Mare de Déu del Coll 10, 08023, (93) 219 12 04, Telex 98718, *Fax (93) 219 12 69* – – 25/100. . BS y
Comida 1700 – 950 – **141 hab** 8700/10700 – PA 4350.

Rekor'd sin rest, Muntaner 352, 08021, (93) 200 19 53, *Fax (93) 414 50 84* – . . GU c
15 suites 14500/16000.

Zenit sin rest, Santaló 8, 08021, (93) 209 89 11, *Fax (93) 414 59 65* – . . GV t
850 – **61 hab** 12500/15500.

Castellnou, Castellnou 61, 08017, (93) 203 05 50, Telex 98718, *Fax (93) 205 60 14* – . . EV a
Comida 1300 – 950 – **52 hab** 9500/11800.

Medicis sin rest, Castillejos 340, 08025, (93) 450 00 53, *Fax (93) 455 34 81* – . CS a
750 – **40 hab** 7000/10200.

Abalon sin rest, Travessera de Gràcia 380-384, 08025, (93) 450 04 60, *Fax (93) 435 81 23* – . CS a
550 – **40 hab** 6500/7800.

Travesera sin rest y sin ☕, Travessera de Dalt 121, ✉ 08024, ✆ (93) 213 24 54 – AE ⓓ E VISA. ⚮ CS
17 hab 4000/5600.

Via Veneto, Ganduxer 10, ✉ 08021, ✆ (93) 200 72 44, *Fax (93) 201 60 95,* « Estilo belle époque » – ▤. AE ⓓ E VISA JCB. ⚮ FV
cerrado sábado mediodía, domingo y del 1 al 20 de agosto – **Comida** 7000 y carta 5720 a 8270
Espec. Centolla en su propia salsa con espárragos trigueros. Pintada deshuesada y dorada al horno con vino rancio, ciruelas y lentejas. Tartaleta de chocolate a la crema de vainilla Bourbon.

Reno, Tuset 27, ✉ 08006, ✆ (93) 200 91 29, *Fax (93) 414 41 14* – ▤. AE ⓓ E VISA JCB. ⚮ GV
cerrado sábado mediodía – **Comida** carta aprox. 6650.

Neichel, Beltran i Rózpide 16 bis, ✉ 08034, ✆ (93) 203 84 08, *Fax (93) 205 63 69* – ▤ AE ⓓ E VISA EX
cerrado sábado mediodía, domingo, Semana Santa y agosto – **Comida** 7700 y carta 6050 a 7300
Espec. Carpaccio de pato y alcachofas con vinagreta de trufas y forum. San Pedro y espardenyes en emulsión de erizos de mar. Crujientes de especias y helado de mató a la miel de lavanda.

Jean Luc Figueras, Santa Teresa 10, ✉ 08012, ✆ (93) 415 28 77, *Fax (93) 218 92 62* « Decoración elegante » – ▤. AE ⓓ E VISA. ⚮ HV
cerrado sábado mediodía, domingo y 15 días en agosto – **Comida** carta 5600 a 7300
Espec. Ensalada de gambas de Palamós, vinagreta de pomelo. Pescado de playa con tomate confitado al aceite de Jabugo. Pichón de Bresse con papillote de butifarra negra y salsa de soja.

Gaig, passeig de Maragall 402, ✉ 08031, ✆ (93) 429 10 17, *Fax (93) 429 70 02,* 🏵 – ▤. AE ⓓ E VISA CS
cerrado lunes, festivos noche, Semana Santa y agosto – **Comida** carta 5100 a 7700
Espec. Templado de patatas buffet y caviar ocietra. Salteado de pulpitos y lomo de conejo ahumado. Semi caliente de manzana ácida con sabayon de Calvados.

Botafumeiro, Gran de Gràcia 81, ✉ 08012, ✆ (93) 218 42 30, *Fax (93) 415 58 48* – ▤. AE ⓓ E VISA JCB. ⚮ HU
cerrado agosto – **Comida** - pescados y mariscos - carta 4890 a 6290.

Roncesvalles, Via Augusta 201, ✉ 08021, ✆ (93) 209 01 25, *Fax (93) 209 12 95* – ▤ 🚗. AE ⓓ E VISA. ⚮ FV
cerrado sábado mediodía, domingo y Semana Santa – **Comida** carta 3650 a 5400.

El Trapío, Esperanza 25, ✉ 08017, ✆ (93) 211 58 17, *Fax (93) 417 10 37,* 🏵 « Terraza » – ▤. AE ⓓ VISA. ⚮ EU
cerrado domingo noche – **Comida** carta 3200 a 4250.

La Petite Marmite, Madrazo 68, ✉ 08006, ✆ (93) 201 48 79, *Fax (93) 202 23 43* – ▤. AE ⓓ E VISA. ⚮ GU
cerrado domingo, festivos, Semana Santa y agosto – **Comida** carta 2925 a 4350.

Can Cortada, av. de l'Estatut de Catalunya, ✉ 08035, ✆ (93) 427 23 15, *Fax (93) 427 02 94,* 🏵, « Masía del siglo XVI » – ▤ Ⓟ. AE ⓓ E VISA JCB. ⚮
Comida carta 3150 a 4100. BS

El Asador de Aranda, av. del Tibidabo 31, ✉ 08022, ✆ (93) 417 01 15, *Fax (93) 212 24 82,* 🏵, « Antiguo palacete » – AE ⓓ E VISA. ⚮ BS
cerrado domingo noche – **Comida** - cordero asado - carta aprox. 3950.

Paradis Barcelona con buffet, passeig Manuel Girona 7, ✉ 08034, ✆ (93) 203 76 37, *Fax (93) 203 61 94* – ▤. AE ⓓ E VISA. ⚮ EVX
cerrado domingo noche – **Comida** carta 3250 a 5950.

Daxa, Muntaner 472, ✉ 08006, ✆ (93) 201 60 06 – ▤. AE ⓓ E VISA. ⚮ FU
cerrado domingo noche y del 10 al 25 de agosto – **Comida** carta 2900 a 4075.

Casa Jordi, passatge de Marimón 18, ✉ 08021, ✆ (93) 200 11 18 – ▤. AE ⓓ E VISA JCB. ⚮ GV
cerrado domingo – **Comida** carta 2760 a 3800.

El Racó d'en Freixa, Sant Elíes 22, ✉ 08006, ✆ (93) 209 75 59, *Fax (93) 209 79 18* – ▤. AE ⓓ E VISA. ⚮ GU
cerrado lunes, festivos noche, Semana Santa y agosto – **Comida** carta 5225 a 6600
Espec. Tomate con tomate, betas de sepia y buñuelo de flor de calabacín (verano). Escórpora asada con ceps y caracoles (otoño). Liebre a la Royal trufada(invierno).

Roig Robí, Sèneca 20, ✉ 08006, ✆ (93) 218 92 22, *Fax (93) 415 78 42,* 🏵, « Terraza-jardín » – ▤. AE ⓓ E VISA HV
cerrado sábado mediodía, domingo y dos semanas en agosto – **Comida** carta 4500 a 6300.

XX **Zure Etxea,** Jordi Girona Salgado 10, ✉ 08034, ☎ (93) 203 83 90, *Fax (93) 280 31 46* – ▤. AE ⓓ E VISA AT r
cerrado sábado mediodía, domingo, festivos y 3 semanas en agosto – **Comida** carta 5300 a 7100.

XX **Tram-Tram,** Major de Sarrià 121, ✉ 08017, ☎ (93) 204 85 18, 🍽 – ▤. AE E VISA. ✻ EU d
cerrado sábado mediodía, domingo, Semana Santa, 15 días en agosto y del 23 al 30 de diciembre – **Comida** carta 4550 a 6100.

XX **St. Rémy,** Iradier 12, ✉ 08017, ☎ (93) 418 75 04, *Fax (93) 434 04 34* – ▤. AE ⓓ E VISA EU n
Comida carta aprox. 3170.

X **Hostal Sant Jordi,** Travesera de Dalt 123, ✉ 08024, ☎ (93) 213 10 37 – ▤. AE ⓓ E VISA. ✻ CS u
cerrado sábado, domingo noche y del 3 al 31 de agosto – **Comida** carta 3350 a 5700.

X **Tritón,** Alfambra 16, ✉ 08034, ☎ (93) 203 30 85 – ▤ 🚗 P. AE VISA AT t
cerrado domingo, festivos, 20 días en Semana Santa y 15 días en agosto – **Comida** carta aprox. 4800.

X **La Xarxa,** pl. Molina 4, ✉ 08006, ☎ (93) 415 41 68 – ▤. AE E VISA. ✻ GU v
cerrado domingo noche y agosto – **Comida** - pescados y mariscos - carta 4000 a 6200.

X **Vivanda,** Major de Sarrià 134, ✉ 08017, ☎ (93) 205 47 17, *Fax (93) 203 19 18,* 🍽 – ▤. VISA EU a
cerrado domingo y lunes mediodía – **Comida** carta aprox. 3600.

X **El Vell Sarrià,** Major de Sarrià 93, ✉ 08017, ☎ (93) 204 57 10, *Fax (93) 205 45 41* – ▤. AE ⓓ E VISA. ✻ EU f
Comida carta aprox. 4500.

X **Alberto,** Ganduxer 50, ✉ 08021, ☎ (93) 201 00 09, 🍽 – ▤. AE ⓓ E VISA FV g
cerrado domingo noche y agosto – **Comida** carta 2900 a 4500.

X **La Venta,** pl. Dr. Andreu, ✉ 08035, ☎ (93) 212 64 55, *Fax (93) 212 51 44,* 🍽, « Antiguo café » – AE ⓓ E VISA BS d
cerrado domingo – **Comida** carta aprox. 5000.

X **Sal i Pebre,** Alfambra 14, ✉ 08034, ☎ (93) 205 36 58, *Fax (93) 205 56 72* – ▤. AE ⓓ E VISA. ✻ AT t
Comida carta 2150 a 3175.

X **Medulio,** av. Príncipe de Asturias 6, ✉ 08012, ☎ (93) 217 38 68, *Fax (93) 415 34 36* – ▤. AE ⓓ E VISA JCB. ✻ GU r
cerrado domingo (junio-septiembre) – **Comida** carta 3650 a 5650.

X **Can Traví Nou,** final c. Jorge Manrique, ✉ 08035, ☎ (93) 428 03 01, *Fax (93) 428 19 17,* 🍽, « Antigua masía » – P. AE ⓓ E VISA JCB BS a
cerrado domingo y festivos noche – **Comida** carta 2700 a 4900.

X **Julivert Meu,** Jordi Girona Salgado 12, ✉ 08034, ☎ (93) 204 11 96, *Fax (93) 205 56 72* – ▤. AE ⓓ E VISA. ✻ AT r
Comida carta 2150 a 3225.

X **El Pati Blau,** Jordi Girona Salgado 14, ✉ 08034, ☎ (93) 204 22 15, *Fax (93) 205 56 72* – ▤. AE ⓓ E VISA. ✻ AT r
Comida carta 2350 a 3225.

X **Le Quattro Stagioni,** Dr. Roux 37, ✉ 08017, ☎ (93) 205 22 79, *Fax (93) 415 51 97,* 🍽, « Patio-terraza » – ▤. AE ⓓ E VISA. ✻ FV c
cerrado domingo y lunes noche en verano, domingo noche y lunes resto del año, Semana Santa y del 10 al 24 de agosto – **Comida** - cocina italiana - carta 3100 a 4325.

X **La Taula,** Sant Màrius 8-12, ✉ 08022, ☎ (93) 417 28 48 – ▤. AE ⓓ E VISA JCB. ✻ FU u
cerrado sábado mediodía, domingo, festivos y agosto – Comida carta 2750 a 3550.

X **A la Menta,** passeig Manuel Girona 50, ✉ 08034, ☎ (93) 204 15 49, « Taberna típica » – ▤. AE ⓓ E VISA. ✻ EV f
cerrado domingo en verano y domingo noche resto del año – **Comida** carta 3200 a 4650.

X **L'Encís,** Provença 379, ✉ 08025, ☎ (93) 457 68 74, *Fax (93) 457 68 74* – ▤. AE ⓓ E VISA JCB. ✻ JU e
cerrado domingo, lunes noche (invierno), sábado noche (verano), Semana Santa, y 20 días en agosto. – **Comida** - festivos sólo almuerzo - carta 3300 a 4650.

X **La Yaya Amelia,** Sardenya 364, ✉ 08025, ☎ (93) 456 45 73 – ▤. AE E VISA JCB. ✻ JU n
cerrado domingo, Semana Santa y 3 semanas en agosto – Comida carta 2675 a 3975.

X **El Vol de Nit,** Anglí 4, ✉ 08017, ☎ (93) 203 91 81 – ▤. AE ⓓ E VISA. ✻ EU b
cerrado domingo, festivos y del 7 al 20 de agosto – **Comida** carta aprox. 3800.

Alrededores

en Esplugues de Llobregat – ✉ *08950 Esplugues de Llobregat* :

XXX **La Masía,** av. Països Catalans 58 ☎ (93) 371 00 09, *Fax (93) 372 84 00*, « Terraz bajo los pinos » – ▤ P. AE ⓓ E VISA JCB. ✻ AT
cerrado domingo noche – **Comida** carta 3450 a 5150.

X **Quirze,** Laureà Miró 202 ☎ (93) 371 10 84, *Fax (93) 371 65 12*, – ▤ P. AE E VISA. ✻
cerrado sábado noche, domingo y agosto – **Comida** carta 3400 a 5100. AT

en Sant Just Desvern – ✉ *08960 Sant Just Desvern* :

Sant Just, Frederic Mompou 1 ☎ (93) 473 25 17, *Fax (93) 473 24 50*, – ▤ ☎ – 25/450. AE ⓓ E VISA. ✻ AT
Comida 3000 - ***Alambí*** **: Comida** carta 2700 a 4850 – ☕ 1300 – **138 hab** 13900/14900 12 suites.

Ver también : **San Cugat del Vallès por ⑦ : 18 km.**

Neumáticos MICHELIN S.A., Sucursal Santa Perpètua de Mogoda - CIM VALLÈS polígono industrial Les Minetes, Nave 11, ✉ 08130 ☎ (93) 560 15 55, Fax (93) 560 17 5

El BARCO DE ÁVILA *05600 Ávila* 444 **K 13** – *2 515 h. alt. 1 009.*
Madrid 193 – Ávila 81 – Béjar 30 – Plasencia 70 – Salamanca 89.

Manila , carret. de Plasencia ☎ (920) 34 08 44, *Fax (920) 34 12 91*, ≤ – TV ☎ – 25/35. AE ⓓ E VISA. ✻ rest
Comida 1450 – ☕ 750 – **50 hab** 6200/8500 – PA 2850.

El BARCO DE VALDEORRAS u **O BARCO** *32300 Orense* 441 **E 9** – *10 379 h. alt. 324.*
Madrid 439 – Lugo 123 – Orense/Ourense 118 – Ponferrada 52.

Espada, carret. N 120 - E : 1,5 km ☎ (988) 32 26 86, *Fax (988) 32 27 07* – ▤ TV ☎ P. VISA. ✻
Comida *(cerrado domingo)* 2000 – ☕ 500 – **29 hab** 8000.

X **San Mauro,** pl. de la Iglesia 11 ☎ (988) 32 01 45 – ▤. AE ⓓ E VISA. ✻
cerrado lunes y 14 junio-13 julio – **Comida** carta 2025 a 4650.

BARLOVENTO *Santa Cruz de Tenerife – ver Canarias (La Palma).*

La BARRANCA (Valle de) *Madrid – ver Navacerrada.*

Los BARRIOS *11370 Cádiz* 446 **X 13** – *13 901 h. alt. 23.*
Madrid 666 – Algeciras 10 – Cádiz 127 – Gibraltar 28 – Marbella 77.

Real, av. Pablo Picasso 7 ☎ (956) 62 00 24, *Fax (956) 62 19 68* – ▤ TV ☎. E VISA. ✻
Comida *(cerrado viernes)* 1200 – ☕ 200 – **22 hab** 3300/5400 – PA 2600.

BARRO *33529 Asturias* 441 **B 15** – *Playa.*
Madrid 460 – Oviedo 106 – Santander 103.

Miracielos sin rest. con cafetería, playa de Miracielos ☎ (98) 540 25 85 *Fax (98) 540 25 82* – TV ☎ P. AE E VISA. ✻
☕ 650 – **21 hab** 7500/10000.

Quintamar, playa de Barro ☎ (98) 540 01 52, *Fax (98) 540 26 39* – TV ☎ P. AE ⓓ E VISA. ✻
Comida *(cerrado enero-Semana Santa salvo fines de semana)* 1100 – ☕ 500 – **10 hab** 7800/11500 – PA 2700.

Kaype , playa de Barro ☎ (98) 540 09 00, *Fax (98) 540 04 18*, ≤ – TV ☎ P. E VISA. ✻
abril-septiembre – **Comida** 1550 – ☕ 425 – **48 hab** 6300/9000.

BAYONA o **BAIONA** *36300 Pontevedra* 441 **F 3** – *9 690 h. – Playa.*
Ver : *Monterreal (murallas★ : ≤★★).*
Alred. : *Carretera★ de Bayona a La Guardia.*
Madrid 616 – Orense/Ourense 117 – Pontevedra 44 – Vigo 21.

Parador de Bayona (obras en curso), ☎ (986) 35 50 00, Telex 83424 *Fax (986) 35 50 76*, ≤, « Reproducción de un típico pazo gallego en el recinto de un antiguo castillo feudal al borde del mar », , , – TV ☎ P – 25/400. AE ⓓ E VISA. ✻
Comida 3800 – ☕ 1400 – **122 hab** 16000/20000, 2 suites – PA 7650.

Bayona sin rest, Conde 36 (986) 35 50 87 –
temp – **33 hab.**

Tres Carabelas sin rest, Ventura Misa 61 (986) 35 51 33, *Fax (986) 35 59 21* – AE E VISA.
385 – **15 hab** 5700/7500.

Pinzón sin rest, Elduayen 21 (986) 35 60 46, – . AE E VISA.
cerrado febrero – 450 – **18 hab** 6000/8000.

O Moscón, Alférez Barreiro 2 (986) 35 50 08 – . AE E VISA.
Comida carta aprox. 3500.

Mesón El Candil, San Juan 46 (986) 35 74 93 – . AE E VISA.
cerrado lunes (salvo verano) y octubre – **Comida** carta 2050 a 3650.

BAZA *18800 Granada* 446 T 21 – *19 997 h. alt. 872.*
Madrid 425 – Granada 105 – Murcia 178.

Venta del Sol sin rest, carret. de Murcia (958) 70 03 00, *Fax (958) 70 03 04* –
. E VISA.
300 – **25 hab** 3300/5300, 10 apartamentos.

Anabel, María de Luna (958) 86 09 98, *Fax (958) 86 09 98* – . E VISA.
Comida *(cerrado domingo)* 1500 – 500 – **18 hab** 3000/5000 – PA 2800.

Las Perdices, carret. de Murcia 17 (958) 70 13 26 – . E VISA.
cerrado sábado y del 15 al 25 de septiembre – **Comida** carta 1500 a 2700.

BECERRIL DE LA SIERRA *28490 Madrid* 444 J 18 – *1 957 h. alt. 1 080.*
Madrid 54 – Segovia 41.

Las Gacelas, San Sebastián 53 (91) 853 80 00, *Fax (91) 853 75 06*, , , , ,
– , rest, – 25/100. AE E VISA JCB.
Comida 3000 – 600 – **26 hab** 5500/8500 – PA 5500.

Victoria sin rest y sin , San Sebastián 12 (91) 853 85 61, *Fax (91) 853 86 32* – .
VISA.
10 hab 4200/6000.

El Albero, Orense 11 (91) 853 75 41 – . VISA.
Comida carta aprox. 2500.

BEGUR *Gerona – ver Bagur.*

BEIFAR *Asturias – ver Pravia.*

BÉJAR *37700 Salamanca* 441 K 12 – *17 027 h. alt. 938.*
Alred. : *Candelario★ : pueblo típico S : 4 km.*
paseo de Cervantes 6 (923) 40 30 05 Fax (923) 40 30 05.
Madrid 211 – Ávila 105 – Plasencia 63 – Salamanca 72.

Colón, Colón 46 (923) 40 06 50, *Fax (923) 40 06 50* – , rest, – 25/600.
AE E VISA. rest
Comida 2000 – 600 – **69 hab** 5900/8500 – PA 3800.

Argentino sin , travesía Recreo (923) 40 23 64 – E VISA.
Comida (ver rest. ***Argentino***) – **13 hab** 3500/5200.

Argentino, carret. de Salamanca 93 (923) 40 26 92, – . AE E VISA.
Comida carta aprox. 3250.

Tres Coronas, carret. de Salamanca 1 (923) 40 20 23 – .

BELMONTE *16640 Cuenca* 444 N 21 – *2 601 h. alt. 720.*
Ver : *Antigua Colegiata (Sillería★) - Castillo (artesonados★).*
Alred. : *Villaescusa de Haro (Iglesia parroquial : capilla de la Asunción★) NE : 6 km.*
Madrid 157 – Albacete 107 – Ciudad Real 142 – Cuenca 101.

Palacio Buenavista Hospedería sin rest, José Antonio González 2 (967) 18 75 80, *Fax (967) 18 75 88*, « Palacio del siglo XVI con artesonados y rejerías originales » –
– 25. VISA.
22 hab 4750/6975.

La Muralla, Osa de la Vega 1 (967) 17 10 45, *Fax (967) 17 10 45* – rest,. VISA.
Comida 1000 – 350 – **7 hab** 1500/3000 – PA 2350.

Los BELONES *30385 Murcia* 445 T 27.
Madrid 459 – Alicante/Alacant 102 – Cartagena 20 – Murcia 69.

por la carretera de Portman – ✉ *30385 Los Belones :*

Príncipe Felipe, S : 3 km ✆ (968) 13 72 34, *Fax (968) 13 72 72*, ≤ campo de gol y montañas, , climatizada, – – 25/400. AE VISA.
Comida carta 5300 a 9125 – **185 hab** 37000/39000, 7 suites.

La Finca, poblado de Atamaría - S : 3,5 km ✆ (968) 17 50 00 (ext. 2228), , – VISA.
cerrado martes y 20 noviembre-26 diciembre – **Comida** - sólo cena - carta aprox. 4400

Andale, La Manga Club-Centro de Tenis - S : 4 km ✆ (968) 13 72 34, *Fax (968) 13 72 7* – – **Comida** - rest. mexicano -.

BELLAVISTA *Sevilla – ver Sevilla.*

BELLPUIG D'URGELL *25250 Lérida* 443 H 33 – *3 706 h. alt. 308.*
Madrid 502 – Barcelona 127 – Lérida/Lleida 33 – Tarragona 86.

Bellpuig, antigua carret. N II ✆ (973) 32 02 50, *Fax (973) 32 22 53* – . VISA.
Comida 1100 – 350 – **57 hab** 3750/6950.

BELLVER DE CERDAÑA o **BELLVER DE CERDANYA** *25720 Lérida* 443 E 35 – *1 549 h alt. 1 061.*
Ver : *Pueblo*★.
pl. de Sant Roc 9 ✆ (973) 51 02 29 (temp).
Madrid 634 – Lérida/Lleida 165 – Seo de Urgel/La Seu d'Urgell 32.

María Antonieta, av. de la Cerdanya ✆ (973) 51 01 25, *Fax (973) 51 01 25*, ≤, – . AE VISA. rest
Comida *(cerrado del 1 al 24 de diciembre)* 2250 – 700 – **54 hab** 5450/8450 – PA 4250

Bellavista, carret. de Puigcerdà 43 ✆ (973) 51 00 00, *Fax (973) 51 04 18*, ≤, , – . VISA. rest
cerrado noviembre – **Comida** 1650 – 600 – **50 hab** 3950/6500 – PA 3900.

Cal Rei sin rest, barrio Talló - SO : 1 km ✆ (973) 51 10 96, *Fax (973) 51 10 96* – . AE VISA
13 hab 7200/8560.

Picot Negre, Camí Reial 1 ✆ (973) 51 11 98 – VISA
cerrado domingo noche, lunes (salvo verano) y 2ª quincena de junio – **Comida** - sólo almuerzo salvo fines de semana y verano - carta 3450 a 4550.

por la carretera de Alp y desvío a la derecha en Balltarga *SE : 4 km* – ✉ *2572 Bellver de Cerdaña :*

Mas Martí, urb. Bades ✆ (973) 51 00 22, « Decoración rústica » – .
fines de semana, Semana Santa, agosto y Navidades – **Comida** carta aprox. 3450.

BENACAZÓN *41805 Sevilla* 446 T 11 – *4 753 h. alt. 113.*
Madrid 566 – Huelva 72 – Sevilla 23.

Andalusi Park H., autopista A 49 - salida 6 ✆ (95) 570 56 00, *Fax (95) 570 50 79* « Edificio de estilo árabe. Jardín », , – – 25/500. AE VISA.
Comida carta aprox. 5100 – 1500 – **189 hab** 12800/16000, 11 suites.

BENAHAVÍS *29679 Málaga* 446 W 14 – *1 405 h. alt. 185.*
Madrid 610 – Algeciras 78 – Málaga 79 – Marbella 17 – Ronda 60.

Los Faroles, Málaga ✆ (95) 285 54 25, .

La Escalera, Almendro 4 ✆ (95) 285 52 35,
Comida - sólo cena en verano -.

BENALMÁDENA *29639 Málaga* 446 W 16 – *25 747 h.*
Madrid 579 – Algeciras 117 – Málaga 24.

La Fonda sin rest, Santo Domingo 7 ✆ (95) 256 83 24, *Fax (95) 256 82 73* climatizada – . AE VISA.
26 hab 8000/11000.

Casa Fidel, Maestra Ayala 1 ✆ (95) 244 91 65, *Fax (95) 256 80 84*, – . AE VISA JCB
cerrado martes, miércoles mediodía y noviembre – **Comida** carta 2750 a 4050.

BENALMÁDENA COSTA *29630 Málaga* 446 W 16 - *Playa.*

Torrequebrada, carret. de Cádiz SO : 4 km (95) 244 27 42 Fax (95) 256 11 29.
av. Antonio Machado 14 (95) 244 12 95 Fax (95) 244 06 78.
Madrid 558 - Málaga 24 - Marbella 46.

Torrequebrada, carret. de Cádiz - SO : 2 km (95) 244 60 00, *Fax (95) 244 57 02,* mar, - 25/600. AE VISA.
Café Royal *(sólo cena)* **Comida** carta aprox. 5500 - ***Pavillón*** *(sólo almuerzo y buffet en verano)* **Comida** carta aprox. 5100 - 1100 - **328 hab** 23900/29000, 22 suites.

Tritón, av. Antonio Machado 29 (95) 244 32 40, Telex 77061, *Fax (95) 244 26 49,* « Gran jardín tropical », - 25/280. AE E VISA JCB.
Comida 3700 - 1600 - **186 hab** 16500/20600, 10 suites - PA 7615.

Riviera, av. Antonio Machado 49 (95) 244 12 40, *Fax (95) 244 22 30,* « Terrazas escalonadas con césped », AE VISA.
Comida - sólo cena buffet - 3000 - 1600 - **189 hab** 11500/15900.

Alay, av. del Alay 5 (95) 244 14 40, *Fax (95) 244 63 80,* climatizada, - 25/750. AE E VISA JCB.
Comida - sólo cena buffet - 3800 - 875 - **257 hab** 15900/18900.

La Roca, playa de Santa Ana (95) 244 17 40, *Fax (95) 244 32 55,* climatizada - AE E VISA JCB.
Comida carta aprox. 4110 - **154 hab** 9605/15050.

Villasol, av. Antonio Machado (95) 244 19 96, *Fax (95) 244 19 75,* - rest, AE E VISA.
Comida - sólo buffet - 2200 - 600 - **76 hab** 7700/9700 - PA 4100.

Mar de Alborán, av. del Alay 5 (95) 244 64 27, *Fax (95) 244 63 80,* - AE E VISA JCB.
cerrado domingo noche y lunes (salvo verano) y 22 diciembre-22 enero - **Comida** carta 3550 a 4050.

Chef Alonso, Dársena de Levante, local 11 - Puerto Marina (95) 256 13 03, « Terraza con puerto deportivo » - AE E VISA.
Comida carta aprox. 3400.

O. K. 2, Terramar Alto - edificio Delta del Sur (95) 244 28 16, - E VISA.
cerrado martes y junio-4 julio - **Comida** - asados y carnes a la parrilla - carta 2600 a 3900.

El Varadero, Pueblo Marinero - Puerto Marina (95) 256 43 27, -
Comida - pescados y mariscos -.

O.K., San Francisco 2 (95) 244 36 96, - E VISA.
cerrado miércoles y 15 enero-febrero - **Comida** carta 1750 a 3950.

Asador del Camborio, castillo El Bil-Bil (95) 244 20 67, - AE E VISA.
Comida carta aprox. 3500.

BENAOJÁN *29370 Málaga* 446 V 14 - *1 593 h. alt. 565.*

Madrid 567 - Algeciras 95 - Cádiz 138 - Marbella 81 - Ronda 22 - Sevilla 135.

por la carretera de Ronda *SE : 2 km - 29370 Benaoján :*

Molino del Santo, barriada Estación (95) 216 71 51, *Fax (95) 216 73 27,* « Instalado en un antiguo molino de aceite », climatizada - rest, AE E VISA.
cerrado 10 diciembre-febrero - **Comida** 2000 - 950 - **14 hab** 6900/9700.

BENASQUE *22440 Huesca* 443 E 31 - *1 507 h. alt. 1 138 - Balneario - Deportes de invierno en Cerler : 14.*

Alred. : *S : Valle de Benasque★ - Congosto de Ventamillo★ S : 16 km.*
San Pedro (974) 55 12 89 Fax (974) 55 12 89.
Madrid 538 - Huesca 148 - Lérida/Lleida 148.

St Antón, carret. de Francia (974) 55 16 11, *Fax (974) 55 16 21,* - rest, VISA.
cerrado noviembre - **Comida** 1600 - ***Casa Pedro :*** **Comida** carta aprox. 3100 - 600 - **34 hab** 5500/11000 - PA 3200.

Aragüells sin rest. con cafetería, av. de Los Tilos (974) 55 16 19, *Fax (974) 55 16 64* - AE E VISA.
cerrado mayo y noviembre - 650 - **19 hab** 5000/8400.

Ciria, av. de Los Tilos (974) 55 16 12, *Fax (974) 55 16 86* - AE E VISA. rest
Comida 1850 - ***El Fogaril :*** **Comida** carta 2600 a 4500 - 850 - **30 hab** 5700/9765 - PA 3900.

San Marsial, carret. de Francia (974) 55 16 16, *Fax (974) 55 16 23* – rest
Comida 1850 – **24 hab** 8500/11800 – PA 3560.

Aneto, carret. Anciles 2 (974) 55 10 61, *Fax (974) 55 15 09*, –
temp – **38 hab.**

Avenida, av. de Los Tilos 3 (974) 55 11 26, *Fax (974) 55 15 15* –
cerrado 15 octubre-noviembre – **Comida** 1500 – 675 – **16 hab** 7000/8000 – PA 3300

El Puente II sin rest, San Pedro (974) 55 12 11, *Fax (974) 55 16 84*, –
750 – **28 hab** 5000/8250.

El Puente con hab, San Pedro (974) 55 12 79, *Fax (974) 55 16 84*, – rest
Comida carta 2150 a 3400 – 750 – **13 hab** 5000/8250.

La Parrilla, carret. de Francia (974) 55 11 34 –
cerrado 2ª quincena de septiembre – **Comida** carta 1875 a 3200.

por la carretera de Francia *NE : 13 km – 22440 Benasque :*

Llanos del Hospital, camino de la Renclusa (974) 55 20 12, *Fax (974) 55 10 5.*
–
cerrado noviembre – **Comida** 1500 – **15 hab** 5450/8300.
Ver también : **Cerler** *SE : 6 km.*

Wenn Sie ein ruhiges Hotel suchen,
benutzen Sie zuerst die Karte in der Einleitung
oder wählen Sie im Text ein Hotel mit dem Zeichen bzw.

BENAVENTE *49600 Zamora* 441 **F 12** – *14 410 h. alt. 724.*
Madrid 259 – León 71 – Orense/Ourense 242 – Palencia 108 – Ponferrada 125 – Valladolid 99.

Parador de Benavente, paseo Ramón y Cajal (980) 63 03 00
Fax (980) 63 03 03, – – 25/60.
Comida 3500 – 1300 – **30 hab** 13200/16500 – PA 7070.

Orense, Perú 4 (980) 63 01 56, *Fax (980) 63 47 93* – rest,
Comida - cocina gallega - carta 2450 a 3500 – 500 – **33 hab** 3895/6960.

por la carretera de León *NE : 2,5 km y desvío a la derecha 0,5 km – 49600 Benavente*

El Ermitaño, (980) 63 67 95, *Fax (980) 63 22 13*, –
Comida carta 2500 a 3600.

en la carretera N VI – *49600 Benavente :*

Tudanca, NO : 6 km (980) 63 64 66, *Fax (980) 63 68 19* –
25/200.
Comida 1900 – 550 – **32 hab** 7000/8500 – PA 3900.

Arenas, SE : 2 km - salida 259 autovía (980) 63 03 34, *Fax (980) 63 03 34* – rest
Comida 1650 – 325 – **37 hab** 4900/7000 – PA 3200.

BENDINAT *Baleares – ver Baleares (Mallorca).*

BENETÚSSER *Valencia – ver Valencia.*

BENICARLÓ *12580 Castellón* 445 **K 31** – *18 460 h. alt. 27 – Playa.*
pl. de la Constitución (964) 80 Fax (964) 47 31 80.
Madrid 492 – Castellón de la Plana/Castelló de la Plana 69 – Tarragona 116 – Tortosa 5

Parador de Benicarló, av. del Papa Luna 5 (964) 47 01 00, *Fax (964) 47 09 3*
– – 25/60.
Comida 3200 – 1200 – **108 hab** 11600/14500 – PA 6460.

Márynton, paseo Marítimo 5 (964) 47 30 11, *Fax (964) 46 07 20* –
Comida 2000 – 500 – **26 hab** 4500/7000 – PA 4000.

Sol sin rest, carret. N 340 ✆ (964) 47 13 49 – 🚗 🅿
julio-agosto – ☕ 550 – **22 hab** 3000/5250.

El Cortijo, av. Méndez Núñez 85 ✆ (964) 47 00 75, *Fax (964) 47 00 75* – ▤ 🅿. AE ⓓ E VISA. ✗
cerrado lunes y del 1 al 15 de julio – **Comida** - pescados y mariscos - carta 3800 a 5550.

BENICASIM o **BENICÀSSIM** *12560 Castellón* 445 L 30 – *6 151 h.* – *Playa.*
ℹ *Médico Segarra 4 (Ayuntamiento)* ✆ *(964) 30 09 62 Fax (964) 30 34 32.*
Madrid 436 – Castellón de la Plana/Castelló de la Plana 14 – Tarragona 165 – Valencia 88.

Avenida y Eco-Avenida, av. de Castellón 2 ✆ (964) 30 00 47, *Fax (964) 30 00 79,* climatizada – 🅿. AE VISA. ✗ rest
abril-octubre – **Comida** 1575 – ☕ 550 – **64 hab** 5000 – PA 2800.

Plaza, Cristóbal Colón 3 ✆ (964) 30 00 72 – ▤. AE E VISA. ✗
cerrado martes y 15 diciembre-15 enero – **Comida** carta 2600 a 4200.

en la zona de la playa :

Intur Orange, av. Gimeno Tomás 9 ✆ (964) 39 44 00, *Fax (964) 30 15 41,* « rodeada de césped con árboles », ✗ – |‡| ▤ TV ☎ 🅿 – 25/400. AE ⓓ VISA. ✗ rest
marzo-octubre – **Comida** 2750 – ☕ 900 – **415 hab** 9325/10970.

Trinimar sin rest, av. Ferrándiz Salvador 184 ✆ (964) 30 08 50, *Fax (964) 30 08 66,* ←, – |‡| ▤ TV ☎ 🅿. AE E VISA
Semana Santa y junio-septiembre – ☕ 700 – **170 hab** 7900/8900.

Intur Azor, av. Gimeno Tomás 1 ✆ (964) 39 20 00, *Fax (964) 39 23 79,* ←, « Terraza con flores », , , ✗ – |‡| ▤ ☎ 🅿. ⓓ E VISA. ✗ rest
marzo-octubre – **Comida** 2825 – ☕ 850 – **87 hab** 9150/10775.

Voramar, paseo Pilar Coloma 1 ✆ (964) 30 01 50, *Fax (964) 30 05 26,* ←, « Terraza », ✗ – |‡| TV ☎ 🚗. ⓓ E VISA. ✗ rest – *15 marzo-15 octubre* – **Comida** *(cerrado enero)* carta 2900 a 3900 – ☕ 850 – **55 hab** 6000/10000.

Vista Alegre, av. de Barcelona 48 ✆ (964) 30 04 00, *Fax (964) 30 04 00,* – |‡|, ▤ rest, ☎ 🅿. AE E VISA. ✗ rest
marzo-octubre – **Comida** 1750 – ☕ 500 – **68 hab** 3950/6500 – PA 3150.

Intur Bonaire, av. Gimeno Tomás 3 ✆ (964) 39 24 80, *Fax (964) 39 23 79,* , « Pequeño pinar », , ✗ – ▤ rest, ☎ 🅿. ⓓ E VISA. ✗ rest
Comida 2900 – ☕ 1000 – **78 hab** 9880/13000.

Tramontana sin rest, paseo Marítimo Ferrándiz Salvador 6 ✆ (964) 30 03 00, *Fax (964) 25 21 37,* – |‡| 🅿. AE ⓓ E VISA. ✗
marzo-octubre – **65 hab** ☕ 4000/6600.

Bersoca, Gran Avinguda Jaume I-217 ✆ (964) 30 12 58, *Fax (964) 39 41 44,* – |‡| TV ☎ 🅿. VISA. ✗ rest
cerrado 15 diciembre-15 febrero – **Comida** 1500 – ☕ 550 – **48 hab** 4000/5800 – PA 2850.

en el Desierto de Las Palmas *NO : 8 km – ✉ 12560 Benicasim :*

Desierto de las Palmas, ✆ (964) 30 09 47, ← montaña, valle y mar, – 🅿.

BENIDORM *03500 Alicante* 445 Q 29 – *75 322 h.* – *Playa.*
Ver : *Promontorio del Castillo* ←★ AZ.
ℹ *av. Martínez Alejos 16* ✆ *(96) 585 32 24 Fax (96) 585 13 11 y av. del Derramador* ✆ *(96) 680 59 14 Fax (96) 680 59 14.*
Madrid 459 ③ *– Alicante/Alacant 44* ③ *– Valencia (por la costa) 136* ③

Plano página siguiente

Agir, av. del Mediterráneo 11 ✆ (96) 585 51 62, *Fax (96) 585 89 50,* « Ático con solarium y » – |‡| ▤ TV ☎ – 25/80. AE ⓓ E VISA. ✗ BY k
Comida 2900 – ☕ 1200 – **84 hab** 11000/15500, 5 suites – PA 6000.

G.H. Delfín, playa de Poniente - La Cala ✆ (96) 585 34 00, *Fax (96) 585 71 54,* ←, , « Jardín con », ✗ – |‡| ▤ TV ☎ 🅿. AE ⓓ E VISA. ✗ rest por ②
4 abril-25 octubre – **Comida** 2500 – ☕ 885 – **93 hab** 10915/18300 – PA 5000.

Cimbel, av. de Europa 1 ✆ (96) 585 21 00, *Fax (96) 586 06 61,* ←, climatizada – |‡| ▤ TV ☎ 🚗. AE ⓓ E VISA. ✗ BY f
Comida 3500 – ☕ 850 – **139 hab** 11275/22550, 1 suite – PA 6100.

Don Pancho, av. del Mediterráneo 39 ✆ (96) 585 29 50, *Fax (96) 586 77 79,* climatizada, ✗ – |‡| ▤ TV ☎ 🚗 🅿 – 25/330. AE ⓓ E VISA. ✗ CY e
Comida - sólo buffet - 2500 – ☕ 1000 – **252 hab** 14000/17700 – PA 5100.

Bilbaíno, av. Virgen del Sufragio 1 ✆ (96) 585 08 04, *Fax (96) 585 08 05,* ← – |‡| ▤ TV ☎. E VISA. ✗ BZ f
cerrado 21 diciembre-19 enero – **Comida** 1750 – ☕ 800 – **38 hab** 6750/12000.

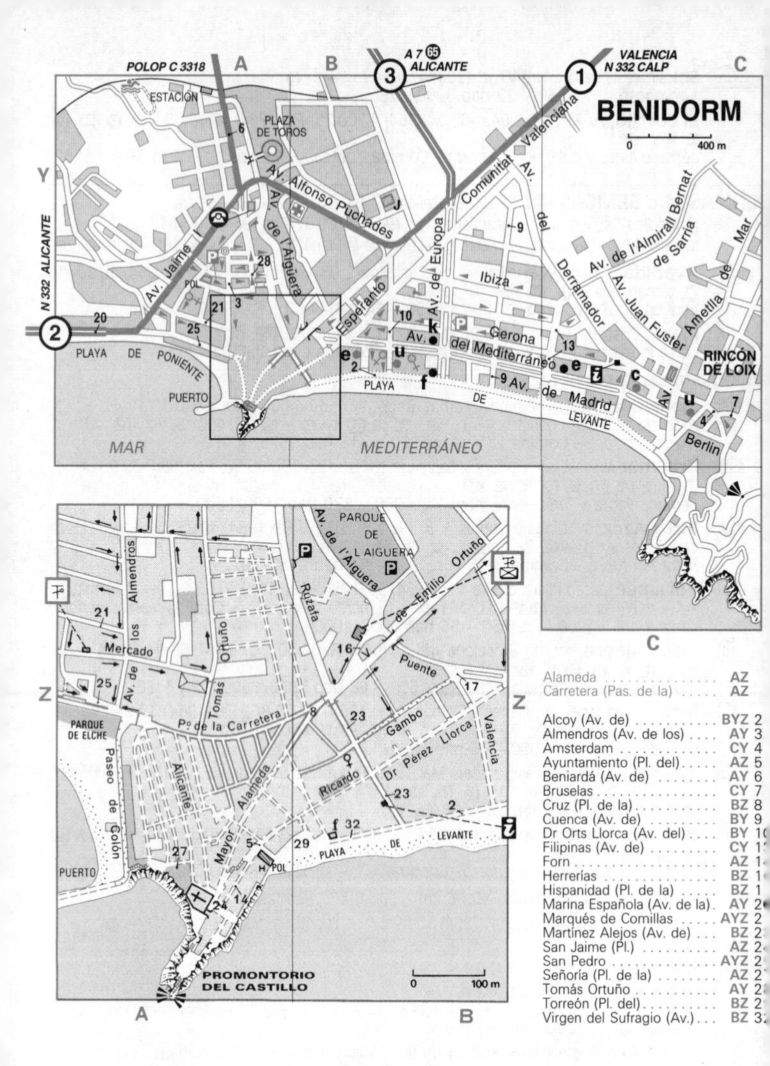

XXX **Tiffany's,** av. del Mediterráneo 51 - edificio Coblanca 3 ✆ (96) 585 44 68 – ▤. AE ⦿ E VISA. ⊘ CY
cerrado 7 enero-7 febrero – **Comida** - sólo cena - carta aprox. 3950.

XXX **I Fratelli,** av. Dr. Orts Llorca 21 ✆ (96) 585 39 79, 🏖 – ▤. AE ⦿ E VISA. ⊘ BY
cerrado noviembre – **Comida** carta aprox. 5650.

XX El Romeral, carret. Rincón de Loix ✆ (96) 585 20 10, 🏖 – ▤
por av. Ametlla de Mar : 3 km CY

X **La Lubina,** av. Bilbao 3 ✆ (96) 585 30 85, 🏖 – ▤. E VISA. ⊘ BY
cerrado 16 noviembre-16 febrero – **Comida** carta aprox. 3800.

X **Castañuela,** Estocolmo 7 - Rincón de Loix ✆ (96) 585 10 09 – ▤. AE E VISA CY
cerrado martes – **Comida** carta aprox. 3000.

en la carretera de Valencia *por ① : 3 km – ✉ 03500 Benidorm :*

XX **El Molino,** ✆ (96) 585 71 81, 🏖, Colección de botellas de vino – ▤ Ⓟ. AE ⦿ E VISA. ⊘
cerrado lunes y octubre – **Comida** - sólo cena salvo en invierno - carta 2425 a 3600.

en Cala Finestrat *por ② : 4 km – ✉ 03500 Benidorm :*

X **Casa Modesto,** ✆ (96) 585 86 37, ≤,
cerrado 15 enero-1 marzo – **Comida** - pescados y mariscos - carta 2200 a 2900.

BENIEL *30130 Murcia* 445 **R 26 Y 27** – *6 975 h. alt. 29.*
Madrid 412 – Alicante/Alacant 58 – Cartagena 64 – Murcia 16.

al Sureste : *2 km*

X Angelín, Vereda del Rollo 55 ✆ (968) 60 11 00, *Fax (968) (96) 530 52 87* –

BENIFAYÓ o **BENIFAIÓ** *46450 Valencia* 445 **O 28** – *11 850 h. alt. 35.*
Madrid 404 – Albacete 170 – Alicante/Alacant 144 – Valencia 20.

X **La Caseta,** Gracia 5 ✆ (96) 178 22 07 – . AE E VISA.
cerrado domingo noche – **Comida** carta 2900 a 4000.

BENIMANTELL *03516 Alicante* 445 **P 29** – *404 h. alt. 527.*
Madrid 437 – Alcoy 32 – Alicante/Alacant 68 – Gandía 85.

X **Venta la Montaña,** carret. de Alcoy 9 ✆ (96) 588 51 41, « Decoración típica » – .
AE E VISA.
cerrado lunes salvo agosto – **Comida** - sólo almuerzo salvo agosto - carta 2700 a 3500.

X **L'Obrer,** carret. de Alcoy 27 ✆ (96) 588 50 88 – . AE E VISA.
cerrado viernes y 21 junio-2 agosto – **Comida** - sólo almuerzo salvo agosto - carta 2050 a 2825.

BENIPARRELL *46469 Valencia* 445 **N 28** – *1 366 h. alt. 20.*
Madrid 362 – Valencia 11.

Quiquet, av. Levante 45 ✆ (96) 120 07 50, *Fax (96) 121 26 77* – –
25/70. AE VISA
Comida 1800 – 600 – **34 hab** 7000/9000.

BENISA o **BENISSA** *03720 Alicante* 445 **P 30** – *8 583 h.*
Madrid 458 – Alicante/Alacant 71 – Valencia 110.

X **Casa Cantó,** av. País Valencià 223 ✆ (96) 573 06 29 – . AE E VISA.
cerrado domingo y 15 noviembre-10 diciembre – **Comida** carta aprox. 4550.

en la carretera N 332 *S : 4,8 km – ✉ 03720 Benisa :*

XX **Al Zaraq,** Partida de Benimarraig 79 ✆ (96) 573 16 15, *Fax (96) 573 16 15*, ≤, – .
E VISA
cerrado lunes y 15 febrero-15 marzo – **Comida** - rest. libanés, sólo cena - carta aprox. 5900.

en la zona de la playa *SE : 9 km – ✉ 03720 Benisa :*

XXX **La Chaca,** Fanadix X 5 - cruce carret. Calpe-Moraira ✆ (96) 574 77 06, *Fax (96) 574 77 06*, , « Instalado en una villa » – . E VISA
cerrado lunes y 10 noviembre-20 diciembre – **Comida** *(sólo cena salvo fines de semana de enero a marzo y domingo en abril y mayo)* - cocina franco-belga - 7500 y carta 3600 a 6050
Espec. Terrina de hígado de ganso con confitura de cebollas. Waterzooi de pescado. Tarta casera de fruta fresca con helado.

BENISSANÓ *46181 Valencia* 445 **N 28** – *1 643 h. alt. 70.*
Madrid 344 – Teruel 129 – Valencia 24.

X **Levante,** Virgen del Fundamento 15 ✆ (96) 278 07 21, *Fax (96) 279 00 21* – . AE E VISA. – *cerrado martes no festivos y 15 julio-15 agosto* – **Comida** - paellas, sólo almuerzo - carta aprox. 3500.

BENTRACES *32890 Orense* 441 **F 6.**
Madrid 495 – Orense/Ourense 16 – Pontevedra 104.

Palacio de Bentraces sin rest, ✆ (988) 38 33 81, *Fax (988) 38 33 81*, ≤, « Elegante pazo señorial rodeado de un extenso jardín » – – 25/50. VISA.
cerrado 15 diciembre-15 enero – 1000 – **9 hab** 9000/13000.

BERA *Navarra – ver Vera de Bidasoa.*

6

BERGA *08600 Barcelona 443 F 35 – 14 324 h. alt. 715.*
carret. C 1411 - SE : 1,5 km (93) 822 15 00 Fax (93) 822 21 07.
Madrid 627 – Barcelona 117 – Lérida/Lleida 158.

Estel sin rest, carret. Sant Fruitós 39 (93) 821 34 63 – . VISA.
550 – **40 hab** 3450/4750.

Sala, passeig de la Pau 27 (93) 821 11 85, *Fax (93) 822 20 54* – . AE VISA.
cerrado domingo noche y lunes – **Comida** carta 2800 a 5550.

en la carretera C 1411 *SE : 2 km – 08600 Berga :*

L'Esquirol, camping de Berga (93) 821 12 50, *Fax (93) 822 23 88*, –
.
cerrado domingo noche – **Comida** carta 2500 a 3500.

BERGARA *Guipúzcoa – ver Vergara.*

BERGONDO *15217 La Coruña 441 C 5 – 5 443 h.*
Madrid 582 – La Coruña/A Coruña 21 – Ferrol 30 – Lugo 78 – Santiago de Compostela 63.

en Fiobre *NE : 2,5 km – 15165 Fiobre :*

A Cabana, carret. de Ferrol (981) 79 11 53, *Fax (981) 79 14 28*, ría, – . AE
VISA.
cerrado domingo noche (octubre-mayo) y 1ª semana de octubre – **Comida** carta 3350 a 4900.

BERIAIN *31191 Navarra 442 D 25 – alt. 442.*
Madrid 389 – Logroño 87 – Pamplona/Iruñea 8.

Alaiz, carret. N 121 (948) 31 01 75, *Fax (948) 31 03 50*, – , rest,
. AE VISA JCB.
Comida 1000 – 400 – **71 hab** 3975/5975.

BERLANGA DE DUERO *42360 Soria 442 H 21 – 1 294 h. alt. 922.*
Madrid 206 – Aranda de Duero 85 – Soria 47.

Fray Tomás-Casa Vallecas, Real 16 (975) 34 31 36, *Fax (975) 34 31 69*, « Hotel instalado en una casa-palacio del siglo XV » – rest, . AE VISA.
Comida carta 2050 a 3500 – 350 – **14 hab** 4000/6500.

BERMEO *48370 Vizcaya 442 B 21 – 18 111 h. – Playa.*
Alred. : *Alto de Sollube★ SO : 5 km.*
Askatasun Bidea 2 (94) 618 65 43 Fax (94) 618 61 57.
Madrid 432 – Bilbao/Bilbo 33 – San Sebastián/Donostia 98.

Txaraka sin rest, Almike Auzoa 5 (94) 688 55 58, *Fax (94) 688 51 64* –
VISA.
800 – **12 hab** 8000/11000.

Iñaki, Bizkaiko Jaurreria 25 (94) 688 57 35 – . VISA.
cerrado lunes – **Comida** carta aprox. 4500.

Jokin, Eupeme Deuna 13 (94) 688 40 89, – . AE VISA.
cerrado domingo noche – **Comida** carta 3750 a 5000.

Beitxi, Eskoikiz 6 (94) 688 00 06, *Fax (94) 688 35 72* – .

Aguirre, Lope Díaz de Haro 5 (94) 688 08 30, – . AE VISA.
cerrado miércoles (salvo en verano) y marzo – **Comida** carta aprox. 5200.

Artxanda, Eupeme Deuna 14 (94) 688 09 30, , Rest. típico – . AE VISA.
Comida carta aprox. 4900.

Almiketxu, Almike Auzoa 8 - S : 1,5 km (94) 688 09 25, , « Típico caserío vasco »
– . VISA
cerrado lunes y noviembre – **Comida** carta 2750 a 3050.

BERRIA (Playa de) *Cantabria – ver Santoña.*

BERRIOPLANO *31195 Navarra 442 D 24 – alt. 450.*
Madrid 391 – Jaca 117 – Logroño 98 – Pamplona/Iruñea 6.

NH El Toro, carret. N 240 (948) 30 22 11, *Fax (948) 30 20 85*, « Edificio de estilo regional », – – 25/350. AE VISA JCB. rest
Comida 3000 – 1100 – **60 hab** 10000/11000, 5 suites.

BESALÚ *17850 Gerona* 443 F 38 – *2 099 h.*

Ver : *Puente fortificado*★, *núcleo antiguo*★★, *Iglesia de Sant Pere*★.
pl. de la Llibertat 2 ☎ (972) 59 12 40 Fax (972) 59 04 11.
Madrid 743 – Figueras/Figueres 24 – Gerona/Girona 34.

Els Fogons de Can Llaudes, Prat de Sant Pere 6 ☎ (972) 59 08 58, « En una antigua iglesia » – E VISA.
cerrado martes salvo festivos – **Comida** carta 3500 a 4880.

Cúria Reial con hab, pl. de la Llibertat 15 ☎ (972) 59 02 63, *Fax (972) 59 02 63*, « Instalado en un antiguo convento » – AE E VISA.
Comida *(cerrado lunes noche, martes noche, miércoles noche y febrero)* carta aprox. 4350 – 675 – **7 hab** 3500/4500.

Pont Vell, Pont Vell 28 ☎ (972) 59 10 27, ≤, – AE E VISA
cerrado martes y del 1 al 15 de enero – **Comida** - sólo cena en verano - carta aprox. 3700.

BETANZOS *15300 La Coruña* 441 C 5 – *11 871 h. alt. 24.*

Ver : *Iglesia de Santa María del Azogue*★ – *Iglesia de San Francisco*★ *(sepulcro*★*).*
Madrid 576 – La Coruña/A Coruña 23 – Ferrol 38 – Lugo 72 – Santiago de Compostela 64.

Casanova, pl. García Hermanos 15 ☎ (981) 77 06 03 – AE E VISA
cerrado lunes salvo julio y agosto – **Comida** carta aprox. 4000.

BETETA *16870 Cuenca* 444 K 23 – *387 h. alt. 1 210.*

Ver : *Hoz de Beteta*★.
Madrid 217 – Cuenca 109 – Guadalajara 161.

Los Tilos, Extrarradio ☎ (969) 31 80 97, *Fax (969) 31 82 99*, ≤ – AE E VISA.
Comida 1600 – 450 – **24 hab** 4200/6000 – PA 3100.

BETRÉN *Lérida – ver Viella.*

BIELSA *22350 Huesca* 443 D 30 y E 30 – *430 h. alt. 1 053.*

Ver : *Parque Nacional de Ordesa y Monte Perdido*★★★.
Madrid 544 – Huesca 154 – Lérida/Lleida 170.

Bielsa, carret. de Ainsa ☎ (974) 50 10 08, *Fax (974) 50 11 13*, ≤ – E VISA.
26 diciembre-6 enero y 15 marzo-octubre – **Comida** 1750 – 775 – **60 hab** 3750/4700 – PA 3630.

Valle de Pineta, Baja ☎ (974) 50 10 10, *Fax (974) 50 11 91*, ≤, – . E VISA
Navidades, Semana Santa y junio-15 octubre – **Comida** 1350 – 475 – **26 hab** 3600/5100 – PA 3175.

Marboré sin rest. con cafetería, av. Pineta ☎ (974) 50 11 11 – . E VISA.
325 – **12 hab** 3500/4500.

en el valle de Pineta *NO : 14 km – 22350 Bielsa :*

Parador de Bielsa, alt. 1 350 ☎ (974) 50 10 11, *Fax (974) 50 11 88*, ≤, « En un magnífico paraje de montaña » – . AE E VISA JCB. rest
cerrado enero-15 febrero – **Comida** 3200 – 1300 – **24 hab** 13200/16500 – PA 6460.

BIESCAS *22630 Huesca* 443 E 29 – *1 142 h. alt. 860.*

Madrid 458 – Huesca 68 – Jaca 30.

Casa Ruba, Esperanza 18 ☎ (974) 48 50 01, *Fax (974) 48 50 01* – rest,
29 hab.

La Rambla, rambla San Pedro 7 ☎ (974) 48 51 77, *Fax (974) 48 51 77*, ≤ – .
E VISA.
cerrado noviembre – **Comida** 1450 – 475 – **30 hab** 5800 – PA 2900.

No confundir :

Confort de los hoteles : ... ,
Confort de los restaurantes : XXXXX ... X
Calidad de la comida : ✿✿✿, ✿✿, ✿,

BILBAO o **BILBO** *48000* P *Vizcaya* 442 **C 20** – *372 054 h.*

Ver : *Museo de Bellas Artes★ (sección de arte antiguo★★)* CY **M** – *Museo Guggenheim ★★* CY.

Laukariz, carret de Mungia NE por BI 631 (A) ℘ (94) 674 04 62.

de Bilbao, Sondica NE : 11 km por autovía BI 631 ℘ (94) 486 93 01 – Iberia : Ercilla 20 ✉ 48009 ℘ (94) 471 12 10 CZ. – *Abando ℘ (94) 423 06 17.* – *Cía. Trasmediterránea, Colón de Larreategui 30 ✉ 48009 ℘ (94) 423 43 00 Telex 32497 Fax (94) 424 74 59* DZ.

pl. Arriaga 1 ✉ 48005 ℘ (94) 416 00 22 Fax (94) 416 81 68 – **R.A.C.V.N.** *Rodríguez Arias 59 bis ✉ 48013 ℘ (94) 442 58 08 Fax (94) 441 27 12.*

Madrid 397 ② – Barcelona 607 ② – Lisboa 907 ② – San Sebastián/Donostia 100 ① – Santander 116 ③ – Toulouse 449 ① – Valencia 606 ② – Zaragoza 305 ②

López de Haro, Obispo Orueta 2, ✉ 48009, ℘ (94) 423 55 00, Telex 34787, *Fax (94) 423 45 00* – 25/40. AE ⓓ E VISA. rest CY r
Comida 3500 - ***Náutico* : Comida** carta 4300 a 5050 – 1475 – **49 hab** 16200/21800, 4 suites.

Carlton, pl. de Federico Moyúa 2, ✉ 48009, ℘ (94) 416 22 00, *Fax (94) 416 46 28* – 25/200. AE ⓓ E VISA JCB. CZ x
Comida 3000 – 1200 – **141 hab** 19000/24000, 7 suites.

Indautxu, pl. Bombero Etxaniz 2, ✉ 48010, ℘ (94) 421 11 98, *Fax (94) 422 13 31* – 25/400. AE ⓓ E VISA CZ b
Comida (ver rest. ***Etxaniz***) – 1450 – **181 hab** 17500/20500, 3 suites.

G.H. Ercilla, Ercilla 37, ✉ 48011, ℘ (94) 470 57 00, *Fax (94) 443 93 35* – 25/400. AE ⓓ E VISA JCB. rest CZ a
Comida (ver rest. ***Bermeo***) – 1475 – **338 hab** 17685/22915, 8 suites.

BILBO/BILBAO

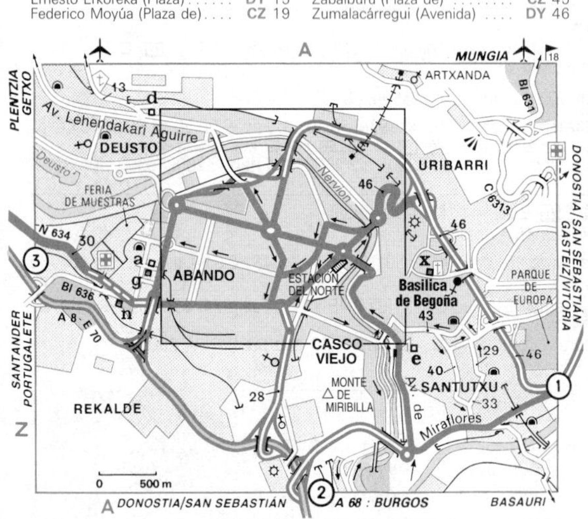

Abando, Colón de Larreategui 9, ✉ 48001, ☎ (94) 423 62 00, *Fax (94) 424 55 25* – 🛗 ▤ TV ☎ 🚗 – 🎪 25/150. AE ⦿ E VISA JCB. 🐕 – **Comida** *(cerrado domingo y festivos)* 2500 – ☕ 1200 – **142 hab** 10500/17000, 3 suites – PA 5400. DZ b

NH Villa de Bilbao, Gran Vía Don Diego López de Haro 87, ✉ 48011, ☎ (94) 441 60 00, *Fax (94) 441 65 29* – 🛗 ▤ TV ☎ 🚗 – 🎪 25/250. AE ⦿ E VISA JCB. 🐕 BY n **Comida** 2700 - ***La Pérgola*** **: Comida** carta 4050 a 4650 – ☕ 1400 – **139 hab** 15000/17000, 3 suites – PA 6400.

Nervión, paseo Campo de Volantín 11, ✉ 48007, ☎ (94) 445 47 00, *Fax (94) 445 56 08* – 🛗, ▤ rest, TV ☎ ♿ 🚗 – 🎪 25/250. AE ⦿ E VISA. 🐕 DY a **Comida** *(cerrado domingo)* 1800 – ☕ 1150 – **324 hab** 9400/14400, 24 suites.

NH de Deusto sin rest, Francisco Maciá 9, ✉ 48014, ☎ (94) 476 00 06, *Fax (94) 476 21 99* – 🛗 ▤ TV ☎ 🚗 – 🎪 25/90. AE ⦿ E VISA. 🐕 BY f ☕ 1300 – **70 hab** 14800/19800.

Conde Duque, paseo Campo de Volantín 22, ✉ 48007, ☎ (94) 445 60 00, *Fax (94) 445 60 66* – 🛗 ▤ TV ☎ 🚗 – 🎪 25/120. AE ⦿ E VISA. 🐕 DY m **Comida** *(cerrado sábado, domingo y festivos)* 1600 – ☕ 1100 – **65 hab** 11000/17000, 2 suites.

Estadio sin rest, Juan Antonio Zunzunegui 10 bis, ✉ 48013, ☎ (94) 442 42 41, *Fax (94) 442 50 11* – TV ☎. VISA. 🐕 AZ a ☕ 270 – **18 hab** 8000/12000.

Vista Alegre sin rest, Pablo Picasso 13, ✉ 48012, ☎ (94) 443 14 50, *Fax (94) 443 14 54* – TV ☎ 🚗. VISA. 🐕 – ☕ 350 – **35 hab** 5600/7300. CZ t

Zabálburu sin rest, Pedro Martínez Artola 8, ✉ 48012, ☎ (94) 443 71 00, *Fax (94) 410 00 73* – TV ☎ 🚗. E VISA. 🐕 CZ d ☕ 450 – **38 hab** 6100/8500.

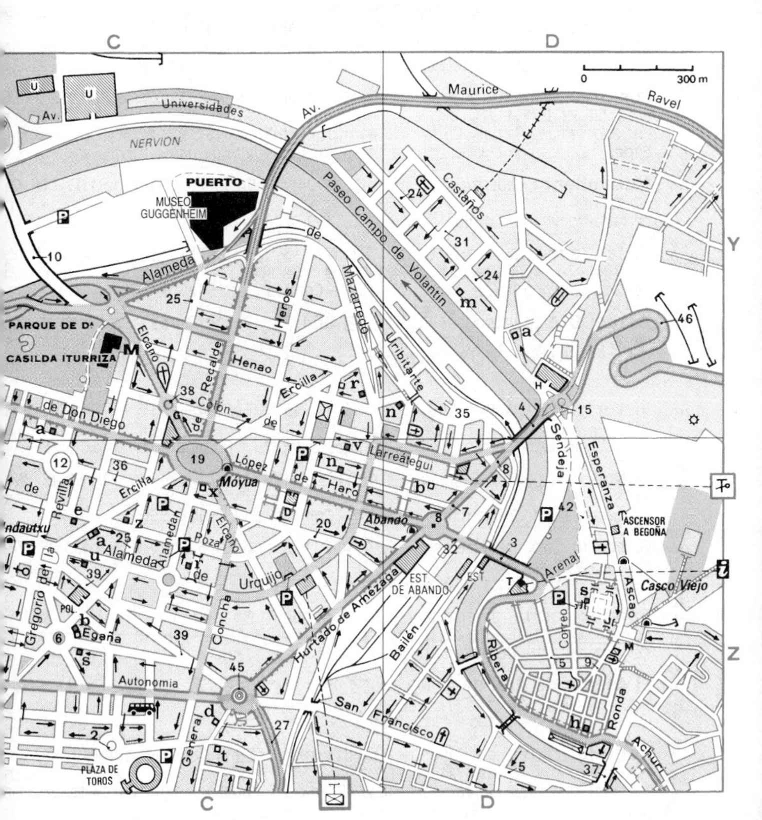

Sirimiri, pl. de la Encarnación 3, ✉ 48006, ☎ (94) 433 07 59, *Fax (94) 433 08 75* – AZ e
Comida (cerrado domingo) 2000 – ☕ 550 – **28 hab** 5820/9365.

Plaza San Pedro sin rest, Luzarra 7, ✉ 48014, ☎ (94) 476 31 26, *Fax (94) 476 38 95* – AZ d
☕ 500 – **19 hab** 6000/8000.

Zortziko, Alameda de Mazarredo 17, ✉ 48001, ☎ (94) 423 97 43, *Fax (94) 423 56 87* – CY r
cerrado domingo y 24 agosto-15 septiembre – **Comida** carta 6500 a 7500
Espec. Foie en copa con gelée de tempranillo. Mero al señorío de Otxaran. Suprema de pintada al jugo de trufas.

Guria, Gran Vía Don Diego López de Haro 66, ✉ 48011, ☎ (94) 441 05 43, *Fax (94) 471 02 80* – BY s
cerrado domingo, Semana Santa y 23 agosto-6 septiembre – **Comida** carta 6100 a 8400.

Bermeo, Ercilla 37, ✉ 48011, ☎ (94) 470 57 00, *Fax (94) 443 93 35* – CZ a
cerrado sábado mediodía y domingo noche – **Comida** carta aprox. 5525.

Etxaniz, Gordoniz 15, ✉ 48010, ☎ (94) 421 11 98, *Fax (94) 422 13 31* – CZ b
cerrado domingo, festivos, Semana Santa y del 1 al 15 de agosto – **Comida** carta aprox 6500.

Goizeko Kabi, Particular de Estraunza 4, ✉ 48011, ☎ (94) 441 50 04, *Fax (94) 442 11 29* – CY a
cerrado domingo y del 1 al 15 de agosto – **Comida** carta 4050 a 6150
Espec. Canelón de pichón y canela gratinado con Idiazábal. Láminas de bacalao en ensalada con pimientos asados naturales. Vieiras a la brasa con foie en su jugo.

Gorrotxa, Alameda Urquijo 30 (galería), ✉ 48008, ☎ (94) 443 49 37, *Fax (94) 422 05 35* – CZ r
cerrado Semana Santa y 26 julio-16 agosto – **Comida** carta 5300 a 7300
Espec. Hongos con cigalas. Bogavante Thermidor. Hígado de ganso a las uvas.

Matxinbenta, Ledesma 26, ✉ 48001, ☎ (94) 424 84 95, *Fax (94) 423 84 03* – CZ n
cerrado domingo – **Comida** carta aprox. 5200.

Casa Vasca, av. Lehendakari Aguirre 13, ✉ 48014, ☎ (94) 475 47 78, *Fax (94) 476 14 87* – BY d
cerrado domingo noche y festivos noche – **Comida** carta 3425 a 4350.

Asador Oteiza, Licenciado Poza 27, ✉ 48011, ☎ (94) 441 41 33 – CZ e
cerrado sábado mediodía, domingo, festivos y Semana Santa – **Comida** carta aprox 5200.

Víctor, pl. Nueva 2-1º, ✉ 48005, ☎ (94) 415 16 78, *Fax (94) 415 06 16* – DZ s
cerrado domingo, Semana Santa y 15 julio-15 agosto – **Comida** carta aprox. 6100.

Begoña, Virgen de Begoña, ✉ 48006, ☎ (94) 412 72 57 – AZ x
cerrado domingo (salvo mayo) y agosto – **Comida** carta 3600 a 5500.

Guetaria, Colón de Larreategui 12, ✉ 48001, ☎ (94) 424 39 23, *Fax (94) 423 25 27* – CZ v
cerrado Semana Santa – **Comida** carta 3700 a 4700.

Asador Jauna, Juan Antonio Zunzunegui 7, ✉ 48013, ☎ (94) 441 73 81, *Fax (94) 442 31 21* – AZ g
cerrado agosto – **Comida** carta 3400 a 4500.

El Asador de Aranda, Egaña 27, ✉ 48010, ☎ (94) 443 06 64, *Fax (94) 443 06 64* – CZ s
Comida - cordero asado - carta 3050 a 3400.

Rogelio, carret. de Basurto a Castrejana 7, ✉ 48002, ☎ (94) 427 30 21, *Fax (94) 427 17 78* – AZ r
cerrado domingo, Semana Santa y 25 julio-24 agosto – **Comida** carta 3625 a 4925.

Serantes, Licenciado Poza 16, ✉ 48011, ☎ (94) 421 21 29, *Fax (94) 444 59 79* – ▤. AE ⓓ E VISA. CZ z
cerrado 28 agosto-20 septiembre – **Comida** - pescados y mariscos - carta 4750 a 6100.

Serantes II, Alameda de Urquijo 51, ✉ 48011, ☎ (94) 410 26 99, *Fax (94) 444 59 79* – ▤. AE ⓓ E VISA. CZ u
cerrado 6 julio-6 agosto – **Comida** - pescados y mariscos - carta 4750 a 6150.

Ariatza, Somera 1, ✉ 48005, ☎ (94) 415 96 74, *Fax (94) 415 96 74* – ▤. AE ⓓ E VISA. DZ h
cerrado domingo noche y lunes noche – **Comida** carta 2500 a 5100.

Albatros, San Vicente 5, ✉ 48001, ☎ (94) 423 69 00 – ▤. AE ⓓ E VISA. DY n
cerrado domingo y agosto – **Comida** carta 2900 a 4300.

Ver también : **Getxo** *por av. Lehendakari Aguirre* AZ *NO : 15 km*
Galdácano *por* ① *: 8 km.*

BINÉFAR *22500 Huesca* 443 G 30 – *8 033 h. alt. 286.*

Almacella 87 ☎ (974) 42 81 00 Fax (974) 43 09 50.

Madrid 488 – Barcelona 214 – Huesca 81 – Lérida/Lleida 39.

La Paz, av. Aragón 30 ☎ (974) 42 86 00, *Fax (974) 43 04 11* – ▤, ▤ rest, TV ☎ – 25/550. E VISA
Comida *(cerrado domingo noche)* 1500 – ☕ 500 – **58 hab** 3250/5500 – PA 3250.

Cantábrico, Zaragoza 1 ☎ (974) 42 86 50, *Fax (974) 42 86 50* – ▤, ▤ rest,. E VISA.
Comida *(cerrado domingo)* 1300 – ☕ 500 – **30 hab** 2300/4300 – PA 3000.

BLANES *17300 Gerona* 443 G 38 – *25 408 h. – Playa.*

Ver : Jardín Botánico Marimurtra★ (≤★), paseo Marítimo★.

pl. Catalunya 21 ☎ (972) 33 03 48 Fax (972) 33 46 86.

Madrid 691 – Barcelona 61 – Gerona/Girona 43.

Can Flores II, Explanada del Port 3 ☎ (972) 33 16 33, 佘 – ▤
Comida - pescados y mariscos -.

Port Blau, Explanada del Port 18 ☎ (972) 33 42 24 – ▤
Comida - pescados y mariscos -.

S'Auguer, S'Auguer 2 ☎ (972) 35 14 05, « Decoración rústica »
▤. E VISA.
cerrado 20 enero-10 febrero – **Comida** carta 2750 a 3900.

en la playa de Sabanell – ✉ *17300 Blanes :*

Horitzó, passeig Marítim S'Abanell 11 ☎ (972) 33 04 00, *Fax (972) 33 78 63,* ≤ – ▤ TV ☎ ⇔. AE E VISA. rest
marzo-15 noviembre – **Comida** 2000 – ☕ 700 – **122 hab** 5825/9900.

Stella Maris, Vila de Madrid 18 ☎ (972) 33 00 92, *Fax (972) 33 57 03,* ⛱ – ▤, ▤ rest, ⇔. AE ⓓ E VISA. rest
Semana Santa-octubre – **Comida** - sólo buffet - 1700 – ☕ 1200 – **90 hab** 4500/7000 – PA 2500.

en la carretera de Lloret de Mar *NE : 2 km* – ✉ *17300 Blanes :*

El Ventall, ✉ apartado 457, ☎ (972) 33 29 81, *Fax (972) 33 29 81,* 佘 – ▤ Ⓟ. AE ⓓ E VISA JCB
cerrado martes y 22 diciembre-15 enero – **Comida** carta 3700 a 5850.

BOADELLA D'EMPORDÀ *17723 Gerona* 443 F 38 – *193 h. alt. 150.*

Madrid 766 – Gerona/Girona 49.

El Trull d'en Francesc, Gaietà 1 ☎ (972) 56 90 27 – ▤ Ⓟ. AE ⓓ E VISA
cerrado lunes, martes y febrero – **Comida** carta 1950 a 3000.

BOADILLA DEL MONTE *28660 Madrid* 444 K 18 – *15 984 h.*

18 9 Lomas-Bosque, urb. El Bosque ☎ (91) 616 75 00 – 9 Las Encinas de Boadilla, carret. de Pozuelo km 1,4 ☎ (91) 633 11 00.

Madrid 13.

La Cañada, carret. de Madrid - E : 1,5 km ☎ (91) 633 12 83, *Fax (91) 547 04 63,* ≤, 佘, – ▤ Ⓟ. VISA.
cerrado domingo noche, lunes noche y festivos – **Comida** carta 4300 a 5450.

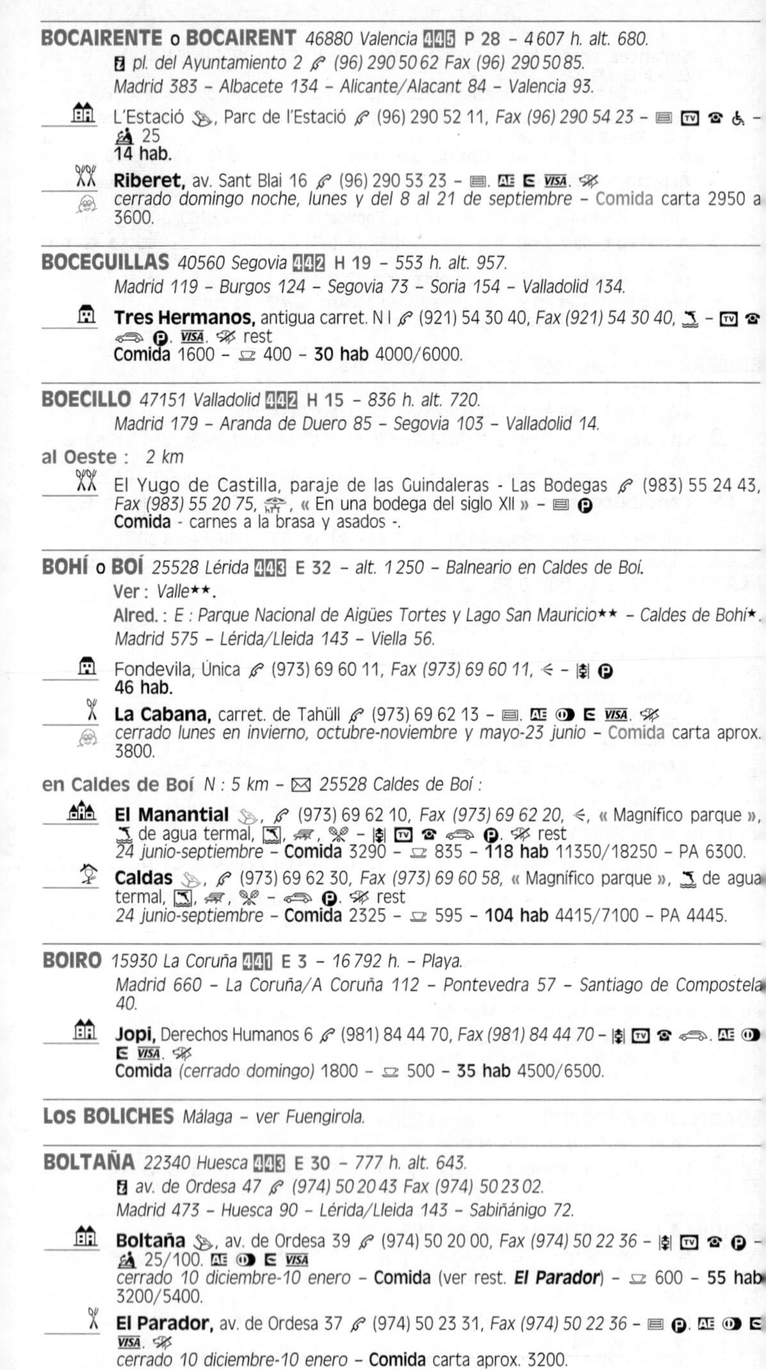

BOCAIRENTE o **BOCAIRENT** *46880 Valencia 445* **P 28** – *4 607 h. alt. 680.*

pl. del Ayuntamiento 2 (96) 290 50 62 Fax (96) 290 50 85.

Madrid 383 – Albacete 134 – Alicante/Alacant 84 – Valencia 93.

L'Estació, Parc de l'Estació (96) 290 52 11, *Fax (96) 290 54 23* – 25
14 hab.

Riberet, av. Sant Blai 16 (96) 290 53 23 – . AE E VISA.
cerrado domingo noche, lunes y del 8 al 21 de septiembre – **Comida** carta 2950 a 3600.

BOCEGUILLAS *40560 Segovia 442* **H 19** – *553 h. alt. 957.*

Madrid 119 – Burgos 124 – Segovia 73 – Soria 154 – Valladolid 134.

Tres Hermanos, antigua carret. N I (921) 54 30 40, *Fax (921) 54 30 40*, – . VISA. rest
Comida 1600 – 400 – **30 hab** 4000/6000.

BOECILLO *47151 Valladolid 442* **H 15** – *836 h. alt. 720.*

Madrid 179 – Aranda de Duero 85 – Segovia 103 – Valladolid 14.

al Oeste : *2 km*

El Yugo de Castilla, paraje de las Guindaleras - Las Bodegas (983) 55 24 43, *Fax (983) 55 20 75*, , « En una bodega del siglo XII » –
Comida - carnes a la brasa y asados -.

BOHÍ o **BOÍ** *25528 Lérida 443* **E 32** – *alt. 1 250 – Balneario en Caldes de Boí.*

Ver : *Valle★★.*

Alred. : *E : Parque Nacional de Aigües Tortes y Lago San Mauricio★★ – Caldes de Bohí★.*

Madrid 575 – Lérida/Lleida 143 – Viella 56.

Fondevila, Única (973) 69 60 11, *Fax (973) 69 60 11*, –
46 hab.

La Cabana, carret. de Tahüll (973) 69 62 13 – . AE E VISA.
cerrado lunes en invierno, octubre-noviembre y mayo-23 junio – **Comida** carta aprox. 3800.

en Caldes de Boí *N : 5 km – 25528 Caldes de Boí :*

El Manantial, (973) 69 62 10, *Fax (973) 69 62 20*, , « Magnífico parque », de agua termal, , , – . rest
24 junio-septiembre – **Comida** 3290 – 835 – **118 hab** 11350/18250 – PA 6300.

Caldas, (973) 69 62 30, *Fax (973) 69 60 58*, « Magnífico parque », de agua termal, , , – . rest
24 junio-septiembre – **Comida** 2325 – 595 – **104 hab** 4415/7100 – PA 4445.

BOIRO *15930 La Coruña 441* **E 3** – *16 792 h. – Playa.*

Madrid 660 – La Coruña/A Coruña 112 – Pontevedra 57 – Santiago de Compostela 40.

Jopi, Derechos Humanos 6 (981) 84 44 70, *Fax (981) 84 44 70* – . AE E VISA.
Comida *(cerrado domingo)* 1800 – 500 – **35 hab** 4500/6500.

Los BOLICHES *Málaga – ver Fuengirola.*

BOLTAÑA *22340 Huesca 443* **E 30** – *777 h. alt. 643.*

av. de Ordesa 47 (974) 50 20 43 Fax (974) 50 23 02.

Madrid 473 – Huesca 90 – Lérida/Lleida 143 – Sabiñánigo 72.

Boltaña, av. de Ordesa 39 (974) 50 20 00, *Fax (974) 50 22 36* – 25/100. AE E VISA
cerrado 10 diciembre-10 enero – **Comida** (ver rest. ***El Parador***) – 600 – **55 hab** 3200/5400.

El Parador, av. de Ordesa 37 (974) 50 23 31, *Fax (974) 50 22 36* – . AE E VISA.
cerrado 10 diciembre-10 enero – **Comida** carta aprox. 3200.

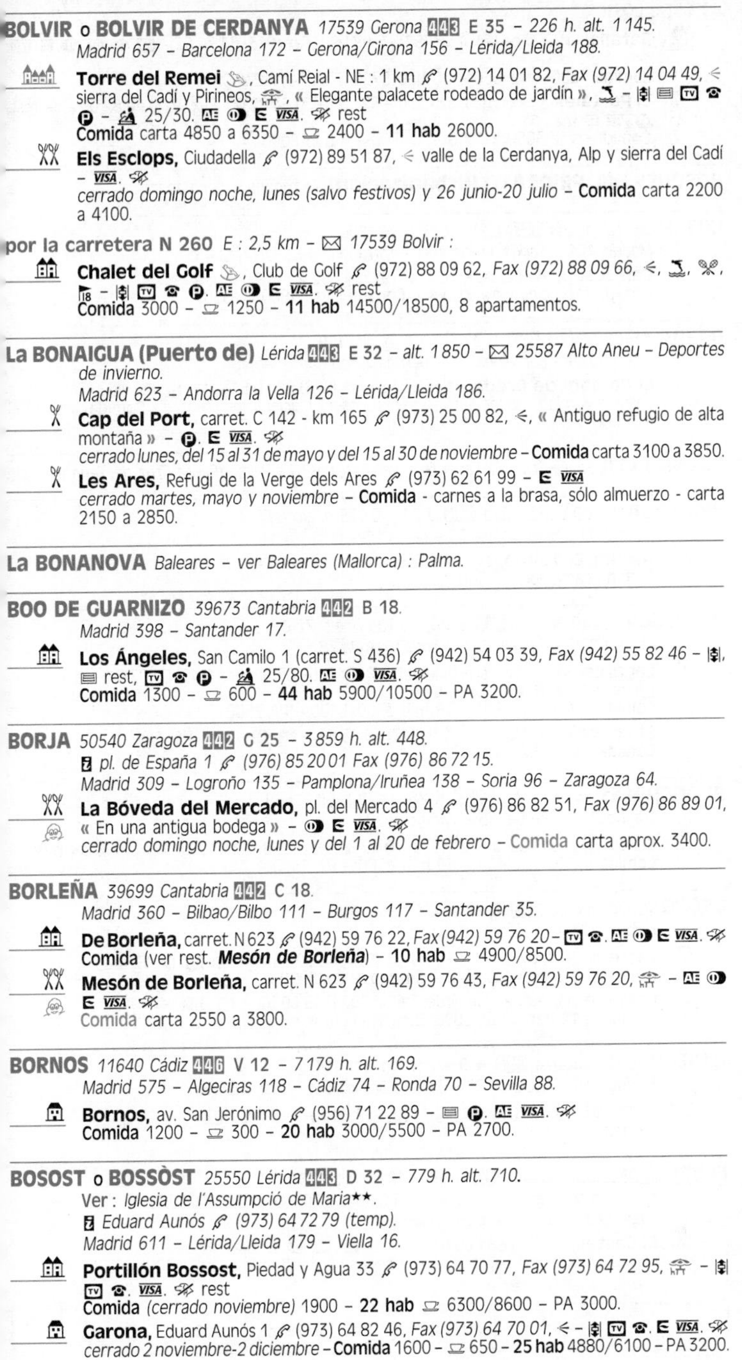

BOLVIR o **BOLVIR DE CERDANYA** *17539 Gerona* 443 E 35 – *226 h. alt. 1 145.*

Madrid 657 – Barcelona 172 – Gerona/Girona 156 – Lérida/Lleida 188.

Torre del Remei, Camí Reial - NE : 1 km ☎ (972) 14 01 82, *Fax (972) 14 04 49*, ≤ sierra del Cadí y Pirineos, « Elegante palacete rodeado de jardín », – – 25/30. AE E VISA. rest
Comida carta 4850 a 6350 – 2400 – **11 hab** 26000.

Els Esclops, Ciudadella ☎ (972) 89 51 87, ≤ valle de la Cerdanya, Alp y sierra del Cadí – VISA.
cerrado domingo noche, lunes (salvo festivos) y 26 junio-20 julio – **Comida** carta 2200 a 4100.

por la carretera N 260 *E : 2,5 km – ✉ 17539 Bolvir :*

Chalet del Golf, Club de Golf ☎ (972) 88 09 62, *Fax (972) 88 09 66*, ≤, 18 – AE E VISA. rest
Comida 3000 – 1250 – **11 hab** 14500/18500, 8 apartamentos.

La BONAIGUA (Puerto de) *Lérida* 443 E 32 – *alt. 1 850 – ✉ 25587 Alto Aneu – Deportes de invierno.*

Madrid 623 – Andorra la Vella 126 – Lérida/Lleida 186.

Cap del Port, carret. C 142 - km 165 ☎ (973) 25 00 82, ≤, « Antiguo refugio de alta montaña » – E VISA.
cerrado lunes, del 15 al 31 de mayo y del 15 al 30 de noviembre – **Comida** carta 3100 a 3850.

Les Ares, Refugi de la Verge dels Ares ☎ (973) 62 61 99 – E VISA
cerrado martes, mayo y noviembre – **Comida** - carnes a la brasa, sólo almuerzo - carta 2150 a 2850.

La BONANOVA *Baleares – ver Baleares (Mallorca) : Palma.*

BOO DE GUARNIZO *39673 Cantabria* 442 B 18.

Madrid 398 – Santander 17.

Los Ángeles, San Camilo 1 (carret. S 436) ☎ (942) 54 03 39, *Fax (942) 55 82 46* – rest, – 25/80. AE VISA.
Comida 1300 – 600 – **44 hab** 5900/10500 – PA 3200.

BORJA *50540 Zaragoza* 442 G 25 – *3 859 h. alt. 448.*

pl. de España 1 ☎ (976) 85 20 01 Fax (976) 86 72 15.

Madrid 309 – Logroño 135 – Pamplona/Iruñea 138 – Soria 96 – Zaragoza 64.

La Bóveda del Mercado, pl. del Mercado 4 ☎ (976) 86 82 51, *Fax (976) 86 89 01*, « En una antigua bodega » – E VISA.
cerrado domingo noche, lunes y del 1 al 20 de febrero – **Comida** carta aprox. 3400.

BORLEÑA *39699 Cantabria* 442 C 18.

Madrid 360 – Bilbao/Bilbo 111 – Burgos 117 – Santander 35.

De Borleña, carret. N 623 ☎ (942) 59 76 22, *Fax (942) 59 76 20* – AE E VISA.
Comida (ver rest. ***Mesón de Borleña***) – **10 hab** 4900/8500.

Mesón de Borleña, carret. N 623 ☎ (942) 59 76 43, *Fax (942) 59 76 20*, – AE E VISA.
Comida carta 2550 a 3800.

BORNOS *11640 Cádiz* 446 V 12 – *7 179 h. alt. 169.*

Madrid 575 – Algeciras 118 – Cádiz 74 – Ronda 70 – Sevilla 88.

Bornos, av. San Jerónimo ☎ (956) 71 22 89 – AE VISA.
Comida 1200 – 300 – **20 hab** 3000/5500 – PA 2700.

BOSOST o **BOSSÒST** *25550 Lérida* 443 D 32 – *779 h. alt. 710.*

Ver : *Iglesia de l'Assumpció de Maria★★.*

Eduard Aunós ☎ (973) 64 72 79 (temp).

Madrid 611 – Lérida/Lleida 179 – Viella 16.

Portillón Bossost, Piedad y Agua 33 ☎ (973) 64 70 77, *Fax (973) 64 72 95*, – VISA. rest
Comida *(cerrado noviembre)* 1900 – **22 hab** 6300/8600 – PA 3000.

Garona, Eduard Aunós 1 ☎ (973) 64 82 46, *Fax (973) 64 70 01*, ≤ – E VISA.
cerrado 2 noviembre-2 diciembre – **Comida** 1600 – 650 – **25 hab** 4880/6100 – PA 3200.

Batalla, urb. Sol de la Vall ☎ (973) 64 81 99, *Fax (973) 64 70 02* – TV ☎. AE ⓓ E VISA.
Comida 1200 – ☕ 660 – **16 hab** 5780/7780 – PA 3000.

El Portalet con hab, San Jaime 32 ☎ (973) 64 82 00, *Fax (973) 64 82 00* – ▤ rest, Ⓟ. AE E VISA.
Comida carta 3050 a 4000 – ☕ 500 – **6 hab** 6000.

BOSQUES DEL PRIORATO (Urbanización) *Tarragona – ver Bañeras.*

BOT *43785 Tarragona* 443 **I 31** – *837 h. alt. 290.*
Madrid 474 – Lérida/Lleida 100 – Tarragona 102 – Tortosa 53.

Can Josep, av. Catalunya 34 ☎ (977) 42 82 40 – ▤. E VISA.
cerrado miércoles y Navidades – **Comida** carta 1800 a 2950.

BREDA *17400 Gerona* 443 **G 37** – *3 192 h. alt. 169.*
Madrid 658 – Barcelona 56 – Gerona/Girona 51 – Vic 48.

El Romaní de Breda, Joan XXIII-36 ☎ (972) 87 10 51 – ▤ Ⓟ. AE VISA.
cerrado domingo noche, jueves no festivos y 21 diciembre-10 enero – **Comida** carta 1450 a 2800.

BREÑA ALTA *Santa Cruz de Tenerife – ver Canarias : La Palma (Santa Cruz de Tenerife).*

BRIHUEGA *19400 Guadalajara* 444 **J 21** – *3 035 h. alt. 897.*
Madrid 94 – Guadalajara 35 – Soria 149.

Asador El Tolmo, av. de la Constitución 26 ☎ (949) 28 04 76 – ▤. E VISA.
Comida carta aprox. 3500.

BRIVIESCA *09240 Burgos* 442 **E 20** – *5 795 h. alt. 725.*
Madrid 285 – Burgos 42 – Vitoria/Gasteiz 78.

Lagaresma, Santa María Bajera 11 ☎ (947) 59 07 51, *Fax (947) 59 07 51* – |‡|, ▤ rest, TV ☎. AE ⓓ E VISA. rest
Comida 1200 – ☕ 550 – **30 hab** 3500/5500 – PA 2500.

El Concejo, pl. Mayor 14 ☎ (947) 59 16 86 – ▤. AE ⓓ E VISA.
Comida carta 3225 a 4200.

BRONCHALES *44367 Teruel* 443 **K 25** – *478 h. alt. 1 569.*
Madrid 261 – Teruel 55 – Zaragoza 184.

Suiza, Fombuena 8 ☎ (978) 70 10 89, *Fax (978) 70 10 89* – . VISA. rest
Comida 1750 – ☕ 450 – **50 hab** 4500 – PA 3300.

BROTO *22370 Huesca* 443 **E 29** – *403 h. alt. 905.*
Madrid 484 – Huesca 94 – Jaca 56.

Latre sin rest, av. de Ordesa 23 ☎ (974) 48 60 53, ← – |‡| TV Ⓟ. E VISA
marzo-20 octubre – ☕ 400 – **34 hab** 3000/5000.

Gabarre sin rest, av. de Ordesa 6 ☎ (974) 48 60 52 – TV. VISA.
☕ 400 – **12 hab** 3500/6000, 2 apartamentos.

BROZAS *10950 Cáceres* 444 **N 9** – *2 307 h. alt. 411.*
Madrid 330 – Cáceres 51 – Castelo Branco 95 – Plasencia 95.

La Posada, pl. de Ovando 1 ☎ (927) 39 50 19 – ▤ rest, TV
12 hab.

El BRULL *08553 Barcelona* 443 **G 36** – *182 h. alt. 843.*
18 Osona Montanyà, O : 3 km ☎ (93) 884 01 70 Fax (93) 884 04 07.
Madrid 635 – Barcelona 65 – Manresa 51.

El Castell, ☎ (93) 884 00 63, ← – ▤ Ⓟ. AE ⓓ E VISA.
cerrado martes noche, miércoles y septiembre – **Comida** carta 1400 a 3225.

en el Club de Golf *O : 3 km – ✉ 08553 El Brull :*

XX **L'Estanyol,** ✆ (93) 884 03 54, *Fax (93) 884 04 07,* ≤ campo de golf – ▤ Ⓟ. AE E VISA. ✗
Comida carta 3825 a 5200.

BRUNETE *28690 Madrid* 444 K 18 – *2 505 h.*
Madrid 32 – Ávila 92 – Talavera de la Reina 99.

por la carretera M 501 *SE : 2 km – ✉ 28690 Brunete :*

X **El Vivero,** ✆ (91) 815 92 22 – ▤ Ⓟ. AE ⓓ E VISA. ✗
cerrado jueves y agosto – **Comida** - asados - carta 2700 a 3500.

BUBIÓN *18412 Granada* 446 V 19 – *303 h. alt. 1 150.*
Madrid 504 – Almería 151 – Granada 75.

Villa Turística de Bubión ⛰, ✆ (958) 76 31 11, *Fax (958) 76 31 36,* ≤ – ▤ rest, ☎ Ⓟ – 🏛 25/60. AE ⓓ E VISA. ✗ rest
Comida 2250 – ☕ 925 – **43 apartamentos** 9600/12000 – PA 4700.

X **Teide,** Carretera 2 ✆ (958) 76 30 37, 🏔, « Decoración típica » – Ⓟ. ⓓ E VISA. ✗
cerrado martes y del 15 al 30 de junio – **Comida** carta 1450 a 2325.

BUEU *36939 Pontevedra* 441 F 3 – *11 506 h. – Playa.*
Madrid 621 – Pontevedra 19 – Vigo 32.

Incamar, Montero Ríos 147 ✆ (986) 32 00 67, *Fax (986) 32 07 84* – 🛗, ▤ rest, 📺 ☎. AE VISA. ✗
cerrado 22 diciembre-7 enero – **Comida** carta aprox. 1500 – ☕ 500 – **55 hab** 5000/7000.

Playa Agrelo, playa de Agrelo - NE : 1,5 km ✆ (986) 32 08 44, *Fax (986) 32 06 26* – 🛗 📺 ☎ Ⓟ. AE ⓓ E VISA. ✗
cerrado noviembre-febrero – **Comida** *(cerrado noviembre y domingo noche de diciembre-marzo)* carta aprox. 3400 – ☕ 600 – **52 hab** 5000/7500.

X **Loureiro** con hab, playa de Loureiro - NE : 1 km ✆ (986) 32 07 19, *Fax (986) 32 14 98,* ≤ – 📺 ☎ Ⓟ. AE ⓓ E VISA. ✗
Comida carta 2500 a 3700 – ☕ 500 – **24 hab** 4280/5885.

BUJARALOZ *50177 Zaragoza* 443 H 29 – *1 074 h. alt. 245.*
Madrid 394 – Lérida/Lleida 83 – Zaragoza 75.

X **Español** con hab, carret. N II ✆ (976) 17 30 43, *Fax (976) 17 31 92* – ▤ rest, Ⓟ. AE ⓓ E VISA. ✗
Comida carta 1800 a 2475 – ☕ 225 – **18 hab** 1750/3150.

BUNYOLA *Baleares* – *ver Baleares (Mallorca).*

BUÑO *15111 La Coruña* 441 C 3.
Madrid 644 – Carballo 10 – La Coruña/A Coruña 67 – Santiago de Compostela 72.

XX **Casa Elías,** Santa Catalina ✆ (981) 71 10 49, *Fax (981) 71 10 49,* Vivero propio – ▤. AE ⓓ E VISA. ✗
cerrado lunes y 15 octubre-noviembre – **Comida** - pescados y mariscos - carta 2600 a 3200.

BURELA *27880 Lugo* 441 B 7.
Madrid 612 – La Coruña/A Coruña 157 – Lugo 108.

Luzern sin rest. con cafetería, av. Arcadio 171 ✆ (982) 58 55 70, *Fax (982) 58 55 70* – 📺 ☎
19 hab.

X **Sargo,** Rosalía de Castro 2 ✆ (982) 58 51 38, *Fax (982) 58 51 38* – ▤. AE E VISA. ✗
Comida carta 2700 a 4900.

El BURGO *29420 Málaga* 446 V 15 – *2 040 h. alt. 591.*
Madrid 538 – Antequera 80 – Málaga 69 – Marbella 63 – Ronda 26.

Posada del Canónigo sin rest, Mesones 24 ✆ (95) 216 01 85, « Casa del siglo XVIII » – ▤. E VISA. ✗
cerrado julio – **12 hab** ☕ 4500/6500.

El BURGO DE OSMA *42300 Soria* 442 **H 20** – *5 054 h. alt. 895.*

Ver : *Catedral★ (sepulcro de Pedro de Osma★, museo : documentos antiguos y códices miniados★).*

Madrid 183 – Aranda de Duero 56 – Soria 56.

Il Virrey, Mayor 4 ☎ (975) 34 13 11, *Fax (975) 34 08 55,* « Decoración elegante » – 📺 ☎ – 25/45. AE VISA.
Comida *(cerrado domingo noche y del 15 al 31 de diciembre)* 2000 – ☕ 1000 – **52 hab** 7500/12000 – PA 5000.

Río Ucero, carret. N 122 ☎ (975) 34 12 78, *Fax (975) 34 12 50* – rest, 📺 ☎ Ⓟ – 25/180. AE VISA.
Comida 1600 - ***Puente Real :*** **Comida** carta 2000 a 3600 – ☕ 800 – **86 hab** 6500/10000 8 suites.

Europe

If the name of the hotel is not in bold type,
on arrival ask the hotelier his prices.

BURGOS *09000* Ⓟ 442 **E 18 y 19** – *169 111 h. alt. 856.*

Ver : *Catedral★★★ (crucero, coro y Capilla Mayor★★, Girola★, capilla del Condestable★★, capilla de Santa Ana★)* A – *Museo de Burgos★ (arqueta hispanoárabe★, frontal de altar★, sepulcro de Juan de Padilla★)* B **M1** – *Arco de Santa María★* A **B** – *Iglesia de San Nicolás retablo★.*

Alred. : *Real Monasterio de las Huelgas★★ (sala Capitular : pendón★, museo de telas medievales★★) por av. del Monasterio de las Huelgas* A – *Cartuja de Miraflores : iglesia★ (conjunto escultórico de la Capilla Mayor★★★)* B.

pl. Alonso Martínez 7 ✉ 09003 ☎ (947) 20 31 25 Fax (947) 27 65 29.

Madrid 239 ② – Bilbao/Bilbo 156 ① – Santander 154 ① – Valladolid 125 ③ – Vitoria/Gasteiz 111 ①

BURGOS

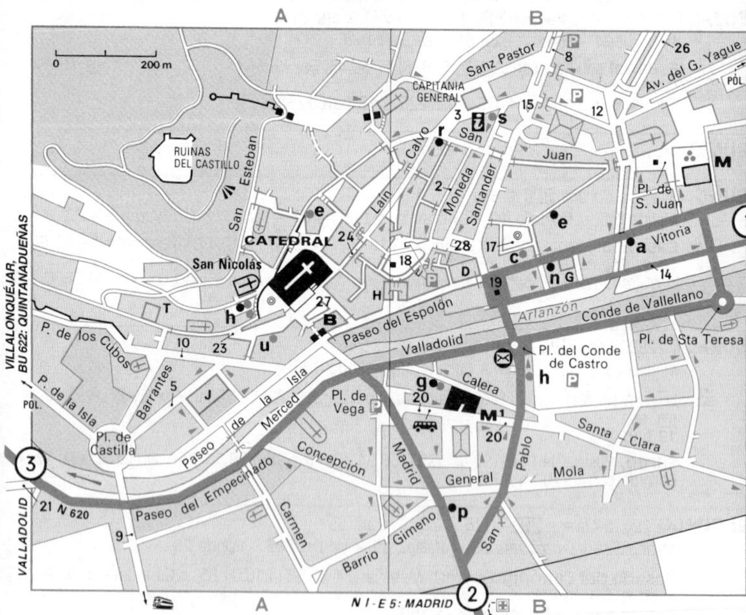

Puerta de Burgos, Vitoria 69, ✉ 09006, ☎ (947) 24 10 00, *Fax (947) 24 07 07,* – 25/500. AE E VISA. por ①
Comida *(cerrado domingo)* 2350 – ☕ 1250 – **136 hab** 10360/13080, 1 suite.

Almirante Bonifaz, Vitoria 22, ✉ 09004, ☎ (947) 20 69 43, *Fax (947) 20 29 19* – rest, – 25/200. AE ① E VISA JCB. B a
Los Sauces *(cerrado lunes mediodía)* **Comida** carta 3200 a 4100 – ☕ 1200 – **79 hab** 9250/16700.

Rice, av. de los Reyes Católicos 30, ✉ 09005, ☎ (947) 22 23 00, *Fax (947) 22 35 50* – rest, AE ① E VISA. rest por av. de los Reyes Católicos B
Comida carta 2500 a 3500 – ☕ 1200 – **50 hab** 12100/17050.

Corona de Castilla, Madrid 15, ✉ 09002, ☎ (947) 26 21 42, *Fax (947) 20 80 42* – rest, – 25/350. AE ① E VISA. B p
Comida carta aprox. 3500 – ☕ 1150 – **71 hab** 7900/13800.

María Luisa sin rest, av. del Cid Campeador 42, ✉ 09005, ☎ (947) 22 80 00, *Fax (947) 22 80 80,* « Decoración elegante » – – 25. AE ① E VISA
☕ 700 – **44 hab** 11000/14000. por av. del Cid Campeador B

Fernán González, Calera 17, ✉ 09002, ☎ (947) 20 94 41, Telex 39602, *Fax (947) 27 41 21* – – 25/500. AE ① VISA JCB B g
Comida (ver rest. ***Fernán González***) – ☕ 675 – **85 hab** 8900/14900.

Del Cid, pl. Santa María 8, ✉ 09003, ☎ (947) 20 87 15, *Fax (947) 26 94 60,* ← – AE ① E VISA JCB A h
Comida (ver rest. ***Mesón del Cid***) – ☕ 900 – **28 hab** 14500.

Cordón sin rest, La Puebla 6, ✉ 09004, ☎ (947) 26 50 00, *Fax (947) 20 02 69* – – 25/70. AE ① E VISA B e
☕ 850 – **35 hab** 7500/12500.

Norte y Londres sin rest, pl. de Alonso Martínez 10, ✉ 09003, ☎ (947) 26 41 25, *Fax (947) 27 73 75* – AE ① E VISA B r
☕ 600 – **50 hab** 5700/9000.

Casa Ojeda, Vitoria 5, ✉ 09004, ☎ (947) 20 90 52, « Decoración castellana » – AE ① E VISA. B c
cerrado domingo noche – **Comida** carta 3900 a 4900.

Fernán González, Calera 19, ✉ 09002, ☎ (947) 20 94 42, Telex 39602, *Fax (947) 27 41 21* – AE ① VISA JCB. B g
Comida carta aprox. 3800.

Los Chapiteles, General Santocildes 7, ✉ 09003, ☎ (947) 20 18 37, *Fax (947) 20 57 65* – AE ① E VISA. B s
cerrado lunes – **Comida** carta aprox. 2500.

Rincón de España, Nuño Rasura 11, ✉ 09003, ☎ (947) 20 59 55, *Fax (947) 20 59 55,* – AE ① E VISA JCB. A u
Comida carta 2900 a 4200.

Mesón del Cid, pl. de Santa María 8, ✉ 09003, ☎ (947) 20 59 71, *Fax (947) 26 94 60,* « Decoración castellana » – AE ① E VISA JCB. A h
cerrado domingo noche – **Comida** carta aprox. 3900.

El Asador de Aranda, Llana de Afuera, ✉ 09003, ☎ (947) 26 81 41, ← – VISA. A e
cerrado domingo noche – **Comida** carta 2850 a 2900.

Don Jamón, San Pablo 3, ✉ 09002, ☎ (947) 26 56 61, *Fax (947) 26 00 36* – AE ① E VISA. B h
Comida carta 3000 a 4900.

Mesón la Cueva, pl. de Santa María 7, ✉ 09003, ☎ (947) 20 86 71, « Decoración castellana » – AE ① E VISA. A h
cerrado domingo noche y febrero – **Comida** carta 3600 a 4000.

Casa Azofra, Juan de Austria 22, ✉ 09001, ☎ (947) 20 59 73, *Fax (947) 27 55 62* – AE E VISA. por ③
cerrado domingo noche – **Comida** - cordero asado - carta 1950 a 3250.

en la autovía N I *por ②* :

Landa Palace, 3,5 Km, ✉ 09001, ☎ (947) 20 63 43, *Fax (947) 26 46 76,* – – 25. E VISA.
Comida 5800 – ☕ 1600 – **39 hab** 18400/23000, 3 suites.

La Varga con hab, 5 km, ✉ 09195 Villagonzalo-Pedernales, ☎ (947) 20 16 40, *Fax (947) 26 21 72* – rest, AE E VISA
Comida carta 2225 a 4100 – ☕ 840 – **12 hab** 4000/7700.

Landilla con hab, 4 km, ✉ 09001, ☎ (947) 20 90 03 – rest,
13 hab.

en Villalonquéjar *NO : 7,5 km – ✉ 09001 Burgos :*

Villalón, ☎ (947) 29 81 29, *Fax (947) 29 83 07* – ▤. AE E VISA. ✂
cerrado lunes – **Comida** carta 3100 a 4200. por P. de la Isla A

Ver también : **Castrillo del Val** *por ① : 11 km*
Villagonzalo-Pedernales *por ③ : 8 km.*

BURGUETE o AURITZ *31640 Navarra* 442 **D 25 y 26** *– 321 h. alt. 960 – Deportes de invierno* *3.*
Madrid 439 – Jaca 120 – Pamplona/Iruñea 44 – St-Jean-Pied-de-Port 32.

Loizu, av. Roncesvalles 7 ☎ (948) 76 00 08, *Fax (948) 79 04 44* – TV ☎ P. AE E VISA. ✂
cerrado enero y febrero – **Comida** 1675 – 550 – **27 hab** 4500/8000 – PA 3300.

BURLADA *31600 Navarra* 442 **D 25** *– 15 174 h.*
Madrid 391 – Jaca 117 – Logroño 98 – Pamplona/Iruñea 6.

Tryp Burlada sin rest, La Fuente 2 ☎ (948) 13 13 00, *Fax (948) 12 23 46* – ▤ TV ☎. AE E VISA
600 – **53 hab** 11600/14500.

BURRIANA *12530 Castellón* 445 **M 29** *– 25 438 h.*
Madrid 410 – Castellón de la Plana/Castelló de la Plana 11 – Valencia 62.

en la autopista A 7 *SO : 4 km – ✉ 12530 Burriana :*

La Plana, ☎ (964) 51 25 50, *Fax (964) 51 27 54* – ▤ TV ☎ P. AE E VISA. ✂ rest
Comida 1600 - ***Rhodas Grill :*** **Comida** carta 2220 a 3895 – 790 – **56 hab** 6325/9540.

en la playa *SE : 2,5 km – ✉ 12530 Burriana :*

Aloha, av. Mediterráneo 74 ☎ (964) 58 50 00, *Fax (964) 58 50 00,* – ▤ TV ☎ P. VISA. ✂
Comida 2050 – 500 – **30 hab** 5500/8200 – PA 3900.

CABAÑAS *15621 La Coruña* 441 **B 5** *– 3 074 h. alt. 79 – Playa.*
Madrid 611 – La Coruña/A Coruña 50 – Ferrol 13 – Santiago de Compostela 87.

Sarga, carret. de La Coruña ☎ (981) 43 10 00, *Fax (981) 43 06 78,* – TV P. AE E VISA. ✂
Comida *(cerrado enero-marzo y noviembre-diciembre)* 2500 – 600 – **80 hab** 8000/11000 – PA 4500.

CABEZÓN DE LA SAL *39500 Cantabria* 442 **C 17** *– 6 789 h. alt. 128.*
pl. Ricardo Botín ☎ (942) 70 03 32.
Madrid 401 – Burgos 158 – Oviedo 161 – Palencia 191 – Santander 44.

La Villa, pl. de la Bodega ☎ (942) 70 17 04
▤. AE VISA. ✂
cerrado lunes y septiembre – **Comida** carta 2450 a 3250.

en la carretera de Luzmela *S : 3 km – ✉ 39509 Luzmela :*

Venta Santa Lucía, ☎ (942) 70 18 36, *Fax (942) 70 10 61,* , « Antigua posada » – P. E VISA. ✂
cerrado martes, del 1 al 15 de febrero y del 1 al 15 de noviembre – **Comida** carta 3000 a 3700.

CABO – *ver a continuación y el nombre propio del cabo.*

CABO DE GATA *04150 Almería* 446 **V 23** *– Playa.*
Madrid 576 – Almería 30.

en La Almadraba de Monteleva *SE : 5 km – ✉ 04150 Cabo de Gata :*

Las Salinas de Cabo de Gata , Las Salinas ☎ (950) 37 01 03, *Fax (950) 37 12 39,* ← – ▤ TV ☎. AE E VISA. ✂ rest
Comida 1800 – 600 – **14 hab** 8000/12000 – PA 4200.

CABO DE PALOS *30370 Murcia* 445 **T 27**.
Madrid 465 – Alicante/Alacant 108 – Cartagena 26 – Murcia 75.

XX **Miramar,** paseo del Puerto 14 ✆ (968) 56 30 33, *Fax (968) 56 30 86*, ≤, – ▤. AE ⓓ E VISA.
cerrado martes (salvo festivos y verano), y enero – **Comida** carta 1900 a 3000.

X **La Tana,** paseo de la Barra 33 ✆ (968) 56 30 03, ≤, – AE ⓓ E VISA.
cerrado lunes (salvo julio-agosto) y noviembre – **Comida** carta 2200 a 3800.

CABRA *14940 Córdoba* 446 **T 16** – *20 343 h. alt. 350.*
Madrid 432 – Antequera 66 – Córdoba 75 – Granada 113 – Jaén 99.

X **Olivia,** av. Federico García Lorca 10 ✆ (957) 52 09 30
▤. AE ⓓ E VISA.
cerrado lunes (salvo verano) y del 9 al 30 de septiembre – **Comida** carta 1950 a 3150.

X **Mesón del Vizconde,** Martín Belda 16 ✆ (957) 52 17 02 – ▤. AE ⓓ E VISA.
cerrado martes y julio – **Comida** - espec. en pescados y mariscos - carta aprox. 3500.

La CABRERA *28751 Madrid* 444 **J 19** – *1 093 h. alt. 1 038.*
Madrid 56 – Burgos 191.

Mavi, Generalísimo 8 ✆ (91) 868 80 00, *Fax (91) 868 88 21*, – TV ☎ P. AE ⓓ E VISA. rest
Comida 1500 – ☕ 450 – **42 hab** 3500/5300 – PA 2760.

CABRERA DE MAR *08349 Barcelona* 443 **H 37** – *2 909 h. alt. 125.*
Madrid 651 – Barcelona 25 – Mataró 8.

XX **El Racó de Santa Marta,** Josep Doménech 35 ✆ (93) 759 01 98, *Fax (93) 759 20 24*, « Terraza con ≤ » – ▤ P. E VISA
cerrado domingo noche, lunes y noviembre – **Comida** carta aprox. 3975.

CABRILS *08348 Barcelona* 443 **H 37** – *3 042 h. alt. 147.*
Madrid 650 – Barcelona 24 – Mataró 7.

Cabrils, Emilia Carles 31 ✆ (93) 753 24 56, *Fax (93) 753 02 12*, – TV ☎ P. AE ⓓ E VISA
cerrado 22 diciembre-30 enero – **Comida** *(cerrado miércoles salvo julio-agosto)* 975 – ☕ 325 – **19 hab** 3000/5000 – PA 1800.

XX **Hostal de la Plaça** con hab, pl. de l'Església 11 ✆ (93) 753 19 02, *Fax (93) 753 18 67*, – ▤ TV ☎. AE ⓓ E VISA
Comida *(cerrado lunes salvo festivos y 15 septiembre-15 octubre)* carta 2800 a 4300 – ☕ 750 – **10 hab** 7750/9750.

X **Splá,** Emilia Carles 18 ✆ (93) 753 19 06 – ▤. E VISA.
cerrado lunes noche, martes, 15 octubre-7 noviembre y Navidad – **Comida** carta aprox. 3950.

CABUEÑES *Asturias – ver Gijón.*

CACABELOS *24540 León* 441 **E 9** – *4 903 h.*
Madrid 393 – León 116 – Lugo 108 – Ponferrada 14.

Santa María sin rest y sin ☕, Santa María 20-A ✆ (987) 54 95 88, *Fax (987) 54 92 05* – TV ☎. E VISA.
19 hab 3745/5885.

X **Prada a Tope,** Cimadevilla 99 ✆ (987) 54 61 01, *Fax (987) 54 90 56*, « Rest. típico. Conjunto rústico regional » – P. AE ⓓ E VISA.
Comida carta 3000 a 3500.

CÁCERES *10000* P 444 **N 10** – *84 319 h. alt. 439.*
Ver : *El Cáceres Viejo*★★★ BYZ : *Plaza de Santa María*★, *Palacio de los Golfines de Abajo*★ **D.**
Alred. : *Virgen de la Montaña* ≤★ *E : 3 km* BZ – *Arroyo de la Luz (Iglesia de la Asunción : tablas del retablo*★*) O : 20 km.*
18 *Norba, por ② : 6 km ✆ (927) 23 14 41 Fax (927) 23 14 80.*
pl. Mayor 10 ✉ 10003 ✆ (927) 24 63 47 – **R.A.C.E.** *av. de Alemania 1 dpcho. 13 ✉ 10001 ✆ (927) 21 35 19 Fax 927) 21 11 65.*
Madrid 307 ① – Coimbra 292 ③ – Córdoba 325 ② – Salamanca 217 ③ – Sevilla 265 ②

CÁCERES

Mayor (Pl.)	BY
Pintores	BY 36
San Antón	AZ 47
San Pedro	BZ 53
América (Pl. de)	AZ 2
Amor de Dios	BZ 3
Ancha	BZ 4
Antonio Reyes Huertas	BZ 6
Arturo Aranguren	AZ 7
Ceres	BY 9
Colón	BZ 10
Compañía (Cuesta de la)	BY 12
Diego María Crehuet	BZ 14
Fuente Nueva	BZ 15
Gabino Muriel	AZ 17
Gen. Primo de Rivera (Av. del)	AZ 22
Isabel de Moctezuma (Av.)	AZ 24
José L. Cotallo	AY 25
Juan XXIII	AZ 26
Lope de Vega	BY 28
Marqués (Cuesta del)	BY 30
Médico Sorapán	BZ 31
Millán Astray (Av.)	BZ 32
Mono	BY 33
Perreros	BZ 35
Portugal (Av. de)	AZ 37
Profesor Hdez Pacheco	BZ 39
Quijotes (Av. de los)	BY 40
Ramón y Cajal (Paseo de)	AY 42
Reyes Católicos	AY 43
San Blas (Av. de)	BY 45
San Jorge	AY 49
San Juan (Pl. de)	BZ 51
S. Pedro de Alcántara (Av.)	AZ 54
San Roque	BZ 56
Tiendas	BY 58
Trabajo	AY 59
Viena	AZ 60

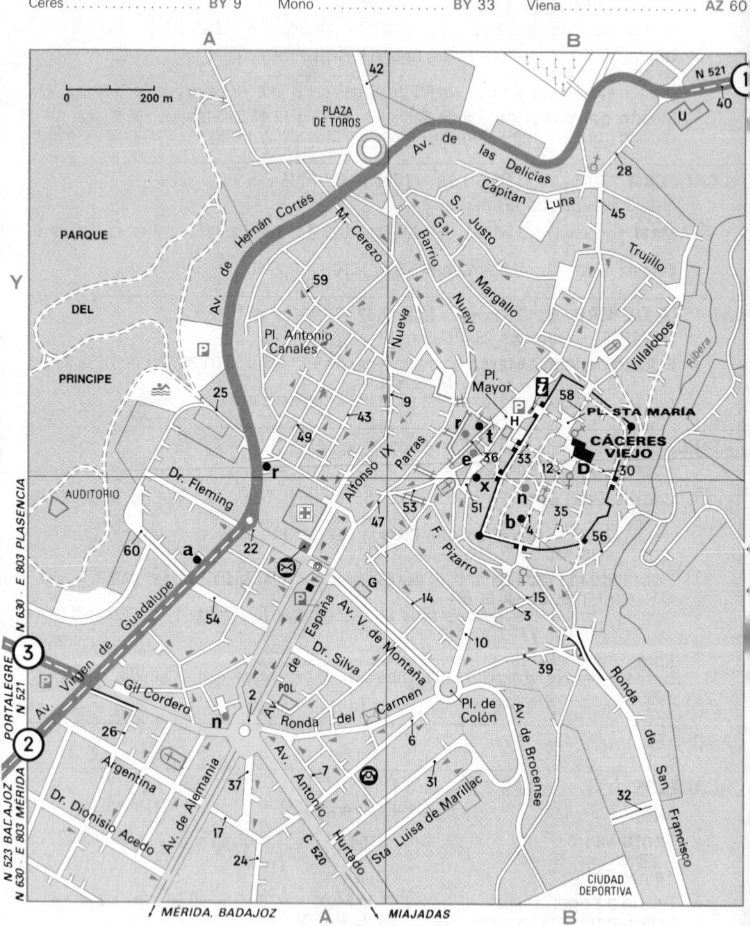

Meliá Cáceres, pl. de San Juan 11, ✉ 10003, ☎ (927) 21 58 00, Telex 28914, *Fax (927) 21 40 70*, « Instalado en el antiguo palacio de Los Marqueses de Oquendo » – 25/200. AE VISA JCB. BYZ x
Comida carta aprox. 6400 – 1400 – **86 hab** 15000/19300.

Parador de Cáceres, Ancha 6, ✉ 10003, ☎ (927) 21 17 59, *Fax (927) 21 17 29*, « Instalado en el antiguo palacio de Torreorgaz » – 25/30. AE VISA JCB. – **Comida** 3500 – 1200 – **31 hab** 13200/16500. BZ b

Alcántara, av. Virgen de Guadalupe 14, ✉ 10001, ☎ (927) 22 39 00, *Fax (927) 22 39 04* – AE VISA AZ a
Comida 2000 – 1000 – **64 hab** 8500/12100, 3 suites – PA 5000.

Iberia sin rest, Pintores 2, ✉ 10003, ☎ (927) 24 76 34, *Fax (927) 24 82 00* – ☎. AE VISA BY t
☕ 350 – **36 hab** 4000/6000.

Hernán Cortés sin rest y sin ☕, travesía Hernán Cortés 6, ✉ 10004, ☎ (927) 24 34 88 – ☎ AY r
18 hab.

Atrio, av. de España 30 (pasaje), ✉ 10002, ☎ (927) 24 29 28, *Fax (927) 22 11 11,* « Decoración elegante » – . E VISA AZ n
cerrado domingo noche salvo vísperas de festivos – **Comida** 4950 y carta 5075 a 6275
Espec. Milhojas de aguacate y anchoa con trufa blanca (junio-septiembre). Bacalao sobre puré de patatas y puerros con huevos revueltos y caviar. Tarta de queso con chocolate blanco y helado de miel.

Torre de Sande, de los Condes 3, ✉ 10003, ☎ (927) 21 11 47, *Fax (927) 21 11 47,* « Terraza-jardín en un marco histórico » – . AE E VISA BZ n
cerrado domingo noche – **Comida** - cocina vasca - carta 3625 a 4800.

Liberty, Moret 7, ✉ 10003, ☎ (927) 21 61 09, *Fax (927) 21 61 09* – . AE E VISA. BY r
cerrado domingo noche – **Comida** carta 2800 a 4700.

El Figón de Eustaquio, pl. de San Juan 12, ✉ 10003, ☎ (927) 24 81 94, « Decoración rústica » – . AE E VISA. BY e
Comida carta 3200 a 4800.

en la carretera N 630 :

V Centenario, urb. Castellanos por ③ : 1,5 km, ✉ 10001, ☎ (927) 23 22 00, *Fax (927) 23 22 02,* – ☎ – 25/450. E VISA.
Comida carta aprox. 4550 – ☕ 1300 – **129 hab** 12800/16000, 9 suites.

NH Cáceres Golf, Residencial Ceres Golf por ② : 6 km, ✉ 10080 apartado 894, ☎ (927) 23 46 00, *Fax (927) 23 46 12,* – ☎ – 25/600. AE E VISA.
Comida 2500 – ☕ 800 – **37 hab** 10000, 66 apartamentos.

Álvarez, por ③ : 4 km, ✉ 10080 apartado 292, ☎ (927) 23 06 50, *Fax (927) 23 06 50,* – . AE E VISA.
cerrado domingo noche – **Comida** carta aprox. 4300.

CADAQUÉS *17488 Gerona 443 F 39 – 1814 h. – Playa.*

Ver : Emplazamiento★, iglesia de Santa María (retablo barroco★★).
Alred. : Cala de Portlligat★ N : 2 km.
Cotxe 2 ☎ (972) 25 83 15 Fax (972) 15 94 42.
Madrid 776 – Figueras/Figueres 31 – Gerona/Girona 69.

Playa Sol sin rest. con cafetería, platja Pianch 3 ☎ (972) 25 81 00, *Fax (972) 25 80 54,* – ☎. AE E VISA.
cerrado 7 enero-febrero y del 16 al 26 de noviembre – ☕ 1200 – **50 hab** 11900/17900.

S'Aguarda, carret. de Port-Lligat 28 - N : 1 km ☎ (972) 25 80 82, *Fax (972) 25 10 57,* – ☎. AE E VISA.
cerrado noviembre – **Comida** *(abril-septiembre)* - sólo cena salvo 15 julio-15 septiembre - 1800 – ☕ 750 – **28 hab** 5600/9350 – PA 3525.

Blaumar sin rest, Massa d'Or 21 ☎ (972) 15 90 20, *Fax (972) 15 93 36,* – ☎. AE E VISA.
cerrado noviembre y 15 febrero-15 marzo – ☕ 975 – **21 hab** 8500/11700.

Es Baluard, Riba Nemesio Llorens 2 ☎ (972) 25 81 83, *Fax (972) 15 93 45,* « Instalado en un antiguo baluarte » – AE E VISA
cerrado jueves y 15 octubre-31 marzo (salvo fines de semana) – **Comida** carta 2650 a 4450.

La Galiota, Narcís Monturiol 9 ☎ (972) 25 81 87 – AE E VISA
24 junio-septiembre – **Comida** carta 3400 a 4200.

Don Quijote, av. Caridad Seriñana 5 ☎ (972) 25 81 41, « Terraza cubierta de yedra » – E VISA.
marzo-octubre – **Comida** carta 2650 a 4550.

Dieser Führer ist kein vollständiges Hotel- und Restaurantverzeichnis.
Um den Ansprüchen aller Touristen gerecht zu werden,
haben wir uns auf eine Auswahl in jeder Kategorie beschränkt.

CÁDIZ *11000* 🅿 446 **W 11** - *157 355 h.* - *Playa.*

Ver : - *Los paseos marítimos★ : jardines★* AY - *Museo Provincial de Cádiz★ (sarcófago fenicios★, lienzos de Zurbarán★)* BY **M** - *Museo Histórico Municipal : maqueta★* AY **M** - *Museo de la Catedral : colección de orfebrería★* BZ.

para Canarias : *Cía. Trasmediterránea, Muelle Alfonso XIII, Estación Marítim* ✉ *11006* ✆ *(956) 22 74 21 Telex 46619 Fax (956) 22 20 38* BYZ.

Calderón de la Barca 1 ✉ *11003* ✆ *(956) 21 13 13 Fax (956) 22 84 71 y pl. de San Jua de Dios 11* ✉ *11005* ✆ *(956) 24 10 01 Fax (956) 24 10 05* - **R.A.C.E.** *Santa Teresa triplicado* ✉ *11010* ✆ *(956) 25 07 07.*

Madrid 646 ① - Algeciras 124 ① - Córdoba 239 ① - Granada 306 ① - Málaga 262 ① - Sevilla 123 ①

CÁDIZ

Ancha	BY 2
Columela	BYZ
Pelota	BZ 19
San Francisco	BY 22
Topete (Pl.)	BZ 30
Calderón de la Barca	BY 3
Candelarias (Pl.)	BZ 5
Compañía	BZ 6
Doctor Marañón	AY 7
Fernando El Católico	BY 8
Mentidero (Pl. del)	AY 9
Mina (Pl. de)	BY 12
Montañés	BZ 13
Novena	BY 15
Ramón de Carranza	BZ 18
San Antonio (Pl. de)	AY 21
San Juan de Dios	BZ 24
San Juan de Dios (Pl. de)	BZ 25
San Roque	BZ 27
Santo Cristo	BZ 28

Atlántico, Duque de Nájera 9, ✉ 11002, ✆ (956) 22 69 05, *Fax (956) 21 45 82*, - 25/700. AE VISA. rest — AY r
Comida 3500 - 1200 - **141 hab** 12000/15000, 8 suites - PA 6970.

Playa Victoria, glorieta Ingeniero La Cierva 4, ✉ 11010, ✆ (956) 27 54 11, *Fax (956) 26 33 00*, - - 25/250. AE VISA. — por ①
Comida 3000 - 1300 - **184 hab** 14600/18000, 4 suites.

Meliá la Caleta sin rest. con cafetería, av. Amílcar Barca 47 - playa de la Victoria, ✉ 11009, ✆ (956) 27 94 11, *Fax (956) 25 93 22*, - - 25/130. AE VISA JCB. — por ①
1350 - **141 hab** 12100/15250, 2 suites.

Puertatierra, av. Andalucía 34, ✉ 11008, ✆ (956) 27 21 11, *Fax (956) 25 03 11*, - - 25/200. AE VISA. — por ①
Comida carta aprox. 3550 - 1000 - **98 hab** 10300/13500.

Regio 2 sin rest, av. Andalucía 79, ✉ 11008, ✆ (956) 25 30 08, *Fax (956) 25 30 09* – AE VISA. por ①
525 – **40 hab** 5500/9500.

Francia y París sin rest, pl. de San Francisco 6, ✉ 11004, ✆ (956) 21 23 19, *Fax (956) 22 24 31* – AE VISA JCB. BY s
700 – **57 hab** 7100/9500.

Regio sin rest, av. Ana de Viya 11, ✉ 11009, ✆ (956) 27 93 31, *Fax (956) 27 91 13* – AE VISA. por ①
550 – **40 hab** 5000/9000.

El Faro, San Félix 15, ✉ 11002, ✆ (956) 21 10 68, *Fax (956) 21 21 88* – AE VISA JCB. AZ b
Comida carta aprox. 4750.

1800, paseo Marítimo 3, ✉ 11009, ✆ (956) 26 02 03, – AE VISA. por ①
cerrado lunes y febrero – **Comida** carta aprox. 4000.

El Consuelo, av. Marconi 1, ✉ 11009, ✆ (956) 27 29 62 – AE VISA. por ①
cerrado domingo noche – **Comida** carta 2700 a 4250.

La Costera, Dr. Fleming 8, ✉ 11009, ✆ (956) 27 34 88, *Fax (956) 27 83 19*, ←, – AE VISA. por ①
Comida carta 2300 a 3850.

El Brocal, av. José León de Carranza 4, ✉ 11011, ✆ (956) 25 77 59, *Fax (956) 25 77 59* – AE VISA. por ①
cerrado domingo – **Comida** carta aprox. 3100.

en la playa de Cortadura *S : 2 km* – ✉ *11011 Cádiz* :

Ventorrillo del Chato, Vía Augusta Julia - carret. N IV ✆ (956) 25 00 25, *Fax (956) 25 32 22*, « Decoración rústica » – AE VISA JCB.
cerrado domingo – **Comida** carta 3250 a 4300.

CAÍDOS (Valle de los) *28209 Madrid 444 K 17 – Zona de peaje.*

Ver : *Lugar★★ – Basílica★★ (cúpula★) – Cruz★.*

Madrid 52 – El Escorial 13 – Segovia 47.

Hoteles y restaurantes ver : **Guadarrama** *NE : 8 km,* **San Lorenzo de El Escorial** *S : 13 km.*

CALA BLANCA *Baleares – ver Baleares (Menorca) : Ciudadela.*

CALA DE MIJAS *Málaga 446 W 15 – ✉ 29649 Mijas Costa – Playa.*

Madrid 565 – Algeciras 105 – Fuengirola 7 – Málaga 36 – Marbella 296 21.

Los Claveles, urb. Los Claveles (autovía N 340 - E : 1 km) ✆ (95) 249 30 22, *Fax (95) 249 30 22*, ←, – VISA
cerrado lunes y 15 diciembre-15 enero – **Comida** - cocina belga, sólo cena - carta 2500 a 3200.

al Norte : *7 km*

La Cala, apartado 106, ✉ 29649 Mijas Costa, ✆ (95) 266 90 00, *Fax (95) 266 90 39*, « Edificio de estilo andaluz entre dos campos de golf con ← montañas », 18 18 – – 45/60. AE VISA.
Los Olivos : **Comida** 5000 – 2000 – **81 hab** 20000/30000, 5 suites.

CALA DE SAN VICENTE *Baleares – ver Baleares (Mallorca).*

CALA D'OR *Baleares – ver Baleares (Mallorca).*

CALA FIGUERA *Baleares – ver Baleares (Mallorca).*

CALA FINESTRAT *Alicante – ver Benidorm.*

CALA FONDUCO *Baleares – ver Baleares (Menorca) : Mahón.*

CALA FORNELLS *Baleares – ver Baleares (Mallorca) : Paguera.*

CALA MILLOR *Baleares - ver Baleares (Mallorca) : Son Servera.*

CALA MONTJOI *Gerona - ver Rosas.*

CALA PÍ *Baleares - ver Baleares (Mallorca).*

CALA RAJADA *Baleares - ver Baleares (Mallorca).*

CALA SANT VICENÇ *Baleares - ver Baleares (Mallorca).*

CALA SANTA GALDANA *Baleares - ver Baleares (Menorca) : Ferrerías.*

CALA SAONA o **CALA SAHONA** *Baleares - ver Baleares (Formentera).*

CALA TARIDA (Playa de) *Baleares - ver Baleares (Ibiza) : San José.*

CALA VEDELLA *Baleares - ver Baleares (Ibiza) : San José.*

CALA VINYES *Baleares - ver Baleares (Mallorca) : Magaluf.*

CALABARDINA *Murcia - ver Águilas.*

Keine Aufnahme in den ***Michelin-Führer*** *durch*
– Beziehungen
– oder Bezahlung !

Pour être inscrit au ***guide Michelin*** *:*
– pas de piston,
– pas de pot-de-vin !

CALAF *08280 Barcelona* 443 **G 34** - *3 184 h.*
Madrid 551 - Barcelona 93 - Lérida/Lleida 82 - Manresa 34.

X **Buffet Català,** carret. de Igualada 1 ☎ (93) 869 84 49 - ▤ Ⓟ. E VISA. ✂
cerrado lunes (salvo 16 julio-16 septiembre) y 25 junio-13 julio - **Comida** - sólo almuerzo - carta 2000 a 4600.

CALAFELL *43820 Tarragona* 443 **I 34** - *7 061 h.* - *Playa.*
ℹ *Sant Pere 29-31* ☎ *(977) 69 29 81 Fax (977) 69 29 81.*
Madrid 574 - Barcelona 65 - Tarragona 31.

en la playa :

Kursaal ♨, av. Sant Joan de Déu 119 ☎ (977) 69 23 00, *Fax (977) 69 27 55*, ≤, 🏖 - 🛗 ▤ TV ☎ 🚗. AE ⓓ E VISA. ✂ rest
Semana Santa-15 octubre - **Comida** 2500 - ☕ 900 - **39 hab** 5000/10000 - PA 5000.

Canadá, av. Mossèn Jaume Soler 44 ☎ (977) 69 15 00, *Fax (977) 69 12 55*, 🏖, 🏊, 🎾 - 🛗 Ⓟ. ✂
27 mayo-15 septiembre - **Comida** 1475 - ☕ 600 - **106 hab** 6900/9900.

XX **Masia de la Platja,** Vilamar 67 ☎ (977) 69 13 41 - ▤. AE ⓓ E VISA
cerrado martes noche, miércoles y 18 diciembre-18 enero - **Comida** - pescados y mariscos - carta 2700 a 4575.

XX Papiol, av. Sant Joan de Déu 56 ☎ (977) 69 13 49, 🏖 - ▤
Comida - pescados y mariscos -.

CALAHONDA *18730 Granada* 446 **V 19** - *Playa.*
Alred. : *Carretera★ de Calahonda a Castell de Ferro.*
Madrid 518 - Almería 100 - Granada 89 - Málaga 121 - Motril 13.

X El Ancla con hab, av. de los Gerânios 1 ☎ (958) 62 30 42, *Fax (958) 62 34 27*, 🏖 - 🛗 ▤ TV ☎
26 hab.

CALAHORRA *26500 La Rioja* 442 F 24 – *18 829 h. alt. 350.*

Madrid 320 – Logroño 55 – Soria 94 – Zaragoza 128.

Parador de Calahorra, paseo Mercadal (941) 13 03 58, *Fax (941) 13 51 39,* – 25/140. AE E VISA.
Comida 3200 – 1200 – **62 hab** 11600/14500 – PA 6460.

Ciudad de Calahorra, Maestro Falla 1 (941) 14 74 34, *Fax (941) 14 74 34* – – 25/60. AE VISA.
Comida carta 2750 a 3500 – 500 – **25 hab** 4900/6900.

Chef Nino, Padre Lucas 2 (941) 13 31 04, *Fax (941) 13 35 16* – . AE E VISA. rest
Comida *(cerrado jueves y 6 diciembre-2 enero)* 1700 – 600 – **28 hab** 3500/5500.

La Taberna de la Cuarta Esquina, Cuatro Esquinas 16 (941) 13 43 55 – . AE E VISA.
cerrado martes salvo festivos y del 10 al 31 de julio – **Comida** carta 2625 a 3850.

CALAMOCHA *44200 Teruel* 443 J 26 – *4 270 h. alt. 884.*

Madrid 261 – Soria 157 – Teruel 72 – Zaragoza 110.

Lázaro, carret. N 234 (978) 73 20 70, *Fax (978) 73 20 98* – , rest,
36 hab.

Calamocha, carret. N 234 (978) 73 14 12, *Fax (978) 73 21 59* – . AE E VISA.
Comida 1550 – 250 – **22 hab** 3000/5500.

Fidalgo, carret. N 234 (978) 73 02 77, *Fax (978) 73 02 77* – rest, . E VISA.
Comida 1600 – 350 – **20 hab** 3500/6000.

CALANDA *44570 Teruel* 443 J 29 – *3 538 h. alt. 466.*

Madrid 362 – Teruel 136 – Zaragoza 123.

Balfagón, carret. N 211 (978) 84 63 12, *Fax (978) 84 63 12* – . E VISA.
Comida *(cerrado domingo noche)* 1300 – 300 – **30 hab** 2700/4700 – PA 2680.

CALATAYUD *50300 Zaragoza* 443 H 25 – *18 759 h. alt. 534.*

pl. del Fuerte (976) 88 63 22.

Madrid 235 – Cuenca 295 – Pamplona/Iruñea 205 – Teruel 139 – Tortosa 289 – Zaragoza 87.

Fornos, paseo de las Cortes de Aragón 5 (976) 88 13 00, *Fax (976) 88 31 47* – . AE E VISA.
Comida 1350 – 550 – **46 hab** 4500/6800.

Bílbilis, Madre Puy 1 (976) 88 39 55 – . AE VISA
Comida carta aprox. 3450.

en la antigua carretera N II *E : 2 km – 50300 Calatayud :*

Calatayud, salida 237 autovía (976) 88 13 23, *Fax (976) 88 54 38* – rest, – 25/300. AE E VISA.
Comida 1525 – 875 – **63 hab** 5125/8660 – PA 3100.

CALDAS DE MALAVELLA o CALDES DE MALAVELLA *17455 Gerona* 443 G 38 – *3 156 h. alt. 94 – Balneario.*

Madrid 696 – Barcelona 83 – Gerona/Girona 19.

Balneario Vichy Catalán , av. Dr. Furest 32 (972) 47 00 00, *Fax (972) 47 22 99,* « En un parque », – , rest, – 25/100. AE E VISA.
Comida 3200 – 900 – **82 hab** 9700/17000, 4 suites.

Balneario Prats , pl. Sant Esteve 7 (972) 47 00 51, *Fax (972) 47 22 33,* « Terraza con arbolado », de agua termal – , rest, – 25. AE E VISA JCB.
Comida 2800 – 930 – **75 hab** 12200/13400.

CALDAS DE MONTBUY o **CALDES DE MONTBUI** *08140 Barcelona* 443 H 36 – *11480 h.* *alt. 180 – Balneario.*

pl. Font del Lleó 20 (93) 865 41 40 Fax (93) 865 34 00.

Madrid 636 – Barcelona 29 – Manresa 57.

Vila de Caldes sin rest. con cafetería, pl. de l'Àngel 5 (93) 865 41 00, *Fax (93) 865 00 95*, Centro termal, « Solarium con y » – 25/50. AE E VISA JCB.
cerrado 6 enero-7 febrero – 1100 – **30 hab** 10000/13975.

Balneario Broquetas, pl. Font del Lleó 1 (93) 865 01 00, *Fax (93) 865 23 12*, « Jardín con arbolado y climatizada », – – 25/300. AE E VISA JCB. rest
Comida 2250 – 1000 – **82 hab** 6800/10000, 6 suites – PA 4600.

Balneario Termas Victoria, Barcelona 12 (93) 865 01 50, *Fax (93) 865 08 16*, – . E VISA. rest
Comida 2500 – 800 – **89 hab** 10400/13200.

Robert de Nola, passeig del Remei 50 (93) 865 40 47, *Fax (93) 865 40 47* – . AE E VISA.
cerrado domingo noche y lunes (salvo festivos) – **Comida** carta 2500 a 3950.

CALDAS DE REYES o **CALDAS DE REIS** *36650 Pontevedra* 441 E 4 – *9042 h. alt. 22* – *Balneario.*

Madrid 621 – Orense/Ourense 122 – Pontevedra 23 – Santiago de Compostela 34.

Balneario Acuña, Herrería 2 (986) 54 00 10, *Fax (986) 54 00 10*, « Jardín con arbolado. de agua termal » – . rest
julio-septiembre – **Comida** 2200 – 400 – **21 hab** 6000/8000 – PA 4000.

La CALDERA DE BANDAMA *Las Palmas – ver Canarias (Gran Canaria) : Santa Brígida.*

CALDES DE BOÍ *Lérida – ver Bohí.*

CALDETAS o **CALDES D'ESTRAC** *08393 Barcelona* 443 H 37 – *1451 h. – Playa.*

Madrid 661 – Barcelona 35 – Gerona/Girona 62.

Jet, Riera de Caldetes (93) 791 07 00, *Fax (93) 791 27 54*, – , rest, AE E VISA. rest
marzo-noviembre y Navidades – **Comida** 2200 – 600 – **36 hab** 5000/8000.

Emma, Baixada de l'Estació 5 (93) 791 13 05, – . AE E VISA.
cerrado miércoles (salvo junio-septiembre) y diciembre-10 enero – **Comida** carta 2300 a 3800.

CALELLA *08370 Barcelona* 443 H 37 – *11577 h. – Playa.*

Sant Jaume 231 (93) 769 05 59 Fax (93) 769 59 82.

Madrid 683 – Barcelona 48 – Gerona/Girona 49.

Bernat II, av. del Turisme 42 (93) 766 01 33, *Fax (93) 766 07 16*, , , – – 25/300
132 hab, 5 suites.

Sant Jordi, av. del Turisme 80 (93) 766 19 19, *Fax (93) 766 05 66*, – . AE E VISA.
Comida *(cerrado 12 enero-13 febrero)* 1900 – **49 hab** 8500/12000 – PA 4060.

Vila, Sant Josep 66 (93) 769 02 08, *Fax (93) 766 19 56*, – – 25/160 AE E VISA.
Comida 1700 – 700 – **167 hab** 6300/9000 – PA 3500.

Calella Park, Jovara 257 (93) 769 03 00, Telex 56291, *Fax (93) 766 00 88*, – . AE VISA.
abril-octubre – **Comida** 1500 – 800 – **50 hab** 5700/7500 – PA 2750.

Calella sin rest, Anselm Clavé 134 (93) 769 03 00, Telex 56291, *Fax (93) 766 00 88*, – . VISA.
mayo-octubre – 800 – **60 hab** 4400/5750.

El Hogar Gallego, Ànimes 73 (93) 766 20 27 – . AE E VISA.
cerrado lunes – **Comida** - pescados y mariscos - carta 4400 a 5150.

CALELLA DE PALAFRUGELL *17210 Gerona* 443 G 39 - *Playa.*

Ver : *pueblo pesquero★.*

Alred. : *Jardín Botánico del Cap Roig★ : ≤★★. - Les Voltes 6 (972) 61 44 75 (temp).*

Madrid 727 - Gerona/Girona 43 - Palafrugell 6 - Palamós 17.

Alga, Costa Blanca 55 (972) 61 70 80, *Fax (972) 61 51 02*, - . AE E VISA. rest
Semana Santa-septiembre - **Comida** 2700 - ***El Cantir*** **: Comida** carta 2400 a 3950 - **54 hab** 10800/13600 - PA 4900.

Garbí, av. Costa Daurada 20 (972) 61 40 40, *Fax (972) 61 58 03*, « En el centro de un pinar », climatizada, - . AE E VISA. rest
abril-octubre - **Comida** 2490 - 945 - **30 hab** 6720/11440 - PA 5035.

Port-Bo, August Pi i Sunyer 6 (972) 61 49 62, *Fax (972) 61 40 65*, - , rest, . AE E VISA. rest
abril-15 noviembre - **Comida** 1870 - **61 hab** 6590/12000.

Sant Roc, pl. Atlántic 2 - barri Sant Roc (972) 61 42 50, *Fax (972) 61 40 68*, « Terraza dominando la costa con ≤ » - , rest, . AE E VISA. rest
3 abril-15 octubre - **Comida** 2830 - 900 - **42 hab** 10800/13500 - PA 5000.

La Torre, passeig de la Torre 28 (972) 61 46 03, *Fax (972) 61 51 71*, ≤, -
temp - **28 hab.**

Mediterrani, Francesc Estrabau 40 (972) 61 45 00, *Fax (972) 61 45 00*, ≤, - . AE E VISA. rest
15 mayo-septiembre - **Comida** 2000 - 650 - **38 hab** 6000/12000 - PA 3950.

CALLDETENES *08519 Barcelona* 443 G 36 - *1 447 h. alt. 489.*

Madrid 673 - Barcelona 72 - Gerona/Girona 64 - Manresa 57 - Vic 4.

Can Jubany, acceso carret. C 25 - E : 1,5 km (93) 889 10 23, *Fax (93) 830 92 62* - . AE E VISA.
cerrado sábado mediodía, domingo, martes noche, del 1 al 15 de enero y del 1 al 15 de septiembre - **Comida** carta 3800 a 5000.

La CALOBRA o sa CALOBRA *Baleares - ver Baleares (Mallorca).*

CALONGE *17251 Gerona* 443 G 39 - *5 256 h. alt. 36.*

Madrid 714 - Barcelona 109 - Gerona/Girona 50 - Palamós 5.

Can Ramón, Balmes 21 (972) 65 00 06, - . AE VISA
cerrado 23 diciembre-8 enero - **Comida** carta 1800 a 2800.

CALPE o CALP *03710 Alicante* 445 Q 30 - *10 962 h.* - *Playa.*

Alred. : *Peñón de Ifach★.*

Ifach, NE : 3 km urb. San Jaime (96) 649 71 14. - av. Ejércitos Españoles 66 (96) 583 69 20 Fax (96) 583 69 14 y pl. del Mosquit (96) 583 85 32 Fax (96) 583 85 31.

Madrid 464 - Alicante/Alacant 63 - Benidorm 22 - Gandía 48.

Casita Suiza, Jardín 9 - edificio Apolo III (96) 583 06 06, *Fax (96) 583 06 06* - . AE E VISA
cerrado 20 junio-10 julio y del 1 al 20 de diciembre - **Comida** - cocina suiza, sólo cena - carta 3300 a 4000.

La Cambra, Delfín (96) 583 06 05 - . AE E VISA
cerrado domingo, del 1 al 15 de junio y del 1 al 15 de diciembre - **Comida** carta 2950 a 4100.

El Bodegón, Delfín 6 (96) 583 01 64, « Decoración rústica castellana » - . AE E VISA.
cerrado domingo en invierno y febrero - **Comida** carta 2325 a 3375.

Los Zapatos, La Santa María 7 (96) 583 15 07, *Fax (96) 583 15 07* - . AE E VISA
cerrado miércoles y 15 noviembre-15 diciembre - **Comida** - sólo cena salvo domingo - carta 4275 a 5575.

en la carretera de Moraira *E : 3,5 km - 03710 Calpe :*

Roca Esmeralda, Ponent 1 - playa de Levante (96) 583 61 01, *Fax (96) 583 60 04*, ≤, - - 25/300. AE E VISA.
Comida - sólo buffet - 2500 - 1000 - **212 hab** 11760/21610.

El Pierrot, edificio Gran Sol 42 - playa de Levante (96) 583 26 24, *Fax (96) 583 26 24*, - E VISA.
cerrado martes, miércoles (salvo verano) y 15 noviembre-15 diciembre - **Comida** - sólo cena en julio y agosto - carta 4250 a 6000.

en la carretera de Valencia – ✉ *03710 Calpe* :

Venta La Chata sin rest, N : 4,5 km ✆ (96) 583 03 08, *Fax (96) 583 03 08*, « Decoración regional », – P. AE ⓘ E VISA
400 – **17 hab** 3200/6000.

Casa del Maco, Pou Roig-Lleus, N : 2,5 km y desvío 1,2 km ✆ (96) 597 31 21 *Fax (96) 597 31 21*, – P. AE ⓘ E VISA
cerrado martes, del 15 al 28 de febrero y noviembre-12 diciembre – **Comida** - sólo cena en julio y agosto - carta 4700 a 7000.

CALVIÀ *Baleares – ver Baleares (Mallorca).*

CAMALEÑO *39587 Cantabria* 442 C 15 – *1 192 h.*
Madrid 483 – Oviedo 173 – Santander 126.

El Jisu, carret. de Fuente Dé - O : 0,5 km ✆ (942) 73 30 38, *Fax (942) 73 03 15* – P. VISA.
Comida 1700 – 500 – **8 hab** 5400/8000 – PA 3500.

El Caserío, ✆ (942) 73 30 48, *Fax (942) 73 30 48* – P. AE VISA.
Comida 1200 – 400 – **17 hab** 3000/5000 – PA 2800.

CAMARENA *45180 Toledo* 444 M 15 – *1 948 h.*
Madrid 58 – Talavera de la Reina 80 – Toledo 29.

Mesón Gregorio II, Héroes del Alcázar 34 ✆ (91) 817 43 72 – ⓘ E VISA.
cerrado miércoles – **Comida** carta aprox. 4600.

CAMARIÑAS *15123 La Coruña* 441 C 2 – *6 930 h. alt. 8 – Playa.*
Madrid 671 – La Coruña/A Coruña 93 – Santiago de Compostela 81.

La Marina con hab, Miguel Feijóo 3 ✆ (981) 73 73 14, *Fax (981) 73 60 30* – AE ⓘ E VISA.
cerrado 15 enero-15 febrero – **Comida** *(cerrado martes noche en invierno)* carta 2100 a 4000 – 325 – **15 hab** 2700/4200.

CAMBADOS *36630 Pontevedra* 441 E 3 – *12 503 h. – Playa.*
Ver : *Plaza de Fefiñanes*★.
Novedades 13 ✆ (986) 52 46 78.
Madrid 638 – Pontevedra 34 – Santiago de Compostela 53.

Parador de Cambados, Príncipe 1 ✆ (986) 54 22 50, *Fax (986) 54 20 68*, « Conjunto de estilo regional », – P – 25/60. AE ⓘ E VISA JCB.
Comida 3500 – 1300 – **63 hab** 12000/15000.

Casa Rosita, av. de Villagarcía 8 ✆ (986) 54 34 77, *Fax (986) 54 28 78* – rest, P. AE VISA.
Comida *(cerrado domingo noche)* carta aprox. 3550 – 400 – **29 hab** 4000/6500.

Carisan sin rest, Eduardo Pondal 2 ✆ (986) 52 01 08, *Fax (986) 54 24 70*.
marzo-noviembre – 475 – **30 hab** 3300/5750.

Briones sin rest, Da Praia 3 ✆ (986) 52 46 77, *Fax (986) 54 24 70*.
marzo-noviembre – 475 – **30 hab** 3450/5750.

Ribadomar, Terra Santa 17 ✆ (986) 54 36 79 – P. AE ⓘ E VISA JCB
cerrado domingo noche, lunes noche y 1ª quincena de octubre – **Comida** carta 2300 a 3100.

Posta do Sol, Ribeira de Fefiñans ✆ (986) 54 22 85, « Instalado en un antiguo bar » – AE E VISA.
Comida carta 2600 a 3400.

en Sisán – ✉ *36638 Cambados* :

Pazo Carrasqueira, Carrasqueira 10 - SE : 3,5 km ✆ (986) 71 00 32, *Fax (986) 71 00 32*, « Edificio de estilo regional », – P. AE ⓘ E VISA.
Comida 1800 – **9 hab** 8000/12000.

San Marcos-Salnes, Puente Castrelo - SE : 2 km ✆ (986) 71 84 62, *Fax (986) 71 05 11* – rest, P. AE VISA.
marzo-15 diciembre – **Comida** 2000 – **61 hab** 6000/9000.

Dieser Führer ist kein vollständiges Hotel- und Restaurantverzeichnis.
Um den Ansprüchen aller Touristen gerecht zu werden,
haben wir uns auf eine Auswahl in jeder Kategorie beschränkt.

CAMBRILS *43850 Tarragona* 443 I 33 - *14 903 h.* - *Playa.*

pl. Creu de la Missió 1 ☎ (977) 36 11 59.

Madrid 554 ③ - Castellón de la Plana/Castelló de la Plana 165 ③ - Tarragona 18 ③

Planos páginas siguientes

en el puerto :

Rovira, av. Diputació 6 ☎ (977) 36 09 00, *Fax (977) 36 09 44,* ←, - - 25/40. AE E VISA. CZ f
cerrado 20 diciembre-30 enero - **Comida** *(cerrado martes salvo 15 junio-15 septiembre)* 2350 - 750 - **58 hab** 6800/8800 - PA 4610.

Mónica H., Galcerán Marquet 3 ☎ (977) 36 01 16, *Fax (977) 79 36 78,* « Césped con palmeras », , - - 25/50. AE E VISA. CZ b
cerrado 18 diciembre-10 febrero - **Comida** 1800 - 800 - **56 hab** 7000/10500 - PA 4200.

Port Eugeni, pl. Aragó 49 ☎ (977) 36 52 61, *Fax (977) 36 56 13,* - - 25/200. AE E VISA. CY a
Comida - sólo buffet - 2000 - **105 hab** 10500/13000 - PA 3850.

Princep, pl. de l'Església 2 ☎ (977) 36 11 27, *Fax (977) 36 35 32* - . AE E VISA. rest CZ c
Can Pessic *(cerrado domingo noche, lunes y 21 diciembre-24 enero)* **Comida** carta 3100 a 4500 - 750 - **27 hab** 9000/10300.

Can Solé, Ramón Llull 19 ☎ (977) 36 02 36, *Fax (977) 36 17 68,* - . AE E VISA. BZ e
cerrado 22 diciembre-7 enero - **Comida** *(cerrado domingo noche)* 1800 - 650 - **26 hab** 3700/6550.

Joan Gatell-Casa Gatell, passeig Miramar 26 ☎ (977) 36 00 57, *Fax (977) 79 37 44,* ←, - . AE E VISA. BZ s
cerrado domingo noche, lunes, enero y Navidades - **Comida** - pescados y mariscos - carta 5200 a 6350
Espec. Entremeses Gatell. Arroz marinera en cassola. Caldereta de bogavante.

Can Gatell-Rodolfo, passeig Miramar 27 ☎ (977) 36 01 06, *Fax (977) 36 57 20,* ←, - BZ s
Comida - pescados y mariscos.

Can Bosch, Rambla Jaume I-19 ☎ (977) 36 00 19, *Fax (977) 36 38 72* - . AE E VISA. BZ d
cerrado domingo noche, lunes y 23 diciembre-enero - **Comida** - pescados y mariscos - carta 3850 a 5700
Espec. Milhojas de atún con cebolla estofada y espardenyes de la costa. Rodaballo al aceite de oliva y su tarta fina de tomate y mozzarella. Besugo al horno con verduritas de temporada y berberechos.

Rincón de Diego, Drassanes 7 ☎ (977) 36 13 07 - . AE E VISA. CZ v
cerrado domingo noche, lunes y 20 diciembre-enero - **Comida** - pescados - carta 3775 a 5200.

Bandert, Rambla Jaume I ☎ (977) 36 10 63 - . AE E VISA. CZ x
cerrado martes - **Comida** carta 4190 a 5375.

Rovira, passeig Miramar 37 ☎ (977) 36 01 05, - AE E VISA. CZ n
cerrado miércoles y 20 diciembre-20 enero - **Comida** - pescados y mariscos - carta 2950 a 4600.

Gami, Sant Pere 9 ☎ (977) 36 10 49, *Fax (977) 36 10 49,* - . AE E VISA. CZ z
cerrado martes mediodía, miércoles y noviembre - **Comida** carta aprox. 3950.

Casa Gallau, Pescadors 25 ☎ (977) 36 02 61, *Fax (977) 36 08 00,* - . AE E VISA CZ c
cerrado martes en invierno y 22 diciembre-22 enero - **Comida** - pescados y mariscos - carta 2900 a 4550.

Acuamar, Consolat de Mar 66 ☎ (977) 36 00 59, *Fax (977) 36 46 58,* ← - . AE E VISA. CZ k
cerrado jueves, 12 octubre-12 noviembre y 24 diciembre-2 enero - **Comida** carta 3000 a 3750.

Font Casa Gallot, Joan S. Elcano 8 ☎ (977) 36 44 57, - BZ r

Macarrilla, Barques 14 ☎ (977) 36 08 14, - . E VISA. CZ w
cerrado martes y diciembre - **Comida** - pescados y mariscos - carta aprox. 4800.

CAMBRILS

Barques . . . . BZ 3
Camí de la Creu . . . . . . BX 4
Carme . . . . CZ 6
Conca de Barberà . . . . . BX 7
Consolat de Mar . . . . . . CZ 9
Constitució (Pl. de la) . . BZ 10
Creu de la Missió (Pl.) . . BZ 12
Drassanes . . . . CZ 13
Eduard Toldrà . . . . BZ 15
Església (Pl.) . . . . CZ 16
Esteve Anguera . . . . CZ 18
Francesc Macià (Passeig) . . . . BY 19
Francesc Pérez Dolç . . . AXY 21
Frederic Mompou . . . . . BZ 22
Galceran Marquet . . . . . CZ 24
General Prim . . . . AY 25
Horta de Santa Maria . . AZ 27
Joan S. Elcano . . . . BZ 28
Josep Serra i Dalmau . . AX 30
Lluís Companys (Passeig) . . . . BY 31
Marianao (Pl.) . . . . AX 33
Miramar (Passeig) . . . . . BZ 34
Molí d'Avall . . . . CY 36
Mossèn Jacint Verdaguer . . . . AY 37
Mossèn Joan Batalla . . . CZ 39
Nou Cambrils (Av.) . . . . AX 40
Olivos (los) . . . . BX 42
País Basc . . . . BY 43
Pau Casals . . . . BCZ 45
Planas . . . . BZ 46
Pompeu Fabra . . . . AY 48
Pòsit (Pl.) . . . . CZ 49
Ramon Berenguer . . . . . AY 51
Ramon Llull . . . . BZ 52
Regueral (Rambla) . . . . . CZ 54
Robert Gerard . . . . BZ 55
Roger de Flor . . . . CZ 57
Salvador Gené i Torrents . . . . AX 58
Sant Jordi . . . . BZ 60
Sant Pere . . . . CZ 61
Santa Joaquima de Vedruna . . . . ABY 63
València . . . . BY 64
Verge de Montserrat . . . ABY 66
Verge del Cami . . . . AY 67
Vidal i Barraquer (Av.) . . AY 69

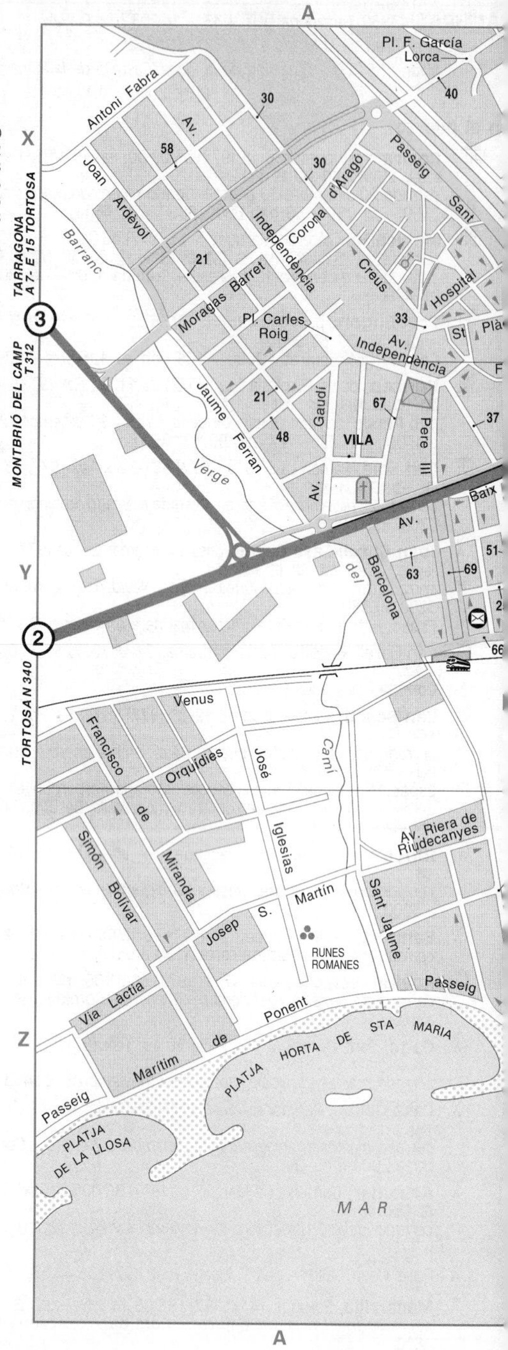

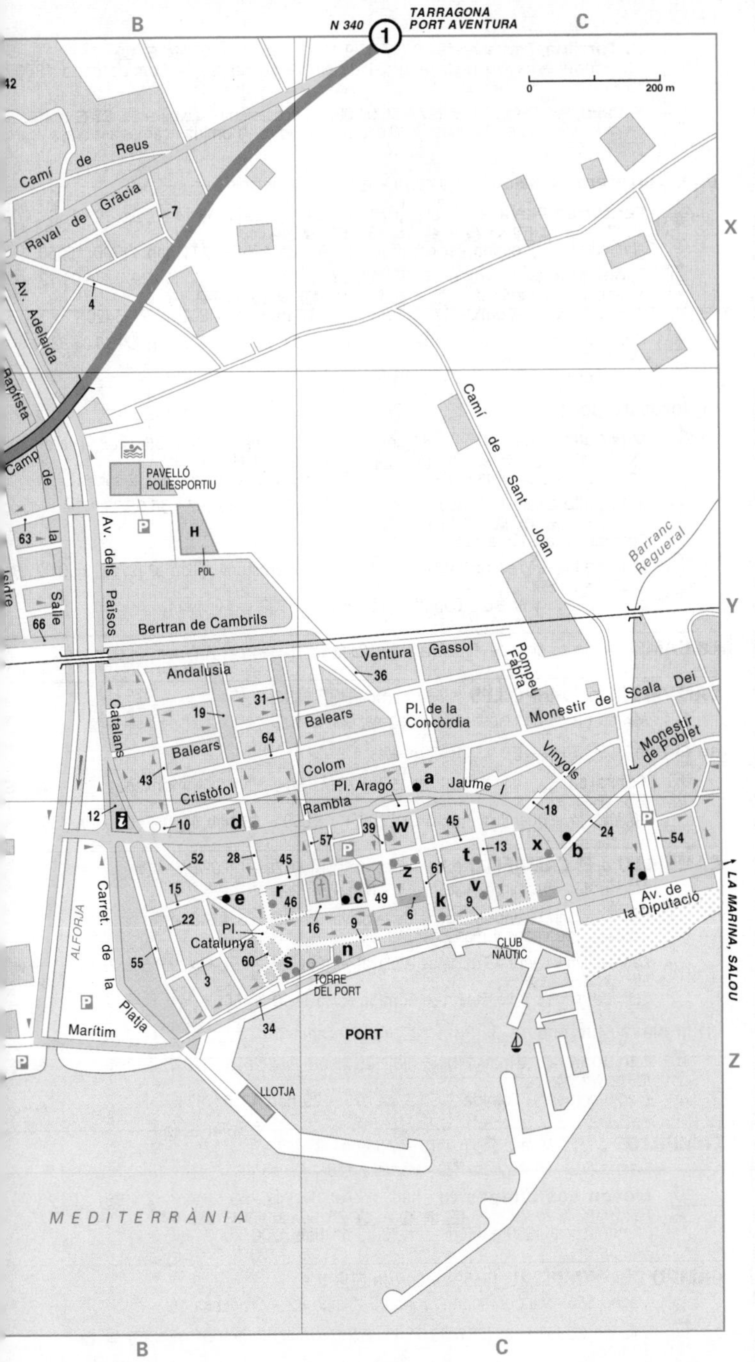
TARRAGONA
PORT AVENTURA
N 340
B
C
X
Y
Z
0
200 m
Camí de Reus
Raval de Gràcia
Av. Adelaida
Camí de Sant Joan
Camp de la Salle
Av. dels Països
PAVELLÓ POLIESPORTIU
POL.
Bertran de Cambrils
Barranc Regueral
Ventura Gassol
Pompeu Fabra
Andalusia
Catalans
Balears
Pl. de la Concòrdia
Monestir de Scala Dei
Monestir de Poblet
Vinyols
Colom
Cristòfol
Pl. Aragó
Jaume I
Rambla
Carret. de la Platja
ALFORJA
Pl. Catalunya
TORRE DEL PORT
CLUB NÀUTIC
Av. de la Diputació
LA MARINA, SALOU
Marítim
PORT
LLOTJA
MEDITERRÀNIA

La Torrada, Drassanes 19 (977) 79 11 72, – . AE E VISA. CZ
cerrado lunes (salvo festivos) y 21 diciembre-10 febrero – **Comida** carta 1850 a 5300.

El Caliu, Pau Casals 22 (977) 36 01 08, « Decoración rústica » – . AE E VISA CZ
cerrado domingo noche, lunes y 10 enero-20 febrero – **Comida** - carnes a la brasa - carta 2340 a 3315.

en la carretera de Salou *por la costa – 43850 Cambrils :*

Centurión Playa, av. Diputació 70 - E : 3 km (977) 36 14 50, *Fax (977) 36 15 00*, – – 25/360. AE VISA.
abril-octubre – **Comida** - sólo buffet - 1500 – 1050 – **211 hab** 11700/16650.

Tropicana, av. Diputació 33 - E : 1,5 km (977) 36 01 12, *Fax (977) 36 01 12*, « Césped con arbolado », – , rest, . E VISA.
4 abril-octubre – **Comida** 1700 – 625 – **30 hab** 4300/8000 – PA 3420.

Casa Soler, av. Diputació 197 - E : 5 km (977) 38 04 63, *Fax (977) 38 04 63*, – . AE E VISA
Comida carta 2900 a 4250.

al Noroeste por ① :

Mas Gallau, carret. N 340 : 3,5 km (977) 36 05 88, *Fax (977) 36 05 88*, « Jardín con » – – 25/400. AE E VISA.
Comida (ver rest. ***Mas Gallau***) – 1100 – **38 hab** 12000/14000, 2 suites.

Mas Gallau, carret. N 340 : 3,5 km (977) 36 05 88, *Fax (977) 36 05 88*, « Decoración rústica » – . AE E VISA.
Comida carta 3575 a 5250.

Mas de l'Avi, Frederic Marés - urb. Jardins de Vilafortuny : 5 km (977) 79 50 09, – AE E VISA
cerrado lunes y enero – **Comida** carta 2975 a 4300.

La CAMELLA *Santa Cruz de Tenerife – ver Canarias (Tenerife) : Arona.*

CAMPELLAS o CAMPELLES *17534 Gerona* 443 **F 36**.
Madrid 695 – Barcelona 124 – Gerona/Girona 107.

en El Baell *SE : 8 km – 17534 Campellas :*

Terralta , alt. 1 300 (972) 72 73 50, valle y montañas, – . E VISA.
20 julio-11 septiembre – **Comida** 2200 – 650 – **36 hab** 4500/7500 – PA 4300.

CAMPELLO o El CAMPELLO *03560 Alicante* 445 **Q 28** – *11 094 h. – Playa.*
Madrid 431 – Alicante/Alacant 13 – Benidorm 29.

La Peña, San Vicente 12 (zona de la playa) (96) 563 10 48 –
Comida - pescados y mariscos -.

Cavia, San Vicente 43 (zona de la playa) (96) 563 28 57, *Fax (96) 563 28 57*, – . AE E VISA.
cerrado martes y noviembre – **Comida** carta 3500 a 4600.

en la playa Muchavista *S : 5 km – 03560 Campello :*

San Juan, av. Jaime I-110 (96) 565 23 08, *Fax (96) 565 26 42*, , , – . AE E VISA. rest
marzo-octubre – **Comida** 2050 – 475 – **29 hab** 4830/7875.

CAMPILLOS *29320 Málaga* 446 **U 15** – *7 589 h. alt. 461.*
Madrid 508 – Antequera 33 – Marbella 138 – Osuna 49.

Mesón Los Chopos con hab, carret. N 342 - O : 1 km (95) 272 27 70, *Fax (95) 272 21 26* – – 25/60. AE E VISA.
Comida carta 1850 a 4150 – 300 – **11 hab** 3200/6000.

CAMPO DEL HOSPITAL *15359 La Coruña* 441 **B 6**.
Madrid 586 – La Coruña/A Coruña 95 – Lugo 82 – Ortigueira 15.

Villa de Cedeira, (981) 49 91 45, *Fax (981) 44 52 59* – rest,
50 hab.

CAMPRODÓN *17867 Gerona 443 F 37 – 2 188 h. alt. 950.*

Ver : *Pont Nou★ – Iglesia románica del Monasterio de Sant Pere★.*

Camprodón, Bac de San Antoni ☎ (972) 13 01 25 Fax (972) 13 01 25.

pl. d'Espanya 1 ☎ (972) 74 00 10 Fax (972) 13 03 24.

Madrid 699 – Barcelona 127 – Gerona/Girona 80.

Maristany, av. Maristany 20 ☎ (972) 74 07 78, *Fax (972) 13 00 78*, ≤, « Jardín con » – rest, ☎ . VISA.
Comida 2000 – 1000 – **10 hab** 14000.

Edelweiss sin rest, carret de Sant Joan 28 ☎ (972) 74 06 14, *Fax (972) 74 06 05*, ≤, « Ambiente acogedor » – ☎ – 25/50. E VISA
21 hab 6500/13800.

Güell sin rest, pl. d'Espanya 8 ☎ (972) 74 00 11, *Fax (972) 74 11 12* – ☎ . AE E VISA.
cerrado 15 días en junio y 15 días en noviembre – 700 – **39 hab** 5000/7900.

Sayola, Josep Morer 4 ☎ (972) 74 01 42 –
Comida 1200 – 480 – **30 hab** 3000/6000 – PA 2850.

CAN AMAT (Urbanización) *Barcelona – ver Martorell.*

CAN PASTILLA *Baleares – ver Baleares (Mallorca) : Palma.*

CAN PICAFORT *Baleares – ver Baleares (Mallorca).*

CANARIAS (Islas)★★★

990 - *1 637 641 h.*

● *El archipiélago canario se extiende sobre una superficie de 7.273 km². Está formado por siete islas y seis islotes agrupados en dos provincias : Las Palmas (Gran Canaria, Fuerteventura, Lanzarote) y Santa Cruz de Tenerife (Tenerife, La Palma, Gomera, Hierro).*

● *O arquipélago das Canárias, com uma superfície de 7.273 km², é composto de sete ilhas e seis ilhotas. Está dividido em duas províncias : Las Palmas (Grande Canária, Fuerteventura, Lanzarote) e Santa Cruz de Tenerife (Tenerife, La Palma, Gomera, Hierro).*

● *L'archipel des Canaries qui s'étend sur une superficie de 7.273 km², se compose de sept îles et de six îlots. Il est divisé en deux provinces : Las Palmas (Grande Canarie, Fuerteventura, Lanzarote) et Santa Cruz de Tenerife (Tenerife, La Palma, Gomera, Hierro).*

● *L'arcipelago delle Canarie, che si estende su una superficie di 7.273 Kmq, è composto da sette isole e sei isolotti. E' diviso in due province: Las Palmas (Gran Canaria, Fuerteventura, Lanzarote) e Santa Cruz di Tenerife (Tenerife, La Palma, Gomera, Hierro).*

● *Die Kanarische Inselgruppe hat eine Fläche von 7.273 km². Sie besteht aus sieben großen Inseln und sechs kleineren Inseln. Die Inseln sind in zwei Provinzen geteilt: Las Palmas (mit Gran Canaria, Fuerteventura, Lanzarote) und Santa Cruz de Tenerife (mit Teneriffa, La Palma, Gomera, Hiero).*

● *The Canaries consist of 7 islands and 5 islets, covering a total of 7.273 km². They are divided into 2 provinces: Las Palmas (Gran Canaria, Fuerteventura and Lanzarote) and Santa Cruz de Tenerife (Tenerife, La Palma, Gomera and Hierro).*

Agaete *35480 – 4777 h. alt. 43.*
Ver : *Valle de Agaete★.*
Alred. : *Los Berrazales★ SE : 7 km.*
Las Palmas de Gran Canaria 34.

Arguineguín *35120.*
Las Palmas de Gran Canaria 63.

en la playa de Patalavaca *NO : 2 km – ✉ 35120 Arguineguín :*

Steigenberger La Canaria, carret. C 812 ☎ (928) 15 04 00, *Fax (928) 15 10 03* ≤ mar, climatizada, – 25/150.
Coquillage *(sólo cena, cerrado domingo y lunes)* **Comida** carta 5900 a 7100 – **Cristal** *(sólo cena buffet)* **Comida** 4000 – 2200 – **227 hab** 35500/61600 17 suites.

Artenara *35350 – 1057 h. alt. 1219.*
Ver : *Parador de la Silla ≤★.*
Alred. : *Carretera de Las Palmas ≤★ del pueblo troglodita de Juncalillo – Pinar de Tamadaba★★ (≤★) NO : 12 km.*
Las Palmas de Gran Canaria 48.

Arucas *35400 – 25986 h.*
Ver : *Montaña de Arucas ★.*
Alred. : *Cenobio de Valerón★ NO : 11 km.*
Las Palmas de Gran Canaria 17.

en la montaña de Arucas *N : 2,5 – ✉ 35400 Arucas :*

Mesón de la Montaña, ☎ (928) 60 14 75, *Fax (928) 60 54 42* –
Comida carta 2500 a 3600.

Cruz de Tejeda *35328 – 2361 h. alt. 1450.*
Ver : *Paraje★★.*
Alred. : *Pozo de las Nieves ★★ SE : 10 km.*
Las Palmas de Gran Canaria 42.

Gáldar *35460 – 20370 h. alt. 124.*
Ver : *Cueva con pinturas murales★.*
Las Palmas de Gran Canaria 26.

Maspalomas *35100 – Playa.*
Ver : *Playa★.*
Alred. : *N : Barranco de Fataga★ – San Bartolomé de Tirajana (paraje★) N : 23 km por Fataga.*
18 *Maspalomas, av. Touroperador Neckerman ☎ (928) 76 25 81 Fax (928) 76 82 45.*
av. de España (centro comercial Yumbo) ☎ (928) 77 15 50 Fax (928) 76 78 48.
Las Palmas de Gran Canaria 50.

Plano página siguiente

La Aquarela, av. de Neckerman ☎ (928) 14 15 33 — A e

Amaiur, av. de Neckerman 42 ☎ (928) 76 44 14 – — A d
cerrado domingo – **Comida** - cocina vasca - carta 3225 a 4750.

Mallorca, Alcalde Santos González 11 - San Fernando ☎ (928) 77 05 16, – — AB b
cerrado domingo noche – **Comida** - cocina mallorquina - carta 2100 a 3800.

unto al faro - ✉ *35106 Maspalomas Oeste :*

Maspalomas Oasis 🔊, ✆ (928) 14 14 48, *Fax (928) 14 11 92*, <, « Jardín y gran palmeral », 🏋, climatizada, 🎾 - 🛗 ▤ 📺 ☎ - 🔊 25/150. AE ⓓ E VISA. 🚫
Grill Le Jardin *(sólo cena, cerrado domingo)* **Comida** carta 5150 a 6000 - ***Oasis*** *(sólo cena)* **Comida** 4500 - ***Foresta*** : **Comida** carta 3975 a 4825 - **323 hab** ☕ 33250/66500, 19 suites. A a

Palm Beach 🔊, ✆ (928) 14 08 06, *Fax (928) 14 18 08*, <, « Amplia terraza con climatizada. Jardín con palmeras », 🏋, 🎾 - 🛗 ▤ 📺 ☎ 🅟 - 🔊 25/150. AE ⓓ E VISA. 🚫 rest A c
cerrado por obras junio-agosto - **Comida** (ver también rest. ***Orangerie***) 5800 - **347 hab** ☕ 43000/68500.

Ifa-Faro Maspalomas 🔊, ✆ (928) 14 22 14, *Fax (928) 14 19 40*, <, climatizada - 🛗 ▤ 📺 ☎ - 🔊 25/60. AE ⓓ E VISA. 🚫 A b
Comida 2900 - ***Guatiboa*** *(sólo cena, cerrado mayo-junio)* **Comida** carta 5000 a 6200 - ***El Jardín*** *(sólo almuerzo)* **Comida** carta 2375 a 3300 - ☕ 1200 - **183 hab** 20400/30600, 5 suites.

XXX ✿ **Orangerie** - *Hotel Palm Beach*, ✆ (928) 14 08 06, Telex 96365, *Fax (928) 14 19 77* - ▤ 🅟. AE ⓓ E VISA. 🚫 A c
cerrado por reformas junio-agosto - **Comida** *(cerrado jueves y domingo)* - sólo cena - carta 6400 a 7200
Espec. Erizos de mar rellenos y gratinados. Sama a la emulsión de aceite de oliva. Lomo de cordero con hierbas aromáticas.

en la playa del Inglés - ✉ *35100 Maspalomas :*

Riu Palace, pl. de Fuerteventura ✆ (928) 76 95 00, Telex 95531, *Fax (928) 76 98 00*, < dunas y mar, « Amplias terrazas con climatizada y jardín », 🏋, 🎾 - 🛗 ▤ 📺 ☎ ♿ 🅟 - 🔊 25/150 B k
Comida (sólo cena buffet) - **353 hab**, 15 suites.

Ifa-H. Dunamar, ✆ (928) 77 28 00, *Fax (928) 77 34 65*, <, 🏋, climatizada - 🛗 ▤ 📺 ☎ B n
210 hab.

Neptuno, av. Alféreces Provisionales 29 ✆ (928) 77 38 48, Telex 96239, *Fax (928) 76 69 65*, climatizada - 🛗 ▤ 📺 ☎ 🅟 - 🔊 25/80 B y
171 hab.

Parque Tropical, av. de Italia 1 ✆ (928) 77 40 12, *Fax (928) 76 81 37*, <, « Edificio de estilo regional. Jardín tropical », climatizada, 🎾 - 🛗 ☎. AE ⓓ E VISA. 🚫 C x
Comida - sólo cena buffet - 3000 - ☕ 900 - **235 hab** 16000/32000.

Apolo, av. de Estados Unidos 28 ✆ (928) 76 00 58, *Fax (928) 76 39 18*, <, climatizada, 🎾 - 🛗 ▤ 📺 ☎. AE ⓓ E VISA. 🚫 B f
Comida - sólo cena buffet - 4000 - ☕ 1000 - **115 hab** 12500/20000.

Lucana, pl. del Sol ✆ (928) 77 40 40, *Fax (928) 77 41 41*, <, climatizada, 🎾 - 🛗 ▤ 📺 ☎ 🅟 - 🔊 25/100. AE ⓓ E VISA. 🚫 C g
Comida - sólo buffet - 2500 - ☕ 900 - **182 hab** 11440/14560 - PA 4720.

Caserío, av. de Italia 8 ✆ (928) 77 40 50, *Fax (928) 77 41 50*, 🏋, climatizada - 🛗 ▤ 📺 ☎ 🅟. AE ⓓ E VISA. 🚫 C r
cerrado por obras 19 abril-29 septiembre - **Comida** 3000 - **124 hab** ☕ 19000/30000.

XX Compostela (antigua Casa Gallega), Marcial Franco 14 - bloque 7 ✆ (928) 76 20 92, *Fax (928) 76 33 44* - ▤ B u

XX Valentino, av. de Francia 4 ✆ (928) 77 22 50, *Fax (928) 14 15 95* - ▤ B h
Comida - cocina italiana, sólo cena -.

XX **La Toja,** av. de Tirajana 17 - edificio Barbados II ✆ (928) 76 11 96 - ▤. AE ⓓ E VISA. 🚫 B m
Comida carta aprox. 5200.

XX **Rías Bajas,** av. de Tirajana - edificio Playa del Sol ✆ (928) 76 40 33, *Fax (928) 76 85 48* - ▤. AE ⓓ E VISA. 🚫 B a
Comida - cocina gallega - carta aprox. 4425.

X Tenderete II, av. de Tirajana 3 - edificio Aloe ✆ (928) 76 14 60 - ▤ B e
Comida - pescados y mariscos -.

en la playa de San Agustín - ✉ *35100 Maspalomas :*

Meliá Tamarindos, Las Retamas 3 ✆ (928) 77 40 90, Telex 95463, *Fax (928) 77 40 91*, <, « climatizada rodeada de terrazas y jardín », 🎾 - 🛗 ▤ 📺 ☎ 🅟 - 🔊 25/350
Comida (sólo cena) - **312 hab**, 25 suites. D k

Don Gregory, Las Dalias 11 ✆ (928) 77 38 77, *Fax (928) 76 99 96*, <, climatizada, 🎾 - 🛗 ▤ 📺 ☎ 🅟 C s
Comida (sólo cena buffet) - **227 hab**, 17 suites.

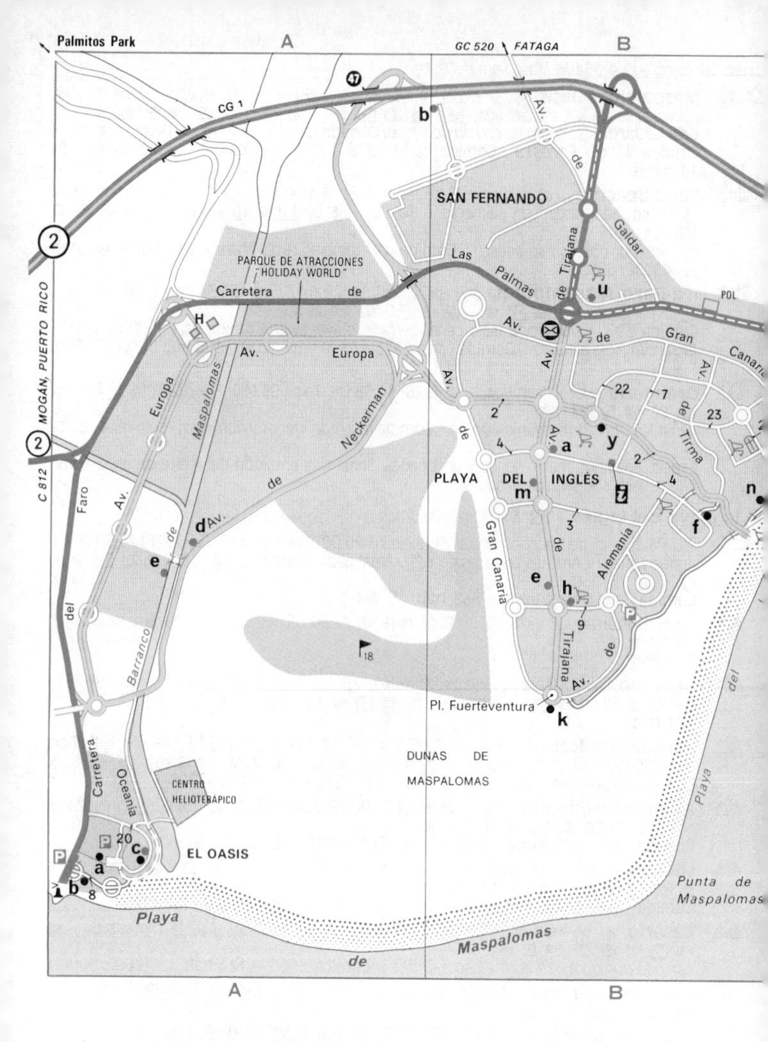

Gloria Palace, Las Margaritas ☎ (928) 76 83 00, Telex 96052, *Fax (928) 76 79 29,* ←, climatizada, – ▤ ☎ – 40/450. AE ⓓ E VISA. D a
Comida - sólo buffet - 3000 - ***Gorbea*** *(sólo cena, cerrado junio)* **Comida** carta 2200 a 4000 – **346 hab** ☕ 14100/20800, 102 suites.

Costa Canaria, Retama 1 ☎ (928) 76 02 00, *Fax (928) 76 14 26,* climatizada, – ▤ TV ☎. AE ⓓ E VISA. D e
Comida - sólo cena buffet - 3000 – ☕ 1600 – **224 hab** 14500/24400, 12 suites.

Buganvilla, Los Jazmines 17 ☎ (928) 76 03 16 – ▤ D t
Comida - sólo cena.

Anno Domini, centro comercial San Agustín - local 82 a 85 ☎ (928) 76 29 15, *Fax (928) 76 08 60,* – ▤. AE ⓓ E VISA. D u
cerrado domingo, junio y septiembre – **Comida** - cocina francesa, sólo cena - carta aprox. 4400.

en la urbanización Nueva Europa – ✉ *35100 Maspalomas :*

Chez Mario, Los Pinos 9 ☎ (928) 76 18 17 – AE ⓓ E VISA. D v
cerrado lunes (verano) y junio – **Comida** - cocina italiana, sólo cena - carta 3040 a 4260.

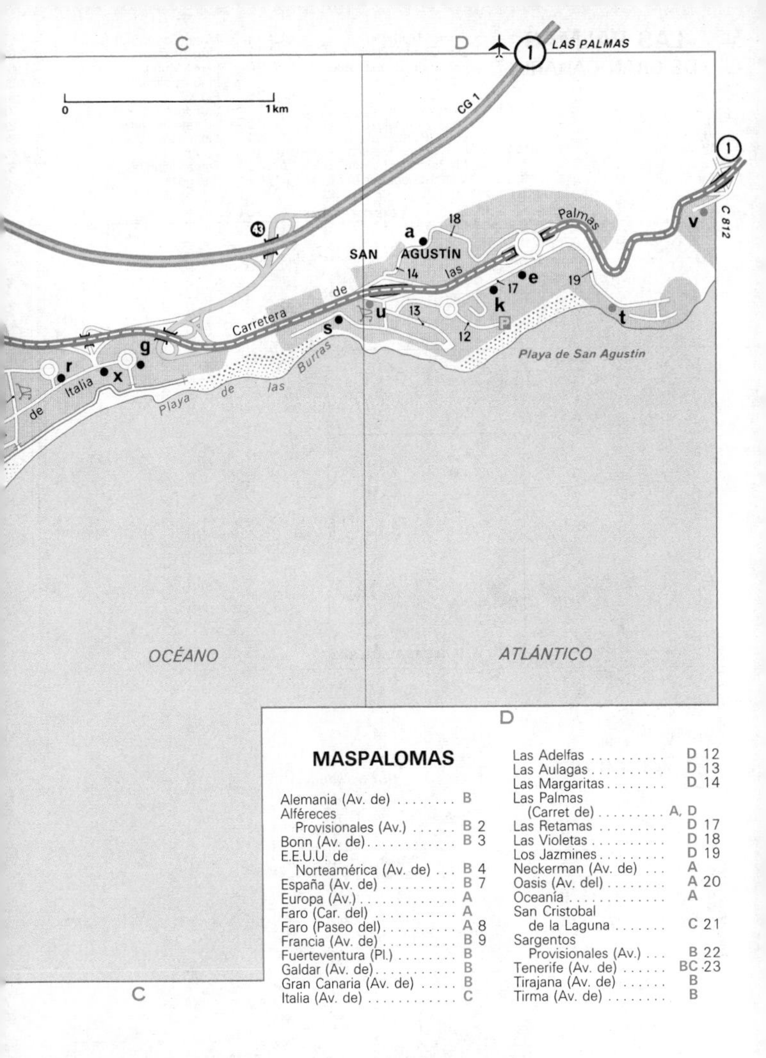

en la carretera de Las Palmas *NE : 7 km – ✉ 35107 Maspalomas :*

Orquídea ⋙, playa de Tarajalillo ✆ (928) 77 40 25, *Fax (928) 77 41 63*, ←, climatizada, – |‡|, ▤ rest, ☎ – 25/150. AE ⓓ E VISA.
Comida 1500 – **255 hab** ☕ 12500/16500 – PA 2200.

Las Palmas de Gran Canaria *35000* **P** *– 360 483 h. – Playa.*

Ver : *Casa de Colón*★ CZ **B** – *Paseo Cornisa* ☼★ AT.

Las Palmas, Bandama por ② : 14 km ✆ (928) 35 10 50 Fax (928) 35 01 10.

de Gran Canaria por ① : 30 km ✆ (928) 57 90 00 – Iberia : (Hotel Meliá Confort Iberia) av. Marítima del Norte ✉ 35003 ✆ (928) 37 08 77 aeropuerto ✆ (928) 57 95 38 – Aviaco : aeropuerto ✆ (928) 57 46 72.

para la Península, Tenerife y La Palma : Cía. Trasmediterránea, Muelle Rivera Oeste ✉ 35008 ✆ (928) 27 88 12 Telex 96007 Fax (928) 22 24 79 CXY.

Parque Santa Catalina ✉ 35007 ✆ (928) 22 09 47 Fax (928) 22 98 20 – **R.A.C.E.** *León y Castillo 281 ✉ 35005 ✆ (928) 23 34 17 Fax (928) 24 06 72.*

LAS PALMAS DE GRAN CANARIA

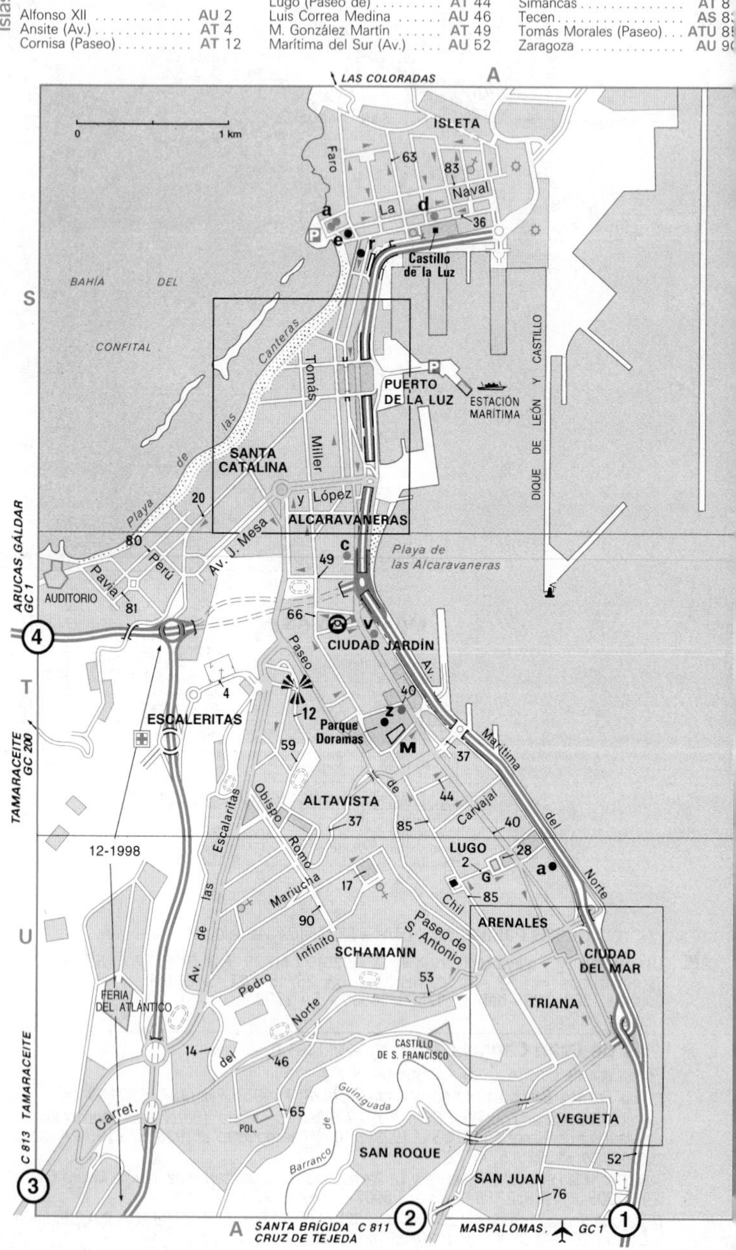

PUERTO DE LA LUZ

Albareda CV
Luis Morote CV
Alfredo L. Jones . . . . CV 3
Bernardo de la Torre . . . . . BX 7
Concepción Arenal . . . . . . BX 9
Eduardo Benot . . . . CV 18
España (Pl. de) . . . . BX 19
Galicia . . . . CX 21
General Vives . . . . CVX 25
Grau Bassas . . . . BV 27
José María Durán . . . . . . BCX 30
Los Martínez de Escobar . CX 43
Menéndez y Pelayo . . . . . CX 55
Rafael Almeida . . . . BX 67
Ripoche . . . . CV 71
Sagasta . . . . CV 72
29 de Abril . . . . CVX 91

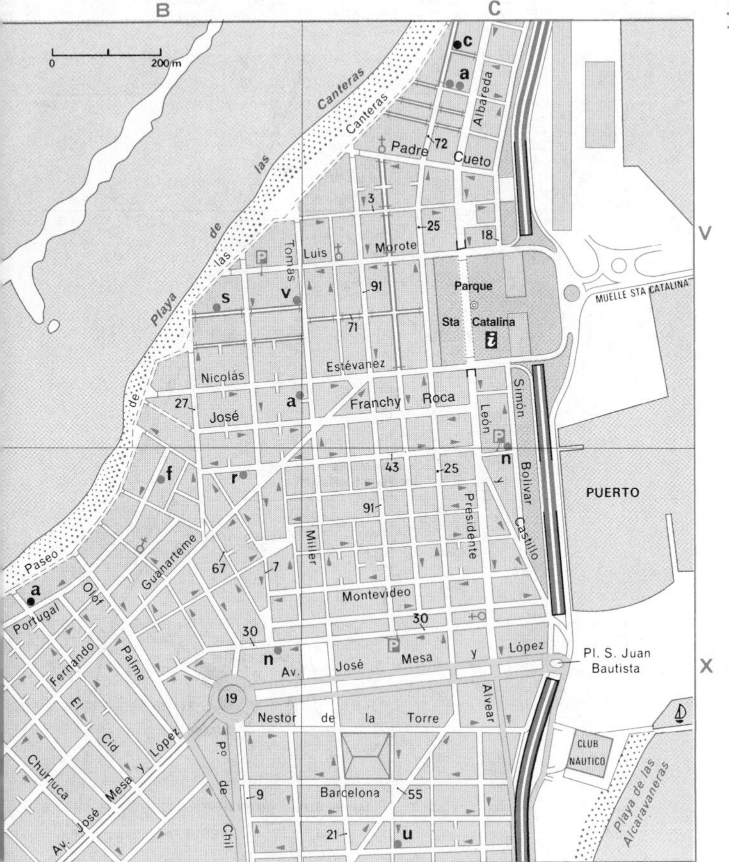

Santa Catalina, León y Castillo 227, ✉ 35005, ☎ (928) 24 30 40, Telex 96014, *Fax (928) 24 27 64*, « Edificio de estilo regional en un parque con palmeras », climatizada – 25/600. AE VISA. AT z
Comida carta aprox. 5200 – 1650 – **187 hab** 13920/21750, 19 suites.

Meliá Las Palmas, Gomera 6, ✉ 35008, ☎ (928) 26 80 50, *Fax (928) 26 84 11*, climatizada – 25/350. AE VISA JCB. CV c
Comida carta aprox. 6500 – 1500 – **266 hab** 19000/24000, 46 suites.

Meliá Confort Iberia, av. Marítima del Norte, ✉ 35003, ☎ (928) 36 11 33, Telex 95413, *Fax (928) 36 13 44*, – 25/160. AE VISA. AU a
Comida 2500 – 1100 – **298 hab** 12500/14250, 3 suites – PA 6100.

NH Imperial Playa, Ferreras 1, ✉ 35008, ☎ (928) 46 88 54, Telex 95340, *Fax (928) 46 94 42*, – 25/250. AE VISA JCB. AS e
Comida - sólo cena - carta aprox. 3100 – 1300 – **140 hab** 11500/15400, 2 suites.

Sansofé Palace, Portugal 68, ✉ 35010, ☎ (928) 22 42 82, *Fax (928) 22 48 28*, – rest, – 25/225. AE VISA. BX a
Comida 2500 – 950 – **110 hab** 8975/11675 – PA 5950.

VEGUETA, TRIANA

Mayor de Triana . . . . CY

Balcones (de los) . . . . CZ 5
Cano . . . . CY 8
Doctor Chil . . . . CZ 13
Domingo J. Navarro . . . . . . BY 16
General Bravo . . . . BY 23
General Mola . . . . CZ 24
Juan de Quesada . . . . CZ 31
Juan E. Doreste . . . . CZ 33
Las Palmas (Muelle de) . . . CY 38
López Botas . . . . CZ 41
Luis Millares . . . . CZ 47
Malteses . . . . CZ 50
Ntra Sra del Pino (Pl.) . . . . BY 56
Obispo Codina . . . . CZ 57
Pelota . . . . CZ 60
Pérez Galdós . . . . BY 62
Ramón y Cajal . . . . BZ 69
San Antonio (Paseo) . . . . . . BY 73
San Pedro . . . . CZ 78
T. Massieu . . . . CZ 84
Viera y Clavijo . . . . BY 88

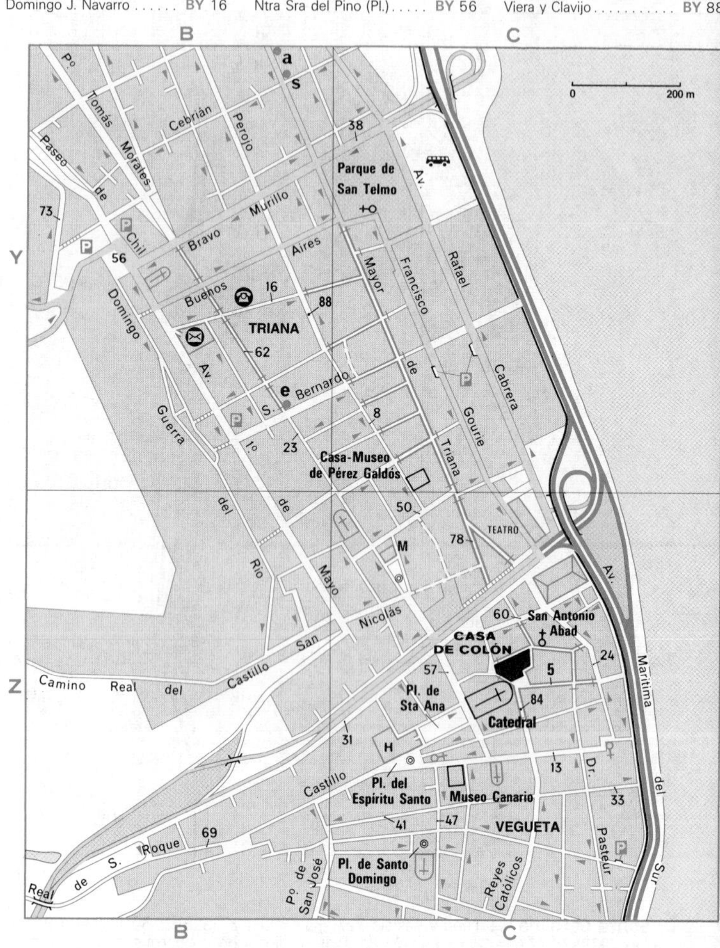

Tenesoya sin rest, Sagasta 98, ✉ 35008, ✆ (928) 46 96 08, *Fax (928) 46 02 79*, ← – 📺 ☎. AE E VISA. ✂
☕ 375 – **43 hab** 6500/7500. AS r

Amaiur, Pérez Galdós 2, ✉ 35002, ✆ (928) 37 07 17, *Fax (928) 36 89 37* – ▤. AE ⓓ E VISA. ✂ BY e
cerrado domingo y agosto – **Comida** - cocina vasca - carta 3000 a 4300.

Rías Bajas, Simón Bolívar 3, ✉ 35007, ✆ (928) 27 13 16, *Fax (928) 26 28 88* – ▤. AE ⓓ E VISA. ✂ CVX n
Comida carta aprox. 4370.

La Casita, León y Castillo 227, ✉ 35005, ✆ (928) 23 46 99, *Fax (928) 46 32 89* – ▤ AT z

Churchill, León y Castillo 274, ✉ 35005, ✆ (928) 24 91 92, *Fax (928) 29 34 08*, 🏠 – P AT v

XX Chacalote, Proa 3 - barrio pesquero de San Cristóbal, ✉ 35016, ✆ (928) 31 21 40, « Imitación del interior de un barco » - ▤ por ①
Comida - pescados y mariscos -.

XX **La Sama,** Marina 87 - barrio marinero de San Cristóbal, ✉ 35016, ✆ (928) 32 14 28, *Fax (928) 31 71 92*, ⩤ mar - ▤. AE E VISA. ✈ por ①
Comida - pescados y mariscos - carta aprox. 3750.

XX **El Cid Casa Pablo,** Tomás Miller 73, ✉ 35007, ✆ (928) 26 81 58, 🏠 - ▤. AE ◑ E VISA. ✈ BV v
cerrado agosto - **Comida** carta 3400 a 3900.

XX **Casa Rafael,** Luis Antúnez 25, ✉ 35006, ✆ (928) 24 49 89, *Fax (928) 22 92 10* - ▤. AE ◑ VISA. ✈ AT c
cerrado domingo - **Comida** carta aprox. 3700.

XX **Julio,** La Naval 132, ✉ 35008, ✆ (928) 46 01 39, *Fax (928) 46 60 02* - ▤. AE ◑ E VISA
cerrado domingo - **Comida** carta 2600 a 3600. AS d

X **La Cabaña Criolla,** Los Martínez de Escobar 37, ✉ 35007, ✆ (928) 27 02 16, *Fax (928) 27 70 90*, « Decoración rústica » - ▤. AE ◑ E VISA. ✈ BX r
cerrado lunes - **Comida** - carnes a la brasa - carta 2620 a 3750.

X **A'Vieira,** Sargento Llagas 26, ✉ 35007, ✆ (928) 27 99 56, *Fax (928) 27 07 56* - ▤. AE ◑ E VISA JCB. ✈ BV s
cerrado domingo y agosto - **Comida** carta 2940 a 3845.

X **El Pote,** Juan Manuel Durán González 41 (pasaje), ✉ 35007, ✆ (928) 27 80 58 - ▤. VISA. ✈
cerrado domingo - **Comida** - cocina gallega - carta aprox. 4300. BX n

X **Samoa,** Valencia 46, ✉ 35006, ✆ (928) 24 14 71 - ▤. AE ◑ E VISA. ✈ CX u
cerrado domingo y agosto - **Comida** carta aprox. 3000.

X **Casa Carmelo,** paseo de las Canteras 2, ✉ 35009, ✆ (928) 46 90 56, ⩤ - ▤. AE ◑ E VISA. ✈ AS a
Comida carta aprox. 3500.

X **Casa de Galicia,** Salvador Cuyás 8, ✉ 35008, ✆ (928) 27 98 55, *Fax (928) 22 92 10* - ▤. AE ◑ VISA. ✈ CV a
Comida - cocina gallega - carta aprox. 3600.

X **El Anexo,** Salvador Cuyás 10, ✉ 35008, ✆ (928) 27 26 45, *Fax (928) 22 92 10* - ▤. AE ◑ VISA. ✈ CV a
cerrado domingo - **Comida** carta aprox. 3600.

X **Hamburg,** Mary Sánchez 54, ✉ 35009, ✆ (928) 46 97 45 AS a
Comida carta 2350 a 3675.

X **Asturias,** Capitán Lucena 6, ✉ 35007, ✆ (928) 27 42 19 - ▤. AE ◑ E VISA. ✈
Comida carta 2900 a 4100. BV a

X **El Novillo Precoz,** Portugal 9, ✉ 35010, ✆ (928) 22 16 59 - ▤. AE ◑ E VISA JCB. ✈ BX f
cerrado lunes, 1ª semana de julio y 1ª semana de agosto - **Comida** - carnes a la brasa - carta 2150 a 4350.

X Ca'cho Damián, León y Castillo 26, ✉ 35003, ✆ (928) 36 53 23 - ▤ BY s

en Las Coloradas *zona de La Isleta* - ✉ *35009 Las Palmas* :

X **El Padrino,** Jesús Nazareno 1 ✆ (928) 46 20 94, *Fax (928) 46 20 94*, 🏠 - ▤. AE ◑ E VISA. ✈ por Pérez Muñoz AS
Comida - pescados y mariscos - carta aprox. 3000.

X **Pitango,** María Dolorosa 2 ✆ (928) 46 64 94, 🏠 - ▤. AE ◑ E VISA. ✈
cerrado lunes y martes - **Comida** - carnes a la brasa - carta aprox. 3000.
por Pérez Muñoz AS

Santa Brígida *35300 - 12 224 h. alt. 426.*

Alred. : *Mirador de Bandama★★ E : 7 km.*

Las Palmas de Gran Canaria 15.

en Las Meleguinas *N : 2 km* - ✉ *35300 Santa Brígida* :

X **Las Grutas de Artiles,** ✆ (928) 64 05 75, *Fax (928) 64 12 50*, 🏠, « Instalado en una gruta », ⛱, 🎾 - Ⓟ. AE ◑ E VISA. ✈
Comida carta 2300 a 3150.

en Monte Lentiscal *NE : 4 km* - ✉ *35310 Monte Lentiscal* :

🏨 **Santa Brígida** *(Hotel escuela)*, Real de Coello 2 ✆ (928) 35 55 11, *Fax (928) 35 57 01*, 🏋, ⛱, 🌳 - 🛗 ▤ 📺 ☎ - 🅰 25/150. AE ◑ E VISA. ✈
Comida 3200 - ☕ 1200 - **41 hab** 10625/15940 - PA 6460.

en El Madroñal *SO : 4,5 km – ✉ 35308 El Madroñal :*

X Martell, ✆ (928) 64 12 83, Interesante bodega, « Decoración rústica regional ».

en la Caldera de Bandama *E : 7 km – ✉ 35300 Santa Brígida :*

Golf Bandama, ✆ (928) 35 33 54, *Fax (928) 35 12 90*, ≤ campo de golf, mar y montaña, , climatizada, 18 – P
38 hab.

Tafira Alta *35017 – alt. 375.*

Ver : *Jardín Canario★.*
Las Palmas de Gran Canaria 8.

X La Masía de Canarias, Murillo 36 ✆ (928) 35 01 20, *Fax (928) 35 01 20*, .

X **Jardín Canario,** Plan de Loreto - carret. de Las Palmas 1 km ✆ (928) 35 16 45, *Fax (928) 64 12 50*, ≤, « Dominando el Jardín Botánico » – P. AE ① E VISA. ✂
Comida carta 2300 a 3150.

Telde *35200 – 77 640 h. alt. 130.*

Alred. : *Gruta de Cuatro Puertas★ S : 6 km.*
Las Palmas de Gran Canaria 20.

Teror *35330 – 10 341 h. alt. 445.*

Alred. : *Mirador de Zamora ≤★ O : 7 km por carretera de Valleseco.*
Las Palmas de Gran Canaria 21.

Vega de San Mateo *35320 – 6 110 h.*

Las Palmas de Gran Canaria 23.

XX **La Veguetilla,** carret. de Las Palmas ✆ (928) 66 07 64, *Fax (928) 66 07 64*, – P
AE ① E VISA. ✂
cerrado martes y agosto – **Comida** carta 2500 a 4300.

FUERTEVENTURA (Las Palmas)

Corralejo *35560 – Playa.*

Ver : *Puerto y Playas ★.*
Puerto del Rosario 38.

Dunapark sin rest. con cafetería, av. Generalísimo Franco ✆ (928) 53 52 51, *Fax (928) 53 54 91*, Fá, climatizada, ✂ – ▤ TV ☎. AE ① E VISA. ✂
79 hab ▭ 8500/10500.

en las playas :

Riu Palace Tres Islas, SE : 4 Km. ✆ (928) 53 57 00, Telex 96544, *Fax (928) 53 58 58*, ≤, Fá, climatizada, , ✂ – |‡| ▤ TV ☎ P
Comida Tres Islas *(sólo cena)* Oasis *(sólo cena)* – **365 hab.**

Costa Calma – ✉ *35628 Pájara – Playa.*

Puerto del Rosario 70.

Taro Beach H., urb. Cañada del Río ✆ (928) 54 70 76, *Fax (928) 54 70 98*, ≤, climatizada – ▤ rest, TV ☎ P. VISA. ✂
Comida - sólo cena buffet - 2750 – ▭ 950 – **247 apartamentos** 18500/24000.

Mónica Beach H., urb. Cañada del Río ✆ (928) 54 72 14, *Fax (928) 54 73 18*, ≤, Fá, climatizada, ✂ – ▤ rest, TV ☎ P. VISA. ✂ rest
Comida - sólo cena buffet - 2000 – **226 apartamentos** ▭ 9800/10000.

Morro del Jable *35625 – 1 590 h. – Playa.*

Puerto del Rosario 95.

Riu Palace Jandía, playa de Jandía ✆ (928) 54 03 68, *Fax (928) 54 23 52*, ≤, climatizada – |‡| ▤ TV ☎
Comida (sólo cena) – **200 hab.**

Riu Calypso, playa de Jandía ✆ (928) 54 00 26, *Fax (928) 54 07 30*, ≤ mar y playa, « Terraza con climatizada », ✂ – |‡| ▤ TV ☎ P – 25/80
Comida (sólo cena) – **248 hab.**

Playa Barca - ✉ *35628 Pájara - Playa.*
Puerto del Rosario 47.

Sol Élite Gorriones, *(928) 54 70 25, Fax (928) 54 70 00*, ≤, « Amplia terraza con climatizada », - , rest, . AE VISA.
Comida - sólo cena buffet - 3000 - 1500 - **431 hab** 12500/19000.

Puerto del Rosario *35600 - 16 883 h. - Playa.*

Alred. : *Betancuria (pueblo★) SO : 25 km.*

de Fuerteventura S : 6 km (928) 86 05 00 - Iberia : 23 de Mayo 11 (928) 86 05 00.

para Lanzarote, Gran Canaria y Tenerife : Cía Trasmediterránea, León y Castillo 58 (928) 85 08 77 Fax (928) 85 24 08.

av. 1º de Mayo 37 (928) 85 14 00 Fax (928) 85 16 95.

Marquesina Puerto, Pizarro 62 (928) 53 00 30
VISA.
Comida carta 2700 a 3300.

en Playa Blanca *S : 3,5 km* - ✉ *35610 Puerto del Rosario :*

Parador de Fuerteventura, *(928) 85 11 50, Fax (928) 85 11 58*, ≤, , - - 25/40. AE VISA.
Comida 3500 - 1200 - **50 hab** 9200/11500.

LANZAROTE (Las Palmas)

Arrecife *35500 - 33 398 h. - Playa.*

Alred. : *Teguise (castillo de Guanapay ★) N : 11 km - La Geria★★ (de Mozaga a Yaiza) NO : 17 km - Cueva de los Verdes★★★ NE : 27 km por Guatiza - Jameos del Agua★ NE : 29 km por Guatiza - Mirador del Río★★ (★★) NO : 33 km por Guatiza - Fundación César Manrique★ N : 7 km.*

de Lanzarote O : 6 km (928) 81 14 50 - Iberia : av. Rafael González Negrín 2 (928) 81 53 75.

para Gran Canaria, Tenerife, La Palma y la Península : Cía. Trasmediterránea, José Antonio 90 (928) 81 11 88 Telex 95336 Fax (928) 81 23 63.

Parque Municipal (928) 80 15 17 Fax (928) 81 18 60 - **R.A.C.E.** *Blas Cabrera Tophan 17-1º (928) 80 68 81 Fax (928) 80 65 86.*

Lancelot, av. Mancomunidad 9 (928) 80 50 99, *Fax (928) 80 50 39*, ≤, - , rest, - 25/100. AE VISA.
Comida 1500 - **110 hab** 6700/8400 - PA 3360.

Miramar sin rest, Coll 2 (928) 80 15 22, *Fax (928) 80 15 33* -
90 hab.

por la carretera del puerto de Naos *NE : 2 km* - ✉ *35500 Arrecife :*

Castillo de San José, (928) 81 23 21, *Fax (928) 81 23 21*, ≤ puerto y mar, « Fortaleza del siglo XVII. Museo de Arte Contemporáneo » - .

Costa Teguise *35509 - Playa.*

Costa Teguise, urb. Costa Teguise (928) 59 05 12 Fax (928) 59 04 90.
Arrecife 7.

Meliá Salinas, playa de Las Cucharas (928) 59 00 40, Telex 96320, *Fax (928) 59 12 32*, ≤, , « Profusión de plantas. Terraza con climatizada », , - - 25/275. AE VISA.
Atlántida *(sólo buffet)* **Comida** carta aprox. 4800 - ***La Graciosa*** *(sólo cena, cerrado domingo y lunes)* **Comida** carta aprox. 5500 - **308 hab** 25800/39200, 2 suites.

Teguise Playa, playa El Jablillo (928) 59 06 54, Telex 96399, *Fax (928) 59 09 79*, ≤, , climatizada, - - 25/325. AE VISA.
Comida 3150 - 1025 - **303 hab** 13900/17300, 11 suites.

La Jordana, Los Geranios - Local 10 y 11 (928) 59 03 28, - . AE VISA.
cerrado domingo y septiembre - **Comida** carta 2425 a 4175.

Neptuno, Península del Jablillo (928) 59 03 78 - . AE VISA.
cerrado domingo - **Comida** carta 2700 a 2950.

al Suroeste : *2 km*

Oasis de Lanzarote, av. del Mar (928) 59 04 10, *Fax (928) 59 07 91*, climatizada, – 25/550. VISA.
Comida 3150 – **360 hab** 16000/19000, 12 suites.

Haría *35520 – 2 626 h. alt. 270.*

Alred. : *Mirador ★ S : 5 km – Fundación César Manrique★ N : 7 km.*
Arrecife 29.

Casa'l Cura, Nueva 1 (928) 83 55 56, *Fax (928) 81 60 16*
VISA.
Comida - sólo almuerzo - carta 2150 a 3050.

Montañas del Fuego – *Zona de peaje.*

Ver : *Parque Nacional de las Montañas del Fuego★★★.*
Arrecife 31.

El Diablo, Parque Nacional de Timanfaya, 35560 Tinajo, (928) 84 00 57
Fax (928) 84 00 57, montañas volcánicas y mar –
Comida - sólo almuerzo -.

Playa Blanca de Yaiza – *35570 Yaiza – Playa.*

Alred. : *Punta del Papagayo★ ★ S : 5 km.*
Arrecife 38.

Playa Dorada, costa de Papagayo (928) 51 71 20, *Fax (928) 51 74 32*, climatizada, – 25/250. VISA.
Comida - sólo cena buffet - 2500 – **258 hab** 10000/15600, 8 suites.

Lanzarote Princess, costa de Papagayo (928) 51 71 08, Telex 96455 *Fax (928) 51 70 11*, « Terraza con climatizada », – 25/200 VISA.
Comida 1800 – **375 hab** 8700/12900, 32 suites.

Casa Pedro, av. Marítima (928) 51 70 22, –
Comida - pescados -.

Casa Salvador, av. Marítima 13 (928) 51 70 25,
Comida - pescados y mariscos -.

Puerto del Carmen *35510 – Playa.*

Arrecife 15.

Fariones Playa sin rest, Acatife 2 - urb. Playa Blanca (928) 51 01 75 *Fax (928) 51 02 02*, climatizada, – 25/150. VISA.
1800 – **231 apartamentos** 20000.

Los Fariones, Roque del Oeste 1 - urb. Playa Blanca (928) 51 01 75 *Fax (928) 51 02 02*, « Terraza y jardín tropical con mar », climatizada, – rest, – 25/75. VISA.
Comida 3500 – 1800 – **248 hab** 12500/17500, 6 suites – PA 7000.

La Cañada, General Prim 3 (928) 51 04 15, – VISA.
Comida carta aprox. 3375.

en la playa de Los Pocillos *E : 3 km – 35519 Los Pocillos :*

Riu Palace Lanzarote, Suiza 6 (928) 51 24 14, *Fax (928) 51 35 98*, climatizada, – 25/100. VISA.
Comida - sólo cena - 4000 – **253 hab** 19000/35000, 22 suites.

La Geria, (928) 51 04 41, *Fax (928) 51 19 19*, climatizada, – VISA.
Comida 3500 – 1400 – **242 hab** 11500/16600.

Riu Paraíso, Suiza 4 (928) 51 24 00, Telex 95780, *Fax (928) 51 24 09*, climatizada, –
Comida (sólo cena) – **240 hab**, 8 suites.

en la urbanización Matagorda *E : 4,5 km – 35510 Matagorda :*

C. Colón, centro comercial Matagorda 47 (928) 51 25 54, *Fax (928) 51 25 54* – VISA.
cerrado domingo en mayo y junio – **Comida** carta 4000 a 6125.

Yaiza *35570 – 5125 h. alt. 192.*

Alred. : *La Geria★★ (de Yaiza a Mozaga) NE : 17 km – Salinas de Janubio★ SO : 6 km – El Golfo★ NO : 8 km.*

Arrecife 22.

La Era, Barranco 3 ✆ (928) 83 00 16, *Fax (928) 80 27 65,* « Instalado en una casa de campo del siglo XVII » – Ⓟ.

TENERIFE

Arona *38640 – 41636 h. alt. 610.*

Alred. : *Mirador de la Centinela★★ SE : 11 km.*

Santa Cruz de Tenerife 72.

en La Camella *S : 4,5 km – ✉ 38627 La Camella :*

Mesón Las Rejas, carret. General del Sur 1 ✆ (922) 72 08 94 – ▤. AE E VISA
cerrado domingo y mayo – **Comida** - espec. en carnes y asados - carta 2500 a 3750.

Candelaria *38530 – 10655 h. – Playa.*

Santa Cruz de Tenerife 27.

G.H. Punta del Rey, av. Generalísimo 165 - playa de Las Caletillas ✆ (922) 50 18 99, Telex 91584, *Fax (922) 50 00 91,* ≤, « Jardines con climatizada al borde del mar », – ▤ – 25/200. AE E VISA JCB.
Comida - sólo buffet - 1950 – ☕ 950 – **422 hab** 8200/9500.

Sobre El Archete, Lomo de Aroba 2 - cruce autopista ✆ (922) 50 01 15, *Fax (922) 50 03 54* – ▤ Ⓟ. E VISA.
cerrado domingo noche y agosto – **Comida** carta aprox. 3325.

Las Cañadas del Teide *– alt. 2200 – 1.*

Ver : *Parque Nacional de las Cañadas★★★.*

Alred. : *Pico del Teide★★★ N : 4 km, teleférico y 45 min. a pie – Boca de Tauce★★ SO : 7 km.*

Excurs. : *Ascenso por La Orotava★.*

Santa Cruz de Tenerife 67.

Parador de Las Cañadas del Teide , alt. 2 200, ✉ 38380 apartado 15 La Orotava, ✆ (922) 38 64 15, *Fax (922) 38 64 15,* ≤ valle y Teide, « En un paraje volcánico », – Ⓟ. AE E VISA.
Comida 3500 – ☕ 1300 – **37 hab** 12400/15500 – PA 7055.

Los Cristianos *38650 – Playa.*

Cia. Trasmediterránea, Muelle de los Cristianos ✆ (922) 79 61 78 Fax (922) 79 61 79.

Santa Cruz de Tenerife 75.

Arona G.H., av. Marítima ✆ (922) 75 06 78, Telex 91053, *Fax (922) 75 02 43,* ≤, climatizada – ▤ – 25/250. AE E VISA.
Comida - sólo cena buffet - 3200 - ***La Palapa*** *(sólo almuerzo)* **Comida** carta aprox. 2230 – ☕ 1320 – **399 hab** 17050/22000, 2 suites.

Paradise Park, urb. Oasis del Sur ✆ (922) 79 47 62, Telex 91196, *Fax (922) 79 48 59,* climatizada – ▤ Ⓟ – 25/60. AE E VISA.
Comida 2050 - ***Strelitzia*** **: Comida** carta 4100 a 4750 – **271 hab** ☕ 12800/19300, 9 suites, 112 apartamentos.

Oasis Moreque, av. Penetración ✆ (922) 79 03 66, *Fax (922) 79 22 60,* ≤, climatizada, – ▤ rest, Ⓟ
Comida (sólo buffet) – **173 hab.**

La Cava, El Cabezo ✆ (922) 79 04 93, *Fax (922) 79 13 16,* « Decoración rústica » – AE E VISA
cerrado domingo y junio-septiembre – **Comida** - sólo cena - carta 2450 a 3500.

Güimar *38500 – 14345 h. alt. 290.*

Alred. : *Mirador de Don Martín★★ S : 4 km.*

Santa Cruz de Tenerife 36.

Icod de los Vinos *38430 – 21 329 h.*

Ver : *Drago milenario★.*

Alred. : *El Palmar★★ O : 20 km – San Juan del Reparo (carretera de Garachico ≤★) SO : 6 km – San Juan de la Rambla (plaza de la iglesia★) NE : 10 km.*

Santa Cruz de Tenerife 60.

La Laguna *38200 – 117 718 h. alt. 550.*

Ver : *Iglesia de la Concepción★.*

Alred. : *Monte de las Mercedes★★ (Mirador del Pico del Inglés★★, Mirador de Cruz del Carmen★) NE : 11 km – Mirador del Pico de las Flores ※★★ SO : 15 km – Bosque de La Esperanza★ SO : 20 km – Puerto de El Bailadero★ NE : 20 km – Taganana★ (carretera ≤★★ de El Bailadero) NE : 24 km.*

Obispo Rey Redondo 1 ✉ 38201 ☎ (922) 60 11 06 Fax (922) 60 11 02.

Santa Cruz de Tenerife 9.

Nivaria sin rest, pl. del Adelantado 11, ✉ 38201, ☎ (922) 26 42 98, *Fax (922) 25 96 34* – TV ☎ – 25/65
73 apartamentos.

La Hoya del Camello, carret. General del Norte 128, ✉ 38293, ☎ (922) 26 20 54, *Fax (922) 26 51 05* – P. AE E VISA.
cerrado domingo noche y 15 días en agosto – **Comida** carta 2125 a 3550.

Casa Maquila, callejón Maquila 4, ✉ 38202, ☎ (922) 25 70 20.

Masca

Ver : *Paisaje★.*

Santa Cruz de Tenerife 90.

El Médano *38612 – Playa.*

Reina Sofía O : 8 km ☎ (922) 75 90 00.

Santa Cruz de Tenerife 62.

Atlantic Playa Suite H., av. Europa 2 ☎ (922) 17 62 52, *Fax (922) 17 61 14*, – ☎ P – 25/100
Comida (sólo buffet) – **88 hab**, 67 suites.

Médano, La Playa 2 ☎ (922) 17 70 00, *Fax (922) 17 60 48*, ≤ – ☎. AE VISA.
Comida 1300 – **90 hab** 6000/8000 – PA 2600.

Avencio, Chasna 6 ☎ (922) 17 60 79 – .

La Orotava *38300 – 34 871 h. alt. 390.*

Ver : *Calle de San Francisco★ – Emplazamiento★.*

Alred. : *Mirador Humboldt★★★ NE : 3 km – S : Valle de La Orotava★★★.*

La Carrera 2 ☎ (922) 32 30 41 Fax (922) 33 45 12.

Santa Cruz de Tenerife 36.

Playa de las Américas *38660 – Playa.*

Alred. : *Adeje (Barranco del Infierno★, 2 km a pie) N : 7 km.*

9 18 Sur, urb. El Guincho SE : 15 km ☎ (922) 73 10 70.

av. Rafael Puig (City Center) ☎ (922) 79 76 68.

Santa Cruz de Tenerife 75.

G.H. Bahía del Duque, playa del Duque, ✉ 38670 Adeje, ☎ (922) 74 69 00, *Fax (922) 74 69 25*, ≤, « Imitando unas villas de época en acogedora armonía con vegetación subtropical en torno a varias », climatizada, – TV ☎ P – 25/1000. AE E VISA.
El Duque *(sólo cena, cerrado domingo y junio)* **Comida** carta 4800 a 5950 - ***La Brasserie*** *(sólo cena)* **Comida** carta 4350 a 5400 - ***La Trattoria*** *(cocina italiana, sólo cena)* **Comida** carta 3375 a 4550 – **324 hab** 35000/41000, 38 suites.

Sir Anthony, av. Litoral ☎ (922) 79 71 13, *Fax (922) 79 36 22*, ≤, « Bonita terraza con césped y climatizada », – TV ☎ P – 25/200
67 hab, 5 suites.

Gran Tinerfe, ☎ (922) 79 12 00, Telex 92199, *Fax (922) 79 12 65*, ≤, « Terrazas con climatizada », – TV ☎ P – 25/150. AE E VISA.
Comida 3050 – 1300 – **358 hab** 11800/19000 – PA 5600.

Mediterranean Palace, av. Litoral (922) 79 44 00, Telex 91539, *Fax (922) 79 36 22*, – 25/700
493 hab, 42 suites.

Tenerife Princess, av. Antonio Domínguez Alfonso (922) 79 27 51, *Fax (922) 79 10 39*, climatizada, – – 25/80
Comida (sólo buffet) – **384 hab.**

Jardín Tropical, urb. San Eugenio, apartado 139, (922) 74 60 00, Telex 91251, *Fax (922) 74 60 60*, « Profusión de plantas y jardines subtropicales en un armonioso conjunto », climatizada – – 25/150.
Comida (ver también rest. ***El Patio***) - ***Las Mimosas*** *(sólo buffet)* **Comida** 3500 – **421 hab** 21500/31000.

Gala, av. Litoral (922) 79 45 13, *Fax (922) 79 64 65* – – 25/200.
Comida - sólo buffet - 2000 – 1100 – **315 hab** 12800/16500 – PA 4000.

Torviscas Playa, urb. Torviscas (922) 71 23 00, Telex 91578, *Fax (922) 71 31 55*, climatizada, – – 25/300.
Comida - sólo buffet - 2000 – 1200 – **466 hab** 14500/21000, 4 suites.

Bitácora, av. Antonio Domínguez Alfonso 1 (922) 79 15 40, Telex 91120, *Fax (922) 79 66 77*, climatizada, – .
Comida - sólo buffet - 2100 – **314 hab** 10900/15800.

La Siesta, Rafael Puig 15 (922) 79 23 00, Telex 91119, *Fax (922) 79 22 20*, climatizada, – – 25/700.
Comida - sólo buffet - 2700 – 1200 – **280 hab** 12000/15000 – PA 5900.

Park H. Troya, (922) 79 01 00, *Fax (922) 79 45 72*, climatizada, – .
Comida - sólo buffet - 2400 – **318 hab** 8085/13200.

El Patio, urb. San Eugenio (922) 74 60 00, *Fax (922) 74 60 60*, « Jardín de invierno » – .
Comida - sólo cena - carta 4000 a 6700.

Casa Vasca, Apartamentos Compostela Beach (922) 79 40 25, *Fax (922) 75 21 71*, – .
cerrado domingo – **Comida** carta 2900 a 5000.

Puerto de la Cruz *38400 – 39 549 h. – Playa.*

Ver : *Paseo Marítimo★ (piscinas★)* BZ.
Alred. : *Jardín de aclimatación de La Orotava★★★ por ① : 1,5 km – Mirador Humboldt★★★, La Orotava★ por ①.*
pl. de la Iglesia 3 (922) 38 60 00 Fax (922) 38 08 70.
Santa Cruz de Tenerife 36 ①

Planos páginas siguientes

Botánico, Richard J. Yeoward (922) 38 14 00, Telex 92395, *Fax (922) 38 15 04*, « Jardines tropicales », climatizada, – – 25/220. DZ h
Comida 5000 – **273 hab** 22800/33000, 9 suites.

Semiramis, Leopoldo Cólogan Zulueta 12 - urb. La Paz (922) 37 32 00, Telex 92160, *Fax (922) 37 31 93*, mar, climatizada, – – 25/1000. DY k
Comida *(cerrado miércoles)* 2500 – **284 hab** 14200/19000, 3 suites.

Puerto Palace, Doctor Cobiella (carret. de Las Arenas) (922) 37 24 60, *Fax (922) 37 35 23*, – – 25/100.
Comida 2100 – **290 hab** 12715/16515. por ②

San Felipe, av. de Colón 22 - playa Martiánez (922) 38 33 11, Telex 92146, *Fax (922) 37 37 18*, – – 25/200.
Comida - sólo cena - 2600 – **256 hab** 13890/19980, 4 suites. DY u

Meliá Puerto de la Cruz, av. Marqués de Villanueva del Prado (922) 38 40 11, *Fax (922) 38 65 59*, climatizada, – – 25/700. DZ f
Comida 2500 – 1000 – **300 hab** 10800/17000.

El Tope sin rest, Calzada de Martiánez 2 (922) 38 50 52, *Fax (922) 38 00 03*, climatizada, – – 25/250. CZ e
1855 – **217 hab** 13800/17460.

Atalaya G. H., parque del Taoro (922) 38 44 51, Telex 92380, *Fax (922) 38 70 46*, « Jardín con climatizada », – . por carret. del Taoro BZ
Comida - sólo buffet - 2750 – 1250 – **183 hab** 11300/14200.

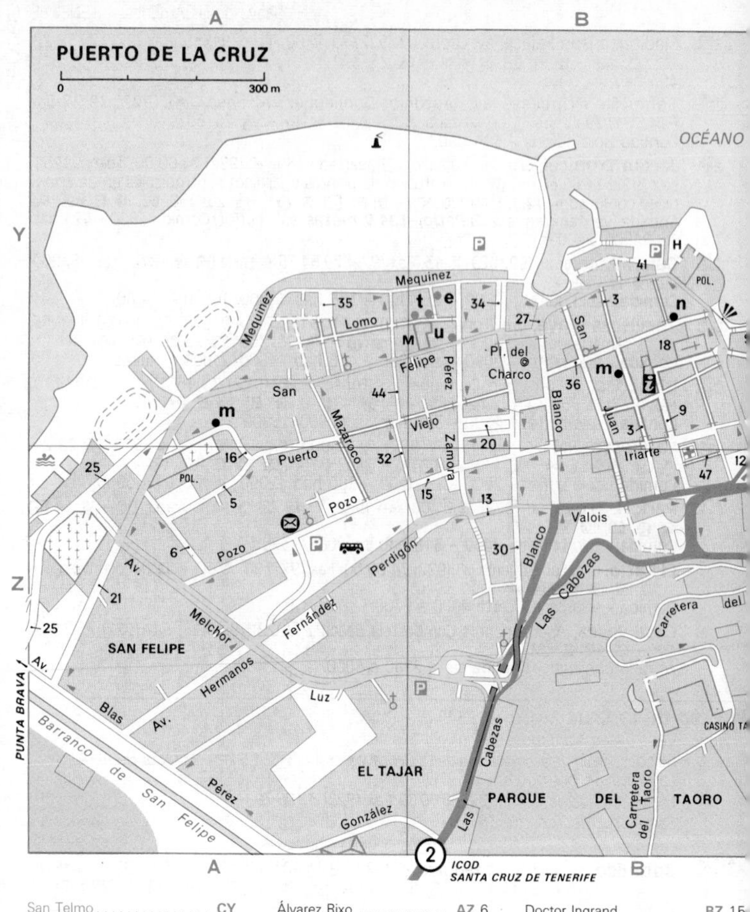

San Telmo . . . . CY

Aguilar y Quesada . . . . CY 2
Agustín de Bethencourt . . . . BY 3
Agustín Espinoza . . . . AZ 5
Álvarez Rixo . . . . AZ 6
Casino . . . . CY 8
Cólogan . . . . BY 9
Constitución (Plaza de la) . . . . BZ 12
Cupido . . . . BZ 13
Doctor Ingrand . . . . BZ 15
Doctor Madán . . . . AYZ 16
Enrique Talg . . . . CZ 17
Iglesia (Pl. de la) . . . . BY 18
José Arroyo . . . . BY 20
José del Campo Llarena (Av.) AZ 21

G.H. Tenerife Playa, av. de Colón 16 ☎ (922) 38 32 11, *Fax (922) 38 37 91,* ←, ☂, ⛱ climatizada, ⛱ – |♦|, ▤ rest, TV ☎ – 🏛 25/80. AE ⦿ E VISA. ✗ CY a
Comida - sólo buffet - 3300 – ☕ 1235 – **337 hab** 10815/16475 – PA 6075.

San Telmo, San Telmo 18 ☎ (922) 38 58 53, *Fax (922) 38 59 91,* ←, ⛱ climatizada – |♦| ☎ CY e
91 hab.

Monopol, Quintana 15 ☎ (922) 38 46 11, *Fax (922) 37 03 10,* « Patio canario con plantas », ⛱ climatizada – |♦|, ▤ rest, ☎. AE ⦿ E VISA. ✗ rest BY n
Comida - sólo cena - carta aprox. 2250 – **100 hab** ☕ 5600/11200.

Don Manolito, Dr. Madán 6 ☎ (922) 38 50 40, *Fax (922) 37 08 77,* ⛱, ⛱ – |♦| TV ☎. AE ⦿ E VISA. ✗ AY m
Comida - sólo cena - 1650 – ☕ 660 – **79 hab** 7300/9900.

Chimisay sin rest, Agustín de Bethencourt 14 ☎ (922) 38 35 52, *Fax (922) 38 28 40,* ⛱ climatizada – |♦| ☎. AE ⦿ VISA. ✗ BY m
☕ 600 – **67 hab** 6300/8500.

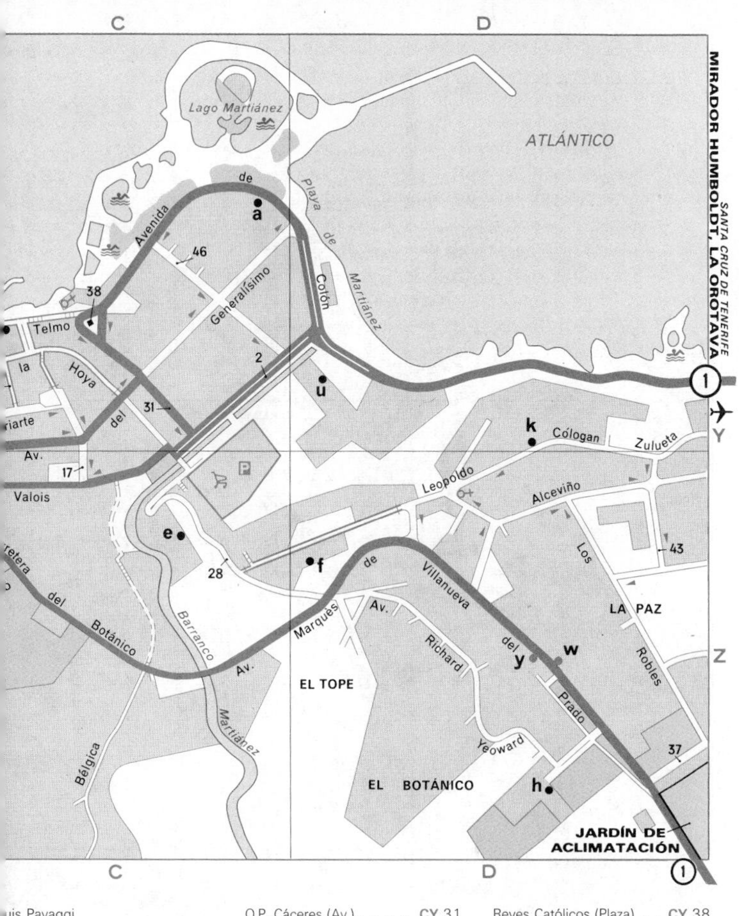

uis Pavaggi (Paseo) . . . . AZ 25
larina . . . . BY 27
lartiánez (Calzada de) . . . . CZ 28
ieves Ravelo . . . . BZ 30
O.P. Cáceres (Av.) . . . . CY 31
Peñón . . . . AZ 32
Perdomo . . . . BY 34
Pérez Galdós (Plaza) . . . . . AY 35
Quintana . . . . BY 36
Retama . . . . DZ 37
Reyes Católicos (Plaza) . . . CY 38
Santo Domingo . . . . BY 41
Tabaida . . . . DZ 43
Teobaldo Power . . . . AY 44
Venezuela (Av.) . . . . CY 46
Virtud . . . . BZ 47

XX **Magnolia** (Felipe "El Payés catalán"), av. Marqués de Villanueva del Prado ☎ (922) 38 56 14, 余 – ▤. AE ⓓ E VISA JCB DZ w
Comida carta 2860 a 4530.

X **Régulo,** San Felipe 16 ☎ (922) 38 45 06, *Fax (922) 37 04 20,* « Patio con balcón y plantas » – AE E VISA. ⛌ BY u
cerrado domingo y julio – **Comida** carta 2025 a 2825.

X **La Papaya,** Lomo 10 ☎ (922) 38 28 11, *Fax (922) 38 77 96,* 余, « Decoración típica » – AE ⓓ E VISA BY t
cerrado miércoles – **Comida** carta 2000 a 2890.

X Patio Canario, Lomo 4 ☎ (922) 38 04 51, « Decoración típica » BY t

X **Mi Vaca y Yo,** Cruz Verde 3 ☎ (922) 38 52 47, *Fax (922) 37 08 77,* « Decoración típica » – AE ⓓ E VISA JCB. ⛌ BY e
Comida carta aprox. 3250.

X **Paco,** av. Marqués de Villanueva del Prado 40 ☎ (922) 38 52 53, 余 – AE ⓓ E VISA DZ y
cerrado miércoles – **Comida** carta aprox. 2350.

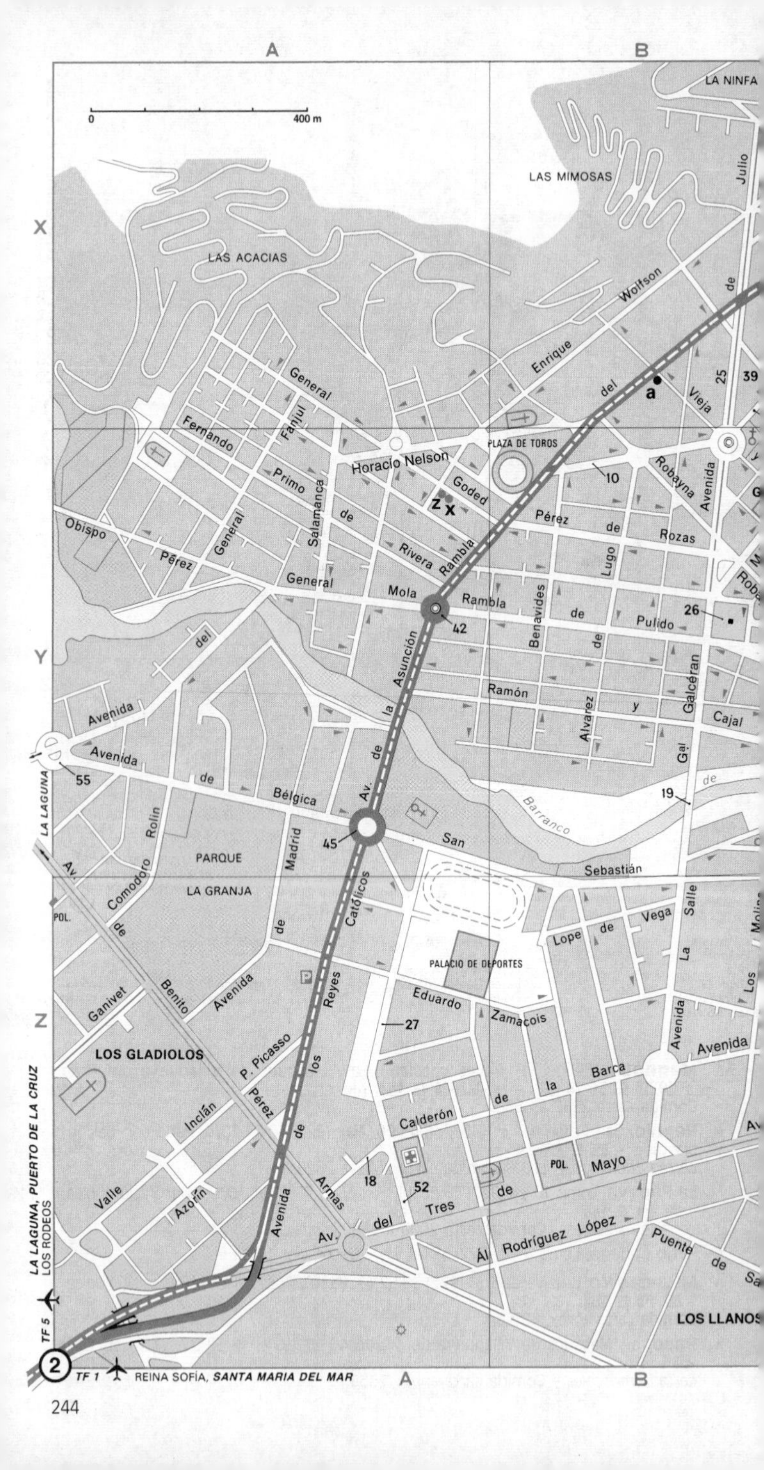

A
B
0
400 m
LA NINFA
LAS MIMOSAS
Julio
X
LAS ACACIAS
Wolfson
de
Enrique
del
25
39
a
Vieja
General
Fanjul
Fernando
PLAZA DE TOROS
Horacio Nelson
Robayna
Avenida
10
Primo
Goded
z x
Salamanca
de
Pérez
de
Rozas
Obispo
General
Rivera
Rambla
Lugo
Pérez
General
Mola
Rambla
Benavides
de
Pulido
26
42
del
de
Y
Asunción
Ramón
y
Galcerán
la
Cajal
Avenida
Alvarez
de
Avenida
Gal.
55
de
Bélgica
Av.
19
Barranco
LA LAGUNA
Rolin
45
San
Madrid
PARQUE
Sebastián
Av.
Comodoro
LA GRANJA
Católicos
POL.
de
de
Lope
de
Vega
Salle
La
PALACIO DE DEPORTES
Benito
Avenida
Reyes
Los
Ganivet
Eduardo
Zamacois
Z
27
Avenida
Avenida
LOS GLADIOLOS
P. Picasso
los
Barca
la
Pérez
de
Calderón
Inclán
de
18
POL.
Mayo
Armas
52
de
Valle
Azorín
Avenida
Tres
del
Av.
Rodríguez
López
Puente
de
LA LAGUNA, PUERTO DE LA CRUZ
LOS RODEOS
TF 5
LOS LLANOS
2
TF 1
REINA SOFÍA, SANTA MARIA DEL MAR
A
B

SANTA CRUZ DE TENERIFE

Bethencourt Alfonso	CY 5
Candelaria (Pl. de la)	DY 8
Castillo	CY
Alférez Provisional (Plaza)	CY 3
Bravo Murillo (Av. de)	DY 6
Costa y Grijalba	BY 10
Doctor Guigou	CX 12
Doctor José Naveiras	CX 13
Domínguez Alfonso	CY 15
Fragata Danmark	AZ 18
General Galcerán (Puente)	BY 19
General Gutiérrez	DY 20
General O'Donnell	BX 23
General Serrador (Puente)	CY 24
General Weyler (Pl. del)	BY 26
Heliodoro Rodríguez López	AZ 27
Iglesia (Pl. de la)	DY 30
Imeldo Seris	CY 31
José Murphy	CY 34
Numancia	BX 39
Paz (Pl. de la)	AY 42
Pérez Galdós	CY 43
República Dominicana (Pl.)	AY 45
Saludo	DX 46
San Francisco (Pl.)	DY 49
San Isidro	DX 50
Santo Domingo (Pl.)	CY 51
Tomé Cano	AZ 52
Valentín Sanz	CY 53
29 de Mayo (Pl. del)	AY 55

Puerto de Santiago *38683 - Playa.*

Alred. : *Los Gigantes (acantilado★) N : 2 km.*
Santa Cruz de Tenerife 101.

Barceló Santiago, La Hondura 8 ✆ (922) 86 09 12, *Fax (922) 86 08 18,* ≤ mar y acantilados, climatizada, – – 25/280
Comida Aubergine *(sólo cena)* – **382 hab**, 24 suites.

Pancho, playa de la Arena ✆ (922) 86 13 23, *Fax (922) 86 14 74*
AE ⓓ E VISA.
cerrado lunes y junio – **Comida** carta aprox. 3500.

en el acantilado de Los Gigantes *N : 2 km – ✉ 38680 Guía de Isora :*

Asturias, ✆ (922) 86 14 23, – AE E VISA.
cerrado lunes – **Comida** carta 1950 a 3575.

Los Realejos *38410 – 29481 h.*

Santa Cruz de Tenerife 45.

Las Chozas, carret. del Jardín - NE : 1,5 km ✆ (922) 34 20 54, « Decoración rústica » – AE E VISA
cerrado domingo y junio – **Comida** - sólo cena - carta aprox. 2755.

San Andrés *38120 – Playa.*

Santa Cruz de Tenerife 8.

El Rubí, Dique 19 ✆ (922) 54 96 73 – AE ⓓ E VISA
Comida - pescados y mariscos - carta aprox. 3100.

Ramón, Dique 23 ✆ (922) 54 93 08 – AE ⓓ E VISA
Comida - pescados y mariscos - carta aprox. 2800.

San Isidro *38611.*

Santa Cruz de Tenerife 61.

Ucanca sin rest y sin , av. de Santa Cruz 183-2º ✆ (922) 39 07 76, *Fax (922) 39 07 6*
–
22 hab.

El Jable, Bentejui 9 ✆ (922) 39 06 98, « Rest. típico » – .

Santa Cruz de Tenerife *38000 P – 202674 h.*

Ver : *Dique del puerto* ≤★ DX – *Parque Municipal García Sanabria★* BCX.
Tenerife, por ② : 16 km ✆ (922) 63 66 07.
de Tenerife - Los Rodeos por ② : 13 km ✆ (922) 63 58 00, y Tenerife-Sur-Reina Sof – Iberia : av. de Anaga 23 ✉ 38001 ✆ (922) 27 05 19 BZ, *y Aviaco : aeropuerto Nor Los Rodeos (922) 63 59 26.*
para La Palma, Gran Canaria, Lanzarote, Fuerteventura, Gomera y la Península : C Trasmediterránea, Muelle Ribera, Est. Marít. ✉ 38001 ✆ (922) 28 78 50.
pl. de España ✉ 38002 ✆ (922) 60 55 92 Fax (922) 60 57 81 – **R.A.C.E.** *av. Ana (edificio Bahía Club) ✉ 38001 ✆ (922) 28 65 06 Fax (922) 28 21 01.*

Planos páginas precedentes

Mencey, av. Dr. José Naveiras 38, ✉ 38004, ✆ (922) 27 67 00, *Fax (922) 28 00 17,* climatizada, – – 25/290. AE ⓓ E VISA JCB. CX
Comida 4000 – 2200 – **269 hab** 22000/26500, 24 suites.

Contemporáneo, rambla General Franco 116, ✉ 38001, ✆ (922) 27 15 7 *Fax (922) 27 12 23* – – 25/200. AE ⓓ VISA. CX
Comida *(cerrado domingo)* 1900 – 800 – **124 hab** 8900/13100, 2 suites – PA 408

Príncipe Paz sin rest, Valentín Sanz 33, ✉ 38002, ✆ (922) 24 99 55, *Fax (922) 28 10 6* – – 25/50. AE ⓓ E VISA. CY
80 hab 10920/13210.

Colón Rambla sin rest, Viera y Clavijo 49, ✉ 38004, ✆ (922) 27 25 5 *Fax (922) 27 27 16,* – . AE E VISA. BX
750 – **40 hab** 9100/12600.

Atlántico sin rest, Castillo 12, ✉ 38002, ✆ (922) 24 63 75, *Fax (922) 24 63 78* – CY
60 hab.

Taburiente sin rest, Doctor José Naveiras 24-A, ✉ 38001, ✆ (922) 27 60 0 *Fax (922) 27 05 62,* , – – 25/200. AE E VISA. CX
114 hab 7900/9900, 2 suites.

Océano sin rest, Castillo 6, ✉ 38002, ✆ (922) 27 08 00, *Fax (922) 24 63 78* – |♦| TV ☎
28 hab. DY e

Tanausú sin rest, Padre Anchieta 8, ✉ 38005, ✆ (922) 21 70 00, *Fax (922) 21 60 29* – |♦| TV ☎. AE ① E VISA. ✂ CY t
☕ 500 – **18 hab** 3900/6250.

El Coto de Antonio, General Goded 13, ✉ 38006, ✆ (922) 27 21 05, *Fax (922) 29 09 22* – ▤. AE ① E VISA JCB AY z
cerrado domingo y del 1 al 23 de agosto – **Comida** carta 2550 a 5625.

Mesón Los Monjes, La Marina 7, ✉ 38002, ✆ (922) 24 65 76 – ▤. AE ① VISA. ✂
cerrado domingo – **Comida** carta 3050 a 4150. DY s

Ainara, La Luna 10, ✉ 38002, ✆ (922) 27 76 60 – ▤. AE E VISA. ✂ CY n
cerrado domingo y Semana Santa – **Comida** carta 3400 a 4300.

Los Troncos, General Goded 17, ✉ 38006, ✆ (922) 28 41 52
▤. AE E VISA. ✂ AY z
cerrado miércoles y 15 agosto-15 septiembre – Comida carta aprox. 3200.

Santa Úrsula *38390 – 8 734 h.*

Santa Cruz de Tenerife 27.

en Cuesta de la Villa *por la antigua carretera del Puerto de la Cruz - SO : 2 km – ✉ 38390 Santa Úrsula :*

Los Corales, Cuesta de la Villa 130 ✆ (922) 30 22 61, *Fax (922) 32 17 27*, ← – P. AE ① E VISA. ✂
cerrado lunes – **Comida** carta aprox. 3900.

El Sauzal *38360 – 6 610 h. alt. 450.*

Santa Cruz de Tenerife.

Casa del Vino, La Baranda - S : 1,5 km ✆ (922) 56 33 88, *Fax (922) 57 27 44*, « Casona del siglo XVII. Museo del vino ».

Tacoronte *38350 – 17 161 h. alt. 510.*

18 Tenerife, Campo Golf 1 El Peñón ✆ (922) 63 66 07 Fax (922) 63 64 80.
Santa Cruz de Tenerife 24.

en la carretera C 280 *E : 3,5 km – ✉ 38340 Los Naranjeros :*

Los Limoneros, Los Naranjeros ✆ (922) 63 66 37, *Fax (922) 63 69 76* – ▤ P. AE ① E VISA. ✂
cerrado domingo – **Comida** carta 4900 a 7450.

Tegueste *38280 – alt. 399.*

Santa Cruz de Tenerife 17.

El Drago, El Socorro - urb. San Gonzalo ✆ (922) 54 30 01, *Fax (922) 54 44 54*, « Decoración rústica » – P. AE ① VISA
cerrado lunes y agosto – **Comida** - sólo cena viernes y sábado - carta 3800 a 5600.

GOMERA (Santa Cruz de Tenerife)

Arure *38892.*

Ver : ←★ *de Taguluche.*
Alred. : *Barranco del Valle Gran Rey★★ S : 7 km.*

San Sebastián de la Gomera *38800 – 6 337 h. – Playa.*

Alred. : *Valle de Hermigua★★ NO : 17 km.*
Excurs. : *Parque Nacional Garajonay★★ O : 15 km – Agulo★ NO : 26 km.*
para Tenerife : Cía Trasmediterránea : Estación Marítima del Puerto ✆ (922) 87 13 24 Fax (922) 87 13 24.
Real 4 ✆ (922) 14 01 47 Fax (922) 14 01 51.

Parador de San Sebastián de la Gomera 🐎, Balcón de la Villa y Puerto, ✉ apartado 21, ✆ (922) 87 11 00, *Fax (922) 87 11 16*, ←, « Decoración elegante. Edificio de estilo regional », ⛱, 🌳 – ▤ rest, TV ☎ P. AE ① E VISA JCB. ✂
Comida 3500 – ☕ 1300 – **58 hab** 14000/17500 – PA 7055.

Villa Gomera sin rest y sin ⊐, Ruiz de Padrón 68 ☏ (922) 87 00 20, *Fax (922) 87 02 35* – ☎. ✗
16 hab 4000/5200.

Garajonay sin rest y sin ⊐, Ruiz de Padrón 17 ☏ (922) 87 05 50, *Fax (922) 87 05 50* – |♦| ☎. ✗
⊐ 600 – **29 hab** 4560/5700.

Casa del Mar, Fred Olsen 2 ☏ (922) 87 12 19, ≤ – AE ⓓ E VISA. ✗
cerrado domingo y marzo – **Comida** carta aprox. 2500.

HIERRO (Santa Cruz de Tenerife)

Sabinosa *38912.*

Alred. : *Camino de La Dehesa ≤★ del sur de la isla.*

Valverde *38900 – 3 526 h.*

Alred. : *O : 8 km El Golfo★★ (Mirador de la Peña ≤★★).*
Excurs. : *El Pinar (bosque★) SO : 20 km.*
✈ de Hierro E : 10 km ☏ (922) 55 37 00 – Iberia : Doctor Quintero 6 ☏ (922) 55 08 78
⛴ para Tenerife, Gran Canaria, Fuerteventura, Lanzarote y la Península : Cía Trasmediterránea : Puerto de la Estaca 3 ☏ (922) 55 01 29 Fax (922) 55 01 29.
ℹ Licenciado Bueno 1 ☏ (922) 55 03 02 Fax (922) 55 10 52.

en Las Playas *SO : 20 km – ✉ 38900 Valverde :*

Parador de El Hierro ⛱, ☏ (922) 55 80 36, *Fax (922) 55 80 86*, ≤, ⛱ – ▤ rest, TV ☎ P. AE ⓓ E VISA JCB. ✗ rest
Comida 3500 – ⊐ 1300 – **47 hab** 12800/16000 – PA 7075.

LA PALMA (Santa Cruz de Tenerife)

Barlovento *38726 – 2 557 h.*

Santa Cruz de la Palma 41.

La Palma Romántica ⛱, Las Llanadas ☏ (922) 18 62 21, *Fax (922) 18 64 00*, ≤, Ⓕ ⛱, ⛱, ✗ – P. E VISA. ✗ rest
Comida 2000 – **41 hab** ⊐ 9000/12000.

Breña Alta *38710 – 5 101 h. alt. 350.*

Santa Cruz de la Palma 10.

en la carretera TF 812 *N : 2,5 km – ✉ 38710 Breña Alta :*

Las Tres Chimeneas, Buenavista de Arriba 82 ☏ (922) 42 94 70 – P.

Los Llanos de Aridane *38760 – 15 522 h. alt. 350.*

Alred. : *El Time★★ ✳★★ O : 12 km – Parque Nacional de la Caldera de Taburiente★★★ (La Cumbrecita y El Lomo de las Chozas ✳★★★) NE : 20 km – Fuencaliente (paisaje★) SE 23 km – Volcán de San Antonio★ SE : 25 km – Volcán Teneguía★.*
Santa Cruz de la Palma 37.

Valle Aridane sin rest, glorieta Castillo Olivares ☏ (922) 46 26 00, *Fax (922) 40 10 19* – |♦| TV ☎. AE ⓓ E VISA JCB. ✗
⊐ 550 – **42 hab** 4800/5900.

Edén sin rest, pl. de España 1 ☏ (922) 46 01 04, *Fax (922) 46 01 83* – E VISA. ✗
⊐ 600 – **20 hab** 3000/4400.

San Petronio, Pino de Santiago 40 ☏ (922) 46 24 03, *Fax (922) 46 24 03*, ≤, ⛱ – ▤ P. E VISA. ✗
cerrado domingo, lunes, 1 mes en primavera y 1 mes en otoño – **Comida** - cocina italiana - carta 2500 a 3000.

Puerto Naos *38760.*

Santa Cruz de la Palma 40.

Sol Élite La Palma ⛱, Punta del Pozo ☏ (922) 40 80 00, *Fax (922) 40 80 14*, ≤, Ⓕ ⛱ climatizada, ⛱, ✗ – |♦| ▤ TV ☎ P – 🏛 25/100. AE ⓓ E VISA. ✗
Comida - sólo cena - 1600 - ***El Time*** *(sólo cena, cerrado domingo)* **Comida** carta aprox 3200 – **304 hab** ⊐ 13000/21000, 4 suites.

Santa Cruz de la Palma *38700 – 17 069 h. – Playa.*

Ver : *Iglesia de El Salvador (artesonados★).*

Alred. : *Mirador de la Concepción ≤★ SO : 9 km – Parque Nacional de la Caldera de Taburiente★★★ (La Cumbrecita y El Lomo de las Chozas ✳★★★) O : 33 km – NO : La Galga (barranco★), Los Tilos★, Roque de los Muchachos★★★ (✳★★★) (36 km).*

de la Palma SO : 8 km ✆ (922) 41 15 40 – Iberia : Apurón 1 ✆ (922) 41 15 40.

para Tenerife, Gran Canaria, Fuerteventura, Lanzarote y la Península : Cía. Trasmediterránea : av. Pérez de Brito 2 ✆ (922) 41 11 21 Fax (922) 41 39 53.

O'Daly 22 (Casa Salasar) ✆ (922) 41 21 06 Fax (922) 41 21 06.

Parador de Santa Cruz de la Palma, av. Marítima 34 ✆ (922) 41 23 40, *Fax (922) 41 18 56,* « Decoración regional » – |♦|, ▤ rest, TV ☎. AE ⓓ E VISA JCB. ✈
Comida - sólo cena - 2800 – ☕ 1100 – **32 hab** 7200/9000.

Marítimo av. Marítima 75 ✆ (922) 42 02 22, *Fax (922) 41 43 02* – |♦|, ▤ rest, TV ☎
69 hab.

en la playa de Los Cancajos *SE : 4,5 km – ✉ 38712 Los Cancajos :*

Hacienda San Jorge, pl. de Los Cancajos 22 ✆ (922) 18 10 66, *Fax (922) 43 45 28,* « Jardín con ⛱ », ⚒ – |♦|, ▤ rest, TV ☎ 🚗 P – 🧍 25/120. AE ⓓ E VISA. ✈
Comida - sólo cena - 2000 – ☕ 1000 – **155 apartamentos** 9680/12100.

La Fontana, urb. Adelfas ✆ (922) 43 47 29.

CANDANCHÚ *22889 Huesca* 443 **D 18** *– alt. 1 560 – Deportes de invierno : ⛷25.*

Alred. : *Puerto de Somport★★ ✳★★ N : 2 km.*

Madrid 513 – Huesca 123 – Oloron-Ste-Marie 55 – Pamplona/Iruñea 143.

Tobazo ⛰, ✆ (974) 37 31 25, *Fax (974) 37 31 25,* ≤ alta montaña – |♦| TV ☎ P. E VISA. ✈ rest
diciembre-3 mayo y 15 julio-agosto – **Comida** 1650 – ☕ 550 – **52 hab** 5900/9800.

CANDÁS *33430 Asturias* 441 **B 12** *– Playa.*

Bernardo Alfageme ✆ (98) 588 48 88 (temp).

Madrid 477 – Avilés 17 – Gijón 14 – Oviedo 42.

Marsol, Astilleros ✆ (98) 587 01 00, *Fax (98) 587 15 62,* ≤ – |♦| TV ☎ 🚗 P. AE ⓓ E VISA. ✈
Comida - sólo buffet - 1400 – ☕ 700 – **87 hab** 10400/13000 – PA 3450.

La Parra sin rest, Tenderina 4 ✆ (98) 587 20 04, *Fax (98) 587 04 96* – |♦| TV ☎. AE ⓓ E VISA. ✈
cerrado noviembre – ☕ 550 – **18 hab** 7000/9000.

CANDELARIA *Santa Cruz de Tenerife – ver Canarias (Tenerife).*

CANDELEDA *05480 Ávila* 442 **L 14** *– 5 539 h. alt. 428.*

Madrid 163 – Ávila 93 – Plasencia 100 – Talavera de la Reina 64.

Los Castañuelos, Ramón y Cajal 77 ✆ (920) 38 06 84, *Fax (920) 38 21 13* – ▤ TV ☎. AE ⓓ E VISA. ✈
Comida 1850 – ☕ 600 – **14 hab** 4500/5600 – PA 4300.

CANELAS (Playa de) *Pontevedra – ver Portonovo.*

CANFRANC-ESTACIÓN *22880 Huesca* 443 **D 28** *– 610 h.*

pl. Ayuntamiento 1 ✆ (974) 37 31 41.

Madrid 504 – Huesca 114 – Pamplona/Iruñea 134.

Villa de Canfranc, Fernando el Católico 17 ✆ (974) 37 20 12, *Fax (974) 37 20 12,* ⛱ – |♦| ☎ 🚗 – *temp* – **52 hab.**

Villa Anayet, pl. José Antonio 8 ✆ (974) 37 31 46, *Fax (974) 37 33 91,* ≤, ⛱ – |♦|. VISA. ✈
13 diciembre-15 abril y julio-25 septiembre – **Comida** 1125 – ☕ 390 – **67 hab** 2860/4900 – PA 2245.

Montanglassé, Felipe V-2 ✆ (974) 37 33 11, *Fax (974) 37 20 68* – TV ☎. VISA. ✈ rest
cerrado noviembre – **Comida** 1200 – ☕ 640 – **26 hab** 5940/7490.

Ara sin rest, pl. del Ayuntamiento 1 ✆ (974) 37 30 28, ≤ – 🚗 P. ✈
Navidad-Semana Santa y julio-agosto – ☕ 475 – **30 hab** 2300/4650.

en la carretera N 330 *N : 2,5 km – 22880 Canfranc-Estación :*

Santa Cristina, (974) 37 33 00, *Fax (974) 37 33 10* – 25/50. rest
cerrado 12 octubre-5 diciembre – **Comida** 1600 – 575 – **58 hab** 7000/9300 – PA 3775
Ver también : **Astún (Valle de)** *N : 12,5 km.*
Candanchú *N : 9 km.*

CANGAS DE MORRAZO *36940 Pontevedra 441 F 3 – 21 729 h. – Playa.*

Alred. : *io (crucero★) NO : 7 km.*
Madrid 629 – Pontevedra 33 – Vigo 24.

Las Vegas sin rest, av. Pontevedra (986) 30 43 00, *Fax (986) 30 49 58*, ≤,
450 – **29 hab** 4500/7500, 4 suites.

Casa Simón, barrio de Balea (986) 30 00 16, *Fax (986) 30 20 00* –
cerrado lunes y 2ª quincena de octubre – **Comida** - pescados y mariscos - carta aprox. 4500.

en la carretera de Bueu *por la costa O : 2 km – 36940 Cangas de Morrazo :*

Don Hotel, Tobal Darbo (986) 30 44 00, *Fax (986) 30 44 00*, – rest – 25/250.
Comida 1200 – 400 – **40 hab** 7700/9350, 8 suites.

CANGAS DE ONÍS *33550 Asturias 441 B 14 – 6 484 h. alt. 63.*

Alred. : *Desfiladero de los Beyos★★★ S : 18 km.*
av. de Covadonga (jardines del Ayuntamiento) (98) 584 80 05.
Madrid 419 – Oviedo 74 – Palencia 193 – Santander 147.

Los Lagos, jardines del Ayuntamiento (98) 584 92 77, *Fax (98) 584 84 05* – – 25.
Comida (ver rest. ***Los Arcos***) – 600 – **45 hab** 8000/10000.

Puente Romano sin rest, Puente Romano (98) 584 93 39, *Fax (98) 594 72 84* –
500 – **27 hab** 8000/9000.

Los Robles sin rest. y sin , San Pelayo 8 (98) 594 70 52, *Fax (98) 594 71 65* –
18 hab 6000/8000, 5 apartamentos.

Favila, Calzada de Ponga 16 (98) 594 71 56, *Fax (98) 594 73 76* –
15 marzo-noviembre – **Comida** 1200 – 375 – **33 hab** 7930/8775 – PA 2575.

Los Arcos, av. de Covadonga (98) 584 92 77, *Fax (98) 584 84 05* –
cerrado del 10 al 30 de enero – **Comida** carta 3200 a 4200.

en la carretera de Arriondas *N : 2,5 km – 33550 Cangas de Onís :*

El Capitán, Vega de Los Caseros (98) 584 83 57, *Fax (98) 594 71 14* – , rest
abril-octubre – **Comida** 1500 – 500 – **28 hab** 8000/10000 – PA 3000.

en la carretera de Covadonga *E : 2,5 km – 33550 Cangas de Onís :*

Los Acebos sin rest, (98) 594 00 42, *Fax (98) 584 91 53* –
14 hab 6000/7500.

La Cabaña, (98) 594 00 84 –
cerrado jueves y febrero – **Comida** carta 2500 a 3500.

CANGAS DEL NARCEA *33800 Asturias 441 C 10 – 19 083 h. alt. 376.*

Madrid 493 – Luarca 83 – Ponferrada 113 – Oviedo 100.

El Molinón sin rest, Uría 36 (98) 581 29 52, *Fax (98) 581 29 53* –
500 – **16 hab** 4500/7500.

CANIDO *36390 Pontevedra 441 F 3.*

Madrid 612 – Orense/Ourense 108 – Vigo 10.

Cíes y Resid. Estay con hab, playa de Canido 191 (986) 49 01 01, *Fax (986) 49 08 7* – rest,
Comida carta 3100 a 4500 – 400 – **26 hab** 6000/8000.

CANILLO *Andorra – ver Andorra (Principado de).*

CANTAVIEJA *44140 Teruel* 443 K 28 – *737 h. alt. 1 200.*
Madrid 392 – Teruel 91.

Balfagón, av. del Maestrazgo 20 ℘ (964) 18 50 76, *Fax (964) 18 50 76,* ≤ – TV ☎ P. AE ① E VISA. ⚔
cerrado febrero – **Comida** *(cerrado domingo noche y lunes mediodía salvo festivos y verano)* 1400 – ☕ 600 – **38 hab** 3750/5500 – PA 2950.

CANTERAS *30394 Murcia* 445 T 27.
Madrid 465 – Alicante/Alacant 112 – Cartagena 8 – Lorca 68 – Murcia 66.

Sacromonte, Cooperativa Alcalde Cartagena ℘ (968) 53 53 28 – ▤. E VISA. ⚔
cerrado lunes – **Comida** carta 2900 a 3300.

CANTONIGRÒS *08569 Barcelona* 443 F 37.
Madrid 662 – Barcelona 92 – Ripoll 52 – Vic 26.

Cantonigròs, carret. de Olot ℘ (93) 856 50 47, ≤ – P
31 hab.

CANYAMEL *Baleares – ver Baleares (Mallorca) : Capdepera.*

CANYELLES PETITES (Playa de) *Gerona – ver Rosas.*

Las CAÑADAS DEL TEIDE *Santa Cruz de Tenerife – ver Canarias (Tenerife).*

CAÑAMARES *16890 Cuenca* 444 K 23 – *622 h. alt. 883.*
Alred. : *Convento de San Miguel de las Victorias (emplazamiento★).*
Madrid 191 – Cuenca 52 – Sacedón 72 – Teruel 181.

Río Escabas, carret. de Cuenca ℘ (969) 31 04 52, *Fax (969) 31 03 76* – TV ☎ 🚗 P. VISA. ⚔ rest
Comida 1500 – ☕ 350 – **25 hab** 5000/8000 – PA 3000.

CAÑAMERO *10136 Cáceres* 444 N 13 – *1 901 h. alt. 611.*
Madrid 265 – Cáceres 113 – Mérida 114.

Ruiz ♨, Pablo García Garrido 2 ℘ (927) 15 70 75, *Fax (927) 36 93 02* – ▤ TV ☎. VISA. ⚔
Comida 1200 – ☕ 350 – **27 hab** 3000/5000.

CAÑICOSA *40163 Segovia* 442 I 18 – *alt. 1 156.*
Madrid 114 – Aranda de Duero 79 – Segovia 35 – Valladolid 106.

Codex Calixtinus, Caces 6 ℘ (921) 50 42 06, *Fax (921) 50 42 06,* « Ambiente acogedor en un marco rústico » – AE ① E VISA. ⚔
cerrado lunes – **Comida** carta aprox. 4200.

La CAÑIZA o A CAÑIZA *36880 Pontevedra* 441 F 5 – *7 387 h.*
Madrid 548 – Orense/Ourense 49 – Pontevedra 76 – Vigo 57.

O'Pozo, carret. N 120 - E : 1 km ℘ (986) 65 10 50, *Fax (986) 65 15 98,* ⛱ – TV ☎ P
20 hab.

Reveca, Progreso 15 ℘ (986) 65 13 88
P. VISA. ⚔
cerrado lunes noche – **Comida** carta 2400 a 3800.

CAPDEPERA *Baleares – ver Baleares (Mallorca).*

CAPELLADES *08786 Barcelona* 443 H 35 – *5 027 h. alt. 317.*
Madrid 574 – Barcelona 75 – Lérida/Lleida 105 – Manresa 39.

Tall de Conill con hab, pl. Àngel Guimerà 11 ℘ (93) 801 01 30, *Fax (93) 801 04 04* – |♦|, ▤ rest, TV ☎. AE ① E VISA. ⚔
cerrado del 2 al 10 de enero y del 1 al 16 de julio – **Comida** *(cerrado domingo noche y lunes)* carta 3700 a 5100 – ☕ 700 – **10 hab** 4000/6500 – PA 3145.

CAPILEIRA *18413 Granada 446 V 19 - 576 h. alt. 1561.*
Madrid 505 - Granada 76 - Motril 51.

Finca Los Llanos, carret. de Sierra Nevada (958) 76 30 71, *Fax (958) 76 32 06* - . AE VISA. rest
Comida 1200 - 500 - **15 apartamentos** 10000/14000 - PA 2900.

Mesón Poqueira, Dr. Castilla 1 (958) 76 30 48, *Fax (958) 76 30 48*, - AE VISA JCB.
Comida *(cerrado lunes no festivos en invierno)* 1500 - 300 - **17 hab** 2000/4000 - PA 3000.

CARANCEJA *Cantabria - ver Quijas.*

CARAVACA DE LA CRUZ *30400 Murcia 445 R 24 - 21238 h. alt. 650.*
Madrid 386 - Albacete 139 - Lorca 60 - Murcia 70.

Central Caravaca, Gran Vía 18 (968) 70 70 55, *Fax (968) 70 73 69* - VISA.
Comida 1200 - 350 - **30 hab** 6000/8000.

Cañota, Gran Vía 41 (968) 70 88 44 -
Comida - sólo almuerzo -.

CARBALLINO o CARBALLIÑO *32500 Orense 441 E 5 - 11017 h. alt. 397 - Balneario.*
Madrid 528 - Orense/Ourense 29 - Pontevedra 76 - Santiago de Compostela 86.

Arenteiro sin rest, Alameda 19 (988) 27 05 50, *Fax (988) 27 31 56* - . AE VISA.
500 - **45 hab** 2900/5800.

Noroeste sin rest y sin , travesía Cerca 2 (988) 27 09 70 - . VISA.
15 hab 3500.

CARBALLO *15100 La Coruña 441 C 3 - 24898 h. alt. 106.*
Madrid 636 - La Coruña/A Coruña 35 - Santiago de Compostela 45.

Moncarsol sin rest, av. Finisterre 9 (981) 70 24 11, *Fax (981) 70 25 18* - - 25/75
32 hab.

Chochi, Perú 9 (981) 70 23 11 - . AE VISA.
cerrado domingo - **Comida** - sólo almuerzo salvo fines de semana - carta aprox 3700.

CARCAGENTE o CARCAIXENT *46740 Valencia 445 O 28 - 20062 h. alt. 21.*
Madrid 381 - Gandía 39 - Valencia 45 - Játiva/Xàtiva 18.

en la carretera C 3320 *SO : 3 km - 46740 Carcagente :*

Masía de la Calzada, Partida de la Marjal 259 (96) 243 04 33, , « Decoración rústica » - . AE VISA
cerrado domingo noche - **Comida** carta 3900 a 4500.

CARCHUNA *18730 Granada 446 V 19 - Playa.*
Madrid 506 - Almería 98 - Granada 82.

por la carretera N 340 *E : 2 km - 18730 Carchuna :*

Perla de Andalucía, urb. Perla de Andalucía (958) 62 42 42, *Fax (958) 62 43 62*, , - . AE VISA.
Comida 1600 - **57 hab** 8600/11800 - PA 3800.

CARDEDEU *08440 Barcelona 443 H 37 - 9074 h. alt. 193.*
Madrid 648 - Barcelona 35 - Gerona/Girona 68 - Manresa 77.

Racó del Santcrist, Teresa Oller 35 (93) 846 10 43 - . AE VISA JCB
cerrado domingo noche, lunes y 15 días en enero - **Comida** - pescados y mariscos - carta 3500 a 4400.

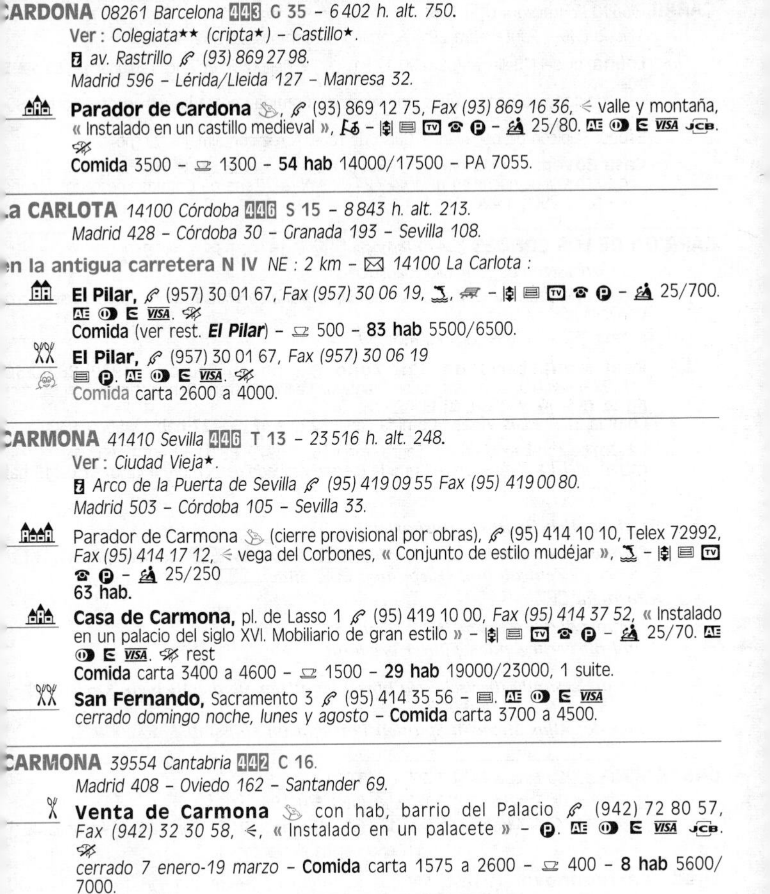

CARDONA *08261 Barcelona* 443 G 35 – *6 402 h. alt. 750.*

Ver : *Colegiata★★ (cripta★) – Castillo★.*

av. Rastrillo ℘ (93) 869 27 98.

Madrid 596 – Lérida/Lleida 127 – Manresa 32.

Parador de Cardona ⑤, ℘ (93) 869 12 75, *Fax (93) 869 16 36*, ≤ valle y montaña, « Instalado en un castillo medieval », – ▣ ☎ Ⓟ – 25/80. AE ⓓ E VISA JCB. ✻
Comida 3500 – ☕ 1300 – **54 hab** 14000/17500 – PA 7055.

La CARLOTA *14100 Córdoba* 446 S 15 – *8 843 h. alt. 213.*

Madrid 428 – Córdoba 30 – Granada 193 – Sevilla 108.

en la antigua carretera N IV *NE : 2 km – ✉ 14100 La Carlota :*

El Pilar, ℘ (957) 30 01 67, *Fax (957) 30 06 19*, ⛱, – ▣ ☎ Ⓟ – 25/700. AE ⓓ E VISA. ✻
Comida (ver rest. ***El Pilar***) – ☕ 500 – **83 hab** 5500/6500.

El Pilar, ℘ (957) 30 01 67, *Fax (957) 30 06 19*
▤ Ⓟ. AE ⓓ E VISA. ✻
Comida carta 2600 a 4000.

CARMONA *41410 Sevilla* 446 T 13 – *23 516 h. alt. 248.*

Ver : *Ciudad Vieja★.*

Arco de la Puerta de Sevilla ℘ (95) 419 09 55 Fax (95) 419 00 80.

Madrid 503 – Córdoba 105 – Sevilla 33.

Parador de Carmona ⑤ (cierre provisional por obras), ℘ (95) 414 10 10, Telex 72992, *Fax (95) 414 17 12*, ≤ vega del Corbones, « Conjunto de estilo mudéjar », ⛱ – ▤ ▣ ☎ Ⓟ – 25/250
63 hab.

Casa de Carmona, pl. de Lasso 1 ℘ (95) 419 10 00, *Fax (95) 414 37 52*, « Instalado en un palacio del siglo XVI. Mobiliario de gran estilo » – ▤ ▣ ☎ Ⓟ – 25/70. AE ⓓ E VISA. ✻ rest
Comida carta 3400 a 4600 – ☕ 1500 – **29 hab** 19000/23000, 1 suite.

San Fernando, Sacramento 3 ℘ (95) 414 35 56 – ▤. AE ⓓ E VISA
cerrado domingo noche, lunes y agosto – **Comida** carta 3700 a 4500.

CARMONA *39554 Cantabria* 442 C 16.

Madrid 408 – Oviedo 162 – Santander 69.

Venta de Carmona ⑤ con hab, barrio del Palacio ℘ (942) 72 80 57, *Fax (942) 32 30 58*, ≤, « Instalado en un palacete » – Ⓟ. AE ⓓ E VISA JCB. ✻
cerrado 7 enero-19 marzo – **Comida** carta 1575 a 2600 – ☕ 400 – **8 hab** 5600/7000.

La CAROLINA *23200 Jaén* 446 R 19 – *14 759 h. alt. 205.*

Madrid 267 – Córdoba 131 – Jaén 66 – Úbeda 50.

NH La Perdiz, carret. N IV ℘ (953) 66 03 00, *Fax (953) 68 13 62*, « Conjunto de estilo rústico », ⛱, – ▤ ▣ ☎ Ⓟ – 25/400. AE ⓓ E VISA JCB. ✻ rest
Comida 2000 – ☕ 1100 – **86 hab** 10500/11000.

La Gran Parada sin rest y sin ☕, av. Vilches 9 ℘ (953) 66 02 75, *Fax (953) 66 00 52* – Ⓟ. VISA. ✻
24 hab 2600/3600.

en la carretera N IV *NE : 4 km – ✉ 23200 La Carolina :*

Orellana Perdiz, Navas de Tolosa ℘ (953) 66 06 00, *Fax (953) 66 18 30*, ⛱, ✻ – ▤ ▣ ☎ Ⓟ – 25/350. AE E VISA. ✻
Comida 1950 – ☕ 500 – **28 hab** 6272/8085.

CARRASCOSA DEL CAMPO *16830 Cuenca* 444 L 21 – *143 h. alt. 898.*

Madrid 105 – Cuenca 57 – Guadalajara 128 – Toledo 126.

El Prado ⑤ sin rest, ℘ (969) 12 41 32, *Fax (969) 12 43 86* – ▣ ☎ Ⓟ. AE ⓓ E VISA. ✻
☕ 400 – **20 hab** 3000/6000.

CARRIL *36610 Pontevedra* 441 E 3.
Madrid 636 – Pontevedra 29 – Santiago de Compostela 38.

Loliña, pl. del Muelle ✆ (986) 50 12 81, « Decoración rústica regional » – AE ⓓ E VISA. ✻
cerrado domingo noche, lunes y noviembre – **Comida** - pescados y mariscos - carta 380 a 5300
Espec. Salpicón de bogavante. Guiso de rape. Arroz con almejas y rape.

Casa Bóveda, La Marina 2 ✆ (986) 51 12 04 – ▤. AE ⓓ E VISA. ✻
cerrado domingo noche en invierno y 24 diciembre-20 enero – **Comida** - pescados y maris cos - carta 2900 a 4900.

CARRIÓN DE LOS CONDES *34120 Palencia* 442 **E 16** – *2 534 h. alt. 830.*
Ver : *Monasterio de San Zoilo (claustro★).*
Alred. : *Villalcazar de Sirga (iglesia de Santa María La Blanca : portada sur★, sepulcro góticos★) SE : 7 km.*
Madrid 282 – Burgos 82 – Palencia 39.

Real Monasterio de San Zoilo ⛰, Obispo Souto ✆ (979) 88 00 50 *Fax (979) 88 10 90*, « Integrado en el antiguo Real Monasterio Benedictino » – |‡|, ▤ rest ▣ ☎ Ⓟ – 🏛 25/500. AE E VISA. ✻
Comida 2300 - ***Las Vigas*** : **Comida** carta 3220 a 4715 – **27 hab** ☐ 5500/8300.

La Corte con hab. y sin ☐, Santa María 36 ✆ (979) 88 01 38 – ▣. VISA. ✻
cerrado del 1 al 7 de enero – **Comida** *(cerrado sábado de octubre a junio)* 975 – **19 hab** 2500/6000.

Sieben ***Michelin-Abschnittskarten*** *:*

Spanien *:* ***Nordwesten*** 441, ***Norden*** 442, ***Nordosten*** 443, ***Zentralspanien*** 444, ***Zentral- und Ostspanien*** 445, ***Süden*** 446.

Portugal 440.

Die auf diesen Karten rot unterstrichenen Orte sind im vorliegenden Führer erwähnt.

Für die gesamte ***Iberische Halbinsel*** *benutzen Sie die* ***Michelin-Karte*** 990 *im Maßstab 1 : 1 000 000,*
oder der ***Atlas Michelin Spanien Portugal*** *im Maßstab 1/400 000.*

CARTAGENA *30200 Murcia* 445 **T 27** – *173 061 h.*
ℹ *Puertas de San José* ✉ *30202* ✆ *(968) 50 64 83.*
Madrid 444 ① – Alicante/Alacant 110 ① – Almería 240 ① – Lorca 83 ① – Murcia 49 ①
Plano página siguiente

Cartagonova sin rest, Marcos Redondo 3, ✉ 30201, ✆ (968) 50 42 00 *Fax (968) 50 59 66* – |‡| ▤ ▣ ☎. AE ⓓ E VISA. ✻ A a
☐ 1100 – **126 hab** 7400/12100.

Alfonso XIII sin rest, paseo Alfonso XIII-40, ✉ 30203, ✆ (968) 52 00 00 *Fax (968) 50 05 02* – |‡| ▤ ▣ ☎ – 🏛 25/350. AE ⓓ E VISA JCB B e
☐ 1000 – **216 hab** 8750/12500, 1 suite.

Los Habaneros, San Diego 60, ✉ 30202, ✆ (968) 50 52 50, *Fax (968) 50 91 04* – |‡| ▤ ▣ ☎ Ⓟ. AE ⓓ E VISA. ✻ B k
Comida (ver rest. ***Los Habaneros***) – ☐ 600 – **62 hab** 5500/6900.

Emilio Marín, Cartagena de Indias 15, ✉ 30203, ✆ (968) 50 00 15, *Fax (968) 50 00 15* – ▤. AE VISA. ✻ A r
cerrado domingo y agosto – **Comida** carta 3550 a 3800.

Los Habaneros, San Diego 60, ✉ 30202, ✆ (968) 50 52 50, *Fax (968) 50 91 04* – ▤ Ⓟ. AE ⓓ E VISA. ✻ B k
Comida carta aprox. 3400.

Tino's, Escorial 13, ✉ 30202, ✆ (968) 12 10 65 – ▤. AE ⓓ E VISA. ✻ A v
Comida carta 2375 a 3600.

en la carretera de La Palma *N : 6 km* – ✉ *30300 Barrio de Peral :*

Los Sauces, ✆ (968) 53 07 58, « En pleno campo con agradable terraza » – ▤ Ⓟ AE ⓓ E VISA. ✻
cerrado sábado y domingo mediodía en julio-agosto y domingo noche resto del año – **Comida** carta 3400 a 4300.

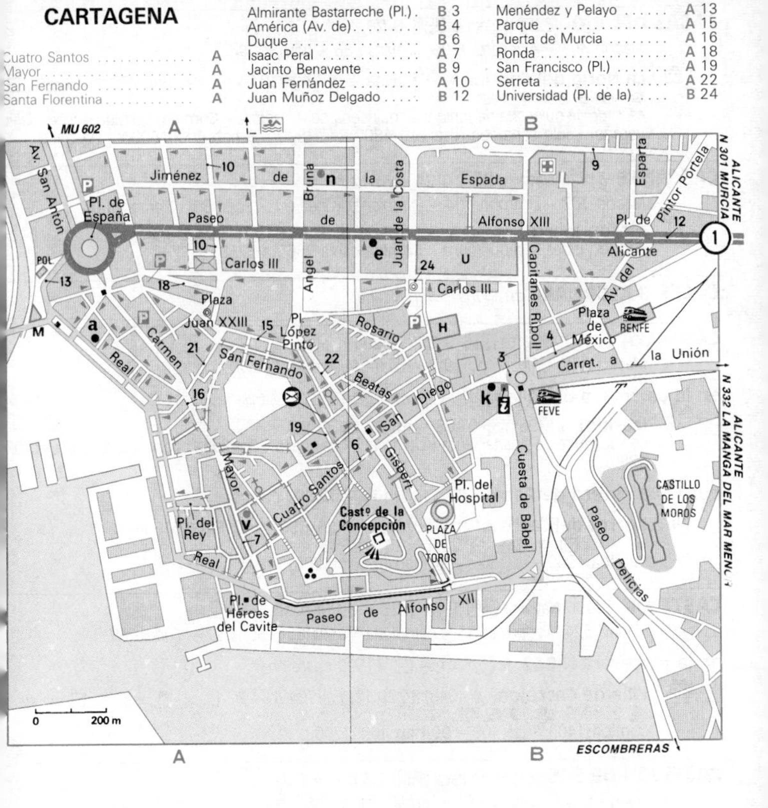

*Un conseil **Michelin** :*

pour réussir vos voyages, préparez-les à l'avance.

*Les **cartes** et **guides Michelin** vous donnent toutes indications utiles sur : itinéraires, visite des curiosités, logement, prix, etc.*

CARVAJAL *Málaga – ver Fuengirola.*

CASALARREINA *26230 La Rioja* **442** **E 21** *– 862 h. alt. 499.*

Madrid 319 – Bilbao/Bilbo 100 – Burgos 88 – Logroño 48 – Vitoria/Gasteiz 54.

✕ **La Vieja Bodega,** Calvo Sotelo 17 ✆ (941) 32 42 54, *Fax (941) 32 42 54,* « Decoración rústica » – P. AE E VISA JCB
cerrado lunes noche, martes noche y miércoles noche (enero-abril) – **Comida** carta 2400 a 3600.

CASALONGA *La Coruña* **441** **D 4** *– ✉ 15886 Teo.*

Madrid 621 – La Coruña/A Coruña 78 – Pontevedra 49 – Santiago de Compostela 7.

al Sureste : *2,5 km*

Casa Grande de Cornide sin rest, Cornide ✆ (981) 80 55 99, *Fax (981) 80 57 51,* « Conjunto acogedor con jardín y ≋ » – TV ☎ P. AE O E VISA
cerrado del 1 al 20 de enero – ☕ 950 – **7 hab** 10000/12000.

CASARES *29690 Málaga* **446** **W 14** *– 3 309 h. alt. 435.*

Ver : *Emplazamiento★.*

Madrid 640 – Algeciras 56 – Estepona 24 – Málaga 111.

CASAS DEL RÍO *46356 Valencia* 445 O 26.
Madrid 303 – Albacete 129 – Almansa 86 – Valencia 94.

La Noria del Cabriel, Requena 9 (96) 230 03 16, *Fax (96) 230 03 38* – . E VISA. rest
cerrado 1ª quincena de junio y 2ª quincena de diciembre – **Comida** *(cerrado noches salvo verano)* - sólo cena con reserva - 1800 – 500 – **9 hab** 4000/6000 – PA 3450.

CASCANTE *31520 Navarra* 442 G 24 – *3 312 h.*
Madrid 307 – Logroño 104 – Pamplona/Iruñea 94 – Soria 81 – Zaragoza 85.

Mesón Ibarra, Vicente y Tutor 3 (948) 85 04 77 – . E VISA.
cerrado lunes y septiembre – **Comida** carta 2665 a 3750.

CASES D'ALCANAR *Tarragona – ver Alcanar.*

CASTALLA *03420 Alicante* 445 Q 27 – *7 205 h. alt. 630.*
Madrid 376 – Albacete 129 – Alicante/Alacant 37 – Valencia 138.

en la carretera de Villena *N : 2,5 km – 03420 Castalla :*

Izaskun, (96) 656 08 08 – . AE E VISA.
cerrado lunes, Semana Santa y del 15 al 31 de enero – **Comida** - cocina vasca - carta aprox 4250.

por la carretera de Petrer *SO : 10 km – 03420 Castalla :*

Xorret del Catí, Partida del Catí (96) 556 04 00, *Fax (96) 556 04 01*, ≤, – 25/50. VISA. rest
Comida 1900 – 500 – **54 hab** 8500/11200.

CASTEJÓN *31590 Navarra* 442 F 24 y 25 – *3 114 h. alt. 273.*
Madrid 324 – Logroño 83 – Pamplona/Iruñea 85 – Soria 97 – Tudela 18.

en la carretera N 232 *S : 5,5 km – 31590 Castejón :*

Villa de Castejón, (948) 84 20 12, *Fax (948) 84 20 14*, ≤, – – 25/500. AE E VISA.
Comida 1400 – 400 – **90 hab** 4000/7000.

CASTEJÓN DE SOS *22466 Huesca* 443 E 31 – *466 h.*
Madrid 524 – Huesca 134 – Lérida/Lleida 134.

Pirineos, El Real 38 (974) 55 32 51, *Fax (974) 55 33 69* – E VISA.
enero-octubre – **Comida** *(cerrado domingo noche)* 1650 – 475 – **37 hab** 3900/4500 – PA 3000.

Plaza, pl. del Pilar 2 (974) 55 30 50, *Fax (974) 55 30 50* – . E VISA.
Comida - sólo cena en Semana Santa y verano - 1600 – 450 – **9 hab** 4000/5300.

Sositana, Valle Sositana 2 (974) 55 30 94 – E VISA.
Comida 1500 – 400 – **14 hab** 5000 – PA 3400.

ES CASTELL *Baleares – ver Menorca.*

CASTELL D'ARO *Gerona – ver Castillo de Aro.*

CASTELL DE FERRO *18740 Granada* 446 V 19 – *Playa.*
Alred. : *Carretera★ de Castell de Ferro a Calahonda.*
Madrid 528 – Almería 90 – Granada 99 – Málaga 131.

Ibérico, carret. N 340 (958) 65 60 80, – . AE E VISA
Comida 1300 – 300 – **16 hab** 3000/6000 – PA 2800.

CASTELLAR DE NUCH o **CASTELLAR DE N'HUG** *08696 Barcelona* 443 F 36 – *162 h. alt. 1 395.*
Madrid 666 – Manresa 89 – Ripoll 39.

Les Fonts, SO : 3 km (93) 825 70 89, *Fax (93) 825 70 89*, ≤, – . AE E VISA. rest
cerrado noviembre – **Comida** 2200 – 675 – **25 hab** 5460/9660 – PA 4560.

CASTELLAR DEL VALLÉS *08211 Barcelona* 443 **H 36** – *13 481 h.*
Madrid 625 – Barcelona 28 – Sabadell 8.

por la carretera de Terrassa *SO : 5 km – ✉ 08211 Castellar del Vallés :*

XX **Can Font,** ✆ (93) 714 53 77, *Fax (93) 714 53 77,* « Decoración rústica catalana », – ▤ P. AE ⓓ E VISA
cerrado martes y 15 días en agosto – **Comida** carta 4000 a 6000.

CASTELLAR DE LA FRONTERA *11350 Cádiz* 446 **X 13** – *2 299 h. alt. 257.*
Madrid 698 – Algeciras 27 – Cádiz 150 – Gibraltar 27.

La Almoraima, SE : 8 km ✆ (956) 69 30 02, *Fax (956) 69 32 14,* « Antigua casa-convento en un gran parque », – ▤ ☎ P. AE ⓓ E VISA.
Comida 3000 – ☕ 750 – **17 hab** 8000/13000 – PA 6000.

CASTELLBISBAL *08755 Barcelona* 443 **H 35** – *4 969 h. alt. 132.*
Madrid 605 – Barcelona 27 – Manresa 40 – Tarragona 84.

en la carretera de Martorell a Terrassa C 243 *O : 9 km – ✉ 08755 Castellbisbal :*

XX **Ca l'Esteve,** ✆ (93) 775 56 90, *Fax (93) 774 18 23,* – ▤ P. AE ⓓ E VISA JCB.
cerrado lunes noche, martes y del 17 al 29 de agosto – **Comida** carta 2555 a 4750.

CASTELLCIUTAT *Lérida – ver Seo de Urgel.*

CASTELLDEFELS *08860 Barcelona* 443 **I 35** – *33 023 h. – Playa.*
pl. de la Iglesia 1 ✆ (93) 665 11 50 Fax (93) 665 77 14.
Madrid 615 – Barcelona 24 – Tarragona 72.

XX **Cal Mingo,** pl. Pau Casals 2 ✆ (93) 664 49 62, *Fax (93) 664 56 26* – ▤. AE ⓓ E VISA.
cerrado domingo noche y Semana Santa – **Comida** carta 2750 a 4600.

en el barrio de la playa :

Rancho Park H., passeig de la Marina 212 ✆ (93) 665 19 00, *Fax (93) 636 08 32,* – ▤ TV ☎ – 70/500
104 hab.

Mediterráneo, passeig Marítim 294 ✆ (93) 665 21 00, Telex 80117, *Fax (93) 665 22 50,* – ▤ TV ☎ – 25/200. AE ⓓ E VISA. rest
Comida 2650 – ☕ 1175 – **47 hab** 9600/13500 – PA 5350.

Luna, passeig de la Marina 155 ✆ (93) 665 21 50, *Fax (93) 665 22 12,* – ▤ TV ☎ P – 25/150. AE ⓓ E VISA. rest
Comida 2400 – ☕ 1000 – **29 hab** 8000/10000, 1 suite.

Playafels, playa Ribera de San Pedro 1-9 ✆ (93) 665 12 50, *Fax (93) 664 10 01,* – ▤ TV ☎ P
34 hab.

Neptuno, av. dels Banys 45 ✆ (93) 664 43 63, *Fax (93) 665 22 12,* – ▤ TV ☎. AE ⓓ E VISA
Comida *(cerrado lunes)* 1750 – ☕ 650 – **16 hab** 7500/8500 – PA 3485.

XX **La Canasta,** passeig Marítim 197 ✆ (93) 665 68 57, *Fax (93) 636 02 88,* – ▤. AE ⓓ E VISA.
Comida carta 4675 a 5490.

XX **Náutic,** passeig Marítim 374 ✆ (93) 665 01 74, *Fax (93) 665 23 54,* « Decoración marinera » – ▤. AE ⓓ E VISA JCB
Comida - pescados y mariscos - carta 3800 a 5200.

XX **Pepperone,** av. dels Banys 39 ✆ (93) 665 03 66, *Fax (93) 865 44 58,* – ▤. AE ⓓ E VISA.
cerrado miércoles (salvo festivos) y noviembre – **Comida** carta aprox. 5100.

X **Mar Blanc,** Ribera de Sant Pere 17 ✆ (93) 636 00 75, *Fax (93) 636 00 75,* – AE ⓓ E VISA.
cerrado noviembre, domingo noche y lunes, salvo 20 junio-30 septiembre – **Comida** - sólo almuerzo de lunes a jueves en invierno - carta 2725 a 4100.

en la carretera C 246 *SO : 2,5 km – ✉ 08860 Castelldefels :*

X **Las Botas,** av. Constitución 326 ✆ (93) 665 18 24, *Fax (93) 665 18 24,* « Decoración típica » – ▤ P. AE ⓓ E VISA.
cerrado domingo noche en invierno – **Comida** carta 3045 a 4100.

en Torre Barona *O : 2,5 km – ✉ 08860 Castelldefels :*

G.H. Rey Don Jaime, av del Hotel 22 ✆ (93) 665 13 00, *Fax (93) 665 18 01,* ‹, ... – |‡| ▤ TV ☎ ♿ ⇔ P – 🏅 25/170. AE ⊙ E VISA. ⚹ rest
Comida 3000 – **235 hab** ☐ 13000/17000, 5 suites.

CASTELLFOLLIT DE LA ROCA *17856 Gerona 443 F 37 – 1 029 h. alt. 296.*

Ver : *Emplazamiento★.*
Madrid 682 – Barcelona 143 – Figueras/Figueres 44 – Gerona/Girona 46 – Vic 64.

CASTELLÓ DE AMPURIAS o CASTELLÓ D'EMPÚRIES *17486 Gerona 443 F 39 – 3 645 h. alt. 17.*

Ver : *Iglesia de Santa María★ (retablo★, portada★★).*
pl. dels Homes 1 ✆ (972) 15 62 33.
Madrid 753 – Figueras/Figueres 8 – Gerona/Girona 46.

Canet, pl. Joc de la Pilota 2 ✆ (972) 25 03 40, *Fax (972) 25 06 07,* ‹, ⛱ – |‡|, ▤ rest TV ☎ P – 🏅 60. E VISA JCB. ⚹ rest
cerrado 3 noviembre-3 diciembre – **Comida** *(cerrado lunes)* 1300 – ☐ 500 – **28 hab** 5000/6000.

Allioli, carret. Figueras-Rosas - urb. Castellnou ✆ (972) 25 03 20, *Fax (972) 25 03 00*
« Decoración rústica catalana » – |‡| ▤ TV ☎ ⇔ P. AE E VISA. ⚹ rest
cerrado 20 diciembre-15 febrero – **Comida** 1875 – ☐ 550 – **43 hab** 6000/11500 – PA 3500.

Emporium, Santa Clara 31 ✆ (972) 25 05 93, *Fax (972) 25 06 61,* ‹ – ▤ rest, P. AE E VISA. ⚹
cerrado octubre – **Comida** *(cerrado sábado salvo en verano)* 1300 – ☐ 600 – **43 hab** 3600/5900 – PA 2700.

Ver también : **Ampuriabrava** *SE : 4 km*
Rosas *NE : 10 km.*

CASTELLÓN DE LA PLANA o CASTELLÓ DE LA PLANA *12000 P 445 M 29 – 138 489 h. alt. 28.*

18 Mediterráneo, urb. la Coma N : 3,5 km por ① ✆ (964) 32 12 27 – 9 Costa de Azahar NE : 6 km B ✆ (964) 28 09 79 Fax (964) 28 09 79.
pl. María Agustina 5 ✉ 12003 ✆ (964) 22 10 00 Fax (964) 22 77 03 – **R.A.C.E.** *Pintor Orient 3 ✉ 12001 ✆ (964) 25 38 06.*
Madrid 426 ② – Tarragona 183 ① – Teruel 148 ③ – Tortosa 122 ① – Valencia 75 ②

Plano página siguiente

Intur Castellón, Herrero 20, ✉ 12002, ✆ (964) 22 50 00, *Fax (964) 23 26 06,* ⚒ – |‡| ▤ TV ☎ ⇔ – 🏅 25/220. AE ⊙ E VISA. ⚹ A
Comida 2800 – ☐ 1100 – **118 hab** 13500/17000, 5 suites – PA 6100.

NH Mindoro, Moyano 4, ✉ 12002, ✆ (964) 22 23 00, *Fax (964) 23 31 54,* ⚒ – |‡| ▤ TV ☎ ⇔ – 🏅 25/300. AE ⊙ E VISA. ⚹ A
Comida 1800 – ☐ 1200 – **93 hab** 11000/15000, 12 suites.

Jaime I, ronda Mijares 67, ✉ 12002, ✆ (964) 25 03 00, *Fax (964) 20 37 79* – |‡| ▤ TV ☎ ⇔ – 🏅 25/200. AE ⊙ VISA. ⚹ A
Comida *(cerrado domingo noche)* 2000 – ☐ 950 – **89 hab** 8975/11300 – PA 4950.

Doña Lola, Lucena 3, ✉ 12006, ✆ (964) 21 40 11, *Fax (964) 25 22 35* – ▤ TV ☎ – 🏅 25/100. AE ⊙ E VISA JCB. ⚹ A
Comida *(cerrado sábado, Semana Santa y Navidades)* 1700 – ☐ 600 – **36 hab** 5500/7150 – PA 3900.

Real sin rest y sin ☐, pl. del Real 2, ✉ 12001, ✆ (964) 21 19 44, *Fax (964) 21 19 44* – |‡| ▤ TV ☎. AE ⊙ E VISA A
36 hab 4300/6355.

Zaymar sin rest, Historiador Viciana 6, ✉ 12006, ✆ (964) 25 43 81, *Fax (964) 21 79 90* – |‡| ▤ TV ☎. AE ⊙ E VISA. ⚹ A
27 hab ☐ 5280/6820.

Peñalen, Fola 11, ✉ 12002, ✆ (964) 23 41 31 – ▤. AE E VISA A
cerrado domingo y agosto – **Comida** carta 4000 a 4800.

Delmónico, pl. Cometa Halley 7, ✉ 12005, ✆ (964) 26 00 44 – ▤. AE ⊙ E VISA A
cerrado domingo noche, miércoles, del 24 al 26 de diciembre y del 15 al 30 de agosto – **Comida** carta aprox. 5300.

CASTELLÓ DE LA PLANA

CASTELLÓN DE LA PLANA

Enmedio . . . . A
Arrufat Alonso . . . . A 2
Barrachina . . . . A 3
Benasal . . . . A 4
Buenavista (Pas. de) . . . . B 7
Burriana (Av.) . . . . A 8
Canarias . . . . B 9
Cardenal Costa (Av.) . . . . . . A 13
Carmen (Pl. del.) . . . . B 14
Churruca . . . . B 18
Doctor Clará (Av.) . . . . A 23
Espronceda (Av.) . . . . A 24
Guitarrista Tárrega . . . . A 28
Joaquín Costa . . . . A 29
Maestro Ripollés . . . . A 30
Mar (Av. del) . . . . A 31
María Augustina (Pl.) . . . . . A 32
Morella (Pas.) . . . . A 33
Oeste (Parque del) . . . . A 34
Orfebres Santalínea . . . . . . A 35
País Valencià (Pl.) . . . . A 36
Rafalafena . . . . A 38
Sanahuja . . . . A 39
Sebastián Elcano . . . . B 40
Tarragona . . . . A 42
Teodoro Llorens . . . . A 44
Trevalladors del Mar . . . . . B 45
Vinatea (Ronda) . . . . A 48
Zaragoza . . . . A 49

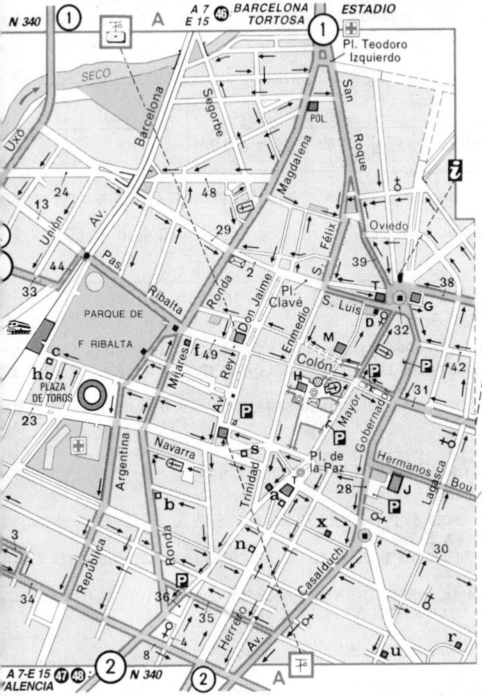

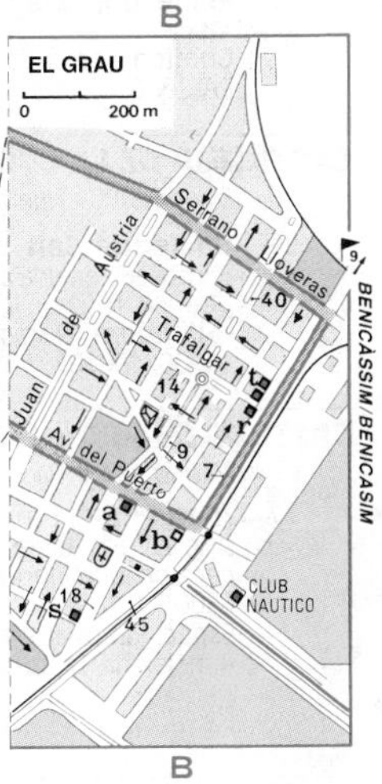

X **Arro, pes,** Benárabe 5, ✉ 12005, ☎ (964) 23 76 58
▤. AE E VISA. ※ — A u
cerrado lunes y agosto – **Comida** carta 2700 a 3400.

X **Mesón Navarro II,** Amadeo I-8, ✉ 12001, ☎ (964) 25 09 66, *Fax (964) 25 09 66* – ▤. AE E VISA. ※ — A f
cerrado agosto, domingo de junio a septiembre y domingo noche y lunes resto del año – **Comida** carta 2650 a 3450.

X **Eleazar,** Ximénez 14, ✉ 12001, ☎ (964) 23 48 61 – ▤. E VISA. ※ — A a
cerrado agosto, domingo de junio a septiembre y domingo noche y lunes resto del año – **Comida** carta 2450 a 3550.

en el puerto (Grau) *E : 5 km – ✉ 12100 El Grau :*

Turcosa, Treballadors de la Mar 1 ☎ (964) 28 36 00, *Fax (964) 28 47 37*, ≤ – |♦| ▤ TV ☎
70 hab. — B b

XXX **Mare Nostrum,** paseo Buenavista 32 ☎ (964) 28 29 29 – ▤. AE VISA. ※ — B t
cerrado domingo y del 10 al 20 de enero – **Comida** carta 3950 a 4850.

XX Rafael, Churruca 28 ☎ (964) 28 21 85 – ▤ — B s
Comida - pescados y mariscos -.

XX **Brisamar,** paseo Buenavista 26 ☎ (964) 28 36 64, *Fax (964) 28 03 36*, 余 – ▤. AE ⓓ E VISA. ※ — B t
cerrado martes y octubre – **Comida** carta aprox. 3400.

XX **Club Náutico,** Escollera Poniente ☎ (964) 28 24 33, *Fax (964) 28 24 33*, ≤, 余 – ▤ Ⓟ. AE ⓓ E VISA. ※ — B
cerrado domingo noche salvo julio-agosto – **Comida** carta 3800 a 5300.

X **Tasca del Puerto,** av. del Puerto 13 ☎ (964) 28 44 81, *Fax (964) 28 50 33,* – AE ⓓ E VISA. ✻
cerrado domingo noche y lunes en invierno, domingo en verano y última semana de enero abril y noviembre – **Comida** carta 3735 a 4385.
B

X **Casa Falomir,** paseo Buenavista 25 ☎ (964) 28 22 80 – ▤. ⓓ E VISA. ✻
cerrado domingo noche, lunes y Navidades – **Comida** - pescados y mariscos - carta 199 a 5450.
B

CASTELLVELL *Tarragona – ver Reus.*

CASTIELLO DE JACA *22710 Huesca* 443 E 28 – *139 h. alt. 921.*
Madrid 488 – Huesca 98 – Jaca 7.

El Mesón, carret. de Francia 4 ☎ (974) 35 00 45, *Fax (974) 35 00 06,* ≤ – TV ☎. VISA ✻
Comida *(cerrado domingo noche)* 1500 – ☐ 450 – **25 hab** 3250/5500 PA 2900.

CASTILLEJA DE LA CUESTA *41950 Sevilla* 446 T 11 – *15 205 h. alt. 104.*
Madrid 541 – Huelva 82 – Sevilla 5.

Hacienda San Ygnacio, Real 194 ☎ (95) 416 04 30, *Fax (95) 416 14 37,* « Instalado en una antigua hacienda », ⛱, – ▤ TV ☎ P – 25/200. AE ⓓ E VISA JCB. ✻ rest
- ***Almazara*** *(cerrado lunes y agosto)* **Comida** carta aprox. 4800 – ☐ 1000 – **16 hab** 14000/19000.

CASTILLO DE ARO o CASTELL D'ARO *17249 Gerona* 443 G 39 – *4 785 h.*
Madrid 711 – Barcelona 100 – Gerona/Girona 35.

XX **Joan Piqué,** barri de Crota 3 ☎ (972) 81 79 25, *Fax (972) 82 55 50,* « Masía del siglo XIV » – ▤ P. AE ⓓ E VISA. ✻
cerrado domingo noche, lunes y 20 octubre-2 diciembre – **Comida** carta aprox 6500
Espec. Ravioli abierto de cigalas con trufa. Filetes de salmonete con crema de remolacha y mejorana. Nougatine de ciruelas al Armagnac con helado de yogurt.

La guida cambia, cambiate la guida ogni anno.

CASTILLO DE LA DUQUESA *Málaga – ver Manilva.*

CASTRIL *18816 Granada* 446 S 21 – *3 074 h. alt. 959.*
Madrid 423 – Jaén 154 – Úbeda 100.

La Fuente, carret. de Pozo Alcón ☎ (958) 72 00 30 – ▤ rest,. VISA. ✻
Comida 1500 – ☐ 300 – **38 hab** 2200/3800.

CASTRILLO DEL VAL *09193 Burgos* 442 F 19 – *1 612 h. alt. 939.*
Madrid 243 – Burgos 11 – Logroño 114 – Vitoria/Gasteiz 116.

en la carretera N 120 *NE : 3 km – ✉ 09193 Castrillo del Val :*

Camino de Santiago ⛰, urb. Los Tomillares ☎ (947) 42 12 93, *Fax (947) 42 10 7* – |$| TV ☎ 🚗 P – 400. ⓓ E VISA. ✻ rest
Comida (ver rest. ***Los Braseros***) – ☐ 500 – **40 hab** 5200/8000.

XX **Los Braseros,** urb. Los Tomillares ☎ (947) 42 12 01, *Fax (947) 42 10 77* – ▤ P. ⓓ E VISA
cerrado enero – **Comida** carta 3000 a 3450.

CASTRILLO DE LOS POLVAZARES *24718 León* 441 E 11 – *alt. 907.*
Madrid 339 – León 48 – Ponferrada 61 – Zamora 132.

Cuca la Vaina ⛰, Jardín ☎ (987) 69 10 78, *Fax (987) 69 10 78* – E VISA
cerrado del 8 al 31 de enero – **Comida** *(cerrado lunes salvo agosto)* - sólo cena salvo (julio-septiembre) y fines de semana resto del año - 2500 – **7 hab** ☐ 6000/ 8000.

ASTRO URDIALES *39700 Cantabria* 442 B 20 – *13 575 h. – Playa.*
pl. del Ayuntamiento *(942) 85 90 07.*
Madrid 430 – Bilbao/Bilbo 34 – Santander 73.

La Sota sin rest, La Correría 1 (942) 87 11 88, *Fax (942) 87 12 84* – AE E VISA.
19 hab 5000/8000.

Mesón El Segoviano, La Correría 19 (942) 86 18 59,
Comida carta 3250 a 5050.

Mesón Marinero, La Correría 23 (942) 86 00 05, – .
Comida carta 3525 a 5225.

El Abra, Ardigales 48 (942) 87 04 74 – . E VISA.
cerrado miércoles y 20 diciembre-enero – **Comida** carta 3100 a 4350.

en la playa :

Las Rocas, av. de la Playa (942) 86 04 00, *Fax (942) 86 13 82,* – , rest, – 25/150. AE E VISA. rest
Comida *(cerrado 20 diciembre-15 enero)* 2500 – 725 – **60 hab** 7500/14000 – PA 5300.

Miramar, av. de la Playa 1 (942) 86 02 00, *Fax (942) 87 09 42,* – . AE E VISA. rest
marzo-octubre – **Comida** 2100 – 575 – **34 hab** 8500/11000.

CASTROJERIZ *09110 Burgos* 442 F 17 – *904 h. alt. 808.*
Madrid 249 – Burgos 43 – Palencia 48 – Valladolid 99.

La Posada, Landelino Tardajos 5 (947) 37 86 10, *Fax (947) 37 86 11* –
Comida (ver rest. El Mesón) – **21 hab.**

El Mesón con hab, Cordón 1 (947) 37 74 00
7 hab.

CASTROPOL *33760 Asturias* 441 B 8 – *4 913 h. – Playa.*
Madrid 589 – La Coruña/A Coruña 173 – Lugo 88 – Oviedo 154.

Peña-Mar, carret. N 640 (98) 563 51 49, *Fax (98) 563 54 98* – . AE E VISA.
Comida (ver rest. ***Peña-Mar***) – 600 – **24 hab** 8000/10000.

Casa Vicente con hab, carret. N 640 (98) 563 50 51, *Fax (98) 563 53 62,* – . AE E VISA. – *cerrado octubre* – **Comida** *(cerrado martes salvo festivos)* carta aprox. 4600 – 300 – **14 hab** 3000/5500.

Peña-Mar, carret. N 640 (98) 563 50 06, *Fax (98) 563 54 98,* – . AE E VISA.
cerrado jueves (salvo julio-agosto) y noviembre – **Comida** carta 3200 a 4700.

CASTROVERDE DE CAMPOS *49110 Zamora* 441 G 14 – *468 h. alt. 707.*
Madrid 261 – Benavente 34 – León 90 – Palencia 77 – Valladolid 69 – Zamora 69.

Mesón del Labrador, Doctor Corral 27 (980) 66 46 53, *Fax (980) 66 46 53* – . E VISA.
Comida carta 2350 a 3650.

CATARROJA *46470 Valencia* 445 N 28 – *20 157 h. alt. 16.*
Madrid 359 – Valencia 8.

Gurugú, Sant Pere 21 (96) 126 00 47 – . AE E VISA.
cerrado domingo, Semana Santa y agosto – **Comida** - sólo almuerzo salvo fines de semana - carta 2300 a 3600.

La CAVA *Tarragona – ver Deltebre.*

CAZALLA DE LA SIERRA *41370 Sevilla* 446 S 12 – *5 016 h. alt. 590.*
Madrid 493 – Aracena 83 – Écija 102 – Sevilla 95.

Posada del Moro , paseo del Moro (95) 488 48 58, *Fax (95) 488 48 58,* , – . AE E VISA.
Comida 2500 – 500 – **15 hab** 5000/8000.

CAZORLA *23470 Jaén* 446 S 20 – *8 885 h. alt. 790.*
Alred. : *Sierra de Cazorla★★ (Hornos : emplazamiento★ carretera del pantano ★★) – Carretera de acceso al Parador★ (★★) SE : 25 km.*
Juan Domingo 2 (953) 72 01 15 Fax (953) 71 00 68.
Madrid 363 – Jaén 101 – Úbeda 46.

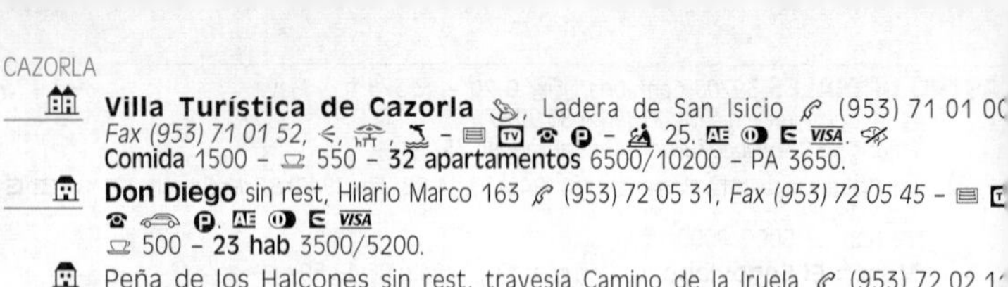

Villa Turística de Cazorla, Ladera de San Isicio (953) 71 01 00, *Fax (953) 71 01 52*, ≤, - 25. AE E VISA.
Comida 1500 - 550 - **32 apartamentos** 6500/10200 - PA 3650.

Don Diego sin rest, Hilario Marco 163 (953) 72 05 31, *Fax (953) 72 05 45* - AE E VISA
500 - **23 hab** 3500/5200.

Peña de los Halcones sin rest, travesía Camino de la Iruela (953) 72 02 11, *Fax (953) 72 13 35*, ≤ -
24 hab.

Andalucía sin rest, Martínez Falero 42 (953) 72 12 68 - AE E VISA.
400 - **11 hab** 3400/4700.

Parque sin rest, Hilario Marco 62 (953) 72 18 06, *Fax (953) 72 18 06* - E VISA
500 - **8 hab** 3400/5200.

Guadalquivir sin rest, Nueva 6 (953) 72 02 68, *Fax (953) 72 02 68* - E VISA.
525 - **14 hab** 3600/4900.

La Sarga, pl. del Mercado (953) 72 15 07, VISA.
cerrado martes y septiembre - **Comida** carta 2900 a 3500.

en la Sierra de Cazorla - *23470 Cazorla :*

Parador de Cazorla, Lugar Sacejo - E : 26 km - alt. 1 400 (953) 72 70 75, *Fax (953) 72 70 77*, ≤ montañas, « En plena Sierra de Cazorla », - AE E VISA.
cerrado Navidades y enero - **Comida** 3200 - 1200 - **33 hab** 10800/13500 - PA 6460.

Noguera de la Sierpe, carret. del Tranco - NE : 30 km (953) 71 30 21, *Fax (953) 71 31 09*, - rest, E VISA. rest
Comida 2500 - **42 hab** 7000/9500.

Mirasierra, carret. del Tranco - NE : 36,3 km (953) 71 30 44, *Fax (953) 71 30 44*, - rest, E VISA.
cerrado 6 enero-1 febrero - **Comida** 1500 - 500 - **19 hab** 3800/5000 - PA 3500.

CECEDA *33582 Asturias* 441 **B 13**.
Madrid 493 - Gijón 55 - Oviedo 37 - Santander 154.

La Posada, Campo La Iglesia (98) 570 42 97, VISA.
cerrado domingo noche y lunes - **Comida** carta 3650 a 4100.

en la carretera N 634 *SE : 2 km - 33582 Ceceda :*

La Cueva de Narciso, (98) 570 41 37, *Fax (98) 570 42 02* - **30 hab**

CEDEIRA *15350 La Coruña* 441 **B 5** - *7 450 h. - Playa.*
Madrid 659 - La Coruña/A Coruña 106 - Ferrol 37.

Avenida con hab, Cuatro Caminos 66 (981) 48 09 98, *Fax (981) 48 23 89* - rest AE E VISA.
Comida carta 2250 a 3400 - 600 - **11 hab** 5000/8000.

CÉE *15270 La Coruña* 441 **D 2** - *6 921 h. - Playa.*
Madrid 710 - La Coruña/A Coruña 97 - Santiago de Compostela 89.

La Marina, av. Fernando Blanco 26 (981) 74 67 52, *Fax (981) 74 65 11* - AE E VISA.
Comida 1400 - 275 - **29 hab** 4500/6000.

CELANOVA *32800 Orense* 441 **F 6** - *5 902 h. alt. 519.*
Ver : *Monasterio (claustro★★).* - **Alred. :** *Santa Comba de Bande (iglesia★) S : 26 km.*
Madrid 488 - Orense/Ourense 26 - Vigo 99.

Betanzos, Celso Emilio Ferreiro 7 (988) 45 10 36, *Fax (988) 45 10 11* - , rest AE E VISA.
Comida 1700 - 300 - **33 hab** 3000/4500.

por la carretera C 531 *SE : 3 km - 32817 Sampaio :*

Pazo Hospedería A Fábrica sin rest, (988) 43 20 92, *Fax (988) 43 20 92*, « En un antiguo pazo », - E VISA.
600 - **6 hab** 7500/11000, 1 suite.

ELLERS *Lérida - ver Sellés.*

ENAJO *Murcia* 445 Q 24 - ✉ *30440 Moratalla.*
Madrid 333 - Albacete 88 - Lorca 102 - Murcia 115.

Cenajo, junto al embalse ☎ (968) 72 10 11, *Fax (968) 72 06 45,* ←, ... - ... 25/150. E VISA. rest
Comida 2235 - ☐ 765 - **77 hab** 4660/7770 - PA 4415.

ENES DE LA VEGA *18190 Granada* 446 U 19 - *2 384 h. alt. 741.*
Madrid 439 - Granada 7.

Ruta del Veleta, carret. de Sierra Nevada 136 ☎ (958) 48 61 34, *Fax (958) 48 62 93,* « Decoración típica » - ... AE E VISA JCB.
cerrado domingo noche - **Comida** carta 3900 a 4750.

a CENIA o La SÉNIA *43560 Tarragona* 443 K 30 - *4 862 h. alt. 368.*
Madrid 526 - Castellón de la Plana/Castelló de la Plana 104 - Tarragona 105 - Tortosa 35.

El Trull, Sant Miquel 14 ☎ (977) 71 33 02, « Decoración rústica » - E VISA
cerrado lunes noche (en invierno), del 7 al 17 de enero y 26 agosto-9 septiembre - **Comida** - carnes - carta 2700 a 3850.

ERCEDILLA *28470 Madrid* 444 J 17 - *3 884 h. alt. 1 188.*
Madrid 56 - El Escorial 20 - Segovia 39.

Longinos El Aribel sin rest, Emilio Serrano 51 ☎ (91) 852 15 11, *Fax (91) 852 15 61* - ... VISA
☐ 250 - **23 hab** 4800/6300.

Gómez, Emilio Serrano 40 ☎ (91) 852 01 46 - ... VISA.
cerrado lunes - **Comida** carta 2450 a 4300.

ERDANYOLA o CERDANYOLA DEL VALLÈS *08290 Barcelona* 443 H 36 - *57 410 h.*
Madrid 606 - Barcelona 14 - Mataró 39.

l Oeste : *3 km*

Bellaterra, autopista A 7 - área de Bellaterra, ✉ 08290, ☎ (93) 692 60 54, Telex 51047, *Fax (93) 580 47 68,* « Césped con ... », ... - ... 25/200. AE VISA. rest
Comida 1950 - ☐ 975 - **114 hab** 9250/11550, 1 suite.

Campus *(Hotel escuela),* Campus de Bellaterra (Vila Universitaria), ✉ 08193, ☎ (93) 580 83 53, *Fax (93) 580 89 78* - ... 25/500. AE E VISA.
Comida *(cerrado domingo noche)* 2500 - ☐ 850 - **55 hab** 9000/10000 - PA 4600.

EREZO DE ARRIBA *40592 Segovia* 442 I 19 - *180 h. alt. 1 129.*
Madrid 100 - Aranda de Duero 59 - El Burgo de Osma 79 - Segovia 62.

Casón de la Pinilla, Finca La Rinconada ☎ (921) 55 72 01, *Fax (921) 55 72 09,* ... - ... AE E VISA.
cerrado noviembre - **Comida** carta aprox. 3450 - ☐ 900 - **9 hab** 5700/8600.

ERRADO DE CALDERÓN *Málaga - ver Málaga.*

ERVATOS *39213 Cantabria* 442 D 17.
Ver : Colegiata★ : decoración escultórica★.
Madrid 345 - Aguilar de Campóo 23 - Burgos 109 - Santander 74.

Los Corros, carret. N 611 - N : 1 km ☎ (942) 75 34 21, *Fax (942) 75 50 52* - AE E VISA
Comida carta 2750 a 3600.

ERVELLÓ *08758 Barcelona* 443 H 35 - *5 391 h. alt. 122.*
Madrid 608 - Barcelona 20 - Manresa 62 - Tarragona 82.

l Noroeste : *4,5 km*

Can Rafel, urb. Can Rafel ☎ (93) 650 10 05, *Fax (93) 650 10 05,* ←, ... - ... rest, ... - 25. E VISA. rest
Comida *(cerrado martes)* 1870 - ☐ 650 - **29 hab** 5000/8000 - PA 3500.

CERVERA DE PISUERGA *34840 Palencia* 442 D 16 - *2 759 h. alt. 900.*
Madrid 348 - Burgos 118 - Palencia 122 - Santander 129.

✕ **Peñalabra** con hab, General Mola 72 ℘ (979) 87 00 37 - ▤ rest, TV ☎. E VISA
✂
cerrado 22 septiembre-8 octubre - **Comida** carta 2500 a 3350 - ☕ 375 - **13 hab** 1800/4500.

en la carretera de Resoba *NO : 2,5 km - ✉ 34840 Cervera de Pisuerga :*

Parador de Cervera de Pisuerga ⛰, ℘ (979) 87 00 75, *Fax (979) 87 01 0*
« Magnífica situación con ≤ montañas y pantano de Ruesga » - |≑| TV ☎ 🚗 P
25/100. AE ◑ E VISA JCB. ✂ rest
Comida 3200 - ☕ 1300 - **80 hab** 12000/15000 - PA 6545.

CERVO *27888 Lugo* 441 A 7 - *13 129 h. alt. 69.*
Madrid 611 - La Coruña/A Coruña 162 - Lugo 105.

en la carretera C 642 *NO : 5 km - ✉ 27888 Cervo :*

✕ **O Castelo** con hab, ℘ (982) 59 44 02, *Fax (982) 59 44 76*, ≤ - TV ☎ P. AE VISA
✂
Comida carta 2900 a 4300 - ☕ 500 - **22 hab** 5000/8000.

CESTONA o **ZESTOA** *20740 Guipúzcoa* 442 C 23 - *3 294 h. alt. 72 - Balneario.*
Madrid 432 - Bilbao/Bilbo 75 - Pamplona/Iruñea 102 - San Sebastián/Donostia 34.

Arocena, paseo San Juan 12 ℘ (943) 14 70 40, *Fax (943) 14 79 78*, ≤, Fб, ⛱, 🌳, 🎾
- |≑| TV ☎ P. AE ◑ E VISA. ✂ rest
cerrado 15 diciembre-15 enero - **Comida** 2500 - ☕ 800 - **109 hab** 6200/10400.

CEUTA *51700* 959 ⑤ y ⑩ 990 ㉞ - *73 208 h. - Playa.*
Ver : *Monte Hacho*★ : *Ermita de San Antonio* ≤★★.
⛴ *para Algeciras : Cía. Trasmediterránea, Muelle Cañonero Dato 6* ℘ *(956) 50 94 3*
Telex 78080 Fax (956) 50 95 30 Z.
ℹ *Alcalde J. Victori Goñalons* ✉ *51001* ℘ *(956) 51 40 92 Fax (956) 51 51 98* - **R.A.C.E**
Beatriz de Silva 12-1º E ℘ *(956) 51 27 22 Fax (956) 51 78 31.*

CEUTA

Camoens	Y 4	Alcade Sánchez Prados (Pas.)	Y 3
Revellín (Pas.)	Y 16	Colón (Pas.)	Y 6
Alcade J.V. Goñalons	Y 2	España (Av.)	Z 9
		Ingenieros	Y 1
		Las Palmeras (Pas.)	Y 1
		O'Donnell	Y 1
		S. J. de Dios (Av.)	Z 1

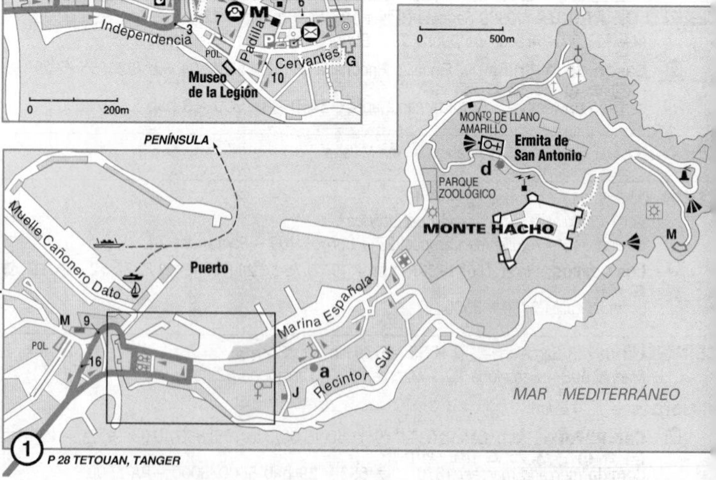

La Muralla, pl. Virgen de África 15, ✉ 51701, ☎ (956) 51 49 40, *Fax (956) 51 49 47,* ←, « Instalado parcialmente en la antigua muralla », 🏊, 🌳 - 🛗 ▤ TV ☎ P - 25/150. AE ⊕ E VISA JCB. ✂ Y h
Comida 3200 - ☕ 1200 - **106 hab** 13200/16500.

Meliá Confort Ceuta, paseo Alcalde Sánchez Prados 3, ✉ 51001, ☎ (956) 51 12 00, *Fax (956) 51 15 01,* Fa, 🏊 - 🛗 ▤ TV ☎ 🚗 - 25/300. AE ⊕ E VISA JCB. ✂ Y s
Comida 1750 - ☕ 1000 - **128 hab** 11500/14000, 2 suites - PA 4500.

en el Monte Hacho *E : 4 km*

Mesón de Serafín, ✉ 51705, ☎ (956) 51 40 03, ← Ceuta, mar, peñón de Gibraltar y costas de la Península - AE ⊕ E VISA. ✂ Z d
cerrado domingo noche y lunes - **Comida** carta aprox. 2950.

CHANTADA *27500 Lugo* 441 E 6 - *9 754 h.*

Alred. : Osera : Monasterio de Santa María la Real★ (sala Capitular★) SO : 15 km.

Madrid 534 - Lugo 55 - Orense/Ourense 42 - Santiago de Compostela 90.

Mogay, Antonio Lorenzana 3 ☎ (982) 44 08 47, *Fax (982) 44 08 47* - 🛗 TV ☎ 🚗 - 25/300. AE ⊕ E VISA. ✂
Comida 2000 - ☕ 600 - **29 hab** 5000/6000.

en la carretera de Lugo *N : 1,5 km - ✉ 27500 Chantada :*

Las Delicias, Basán Grande 6 ☎ (982) 44 10 04, *Fax (982) 44 17 01* - TV ☎ P. VISA. ✂
Comida 1400 - ☕ 400 - **20 hab** 2600/4200.

CHAPELA *36320 Pontevedra* 441 F 3.

Madrid 608 - Pontevedra 27 - Redondela 7 - Vigo 7.

El Canario, av. de Vigo 194 ☎ (986) 45 00 03, *Fax (986) 45 40 13* - ▤. AE ⊕ VISA. ✂
cerrado domingo noche - **Comida** carta 2400 a 3200.

CHAPINERÍA *28694 Madrid* 444 K 17 - *907 h. alt. 680.*

Madrid 52 - Ávila 79 - Talavera de la Reina 117.

El Chapín de la Reina, carret. de Colmenar 2 ☎ (91) 865 25 24, 🌳, « Casona rural » - ▤ P. AE E VISA. ✂
cerrado martes y septiembre - **Comida** - sólo almuerzo salvo viernes y sábado - 3500 y carta aprox. 4500
Espec. Lengua de cerdo con terrina de foie al Armagnac. Rodaballo con vinagreta de judías y puré de calabaza. Helado de turrón en salsa de chocolate.

CHICLANA DE LA FRONTERA *11130 Cádiz* 446 W 11 - *46 610 h. alt. 17.*

18 9 *Novo Sancti Petri, urb. Novo Sancti Petri-SO : 10 km ☎ (956) 49 40 05.*

Alameda del Río ☎ (956) 53 59 69 Fax (956) 53 59 69.

Madrid 646 - Algeciras 102 - Arcos de la Frontera 60 - Cádiz 24.

Ideal H. sin rest, pl. de Andalucía 1 ☎ (956) 40 39 06, *Fax (956) 40 39 06* - 🛗 ▤ TV ☎ P. AE ⊕ E VISA. ✂
☕ 500 - **20 hab** 6800/8500.

en la urbanización Novo Sancti Petri - *✉ 11130 La Barrosa :*

Royal Andalus Golf 🔇, playa de La Barrosa - SO : 11 km ☎ (956) 49 41 09, *Fax (956) 49 44 90,* ←, 🌳, « Profusión de plantas. Amplia terraza con 🏊 », Fa, 🎾, 18 9 - 🛗 ▤ TV ☎ ♿ 🚗 P - 30/300
Comida (sólo cena buffet) - **249 hab**, 12 suites.

Playa La Barrosa 🔇, playa de La Barrosa - SO : 10,5 km ☎ (956) 49 48 24, *Fax (956) 49 48 60,* ←, 🌳, Fa, 🏊, 🏊, 🎾 - 🛗 ▤ TV ☎ ♿ 🚗 P - 25/150
Comida (sólo buffet) - **264 hab.**

Tryp Costa Golf 🔇, SO : 10 km ☎ (956) 49 45 35, *Fax (956) 49 46 26,* Servicios terapéuticos, « Jardín con 🏊 junto al campo de golf », Fa, 🏊 - ▤ TV ☎ 🚗 P - 25/325. AE ⊕ E VISA. ✂
Comida 2600 - ☕ 1325 - **195 hab** 16675/20850.

Novo Golf Cachito, centro comercial - SO : 9,5 km ☎ (956) 49 52 49 - ▤. AE ⊕ E VISA. ✂
Comida carta 1900 a 3800.

CHINCHÓN *28370 Madrid* 444 L 19 – *3 994 h. alt. 753.*

Ver : *Plaza Mayor* ★★.

Madrid 52 – Aranjuez 26 – Cuenca 131.

Parador de Chinchón, av. Generalísimo 1 ✆ (91) 894 08 36, *Fax (91) 894 09 08* « Instalado en un convento del siglo XVII con jardín », – ▤ TV ☎ – 25/100 AE ⦿ E VISA JCB. ✗
Comida 3500 – 1200 – **38 hab** 13600/17000.

Café de la Iberia, pl. Mayor 17 ✆ (91) 894 09 98, *Fax (91) 894 08 47,* , « Antiguo café. Balcón con ≤ » – ▤. AE E VISA. ✗
cerrado miércoles noche y del 1 al 15 de septiembre – **Comida** carta 3675 a 4600.

La Balconada, pl. Mayor ✆ (91) 894 13 03, *Fax (91) 894 13 03,* « Decoración castellana. Balcón con ≤ » – ▤. AE ⦿ E VISA. ✗
cerrado miércoles – **Comida** carta 3500 a 4500.

Mesón de la Virreina, pl. Mayor 21 ✆ (91) 894 00 15, *Fax (91) 873 14 22* « Decoración rústica. Balcón con ≤ » – ▤. AE ⦿ E VISA JCB
Comida carta 3350 a 5500.

Mesón Cuevas del Vino, Benito Hortelano 13 ✆ (91) 894 02 06, *Fax (91) 894 09 40* « Instalación rústica en un antiguo molino de aceite » – ✗
cerrado martes – **Comida** carta 3300 a 3625.

en la carretera de Titulcia *O : 3 km – ✉ 28370 Chinchón :*

Nuevo Chinchón , urb. Nuevo Chinchón ✆ (91) 894 05 44, *Fax (91) 893 51 28,* – ▤ rest, TV ☎ P. AE E VISA. ✗
Comida 2400 – 600 – **18 hab** 6800/8800.

CHIPIONA *11550 Cádiz* 446 V 10 – *14 455 h. – Playa.*

Madrid 614 – Cádiz 54 – Jerez de la Frontera 32 – Sevilla 106.

Cruz del Mar, av. de Sanlúcar 1 ✆ (956) 37 11 00, *Fax (956) 37 13 64,* ≤, , « Patio con » – |‡|, ▤ hab, TV ☎. AE ⦿ E VISA. ✗ rest
Comida 2000 – 1100 – **85 hab** 8650/10500, 14 apartamentos – PA 5000.

Al Sur de Chipiona, av. de Sevilla 101 ✆ (956) 37 03 00, *Fax (956) 37 08 59,* – |‡|, ▤ rest, TV ☎ – 25/700. AE ⦿ E VISA. ✗ rest
Comida 3000 – 725 – **67 hab** 7500/10000 – PA 6000.

Brasilia, av. del Faro 12 ✆ (956) 37 10 54, *Fax (956) 37 10 54,* – |‡| ▤ TV ☎ AE ⦿ E VISA. ✗
Comida - sólo cena - 2250 – 675 – **44 hab** 7475/9695.

La Española, Isaac Peral 4 ✆ (956) 37 37 71, *Fax (956) 37 21 44* – |‡| ▤ TV ☎ AE ⦿ VISA. ✗
Comida 1600 – 200 – **24 hab** 4000/7000 – PA 3400.

Chipiona, Dr. Gómez Ulla 19 ✆ (956) 37 02 00, *Fax (956) 37 29 49* – |‡|, ▤ hab, TV ☎ P. AE ⦿ E VISA. ✗ rest
marzo-octubre – **Comida** *(cerrado noviembre)* 1900 – 400 – **40 hab** 4500/6800.

Las Galias sin rest y sin , av. de Sevilla 65 ✆ (956) 37 09 10 – ▤ TV
10 hab.

CHIVA *46370 Valencia* 445 N 27 – *7 562 h. alt. 240.*

El Bosque, SE : 12 km ✆ (96) 180 41 12.

Madrid 318 – Valencia 30.

en la autovía N III *E : 10 km – ✉ 46370 Chiva :*

Motel La Carreta, salida 321 ✆ (96) 251 11 00, *Fax (96) 251 11 65,* , , – ▤ TV ☎ P – 25/250. AE ⦿ E VISA. ✗ rest
Comida 1760 – 475 – **80 hab** 7050/8825.

CHULILLA *46167 Valencia* 445 N 27 – *675 h. alt. 400 – Balneario.*

Madrid 306 – Cuenca 306 – Requena 43 – Teruel 131 – Valencia 62.

al Sureste : *4,5 km*

Balneario de Chulilla , Baños de Chulilla ✆ (96) 165 70 13, *Fax (96) 165 70 31,* Servicios terapéuticos, , de agua termal, – |‡| ☎ P. VISA. ✗
cerrado 22 diciembre-15 febrero – **Comida** 1500 – 700 – **67 hab** 4750/7350 – PA 3440.

CIÉRVANA o ZIERBENA *48508 Vizcaya* 442 **B 20.**

Madrid 410 – Bilbao/Bilbo 21 – Santander 80.

X **Lazcano,** El Puerto ☎ (94) 636 50 32, ≤, Vivero propio – P. AE ⓓ E VISA. ✻
cerrado domingo noche, lunes noche y agosto – **Comida** - pescados y mariscos - carta 4000 a 5600.

CINTRUÉNIGO *31592 Navarra* 442 **F 24** – *5 080 h. alt. 391.*

Madrid 308 – Pamplona/Iruñea 87 – Soria 82 – Zaragoza 99.

Alhama, carret. N 113 - km 95 ☎ (948) 81 27 74, *Fax (948) 81 28 07* – ▤ TV ☎ ⇔ P. AE ⓓ VISA. ✻
Comida 1450 – ☐ 600 – **36 hab** 4200 – PA 3300.

XX ✿ **Maher** con hab, Ribera 19 ☎ (948) 81 11 50, *Fax (948) 81 27 76* – ▤ rest, TV. AE ⓓ E VISA. ✻ rest
cerrado 20 diciembre-15 enero – **Comida** *(cerrado domingo noche)* carta 4250 a 4850 – ☐ 450 – **26 hab** 5000/6000
Espec. Timbal de huevos fritos con pimientos del cristal y patatas de sartén. Lubina con morros y setas de temporada en su jugo de cocción. Costillar de cordero lechal asado en su jugo.

Siete ***mapas detallados Michelin*** *:*

España *:* ***Norte-Oeste*** 441, ***Centro-Norte*** 442, ***Norte-Este*** 443, ***Centro*** 444, ***Centro-Este*** 445, ***Sur*** 446.

Portugal 440.

Las localidades subrayadas en rojo en estos mapas aparecen citadas en esta Guía.

Para el conjunto de ***España y Portugal,*** *adquiera el* ***mapa Michelin*** 990 *1/1 000 000,* *o el* ***Atlas Michelin España Portugal*** *1/400 000.*

CIORDIA o ZIORDIA *31809 Navarra* 442 **D 23** – *378 h. alt. 552.*

Madrid 396 – Pamplona/Iruñea 55 – San Sebastián/Donostia 76 – Vitoria/Gasteiz 41.

Iturrimurri II, autovía N I ☎ (948) 56 30 12, *Fax (948) 56 25 63,* ≤ – |♦|, ▤ rest, TV ☎ P – 🔔 25/60. AE ⓓ E VISA. ✻
Comida 1990 – ☐ 900 – **29 hab** 8000/11500.

CIUDAD REAL *13000* P 444 **P 18** – *60 138 h. alt. 635.*

ℹ *Alarcos 21* ✉ *13071* ☎ *(926) 21 20 03 Fax (926) 21 03 67* – **R.A.C.E.** *General Aguilera 13-2º C* ✉ *13001* ☎ *(926) 22 92 77 Fax (926) 22 92 77.*

Madrid 204 ② *– Albacete 212* ② *– Badajoz 324* ④ *– Córdoba 196* ④ *– Jaén 176* ③ *– Toledo 121* ①

Plano página siguiente

Doña Carlota, Ronda de Toledo 21, ✉ 13003, ☎ (926) 23 16 10, *Fax (926) 23 16 10* – |♦| ▤ TV ☎ ⇔ P – 🔔 25/600. AE ⓓ VISA. ✻ Y a
Comida 1600 – **161 hab** ☐ 4800/6400 – PA 3145.

NH Ciudad Real, Alarcos 25, ✉ 13001, ☎ (926) 21 70 10, *Fax (926) 21 71 31* – |♦| ▤ TV ☎ ⇔ – 🔔 25/300. AE ⓓ E VISA. ✻ rest Z n
Comida carta aprox. 5100 – ☐ 1100 – **91 hab** 10000.

Santa Cecilia, Tinte 3, ✉ 13001, ☎ (926) 22 85 45, *Fax (926) 22 86 18* – |♦| ▤ TV ☎ ⇔ – 🔔 25/75. AE ⓓ E VISA. ✻ Z a
Comida 2000 - ***El Real*** **: Comida** carta 4100 a 5100 – ☐ 900 – **70 hab** 10800/13500.

Paraíso, carret. de Puertollano 20, ✉ 13002, ☎ (926) 21 06 06, *Fax (926) 21 06 06,* ☂, ⛱ – |♦| ▤ TV ☎ ⇔ – 🔔 25/500. AE ⓓ E VISA. ✻ por ④
Comida 1500 – ☐ 500 – **40 hab** 7000/9000, 2 suites – PA 3000.

Tryp Almanzor, Bernardo Balbuena 14, ✉ 13002, ☎ (926) 21 43 03, *Fax (926) 21 34 84* – |♦| ▤ TV ☎ P – 🔔 25/300. AE ⓓ E VISA. ✻ rest Z b
Comida 1500 – ☐ 750 – **71 hab** 6400/8400.

XX **Miami Park,** Ronda de Ciruela 36, ✉ 13004, ☎ (926) 22 20 43 – ▤. AE ⓓ E VISA. ✻ Z d
cerrado domingo noche y 1ª quincena de agosto – **Comida** carta 3800 a 4600.

CIUDAD REAL

Alarcos	Z
Bernardo Mulleras	Z 6
Calatrava	YZ
General Aguilera	Z 21
Mayor (Plaza)	Z
Vázquez	Z 42
Alcántara	Z 2
Antonio Blázquez	Z 3
Azucena	YZ 5
Caballeros	YZ 8
Camarín	YZ 10
Cañas	YZ 12
Cardenal Monescillo	Z 13
Corazón de María	YZ 15
Cruz	Z 16
Elisa Cendreros	Y 18
General Rey	Z 23
Infantes	Y 24
Inmaculada Concepción	Y 26
Lanza	Z 2
Lirio	YZ 2
Norte	Y 3
Olivo	Z 3
Ramón y Cajal	Z 3
Refugio	YZ 3
Reyes	YZ 3
Rosa	Y 3
Sancho Rey (Cam.)	Y 3
Tinte	Z 4

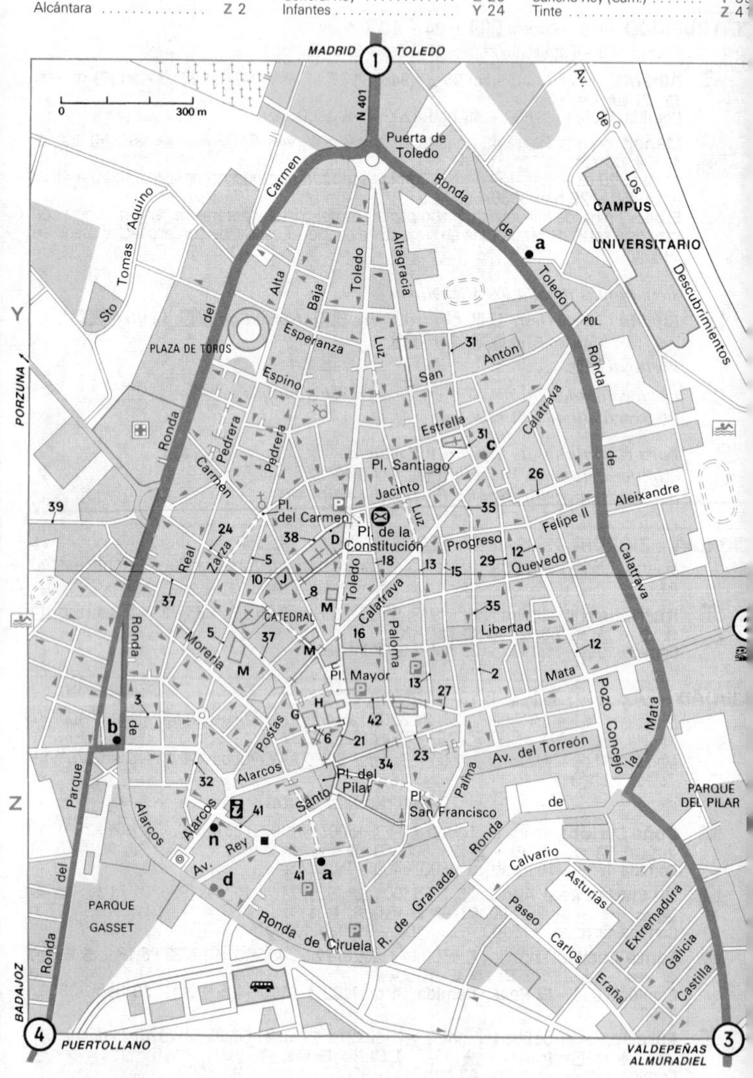

Gran Mesón, Ronda de Ciruela 34, ✉ 13004, ✆ (926) 22 72 39, « Decoración regional » – ▤. AE E VISA. — Z d
cerrado domingo noche – **Comida** carta 2700 a 3800.

El Perejil, Calatrava 39, ✉ 13003, ✆ (926) 22 36 75 – ▤. AE ⓓ E VISA. — Y c
cerrado domingo y del 1 al 15 de agosto – **Comida** carta 1350 a 4000.

CIUDAD RODRIGO *37500 Salamanca* 441 K 10 – *14 973 h. alt. 650.*
Ver : *Catedral★ (altar★, portada de la Virgen★, claustro★) – Plaza Mayor★.*
pl. de las Amayuelas 5 ☎ (923) 46 05 61.
Madrid 294 – Cáceres 160 – Castelo Branco 164 – Plasencia 131 – Salamanca 89.

Parador de Ciudad Rodrigo, pl. del Castillo 1 ☎ (923) 46 01 50, *Fax (923) 46 04 04,* « En un castillo feudal del siglo XV », – 25/40. AE VISA JCB.
Comida 3200 – 1200 – **27 hab** 12000/15000.

Conde Rodrigo I, pl. de San Salvador 9 ☎ (923) 46 14 04, *Fax (923) 46 14 08* – rest, VISA.
Comida 1650 – 500 – **35 hab** 5500/6500 – PA 3250.

Lima, paseo de la Estación 48 (carret. de Lumbrales) ☎ (923) 48 18 19, *Fax (923) 48 21 81* – VISA.
Comida 1500 – 400 – **40 hab** 4400/5500 – PA 3200.

La Brasa, carret. N 620 ☎ (923) 46 07 93 – AE VISA.
cerrado lunes y noviembre – **Comida** - carnes - carta 2200 a 3650.

en la carretera de Conejera *SO : 3 km – ✉ 37500 Ciudad Rodrigo :*

Conde Rodrigo II, Huerta de las Viñas ☎ (923) 48 04 48, *Fax (923) 46 14 08,* « En pleno campo », – 25/600. VISA.
Comida 1650 – 500 – **43 hab** 6000/7000 – PA 3250.

CIUDADELA o **CIUTADELLA** *Baleares – ver Baleares (Menorca) : Ciudadela.*

COCA *40480 Segovia* 442 I 16 – *1 995 h. alt. 789.*
Ver : *Castillo★★.*
Madrid 137 – Segovia 50 – Valladolid 62.

COCENTAINA *03820 Alicante* 445 P 28 – *10 567 h. alt. 445.*
Madrid 397 – Alicante/Alacant 63 – Valencia 104.

Odón, av. del País Valencià 145 ☎ (96) 559 12 12, *Fax (96) 559 23 99* – – 25/200. VISA
Comida *(cerrado viernes noche, domingo noche y del 16 al 31 de agosto)* 1700 – 800 – **59 hab** 8000/14000 – PA 4200.

L'Escaleta, av. del País Valencià 119 ☎ (96) 559 21 00, *Fax (96) 650 06 89* – AE VISA JCB. – *cerrado domingo noche, lunes, jueves noche, Semana Santa y del 15 al 31 de agosto* – **Comida** carta aprox. 4650.

La Montaña, Gustavo Pascual 1 y 3 ☎ (96) 559 08 32, *Fax (96) 650 03 82* – AE VISA.
cerrado domingo, Semana Santa y agosto – **Comida** carta 2900 a 4200.

El Laurel, Juan María Carbonell 3 ☎ (96) 559 17 38 – AE VISA.
cerrado domingo noche, lunes, martes noche, miércoles noche, Semana Santa y del 13 al 30 de agosto – **Comida** carta 2200 a 3800.

Montcabrer, Pujada Estació del Nord 205 ☎ (96) 559 13 59, *Fax (96) 559 17 45,* – .

COFIÑAL *24857 León* 441 C 14.
Madrid 465 – Gijón 109 – León 74 – Oviedo – 85.

Tropezón, ☎ (987) 73 10 53, *Fax (987) 73 12 80* – VISA.
Comida 900 – 300 – **10 hab** 2500/5000 – PA 2000.

COFRENTES *46625 Valencia* 445 O 26 – *815 h. alt. 437 – Balneario.*
Madrid 316 – Albacete 93 – Alicante/Alacant 141 – Valencia 106.

en la carretera de Casas Ibáñez *O : 4 km – ✉ 46625 Cofrentes :*

Balneario Hervideros de Cofrentes, ☎ (96) 189 40 25, *Fax (96) 189 40 05,* « En un parque », – – 25/100. AE VISA.
cerrado diciembre-marzo – **Comida** 1800 – 550 – **144 hab** 5300/9500 – PA 3400.

COIRÓS *15316 La Coruña* 441 C 5 – *1 576 h. alt. 219.*
Madrid 579 – Betanzos 8 – La Coruña/A Coruña 32 – Ferrol 46 – Lugo 67 – Santiago de Compostela 72.

La Penela, carret. N VI ☎ (981) 79 63 72, ←, AE VISA.
Comida - sólo almuerzo - carta 2300 a 3700.

COLERA *17469 Gerona* 443 E 39 – *450 h. alt. 10 – Playa.*
Alred. : carretera de Portbou★★.
Labrum 34 ☎ (972) 38 90 50 Fax (972) 38 92 83.
Madrid 756 – Banyuls-sur-Mer 22 – Gerona/Girona 67.

en la carretera de Llansá *S : 3 km – ✉ 17469 Colera :*

Garbet, ☎ (972) 38 90 02, ≤, – E VISA
cerrado 16 noviembre-14 febrero – **Comida** carta aprox. 5150.

COLINDRES *39750 Cantabria* 442 B 19 – *5 536 h. – Playa.*
Madrid 423 – Bilbao/Bilbo 62 – Santander 45.

Montecarlo, Ramón Pelayo 9 ☎ (942) 65 01 63, *Fax (942) 65 00 75* – rest, TV ☎ E VISA
cerrado 15 septiembre-3 octubre – **Comida** 1150 – 450 – **19 hab** 4750/6100 – PA 2350.

Es COLL D'EN RABASSA *Baleares – ver Baleares (Mallorca) : Palma.*

COLLADO MEDIANO *28450 Madrid* 444 J 17 – *2 386 h. alt. 1 030.*
Madrid 40 – Segovia 51.

Martín, av. del Generalísimo 84 ☎ (91) 859 85 07, – . E VISA.
cerrado lunes (salvo en verano) y 1ª quincena de octubre – **Comida** carta 2950 a 3750.

COLLADO VILLALBA *28400 Madrid* 444 K 18 – *26 267 h. alt. 917.*
Madrid 37 – Ávila 69 – El Escorial 18 – Segovia 50.

en la carretera de Moralzarzal *NE : 2 km – ✉ 28400 Collado Villalba :*

Pasarela, ☎ (91) 851 24 08, *Fax (91) 851 24 99*, ≤ – P. AE E VISA.
cerrado domingo noche – **Comida** carta aprox. 4550.

en el barrio de la estación *SO : 2 km – ✉ 28400 Collado Villalba :*

Galaico, antigua carret. de La Coruña 45 ☎ (91) 851 03 04, *Fax (91) 851 30 03*, ≤ – TV ☎ P – 25/150. E VISA.
Agarimo *:* **Comida** carta 2850 a 3875 – **50 hab** 7125/9400, 2 suites.

Santa Bárbara sin rest, Goya 1 ☎ (91) 851 44 09, *Fax (91) 851 46 89* – TV ☎ . VISA.
500 – **32 hab** 5000/6500.

Lady Ana, Ignacio González 51 ☎ (91) 851 63 44, *Fax (91) 851 63 44* – TV. E VISA.
Comida 1200 – 250 – **18 hab** 4280/5885 – PA 2625.

Casa Arturo, Real 68 ☎ (91) 850 32 19, *Fax (91) 850 74 44*, – . AE E VISA
Comida carta 2400 a 2900.

COLLSUSPINA *08519 Barcelona* 443 G 36 – *214 h. alt. 961.*
Madrid 627 – Barcelona 64 – Manresa 36.

Can Xarina, Major 30 ☎ (93) 830 05 77, « Casa del siglo XVI. Decoración rústica » – . E VISA
cerrado domingo noche, lunes, última semana de junio, 1ª semana de julio y 2ªquincena de noviembre – **Comida** carta 3200 a 4000.

por la carretera N 141 C *NE : 5 km – ✉ 08519 Collsuspina :*

Floriac, ☎ (93) 887 09 91, *Fax (93) 830 08 04*, « Casa de campo del siglo XVI » – P.
cerrado lunes noche, martes (salvo festivos), 15 días en febrero y 15 días en julio – **Comida** carta aprox. 2550.

COLMENAR VIEJO *28770 Madrid* 444 J y K 18 – *39 699 h. alt. 883.*
Madrid 32.

El Asador de Colmenar, carret. de Miraflores - km 33 ☎ (91) 845 03 26, , « Decoración castellana » – P. AE E VISA
cerrado lunes – **Comida** carta 3950 a 4800.

Santi Mostacilla, Zurbarán 2 (carret. de Miraflores) ☎ (91) 845 60 37 – . AE E VISA.
cerrado lunes y del 1 al 20 de agosto – **Comida** carta 3300 a 4800.

COLOMBRES *33590 Asturias* 441 B 16 – *alt. 110 – Playa.*
Madrid 436 – Gijón 122 – Oviedo 132 – Santander 79.

en la carretera N 634 – ✉ *33590 Colombres :*

San Ángel, NO : 2 km ✆ (98) 541 20 00, *Fax (98) 541 20 73,* ≤, ⛱, ✂ – TV ☎ P. AE ⓓ E VISA.
abril-diciembre – **Comida** 2750 – ☕ 850 – **77 hab** 8550/11650.

Casa Junco, NO : 1,5 km ✆ (98) 541 22 43, *Fax (98) 541 23 55,* ✂ – ☎ P. E VISA.
Comida 1300 – ☕ 700 – **24 hab** 3700/7000 – PA 3300.

La COLONIA *Madrid – ver Torrelodones.*

COLÒNIA DE SANT JORDI *Baleares – ver Baleares (Mallorca).*

Las COLORADAS *Las Palmas – ver Canarias (Gran Canaria) : Las Palmas de Gran Canaria.*

COLUNGA *33320 Asturias* 441 B 14 – *4 916 h. alt. 21.*
Madrid 517 – Gijón 43 – Oviedo 60 – Santander 37.

en la carretera N 632 *E : 3 km* – ✉ *33320 Colunga :*

Los Caspios sin rest, La Isla ✆ (98) 585 20 98, *Fax (98) 585 20 97,* « Casa solariega », ⛱, – TV ☎ P. AE VISA.
☕ 800 – **7 hab** 10000/15000.

La COMA I La PEDRA *25284 Lérida* 443 F 34 – *225 h. alt. 1 004.*
Madrid 610 – Berga 37 – Font Romeu-Odeilo Vía 102 – Lérida/Lleida 151.

Fonts del Cardener, carret. de Tuixent - N : 1 km ✆ (973) 49 23 77, ≤, ✂ – TV ☎ P. ⓓ E VISA.
cerrado 3 últimas semanas de mayo y 3 últimas semanas de noviembre – **Comida** 1900 – ☕ 650 – **13 hab** 4000/6400, 3 apartamentos – PA 4075.

COMARRUGA o COMA-RUGA *43880 Tarragona* 443 I 34 – *Playa.*
pl. Germán Trillas ✆ (977) 68 00 10 Fax (977) 68 36 54.
Madrid 567 – Barcelona 81 – Tarragona 24.

G.H. Europe, vía Palfuriana 107 ✆ (977) 68 42 00, *Fax (977) 68 27 70,* ≤, ⛱ climatizada, ✂ – TV ☎ – 25/50. AE ⓓ VISA.
abril-octubre – **Comida** 3000 – ☕ 1200 – **148 hab** 15500/18500.

Casa Martí, Vilafranca 8 ✆ (977) 68 01 11, *Fax (977) 68 22 77,* ≤, ⛱ – rest, TV ☎ P. AE ⓓ E VISA.
Semana Santa-octubre – **Comida** - sólo buffet - 2300 – ☕ 600 – **138 hab** 5800/9000 – PA 3500.

Gallo Negro, Santiago Rusiñol 10 ✆ (977) 68 03 05, *Fax (977) 68 07 01,* – rest, ☎ P – 25/50. AE ⓓ E VISA.
abril-octubre – **Comida** 1575 – ☕ 500 – **44 hab** 6000/7500.

Joila, av. Generalitat 24 ✆ (977) 68 08 27, *Fax (977) 68 21 49* – P. AE ⓓ E VISA.
cerrado martes noche, miércoles, del 5 al 21 de enero y del 2 al 18 de noviembre – Comida carta 2800 a 4100.

Casa Víctor, passeig Marítim 24 ✆ (977) 68 14 73, – .

COMBARRO *36993 Pontevedra* 441 E 3 - *Playa.*
Ver : *Pueblo pesquero★ - Hórreos★.*
Madrid 610 - Pontevedra 6 - Santiago de Compostela 63 - Vigo 29.

Stella Maris sin rest, carret. de La Toja ✆ (986) 77 03 66, *Fax (986) 77 12 04*, ⩽ - |‡|
TV ☎ P. AE VISA. ✻
☐ 400 - **27 hab** 4500/7000.

COMILLAS *39520 Cantabria* 442 B 17 - *2 461 h. - Playa.*
Ver : *Pueblo pintoresco★.*
i *Aldea 6 ✆ (942) 72 07 68.*
Madrid 412 - Burgos 169 - Oviedo 152 - Santander 49.

El Capricho de Gaudí, barrio de Sobrellano ✆ (942) 72 03 65, *Fax (942) 72 08 42*
« Palacete original del arquitecto Gaudí » - ▤ P. AE ① E VISA JCB. ✻
cerrado domingo noche, lunes (salvo verano) y febrero - **Comida** carta aprox. 4750.

Gurea, Ignacio Fernández de Castro 11 ✆ (942) 72 24 46, ☂ - AE ① E VISA. ✻
cerrado lunes (noviembre-abril) y 15 días en febrero - **Comida** carta 2700 a 3700.

en Trasvía *O : 2 km - ✉ 39528 Trasvía :*

Dunas de Oyambre ⛰ sin rest, barrio La Cotera ✆ (942) 72 24 00
Fax (942) 72 24 01, ⩽ - ☎ P. VISA. ✻
Semana Santa-15 octubre - ☐ 600 - **21 hab** 8000/10000.

CONDADO DE SAN JORGE *Gerona - ver Playa de Aro.*

CONGOSTO *24398 León* 441 E 10 - *1 948 h.*
Madrid 381 - León 101 - Ponferrada 12.

en el santuario *NE : 2 km - ✉ 24398 Congosto :*

Virgen de la Peña ⛰, ✆ (987) 46 70 20, *Fax (987) 46 71 02*, ⩽ valle, pantano y
montañas, ⛱, ✻ - TV ☎ P. AE VISA. ✻
Comida (ver rest. ***Virgen de la Peña***) - ☐ 550 - **44 hab** 6000/8500.

Virgen de la Peña, ✆ (987) 46 71 02, *Fax (987) 46 71 02*, ☂, « Terraza con ⩽ valle
pantano y montañas », ⛱, ✻ - P. AE VISA. ✻
cerrado lunes (salvo en verano) y 15 diciembre-15 enero - **Comida** carta 2400 a 4100.

CONIL DE LA FRONTERA *11140 Cádiz* 446 X 11 - *15 524 h. - Playa.*
i *Carretera 1 ✆ (956) 44 05 01.*
Madrid 657 - Algeciras 87 - Cádiz 40 - Sevilla 149.

Don Pelayo, carret. del Punto 19 ✆ (956) 44 20 30, *Fax (956) 44 50 58* - |‡|, ▤ rest, TV
☎
31 hab.

La Gaviota, pl. Nuestra Señora de las Virtudes ✆ (956) 44 08 36, *Fax (956) 44 09 80* -
⇔. AE ① E VISA JCB
cerrado noviembre - **Comida** *(cerrado martes)* - sólo cena - 2350 - ☐ 490 - **15 apartamentos** 8100/10100.

Tres Jotas sin rest, prolongación San Sebastián ✆ (956) 44 04 50, *Fax (956) 44 04 50*
- |‡| TV ☎ ⇔. AE ① E VISA. ✻
☐ 375 - **36 hab** 5145/7875.

al Noroeste :

Flamenco Conil ⛰, urb. Fuente del Gallo : 3 km ✆ (956) 44 07 11, *Fax (956) 44 05 42*
⩽, ☂, ⛱, ⛱, ✻ - |‡|, ▤ rest, ☎ P. AE ① E VISA. ✻
cerrado 7 enero-13 febrero - **Comida** 2200 - ☐ 900 - **114 hab** 9700/14200.

Diufain ⛰ sin rest, carret. Fuente del Gallo : 1 km ✆ (956) 44 25 51, *Fax (956) 44 30 30*
- TV P. VISA. ✻
15 marzo-octubre - ☐ 300 - **11 hab** 3000/6500.

CORCONTE *39294 Cantabria* 442 C 18 - *alt. 936 - Balneario.*
Madrid 331 - Bilbao/Bilbo 117 - Burgos 94 - Vitoria/Gasteiz 154.

G.H. Balneario de Corconte ⛰, ✆ (947) 15 42 81, *Fax (947) 15 42 33*, ⩽, Servicios
terapéuticos, « Junto al embalse del Ebro », Fō - |‡| P. AE VISA. ✻
abril-diciembre - **Comida** 2500 - ☐ 600 - **76 hab** 6200/8100 - PA 5000.

CÓRDOBA *14000* **P** 446 **S 15** *- 310488 h. alt. 124.*

Ver : *Mezquita-Catedral★★★ (mihrab★★★, Capilla Real★, sillería★★, púlpitos★★)* BZ *- Judería★★* ABZ *- Palacio de Viana★★* BY *- Museo arqueológico★ (cervatillo★)* BZ **M2** *- Alcázar★ (mosaicos★, sarcófago romano★, jardines★)* AZ *- Iglesias Fernandinas★ (Santa Marina de Aguas Santas* BY *, San Miguel* BY *San Lorenzo por calle San Pablo* BY*) - Torre de la Calahorra : maqueta★* BZ.

Alred. : *Medina Azahara★ O : 6 km* X *- Las Ermitas : vistas★ 13 km* V.

*Córdoba, N : 9 km por av. del Brillante (*V*) ☎ (957) 35 02 08.*

Torrijos 10 ✉ 14003 ☎ (957) 47 12 35 Fax (957) 49 17 78 y pl. Judá Leví ✉ 14003 ☎ (957) 20 05 22 Fax (957) 20 05 22 – **R.A.C.E.** *Niño Perdido 2-2º 6 ✉ 14008 ☎ (957) 47 93 71 Fax (957) 47 52 21.*

Madrid 407 ② - Badajoz 278 ① - Granada 166 ③ - Málaga 175 ④ - Sevilla 143 ④

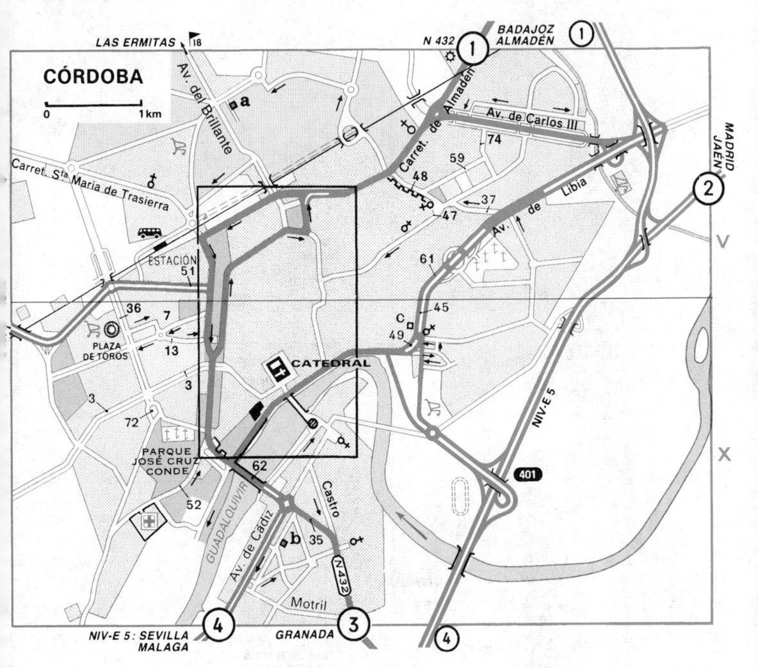

Aeropuerto (Av. del)	X 3	Jesús Rescatado (Av. de)	V 37	Menéndez Pidal (Av.)	X 52
Antonio Maura	X 7	Madre de Dios (Campo)	X 45	Sagunto	V 59
Camino de los Sastres	X 13	María (Corazón de)	V 47	San Antón (Campo)	V 61
Granada (Av. de)	X 35	Marrubial (R. del)	V 48	San Rafael (Puente de)	X 62
Gran Vía Parque	X 36	Mártires (R. de los)	X 49	Vista Alegre (Pl. de)	X 72
		Medina Azahara (Av.)	V 51	28 de Febrero (Av.)	V 74

Meliá Córdoba, jardines de la Victoria, ✉ 14004, ☎ (957) 29 80 66, *Fax (957) 29 81 47*, – 25/500 — AZ p
142 hab, 5 suites.

NH Amistad Córdoba, pl. de Maimónides 3, ✉ 14004, ☎ (957) 42 03 35, *Fax (957) 42 03 65*, « Junto a la muralla árabe. Patio mudéjar » – – 25/50. AE VISA JCB. — AZ v
Comida carta 3500 a 4200 – 1200 – **69 hab** 12300/15000.

Alfaros, Alfaros 18, ✉ 14001, ☎ (957) 49 19 20, *Fax (957) 49 22 10*, – – 25/300. AE VISA JCB. — BY s
Comida 2000 - ***Alarifes*** : **Comida** carta 3000 a 4700 – 1100 – **131 hab** 12200/15300, 2 suites – PA 5100.

Hesperia Córdoba, av. de la Confederación, ✉ 14009, ☎ (957) 42 10 42, *Fax (957) 29 99 97*, – – 25/150. AE VISA. — BZ b
Comida 2400 – 1000 – **108 hab** 12200/16200, 2 suites.

CÓRDOBA

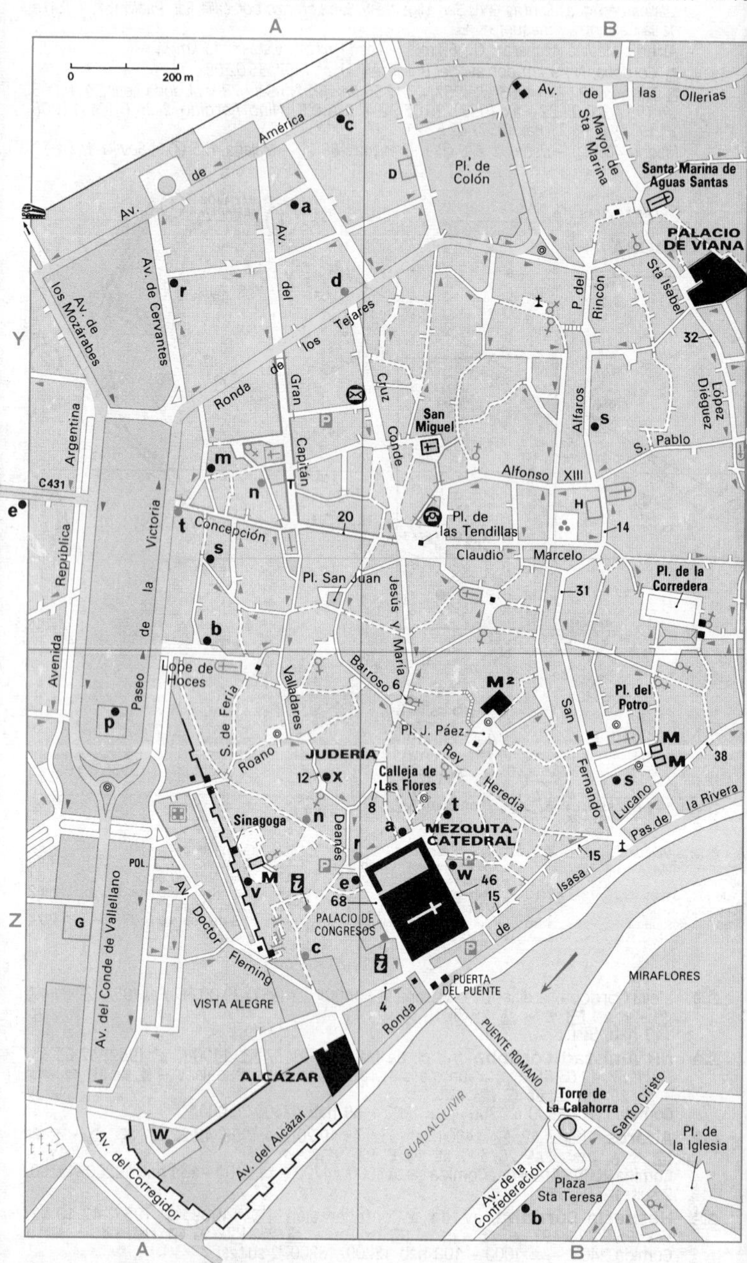

A
B
Y
Z
0
200 m
Av. de América
Av. de las Ollerias
Mayor de Sta Marina
Santa Marina de Aguas Santas
PALACIO DE VIANA
Pl. de Colón
D
c
a
d
r
Av. del Gran Capitán
Av. de los Mozárabes
Av. de Cervantes
Ronda de los Tejares
Cruz Conde
P. del Rincón
Sta Isabel
32
López Diéguez
Alfaros
s
S. Pablo
San Miguel
Alfonso XIII
Argentina
C431
e
m
n
T
20
Concepción
t
Pl. de las Tendillas
H
14
Claudio Marcelo
Paseo de la Victoria
República
Avenida
Pl. San Juan
Jesús y María
31
Pl. de la Corredera
b
Lope de Hoces
Barroso
6
M²
Valladares
S. de Feria
Pl. J. Páez
San Fernando
Pl. del Potro
M
38
p
Roano
JUDERÍA
12
x
Rey Heredia
Calleja de Las Flores
s
Lucano
la Rivera
8
t
Sinagoga
n
Deanes
a
MEZQUITA-CATEDRAL
Pas. de
15
POL.
r
P
w
46
15
Isasa
M
v
e
68
PALACIO DE CONGRESOS
de
Av. Doctor Fleming
G
Av. del Conde de Vallellano
c
VISTA ALEGRE
PUERTA DEL PUENTE
4
Ronda
MIRAFLORES
PUENTE ROMANO
ALCÁZAR
GUADALQUIVIR
Torre de La Calahorra
Santo Cristo
w
Av. del Alcázar
Pl. de la Iglesia
Av. del Corregidor
Av. de la Confederación
Plaza Sta Teresa
b

El Conquistador sin rest, Magistral González Francés 15, ✉ 14003, ☎ (957) 48 11 02, *Fax (957) 47 46 77* – ▮ ▤ TV ☎ – 25/100. AE ⓓ E VISA JCB. BZ w
☕ 1000 – **101 hab** 11000/15500.

Tryp Gran Capitán, av. de América 5, ✉ 14008, ☎ (957) 47 02 50, *Fax (957) 47 46 43,* – ▮ ▤ TV ☎ – 25/300. AE ⓓ E VISA JCB. rest AY c
Comida carta aprox. 3400 – ☕ 950 – **97 hab** 14250/17850, 3 suites.

Sol Inn Gallos sin rest. con cafetería, av. Medina Azahara 7, ✉ 14005, ☎ (957) 23 55 00, *Fax (957) 23 16 36,* – ▮ ▤ TV ☎. AE ⓓ E VISA. AY e
☕ 890 – **115 hab** 8500/10650.

Maimónides sin rest, Torrijos 4, ✉ 14003, ☎ (957) 47 15 00, *Fax (957) 48 38 03* – ▮ ▤ TV ☎. AE ⓓ E VISA JCB. ABZ e
☕ 950 – **82 hab** 9200/15300.

El Califa sin rest. con cafetería, Lope de Hoces 14, ✉ 14003, ☎ (957) 29 94 00, *Fax (957) 29 57 16* – ▮ ▤ TV ☎ – 25/70. AE E VISA JCB AYZ b
64 hab ☕ 9630/12950, 2 suites.

Averroes, Campo Madre de Dios 38, ✉ 14002, ☎ (957) 43 59 78, *Fax (957) 43 59 81* – ▮ ▤ TV ☎ – 25/250 – **52 hab.** X c

Selu sin rest, Eduardo Dato 7, ✉ 14003, ☎ (957) 47 65 00, *Fax (957) 47 83 76* – ▮ ▤ TV ☎. AE ⓓ E VISA JCB AY s
☕ 920 – **111 hab** 8036/11745.

Cisne sin rest. con cafetería, av. Cervantes 14, ✉ 14008, ☎ (957) 48 16 76, *Fax (957) 49 05 13* – ▮ ▤ TV ☎ – 25/70. E VISA AY r
☕ 250 – **44 hab** 5000/7500.

Los Omeyas sin rest, Encarnación 17, ✉ 14003, ☎ (957) 49 22 67, *Fax (957) 49 16 59* – ▮ ▤ TV ☎. AE ⓓ E VISA JCB. BZ t
☕ 500 – **27 hab** 4500/7500.

Serrano sin rest, Pérez Galdós 6, ✉ 14001, ☎ (957) 47 01 42, *Fax (957) 48 65 13* – ▮ ▤ TV ☎. AE ⓓ E VISA JCB. AY a
☕ 400 – **64 hab** 4400/7600.

Albucasis sin rest, Buen Pastor 11, ✉ 14003, ☎ (957) 47 86 25, *Fax (957) 47 86 25* – ▮ ▤ ☎. E VISA. AZ x
cerrado 8 enero-8 febrero – ☕ 850 – **15 hab** 6300/9500.

Maestre sin rest y sin ☕, Romero Barros 4, ✉ 14003, ☎ (957) 47 24 10, *Fax (957) 47 53 95* – ▮ ▤ TV ☎. AE ⓓ E VISA JCB. BZ s
26 hab 3700/6200.

Marisa sin rest, Cardenal Herrero 6, ✉ 14003, ☎ (957) 47 31 42, *Fax (957) 47 41 44* – ▤ ☎. AE ⓓ E VISA JCB BZ a
☕ 500 – **28 hab** 4400/8200.

Riviera sin rest y sin ☕, pl. Aladreros 5, ✉ 14008, ☎ (957) 47 30 00, *Fax (957) 47 60 18* – ▮ ▤ TV ☎ – 25/50. AE ⓓ. AY m
29 hab 3700/6500.

El Blasón, José Zorrilla 11, ✉ 14008, ☎ (957) 48 06 25, *Fax (957) 47 47 42* – ▤. AE ⓓ E VISA JCB. AY n
Comida carta 3400 a 4350.

El Caballo Rojo, Cardenal Herrero 28, ✉ 14003, ☎ (957) 47 53 75, *Fax (957) 47 47 42* – ▤. AE ⓓ E VISA JCB. ABZ r
Comida carta 3950 a 4750.

Almudaina, jardines de los Santos Mártires 1, ✉ 14004, ☎ (957) 47 43 42, *Fax (957) 48 34 94,* « Conjunto de estilo regional con patio cubierto » – ▤. AZ c
Comida carta aprox. 4950.

Ciro's, paseo de la Victoria 19, ✉ 14004, ☎ (957) 29 04 64, *Fax (957) 29 30 22* – ▤. AE ⓓ E VISA. AY t
cerrado domingo en agosto – **Comida** carta 3900 a 4400.

El Churrasco, Romero 16, ✉ 14003, ☎ (957) 29 08 19, *Fax (957) 29 40 81,* , « Patio y bodega » – ▤ AZ n

Astoria-Casa Matías, El Nogal 16, ✉ 14006, ☎ (957) 27 76 53 – ▤. AE ⓓ E VISA. V a
Comida carta aprox. 4800.

Pic-Nic, ronda de los Tejares 16, ✉ 14008, ☎ (957) 48 22 33 – ▤. AE E VISA AY d
cerrado domingo, lunes noche y agosto – **Comida** carta 3350 a 4400.

Costa Sur, Huelva 17, ✉ 14013, ☎ (957) 29 03 74 – ▤. AE ⓓ E VISA. X b
cerrado domingo noche – **Comida** carta 3150 a 4100.

El Novillo Precoz, Caballerizas Reales 10, ✉ 14004, ☎ (957) 20 18 28 – ▤. AE ⓓ E VISA. AZ w
cerrado lunes y agosto – **Comida** - carnes a la brasa - carta aprox. 3550.

por la av. del Brillante V – ✉ *14012 Córdoba* :

Parador de Córdoba, av. de la Arruzafa ☎ (957) 27 59 00, *Fax (957) 28 04 09*, ←, « Amplia terraza y jardín con », – – 25/200. VISA JCB.
Comida 3200 – 1300 – **90 hab** 14000/17500, 4 suites – PA 6375.

Occidental Córdoba, Poeta Alonso Bonilla 7 - N : 4,5 km ☎ (957) 40 04 40 *Fax (957) 40 04 39*, , « Amplias zonas ajardinadas con », – – 25/500. VISA.
Comida (ver también rest. ***Florencia***) 2900 – 1250 – **156 hab** 13600/17000, 1 suite – PA 7050.

Las Adelfas, av. de la Arruzafa - N : 3,5 km ☎ (957) 27 74 20, *Fax (957) 27 27 94*, , , – – 25/300. VISA.
Comida 2500 – 1150 – **99 hab** 12500/15400.

Los Abetos del Maestre Escuela, prolongación av. San José de Calasanz - N : 6 km ☎ (957) 28 21 05, *Fax (957) 28 21 75*, « Terraza con palmeras », , , , – – 25/80. VISA. rest
Comida 2000 – 650 – **36 hab** 8700/11300 – PA 4000.

Florencia, Poeta Alonso Bonilla 7 - N : 4,5 km ☎ (957) 40 04 40, *Fax (957) 40 04 39* – . VISA.
cerrado 15 junio-15 septiembre – **Comida** carta 3050 a 4700.

CORIA *10800 Cáceres* 444 **M 10** – *11 260 h. alt. 263.*
Ver : *Catedral★.*
Madrid 321 – Cáceres 69 – Salamanca 174.

CORINTO (Playa de) *Valencia – ver Sagunto.*

CORNELLÀ DE TERRI *17844 Gerona* 443 **F 38** – *1 785 h. alt. 96.*
Madrid 709 – Figueras/Figueres 41 – Gerona/Girona 15.

Can Xapes, Mossèn Jacinto Verdaguer 5 ☎ (972) 59 40 22 – . VISA.
cerrado lunes, festivos y del 1 al 20 de agosto – **Comida** carta aprox. 4500.

CORNELLANA *33850 Asturias* 441 **B 11** – *alt. 50.*
Madrid 473 – Oviedo 38.

La Fuente, carret. N 634 ☎ (98) 583 40 42, *Fax (98) 583 40 02*, , – . VISA. rest
Comida *(cerrado miércoles)* 1200 – 600 – **16 hab** 4000/6000 – PA 2800.

CORNISA CANTÁBRICA ★★ *Vizcaya y Guipúzcoa* 442 **B 22.**

CORRALEJO *Las Palmas – ver Canarias (Fuerteventura).*

CORRÓ D'AMUNT *Barcelona – ver Granollers.*

CORTADURA (Playa de) *Cádiz – ver Cádiz.*

La CORUÑA o A CORUÑA *15000* P 441 **B 4** – *252 694 h. – Playa.*
Ver : *Avenida de la Marina★* ABY.
Alred. : *Cambre (Iglesia de Santa María★) 11 km por ②.*
La Coruña, por ② : 7 km ☎ (981) 28 52 00 Fax (981) 28 03 32.
de La Coruña-Alvedro por ② : 10 km ☎ (981) 18 72 00 Fax (981) 18 72 39 – Iberia : Teresa Herrera 1 ☎ (981) 22 58 56, y Aviaco : aeropuerto Alvedro ☎ (981) 18 72 54.
☎ (981) 23 82 76.
Dársena de la Marina ✉ 15001 ☎ (981) 22 18 22 – **R.A.C.E.** *pl. de Pontevedra 12-1º E ✉ 15003 ☎ (981) 22 18 30 Fax (981) 22 03 22.*
Madrid 603 ② – Bilbao/Bilbo 622 ② – Porto 305 ② – Sevilla 950 ② – Vigo 156 ②

Plano página siguiente

Tryp María Pita, av. Pedro Barrié de la Maza 1, ✉ 15003, ☎ (981) 20 50 00, *Fax (981) 20 55 65*, ← playa, mar y ciudad – – 25/400. VISA. AY a
Trueiro : **Comida** carta 3450 a 4300 – 1210 – **164 hab** 13900/17500, 17 suites.

A CORUÑA
LA CORUÑA

Cantón Grande . . . . AZ 7
Cantón Pequeño . . . . AZ 8
Real . . . . AY
San Andrés . . . . AYZ

Alcade Alfonso Molina (Av. del) X 2
Arteijo (Av. de) . . . . VX 3
Buenos Aires (Av. de) . . . . . . V 4
Circunvalación (Carret. de) . . . V 9
Compostela . . . . AZ 13
Damas . . . . BY 14
Ejército (Av. del) . . . . X 15
Ferrol . . . . AZ 18
Finisterre (Av. de) . . . . AZ 19
Gómez Zamalloa . . . . AZ 20
Gran Canaria (Av. de) . . . . . . V 22
Herrerías . . . . BY 23
Juan Canalejo . . . . AY 24
Juana de Vega (Av.) . . . . AZ 26
Maestranza . . . . BY 27
María Pita (Pl. de) . . . . BY 28
Marqués de Figueroa . . . . . . X 31
Padre Feijóo . . . . AZ 32
Payo Gómez . . . . AZ 36
Picavia . . . . AZ 37
Pontevedra (Pl. de) . . . . AZ 40
Puente del Pasaje (Carret. del) . X 41
Riego del Aqua . . . . BY 42
Rubine (Av. de) . . . . AZ 45
San Agustín . . . . BY 46
San Agustín (Cuesta de) . . . . BY 47
Sánchez Bregua . . . . AZ 50
Santa María . . . . BY 51
Santa Catalina . . . . AZ 52
Teresa Herrera . . . . AZ 55
Torre . . . . V 56

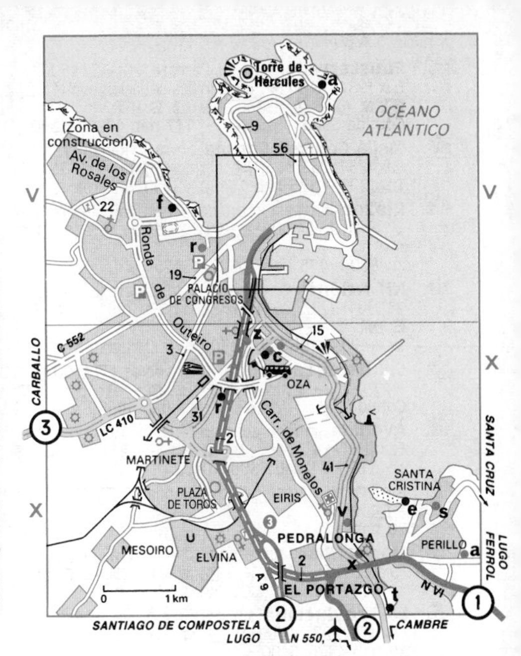

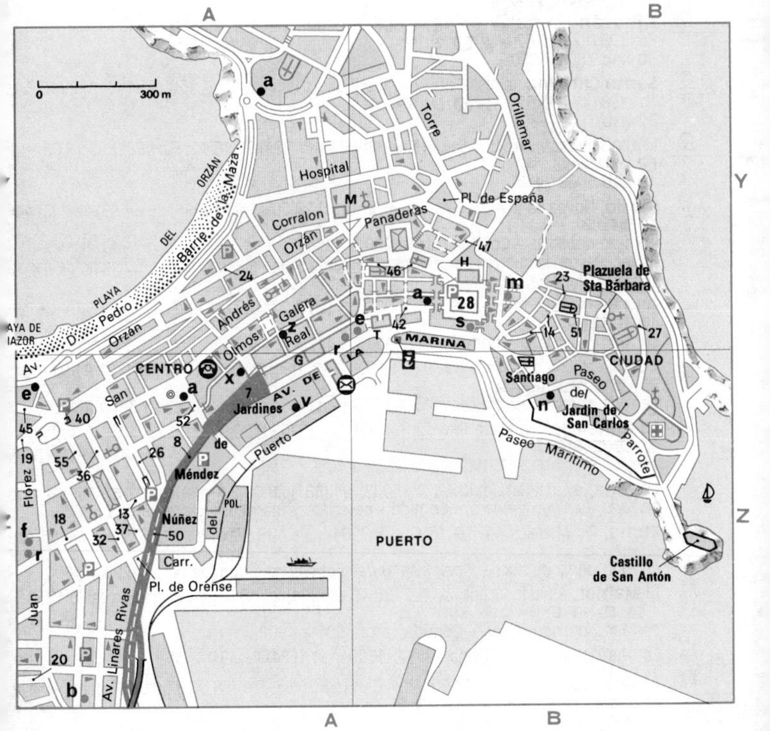

Finisterre, paseo del Parrote 20, ✉ 15001, ☎ (981) 20 54 00, Telex 86086, *Fax (981) 20 84 62*, « Magnífica situación con ≤ », Ⅰ̈, climatizada, – |‡|, ▤ rest, TV ☎ P – 25/600. AE ⓓ E VISA. BZ n
Comida 3900 – 1450 – **117 hab** 14900/18600, 10 suites – PA 7900.

Meliá Confort Coruña sin rest, Ramón y Cajal 53, ✉ 15006, ☎ (981) 24 27 11, *Fax (981) 23 67 28*, – |‡| ▤ TV ☎ – 25/175. AE ⓓ E VISA. X c
1200 – **175 hab** 15180/18700, 6 suites.

Riazor sin rest. con cafetería, av. Pedro Barrié de la Maza 29, ✉ 15004, ☎ (981) 25 34 00, *Fax (981) 25 34 04*, ≤ – |‡| TV ☎ – 25/200. AE ⓓ E VISA. AZ e
800 – **175 hab** 10500/13125.

NH Atlántico sin rest. con cafetería, jardines de Méndez Núñez, ✉ 15006, ☎ (981) 22 65 00, Telex 86034, *Fax (981) 20 10 71* – |‡| ▤ TV ☎ – 25/100. AE ⓓ E VISA. AZ v
1300 – **198 hab** 13500/17000, 1 suite.

Ciudad de La Coruña, Adormideras, ✉ 15002, ☎ (981) 21 11 00, *Fax (981) 22 46 10*, ≤, – |‡|, ▤ rest, TV ☎ P – 25/160. AE ⓓ E VISA. V a
Comida 2750 – 890 – **122 hab** 10500/12600, 9 suites – PA 5550.

Avenida sin rest. con cafetería, av. Alfonso Molina 30, ✉ 15008, ☎ (981) 24 94 66, *Fax (981) 24 94 66* – TV ☎ – 25/30. E VISA. X r
640 – **71 hab** 6300/10000.

Almirante sin rest, paseo de Ronda 54, ✉ 15011, ☎ (981) 25 96 00, *Fax (981) 25 96 08* – TV ☎ V f
20 hab.

Mar del Plata sin rest. con cafetería, paseo de Ronda 58, ✉ 15011, ☎ (981) 25 79 62, *Fax (981) 25 79 99*, ≤ – TV ☎. AE ⓓ E VISA. V f
425 – **27 hab** 5000/5700.

La Provinciana sin rest y sin, Nueva 9-2º, ✉ 15003, ☎ (981) 22 04 00, *Fax (981) 22 04 40* – |‡| TV ☎ AZ x
19 hab 4400/6400.

Alborán sin rest y sin, Riego de Agua 14, ✉ 15001, ☎ (981) 22 25 62, *Fax (981) 22 25 62* – |‡| TV ☎. BY a
30 hab 3800/6000.

Santa Catalina sin rest y sin, travesía Santa Catalina 1, ✉ 15003, ☎ (981) 22 67 04, *Fax (981) 22 85 09* – |‡| TV ☎. VISA. AZ a
32 hab 3800/5800.

Mara sin rest y sin, Galera 49, ✉ 15001, ☎ (981) 22 18 02, *Fax (981) 22 18 02* – |‡| TV ☎. AE VISA. AY z
19 hab 5000/5800.

Pardo, Novoa Santos 15, ✉ 15006, ☎ (981) 28 00 21, *Fax (981) 29 61 56* – ▤. AE ⓓ E VISA. X c
cerrado domingo – **Comida** carta 3900 a 4850
Espec. Pastel de puerros con cigalas. Calamares de la ría encebollados. Bizcocho de cacao con armadura de chocolate.

A la Brasa, Juan Florez 38, ✉ 15004, ☎ (981) 27 07 27, *Fax (981) 26 54 57* – ▤. AE ⓓ E VISA. AZ f
cerrado Navidades – **Comida** carta 3215 a 4175.

Coral, callejón de la Estacada 9, ✉ 15001, ☎ (981) 20 05 69, *Fax (981) 22 91 04* – ▤. AE ⓓ E VISA JCB. AY r
cerrado domingo noche salvo 15 julio-15 septiembre – **Comida** carta 3400 a 4400.

La Penela, pl. de María Pita 12, ✉ 15001, ☎ (981) 20 92 00 ▤. AE E VISA. BY s
cerrado domingo – **Comida** carta 2500 a 4050.

La Viña, av. del Pasaje 123, ✉ 15006, ☎ (981) 28 08 54 – ▤ P. AE E VISA. X x
cerrado domingo y enero – **Comida** - pescados y mariscos - carta 2950 a 3800.

Eume, Río Monelos 44, ✉ 15006, ☎ (981) 13 67 08, *Fax (981) 13 67 08* – ▤. AE ⓓ E VISA. X c
cerrado domingo noche y del 1 al 16 de septiembre – **Comida** carta 3200 a 4600.

El Manjar, Alfredo Vicenti 29, ✉ 15004, ☎ (981) 25 18 85, « Decoración estilo 1930 » – ▤. AE ⓓ E VISA JCB. V r
cerrado domingo noche – **Comida** carta 3300 a 4900.

La Marina, av. de La Marina 14, ✉ 15001, ☎ (981) 22 39 14, BY e

Alba, av. del Pasaje 63, ✉ 15006, ☎ (981) 28 33 87, *Fax (981) 28 52 20*, ≤ bahía y playa de Santa Cristina – ▤ P. AE ⓓ E. X v
Comida carta 2975 a 3825.

XX La lebolina, Capitán Troncoso 18, ✉ 15001, ☎ (981) 20 50 44 – ▤ BY m

X **O Alpendre,** Emilia Pardo Bazán 21, ✉ 15005, ☎ (981) 23 72 83 – ▤. AE ⓓ E VISA. AZ b
cerrado domingo – **Comida** carta 2600 a 4150.

X Manolito, Fernández Latorre 116, ✉ 15006, ☎ (981) 23 01 02, *Fax (981) 23 01 02* – ▤ X c

X Mundo, Cabo Santiago Gómez 8, ✉ 15004, ☎ (981) 14 08 84 – ▤ AZ r

X Manolito, Ramón y Cajal 45, ✉ 15006, ☎ (981) 28 20 62 – ▤ X z

en Culleredo *SE : 5 km – ✉ 15174 Culleredo :*

Crunia, av. Fonteculler 58 ☎ (981) 65 00 88, *Fax (981) 65 00 89,* – ▤ TV ☎ – 25/200. AE E VISA. X t
Comida 2500 – ☕ 700 – **27 hab** 8500/12000.

en Perillo *SE : 6 km – ✉ 15172 Perillo :*

Rías Altas, av. de las Américas 57 ☎ (981) 63 53 00, *Fax (981) 63 61 09,* ≤ bahía, – ▤ TV ☎ – 25/80. AE ⓓ E VISA X e
Comida 2600 – ☕ 975 – **103 hab** 10800/13500 – PA 5250.

XX **El Madrileño,** av. de las Américas 17 ☎ (981) 63 50 78, *Fax (981) 63 50 78,* ≤, – ▤. AE ⓓ E VISA. X s
cerrado del 21 al 30 de septiembre – **Comida** carta aprox. 3900.

X **Orlinda,** carret. de Santa Cruz 73 ☎ (981) 63 50 72, ≤ – VISA. X a
cerrado domingo noche y lunes noche – **Comida** carta 3100 a 4600.

COSGAYA *39539 Cantabria* 442 C 15 – *86 h. alt. 530.*
Madrid 413 – Palencia 187 – Santander 129.

Del Oso, ☎ (942) 73 30 18, *Fax (942) 73 30 36,* – TV ☎ . ⓓ E VISA.
cerrado 7 enero-15 febrero – **Comida** 2700 – ☕ 575 – **51 hab** 6600/8200.

COSLADA *28820 Madrid* 444 L 20 – *73 844 h. alt. 621.*
Madrid 13 – Guadalajara 43.

X **La Ciaboga,** av. Plantío 5 ☎ (91) 673 59 18 – ▤. AE ⓓ E VISA.
cerrado domingo y agosto – **Comida** carta 3400 a 4500.

en el barrio de la estación *NE : 4,5 km – ✉ 28820 Coslada :*

X **La Fragata,** av. San Pablo 14 ☎ (91) 673 38 02 – ▤. AE ⓓ E VISA JCB.
cerrado domingo y 20 días en agosto – **Comida** carta 3500 a 4360.

Neumáticos MICHELIN S.A., Sucursal av. José Gárate 7 y 9, ✉ 28820 ☎ 902 23 88 35, Fax 902 23 90 62

COSTA – *ver a continuación y nombre propio de la costa (Costa Calma, ver Canarias).*

COSTA BLANCA *Alicante y Murcia* 445 P 29-30, Q 29-30.
Ver : *Recorrido*★.

COSTA BRAVA *Gerona* 443 E 39, F 39, G 38 y 39.
Ver : *Recorrido*★★★.

COSTA CALMA *Las Palmas – ver Canarias (Fuerteventura).*

COSTA DE CANTABRIA 442 B 16 al 20.
Ver : *Recorrido*★.

COSTA DE LA LUZ *Huelva y Cádiz* 446 U 7 al 10, V 10, W 10-11, X 11 al 13.

COSTA DE LOS PINOS *Baleares – ver Baleares (Mallorca) : Son Servera.*

COSTA DEL AZAHAR *Castellón y Valencia* 445 K 29 al 32 P 29 al 32.

LA COSTA DEL MONTSENY *08470 Barcelona* 443 G 37.
Madrid 639 – Barcelona 54 – Gerona/Girona 65 – Vic 62.

De la Costa, ☎ (93) 847 50 50, ≤ sierra del Montseny
VISA.
cerrado jueves y septiembre – Comida carta aprox. 3800.

COSTA DEL SOL *Málaga, Granada y Almería* 446 V 16 al 22, W 14 al 16.
Ver : *Recorrido*★.

COSTA DORADA *Tarragona y Barcelona* 443 H 32 al 38 J 32 al 38.

COSTA TEGUISE *Las Palmas – ver Canarias (Lanzarote).*

COSTA VASCA *Guipúzcoa y Vizcaya* 442 B 21 al 24, C 21 al 24.
Ver : *Recorrido*★★.

COSTA VERDE *Asturias* 441 B 8 al 15.
Ver : *Recorrido*★★★.

COVADONGA *33589 Asturias* 441 B 14 – *alt. 260.*
Ver : *Emplazamiento*★★ – *Museo (corona*★*).*
Alred. : *Mirador de la Reina* ≤★★ *SE : 8 km – Lagos de Enol y de la Ercina*★ *SE : 12,5 km.*
pl. la Basílica ☎ (98) 584 60 35.
Madrid 429 – Oviedo 84 – Palencia 203 – Santander 157.

Pelayo, ☎ (98) 584 60 61, *Fax (98) 584 60 54*, ≤ – TV ☎ P – 25/150. AE
E VISA.
cerrado 15 diciembre-enero – **Comida** 2000 – 750 – **43 hab** 7000/13000 – PA 4000.

Auseva sin rest, El Repelao ☎ (98) 584 60 23, *Fax (98) 584 61 07* – TV ☎. AE E VISA.
marzo-noviembre – 700 – **12 hab** 7000/8800.

Peñalba, La Riera ☎ (98) 584 61 00, *Fax (98) 584 61 00* – P. AE VISA.
Comida 1500 – 550 – **8 hab** 7000 – PA 3550.

Hospedería del Peregrino, ☎ (98) 584 60 47, *Fax (98) 584 60 51* – P. AE E VISA.
Comida carta 3300 a 3900.

COVALEDA *42157 Soria* 442 G 21 – *2 079 h. alt. 1 214.*
Madrid 233 – Burgos 96 – Soria 50.

Pinares de Urbión, Numancia 4 ☎ (975) 37 05 33, *Fax (975) 37 05 33*, – TV ☎
P – 25/105. AE E VISA.
cerrado 24 diciembre-2 enero – **Comida** 1350 – 700 – **56 hab** 5500/9000 – PA 3400.

COVARRUBIAS *09346 Burgos* 442 F 19 – *629 h. alt. 840.*
Ver : *Colegiata*★ - *Museo (tríptico*★*).*
Excurs. : *Quintanilla de las Viñas : Iglesia*★ *NE : 24 km.*
Madrid 228 – Burgos 39 – Palencia 94 – Soria 117.

Arlanza, Mayor 11 ☎ (947) 40 64 41, *Fax (947) 40 63 59*, « Estilo castellano » –
☎. AE E VISA. rest
marzo-noviembre – **Comida** 1950 – 650 – **40 hab** 5800/9600.

De Galo, Monseñor Vargas 10 ☎ (947) 40 63 93, « En una antigua cuadra » – . AE
E VISA.
cerrado miércoles y febrero – Comida - sólo almuerzo de lunes a jueves del 15 diciembre-15 marzo - carta 1950 a 3300.

COVAS *27868 Lugo* 441 B 7.
Madrid 604 – La Coruña/A Coruña 117 – Lugo 90 – Vivero/Viveiro 2.

Las Sirenas, carret. C 642 - N : 1 km ☎ (982) 56 02 00, *Fax (982) 55 12 67* – TV ☎
P. AE E VISA.
Comida - solo verano - 1900 – 800 – **30 hab** 10000/12000, 36 apartamentos.

Dolusa sin rest, av. Pérez Labarza 14 ☎ (982) 56 08 66 – TV ☎. E VISA.
300 – **15 hab** 4000/6000.

Los CRISTIANOS *Santa Cruz de Tenerife – ver Canarias (Tenerife).*

EL CRUCERO *Asturias – ver Tineo.*

CRUZ DE TEJEDA *Las Palmas – ver Canarias (Gran Canaria).*

CUACOS DE YUSTE *10430 Cáceres* 444 **L 12** *– 930 h. alt. 520.*

Madrid 223 – Ávila 153 – Cáceres 130 – Plasencia 45.

Moregón, av. de la Constitución 77 ☎ (927) 17 21 81, *Fax (927) 17 22 68* – ▤ TV ☎. AE E VISA. ✻
Comida 1000 – ☕ 300 – **16 hab** 3500/6000 – PA 2100.

CUBELLAS o CUBELLES *08880 Barcelona* 443 **I 35** *– 3 137 h. – Playa.*

passeig Narcís Bardají 12 ☎ (93) 895 25 00.

Madrid 584 – Barcelona 54 – Lérida/Lleida 127 – Tarragona 41.

XXX **Llicorella** con hab, San Antonio 101 (carret. C 246) ☎ (93) 895 00 44, *Fax (93) 895 24 17*, « Jardín con esculturas contemporáneas », – ▤ hab, TV ☎ P – 25/50. AE ⓓ E VISA. ✻ rest
Comida *(cerrado domingo noche y lunes salvo julio y agosto)* carta aprox. 6300 – ☕ 1100 – **15 hab** 10000/13000.

CUDILLERO *33150 Asturias* 441 **B 11** *– 6 538 h.*

Ver : *Muelle : ≤★.*

Alred. : *Ermita del Espiritu Santo (≤★) E : 7 km – Cabo Vidio★★ (≤★★) NO : 14 km.*

Madrid 505 – Gijón 54 – Luarca 53 – Oviedo 61.

al Oeste :

X **Mariño** con hab, Concha de Artedo : 5 km, ✉ 33155 Concha de Artedo, ☎ (98) 559 11 88, *Fax (98) 559 01 86*, ≤, – TV ☎ P. AE ⓓ E VISA. ✻
cerrado febrero – **Comida** carta 3000 a 5000 – ☕ 500 – **12 hab** 4000/7000.

X **Casa Fernando 2** con hab, El Rellayo - carret. N 632 : 4 km, ✉ 33155 El Rellayo, ☎ (98) 559 02 92, *Fax (98) 559 13 82* – TV ☎ P. AE E VISA. ✻
cerrado 20 diciembre-20 enero – **Comida** carta 3050 a 4650 – ☕ 500 – **8 hab** 6500/8500.

CUÉLLAR *40200 Segovia* 442 **I 16** *– 9 071 h. alt. 857.*

Madrid 147 – Aranda de Duero 67 – Salamanca 138 – Segovia 60 – Valladolid 50.

San Francisco, San Francisco 25 ☎ (921) 14 00 09, *Fax (921) 14 32 43*, – ▤ rest, TV ☎. AE ⓓ E VISA. ✻ rest
Comida 1175 – ☕ 350 – **28 hab** 3820/6370.

en la carretera CL 601 *S : 3,5 km – ✉ 40200 Cuéllar :*

XX **Florida,** ☎ (921) 14 02 75, – ▤ P. E VISA. ✻
cerrado martes noche (salvo mayo-septiembre) y 15 días en noviembre – **Comida** carta 2375 a 4100.

CUENCA *16000* P 444 **L 23** *– 46 047 h. alt. 923.*

Ver : *Emplazamiento★★ – Ciudad Antigua★★ Y : Catedral (portada de la sala capitular★, Museo Diocesano★ : díptico bizantino★* **M1)** *– Casas Colgadas★ : Museo de Arte Abstracto Español★★ - Museo de Cuenca★* **M2** *– Plaza de las Angustias★* **15** *– Puente de San Pablo ≤★* **68.**

Alred. : *Hoz del Huécar : ≤★ Y – Las Torcas★ 20 km por ① – Ciudad Encantada★ NO : 25 km Y.*

Villar de Olalla por ② : 10,5 km ☎ (969) 26 71 98.

pl. Mayor 1 ✉ 16001 ☎ (969) 23 21 19 Fax (969) 23 53 56 – **R.A.C.E.** *Teniente González 2 ☎ (969) 21 14 95 Fax (969) 21 14 95.*

Madrid 164 ③ – Albacete 145 ① – Toledo 185 ③ – Valencia 209 ① – Zaragoza 336 ①

Plano página siguiente

Parador de Cuenca , paseo del Huécar, ✉ 16001, ☎ (969) 23 23 20, *Fax (969) 23 25 34*, « Antiguo convento junto a la Hoz del Huécar con ≤ », – ▤ TV ☎ P – 25/150. AE ⓓ E VISA. ✻ Y f
Comida 3500 – ☕ 1200 – **61 hab** 14000/18500, 2 suites – PA 6970.

NH Ciudad de Cuenca, Ronda de San José 1, ✉ 16004, ☎ (969) 23 05 02, *Fax (969) 23 05 03* – ▤ TV ☎ P – 25/300. AE ⓓ VISA. ✻ por ①
Comida 1750 – ☕ 1000 – **74 hab** 8500 – PA 4300.

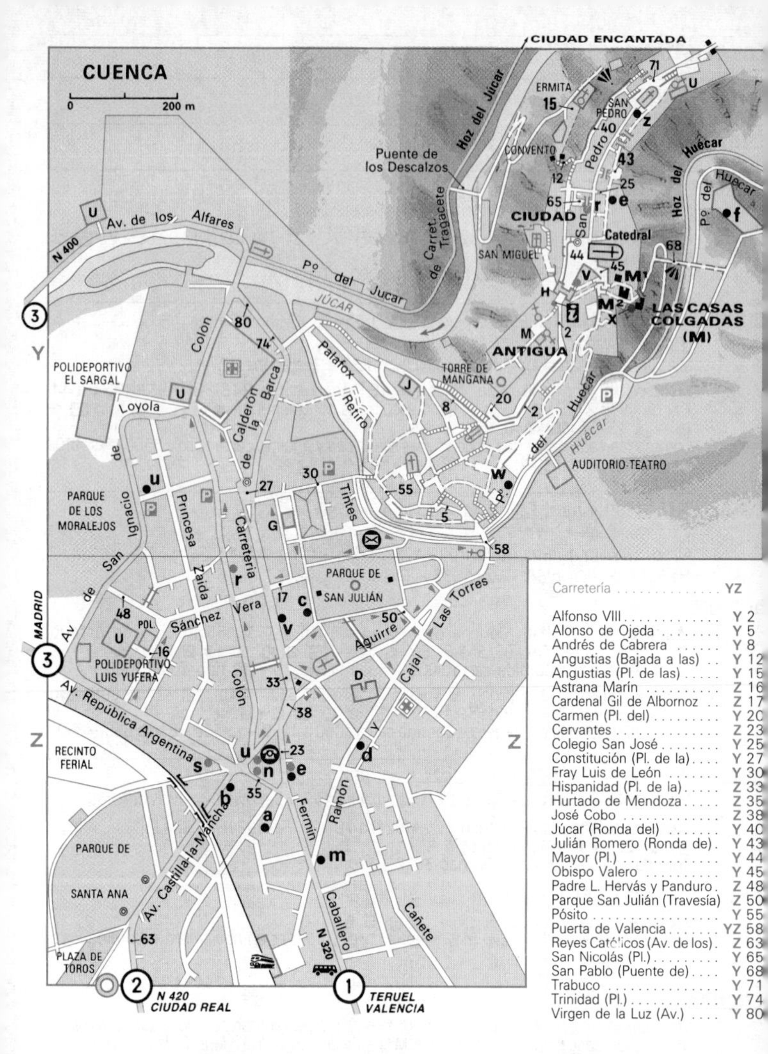

Torremangana, San Ignacio de Loyola 9, ✉ 16002, ✆ (969) 22 33 51, *Fax (969) 22 96 71* – 🛗 ▤ TV ☎ 🚗 – 25/500. AE ⦿ E VISA. ✂ rest Y u
La Cocina : **Comida** carta 2700 a 4800 – ☕ 1250 – **120 hab** 10500/13500.

Leonor de Aquitania sin rest, San Pedro 60, ✉ 16001, ✆ (969) 23 10 00, *Fax (969) 23 10 04*, ⋞ – 🛗 TV ☎ – 25/100 Y z
49 hab.

Alfonso VIII, parque San Julián 3, ✉ 16002, ✆ (969) 21 25 12, *Fax (969) 21 43 25* – 🛗, ▤ rest, TV ☎ – 60/500. AE E VISA Z c
Comida 1600 – ☕ 600 – **44 hab** 6600/10000, 4 suites, 6 apartamentos.

Francabel sin rest, av. Castilla-La Mancha 7, ✉ 16003, ✆ (969) 22 62 22, *Fax (969) 22 62 22* – 🛗 TV ☎ 🚗. E VISA JCB. ✂ Z b
☕ 500 – **30 hab** 4000/6000.

Cortés sin rest, Ramón y Cajal 49, ✉ 16004, ✆ (969) 22 04 00, *Fax (969) 22 04 06* – 🛗 TV ☎ 🚗. VISA. ✂ Z m
☕ 250 – **44 hab** 3200/5200.

Figón de Pedro, Cervantes 13, ✉ 16004, ☎ (969) 22 45 11, *Fax (969) 23 11 92* – TV ☎. AE ⓓ E VISA. ✗ Z e
Comida (ver rest. ***Figón de Pedro***) – ☕ 500 – **28 hab** 3800/5800.

Arévalo sin rest, Ramón y Cajal 29, ✉ 16001, ☎ (969) 22 39 79 – TV ☎. AE VISA. ✗ Z d
☕ 440 – **35 hab** 4070/6100.

Avenida sin rest, Carretería 39-1º, ✉ 16002, ☎ (969) 21 43 43, *Fax (969) 21 23 35* – TV ☎. AE VISA Z v
☕ 250 – **32 hab** 3200/4500.

Posada Huécar sin rest y sin ☕, paseo del Huécar 5, ✉ 16001, ☎ (969) 21 42 01, *Fax (969) 21 42 01* – ✗ Y w
12 hab 3000/5000.

Posada de San José sin rest, Julián Romero 4, ✉ 16001, ☎ (969) 21 13 00, *Fax (969) 23 03 65*, ≤, « Decoración rústica » – AE ⓓ E VISA Y e
☕ 500 – **29 hab** 5000/9000.

Castilla sin rest y sin ☕, Diego Jiménez 4-1º, ✉ 16004, ☎ (969) 22 53 57 – TV ☎. AE ⓓ E VISA. ✗ Z a
15 hab 3600/5150.

Mesón Casas Colgadas, Canónigos, ✉ 16001, ☎ (969) 22 35 09, *Fax (969) 23 11 92*, « Instalado en una de las casas colgadas con ≤ valle del río Huécar » – ▤. AE ⓓ E VISA. ✗
cerrado martes noche – **Comida** carta 3050 a 4500. Y x

Figón de Pedro, Cervantes 13, ✉ 16004, ☎ (969) 22 68 21, *Fax (969) 23 11 92*, « Decoración castellana » – ▤. AE ⓓ E VISA. ✗ Z e
cerrado domingo noche y lunes – **Comida** carta 2850 a 3750.

Casa Marlo, Colón 59, ✉ 16002, ☎ (969) 21 11 73, *Fax (969) 21 38 60*, « Decoración regional » – ▤. AE VISA Z r
cerrado domingo noche – **Comida** carta 2600 a 4650.

Asador de Antonio, av. Castilla-La Mancha 3, ✉ 16003, ☎ (969) 22 20 10 – ▤. AE ⓓ E VISA. ✗ Z u
cerrado domingo noche, lunes y del 1 al 15 de julio – **Comida** carta aprox. 3150.

Rincón de Paco, Hurtado de Mendoza 3, ✉ 16002, ☎ (969) 21 34 18 – ▤. AE ⓓ E VISA. ✗ Z n
Comida carta 2350 a 3750.

San Nicolás, San Pedro 15, ✉ 16001, ☎ (969) 21 22 05, *Fax (969) 23 22 88*, 🏠 – ▤. AE ⓓ E VISA JCB. ✗ Y r
cerrado lunes y enero – **Comida** carta aprox. 4800.

Plaza Mayor, pl. Mayor 5, ✉ 16001, ☎ (969) 21 14 96, « Decoración castellana » – ▤. AE ⓓ E VISA JCB. ✗ Y v
cerrado lunes – **Comida** carta 2950 a 3400.

Togar, av. República Argentina 3, ✉ 16002, ☎ (969) 22 01 62, *Fax (969) 22 21 55* – ▤. AE ⓓ E VISA. ✗ Z s
cerrado martes – **Comida** carta 2800 a 3225.

por la carretera de Palomera Y : *6 km y desvío a la izquierda por carretera de Buenache 1,2 km* – ✉ *16001 Cuenca* :

Cueva del Fraile, ☎ (969) 21 15 71, *Fax (969) 25 60 47*, « Edificio del siglo XVI. Decoración castellana », 🏊, 🎾 – TV ☎ P – 25/200. AE ⓓ E VISA JCB. ✗
cerrado 10 enero-febrero – **Comida** 2100 – ☕ 850 – **59 hab** 8050/10200, 1 suite – PA 4250.

CUESTA DE LA VILLA *Santa Cruz de Tenerife – ver Canarias (Tenerife) : Santa Úrsula.*

CUEVA – *ver el nombre propio de la cueva.*

CULLERA *46400 Valencia* 445 O 25 – *19 984 h. – Playa.*
del Riu 38 ☎ (96) 172 09 74 Fax (96) 172 66 89.
Madrid 388 – Alicante/Alacant 136 – Valencia 40.

Carabela II, av. País Valencià 41 ☎ (96) 172 40 70 – ▤ TV ☎. AE ⓓ E VISA. ✗ rest
Comida 1800 – ☕ 475 – **15 hab** 4300/6300 – PA 3450.

La Reina, av. País Valencià 59 ☎ (96) 172 05 63 – ▤ TV ☎. ⓓ E VISA. ✗
Comida 1650 – ☕ 500 – **10 hab** 3500/5300 – PA 3000.

L'Entrecôte, pl. de Mongrell 4 ☎ (96) 172 04 19 – ▤. AE ⓓ E VISA JCB
15 marzo-15 diciembre y fines de semana resto del año – **Comida** - sólo cena salvo sábado y domingo - carta 2500 a 4000.

en la zona del faro *NE : 4 km – ✉ 46400 Cullera :*

Sicania, playa del Racó ✆ (96) 172 01 43, *Fax (96) 173 03 92,* ←, ⛱, 🏊 – ▮ ▤ ☎ Ⓟ – 🏛 25/250. AE ⓓ E VISA. ✗ rest
cerrado 15 noviembre-28 diciembre – **Comida** 1900 – ☕ 900 – **110 hab** 7000/10500, 6 suites – PA 3950.

CULLEREDO *La Coruña – ver La Coruña.*

CUNIT *43881 Tarragona* 443 **I 34** *– 2 427 h. – Playa.*
Madrid 580 – Barcelona 58 – Tarragona 37.

L'Avi Pau, av. Barcelona 160 ✆ (977) 67 48 61, *Fax (977) 67 48 61,* ⛱ – ▤ Ⓟ. AE ⓓ E VISA. ✗
cerrado lunes noche (salvo julio-agosto) y martes – **Comida** carta 2950 a 5350.

CUZCURRITA DE RÍO TIRÓN *26214 La Rioja* 442 **E 21** *– 466 h. alt. 519.*
Madrid 321 – Burgos 78 – Logroño 54 – Vitoria/Gasteiz 58.

El Botero ⛰ con hab, San Sebastián 83 ✆ (941) 30 15 00, *Fax (941) 30 15 34* – ▤ rest, TV ☎ Ⓟ. VISA. ✗
Comida carta 1900 a 3000 – ☕ 550 – **12 hab** 3300/4300.

DAIMIEL *13250 Ciudad Real* 444 **O 19** *– 16 214 h. alt. 625.*
Madrid 172 – Ciudad Real 31 – Toledo 122 – Valdepeñas 51.

Las Tablas sin rest. con cafetería, Virgen de las Cruces 5 ✆ (926) 85 21 07, *Fax (926) 85 21 89* – ▮ ▤ TV ☎ Ⓟ – 🏛 25/100. AE ⓓ E VISA. ✗
☕ 350 – **33 hab** 4750/7500.

Las Brujas con hab, antigua carret. de Madrid - NE : 1,7 km ✆ (926) 85 22 89 – ▤ rest, TV ☎ Ⓟ
14 hab.

en el cruce de las carreteras N 420 y N 430 *SO : 3,5 km – ✉ 13250 Daimiel :*

Nueva Tierrallana, ✆ (926) 85 27 63, *Fax (926) 85 27 63* – ▤ TV ☎ Ⓟ. AE ⓓ E VISA JCB. ✗
Comida 1000 – ☕ 300 – **31 hab** 2500/4500.

DANCHARINEA o **DANTXARINEA** *31712 Navarra* 442 **C 25.**
Madrid 475 – Bayonne 29 – Pamplona/Iruñea 80.

Lapitxuri ⛰ sin rest, ✆ (948) 59 90 19, *Fax (948) 59 90 46* – Ⓟ. AE ⓓ E VISA. ✗
cerrado octubre – ☕ 500 – **16 hab** 4000.

Menta, carret. de Francia ✆ (948) 59 90 20, *Fax (948) 59 90 20* – ▤ Ⓟ. VISA. ✗
cerrado lunes noche y martes de octubre a julio – **Comida** carta 2600 a 4800.

DARNIUS *17722 Gerona* 443 **E 38** *– 506 h. alt. 193.*
Madrid 759 – Gerona/Girona 52.

Darnius ⛰, carret. de Massanet ✆ (972) 53 51 17 – Ⓟ. ⓓ E VISA. ✗ rest
cerrado enero-15 marzo – **Comida** *(cerrado jueves)* 1100 – ☕ 450 – **10 hab** 4000.

DAROCA *50360 Zaragoza* 443 **I 25** *– 2 630 h. alt. 797.*
Ver : *Murallas★ – Colegiata de Santa María (retablos★, capilla de los Corporales★, Museo Parroquial★).*
Madrid 269 – Soria 135 – Teruel 96 – Zaragoza 85.

DEBA *Guipúzcoa – ver Deva.*

DEIÀ *Baleares – ver Baleares (Mallorca) : Deyá.*

DELTEBRE *43580 Tarragona* 443 **J 32** *– 10 121 h. alt. 26.*
Ver : *Parque Natural del Delta del Ebro★★.*
Madrid 541 – Amposta 15 – Castellón de la Plana/Castelló de la Plana 130 – Tarragona 77 – Tortosa 23.

en La Cava *– ✉ 43580 Deltebre :*

Can Casanova, av. del Canal ✆ (977) 48 11 94 – ▤ Ⓟ.

DENA *36967 Pontevedra 441 E 3.*
Madrid 620 – Pontevedra 21 – Santiago de Compostela 65.

Ría Mar sin rest, ☎ (986) 74 41 11, *Fax (986) 74 44 01* – 🛗 ☎ Ⓟ
temp – **65 hab.**

DENIA *03700 Alicante 445 P 30 – 25 157 h. – Playa.*
para Baleares : Cía Flebasa, Estación Marítima ☎ (96) 578 40 11 Fax (96) 578 76 06.
pl. del Oculista Büigues 9 ☎ (96) 642 23 67 Fax (96) 578 09 57.
Madrid 447 – Alicante/Alacant 92 – Valencia 99.

Costa Blanca, Pintor Llorens 3 ☎ (96) 578 03 36, *Fax (96) 578 30 27* – 🛗 ▤ ☎. AE ⓓ E VISA. ✗
Comida *(cerrado domingo)* 1800 – ☕ 500 – **53 hab** 3600/7500.

XXX **Romano** con hab, av. del Cid 3 (subida al castillo) ☎ (96) 642 17 89, *Fax (96) 642 29 58*, – ▤ TV ☎. AE E VISA. ✗
cerrado 2ª quincena de noviembre – **Comida** *(cerrado jueves salvo julio y agosto)* carta 3100 a 4150 – ☕ 700 – **7 hab** 18000.

XX **Bitibau,** San Vicente del Mar 5 ☎ (96) 642 25 74, *Fax (96) 578 46 31*, « Decoración original » – ▤. AE VISA
cerrado domingo y 2 semanas en febrero – **Comida** - sólo cena - carta 4100 a 5050.

XX **El Asador del Puerto,** pl. del Raset 10 ☎ (96) 642 34 82, *Fax (96) 642 44 79*, – ▤. E VISA. ✗
cerrado miércoles salvo julio-septiembre – **Comida** carta 2825 a 3450.

X **El Raset,** Bellavista 7 ☎ (96) 578 50 40, *Fax (96) 642 44 79*, – ▤. AE ⓓ E VISA. ✗
cerrado martes salvo julio-septiembre – **Comida** carta 2775 a 3400.

X **Drassanes,** Port 15 ☎ (96) 578 11 18 – ▤. AE E VISA. ✗
cerrado lunes y noviembre – **Comida** carta 2350 a 3600.

X **Ticino,** Bellavista 3 ☎ (96) 578 91 03, *Fax (96) 642 44 79*, – ▤. AE E VISA. ✗
cerrado miércoles salvo julio-septiembre – **Comida** - cocina italiana - carta 1715 a 2525.

X **La Barqueta,** Bellavista 10 ☎ (96) 642 16 26, *Fax (96) 642 44 79*, – ▤. AE E VISA. ✗
cerrado jueves salvo julio-septiembre – **Comida** carta 2525 a 3000.

en la carretera de Las Rotas – ✉ *03700 Denia :*

XX Mesón Troya, SE : 1 km ☎ (96) 578 14 31, – ▤
Comida - pescados, mariscos y arroz a banda -.

X **El Trampoli,** playa - SE : 4 km ☎ (96) 578 12 96, – ▤. AE E VISA. ✗
Comida - pescados, mariscos y arroz a banda - carta aprox. 5500.

en la carretera de Las Marinas – ✉ *03700 Denia :*

Rosa , Congre 3 - NO : 2 km ☎ (96) 578 15 73, *Fax (96) 642 47 74*, , , – ▤ hab, TV ☎ Ⓟ. E VISA. ✗ rest
15 marzo-octubre – **Comida** 1900 – ☕ 750 – **39 hab** 10800.

Los Ángeles , NO : 5 km ☎ (96) 578 04 58, *Fax (96) 642 09 06*, ←, – TV ☎ Ⓟ. ⓓ E VISA JCB. ✗
marzo-noviembre – **Comida** 2000 – ☕ 900 – **60 hab** 8500/12000 – PA 3900.

XX **El Poblet,** urb. El Poblet - NO : 3 km ☎ (96) 578 41 79, *Fax (96) 578 56 91*, – ▤. AE ⓓ E VISA. ✗
cerrado lunes salvo julio y agosto – **Comida** carta 3025 a 5450.

X **Paquebote,** playa Almadrava - NO : 9 km ☎ (96) 647 42 70, – Ⓟ. AE E VISA. ✗
abril-octubre – **Comida** *(cerrado lunes)* carta 2525 a 3825.

DERIO *48160 Vizcaya 442 C 21 – 4 904 h. alt. 25.*
Madrid 408 – Bilbao/Bilbo 9 – San Sebastián/Donostia 108.

en la autovía BI 631 *N : 3 km* – ✉ *48160 Derio :*

XX **Txakoli Artebakarra,** salida Artebakarra-Laukariz autovía ☎ (94) 454 12 92, – ▤ Ⓟ. AE ⓓ E VISA. ✗
cerrado lunes noche, martes, 20 días en febrero y 20 días en agosto – **Comida** carta aprox. 6000.

LA DERRASA o A DERRASA *32792 Orense 441 F 6.*
Madrid 509 – Pontevedra 110 – Orense/Ourense 10.

X **Roupeiro,** Roupeiro (carret C 536) ☎ (988) 38 00 38, « Decoración rústica » – Ⓟ. AE VISA. ✗
cerrado domingo y septiembre – **Comida** carta 2400 a 3800.

DESFILADERO – *ver el nombre propio del desfiladero.*

DESIERTO DE LAS PALMAS *Castellón – ver Benicasim.*

DEVA o **DEBA** *20820 Guipúzcoa* 442 **C 22** – *5 000 h. – Playa.*
Alred. : *Carretera en cornisa★ de Deva a Lequeitio ≤ ★.*
Madrid 459 – Bilbao/Bilbo 66 – San Sebastián/Donostia 41.

XX **Urgain,** Arenal 5 ☎ (943) 19 11 01 – ▤. AE ⓓ E VISA
cerrado martes noche (salvo en verano) y del 5 al 20 de noviembre – **Comida** carta 4100 a 5350.

DEYÁ *Baleares – ver Baleares (Mallorca).*

DON BENITO *06400 Badajoz* 444 **P 12** – *28 601 h. alt. 279.*
Madrid 311 – Badajoz 113 – Mérida 49.

Vegas Altas, av. Badajoz (carret. C 520) ☎ (924) 81 00 05, *Fax (924) 81 10 13*, – ⇕ ▤ TV ☎ ♿ 🚗 P – 🏆 25/1000. AE E VISA. ✂
Comida 1700 – ☕ 770 – **77 hab** 9260/11130, 3 suites.

en la carretera de Villanueva *E : 2,5 km – ✉ 06400 Don Benito :*

Veracruz, av. Vegas Altas 105 ☎ (924) 80 13 62, *Fax (924) 80 38 51* – ⇕ ▤ TV ☎ P VISA. ✂
Comida 1100 – ☕ 260 – **53 hab** 3300/4900 – PA 2200.

DONAMARÍA *31750 Navarra* 442 **C 25** – *344 h. alt. 175.*
Madrid 481 – Biarritz 61 – Pamplona/Iruñea 57 – San Sebastián/Donostia 59.

X **Donamaria'ko Benta** con hab, barrio de la Venta - O : 1 km ☎ (948) 45 07 08, *Fax (948) 45 07 08*, , « Decoración rústica en una venta del siglo XIX » – P. VISA. ✂ rest
Comida *(cerrado domingo noche y lunes)* carta 2450 a 3400 – ☕ 500 – **5 hab** 7000.

DONOSTIA *Guipúzcoa – ver San Sebastián.*

DOS HERMANAS *41700 Sevilla* 446 **U 12** – *77 997 h. alt. 42.*
Madrid 547 – Cádiz 108 – Huelva 111 – Sevilla 22.

La Motilla sin rest, carret. N IV - O : 1 km ☎ (95) 566 68 16, *Fax (95) 566 68 88*, – ⇕ ▤ TV ☎ 🚗 P – 🏆 25/250. AE ⓓ VISA. ✂
☕ 1000 – **101 hab** 13500/17000.

X **La Gamba,** Marbella 4 ☎ (95) 472 65 59 – ▤. AE ⓓ E VISA. ✂
cerrado domingo, lunes noche y agosto – **Comida** - pescados y mariscos - carta 4100 a 5100.

DOSBARRIOS *45311 Toledo* 444 **M 19** – *1 941 h. alt. 710.*
Madrid 72 – Alcázar de San Juan 78 – Aranjuez 25 – Toledo 62.

XX **Los Arcos** con hab, autovía N IV - km 70 ☎ (925) 12 21 29, *Fax (925) 12 21 29* – ▤ TV ☎ P. AE E VISA. ✂ rest
Comida carta 2850 a 3700 – ☕ 275 – **16 hab** 5750/9500.

DRACH (Cuevas del) *Baleares – ver Baleares (Mallorca).*

LA DUQUESA (Puerto de) *Málaga – ver Manilva.*

DURANGO *48200 Vizcaya* 442 **C 22** – *22 492 h. alt. 119.*
Madrid 425 – Bilbao/Bilbo 32 – San Sebastián/Donostia 71 – Vitoria/Gasteiz 40.

Kurutziaga, Kurutziaga 52 ☎ (94) 620 08 64, *Fax (94) 620 14 09*, – ⇕, ▤ rest, TV ☎ P. ⓓ E VISA. ✂ rest
cerrado Navidades – **Comida** *(cerrado domingo noche)* 2300 – ☕ 750 – **18 hab** 7800/13300.

DÚRCAL *18650 Granada* 446 **V 19** – *5 822 h. alt. 830.*
Madrid 460 – Almería 149 – Granada 30 – Málaga 129.

Mariami sin rest y sin ☕, Comandante Lázaro 82 ☎ (958) 78 04 09, *Fax (958) 78 04 09* – TV ☎ 🚗. AE ⓓ E VISA
10 hab 5000/6000, 5 apartamentos.

ÉCIJA *41400 Sevilla* 446 T 14 – *35 727 h. alt. 101.*

Ver : *Iglesia de Santiago★ (retablo★) - Iglesia de San Juan (torre★).*

Cánovas del Castillo (Palacio de Benamejí) (95) 590 29 33 Fax (95) 590 29 19.

Madrid 458 – Antequera 86 – Cádiz 188 – Córdoba 51 – Granada 183 – Jerez de la Frontera 155 – Ronda 141 – Sevilla 92.

Platería sin rest y sin ☕, Garcilópez 1 (95) 483 50 10, *Fax (95) 483 50 10* – AE E VISA.
18 hab 3450/7000.

Ciudad del Sol *(Casa Pirula)*, av. Miguel de Cervantes 52 (95) 483 03 00, *Fax (95) 483 58 79* – – 25/40. AE E VISA JCB. rest
Comida 1100 – **30 hab** ☕ 3500/6000.

junto a la autovía N IV *NE : 3 km – ✉ 41400 Écija :*

Astigi, salida 450 (95) 483 01 62, *Fax (95) 483 57 01* – AE E VISA.
Comida 2100 – ☕ 500 – **18 hab** 7500.

EGÜÉS *31486 Navarra* 442 D 25 – *1 267 h. alt. 491.*

Madrid 395 – Pamplona/Iruñea 10.

Egüés, carret. de Aoiz (948) 33 00 81, « Decoración rústica » – AE E VISA.
cerrado lunes, Semana Santa, del 15 al 22 de julio y Navidad – **Comida** - asados a la brasa - carta 4200 a 4600.

EIBAR *20600 Guipúzcoa* 442 C 22 – *32 108 h. alt. 120.*

Madrid 439 – Bilbao/Bilbo 46 – Pamplona/Iruñea 117 – San Sebastián/Donostia 54.

Arrate sin rest, Ego Gain 5 (943) 20 72 42, *Fax (943) 70 00 74* – – 25/80. AE E VISA JCB
☕ 700 – **86 hab** 6800/10800.

Eskarne, Arragüeta 4 (943) 12 16 50 – AE E VISA
cerrado domingo noche, lunes noche, martes noche y agosto – **Comida** carta 3300 a 4500.

EIVISSA *Baleares – ver Baleares (Ibiza).*

El EJIDO *04700 Almería* 446 V 21 – *41 700 h. alt. 140.*

18 Almerimar, S : 10 km (950) 49 74 54 Fax (950) 49 72 33.

Madrid 586 – Almería 32 – Granada 157 – Málaga 189.

Ejidohotel, av. Oasis - carret. N 340 (950) 48 64 14, *Fax (950) 48 64 16*, – – 25/100. AE E VISA.
Comida 1600 – ☕ 700 – **86 hab** 5800/9800 – PA 3400.

en la carretera de Almería *NE : 7 km – ✉ 04700 El Ejido :*

El Edén, (950) 58 10 36, *Fax (950) 58 05 10* – rest, AE E VISA.
rest
Comida 1200 – ☕ 350 – **23 hab** 3500/7500 – PA 2750.

en Almerimar *S : 10 km – ✉ 04700 El Ejido :*

Meliá Almerimar, (950) 49 70 07, *Fax (950) 49 71 45*, – – 25/1000. AE E VISA JCB.
abril-octubre – **Comida** carta 2400 a 4150 – ☕ 1150 – **275 hab** 11000/16500, 3 suites.

Golf H. Almerimar, (950) 49 70 50, *Fax (950) 49 70 19*, 18 – – 25/300. AE E VISA JCB.
Comida 2700 – ☕ 1250 – **147 hab** 11750/13700, 2 suites – PA 6650.

El Segoviano, puerto deportivo Dársena 2 - edificio La Estrella (950) 49 75 44 – AE E VISA.
Comida carta 2900 a 4200.

ELCHE o ELX *03200 Alicante* 445 R 27 – *187 596 h. alt. 90.*

Ver : *El Palmeral★★* ZY - *Huerto del Cura★★* Z - *Parque Municipal★* Y.

passeig de l'Estació ✉ 03202 (96) 545 38 31 Fax (96) 545 78 94.

Madrid 406 ③ – Alicante/Alacant 24 ① – Murcia 57 ②

ELX
ELCHE

Corredora .... Z
Reina Victoria .... Z

Alacant (Av. d') .... X 2
Alfonso XII .... Z 3
Almórida .... Z 4
Antonio Machado (Av. d') ... ZX 6
Baix (Pl. de) .... Z 7
Balsa dels Moros (Camí) Y 8
Camí dels Magros ... X 10
Camino del Gato .... Z 12
Camino de la Almazara .... Z 13
Canalejas (Puente de). Z 15
Conrado del Campo . Z 16
Diagonal del Palau ... Y 17
Eres de Santa Llucia . Y 19
Escultor Capuz ...... Z 20
Estació (Pas. de l') ... Y 21
Federico García Lorca . ZX 23
Fernanda Santamaría . Z 24
Fray Luis de León ... X 25
Jaime García Miralles . X 27
Jiménez Díaz (Doctor) . Y 28
Jorge Juan .... YZ 29
José María Pemán ... Z 31
Juan Ramón Jiménez . Z 32
Luis Gonzaga Llorente .... Y 33
Maestro Albéniz ..... Y 35
Major de la Vila ..... Y 36
Marqués de Asprella . Y 37
Ntra Sra de la Cabeza . Y 39
Pont dels Ortissos ... Y 40
Porta d'Alacant ..... Y 41
Rector .... Z 43
Sant Joan (Pl. de) ... Z 44
Santa Anna .... Z 45
Santa Teresa (Puente). Z 47
Santa Pola (Av. de) .. YX 48
Vicente Amorós Candela Y 49
Vicente Blasco Ibáñez .... YX 51
Xop Il. Licitá .... Z 52

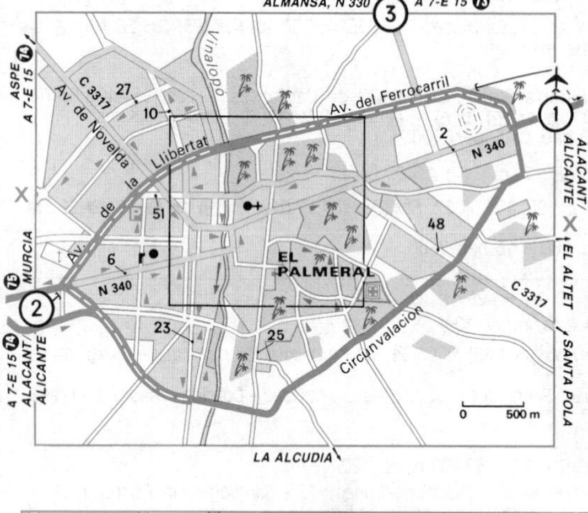

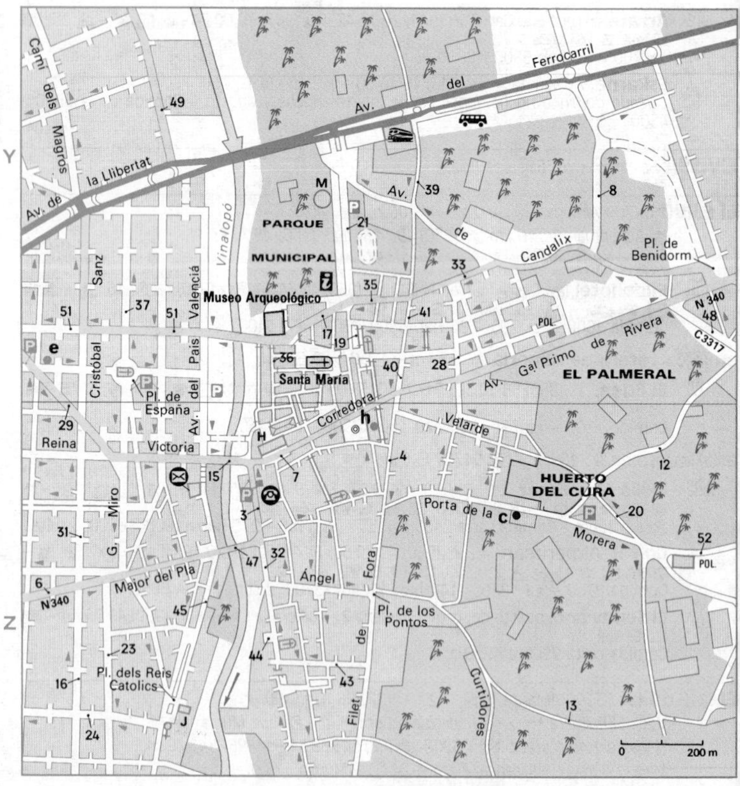

Huerto del Cura *(Parador colaborador)* , Porta de la Morera 14, ✉ 03203, ☎ (96) 545 80 40, *Fax (96) 542 19 10*, « Pabellones rodeados de jardines en un palmeral », – 25/300. AE VISA. Z c
Els Capellans : **Comida** carta 2800 a 4550 – 1500 – **78 hab** 12500/16500, 4 suites.

Candilejas sin rest y sin, Dr. Ferràn 19, ✉ 03201, ☎ (96) 546 65 12, *Fax (96) 546 66 52* – VISA. X r
cerrado del 15 al 31 de agosto – **24 hab** 5140.

Mesón El Granaino, Josep Maria Buch 40, ✉ 03201, ☎ (96) 666 40 80, *Fax (96) 666 40 80*, « Mesón típico » – AE VISA. Y e
cerrado domingo, 2ª y 3ª semanas de agosto – **Comida** carta 3025 a 4325.

Enrique, Empedrat 10, ✉ 03203, ☎ (96) 545 15 77 – VISA JCB. Z h
Comida carta 2250 a 3150.

en la carretera de Alicante *por ① :*

La Magrana, Partida Altabix 41 - 3 km, ✉ 03291, ☎ (96) 545 82 16, – AE VISA.
cerrado domingo noche y lunes – **Comida** carta aprox. 4450.

La Masía de Chencho, 4 km, ✉ 03200, ☎ (96) 545 97 47, « Antigua casa de campo » – AE VISA.
Comida carta 3600 a 4750.

por la carretera de El Altet X *SE : 4,5 km – ✉ 03195 El Altet :*

La Finca, Partida de Perleta 1-7 ☎ (96) 545 60 07, *Fax (96) 545 60 07*, « Casa de campo con terraza ajardinada » – AE VISA.
cerrado domingo noche y 20 días en enero – **Comida** carta 4000 a 5000.

ELDA *03600 Alicante* 445 **Q 27** – *54 010 h. alt. 395.*
Madrid 381 – Albacete 134 – Alicante/Alacant 37 – Murcia 80.

Elda sin rest, av. Chapí 4 ☎ (96) 538 05 56, *Fax (96) 538 16 37* – AE VISA.
800 – **37 hab** 5500/8700.

Fayago, Colón 19 ☎ (96) 538 10 13 – AE VISA.
cerrado domingo noche, lunes noche y del 10 al 23 de agosto – **Comida** carta 2800 a 3500.

ELIZONDO *31700 Navarra* 442 **C 25** – *alt. 196.*
Palacio de Arizcunenea ☎ (948) 58 12 79 (temp).
Madrid 450 – Bayonne 53 – Pamplona/Iruñea 49 – St-Jean-Pied-de-Port 31.

Baztán, carret. de Pamplona - SO : 1,5 km ☎ (948) 58 00 50, *Fax (948) 45 23 23*, – rest, VISA. rest
Semana Santa-diciembre – **Comida** 2450 – 800 – **84 hab** 8250/10350 – PA 4800.

Saskaitz sin rest, María Azpilikueta 10 ☎ (948) 58 04 88, *Fax (948) 58 06 15* – AE VISA.
750 – **24 hab** 6000/9000.

Santxotena, Pedro Axular ☎ (948) 58 02 97, *Fax (948) 58 02 97* – AE VISA
cerrado lunes, del 1 al 15 de enero y del 15 al 30 de septiembre – **Comida** carta 3100 a 4400.

Galarza, Santiago 1 ☎ (948) 58 01 01 – AE VISA.
cerrado martes y 28 septiembre-11 octubre – **Comida** carta 2200 a 3550.

ELORRIO *48230 Vizcaya* 442 **C 22** – *7 309 h. alt. 182.*
Madrid 395 – Bilbao/Bilbo 40 – San Sebastián/Donostia 73 – Vitoria/Gasteiz 46.

Villa de Elorrio , barrio San Agustín-carret. de Durango 1 km ☎ (94) 623 15 55, *Fax (94) 623 16 63* – rest, – 25/75. AE VISA.
cerrado 23 diciembre-7 enero – **Comida** 1500 – 900 – **19 hab** 9000/15000 – PA 3500.

Gli alberghi o ristoranti ameni sono indicati nella guida con un simbolo rosso.
Contribuite a mantenere la guida aggiornata segnalandoci gli alberghi e ristoranti dove avete soggiornato piacevolmente.

ELX *Alicante - ver Elche.*

EMPURIABRAVA *Gerona - ver Ampuriabrava.*

ENCAMP *Andorra - ver Andorra (Principado de).*

ERRENTERIA *Guipúzcoa - ver Rentería.*

La ESCALA o **L'ESCALA** *17130 Gerona 443 F 39 - 5 142 h. - Playa.*

Ver : *Villa turística*★.

Alred. : *Ampurias*★★ *(ruinas griegas y romanas) - Emplazamiento*★★ *N : 2 km.*

pl. de Les Escoles 1 (972) 77 06 03 Fax (972) 77 33 85.

Madrid 748 - Barcelona 135 - Gerona/Girona 41.

Nieves-Mar, passeig Marítim 8 (972) 77 03 00, *Fax (972) 77 36 05,* ≤ mar, - rest, - 25/70. AE E VISA. rest
15 marzo-octubre - **Comida** 2885 - **80 hab** 6000/11000.

Voramar, passeig Lluís Albert 2 (972) 77 01 08, *Fax (972) 77 03 77,* ≤, - . AE E VISA
cerrado 15 diciembre-15 febrero - **Comida** 2315 - 660 - **36 hab** 4385/8755 - PA 4520.

El Roser, Iglesia 7 (972) 77 02 19, *Fax (972) 77 45 29* - , rest, . AE E VISA. rest
cerrado noviembre - **Comida** 1350 - 500 - **25 hab** 2950/4950.

Els Pescadors, Port d'en Perris 5 (972) 77 07 28, *Fax (972) 77 07 28,* ≤ - . AE E VISA.
cerrado noviembre - **Comida** carta 2650 a 4100.

Miryam con hab, ronda del Padró 4 (972) 77 02 87, *Fax (972) 77 22 02* - rest, . E VISA
cerrado 9 diciembre-22 enero - **Comida** *(cerrado domingo noche)* carta 4100 a 7300 - 725 - **14 hab** 5950.

El Roser 2, passeig Lluís Albert 1 (972) 77 11 02, *Fax (972) 77 45 29,* ≤, - AE E VISA.
cerrado febrero - **Comida** carta 2900 a 4900.

L'Avi Freu, passeig Lluís Albert 7 (972) 77 12 41, ≤, - . AE E VISA
cerrado lunes en invierno y noviembre - **Comida** carta 3700 a 6000.

en Port Escala *E : 2 km - 17130 La Escala :*

Cafè Navili, Romeu de Corbera (972) 77 12 01, *Fax (972) 77 15 66* - . E VISA
cerrado lunes y noviembre-diciembre - **Comida** carta 2900 a 4300.

en Sant Martí d'Empúries *NO : 2 km - 17130 La Escala :*

Mesón del Conde, pl. Iglesia 4 (972) 77 03 06, *Fax (972) 10 32 35* - . AE E VISA.
Comida carta 3700 a 4700.

en la carretera de Figueras *O : 2 km - 17130 La Escala :*

El Molí de L'Escala, Camp dels Pilans - Camí de les Corts (972) 77 47 27 *Fax (972) 77 47 25,* , « Masía con molino del siglo XVI » - . AE E VISA.
cerrado domingo noche y miércoles salvo julio-septiembre - **Comida** carta 2600 a 5100.

ESCALANTE *39795 Cantabria 442 B 19 - 711 h. alt. 7.*

Madrid 479 - Bilbao/Bilbo 82 - Santander 42.

Las Solanas de Escalante sin rest, San Juan (942) 67 78 10, *Fax (942) 67 78 2*
- . AE VISA.
marzo-noviembre - 400 - **12 hab** 4500/7000.

San Román de Escalante con hab, carret. de Castillo 1,5 km (942) 67 77 28 *Fax (942) 67 76 43,* ≤, « Elegante decoración en una casona montañesa del siglo XVI Ermita románica », - . AE E VISA. rest
cerrado 21 diciembre-20 enero - **Comida** *(cerrado domingo noche y lunes salvo en festivos, Semana Santa y verano)* carta 3650 a 5150 - 1250 - **10 hab** 11200/1600
Espec. Terrina de foie al vinagre de Módena. Filete de pato en costra de sésamo. Helado de vinagre, tosta de Idiazábal y coulis de jengibre.

Les ESCALDES ENGORDANY *Andorra - ver Andorra (Principado de).*

ESCALONA *45910 Toledo* 444 L 16 - *1763 h. alt. 550.*
Madrid 86 - Ávila 88 - Talavera de la Reina 55 - Toledo 54.

El Mirador con hab, carret. de Ávila 2 ☎ (925) 78 00 26, ← - ▤ rest,. VISA. ✗
Comida carta aprox. 2800 - ☕ 175 - **10 hab** 2000/2500.

ESCORCA *Baleares - ver Baleares (Mallorca).*

El ESCORIAL *28280 Madrid* 444 K 17 - *7026 h. alt. 1030.*
Madrid 55 - Ávila 65 - Segovia 50.

Escorial, Arias Montano 12 ☎ (91) 890 13 61, *Fax (91) 896 09 02,* ⛱ - ▤. VISA. ✗
Comida 1500 - ☕ 700 - **32 hab** 5600/7100 - PA 2960.
Ver también : **San Lorenzo de El Escorial** *NO : 3 km.*

ESCUNHAU *Lérida - ver Viella.*

ESPASANTE *15339 La Coruña* 441 A 6.
Madrid 615 - La Coruña/A Coruña 107 - Lugo 104 - Vivero/Viveiro 28.

Planeta, puerto - N : 1km ☎ (981) 40 83 66, ←, Vivero propio - AE ⓓ E VISA. ✗
cerrado lunes noche y 1ª quincena de noviembre - **Comida** - pescados y mariscos - carta 2400 a 4000.

La ESPINA *33891 Asturias* 441 B 10 y 11 - *alt. 660.*
Madrid 494 - Oviedo 59.

Casa Aurelio, El Cruce 2 ☎ (98) 583 70 10, *Fax (98) 583 73 73* - TV ☎ 🚗. AE ⓓ E VISA. ✗
Comida *(cerrado domingo)* carta aprox. 3200 - ☕ 450 - **14 hab** 4000/5600.

El ESPINAR *40400 Segovia* 442 J 17 - *5101 h. alt. 1260.*
Madrid 62 - Ávila 41 - Segovia 30.

La Típica, pl. de España 11 ☎ (921) 18 10 87 - ▤ rest,. AE E VISA. ✗
cerrado 15 días en octubre - **Comida** 1700 - ☕ 350 - **23 hab** 3600/5500.

Casa Marino, Marqués de Perales 11 ☎ (921) 18 23 39 - ▤ rest, TV. AE VISA. ✗
cerrado del 5 al 21 de septiembre - **Comida** *(cerrado domingo noche y lunes noche de octubre a junio)* 2375 - ☕ 300 - **17 hab** 4500/5000 - PA 5000.

ESPLUGA DE FRANCOLÍ o **L'ESPLUGA DE FRANCOLÍ** *43440 Tarragona* 443 H 33 - *3602 h. alt. 414.*
Madrid 521 - Barcelona 123 - Lérida/Lleida 63 - Tarragona 39.

Hostal del Senglar ⛰, pl. Montserrat Canals ☎ (977) 87 01 21, *Fax (977) 87 10 12,* « Jardín. Rest. típico », 🏊, 🎾 - |♦|, ▤ rest, TV ☎ P - 🏔 25/150. AE ⓓ E VISA. ✗
Comida 2300 - ☕ 600 - **40 hab** 3950/6650.

ESPLUGUES DE LLOBREGAT *Barcelona - ver Barcelona : Alrededores.*

ESPONELLÀ *17832 Gerona* 443 F 38 - *383 h.*
Madrid 739 - Figueras/Figueres 19 - Gerona/Girona 30.

Can Roca, av. Carlos de Fortuny 1 ☎ (972) 59 70 12, ⛱ ▤ P. AE E VISA. ✗
cerrado martes y 15 septiembre-7 octubre - **Comida** carta 2000 a 3500.

ESPOT *25597 Lérida* 443 E 33 - *239 h. alt. 1340 - Deportes de invierno en Super Espot :* ⛷ *4.*
Alred. : *O : Parque Nacional de Aigües Tortes★★.*
ℹ *Prat del Guarda 4 ☎ (973) 62 40 36 Fax (973) 62 40 36.*
Madrid 619 - Lérida/Lleida 166.

ESQUEDAS *22810 Huesca* 443 F 28 – *147 h. alt. 509.*

Alred. : *Castillo de Loarre★★ (※ ★★) NO : 19 km.*

Madrid 404 – Huesca 14 – Pamplona/Iruñea 150.

XX **Venta del Sotón,** carret. A 132 ☎ (974) 27 02 41, *Fax (974) 27 01 61,* « Interior rústico » – ▤ P. AE ◑ VISA. ✗
cerrado domingo noche, lunes y febrero – **Comida** carta 2900 a 4700.

S'ESTANYOL (Playa de) *Baleares – ver Baleares (Ibiza) : San Antonio de Portmany.*

ESTARTIT o L'ESTARTIT *17258 Gerona* 443 F 39 – *Playa.*

Excurs. : *Islas Medes★★ (en barco).*

i passeig Marítim ☎ (972) 75 19 10 Fax (972) 75 17 49.

Madrid 745 – Figueras/Figueres 39 – Gerona/Girona 36.

Bell Aire, Església 39 ☎ (972) 75 13 02, *Fax (972) 75 19 58,* ☂ – |♦| TV. AE ◑ E VISA ✗
Semana Santa-5 octubre – **Comida** 2400 – ☕ 525 – **76 hab** 5050/8345.

Miramar, av. de Roma 21 ☎ (972) 75 06 28, *Fax (972) 75 05 00,* ⛱, ☂, ✂ – TV ☎ P. E VISA. ✗ rest
mayo-15 octubre – **Comida** 1600 – ☕ 200 – **64 hab** 6900/12800.

La Masía, carret. de Torroella - O : 1km ☎ (972) 75 11 78, *Fax (972) 75 18 90,* ⛱, ☂, ✂ – |♦|, ▤ rest, TV ☎ P. AE ◑ E VISA. ✗ rest
4 abril-15 octubre – **Comida** 1375 – ☕ 650 – **77 hab** 4700/8200.

X **La Gaviota,** passeig Marítim 92 ☎ (972) 75 20 19, *Fax (972) 75 20 19,* ☂ – ▤. ◑ E VISA. ✗
cerrado lunes noche y martes noche (salvo verano) y 15 noviembre-15 diciembre – **Comida** carta 3100 a 5000.

ESTELLA o LIZARRA *31200 Navarra* 442 D 23 – *13 569 h. alt. 430.*

Ver : *Palacio de los Reyes de Navarra★ – Iglesia San Pedro de la Rúa : (portada★, claustro★) – Iglesia de San Miguel : (fachada★, altorrelieves★★).*

Alred. : *Monasterio de Irache★ (iglesia★) SO : 3 km – Monasterio de Iranzu (garganta★) N : 10 km.*

Excurs. : *carretera del Puerto de Lizarraga★★ (mirador★), carretera del Puerto de Urbasa★★.*

i San Nicolás 1 ☎ (948) 55 40 11 Fax (948) 55 40 11.

Madrid 380 – Logroño 48 – Pamplona/Iruñea 45 – Vitoria/Gasteiz 70.

Yerri, av. Yerri 35 ☎ (948) 54 60 34, *Fax (948) 55 80 51* – |♦|, ▤ rest, TV ☎ 🚗
24 hab.

XX **Navarra,** Gustavo de Maeztu 16 (Los Llanos) ☎ (948) 55 10 69, *Fax (948) 55 47 53,* « Villa rodeada de jardín decorada en estilo navarro-medieval » – ▤. AE VISA
cerrado domingo noche, lunes y Navidades – **Comida** carta 3200 a 4300.

XX **Richard,** av. de Yerri 10 ☎ (948) 55 13 16, *Fax (948) 55 13 16* – ▤. AE VISA ✗
cerrado lunes y 1ª quincena de septiembre – **Comida** carta 3600 a 5650.

ESTELLENCHS o ESTELLENCS *Baleares – ver Baleares (Mallorca).*

ESTEPONA *29680 Málaga* 446 W 14 – *36 307 h. – Playa.*

18 El Paraíso, NE : 13 km por N 340 ☎ (95) 288 38 46.

i av. San Lorenzo 1 ☎ (95) 280 20 02 Fax (95) 279 21 81.

Madrid 640 – Algeciras 51 – Málaga 85.

XX **Robbies,** Jubrique 11 ☎ (95) 280 21 21 – ▤. E VISA
cerrado lunes, febrero y del 1 al 16 de diciembre – **Comida** - sólo cena - carta aprox. 6000.

X **Costa del Sol,** San Roque 23 ☎ (95) 280 11 01 – ▤. AE ◑ E VISA
cerrado lunes – **Comida** - cocina francesa - carta 1850 a 2600.

en el puerto deportivo – ✉ *29680 Estepona :*

XX El Cenachero, ☎ (95) 280 14 42, ☂.

en la carretera de Málaga :

Las Dunas ⛱, urb. La Boladilla Baja - NE : 7,5 km, ✉ 29689, ☎ (95) 279 43 45, *Fax (95) 279 48 25,* ≤, ☂, Servicios terapéuticos, « Jardín con ⛱ climatizada frente al mar », 🏋, 🎾 – |♦| ▤ TV ☎ ♿ 🚗 P. AE ◑ E VISA JCB. ✗
Comida carta 6100 a 7900 – ☕ 2700 – **75 hab** 33000/39000.

El Paraíso, urb. El Paraíso - NE : 11,5 km y desvío 1,5 km, ✉ 29680, ☎ (95) 288 30 00, *Fax (95) 288 20 19*, ← mar y montaña, Servicios terapéuticos, ...
Comida - sólo buffet - 3900 - 1575 - **182 hab** 13350/20670, 4 suites.

Atalaya Park, NE : 12,5 km y desvío 1 km, ✉ 29688, ☎ (95) 288 48 01, *Fax (95) 288 57 35*, ←, « Extenso jardín con arbolado », ... 25/600. AE ① E VISA JCB. rest
Comida 3045 - ***Don Quijote*** *(sólo cena, cerrado domingo y lunes)* **Comida** carta 3600 a 4750 - ***La Torre*** *(sólo buffet)* **Comida** carta 3000 - **416 hab** 19040/32860, 32 suites.

La Alcaria de Ramos, urb. El Paraíso - NE : 11,5 km y desvío 1,5 km, ✉ 29680, ☎ (95) 288 61 78, - E VISA.
cerrado domingo - **Comida** - sólo cena - carta aprox. 3000.

Playa Bella, urb. Playa Bella - NE : 7 km ☎ (95) 280 16 45 - . E VISA.
cerrado miércoles y 10 enero-10 febrero - **Comida** carta 2150 a 3000.

El Rocío, NE : 2 km, ✉ 29680, ☎ (95) 280 00 46, - P. AE ① E VISA.
cerrado noviembre - **Comida** carta 2150 a 3050.

Para viajar com rapidez, utilize os seguintes ***mapas da Michelin*** *designados por* ***"Grandes Estradas"*** *:*

970 ***Europa,*** **976** ***República Checa – República Eslovaca,*** **980** ***Grécia,***
984 ***Alemanha,*** **985** ***Escandinávia-Finlândia,***
986 ***Grã Bretanha-Irlanda,*** **987** ***Alemanha-Aústria-Benelux,***
988 ***Itália,*** **989** ***França,*** **990** ***Espanha-Portugal,*** **991** ***Jugoslávia.***

ESTERRI DE ANEU o ESTERRI D'ÀNEU *25580 Lérida* 443 E 33 - *446 h. alt. 957.*

Ver : *Vall d'Àneu★★.*
Alred. : *Iglesia de Sant Joan d'Isil★ NO : 9 km.*
Major 6 ☎ (973) 62 60 05 Fax (973) 62 60 05.
Madrid 624 - Lérida/Lleida 168 - Seo de Urgel/La Seu d'Urgell 84.

Esterri Park H., Major 69 ☎ (973) 62 63 88, *Fax (973) 62 62 79*, - rest, P. E VISA. rest
cerrado 12 octubre-diciembre - **Comida** 1750 - **24 hab** 5400/10200 - PA 4200.

Els Puis, av. Dr. Morelló 13 ☎ (973) 62 61 60, *Fax (973) 62 63 62*, ← - . AE ① E VISA.
cerrado mayo y noviembre - **Comida** *(cerrado lunes en invierno)* 1600 - 500 - **7 hab** 3800/4750.

La ESTRADA o A ESTRADA *36680 Pontevedra* 441 D 4 - *21 947 h.*

Madrid 599 - Orense/Ourense 100 - Pontevedra 44 - Santiago de Compostela 28.

Milano, av. de Pontevedra - O : 1 km ☎ (986) 57 35 35, *Fax (986) 57 35 10*, ... 25/200. AE ① E VISA. rest
Comida 1500 - 500 - **41 hab** 4850/7875.

Nixon, av. de Puenteareas 14 ☎ (986) 57 02 61, *Fax (986) 57 02 61* - . AE ① E VISA
cerrado lunes y del 11 al 30 de noviembre - **Comida** carta 2700 a 4225.

EUGUI o EUGI *31638 Navarra* 442 D 25 - *alt. 620.*

Madrid 422 - Pamplona/Iruñea 27 - St-Jean-Pied-de-Port 63.

Quinto Real, carret. N 138 ☎ (948) 30 40 44, *Fax (948) 30 40 44*, ← - P
18 hab.

EZCARAY *26280 La Rioja* 442 F 20 - *1 704 h. alt. 813 - Deportes de invierno en Valdezcaray.*

Madrid 316 - Burgos 73 - Logroño 61 - Vitoria/Gasteiz 80.

Echaurren, Héroes del Alcázar 2 ☎ (941) 35 40 47, *Fax (941) 42 71 33* - rest, . AE ① E VISA. rest
cerrado noviembre - **Comida** *(cerrado domingo noche en invierno)* carta 2850 a 4000 - 550 - **25 hab** 4200/7500, 1 suite, 6 apartamentos.

iguareña, Lamberto F. Muñoz 14 ℘ (941) 35 41 44, *Fax (941) 35 41 44* – |♦|, ▤ rest ▣ ☎. AE ⓓ E VISA. ✂
Comida 1400 – ☕ 325 – **25 hab** 4000/6400.

El Rincón del Vino, av. Jesús Nazareno 2 ℘ (941) 35 43 75, Exposición y venta de vinos y productos típicos de La Rioja, « Rústico regional » – Ⓟ. AE E VISA ✂
cerrado miércoles salvo en verano – **Comida** carta 2300 a 3875.

FANALS (Playa de) *Gerona – ver Lloret de Mar.*

FELANITX *Baleares – ver Baleares (Mallorca).*

FELECHOSA *33688 Asturias* 442 **C 13**.
Madrid 467 – Gijón 86 – Mieres 37 – Oviedo 56.

Casa El Rápido, carret. General 6 ℘ (98) 548 70 51, *Fax (98) 548 75 42* – ▣. ⓓ E VISA. ✂
Comida *(cerrado lunes)* 1000 – ☕ 400 – **9 hab** 3000/6000 – PA 2100.

LA FELGUERA *33930 Asturias* 441 **C 13**.
Madrid 448 – Gijón 40 – Mieres 14 – Oviedo 22.

El Carbayu, Jesús Alonso Braga 8 ℘ (98) 567 33 22
▤. AE E VISA
cerrado domingo y 25 agosto-12 septiembre – **Comida** carta 2950 a 4300.

FENE *15500 La Coruña* 441 **B 5** – *14 759 h. alt. 30.*
Madrid 609 – La Coruña/A Coruña 58 – Ferrol 6 – Santiago de Compostela 94.

Perlío, av. de las Pías 31-33 ℘ (981) 34 20 11, *Fax (981) 34 20 59* – ▣ ☎. E VISA ✂
Comida (ver rest. ***Perlío***) – **29 hab** ☕ 3000/5000.

Perlío, av. de las Pías 31-33 ℘ (981) 34 20 11, *Fax (981) 34 20 59* – E VISA. ✂
Comida carta aprox. 3400.

por la carretera N 651 *S : 3 km y desvío a San Marcos 1 km – ✉ 15509 Magalofes :*

Muiño do Vento, Magalofes ℘ (981) 34 09 21, *Fax (981) 34 09 21* – ▤ Ⓟ. AE ⓓ E VISA. ✂
cerrado lunes y del 1 al 20 de septiembre – **Comida** carta 3000 a 3900.

FERRERÍAS o FERRERIES *Baleares – ver Baleares (Menorca).*

FERROL *15400 La Coruña* 441 **B 4** – *85 132 h. – Playa.*
Magdalena 12 ✉ 15402 ℘ (981) 31 11 79.
Madrid 608 – La Coruña/A Coruña 61 – Gijón 321 – Oviedo 306 – Santiago de Compostela 103.

Parador de Ferrol, Almirante Fernández Martín, ✉ 15401, ℘ (981) 35 67 20, *Fax (981) 35 67 21*, « Edificio de estilo regional » – ▤ rest, ▣ ☎ – 25/100. AE ⓓ E VISA. ✂
Comida 3200 – ☕ 1200 – **38 hab** 12000/15000 – PA 6460.

El Suizo sin rest, Dolores 67, ✉ 15402, ℘ (981) 30 04 00, *Fax (981) 30 03 06* – |♦| ▤ ▣ ☎. AE ⓓ E VISA. ✂
☕ 800 – **34 hab** 8000/11000.

Almirante, María 2, ✉ 15402, ℘ (981) 32 53 11, *Fax (981) 32 84 49* – |♦| ▣ ☎ – 25/200. AE ⓓ E VISA. ✂
Comida 1700 - ***Gavia*** **: Comida** carta 3150 a 4350 – ☕ 900 – **117 hab** 5500/11000.

Valencia sin rest, av. de Catabois 390, ✉ 15405, ℘ (981) 37 03 12, *Fax (981) 31 89 0*– ▣ ☎. AE ⓓ E VISA. ✂
☕ 550 – **29 hab** 6500.

Almendra sin rest, Almendra 4, ✉ 15402, ℘ (981) 35 81 90 – ▣
40 hab.

Ryal sin rest, Galiano 43, ✉ 15402, ℘ (981) 35 07 99, *Fax (981) 35 38 94* – |♦| ▣. AE ⓓ E VISA. ✂
☕ 340 – **40 hab** 3400/5400.

O'Parrulo, av. de Catabois 401, ✉ 15405, ☎ (981) 31 86 53, *Fax (981) 32 35 31* – ▤ Ⓟ. AE ⓓ E VISA
cerrado domingo, miércoles noche, 24 diciembre-7 enero y del 1 al 15 de agosto – **Comida** carta 2900 a 5350.

O'Xantar, Real 182, ✉ 15401, ☎ (981) 35 51 18 – ▤. AE ⓓ E VISA JCB. ✂
cerrado domingo noche – **Comida** carta aprox. 4600.

Moncho, Dolores 44, ✉ 15402, ☎ (981) 35 39 94 – AE ⓓ E VISA. ✂
cerrado domingo y del 15 al 30 de septiembre – **Comida** carta 2375 a 3900.

Pataquiña, Dolores 35, ✉ 15402, ☎ (981) 35 23 11 – AE ⓓ E VISA. ✂
cerrado domingo noche (octubre-julio) – **Comida** carta aprox. 3750.

Casa Rivera, Galiano 57, ✉ 15402, ☎ (981) 35 07 59, *Fax (981) 35 08 88*
cerrado domingo noche y festivos noche
Comida carta aprox. 2900.

FIGUERAS *33794 Asturias* 441 B 8.

Madrid 593 – Lugo 92 – Oviedo 150.

Palacete Peñalba ⛰, El Cotarelo ☎ (98) 563 61 25, *Fax (98) 563 62 47*, « Palacete de estilo modernista », 🌳 – TV ☎ Ⓟ. AE E VISA. ✂
Comida (ver rest. ***Peñalba***) – ☕ 700 – **13 hab** 8000/10500.

Peñalba, av. Trenor - puerto ☎ (98) 563 61 66, ≤ – AE E VISA. ✂
Comida carta 4200 a 5800.

FIGUERAS o FIGUERES *17600 Gerona* 443 F 38 – *35 301 h. alt. 30.*

Ver : *Teatre-Museu Dalí*★★ BY – *Torre Galatea*★ BY – *Museo de Juguetes (Museu de Joguets*★*)* BZ.

18 *Torremirona, Navata por ④ : 7 km ☎ (972) 55 37 37.*
ℹ *pl. del Sol ☎ (972) 50 31 55 Fax (972) 67 31 66.*
Madrid 744 ③ – Gerona/Girona 37 ③ – Perpignan 58 ①

Planos páginas siguientes

President, ronda Firal 33 ☎ (972) 50 17 00, *Fax (972) 50 19 97* – 🛗 ▤ TV ☎ 🚗 Ⓟ. AE ⓓ E VISA — BZ a
Comida 2000 – ☕ 650 – **76 hab** 5000/9000 – PA 4650.

Duràn, Lasauca 5 ☎ (972) 50 12 50, *Fax (972) 50 26 09* – 🛗 ▤ TV ☎ 🚗 Ⓟ – 🏛 25/80. AE ⓓ E VISA — BZ c
Comida (ver rest. ***Duràn***) – ☕ 800 – **65 hab** 6100/8900.

Travé, carret. de Olot ☎ (972) 50 05 91, *Fax (972) 67 14 83*, 🏊 – 🛗 ▤ TV ☎ 🚗 Ⓟ – 🏛 25/150. AE ⓓ VISA. ✂ rest — AZ b
Comida 1800 – ☕ 600 – **72 hab** 3500/7500 – PA 3600.

Pirineos, ronda Barcelona 1 ☎ (972) 50 03 12, *Fax (972) 50 07 66* – 🛗, ▤ rest, TV ☎ 🚗. AE ⓓ E VISA — BZ e
Comida - sólo buffet - 1800 – ☕ 650 – **56 hab** 5100/8500 – PA 3900.

Ronda, ronda Barcelona 104 ☎ (972) 50 39 11, *Fax (972) 50 16 82* – 🛗, ▤ rest, TV ☎ 🚗 Ⓟ. AE E VISA. ✂ rest — por ③
Comida 1400 – ☕ 600 – **47 hab** 3400/5800 – PA 3400.

Los Ángeles sin rest, Barceloneta 10 ☎ (972) 51 06 61, *Fax (972) 51 07 00* – ▤ TV ☎ 🚗. AE ⓓ E VISA — BY f
☕ 545 – **40 hab** 3445/5165.

Duràn, Lasauca 5 ☎ (972) 50 12 50, *Fax (972) 50 26 09*, « Decoración típica ampurdanesa » – ▤ 🚗 Ⓟ. AE ⓓ E VISA — BZ c
Comida carta 2650 a 4825.

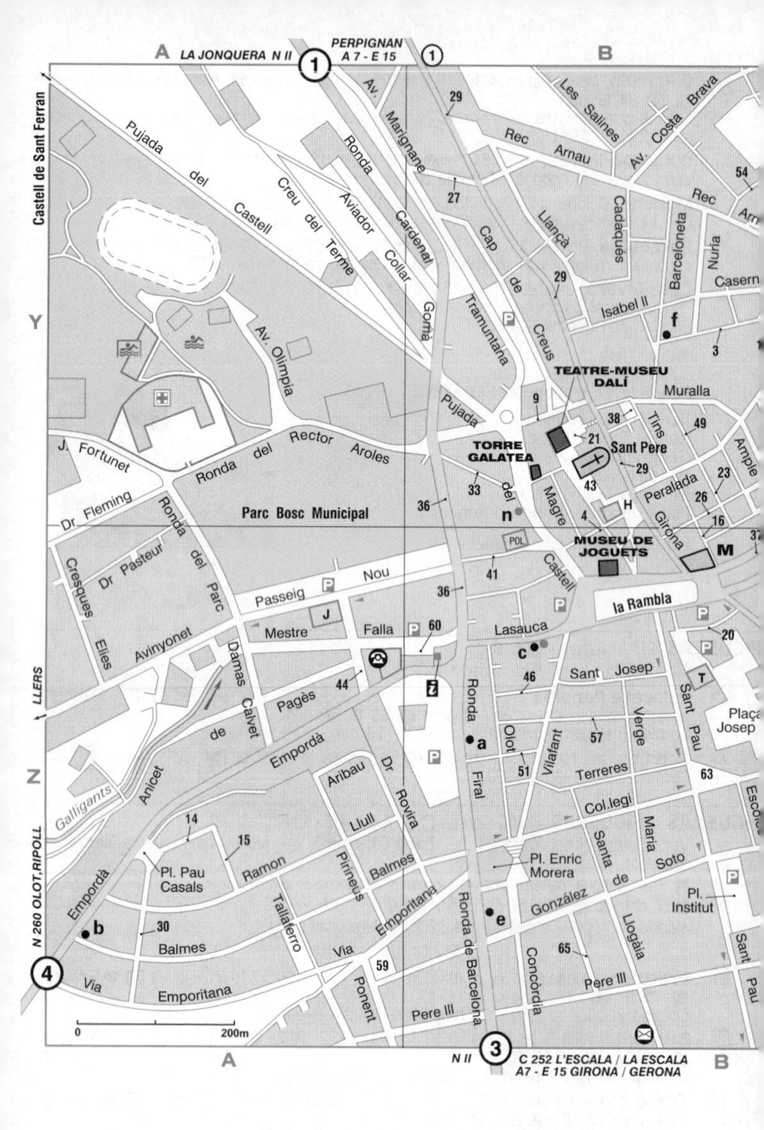

Viarnés, Pujada del Castell 23 ☏ (972) 50 07 91 – ▤. AE ⓓ E VISA BY
cerrado domingo noche, lunes (en agosto sólo domingo noche), 1ª quincena de junio y 1ª quincena de noviembre – **Comida** carta 2650 a 3200.

en la carretera N II *(antigua carretera de Francia) por* ① – ✉ *17600 Figueras :*

Ampurdán, N : 1,5 km ☏ (972) 50 05 62, *Fax (972) 50 93 58,* – ▤ ▤ TV ☎
P. AE ⓓ E VISA. ✂ rest
Comida 4500 y carta 5100 a 6840 – ☕ 980 – **39 hab** 7200/11400, 3 suites
Espec. Ensalada de cigalas al vinagre de Cabernet Sauvignon. Vieiras con jamón ibérico a la vinagreta de tomate. Becada braseada con nabos (temp. caza).

Bon Retorn, S : 2,5 km ☏ (972) 50 46 23, *Fax (972) 67 39 79,* – ▤ ▤ TV ☎ ♿
P. AE ⓓ E VISA. ✂ rest
Comida *(cerrado lunes mediodía)* 2000 – ☕ 800 – **50 hab** 5000/8000.

FIGUERES
FIGUERAS

en la carretera de Olot *por ④ : 5 km – ✉ 17742 Avinyonet de Puigventós :*

XXX ✿ **Mas Pau** con hab, ☎ (972) 54 61 54, *Fax (972) 54 63 26*, ≤, « Antigua masía con jardín y 🏊 » – ▤ hab, TV ☎ P. AE ◑ E VISA
cerrado 8 enero-15 marzo – **Comida** *(cerrado lunes mediodía en verano, domingo noche y lunes resto del año)* 4500 y carta 4350 a 5300 – ☕ 1200 – **6 hab** 12150/13000, 1 suite
Espec. Merluza con alcachofas. Manitas de cerdo deshuesadas y rellenas de buey de mar. Timbales de praliné y chocolate con sorbete de chocolate blanco.

Dieser Führer ist kein vollständiges Hotel- und Restaurantverzeichnis.
Um den Ansprüchen aller Touristen gerecht zu werden,
haben wir uns auf eine Auswahl in jeder Kategorie beschränkt.

Ses FIGUERETES (Playa de) *Baleares – ver Baleares (Ibiza) : Ibiza.*

FINCA LA BOBADILLA *Granada – ver Loja.*

FINISTERRE o **FISTERRA** *15155 La Coruña* 441 **D 2** – *4 964 h. – Playa.*

Alred. : *Cabo★ ≤★ S : 3,5 km, carretera★ a Corcubión (pueblo★) NE : 13 km.*

Madrid 733 – La Coruña/A Coruña 115 – Santiago de Compostela 131.

Finisterre, Federico Ávila 8 (981) 74 00 00, *Fax (981) 74 00 54* – . VISA.

Comida 1500 – 500 – **48 hab** 4500/6000 – PA 3500.

O'Centolo, Bajada del Puerto (981) 74 04 52, – AE E VISA

Comida - pescados y mariscos - carta 2450 a 3400.

FIOBRE *La Coruña – ver Bergondo.*

FISCAL *22373 Huesca* 443 **E 29** – *249 h. alt. 768.*

Madrid 534 – Huesca 144 – Lérida/Lleida 160.

Río Ara, carret. de Ordesa (974) 50 30 20, *Fax (974) 50 30 20,* ≤ –

27 hab.

FISTERRA *La Coruña – ver Finisterre.*

FITERO *31593 Navarra* 442 **F 24** – *2 109 h. alt. 223 – Balneario.*

Madrid 308 – Pamplona/Iruñea 93 – Soria 82 – Zaragoza 105.

en Baños de Fitero *O : 4 km – 31593 Fitero :*

Balneario Gustavo Adolfo Bécquer , Extramuros (948) 77 61 00, *Fax (948) 77 62 25,* de agua termal, , – , rest, . VISA. rest *marzo-15 diciembre* – **Comida** 2100 – 1000 – **193 hab** 4800/7250 – PA 4400.

Virrey Palafox , Extramuros (948) 77 62 75, *Fax (948) 77 62 25,* de agua termal, , – , rest, . VISA. rest *marzo-15 diciembre* – **Comida** 2100 – 1000 – **63 hab** 4800/7250 – PA 4400.

FOMBELLIDA *39213 Cantabria* 442 **D 17**.

Madrid 338 – Aguilar de Campóo 24 – Burgos 105 – Santander 80.

Fombellida, carret. N 611 (942) 75 33 63, « Decoración rústica » – . AE E VISA.

cerrado domingo noche y festivos noche – **Comida** carta aprox. 3200.

FONTANILLES *17257 Gerona* 443 **F 39** – *90 h.*

Madrid 740 – Figueras/Figueres 44 – Gerona/Girona 38.

Can Bech, Major 12 (972) 75 93 17, *Fax (972) 76 00 16,* « Antigua masía » – E VISA.

cerrado 12 diciembre-12 enero – **Comida** *(sólo fines de semana salvo julio y agosto)* carta 2925 a 4200.

FONTSCALDES *43813 Tarragona* 443 **I 33**.

Madrid 540 – Barcelona 100 – Lérida/Lleida 76 – Tarragona 26.

en la carretera N 240 *N : 3 km – 43813 Fontscaldes :*

Les Espelmes, (977) 60 10 42, ≤, – . AE E VISA.

cerrado miércoles y 22 junio-julio – **Comida** carta 2300 a 4300.

FORCALL *12310 Castellón* 445 **K 29** – *569 h. alt. 680.*

Madrid 423 – Castellón de la Plana/Castelló de la Plana 110 – Teruel 122.

Palau dels Osset, pl. Mayor 16 (964) 17 75 24, *Fax (964) 17 75 56,* « En un palacio del siglo XVI » – . VISA.

Comida *(cerrado lunes y martes)* 1600 – 500 – **20 hab** 6600/8800.

Aguilar sin rest y sin , av. III Centenario 1 (964) 17 11 06, *Fax (964) 17 11 06* –

15 hab 2100/3200.

Mesón de la Vila, pl. Mayor 8 (964) 17 11 25, « Decoración rústica » – . AE E VISA

cerrado domingo noche y del 15 al 31 de octubre – **Comida** carta 1800 a 3400.

FORMENTERA *Baleares - ver Baleares.*

FORMENTOR (Cabo de) *Baleares - ver Baleares (Mallorca).*

El FORMIGAL *Huesca - ver Sallent de Gállego.*

FORNELLS *Baleares - ver Baleares (Menorca).*

FORNELLS DE LA SELVA *17458 Gerona* 443 **G 38** - *1 160 h. alt. 102.*
Madrid 693 - Barcelona 91 - Gerona/Girona 8 - San Feliú de Guixols/Sant Feliu de Guíxols 37.

Mas Busquets, perllongació carrer Guilleries ☎ (972) 47 67 53, - P. AE E VISA.
Comida carta 2050 a 2625.

FORTUNA (Balneario de) *30630 Murcia* 445 **R 26** - *6 081 h. alt. 240 - Balneario.*
Madrid 388 - Albacete 141 - Alicante/Alacant 96 - Murcia 25.

Victoria, ☎ (968) 68 50 11, *Fax (968) 68 50 87*, de agua termal, , - TV P. AE VISA.
cerrado enero y febrero - **Comida** 2140 - 360 - **51 hab** 4925/6850, 1 suite.

Balneario, ☎ (968) 68 50 11, *Fax (968) 68 50 87*, de agua termal, , - , hab, TV P. AE VISA.
Comida 2245 - 515 - **58 hab** 4480/6850.

España, ☎ (968) 68 50 11, *Fax (968) 68 50 87*, de agua termal, , - TV P. AE VISA.
cerrado enero y febrero - **Comida** 1430 - 300 - **54 hab** 2680/3360.

FORUA *48393 Vizcaya* 442 **BC 21** - *962 h. alt. 28.*
Madrid 430 - Bilbao/Bilbo 37 - San Sebastián/Donostia 85 - Vitoria/Gasteiz 70.

Baserri Maitea, NO : 1,5 km ☎ (94) 625 34 08, *Fax (94) 625 57 88*, « Caserío del siglo XVIII » - P. AE E VISA.
cerrado las noches de domingo a jueves (noviembre-abril) y domingo noche resto del año - **Comida** carta 4100 a 5300.

Torre Barri, Torre Barri 4 ☎ (94) 625 25 07, - .

La FOSCA *Gerona - ver Palamós.*

FOZ *27780 Lugo* 441 **B 8** - *9 446 h.*
Alred. : *Iglesia de San Martín de Mondoñedo (capiteles★) S : 2,5 km.*
Álvaro Cunqueiro 24 ☎ (982) 14 00 27 Fax (982) 14 16 00.
Madrid 598 - La Coruña/A Coruña 145 - Lugo 94 - Oviedo 194.

FRAGA *22520 Huesca* 443 **H 31** - *11 591 h. alt. 118.*
Madrid 436 - Huesca 108 - Lérida/Lleida 27 - Tarragona 119.

Casanova, av. de Madrid 54 ☎ (974) 47 19 90, *Fax (974) 45 37 88*, - TV ☎ P - 25/200. AE E VISA JCB.
Comida 2000 - 935 - **89 hab** 13475/16885.

La FRANCA *33590 Asturias* 441 **B 16** - *Playa.*
Madrid 438 - Gijón 114 - Oviedo 124 - Santander 81.

Mirador de la Franca, playa - O : 1,2 km ☎ (98) 541 21 45, *Fax (98) 541 21 53*, , - TV ☎ P. AE E VISA. rest
marzo-octubre - **Comida** 2000 - 850 - **52 hab** 9000/10900 - PA 4500.

FREGENAL DE LA SIERRA *06340 Badajoz* 444 **R 10** - *5 436 h. alt. 579.*
Madrid 445 - Aracena 55 - Badajoz 97 - Jerez de los Caballeros 22 - Monesterio 43.

Cristina, El Puerto ☎ (924) 70 00 40, *Fax (924) 70 10 33*, - TV ☎ P - 25/400. AE VISA.
Comida *(cerrado lunes)* carta 2650 a 3750 - 400 - **39 hab** 6000/7500.

Fregenal, Orihuela Grande 2 ☎ (924) 72 01 27, *Fax (924) 72 01 26* - TV ☎. AE E VISA.
Comida 1100 - 500 - **14 hab** 3500/5000.

FRIGILIANA *29788 Málaga* 446 **V 18** - *2 125 h. alt. 311.*
Madrid 555 - Granada 126 - Málaga 58.

Las Chinas sin rest y sin ☕, pl. Amparo Guerrero 14 ✆ (95) 253 30 73, ≤ - TV.
9 hab 3000/5000.

FRÓMISTA *34440 Palencia* 442 **F 16** - *1 013 h. alt. 780.*
Ver : *Iglesia de San Martín★★.*
paseo Central ✆ (979) 81 01 80 (Semana Santa-12 octubre).
Madrid 257 - Burgos 78 - Palencia 31 - Santander 170.

Hostería de los Palmeros, pl. San Telmo 4 ✆ (979) 81 00 67 - ▤. AE ⓓ E VISA.
cerrado martes salvo en Semana Santa, verano y Navidades - **Comida** carta 3500 a 4550

FUENCARRAL *Madrid - ver Madrid.*

FUENGIROLA *29640 Málaga* 446 **W 16** - *43 048 h. - Playa.*
av. Jesús Santos Rein 6 ✆ (95) 246 74 57 Fax (95) 246 51 00.
Madrid 575 ① - Algeciras 104 ② - Málaga 29 ①

Florida, paseo Marítimo ✆ (95) 247 61 00, Telex 77791, *Fax (95) 258 15 29,* ≤, climatizada, - |♦|, ▤ rest, TV ☎. AE ⓓ E VISA. b
Comida 2400 - ☕ 725 - **116 hab** 7000/11000 - PA 4600.

Las Pirámides, Miguel Márquez ✆ (95) 247 06 00, *Fax (95) 258 32 97,* ≤, - ▤ TV ☎ - 25/400. AE E VISA. s
Comida - sólo cena buffet - 1900 - ☕ 900 - **316 hab** 14700/19950.

Agur, Tostón 2 ✆ (95) 247 66 66 - ▤ ☎ q
48 hab.

Italia sin rest, de la Cruz 1 ✆ (95) 247 41 93 - |♦| ☎. ☕ 325 - **35 hab** 3630/6300. z

Portofino, paseo Marítimo 29 ✆ (95) 247 06 43, *Fax (95) 247 06 43,* - ▤. AE ⓓ E VISA x
cerrado lunes, del 1 al 15 de julio y del 1 al 15 de diciembre - **Comida** - sólo cena en verano - carta 2450 a 4250.

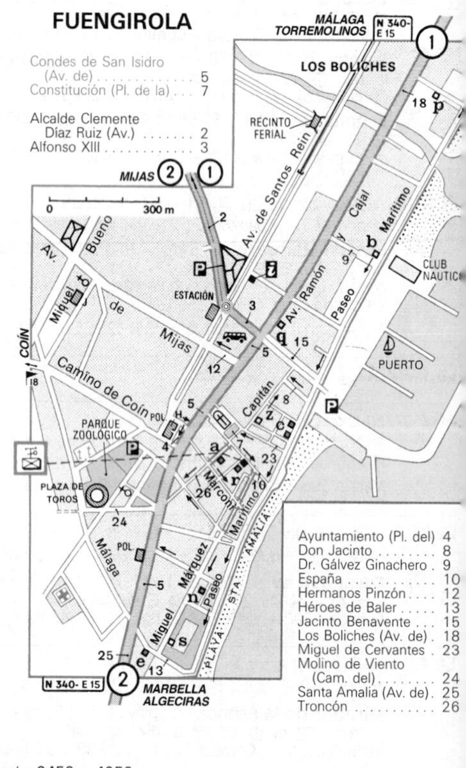

Monopol, Palangreros 7 ✆ (95) 247 44 48, *Fax (95) 247 44 48,* « Decoración neo-rústica » - AE ⓓ E VISA r
cerrado domingo y agosto - **Comida** - sólo cena - carta 2630 a 4090.

Tomate, Troncón 19 ✆ (95) 246 35 59, - AE ⓓ E VISA a
Comida - sólo cena - carta aprox. 3800.

Old Swiss House "Mateo", Marina Nacional 28 ✆ (95) 247 26 06, *Fax (95) 247 26 06* - ▤. AE ⓓ E VISA. n
cerrado martes - **Comida** carta 2525 a 3550.

X **La Gaviota,** paseo Marítimo 29 ℘ (95) 247 36 37, 余 - ◑ E VISA c
cerrado miércoles y 20 diciembre-25 enero – **Comida** - sólo cena julio-agosto - carta 2175 a 3825.

X **Taberna del Pescador,** Héroes de Baler 4 ℘ (95) 247 41 67 – ▤. AE ◑ E VISA. ✻ e
Comida - pescados y mariscos - carta 3000 a 4200.

en Los Boliches – ✉ *29640 Fuengirola :*

Ángela, paseo Marítimo ℘ (95) 247 52 00, Telex 77342, *Fax (95) 246 20 87,* ←, climatizada, ✂ – |‡| ▤ TV ☎. AE ◑ E VISA. ✻ p
Comida - sólo cena buffet - 3675 – ☕ 1575 – **260 hab** 9450/14700.

en Carvajal *por ① : 4 km* – ✉ *29640 Fuengirola :*

XX **El Balandro,** paseo Marítimo ℘ (95) 266 11 29, ←, 余 – ▤ ⇔. AE ◑ E VISA. ✻
cerrado domingo y 15 noviembre-15 diciembre – **Comida** - espec. en carnes y asados - carta 3000 a 5500.

por la carretera de Coín *NO : 5 km* – ✉ *29640 Fuengirola :*

Byblos Andaluz ⑤, urb. Mijas Golf ℘ (95) 247 30 50, *Fax (95) 247 67 83,* ← campo de golf y montañas, 余, Servicios de talasoterapia, « Elegante conjunto de estilo andaluz situado entre dos campos de golf », ✂, ✂, ✂, ✂, ✂, 18 18 – |‡| ▤ TV ☎ P – 20/170. AE ◑ E VISA. ✻
Comida 5800 - ***Le Nailhac*** *(sólo cena, cerrado miércoles)* **Comida** carta 5600 a 7200 - ***El Andaluz :*** **Comida** carta 3900 a 5300 – ☕ 2250 – **108 hab** 31500/44000, 36 suites – PA 11000.

FUENLABRADA *28940 Madrid* 444 **L 18** – *144 069 h. alt. 664.*

Madrid 20 – Aranjuez 37 – El Escorial 59 – Toledo 56.

Avenida de España, av. de España 18 ℘ (91) 606 22 11, *Fax (91) 606 41 29* – |‡| ▤ TV ☎ ⇔ P – 40/400
80 hab.

FUENMAYOR *26360 La Rioja* 442 **E 22** – *2 075 h. alt. 433.*

Madrid 346 – Logroño 13 – Vitoria/Gasteiz 77.

XX **Chuchi,** carret. de Vitoria 2 ℘ (941) 45 04 22, *Fax (941) 45 06 68* – ▤. AE ◑ E VISA. ✻
cerrado miércoles noche y del 1 al 18 de septiembre – **Comida** carta aprox. 4200.

FUENSALIDA *45510 Toledo* 444 **L 17** – *6 971 h. alt. 593.*

Madrid 69 – San Martín de Valdeiglesias 61 – Talavera de la Reina 61 – Toledo 31.

Fuensalida, Colón 6 ℘ (925) 78 58 38 – ▤ TV ☎
32 hab.

FUENTE DÉ *Cantabria* 442 **C 15** – *alt. 1 070* – ✉ *39588 Espinama* – 1.

Ver : *Paraje★★.*
Alred. : *Mirador del Cable* ✻★★ *estación superior del teleférico.*
Madrid 424 – Palencia 198 – Potes 25 – Santander 140.

Parador de Fuente Dé ⑤, alt. 1 005 ℘ (942) 73 66 51, *Fax (942) 73 66 54,* « Magnífica situación al pie de los Picos de Europa ← valle y montaña » – |‡| TV ☎ P. AE ◑ E VISA. ✻
10 marzo-10 noviembre – **Comida** 3200 – ☕ 1200 – **78 hab** 10800/13500.

Rebeco ⑤, alt. 1 005 ℘ (942) 73 66 00, *Fax (942) 73 66 00,* 余, « Magnífica situación al pie de los picos de Europa ← valle y montaña » – |‡| TV ☎ P. AE E VISA. ✻
Comida 1600 – ☕ 550 – **30 hab** 6000/8000 – PA 3315.

FUENTE DE PIEDRA *29520 Málaga* 446 **U 15** – *1 969 h.*

Madrid 544 – Antequera 23 – Córdoba 137 – Granada 120 – Sevilla 141.

X **La Laguna** con hab, antigua carret. N 334 ℘ (95) 273 52 92 – ▤ TV P. E VISA. ✻
Comida carta 1500 a 2550 – ☕ 300 – **9 hab** 4000/5000.

FUENTE EL SOL *47494 Valladolid* 442 **I 15** – *343 h.*

Madrid 151 – Ávila 77 – Salamanca 81 – Valladolid 65.

X El Buen Yantar, carret. C 610 ℘ (983) 82 42 12 – ▤ P.

FUENTE EN SEGURES *12160 Castellón* 445 **K 29** – *alt. 821 – Balneario.*
Madrid 502 – Castellón de la Plana/Castelló de la Plana 79 – Tortosa 126.

Los Pinos, (964) 43 13 11, ≤ – . VISA.
junio-septiembre – **Comida** 1050 – 260 – **48 hab** 2800/5600 – PA 2100.

Fuente En Segures, av. Dr. Puigvert (964) 43 10 00 – . VISA.
junio-septiembre – **Comida** 1100 – 600 – **78 hab** 3225/5750 – PA 2125.

FUENTEHERIDOS *21292 Huelva* 446 **S 10** – *639 h. alt. 717.*
Madrid 492 – Aracena 10 – Huelva 122 – Serpa 98 – Zafra 91.

La Capellanía, carret. N 433 - NE : 1 km (959) 12 50 34, – AE E VISA.
Comida carta aprox. 4100.

FUENTERRABÍA u HONDARRIBIA *20280 Guipúzcoa* 442 **B 24** – *13 974 h. – Playa.*
Ver : *Ciudad Vieja★.*
Alred. : *Ermita de San Marcial (≤★★) E : 9 km - Cabo Higuer★ (≤★) N : 4 km – Trayecto★★ de Fuenterrabía a Pasajes de San Juan por el Jaizkíbel : capilla de Nuestra Señora de Gua dalupe ≤★ – Hostal del Jaizkíbel ≤★★, descenso a Pasajes de San Juan ≤★ – Pasa Donibane★.*
de Fuenterrabía (943) 66 85 00 – Iberia y Aviaco : ver San Sebastián.
Javier Ugarte 6 (943) 64 54 58 Fax (943) 64 54 66.
Madrid 512 ① – Pamplona/Iruñea 95 ① – St-Jean-de-Luz 18 ① – San Sebastián/Donosti 23 ①

Plano página siguiente

Parador de Hondarribia sin rest, pl. de Armas 14 (943) 64 55 00, *Fax (943) 64 21 53,* « Instalado en un castillo medieval » – – 25/70. AE E VISA JCB AY a
1300 – **36 hab** 14500/19000.

Río Bidasoa, Nafarroa Beherea (943) 64 54 08, *Fax (943) 64 51 70,* « Jardín con » – – 25/150. AE E VISA. BZ b
Comida *(cerrado domingo noche y lunes salvo en verano y 15 diciembre-20 enero)* 2000 – 900 – **37 hab** 11100/14600 – PA 4700.

Obispo sin rest, pl. del Obispo (943) 64 54 00, *Fax (943) 64 23 86,* « Palacio del siglo XIV » – . AE E VISA AZ c
cerrado 23 diciembre-15 enero – 1000 – **17 hab** 12000/15200.

Pampinot sin rest, Mayor 5 (943) 64 06 00, *Fax (943) 64 51 28,* « Casa señorial del siglo XVI » – . AE E VISA AZ c
cerrado noviembre – 1100 – **8 hab** 11000/15000.

Jauregui sin rest. con cafetería, Zuloaga 5 (943) 64 14 00, *Fax (943) 64 44 04* – – 25/50. AE E VISA JCB. AX e
900 – **42 hab** 10300/13700, 11 apartamentos.

San Nicolás sin rest, pl. de Armas 6 (943) 64 42 78 – . AE E VISA.
675 – **12 hab** 6900/7900. AZ

Ramón Roteta, Irún (943) 64 16 93, *Fax (943) 64 58 63,* – AE E VISA JCB
cerrado martes mediodía en verano, domingo noche y martes resto del año, del 15 al 28 de febrero y del 15 al 30 de noviembre – **Comida** 4000 y carta 3750 a 5800
Espec. Fideos fritos a la marinera. Filetes de salmonete asados con allioli de aceitunas negras. Huevos escalfados de caserío, salsa de trufas e hígado de pato.

Sebastián, Mayor 11 (943) 64 01 67 – AE E VISA AZ k
cerrado domingo noche, lunes y noviembre – **Comida** carta 4200 a 6100.

Arraunlari, paseo Butrón 3 (943) 64 15 81, – AE E VISA JCB. AX m
cerrado domingo noche, lunes y 16 diciembre-15 enero – **Comida** carta 3600 a 4900.

Zeria, San Pedro 23 (943) 64 27 80, *Fax (943) 64 12 14,* « Decoración rústica » – AE E VISA JCB. AX n
cerrado domingo noche y jueves (salvo en verano) – **Comida** - pescados y mariscos - carta 3400 a 4350.

Alameda, Alameda 1 (943) 64 27 89, – AE E VISA AX t
cerrado domingo noche, martes, del 1 al 7 de junio, octubre y Navidades – **Comida** carta 3000 a 5500
Espec. Arroz cremoso con verduras y hongos. Milhojas de foie y morros sobre crema de garbanzos. Terrina de avellana con crujiente de chocolate.

Aquarium, Zuloaga 20 (943) 64 27 93, – . AE E VISA. AZ s
cerrado lunes noche, martes (salvo festivos) y 15 octubre-Semana Santa – **Comida** carta 3300 a 5200.

HONDARRIBIA FUENTERRABÍA

Matxin Arzu	AX
San Pedro	AXY
Santiago	AXY
Zuloaga	AX
Apezpiku	AZ 3
Apezpiku Plaza	AZ 4
Arma Plaza	AY 6
Barra	ABZ 7
Beleztarren Markes	AX 9
Bitoriano Juaristi	AY 10
Butrón	AX 12
Damarri	AZ 13
Domingo Egia	AX 15
Etxenagusia Margolari	AZ 16
Fraxkueneko Murrua	AZ 18
Iparraldeko	AY 19
Jaizkibel Etorbidea	AY 21
Kale Nagusia	AZ 22
Santiago Konpostela	AY 24
Uriaeneko Murrua	AY 25

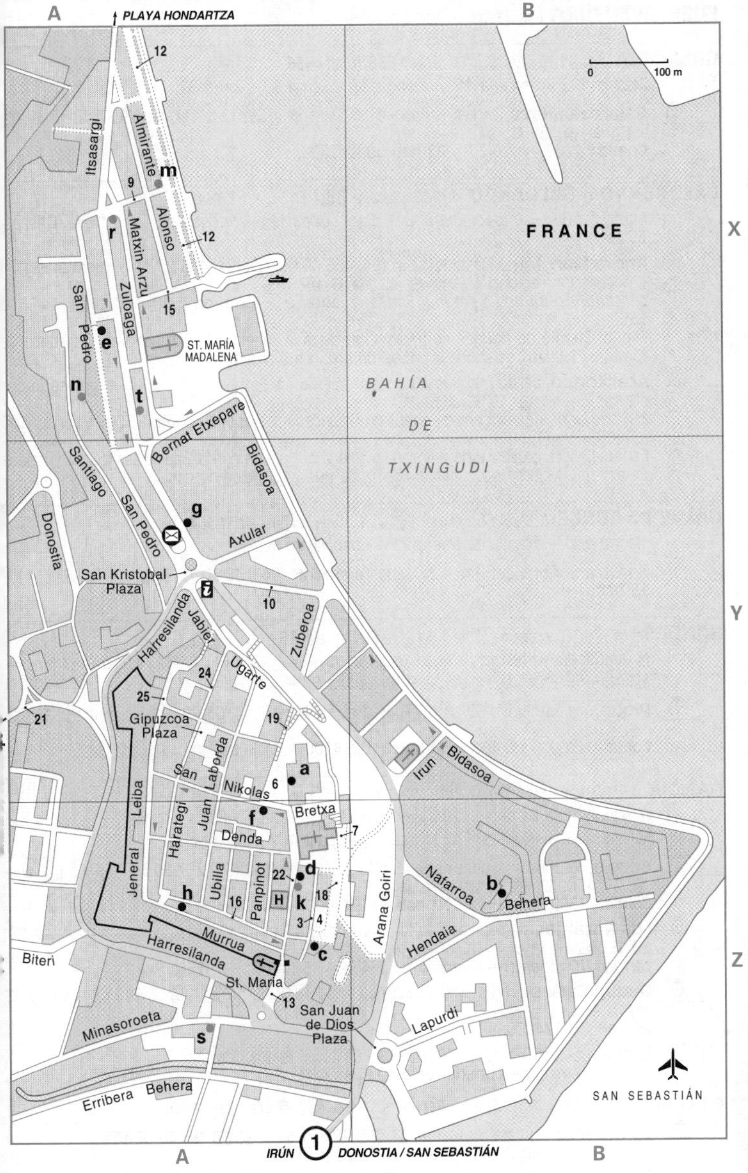

A
PLAYA HONDARTZA
B
0 100 m
12
Itsasargi
Almirante
m
9
Alonso
r
Matxin Arzu
12
FRANCE
X
San Pedro
Zuloaga
15
e
ST. MARÍA MADALENA
n
t
BAHÍA
DE
TXINGUDI
Bernat Etxepare
Bidasoa
Santiago
Donostia
San Pedro
g
Axular
San Kristobal Plaza
10
Zuberoa
Y
Harresilanda
Jabier
24
Ugarte
25
21
19
Gipuzcoa Plaza
a
San
Laborda
6
Irun
Bidasoa
Nikolas
Bretxa
f
Leiba
Haretegi
Juan
Denda
7
Jeneral
Ubilla
Panpinot
22
d
Nafarroa
b
Behera
h
16
H
k
18
Arana Goiri
3
4
Murrua
Harresilanda
c
Hendaia
Z
Biteri
St. María
13
San Juan de Dios Plaza
Minasoroeta
s
Lapurdi
SAN SEBASTIÁN
Erribera
Behera
A
IRÚN
1
DONOSTIA / SAN SEBASTIÁN
B

Recorra los países de **Europa** *con los* **mapas Michelin** *de la serie roja (nº* **980** *a* **991***).*

en la carretera de San Sebastián *por ① y camino a la derecha SO : 2,5 km – ✉ 2028*
Fuenterrabía :

XX Beko Errota, barrio de Jaizubia ✆ (943) 64 31 94, *Fax (943) 64 31 94,* « Caserío vasco »
– P.

FUERTEVENTURA *Las Palmas – ver Canarias.*

GALAROZA *21291 Huelva* 446 **S 9** – *1 538 h. alt. 556.*
Madrid 485 – Aracena 15 – Huelva 113 – Serpa 89 – Zafra 82.

Galaroza Sierra, carret. N 433 - O : 0,5 km ✆ (959) 12 32 37, *Fax (959) 12 32 36,*
– TV ☎ P. ⦿ E VISA.
Comida 1200 – ☕ 425 – **22 hab** 5000/7500.

GALDÁCANO o **GALDAKAO** *48960 Vizcaya* 442 **C 21** – *28 885 h.*
Madrid 403 – Bilbao/Bilbo 8 – San Sebastián/Donostia 91 – Vitoria/Gasteiz 68.

XX **Andra Mari,** barrio Elexalde 22 ✆ (94) 456 00 05, *Fax (94) 456 27 31,* ≤ montañas,
« Decoración regional » – ▤ P. AE ⦿ E VISA JCB.
cerrado domingo, Semana Santa y agosto – **Comida** 5000 y carta 4175 a 5350
Espec. Soufflé de hongos con foie. Cigalitas a la canela sobre alcachofas y sorbete de tomate. Chicharritos sobre brunoise de chipirón y manitas de cerdo.

XX **Aretxondo,** barrio Elexalde 20 ✆ (94) 456 76 71, *Fax (94) 456 76 72,* ≤, « Caserío con plantas » – ▤ P. AE E VISA.
cerrado lunes, 1ª quincena de enero y 1ª quincena de agosto – **Comida** 5000 y carta 4100 a 5200
Espec. Galleta crujiente de manzana y foie sobre pie de cerdo. Sapito asado con ensalada de almejas. Mousse de cuajada, crema de nueces y gelée de canela.

GALVE DE SORBE *19275 Guadalajara* 444 **I 20** – *147 h. alt. 1 364.*
Madrid 160 – Aranda de Duero 75 – Guadalajara 96.

Nuestra Señora del Pinar, Los Talleres ✆ (949) 30 30 29 – P
15 hab.

GANDESA *43780 Tarragona* 443 **I 31** – *2 591 h. alt. 368.*
av. Catalunya (estació d'autobusos) ✆ (977) 42 06 14 Fax (977) 42 03 95.
Madrid 459 – Lérida/Lleida 92 – Tarragona 87 – Tortosa 40.

Piqué, Via Catalunya 68 ✆ (977) 42 00 68, *Fax (977) 42 03 29* – ▤ rest, ☎ P. E VISA.
Comida 1300 – ☕ 400 – **48 hab** 2100/4200 – PA 3000.

GANDÍA *46700 Valencia* 445 **P 29** – *52 000 h. – Playa.*
Marqués de Campo ✆ (96) 287 77 88 Fax (96) 287 77 88.
Madrid 416 – Albacete 170 – Alicante/Alacant 109 – Valencia 68.

Borgia, República Argentina 5 ✆ (96) 287 81 09, *Fax (96) 287 80 31* – ▤ TV ☎ –
25/150. AE ⦿ E VISA. rest
Comida 2500 – ☕ 600 – **72 hab** 6100/9000 – PA 4480.

Los Naranjos sin rest, av. Pío XI-57 ✆ (96) 287 31 43, *Fax (96) 287 31 44* – ▤ TV.
⦿ E VISA
cerrado 19 diciembre-12 enero – ☕ 475 – **35 hab** 3150/5250.

Duque Carlos sin rest y sin ☕, Duc Carles de Borja 34 ✆ (96) 287 28 44 – AE ⦿ E VISA
28 hab 2500/4000.

XX **L'Ullal,** Benicanena 12 ✆ (96) 287 73 82 – ▤. E VISA.
cerrado domingo – **Comida** carta 3075 a 3480.

en el puerto (Grau) *NE : 3 km - ver plano – ✉ 46730 Grau de Gandía :*

La Alberca sin rest, Cullera 8 ✆ (96) 284 51 63 – ▤ TV ☎. AE E VISA a
☕ 450 – **17 hab** 3500/5800.

X **Rincón de Ávila,** Príncep 5 ✆ (96) 284 49 54 – ▤. AE E VISA. s
cerrado domingo noche y del 15 al 30 de junio – **Comida** - espec. en carnes - carta 2600 a 3300.

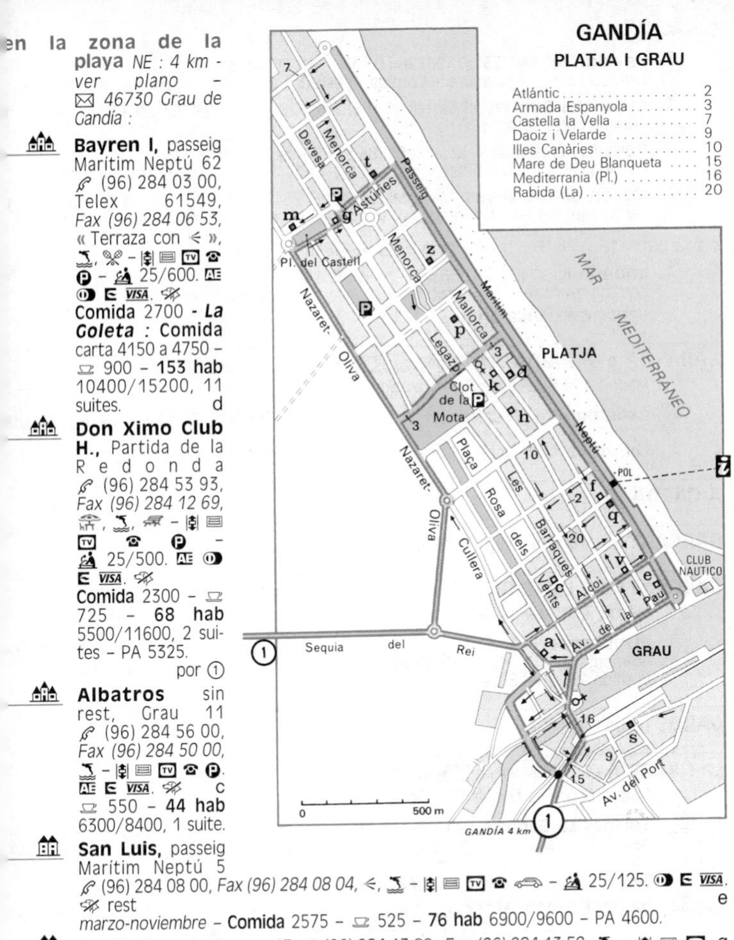

en la zona de la playa NE : 4 km - ver plano – ✉ 46730 Grau de Gandía :

Bayren I, passeig Marítim Neptú 62 ☎ (96) 284 03 00, Telex 61549, *Fax (96) 284 06 53,* « Terraza con ≤ », ⛱, 🎾 – |‡| ▤ TV ☎ 🅟 – 🎤 25/600. AE ⓓ E *VISA*. ✗ **Comida** 2700 - ***La Goleta*** : **Comida** carta 4150 a 4750 – ☕ 900 – **153 hab** 10400/15200, 11 suites. d

Don Ximo Club H., Partida de la Redonda ☎ (96) 284 53 93, *Fax (96) 284 12 69,* ⛱, ⛱, 🏖 – |‡| ▤ TV ☎ 🅟 – 🎤 25/500. AE ⓓ E *VISA*. ✗ **Comida** 2300 – ☕ 725 – **68 hab** 5500/11600, 2 suites – PA 5325. por ①

Albatros sin rest, Grau 11 ☎ (96) 284 56 00, *Fax (96) 284 50 00,* ⛱ – |‡| ▤ TV ☎ 🅟. AE E *VISA*. ✗ c ☕ 550 – **44 hab** 6300/8400, 1 suite.

San Luis, passeig Marítim Neptú 5 ☎ (96) 284 08 00, *Fax (96) 284 08 04,* ≤, ⛱ – |‡| ▤ TV ☎ 🚗 – 🎤 25/125. ⓓ E *VISA*. ✗ rest e
marzo-noviembre – **Comida** 2575 – ☕ 525 – **76 hab** 6900/9600 – PA 4600.

Gandía Playa, La Devesa 17 ☎ (96) 284 13 00, *Fax (96) 284 13 50,* ⛱ – |‡| ▤ TV g
126 hab.

Riviera sin rest, passeig Marítim Neptú 28 ☎ (96) 284 00 66, *Fax (96) 284 00 62,* ≤ – |‡| ▤ TV 🅟. AE E *VISA* f
marzo-septiembre – ☕ 600 – **72 hab** 7300/9700.

Bayren II, Mallorca 19 ☎ (96) 284 07 00, Telex 61549, *Fax (96) 284 51 67,* ⛱ – |‡| ▤ TV ☎. AE ⓓ E *VISA*. ✗ k
mayo-septiembre – **Comida** 2520 – ☕ 700 – **121 hab** 7500/11000 – PA 5015.

Clibomar sin rest y sin ☕, Alcoi 24 ☎ (96) 284 02 37 – |‡| TV ☎. *VISA*. ✗ v
16 hab 5500/7500.

Mavi, Legazpi 18 ☎ (96) 284 00 20, *Fax (96) 284 00 20* – |‡|, ▤ rest,. *VISA*. ✗ h
15 marzo-septiembre – **Comida** 1100 – ☕ 300 – **40 hab** 4700.

Gamba, carret. de Nazaret-Oliva ☎ (96) 284 13 10, ⛱ – ▤ 🅟. AE ⓓ E *VISA*
cerrado lunes y noviembre – **Comida** - pescados y mariscos, sólo almuerzo - carta 6000 a 7000. por carret. Nazaret-Oliva

As de Oros, passeig Marítim Neptú 26 ☎ (96) 284 02 39 – ▤. AE ⓓ E *VISA* JCB. ✗
cerrado lunes (salvo julio-agosto) y 7 enero-7 febrero – **Comida** - pescados y mariscos - carta 3300 a 6300. q

Emilio, av. Vicente Calderón - bloque F5 ☎ (96) 284 07 61, *Fax (96) 284 15 21* – ▤. AE ⓓ E *VISA* z
cerrado miércoles (salvo festivos y verano) y febrero – **Comida** carta 3550 a 5800.

Kayuko, Asturias 23 ✆ (96) 284 01 37 – ▤. AE ⓓ E.
cerrado lunes y noviembre – **Comida** - pescados y mariscos - carta aprox. 6000.

Celler del Duc, pl. del Castell ✆ (96) 284 20 82, – ▤. AE ⓓ E VISA.
Comida carta aprox. 3200.

Gonzalo, Castella la Vella ✆ (96) 284 58 68 – ▤. AE ⓓ E VISA
Comida carta 2300 a 3200.

por Castella la Vella

Mesón de los Reyes, Mallorca 39 ✆ (96) 284 00 78, – AE ⓓ E VISA.
cerrado jueves (salvo julio-agosto) y octubre-15 marzo – **Comida** carta 2200 a 3300.

en la carretera de Bárig *O : 7 km – ✉ 46728 Marxuquera :*

Imperio II, ✆ (96) 287 56 60 – ▤ Ⓟ. E VISA.
cerrado miércoles y 15 octubre-15 noviembre – **Comida** carta 2950 a 4200.

Ver también : **Villalonga** *S : 11 km.*

GARAYOA o GARAIOA *31692 Navarra* 442 **D 26** – *137 h. alt. 777.*

Madrid 438 – Bayonne 98 – Pamplona/Iruñea 55.

Arostegui , Chiquirrín 13 ✆ (948) 76 40 44, *Fax (948) 76 40 44*, ← – TV. ⓓ VISA

Comida *(cerrado lunes)* 1500 – ☕ 500 – **18 hab** 3200/6500 – PA 3500.

A GARDA *Pontevedra – ver La Guardia.*

GARGANTA – *ver el nombre propio de la garganta.*

GARGANTA DE LOS MONTES *28749 Madrid* 444 **J 18** – *303 h. alt. 1 135.*

Madrid 73 – Aranda de Duero 96 – Guadalajara 74 – Segovia 71.

El Albergue , S : 1 km ✆ (91) 869 41 31, *Fax (91) 869 46 93*, , « En un bello paraje de montaña », , – TV ☎ Ⓟ – 25/80. VISA.
Comida 2500 – **18 hab** ☕ 5000/7000.

GARÓS *Lérida – ver Viella.*

La GARRIGA *08530 Barcelona* 443 **G 36** – *9 453 h. alt. 258 – Balneario.*

Madrid 650 – Barcelona 37 – Gerona/Girona 84.

Termes La Garriga, Banys 23 ✆ (93) 871 70 86, *Fax (93) 871 78 87*, Servicios terapéuticos, « Jardín con de agua termal », , – ▤ TV ☎ . AE E VISA

Comida 4100 – ☕ 1500 – **21 hab** 15400/23900, 1 suite.

Balneario Blancafort , Banys 59 ✆ (93) 871 46 00, *Fax (93) 871 57 50*, de agua termal, , – , ▤ rest, TV ☎ Ⓟ – 25/50. E VISA.
Comida 3200 – ☕ 800 – **56 hab** 12500/16500.

Catalonia, carret. de L'Ametlla 68 ✆ (93) 871 56 54, – ▤ Ⓟ.

GARRUCHA *04630 Almería* 446 **U 24** – *4 295 h. alt. 24 – Playa.*

Madrid 536 – Almería 100 – Murcia 140.

Cervantes sin rest, Colón 3 ✆ (950) 46 02 52, *Fax (950) 13 20 46* – TV. AE E VISA

Semana Santa-octubre – **19 hab** ☕ 4450/6600.

El Almejero, Explanada del Puerto ✆ (950) 46 04 05, – ▤. AE ⓓ E VISA

Comida - pescados y mariscos - carta aprox. 3000.

GASTEIZ *Álava – ver Vitoria.*

GAVÀ *08850 Barcelona* 443 **I 36** – *35 167 h. – Playa.*

Madrid 620 – Barcelona 18 – Tarragona 77.

en la carretera C 246 *S : 4 km – ✉ 08850 Gavà :*

La Pineda, ✆ (93) 633 04 42, *Fax (93) 633 04 42*, – ▤ Ⓟ. AE E VISA
Comida carta 3055 a 3590.

en la zona de la playa *S : 5 km – ✉ 08850 Gavà :*

XXX **Les Marines,** Calafell ☎ (93) 633 18 60, *Fax (93) 633 18 31,* « En un pinar » – ▤ P. AE ① VISA – *cerrado domingo noche y lunes* – **Comida** carta 4325 a 5300
✿ **Espec.** Ensalada de colas de langostinos y vieiras con salsa de soja (verano). Popietas de lenguado y salmón con su puré de berenjenas y su aceite de olivas negras. Surtido de repostería.

GAVILANES *05460 Ávila* 444 L 15 – *744 h. alt. 677.*

Madrid 122 – Arenas de San Pedro 26 – Ávila 102 – Talavera de la Reina 60 – Toledo 24.

Mirador del Tiétar, Risquillo 22 ☎ (920) 38 48 67, ≤, – ▤ rest, P. VISA.
Comida 1900 – ☕ 400 – **40 hab** 5000/6500 – PA 3300.

GÈNOVA *Baleares – ver Baleares (Mallorca) : Palma.*

GER *17539 Gerona* 443 E 35 – *270 h. alt. 1 434.*

Madrid 634 – Ax-les-Thermes 58 – Andorra la Vieja/Andorra la Vella 56 – Gerona/Girona 153 – Puigcerdà 11 – Seo de Urgel/La Seu d'Urgell 38.

X **El Rebost de Ger** (conviene reservar), pl. Major 2 ☎ (972) 14 70 55, *Fax (972) 14 70 55,* « Decoración rústica » – ▤. AE ① E VISA.
cerrado martes, del 1 al 15 de junio y del 1 al 15 de octubre – **Comida** carta 2800 a 3900.

GERNIKA-LUMO *Vizcaya – ver Guernica y Luno.*

GERONA o **GIRONA** *17000* P 443 G 38 – *70 409 h. alt. 70.*

Ver : *Ciudad antigua (Força Vella)★★ – Catedral★ (nave★★, retablo mayor★, Tesoro★★ : Beatus★★, Tapiz de la Creación★★★, Claustro★)* BY *– Museu d'Art★★ : Viga de Cruilles★★, retablo de Púbol★, retablo de Sant Miquel de Cruilles★★* BY **M1** *– Colegiata de Sant Feliu : Sarcófagos★, Sarcófago con cacería de leones★* BY **R** *– Monasterio de Sant Pere de Galligants★ : Museo Arqueológico (sepulcro de las Estaciones★)* BY *– Baños Árabes★* BY **S**.

Alred. : *Púbol (Casa-Museu Castell Gala Dalí★) E por C 255.*

18 *Girona, Sant Julià de Ramis N : 4 km ☎ (972) 17 16 41 Fax (972) 17 16 82.*

Rambla de la Llibertat 1 ✉ 17004 ☎ (972) 22 65 75 Fax (972) 22 66 12 – **R.A.C.C.** *carret. de Barcelona 22 ✉ 17002 ☎ (972) 22 36 62 Fax (972) 22 15 57.*

Madrid 708 ② – Barcelona 97 ② – Manresa 134 ② – Mataró 77 ② – Perpignan 91 ① – Sabadell 95 ②

Plano página siguiente

Carlemany, pl. Miquel Santaló 1, ✉ 17002, ☎ (972) 21 12 12, *Fax (972) 21 49 94* – ▤ TV ☎ – 25/250. AE ① E VISA JCB. ✻ rest AZ w
Comida *(cerrado domingo y agosto)* 1300 – ☕ 1200 – **87 hab** 11100/13900, 3 suites.

Meliá Confort Girona, Barcelona 112, ✉ 17003, ☎ (972) 40 05 00, *Fax (972) 24 32 33* – ▤ TV ☎ ♿ – 25/500. AE ① E VISA. ✻ por ②
Comida 1500 – ☕ 1100 – **113 hab** 10700/13400, 1 suite.

Costabella, av. de Francia 61, ✉ 17007, ☎ (972) 20 25 24, *Fax (972) 20 22 03* – ▤ TV ☎ ♿ P – 25/30. AE ① E VISA. ✻ rest por ①
Comida *(cerrado domingo)* - sólo cena - 1200 – ☕ 975 – **44 hab** 8550/11850, 2 suites.

Ultonia sin rest, Gran Via de Jaume I-22, ✉ 17001, ☎ (972) 20 38 50, *Fax (972) 20 33 34* – ▤ TV ☎ – 25/40. AE ① E VISA AY x
☕ 800 – **45 hab** 7650/9900.

Condal sin rest y sin ☕, Joan Maragall 10, ✉ 17002, ☎ (972) 20 44 62, *Fax (972) 20 44 62* – TV ☎. AE E VISA JCB AZ p
38 hab 2900/5700.

XXX **Albereda,** Albereda 7, ✉ 17004, ☎ (972) 22 60 02, *Fax (972) 22 60 02* – ▤. AE ① E VISA. ✻ – *cerrado domingo, lunes noche, Navidades, Semana Santa y 15 días en agosto* – **Comida** carta 3800 a 4350. BZ a

XX **Mar Plaça,** pl. Independència 3, ✉ 17001, ☎ (972) 20 59 62 – ▤. AE E VISA. ✻
cerrado lunes y 15 enero-15 febrero – **Comida** carta 3200 a 5300. BY n

X **Cal Ros,** Cort Reial 9, ✉ 17004, ☎ (972) 21 73 79 – ▤. E VISA. ✻ BY v
cerrado domingo noche, lunes y agosto – **Comida** carta aprox. 4100.

X **Edelweiss,** Santa Eugenia 7 (passatge Ensesa), ✉ 17001, ☎ (972) 20 18 97, *Fax (972) 20 18 97* – ▤. AE ① E VISA. ✻ AZ e
cerrado domingo y del 16 al 31 de agosto – **Comida** carta 1850 a 3480.

X **La Penyora,** Nou del Teatre 3, ✉ 17004, ☎ (972) 21 89 48 – ▤. VISA BZ s
cerrado martes – **Comida** carta 2950 a 3325.

GIRONA
GERONA

Argenteria . . . . BY 3
Llibertat (Rambla de la) . . . BZ 23
Nou . . . . AZ
Santa Clara . . . . ABYZ

Álvarez de Castro . . . . AZ 2
Ballesteríes . . . . BY 4
Bellaire . . . . BY 6
Bonastruc de Porta . . . . AY 9
Carme . . . . BZ 10
Ciutadans . . . . BZ 12
Cúndaro . . . . BY 13
Devesa (Pg. de la) . . . . AY 14
Eduard Marquína (Pl. de) . . AZ 15
General Fournàs . . . . BY 16
General Peralta
(Pg. del) . . . . BZ 17
Joaquim Vayreda . . . . AY 18
Juli Garreta . . . . AZ 19
Nou del Teatre . . . . BZ 27
Oliva i Prat . . . . BY 26
Palafrugell . . . . BY 28
Pedreres (Pujada de les) . . BZ 29
Ramon Folch (Av.) . . . . AY 31
Rei Ferran el Catòlic . . . . . BY 33
Rei Martí (Pujada del) . . . . . BY 34
Reina Isabel la Católica . . . BZ 36
Reina Joana (Pg. de la) . . . BY 37
Sant Cristòfol . . . . BY 39
Sant Daniel . . . . BY 40
Sant Domènec (Pl. de) . . . . BY 42
Sant Feliu (Pujada de) . . . . BY 44
Sant Francesc (Av. de) . . . . AZ 45
Sant Gregori
(Carretera de) . . . . AY 47
Sant Pere (Pl. de) . . . . BY 48
Santa Eugènia . . . . AZ 49
Ultònia . . . . AZ 53

A 7-E 15 : PERPIGNAN
FIGUERES / FIGUERAS
OLOT
BANYOLES
PALAMÓS / C 255
A
B
Y
Z
0
200 m
47
28
POL
6
48
Sant Nicolau
SANT PERE
DE GALLIGANTS
34
40
Passeig Arqueològic
R
33
37
CATEDRAL
39
44
M
M¹
13
26
Força
4
FORÇA
U
42
PARC DE LA DEVESA
Av. de França
PLAÇA DE BRAUS
14
J
31
n
x
Pl. de la
Independència
Figuerola
18
16
3
V
D
Ronda
Ferran
9
Gran Via de Jaume I
G
Clara
Pl. de la
Constitució
VELLA
17
23
12
Pl. Josep
Pla
Onyar
Santa
Nou
Pl.
del Vi
H
T
27
S
Portal
Muralla
Fora
Puig
45
a
49
e
Gran Via de Jaume I
Pl. de
Catalunya
Pg.
2
15
POL
Sta Caterina
29
Bernat
Bacia
Bellavista
p
19
Barcelona
Plaça
d'Espanya
J. Maragall
w
Pl. M.
Santaló
53
10
Sol
36
2
A 7-E 15 : BARCELONA, Casa Ensesa
C 250 : S. FELIU DE GUIXOLS
C 250 : QUART D'ONYAR

al Noroeste *por ① y desvío a la izquierda : 2 km*

XXX **El Celler de Can Roca,** carret. Taialà 40, ✉ 17007, ✆ (972) 22 21 57, *Fax (972) 22 21 57* – ▤ ⓟ. AE ⓓ E VISA. ✂
✿ *cerrado domingo, lunes, 25 diciembre-6 enero y del 1 al 15 de julio* – **Comida** 5200 y carta 3800 a 6050
Espec. Timbal de manzana y foie gras a la vainilla. Carrillera de ternera sobre trinxat de col. Biscuit helado de regaliz con coulis de ratafía.

al Noreste *por la carretera C 255 : 3 km* BY – ✉ *17007 Gerona :*

X **Llegendes,** Riera Can Camaret 3 (Pont Major) ✆ (972) 22 07 09 – ▤. E VISA
cerrado sábado mediodía – **Comida** carta 3150 a 3450.

en la carretera N II por ② : 5 km – ✉ 17458 Fornells de la Selva :

Fornells Park, ☎ (972) 47 61 25, Fax (972) 47 65 79, « Pinar », ⛱, – ♿ ⓟ – 25/150. AE ⓓ E VISA. rest
Comida 2550 – 1000 – **50 hab** 7700/11000, 3 suites.

en la carretera del aeropuerto por ② :

Novotel Girona, por A 7 salida 8 : 12 km, ✉ 17457 Riudellots de la Selva, ☎ (972) 47 71 00, Fax (972) 47 72 96, – ♿ ⓟ – 25/225. AE ⓓ E VISA
Comida carta 3225 a 4025 – 1350 – **79 hab** 10600/12800, 2 suites.

Vilobí Park, por A 7 salida 8 : 13 km, ✉ 17185 Vilobí D'Onyar, ☎ (972) 47 31 86, Fax (972) 47 34 63 – ⓟ – 25/200. AE ⓓ E VISA JCB. rest
Comida - sólo cena - 1600 – 700 – **32 hab** 8000/10000.

GETAFE 28900 Madrid 444 L 18 – 139 500 h. alt. 623.
Madrid 13 – Aranjuez 38 – Toledo 56.

Carlos III, Velasco 7, ✉ 28901, ☎ (91) 683 13 92, Fax (91) 683 18 03 – .
AE VISA.
Comida 1100 – 475 – **44 hab** 6200/7800.

Puerta del Sol, Hospital de San José 67, ✉ 28901, ☎ (91) 695 70 62 – .

en la autovía N 401 SO : 3 km – ✉ 28905 Getafe :

Don Pepín, ☎ (91) 681 71 87, Fax (91) 683 20 89 – . AE ⓓ E VISA.
Comida - sólo almuerzo salvo viernes y sábado - carta 2945 a 4200.

en la autovía N IV SE : 5,5 km – ✉ 28906 Getafe :

Motel Los Ángeles, ☎ (91) 683 94 00, Fax (91) 684 00 99, ⛱, –
ⓟ. AE E VISA.
Comida 2700 – 1200 – **121 hab** 11000 – PA 6000.

GETARIA Guipúzcoa – ver Guetaria.

GETXO 48990 Vizcaya 442 B 22 – 79 517 h. alt. 51.
18 Neguri, NO : 2 km ☎ (94) 491 02 00 Fax (94) 460 56 11.
en Algorta : playa de Ereaga ☎ (94) 491 08 00 Fax (94) 491 12 99.
Madrid 407 – Bilbao/Bilbo 13 – San Sebastián/Donostia 113.

en Santa María de Getxo (Getxoko Andramari) – ✉ 48990 Getxo :

Cubita, carret. de la Galea 30 ☎ (94) 491 17 00, Fax (94) 460 21 12, ←, Adosado al molino de Aixerrota. Galería de arte – ⓟ. AE ⓓ E VISA JCB.
cerrado miércoles y agosto – **Comida** carta 4200 a 5600.

en Algorta – ✉ 48990 Getxo :

Los Tamarises, playa de Ereaga ☎ (94) 491 00 05, Fax (94) 491 13 10, ← –
– 40/150. AE ⓓ E VISA JCB.
Comida (ver rest. ***Los Tamarises***) – 800 – **42 hab** 11000/17000.

Igeretxe Agustín, playa de Ereaga ☎ (94) 491 00 09, Fax (94) 460 85 99, ←, Servicios terapéuticos – – 25/300. AE ⓓ E VISA.
Comida carta 3200 a 5650 – 900 – **21 hab** 9500/14000, 1 suite.

Los Tamarises, playa de Ereaga ☎ (94) 491 05 44, Fax (94) 491 13 10, ←, – .
AE ⓓ E VISA JCB.
Comida carta aprox. 6500.

La Ola, playa de Ereaga ☎ (94) 491 13 01, ←.

en Neguri – ✉ 48990 Getxo :

Los Chopos, av. Los Chopos 2 ☎ (94) 491 22 55, Fax (94) 491 28 02, « Antigua villa señorial », – ⓟ. AE ⓓ E VISA.
Comida 3500 – **32 hab** 8600/12800.

Neguri sin rest, av. de Algorta 14 ☎ (94) 491 05 09, Fax (94) 491 19 43, « Antigua villa señorial » – ⓟ. AE ⓓ E VISA.
900 – **10 hab** 8000/10000.

Jolastoki, Leioako Etorbidea 24 ☎ (94) 491 20 31, Fax (94) 460 35 89, – ⓟ.

en Las Arenas (Areeta) – ✉ 48990 Getxo :

El Chalet, Manuel Smith 12 ☎ (94) 463 89 84, Fax (94) 464 99 15, – AE ⓓ VISA
cerrado lunes y Semana Santa – **Comida** carta 4050 a 5450.

GETXOKO ANDRAMARI Vizcaya – ver Getxo (Santa María de Getxo).

GIBRALTAR 446 X 13 y 14 – *28 339 h.*

Ver : *Peñón* : ≤★★.

✈ *de Gibraltar N : 2,7 km ✆ (9567) 730 26 – G.B. Airways y B. Airways, Cloister Buildin Irish Town ✆ (9567) 792 00 – Pegasus E. Air and Sea Services LTD. CTHE Tower Marin Bay – Iberia 2 A Main Street, Unit G 10-ed. I.C.C. ✆ (9567) 776 66.*

ℹ *158 Main Street ✆ (9567) 749 82 Fax (9567) 408 43* – **R.A.C.E.** *18B, Halifax Roa P.O. Box 385 ✆ (9567) 790 05 Fax (9567) 744 96. – Madrid 673 – Cádiz 144 Málaga 127.*

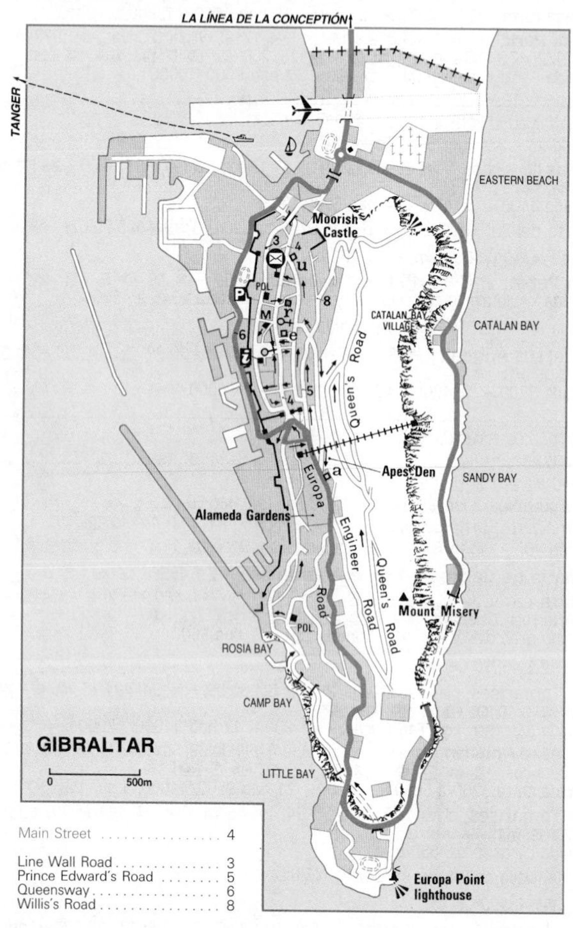

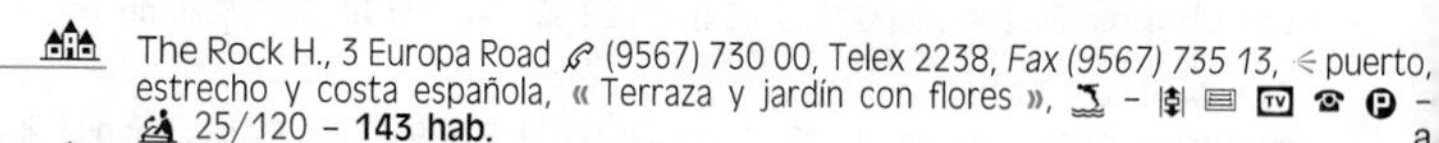

The Rock H., 3 Europa Road ✆ (9567) 730 00, Telex 2238, *Fax (9567) 735 13*, ≤ puerto, estrecho y costa española, « Terraza y jardín con flores », – 25/120 – **143 hab.** — a

White's H., 2 Governor's Parade ✆ (9567) 705 00, Telex 2242, *Fax (9567) 702 43*, – – 25/150 — **120 hab.** — e

Continental sin rest, Enginer Lane (esquina Main Street) ✆ (9567) 769 00, *Fax (9567) 417 02* – — **18 hab.** — u

Strings, 4 Cornwall's Parade ✆ (9567) 788 00, *Fax (9567) 788 00* – . AE E VISA. — r
cerrado domingo, del 15 al 31 de agosto y del 1 al 15 de septiembre – **Comida** carta 2430 a 3950.

GIJÓN *33200 Asturias* 441 **B 13** – *260 267 h.* – *Playa.*

Castiello, SE : 5 km ✆ (98) 536 63 13 Fax (98) 513 18 00 – Iberia : Alfredo Truán 8 AZ *✆ (98) 535 17 90.* – *Cía. Trasmediterránea, Claudio Alvargonzález 2* AX *✆ (98) 535 04 00 Fax (98) 345 870.* – *Marqués de San Esteban 1 ✉ 33206 ✆ (98) 534 60 46 Fax (98) 534 60 46* – **R.A.C.E.** *Marqués de San Esteban 1-1º A ✉ 33206 ✆ (98) 535 53 60 Fax (98) 535 53 60.* – *Madrid 474 ③ – Bilbao/Bilbo 296 ① – La Coruña/A Coruña 341 ③ – Oviedo 29 ③ – Santander 193 ①*

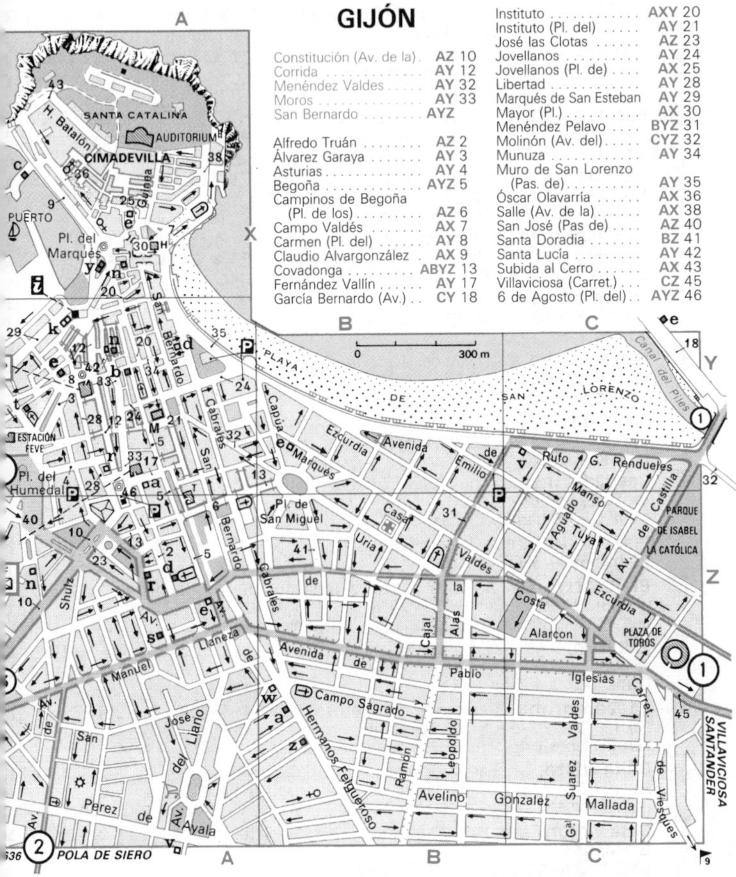

GIJÓN

Constitución (Av. de la) . . . AZ 10
Corrida . . . AY 12
Menéndez Valdes . . . AY 32
Moros . . . AY 33
San Bernardo . . . AYZ

Alfredo Truán . . . AZ 2
Álvarez Garaya . . . AY 3
Asturias . . . AY 4
Begoña . . . AYZ 5
Campinos de Begoña (Pl. de los) . . . AZ 6
Campo Valdés . . . AX 7
Carmen (Pl. del) . . . AY 8
Claudio Alvargonzález . . . AX 9
Covadonga . . . ABYZ 13
Fernández Vallín . . . AY 17
García Bernardo (Av.) . . . CY 18

Instituto . . . AXY 20
Instituto (Pl. del) . . . AY 21
José las Clotas . . . AZ 23
Jovellanos . . . AY 24
Jovellanos (Pl. de) . . . AX 25
Libertad . . . AY 28
Marqués de San Esteban . . . AY 29
Mayor (Pl.) . . . AX 30
Menéndez Pelavo . . . BYZ 31
Molinón (Av. del) . . . CYZ 32
Munuza . . . AY 34
Muro de San Lorenzo (Pas. de) . . . AY 35
Óscar Olavarría . . . AX 36
Salle (Av. de la) . . . AX 38
San José (Pas de) . . . AZ 40
Santa Doradia . . . BZ 41
Santa Lucía . . . AY 42
Subida al Cerro . . . AX 43
Villaviciosa (Carret.) . . . CZ 45
6 de Agosto (Pl. del) . . . AYZ 46

Parador de Gijón, parque de Isabel la Católica, ✉ 33203, ✆ (98) 537 05 11, *Fax (98) 537 02 33, « Junto al parque »* – AE E VISA.
Comida 3500 – 1300 – **40 hab** 15200/19000. por av. del Molinón CY

Hernán Cortés sin rest, Fernández Vallín 5, ✉ 33205, ✆ (98) 534 60 00, *Fax (98) 535 56 45* – – 25/40. AE E VISA. AY a
675 – **41 hab** 9000/11500, 15 suites.

Begoña Park, urb. El Rinconín, ✉ 33203, ✆ (98) 513 39 09, *Fax (98) 513 16 02* – – 25/900. AE VISA. por ①
Comida 1600 – 1150 – **98 hab** 12375/15450 – PA 4350.

Príncipe de Asturias sin rest, Manso 2, ✉ 33203, ✆ (98) 536 71 11, *Fax (98) 533 47 41,* – – 25/180. AE E VISA. CY v
1300 – **64 hab** 12800/16000, 16 suites.

Alcomar sin rest. con cafetería, Cabrales 24, ✉ 33201, ✆ (98) 535 70 11, *Fax (98) 534 67 42,* – – 25/100. AE E VISA. AY d
750 – **45 hab** 10000/12700.

Begoña, av. de la Costa 44, ✉ 33205, ☎ (98) 514 72 11, *Fax (98) 539 82 22* – |‡|
▤ rest, TV ☎ 🚗 – 🏛 25/300. AE ⓓ VISA. ✂ AZ
Comida 1600 – ☕ 700 – **250 hab** 8450/10725, 11 suites – PA 3900.

Don Manuel, Marqués de San Esteban 5, ✉ 33206, ☎ (98) 517 13 13
Fax (98) 517 12 38 – |‡|, ▤ rest, TV ☎. AE ⓓ E VISA AY
Comida 1500 - ***Casa Pachín*** **: Comida** carta 3200 a 4500 – ☕ 850 – **50 hab** 13000/16000

San Miguel sin rest. con cafetería, Marqués de Casa Valdés 8, ✉ 33202
☎ (98) 534 00 25, *Fax (98) 534 00 37* – |‡| TV ☎. AE ⓓ E VISA BY
☕ 350 – **45 hab** 8500/11500.

Agüera sin rest, Hermanos Felgueroso 28, ✉ 33209, ☎ (98) 514 05 00
Fax (98) 538 68 61 – |‡| TV ☎. AE ⓓ E VISA. ✂ BZ
☕ 850 – **35 hab** 9850/13000.

Pasaje sin rest. con cafetería, Marqués de San Esteban 3, ✉ 33206, ☎ (98) 534 24 00
Fax (98) 534 25 51, ≤ – |‡| TV ☎ – 🏛 25/40. AE ⓓ E VISA. ✂ AY
☕ 700 – **29 hab** 8400/12350.

Pathos sin rest. con cafetería, Contracay 5, ✉ 33201, ☎ (98) 535 25 46
Fax (98) 535 64 84 – |‡| TV ☎. AE ⓓ E VISA AX
☕ 600 – **53 hab** 6000/9000, 3 suites.

La Casona de Jovellanos, pl. de Jovellanos 1, ✉ 33201, ☎ (98) 534 12 64
Fax (98) 535 61 51, « Antiguo edificio rehabilitado » – TV ☎. AE ⓓ E VISA. ✂ rest AX
Comida 1200 – ☕ 600 – **13 hab** 10000, 1 apartamento.

Miramar sin rest y sin ☕, Santa Lucía 9, ✉ 33206, ☎ (98) 535 10 08
Fax (98) 534 09 32 – |‡| TV ☎. AE ⓓ E VISA AY
23 hab 7000/10000.

Bahía sin rest y sin ☕, av. del LLano 44 ☎ (98) 516 37 00, *Fax (98) 516 37 00* – |‡| TV
☎ 🚗. E VISA. ✂ AZ
35 hab 5500/8000.

Avenida sin rest y sin ☕, Robustiana Armiño 4, ✉ 33207, ☎ (98) 535 28 43
Fax (98) 535 28 44 – TV ☎. E VISA. ✂ AY
38 hab 4000/7000.

Castilla sin rest, Corrida 50, ✉ 33206, ☎ (98) 534 62 00, *Fax (98) 534 63 64* – |‡| TV
☎. AE E VISA. ✂ AY
☕ 400 – **45 hab** 6500/8500.

Plaza sin rest y sin ☕, Decano Prendes Pando 2, ✉ 33207, ☎ (98) 534 65 62 – TV. ✂
20 hab 3600/5600. AZ

El Puerto, Claudio Alvargonzález (edificio puerto deportivo), ✉ 33201
☎ (98) 534 90 96, *Fax (98) 534 90 96*, ≤, 🌂 – ▤. AE ⓓ E VISA. ✂ AX
cerrado domingo noche y Semana Santa – **Comida** carta 5200 a 6750.

El Retiro, Begoña 28, ✉ 33206, ☎ (98) 535 00 30, *Fax (98) 535 13 37* – ▤. AE ⓓ E
VISA. ✂ AY
Comida carta 1500 a 4100.

La Zamorana, Hermanos Felgueroso 38, ✉ 33209, ☎ (98) 538 06 32
Fax (98) 514 90 70 – ▤. AE ⓓ E VISA BZ
cerrado lunes y 15 octubre-15 noviembre – **Comida** carta 3550 a 4550.

Bella Vista, av. García Bernardo 8 (El Piles), ✉ 33203, ☎ (98) 536 73 77
Fax (98) 536 29 36, ≤, 🌂, Vivero propio – ▤ Ⓟ. AE ⓓ E VISA. ✂ CY
cerrado lunes salvo julio-agosto – **Comida** - pescados y mariscos - carta aprox. 5000.

Casa Víctor, Carmen 11, ✉ 33206, ☎ (98) 534 83 10, *Fax (98) 532 27 49* – ▤. AE ⓓ
E VISA. ✂ AY
cerrado domingo y noviembre – **Comida** carta aprox. 4400.

V. Crespo, Periodista Adeflor 3 ☎ (98) 534 75 34 – ▤. AE ⓓ E VISA. ✂ AZ
cerrado domingo noche, lunes y Semana Santa – **Comida** carta 3725 a 4450.

El Sueve, Domingo García de la Fuente 12, ✉ 33205, ☎ (98) 514 57 03 – ▤. AE E VISA. ✂
cerrado domingo, miércoles noche, 3 semanas en mayo y 3 semanas en noviembre –
Comida - carnes a la brasa - carta aprox. 3500. AZ

La Marmita, Begoña 20, ✉ 33206, ☎ (98) 535 49 41, *Fax (98) 535 49 68*, 🌂 – AE
ⓓ E VISA. ✂ AY
cerrado domingo y marzo – **Comida** carta 2900 a 3950.

Casa Justo, Hermanos Felgueroso 50, ✉ 33209, ☎ (98) 538 63 57, *Fax (98) 538 63 57*
« Sidrería típica » – ▤. AE ⓓ E VISA. ✂ BZ
cerrado jueves (salvo festivos y vísperas) y junio – **Comida** carta 3400 a 5650.

Calixto, Trinidad 6, ✉ 33201, ☎ (98) 535 98 09 – ▤. AE ⓓ E VISA. ✂ AX
cerrado lunes y octubre – **Comida** carta 2900 a 4200.

El Candil, Numa Guilhou 1 ☎ (98) 535 30 38 – ▤. AE ⓓ E VISA. ✂ AY
cerrado domingo y Navidades – **Comida** carta aprox. 3950.

Tino, Alfredo Truán 9, 33205, (98) 534 13 87 - AE VISA. AZ d
cerrado jueves y 15 junio-14 julio - **Comida** carta 2425 a 3850.

Vesubio, Muelle de Oriente 2, 33201, (98) 534 99 71 - AX y
Comida - cocina italiana.

en Somió *por ① - 33203 Gijón :*

Las Delicias, barrio Fuejo - 4 km (98) 536 02 27, *Fax (98) 513 00 95,* - . AE E VISA JCB.
cerrado martes (salvo festivos o vísperas) y agosto - **Comida** carta 4000 a 5200.

Llerandi, camino de la Peñuca - 5 km (98) 533 06 95, *Fax (98) 513 00 49,* - .

La Pondala, av. Dioniso Cifuentes 27 - 3 km (98) 536 11 60, *Fax (98) 536 60 88,* - AE E VISA.
cerrado jueves y noviembre - **Comida** carta 2900 a 4950.

en La Providencia *NE : 5 km por av. García Bernardo CY - 33203 Gijón :*

Los Hórreos, (98) 537 43 10, *Fax (98) 537 43 10* - . AE E VISA.
cerrado domingo noche y lunes - **Comida** carta 3500 a 5100.

en Cabueñes *por ① : 5 km - 33394 Cabueñes :*

El Llagar de Cabueñes, carret. N 632 (98) 513 36 31, *Fax (98) 513 25 64,* , « Rest. típico en un antiguo lagar » - . AE E VISA.
cerrado del 15 al 29 de octubre - **Comida** - carnes - carta 3250 a 4600.
Ver también : **Prendes** *por ③ : 10 km.*

GINES *41960 Sevilla* 446 **T 11** - *6354 h. alt. 122.*
Madrid 537 - Aracena 94 - Huelva 84 - Sevilla 8.

El Barco, carret. N 431 (95) 471 71 08 - . E VISA.
Comida - pescados y mariscos - carta aprox. 4000.

GIRONA *Gerona - ver Gerona.*

GOIÁN *Pontevedra - ver Goyán.*

GOIURIA *Vizcaya - ver Iurreta.*

La GOLA (Playa de) *Gerona - ver Torroella de Montgrí.*

GOMERA *Santa Cruz de Tenerife - ver Canarias.*

GORGUJA *Gerona - ver Llivia.*

GOYÁN o GOIÁN *36750 Pontevedra* 441 **G 3.**
Madrid 610 - Orense/Ourense 106 - Pontevedra 63 - Viana do Castelo 63 - Vigo 44.

Asensio con hab, Tollo 2 (carret. C 550) (986) 62 01 52 - . VISA.
cerrado 15 días en septiembre - **Comida** *(cerrado domingo noche y miércoles noche)* carta 2475 a 3200 - 350 - **4 hab** 4000/5000.

El GRADO *22390 Huesca* 443 **F 30** - *589 h.*
Ver *: Torreciudad ★★ (NE : 5 km). - Madrid 460 - Huesca 70 - Lérida/Lleida 86.*

Tres Caminos con hab, barrio del Cinca 17 - carret. de Barbastro (974) 30 40 52, *Fax (974) 30 41 22,* - rest, . AE E VISA.
Comida carta 1875 a 2675 - 375 - **27 hab** 1800/3600.

Bodega del Somontano, barrio del Cinca 11 - carret. de Barbastro (974) 30 40 30 - . AE E VISA.
cerrado martes - **Comida** carta 2500 a 3150.

en la carretera C 139 *SE : 2 km - 22390 El Grado :*

Hostería El Tozal , (974) 30 40 00, *Fax (974) 30 42 55,* , , -
33 hab.

GRADO *33820 Asturias* 441 **B 11** - *12048 h. alt. 47.*
Madrid 461 - Oviedo 26.

Palper, San Pelayo 44 (98) 575 00 39, *Fax (98) 575 03 65* - . AE E VISA.
Comida carta 3300 a 4500.

GRANADA

18000 P 446 U 19 - *287 864 h. alt. 682 - Deportes de invierno en Sierra Nevada : 17 2.*

Madrid 430 ① - Málaga 127 ④ - Murcia 286 ② - Sevilla 261 ④ - Valencia 541 ①.

OFICINAS DE TURISMO

pl. de Mariana Pineda 10, ✉ 18009, ☎ (958) 22 66 88, Fax (958) 22 89 16 y Mariana Pineda, ✉ 18009, ☎ (958) 22 59 90, Fax (958) 22 39 27 - **R.A.C.E.** *pl. de la Pescadería 1-4º C, ✉ 18001, ☎ (958) 26 21 50, Fax (958) 26 11 16.*

INFORMACIONES PRÁCTICAS

18 *Granada, av. Corsarios (Las Gabias) por ③ : 8 km ☎ (958) 58 44 36.*

de Granada por ④ : 17 km ☎ (958) 24 52 23 - Iberia : pl. Isabel la Católica 2, ✉ 18009, ☎ (958) 22 75 92.

CURIOSIDADES

Ver : *Emplazamiento★★ - Alhambra★★★* CDY *(Bosque★, Puerta de la Justicia★) - Palacios Nazaries★★★ : oratorio Mexuar ≤★, Salón de Embajadores ≤★★, jardines y torres★★ - Palacio de Carlos V★ : Museo Hispano-musulmán (jarrón azul★), Museo de Bellas Artes (Cardo y zanahorias★ de Sánchez Cotán) - Alcazaba★ (≤★★) - Generalife★★* DX *- Capilla Real★★ (reja★, sepulcros★★★, retablo★, Museo : colección de obras de arte★★) - Catedral★* CX *(Capilla Mayor★, portada norte de la Capilla Real★) - Cartuja★ : sacristía★★* AX *- Iglesia de San Juan de Dios★* AX *- Monasterio de San Jerónimo★ (retablo★)* AX *- Albaicín★ : terraza de la iglesia de San Nicolás (≤★★★) - Baños árabes★* CX *- Museo Arqueológico (portada plateresca★)* CX **M.**

Excurs. : *Sierra Nevada (pico de Veleta★★) SE : 46 km* T.

GRANADA *18000* P 446 U 19 – *287 864 h. alt. 682.*

Planos páginas siguientes

en la ciudad :

Saray, paseo de Enrique Tierno Galván 4, ✉ 18006, ☎ (958) 13 00 09, Telex 78422, *Fax (958) 12 91 61,* – – 25/500. AE E VISA JCB. T m
Comida 3000 – **202 hab** ☐ 14400/18000, 11 suites.

Granada Center, av. Fuentenueva, ✉ 18002, ☎ (958) 20 50 00, *Fax (958) 28 96 96* – – 25/200. AE E VISA. T e
Al-Zagal *(cerrado agosto)* **Comida** carta 4150 a 5550 – ☐ 1200 – **171 hab** 14400/18700, 1 suite.

G.H. Luna de Granada, pl. Manuel Cano 2, ✉ 18004, ☎ (958) 20 10 00, *Fax (958) 28 40 52,* – – 25/390. AE E VISA JCB. T z
Comida 3300 – ☐ 1300 – **245 hab** 12000/16000, 8 suites – PA 6700.

Carmen, Acera del Darro 62, ✉ 18005, ☎ (958) 25 83 00, Telex 78546, *Fax (958) 25 64 62,* – – 25/250. AE E VISA. rest BZ a
Comida 2000 – ☐ 1200 – **278 hab** 14000/18000, 5 suites – PA 5200.

Meliá Granada, Ángel Ganivet 7, ✉ 18009, ☎ (958) 22 74 00, *Fax (958) 22 74 03* – – 25/250 BZ n
197 hab.

Corona de Granada, Pedro Antonio de Alarcón 10, ✉ 18005, ☎ (958) 52 12 50, *Fax (958) 52 12 78,* – – 25/160. AE E VISA. rest AZ a
Comida 1950 – ☐ 1100 – **93 hab** 10750/17000, 2 suites.

Tryp Albayzín, Carrera del Genil 48, ✉ 18005, ☎ (958) 22 00 02, *Fax (958) 22 01 81* – – 25/120. AE E VISA JCB. BZ f
Comida 3250 – ☐ 1100 – **108 hab** 12500/16500 – PA 6460.

Princesa Ana, av. de la Constitución 37, ✉ 18014, ☎ (958) 28 74 47, *Fax (958) 27 39 54,* « Decoración elegante » – . AE E VISA. S c
Comida 3500 – ☐ 1300 – **59 hab** 12000/17000, 2 suites – PA 7000.

San Antón, San Antón, ✉ 18005, ☎ (958) 52 01 00, *Fax (958) 52 19 82,* – – 25/400. AE E VISA JCB. T s
Comida 2200 – ☐ 1000 – **161 hab** 10500/15000, 28 suites – PA 5100.

Cóndor, av. de la Constitución 6, ✉ 18012, ☎ (958) 28 37 11, Telex 78503, *Fax (958) 28 38 50* – – 25/50. AE E VISA. S b
Comida 1450 – ☐ 950 – **104 hab** 9250/13400.

Triunfo Granada, pl. del Triunfo 19, ✉ 18010, ☎ (958) 20 74 44, *Fax (958) 27 90 17* – – 25/150. AE VISA. AX e
Comida 3860 - ***Puerta Elvira*** : **Comida** carta 3200 a 4300 – ☐ 1215 – **37 hab** 11025/16540 – PA 7595.

Rallye, paseo de Ronda 107, ✉ 18003, ☎ (958) 27 28 00, *Fax (958) 27 28 62* – – 25/200. AE E VISA. rest T v
Comida 3000 – ☐ 1300 – **79 hab** 12500/15500.

Dauro II sin rest. con cafetería, Navas 5, ✉ 18009, ☎ (958) 22 15 81, *Fax (958) 22 27 32* – – 25/80. AE E VISA JCB. BZ r
☐ 850 – **48 hab** 8000/11500.

Dauro sin rest, Acera del Darro 19, ✉ 18005, ☎ (958) 22 21 57, *Fax (958) 22 85 19* – . AE E VISA JCB. BZ d
☐ 900 – **36 hab** 8000/11500.

Reino de Granada sin rest, Recogidas 53, ✉ 18005, ☎ (958) 26 58 78, *Fax (958) 26 36 42* – . AE E VISA AZ y
☐ 800 – **37 hab** 7800/11800.

Anacapri sin rest, Joaquín Costa 7, ✉ 18010, ☎ (958) 22 74 77, *Fax (958) 22 89 09* – . AE E VISA. BY d
☐ 750 – **52 hab** 8000/11500.

Gran Vía Granada, Gran Vía de Colón 25, ✉ 18001, ☎ (958) 28 54 64, Telex 78474, *Fax (958) 28 55 91* – . AE E VISA. BX c
Comida 1450 – ☐ 850 – **85 hab** 7000/10600.

NH Inglaterra sin rest, Cettie Meriem 4, ✉ 18010, ☎ (958) 22 15 58, *Fax (958) 22 71 00* – – 25/40. AE E VISA JCB. BY e
☐ 1100 – **36 hab** 12000/14000.

Reina Cristina, Tablas 4, ✉ 18002, ☎ (958) 25 32 11, *Fax (958) 25 57 28* – . AE E VISA. AY a
Comida 1800 – ☐ 850 – **40 hab** 7200/10750 – PA 3750.

GRANADA

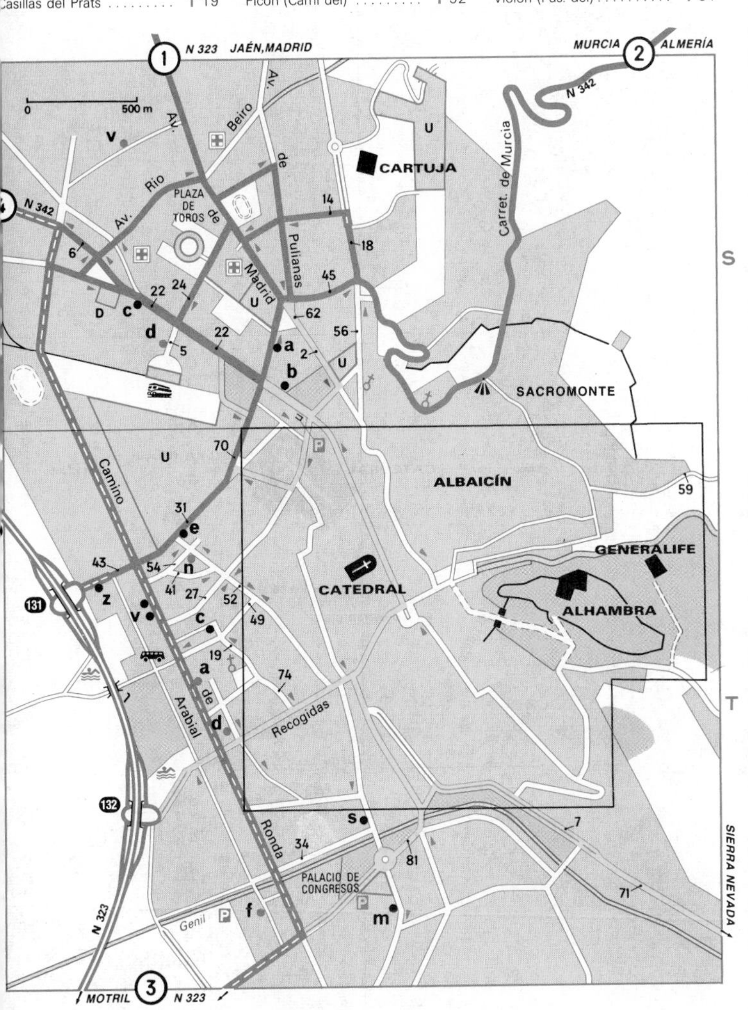

Juan Miguel sin rest, Acera del Darro 24, ✉ 18005, ☎ (958) 52 11 11, *Fax (958) 25 89 16* – AE E VISA JCB. BZ e
☐ 900 – **66 hab** 9400/11500.

Navas, Navas 24, ✉ 18009, ☎ (958) 22 59 59, *Fax (958) 22 75 23* – AE E VISA JCB. rest BY a
Comida - sólo buffet - 1450 – ☐ 675 – **43 hab** 7500/11200.

Luna Arabial y Luna de Granada II sin rest, Arabial 83, ✉ 18004, ☎ (958) 27 66 00, *Fax (958) 27 47 59*, – AE E VISA JCB. T z
☐ 1300 – **25 hab** 7800/12000, 95 apartamentos.

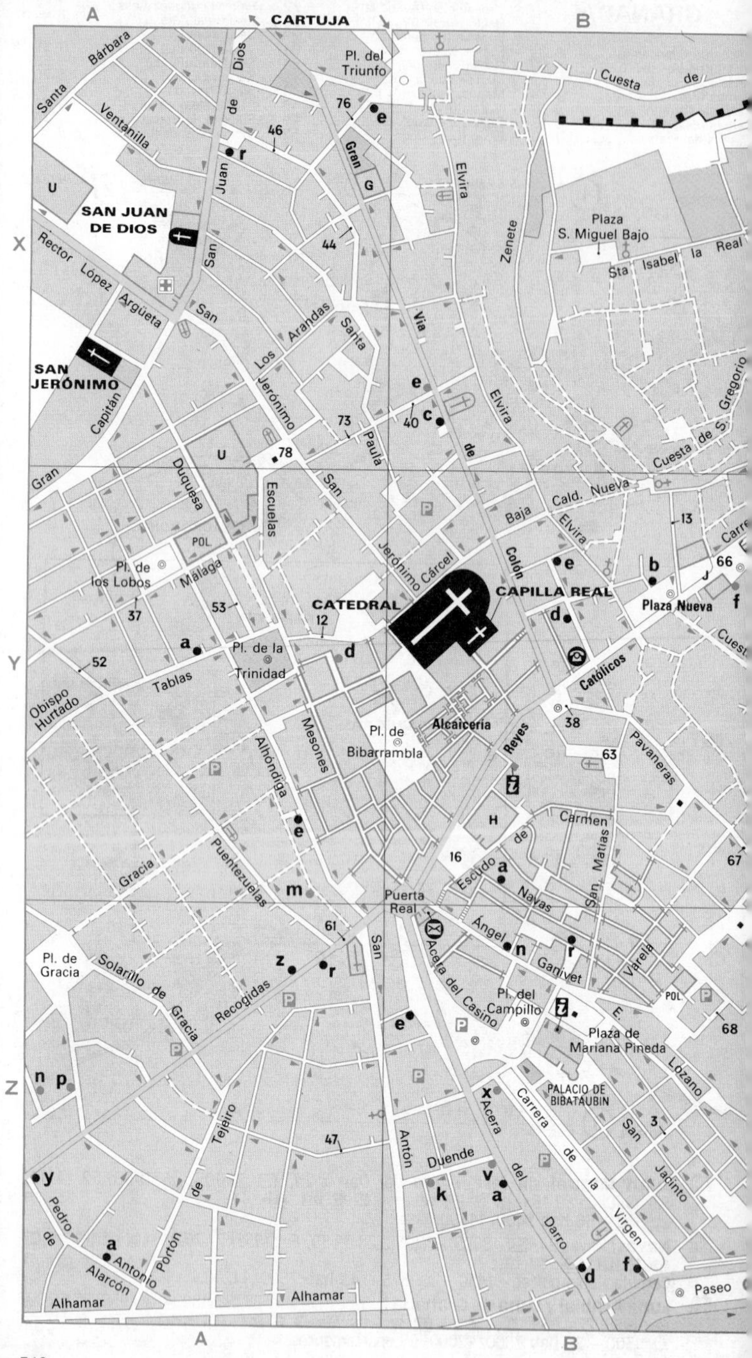
CARTUJA
A
B
X
Y
Z
Pl. del Triunfo
Cuesta de
Santa Bárbara
Ventanilla
San Juan de Dios
SAN JUAN DE DIOS
Rector López Argüeta
Gran Vía
Elvira
Zenete
Plaza S. Miguel Bajo
Sta Isabel la Real
SAN JERÓNIMO
Capitán
Gran
Los Arandas
Santa Paula
Los Jerónimo
San Jerónimo
Duquesa
Escuelas
Cuesta de S. Gregorio
Cald. Nueva
Baja
Elvira
Colón
Cárcel
CAPILLA REAL
CATEDRAL
Plaza Nueva
Pl. de los Lobos
Málaga
Pl. de la Trinidad
Tablas
Obispo Hurtado
Católicos
Reyes
Alcaicería
Pl. de Bibarrambla
Mesones
Alhóndiga
Pavaneras
Carmen
Escudo de
Navas
San Matías
Gracia
Puentezuelas
Puerta Real
Ángel
Ganivet
Varela
Acera del Casino
Pl. del Campillo
Plaza de Mariana Pineda
Lozano
E.
Pl. de Gracia
Solarillo de Gracia
Recogidas
San Antón
PALACIO DE BIBATAUBIN
Carrera de la Virgen
San Jacinto
Acera del Darro
Duende
Tejeiro
Portón de
Pedro Antonio de Alarcón
Alhamar
Paseo
POL.
Cuest
Carre

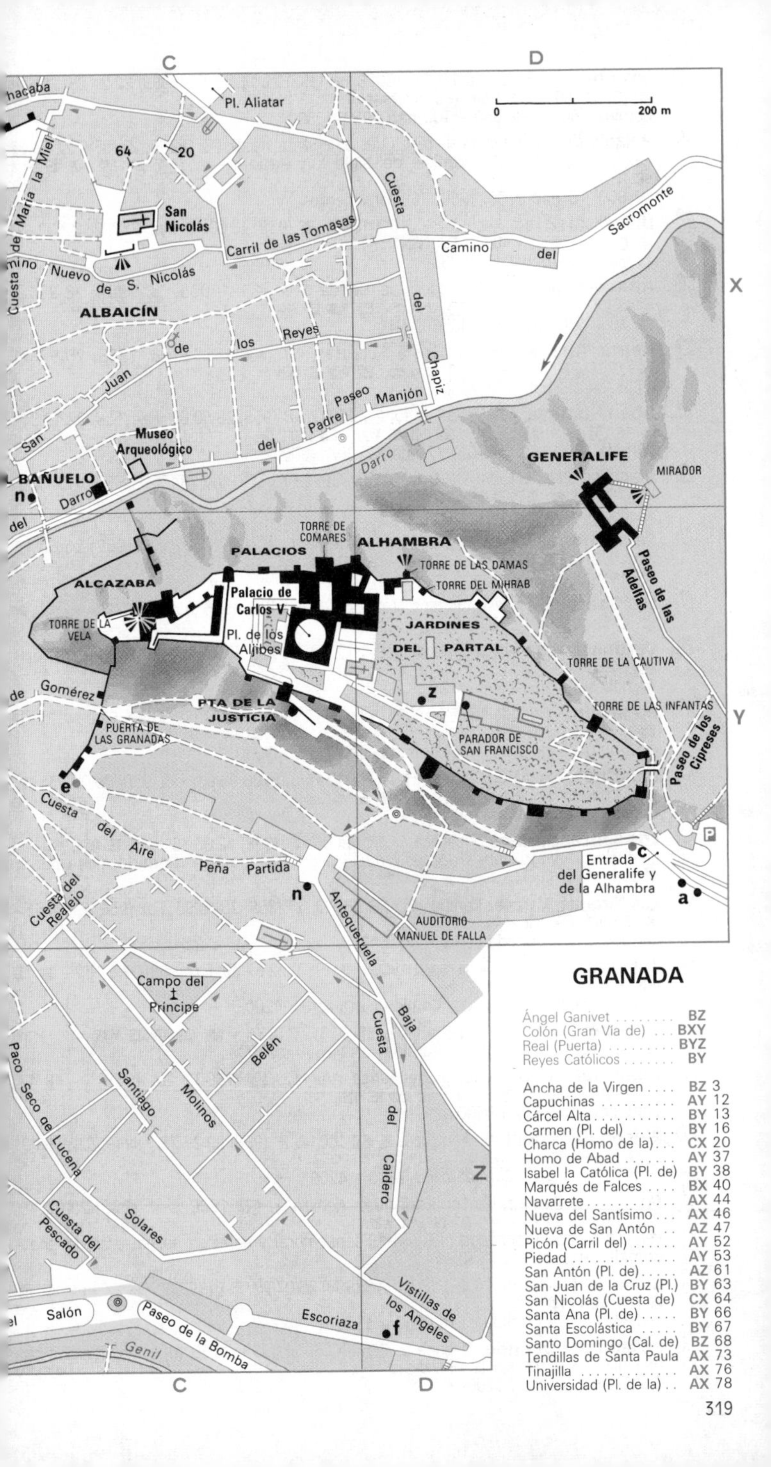
C
D
0
200 m
X
Y
Z
Pl. Aliatar
64
20
San Nicolás
Carril de las Tomasas
Cuesta del Chapiz
Camino del Sacromonte
Cuesta de María la Miel
Camino Nuevo de S. Nicolás
ALBAICÍN
San Juan de los Reyes
Paseo del Padre Manjón
Museo Arqueológico
BAÑUELO
Darro
Carrera del Darro
GENERALIFE
MIRADOR
TORRE DE COMARES
ALHAMBRA
PALACIOS
TORRE DE LAS DAMAS
TORRE DEL MIHRAB
ALCAZABA
Palacio de Carlos V
TORRE DE LA VELA
Pl. de los Aljibes
JARDINES DEL PARTAL
Paseo de las Adelfas
TORRE DE LA CAUTIVA
TORRE DE LAS INFANTAS
Cuesta de Gomérez
PTA DE LA JUSTICIA
PUERTA DE LAS GRANADAS
PARADOR DE SAN FRANCISCO
Paseo de los Cipreses
Cuesta del Aire
Peña Partida
Entrada del Generalife y de la Alhambra
Cuesta del Realejo
Antequeruela Baja
AUDITORIO MANUEL DE FALLA
Campo del Príncipe
Belén
Santiago
Molinos
Cuesta del Caidero
Paco Seco de Lucena
Solares
Cuesta del Pescado
Vistillas de los Angeles
Escoriaza
Salón
Paseo de la Bomba
Genil
GRANADA
Ángel Ganivet .... BZ
Colón (Gran Vía de) ... BXY
Real (Puerta) .... BYZ
Reyes Católicos .... BY
Ancha de la Virgen .... BZ 3
Capuchinas .... AY 12
Cárcel Alta .... BY 13
Carmen (Pl. del) .... BY 16
Charca (Homo de la) ... CX 20
Homo de Abad .... AY 37
Isabel la Católica (Pl. de) BY 38
Marqués de Falces .... BX 40
Navarrete .... AX 44
Nueva del Santísimo ... AX 46
Nueva de San Antón .. AZ 47
Picón (Carril del) ...... AY 52
Piedad .... AY 53
San Antón (Pl. de) ..... AZ 61
San Juan de la Cruz (Pl.) BY 63
San Nicolás (Cuesta de) CX 64
Santa Ana (Pl. de) ..... BY 66
Santa Escolástica ...... BY 67
Santo Domingo (Cal. de) BZ 68
Tendillas de Santa Paula AX 73
Tinajilla .... AX 76
Universidad (Pl. de la) .. AX 78

Los Ángeles, Escoriaza 17, ✉ 18008, ☎ (958) 22 14 24, *Fax (958) 22 21 25,* – AE VISA JCB. rest DZ t
Comida 1600 – 650 – **100 hab** 7950/10500.

Palacio de Santa Inés sin rest, Cuesta de Santa Inés 9, ✉ 18010, ☎ (958) 22 23 62, *Fax (958) 22 24 65,* « Edificio del siglo XVI. Patio » – TV. AE E VISA. CX n
800 – **3 hab** 9500/12500, 6 apartamentos.

Universal sin rest, Recogidas 16, ✉ 18002, ☎ (958) 26 00 16, *Fax (958) 26 32 29* – TV. AE E VISA JCB AZ z
500 – **56 hab** 5950/9750.

Ana María sin rest, paseo de Ronda 101, ✉ 18003, ☎ (958) 28 99 11, *Fax (958) 28 92 15* – TV. AE E VISA T v
700 – **30 hab** 7200/10500.

Reina Ana María sin rest, Sócrates 10, ✉ 18002, ☎ (958) 20 98 61, *Fax (958) 27 10 81* – TV. AE E VISA T c
600 – **25 hab** 5600/8800.

Aben Humeya, av. de Madrid 10, ✉ 18012, ☎ (958) 29 50 61, *Fax (958) 27 10 84* – TV – 25/40. AE E VISA JCB. S a
Comida 1500 – 1000 – **171 hab** 7700/11000.

Maciá sin rest, pl. Nueva 4, ✉ 18010, ☎ (958) 22 75 36, Telex 78474, *Fax (958) 22 75 33* – TV. AE E VISA. BY b
650 – **44 hab** 5100/8300.

Sacromonte sin rest y sin , pl. del Lino 1, ✉ 18002, ☎ (958) 26 64 11, *Fax (958) 26 67 07* – TV. AE VISA. AY e
33 hab 4000/6500.

Los Girasoles sin rest, Cardenal Mendoza 22, ✉ 18001, ☎ (958) 28 07 25 – . AX r
475 – **29 hab** 3500/5600.

Verona sin rest y sin , Recogidas 9-1º, ✉ 18005, ☎ (958) 25 55 07 – TV . VISA. AZ r
11 hab 3000/4500.

XXX **Bogavante,** Duende 15, ✉ 18005, ☎ (958) 25 91 12, *Fax (958) 26 76 53* – . AE VISA BZ k
cerrado domingo y agosto – **Comida** carta 2900 a 5000.

XX **Galatino,** Gran Vía de Colón 29, ✉ 18001, ☎ (958) 80 08 03, *Fax (958) 80 08 03,* , « Decoración moderna » – . AE E VISA. BX e
Comida carta 3050 a 4250.

XX **Los Santanderinos,** Albahaca 1, ✉ 18006, ☎ (958) 12 83 35 – . E VISA. T f
cerrado domingo, lunes noche y del 5 al 25 de agosto – **Comida** carta aprox. 4600.

XX **Las Tinajas,** Martínez Campos 17, ✉ 18002, ☎ (958) 25 43 93, *Fax (958) 25 53 35* – . AE VISA. AZ p
cerrado julio – **Comida** carta 3000 a 4000.

XX **Tavares,** Carrera del Genil 4, ✉ 18005, ☎ (958) 22 67 69, *Fax (958) 22 67 69* – . AE E VISA. BZ x
cerrado domingo y agosto – **Comida** carta aprox. 4200.

XX **La Estancia,** Párraga 9, ✉ 18002, ☎ (958) 25 18 36 – . AE E VISA. AY m
cerrado domingo y agosto – **Comida** carta 2850 a 3500.

XX **Pilar del Toro,** Hospital de Santa Ana 12, ✉ 18009, ☎ (958) 22 38 47, *Fax (958) 22 15 91,* – . AE E VISA. BY f
Comida carta 2450 a 4300.

XX **Rincón de Miguel,** av. Andaluces 2, ✉ 18014, ☎ (958) 29 29 78, *Fax (958) 28 58 91* – . AE E VISA JCB S d
cerrado domingo – **Comida** carta 2800 a 4200.

XX **Mesón A. Pérez,** Pintor Rodríguez Acosta 1, ✉ 18002, ☎ (958) 28 80 79, *Fax (958) 28 80 79* – . AE E VISA. T e
cerrado sábado y domingo (15 julio-15 septiembre) y domingo noche resto del año – **Comida** carta 2400 a 3350.

X **Cunini,** pl. Pescadería 14, ✉ 18001, ☎ (958) 25 07 77, *Fax (958) 25 07 77* – . AE E VISA JCB. AY d
cerrado lunes – **Comida** carta 2850 a 3350.

X **Posada del Duende,** Duende 3, ✉ 18005, ☎ (958) 26 66 10, « Decoración típica regional » – . AE E VISA. BZ v
Comida carta aprox. 3200.

X La Zarzamora, paseo de Ronda 98, ✉ 18004, ☎ (958) 26 61 42 – ▤ T a
Comida - pescados y mariscos -.

X **Mariquilla,** Lope de Vega 2, ✉ 18002, ☎ (958) 52 16 32
▤. ⓓ VISA. ✻ AZ n
cerrado domingo noche, lunes y 13 julio-11 septiembre – **Comida** carta 2675 a 3500.

X **China,** Pedro Antonio de Alarcón 23, ✉ 18004, ☎ (958) 25 02 00, *Fax (958) 25 02 00*
– ▤. AE ⓓ E VISA JCB. ✻ T d
Comida - rest. chino - carta 2920 a 4265.

X **Mucho Gusto,** El Guerra 30, ✉ 18014, ☎ (958) 16 08 29, 🏖 – Ⓟ. AE E VISA. ✻
cerrado domingo noche, lunes y agosto – **Comida** carta 2975 a 3725. S v

en La Alhambra :

Alhambra Palace, Peña Partida 2, ✉ 18009, ☎ (958) 22 14 68, Telex 78400, *Fax (958) 22 64 04, « Edificio de estilo árabe con ≤ Granada y Sierra Nevada »* – |‡| ▤ TV ☎ – 🏛 25/120. AE ⓓ E VISA JCB. ✻ rest CY n
Comida 4400 – ☕ 1300 – **122 hab** 16000/20500, 13 suites – PA 8585.

Parador de Granada 🔇, Alhambra, ✉ 18009, ☎ (958) 22 14 40, Telex 78792, *Fax (958) 22 22 64*, 🏖, *« Instalado en el antiguo convento de San Francisco (siglo XV). Jardín »* – ▤ TV ☎ ♿ Ⓟ – 🏛 25/40. AE ⓓ E VISA JCB. ✻ DY
Comida 3700 – ☕ 1300 – **34 hab** 26400/33000, 2 suites.

Alixares, av. de los Alixares, ✉ 18009, ☎ (958) 22 55 75, Telex 78523, *Fax (958) 22 41 02*, 🏊 – |‡| ▤ TV ☎ 🚗 – 🏛 25/150. AE ⓓ E VISA JCB. ✻ rest
Comida 1600 – ☕ 675 – **176 hab** 7350/10850, 1 suite – PA 3250. DY a

Guadalupe, av. de los Alixares, ✉ 18009, ☎ (958) 22 34 24, *Fax (958) 22 37 98* – |‡| ▤ TV ☎. AE ⓓ E VISA JCB. ✻ rest DY a
Comida 1800 – ☕ 950 – **42 hab** 7500/11500 – PA 3900.

América 🔇, Real de la Alhambra 53, ✉ 18009, ☎ (958) 22 74 71, *Fax (958) 22 74 70*, 🏖 – ▤ hab, ☎. AE ⓓ E VISA. ✻ DY z
marzo-noviembre – **Comida** *(cerrado sábado)* 2200 – ☕ 900 – **12 hab** 7900/11900, 1 suite – PA 4505.

XX **Carmen de San Miguel,** pl. de Torres Bermejas 3, ✉ 18009, ☎ (958) 22 67 23, *Fax (958) 46 84 44*, ≤ Granada, 🏖 – ▤. AE ⓓ E VISA JCB. ✻ CY e
cerrado domingo – **Comida** carta 4200 a 5400.

XX **Jardines Alberto,** av. de los Alixares, ✉ 18009, ☎ (958) 22 48 18, *Fax (958) 22 48 18*, 🏖 – ▤. AE E VISA JCB. ✻ DY c
cerrado domingo noche – **Comida** carta aprox. 4200.

en la carretera de Madrid *por ① : 3 km – ✉ 18014 Granada :*

Camping Motel Sierra Nevada, av. de Madrid 107 ☎ (958) 15 00 62, *Fax (958) 15 09 54*, 🏖, 🏊, 🎾 – ▤ rest, TV ☎ Ⓟ. AE ⓓ VISA. ✻
marzo-octubre – **Comida** 1015 – **23 hab** 3900/5900 – PA 2035.

en la carretera de Málaga *por ④ : 5 km – ✉ 18015 Granada :*

Sol Inn Alcano, ☎ (958) 28 30 50, *Fax (958) 29 14 29*, 🏖, *« Amplio patio con césped y* 🏊 *»*, 🎾 – ▤ TV ☎ Ⓟ. AE ⓓ VISA. ✻ rest
Comida 2000 – ☕ 980 – **100 hab** 8300/10400.

Ver también : **Sierra Nevada** *SE : 32 km*
Cenes de la Vega *E : 7 km.*

GRAN CANARIA *Las Palmas – ver Canarias.*

GRANDAS DE SALIME *33730 Asturias* 441 C 9 – *1 330 h. alt. 562.*
Madrid 548 – Cangas 88 – Luarca 104 – Oviedo 142.

en la carretera AS 13 *NE : 5,5 km – ✉ 33730 Grandas de Salime :*

Las Grandas 🔇, Vistalegre ☎ (98) 562 72 98, *Fax (98) 562 73 19*, Junto a un embalse – TV ☎ Ⓟ. ⓓ E VISA. ✻
Comida 1500 – ☕ 500 – **15 hab** 6000/7500 – PA 2975.

La GRANJA o SAN ILDEFONSO *40100 Segovia* 442 J 17 – *4 949 h. alt. 1 192.*
Ver : *Palacio★ (museo de tapices★★) – Jardines★★ (surtidores★★).*
Madrid 74 – Segovia 11.

Roma, Guardas 2 ☎ (921) 47 07 52, 🏖 – ☎. E VISA. ✻
cerrado noviembre-15 diciembre – **Comida** 1800 – ☕ 500 – **16 hab** 4000/7500.

X **Dólar,** Valenciana 1 ☎ (921) 47 02 69, *Fax (921) 47 02 69* – AE ⓓ E VISA. ✻
cerrado miércoles y noviembre – **Comida** carta 3000 a 3500.

en Pradera de Navalhorno *carretera del puerto de Navacerrada - S : 2,5 km – ✉ 40109 Valsain :*

X **Mesón de Miguel,** ☏ (921) 47 19 29, 🏡 – AE ⓓ E VISA. ⚔
cerrado miércoles, 15 días en febrero y 15 días en septiembre – **Comida** - sólo almuerzo en invierno y otoño - carta 2200 a 3250.

en Valsain *carretera del puerto de Navacerrada - S : 3 km – ✉ 40109 Valsain :*

X **Hilaria,** ☏ (921) 47 02 92, *Fax (921) 47 18 93,* 🏡 – AE ⓓ E VISA. ⚔
cerrado lunes (salvo agosto), 10 días en junio y noviembre – **Comida** carta 3100 a 4400.

GRANOLLERS *08400 Barcelona 443 H 36 – 52 062 h. alt. 148.*

Madrid 641 – Barcelona 28 – Gerona/Girona 75 – Manresa 70.

Ciutat de Granollers ⛰, Turó Bruguet 2 - carret de Mataró ☏ (93) 879 62 20, *Fax (93) 879 58 46,* ≤, ℓ₆, 🏊 – |‡| ▤ TV ☎ 🚗 P – 🏛 30/800. AE ⓓ E VISA JCB
Comida 2000 - ***City*** : **Comida** carta 3500 a 4500 – ☕ 975 – **111 hab** 9000/11250 – PA 4975.

Granollers, av. Francesc Macià 300, ☏ (93) 879 51 00, *Fax (93) 879 42 55,* ℓ₆ – |‡| ▤ TV ☎ ♿ 🚗 P – 🏛 25/250. AE ⓓ E VISA JCB. ⚔ rest
Comida 1800 - ***Xeflis*** : **Comida** carta 1900 a 3700 – ☕ 975 – **72 hab** 7500/9000 – PA 3900.

Iris, av. Sant Esteve 92 ☏ (93) 879 29 29, *Fax (93) 879 20 06* – |‡| ▤ TV ☎ 🚗 – 🏛 25/40. AE ⓓ E VISA JCB. ⚔ rest
Comida *(cerrado domingo)* 1600 – ☕ 700 – **56 hab** 6500/9200.

XX **Europa** con hab, Anselm Clavé 1 ☏ (93) 870 03 12, *Fax (93) 870 79 01* – |‡| ▤ TV ☎. AE ⓓ E VISA JCB. ⚔ rest
Comida carta aprox. 3800 – **7 hab** ☕ 12500.

XX **El Trabuc,** carret. de Masnou, ☏ (93) 870 86 57, *Fax (93) 879 57 46,* 🏡, « Antigua casa de campo » – ▤ P. AE ⓓ E VISA JCB
cerrado domingo noche y del 15 al 31 de agosto – **Comida** carta 3500 a 4575.

XX **L'Amperi,** pl. de la Font Verda ☏ (93) 870 43 45, *Fax (93) 870 43 49* – ▤ P. E VISA. ⚔
cerrado lunes y del 15 al 30 de agosto – **Comida** carta 2950 a 4100.

XX **La Taverna d'en Grivé,** Josep María Segarra 98 - carret. de Sant Celoni ☏ (93) 849 57 83, *Fax (93) 849 57 83* – ▤ P. AE ⓓ E VISA JCB. ⚔
cerrado domingo noche, lunes y 20 días en agosto – **Comida** carta 2750 a 5850.

X **Layon,** pl. de la Caserna 2 ☏ (93) 879 40 82 – ▤
cerrado martes y del 1 al 15 de septiembre – **Comida** carta 1300 a 2725.

X La Porxada, Girona 190 ☏ (93) 849 70 29 – ▤.

X **Les Arcades,** Girona 29 ☏ (93) 879 40 96, *Fax (93) 870 91 56* – ▤. AE E VISA JCB. ⚔
cerrado martes – **Comida** carta aprox. 2825.

en Vilanova del Vallès *por la carretera de El Masnou – ✉ 08410 Vilanova del Vallès :*

Alfa Vallès ⛰, S : 4,5 km ☏ (93) 845 60 50, *Fax (93) 845 60 61,* ≤, 🏊 – |‡| ▤ TV ☎ ♿ P – 🏛 25/200. AE ⓓ E VISA. ⚔ rest
Comida 2500 - ***Gran Mercat*** : **Comida** carta 3000 a 4200 – ☕ 1100 – **100 hab** 11500/14500, 2 suites.

XX **El Bon Caliu,** Verge de Núria 26 - S : 6 km ☏ (93) 845 60 68, *Fax (93) 845 60 68* – ▤. AE E VISA. ⚔
cerrado domingo, lunes noche, Semana Santa y del 1 al 15 de agosto – **Comida** carta 2425 a 4200.

en Corró d'Amunt *por la carretera de Cànoves - N : 8,5 km – ✉ 08520 Les Franqueses del Vallès :*

XX **Tasta Olletes,** ☏ (93) 871 01 51, *Fax (93) 871 01 51* – ▤ P. E VISA. ⚔
cerrado martes – **Comida** carta 3250 a 4600.

GRAUS *22430 Huesca 443 F 31 – 3 267 h. alt. 468.*

Madrid 475 – Huesca 85 – Lérida/Lleida 85.

Lleida, glorieta Joaquín Costa ☏ (974) 54 09 25, *Fax (974) 54 07 54* – ▤ TV ☎ 🚗 P. AE VISA. ⚔ rest
Comida 1650 – ☕ 600 – **27 hab** 3990/6550 – PA 3350.

GRAZALEMA *11610 Cádiz* 446 **V 13** - *2 325 h. alt. 823.*

Ver : *Pueblo blanco★.*

Madrid 567 - Cádiz 136 - Ronda 27 - Sevilla 135.

Villa Turística de Grazalema, El Olivar (956) 13 21 36, *Fax (956) 13 22 13*, - 25/70
24 hab, 38 apartamentos.

Casa de las Piedras, Las Piedras 32 (956) 13 20 14 - E VISA.
Comida 1000 - 250 - **16 hab** 3600/5000.

Cádiz el Chico, pl. de España 8 (956) 13 20 27 - VISA.
Comida carta 1800 a 3050.

GREDOS *05132 Ávila* 442 **K 14.**

Ver : *Sierra★★ - Emplazamiento del Parador★★.*

Alred. : *Carretera del puerto del Pico★ (★) SE : 18 km.*

Madrid 169 - Ávila 63 - Béjar 71.

Parador de Gredos, alt. 1 650 (920) 34 80 48, *Fax (920) 34 82 05*, Sierra de Gredos, - 25/100. AE E VISA.
Comida 3500 - 1300 - **76 hab** 10800/13500, 1 suite - PA 7055.

GRIÑÓN *28971 Madrid* 444 **L 18** - *2 332 h. alt. 670.*

Madrid 30 - Aranjuez 36 - Toledo 47.

El Mesón de Griñón, General Primo de Rivera 9 (91) 814 01 13, *Fax (91) 814 01 13*, - . AE E VISA.
cerrado lunes y julio - **Comida** carta 3700 a 4700.

El Lechal, carret. de Navalcarnero - O : 1 km (91) 814 01 62, - . AE E VISA.
cerrado jueves y agosto - **Comida** carta 2500 a 3300.

El GROVE u **O GROVE** *36980 Pontevedra* 441 **E 3** - *10 367 h. - Playa.*

pl. del Corgo (986) 73 14 15 (temp).

Madrid 635 - Pontevedra 31 - Santiago de Compostela 71.

Maruxia sin rest, Luis Casais 14 (986) 73 27 95, *Fax (986) 73 05 07* - . AE VISA.
500 - **40 hab** 5100/7800.

Serantes sin rest. con cafetería, Castelao 40 (986) 73 22 04, *Fax (986) 73 23 91* - . AE E VISA.
cerrado 15 diciembre-enero - 550 - **32 hab** 5500/7000.

Amandi, Castelao 94 (986) 73 19 42, *Fax (986) 73 16 43*, -
temp - **Comida** (ver rest. O'Piorno) - **25 hab.**

El Molusco, Castelao 206 - puente de La Toja (986) 73 07 61, *Fax (986) 73 29 84* - . AE E VISA.
cerrado 25 diciembre-25 enero - **Comida** *(cerrado lunes y 25 diciembre-marzo)* 2100 - 500 - **29 hab** 6000/8000.

Tamanaco, Castelao 162 (986) 73 04 46, *Fax (986) 73 03 52*, -
36 hab.

El Crisol, Hospital 10 (986) 73 00 29 - . AE E VISA
cerrado lunes en invierno - **Comida** carta aprox. 4100.

La Posada del Mar, Castelao 202 (986) 73 01 06, *Fax (986) 73 01 06* - . AE E VISA JCB.
cerrado domingo noche (salvo agosto) y 10 diciembre-enero - **Comida** carta 3000 a 3900.

Dorna, Castelao 150 (986) 73 18 42, *Fax (986) 73 32 17* - . AE E VISA
cerrado 20 octubre-20 noviembre - **Comida** carta aprox. 3850.

Beiramar, av. Beiramar 30 (986) 73 10 81 - . AE E VISA.
cerrado lunes - **Comida** - pescados y mariscos - carta 2650 a 3450.

Finisterre, pl. del Corgo 2 (986) 73 07 48
AE E VISA.
cerrado domingo - **Comida** - pescados y mariscos - carta 3000 a 3500.

O'Piorno, av. Castelao 151 (986) 73 04 94, *Fax (986) 73 16 43*
temp - **Comida** - pescados y mariscos -.

El Combatiente, pl. del Corgo 10 (986) 73 07 41, - AE E VISA.
cerrado lunes y noviembre - **Comida** - pescados y mariscos - carta 2600 a 3200.

en la carretera de Pontevedra *S : 3 km – ✉ 36980 El Grove :*

Touris sin rest, Ardia 175 ✆ (986) 73 02 51, *Fax (986) 73 20 00*, ≤, – AE E VISA.
marzo-diciembre – 950 – **48 hab** 8700/11700.

en San Vicente del Mar – *✉ 36989 San Vicente del Mar :*

Mar Atlántico, S : 8,5 km ✆ (986) 73 80 61, *Fax (986) 73 82 99*, « Jardín con » – AE E VISA.
abril-15 octubre – **Comida** 2300 – 1000 – **34 hab** 9400/10500.

El Pirata, urb. San Vicente do Mar - praia Farruco, SO : 9 km ✆ (986) 73 80 52, – AE E VISA.
15 junio-15 septiembre – **Comida** carta 3500 a 4850.

GUADALAJARA *19000* P 444 K 20 – *67 847 h. alt. 679.*

Ver : *Palacio del Infantado★ (fachada★, patio★).*

pl. de los Caidos 6 ✉ 19001 ✆ (949) 21 16 26 Fax (949) 21 16 26

R.A.C.E. *San Juan de Dios 2-1º E ✉ 19001 ✆ (949) 21 77 18 Fax (949) 21 77 18.*

Madrid 55 – Aranda de Duero 159 – Calatayud 179 – Cuenca 156 – Teruel 245.

Infante sin rest, San Juan de Dios 14, ✉ 19001, ✆ (949) 22 35 55, *Fax (949) 22 35 98* – AE E VISA.
450 – **35 hab** 4680/6000.

Amparito Roca, Toledo 19, ✉ 19002, ✆ (949) 21 46 39, – AE VISA.
cerrado domingo, Semana Santa y del 15 al 31 de agosto – **Comida** carta 3550 a 4600.

Miguel Ángel, Alfonso López de Haro 4, ✉ 19001, ✆ (949) 21 22 51, *Fax (949) 21 25 63*, « Decoración castellana » – AE E VISA.
Comida carta 3600 a 4500.

junto a la autovía N II :

Pax, ✉ 19005, ✆ (949) 22 18 00, *Fax (949) 22 69 55*, ≤, – 25/400. AE E VISA.
Comida 2200 – 700 – **61 hab** 7800/9750 – PA 4300.

Green Alcarria, Toledo 39, ✉ 19002, ✆ (949) 25 33 00, *Fax (949) 25 34 07* – 25/300. AE E VISA JCB. rest
Comida 1500 – 700 – **53 hab** 7700/11300 – PA 3700.

Los Faroles, ✉ 19004, ✆ (949) 20 23 32, « Decoración castellana » – AE E VISA.
cerrado agosto – **Comida** carta 3000 a 4075.

GUADALEST *03517 Alicante* 445 P 29 – *165 h. alt. 995.*

Ver : *Situación ★.*

Madrid 441 – Alcoy/Alcoi 36 – Alicante/Alacant 65 – Valencia 145.

Xorta, carret. de Callosa d'En Sarrià ✆ (96) 588 51 87, ≤, – AE E VISA.
cerrado 15 mayo-15 junio – **Comida** - sólo cena de julio a septiembre - carta 2375 a 3350.

Nou Salat, carret. de Callosa d'En Sarrià ✆ (96) 588 50 19, ≤, – AE E VISA.
cerrado lunes noche, martes noche, miércoles y 20 enero-10 febrero – **Comida** carta 3050 a 4900.

GUADALUPE *10140 Cáceres* 444 N 14 – *2 447 h. alt. 640.*

Ver : *Emplazamiento★ – Pueblo viejo★ – Monasterio★★ : Sacristía★★ (cuadros de Zurbarán★★) camarín★ – Sala Capitular (antifonarios y libros de horas miniados★) – Museo de bordados (casullas y frontales de altar★★).*

Alred. : *Carretera★ de Guadalupe a Puerto de San Vicente ≤★.*

pl. Santa María de Guadalupe 1 ✆ (927) 15 41 28.

Madrid 225 – Cáceres 129 – Mérida 129.

Parador de Guadalupe, Marqués de la Romana 12 ✆ (927) 36 70 75, *Fax (927) 36 70 76*, ≤, « Instalado en un edificio del siglo XVI con jardín », – hab, AE E VISA JCB. rest
Comida 3200 – 1200 – **40 hab** 12000/15000.

Hospedería del Real Monasterio, pl. Juan Carlos I ✆ (927) 36 70 00, *Fax (927) 36 71 77*, « Instalado en el antiguo monasterio » – E VISA.
cerrado 15 enero-15 febrero – **Comida** 2600 – 825 – **46 hab** 5000/7500, 1 suite – PA 5250.

Hispanidad sin rest, av. Blas Pérez 1 ☎ (927) 15 42 10, *Fax (927) 15 42 11* – VISA.
350 – **40 hab** 4000/6000.

Alfonso XI, Alfonso Onceno 21 ☎ (927) 15 41 84, *Fax (927) 15 41 84* – AE E VISA
Comida 1100 – 400 – **27 hab** 3500/6000 – PA 2500.

Cerezo II con hab, pl. Santa María de Guadalupe 33 ☎ (927) 15 41 77, *Fax (927) 36 75 31* – AE E VISA. rest
Comida carta 1500 a 2500 – 300 – **13 hab** 2900/5000.

Cerezo con hab, Gregorio López 20 ☎ (927) 36 73 79, *Fax (927) 36 75 31* – rest,. AE E VISA. rest
Comida carta 1500 a 2600 – 300 – **15 hab** 2750/4800.

Mesón El Cordero, Alfonso Onceno 27 ☎ (927) 36 71 31 – AE VISA.
cerrado lunes y febrero – **Comida** carta 2300 a 2600.

GUADARRAMA *28440 Madrid* 444 **J 17** – *6 950 h. alt. 965.*
Madrid 48 – Segovia 43.

Sala, carret. de Los Molinos 2 ☎ (91) 854 21 21 –

Laciana, Alfonso Senra ☎ (91) 854 03 37 – AE E VISA
Comida *(sólo almuerzo salvo fines de semana)* carta 2950 a 4350.

Asador Los Caños, Alfonso Senra 51 ☎ (91) 854 02 69, *Fax (91) 854 31 32* – AE E VISA.
cerrado de 1 al 18 de junio – **Comida** *(sólo almuerzo salvo viernes, sábado y verano)* - cordero asado - carta 3100 a 4000.

en la carretera N VI *SE : 4,5 km – ✉ 28440 Guadarrama :*

Miravalle con hab, ☎ (91) 850 03 00, *Fax (91) 851 24 28,* – rest, E VISA.
cerrado enero y 15 días en febrero – **Comida** *(cerrado miércoles)* carta aprox. 3500 – 750 – **12 hab** 6000/8000.
Ver también : **Navacerrada** *NE : 12 km.*

GUADIX *18500 Granada* 446 **U 20** – *19 634 h. alt. 949.*
Ver : *Catedral★ (fachada★) – Barrio troglodita★ – Alcazaba : ≤★.*
Alred. : *Carretera★★ de Guadix a Purullena (pueblo troglodita★) O : 5 km – La Calahorra (castillo : patio★★) SE : 17 km.*
av. Mariana Pineda ☎ (958) 66 26 65 Fax (958) 66 27 54.
Madrid 436 – Almería 112 – Granada 57 – Murcia 226 – Úbeda 119.

Comercio, Mira de Amezcua 3 ☎ (958) 66 05 00, *Fax (958) 66 50 72* – rest, AE E VISA
Comida 1400 – **20 hab** 4000/7500.

Carmen sin rest, av. Mariana Pineda 61 ☎ (958) 66 15 00, *Fax (958) 66 01 79* – E VISA.
375 – **38 hab** 4030/5460.

GUALCHOS *18614 Granada* 446 **V 19** – *2 914 h. alt. 350.*
Madrid 518 – Almería 94 – Granada 88 – Málaga 113.

La Posada con hab, pl. de la Constitución 3 ☎ (958) 65 60 34, *Fax (958) 65 60 34,* « Rincón de estilo regional » – VISA. rest
cerrado diciembre-febrero – **Comida** *(cerrado lunes)* carta aprox. 3500 – **9 hab** 7000/14000.

GUARDAMAR *46711 Valencia* 445 **P 29** – *51 h. alt. 11.*
Madrid 422 – Gandía 6 – Valencia 70.

Arnadí, Molí 14 ☎ (96) 281 90 57, « Terraza-jardín » – AE E VISA.
cerrado domingo noche y lunes en invierno, del 12 al 24 de abril y del 1 al 23 de noviembre – **Comida** - sólo cena en verano - carta 2675 a 3650.

GUARDAMAR DEL SEGURA *03140 Alicante* 445 R 28 – *7 513 h. – Playa.*
pl. de la Constitución 7 (96) 572 72 92 Fax (96) 572 72 92.
Madrid 442 – Alicante/Alacant 36 – Cartagena 74 – Murcia 52.

Guardamar, av. Puerto Rico 11 (96) 572 96 50, *Fax (96) 572 95 30,* – AE E VISA.
Comida 1700 – 800 – **52 hab** 5500/7800.

Meridional, av. de la Libertad 64, urb. Las Dunas - S : 1 km (96) 572 83 40 *Fax (96) 572 83 06,* – AE E VISA.
Comida 1400 – **52 hab** 10175/12300 – PA 2800.

Mediterráneo, av. Cartagena 26 (96) 572 94 07, *Fax (96) 572 94 07* – AE E VISA.
Comida 1400 – 425 – **30 hab** 3800/6100.

Eden-Mar sin rest, Mediterráneo 19 (96) 572 92 13 – *temp* – **25 hab.**

Chez Víctor 2, av. de Perú 1 - urb. Las Dunas (96) 527 82 18, – AE E VISA.
cerrado martes y 15 enero-15 febrero – **Comida** carta 2750 a 3700.

La GUARDIA o **A GARDA** *36780 Pontevedra* 441 G 3 – *9 727 h. alt. 40 – Playa.*
Alred. : *Monte de Santa Tecla★ (★★) S : 3 km.*
Madrid 628 – Orense/Ourense 129 – Pontevedra 72 – Porto 148 – Vigo 53.

Convento de San Benito sin rest, pl. de San Benito (986) 61 11 66, *Fax (986) 61 15 17,* « Antiguo convento » – AE E VISA.
575 – **24 hab** 5700/8700.

Eli-Mar sin rest, Vicente Sobrino 12 (986) 61 30 00, *Fax (986) 61 11 56* – AE E VISA.
400 – **18 hab** 3200/6200, 2 apartamentos.

Bruselas sin rest, Orense 7 (986) 61 11 21 – .
300 – **37 hab** 3600/5140.

Bitadorna, Calvo sotelo 30 (986) 61 19 70 – . AE VISA.
cerrado domingo noche – **Comida** carta 2950 a 5100.

Anduriña, Calvo Sotelo 58 (986) 61 11 08, *Fax (986) 61 11 56,* – . AE E VISA.
Comida - pescados y mariscos - carta 2500 a 3500.

Marusía, av. del Puerto 29 (986) 61 38 09 – AE E VISA.
cerrado martes (salvo festivos y julio-septiembre) y 20 diciembre-20 enero – **Comida** - pescados y mariscos - carta 2300 a 3375.

GUERNICA Y LUNO o **GERNIKA-LUMO** *48300 Vizcaya* 442 C 21 – *15 999 h. alt. 10.*
Alred. : *N : Carretera de Bermeo ★, Ría de Guernica★ – Cueva de Santimamiñe (formaciones calcáreas★) NE : 5 km – Balcón de Vizcaya ★★ SE : 18 km.*
Artekale 8 (94) 625 58 92 Fax (94) 625 75 42.
Madrid 429 – Bilbao/Bilbo 36 – San Sebastián/Donostia 84 – Vitoria/Gasteiz 69.

Gernika sin rest, Carlos Gangoiti 17 (94) 625 03 50, *Fax (94) 625 58 74* – – 25. AE VISA.
cerrado 24 diciembre-6 enero – 750 – **23 hab** 6000/9200.

Arrien, Ferial 2 (94) 625 06 41 – . AE E VISA
Comida carta 3100 a 3700.

Zallo Barri, Juan Calzada 79 (94) 625 18 00, *Fax (94) 625 18 00* – . AE E VISA.
cerrado domingo noche y miércoles noche – **Comida** carta 3200 a 4400.

Boliña con hab, Barrenkalle 3 (94) 625 03 00, *Fax (94) 625 03 00* – rest,
16 hab.

GUETARIA o **GETARIA** *20808 Guipúzcoa* 442 C 23 – *2 348 h.*
Alred. : *Carretera en cornisa★★ de Guetaria a Zarauz.*
Parque Aldamar 2 (943) 14 09 57 (temp).
Madrid 487 – Bilbao/Bilbo 77 – Pamplona/Iruñea 107 – San Sebastián/Donostia 26.

Elkano, Herrerieta 2 (943) 14 06 14, – . AE E VISA JCB.
cerrado 1ª quincena de febrero y 1ª de quincena noviembre – **Comida** - pescados y mariscos - carta 3300 a 6600.

Kaia Kaipe, General Arnao 10 (943) 14 05 00, puerto pesquero y mar, – . AE E VISA JCB.
cerrado del 1 al 15 de marzo y del 13 al 30 de octubre – **Comida** - pescados y mariscos - carta 5500 a 6700.

X **Iribar,** Nagusia 38 ✆ (943) 14 04 06 – ▤. AE ⓓ E VISA. ✂
cerrado jueves (salvo en verano), 15 días en octubre y 15 días en abril – **Comida** - pescados y mariscos - carta 3000 a 4300.

X **Talai-Pe,** Puerto Viejo ✆ (943) 14 06 13, *Fax (943) 86 11 63*, ≤, « Decoración rústica marinera » – AE ⓓ E VISA JCB. ✂
cerrado domingo noche, lunes (salvo en verano), Navidades y del 10 al 30 de septiembre – **Comida** - pescados y mariscos - carta 3550 a 5500.

GUIJUELO *37770 Salamanca* **441** **K 12** – *4 755 h. alt. 1 010.*
Madrid 206 – Ávila 99 – Plasencia 83 – Salamanca 49.

Torres sin rest. con cafetería, San Marcos 3 ✆ (923) 58 14 51, *Fax (923) 58 00 17* – |‡| TV ☎. AE ⓓ E VISA. ✂
☕ 500 – **37 hab** 4950/7875.

GUILLENA *41210 Sevilla* **446** **T 11** – *7 715 h. alt. 23.*
Madrid 545 – Aracena 71 – Huelva 108 – Sevilla 21.

en la carretera de Burguillos *NE : 5 km – ✉ 41210 Guillena :*

Cortijo Águila Real ⛰, ✆ (95) 578 50 06, *Fax (95) 578 43 30*, ≤, ☂, « Elegante cortijo andaluz con amplio jardín y ⛱ » – ▤ TV ☎ P – 🏛 25/30. AE ⓓ E VISA. ✂
Comida 3500 – ☕ 1500 – **8 hab** 18000, 3 suites.

en Torre de la Reina *SE : 7,5 km – ✉ 41210 Guillena :*

Cortijo Torre de la Reina ⛰, paseo de la Alameda ✆ (95) 578 01 36, *Fax (95) 578 01 22*, « Ambiente elegante en una antigua residencia nobiliaria con jardín y ⛱ » – ▤ TV ☎ P – 🏛 25/700. AE ⓓ E VISA. ✂
Comida 3500 – ☕ 1300 – **6 hab** 17200/21500, 5 suites – PA 8300.

GÜIMAR *Santa Cruz de Tenerife – ver Canarias (Tenerife).*

GUISSONA *25210 Lérida* **443** **G 33** – *2 594 h. alt. 490.*
Madrid 526 – Barcelona 114 – Lérida/Lleida 67 – La Seo de Urgel/La Seu d'Urgell 91 – Tarragona 98.

X Cal Mines, Santa Margarida 6 ✆ (973) 55 06 12 – ▤.

HARÍA *Las Palmas – ver Canarias (Lanzarote).*

HARO *26200 La Rioja* **442** **E 21** – *8 939 h. alt. 479.*
Alred. : *Balcón de La Rioja* ✻★ *E : 26 km.*
ℹ *pl. Monseñor Florentino Rodríguez* ✆ *(941) 30 33 66 (temp).*
Madrid 330 – Burgos 87 – Logroño 49 – Vitoria/Gasteiz 43.

Los Agustinos, San Agustín 2 ✆ (941) 31 13 08, *Fax (941) 30 31 48*, « Instalado en un convento del siglo XIV » – |‡| ▤ TV ☎ 🚗 – 🏛 25/200. AE ⓓ E VISA JCB. ✂
Comida *(cerrado domingo)* 2800 – ☕ 1100 – **60 hab** 10200/12800, 2 suites.

XX **Beethoven II,** Santo Tomás 3 ✆ (941) 31 13 63, *Fax (941) 31 11 81* – ▤. E VISA. ✂
Comida carta 3450 a 3750.

X **Mesón Atamauri,** pl. Juan García Gato 1 ✆ (941) 30 32 20 – ▤. AE ⓓ E VISA. ✂
cerrado miércoles (salvo agosto) y Navidades – **Comida** carta 3200 a 3500.

X **Terete,** Lucrecia Arana 17 ✆ (941) 31 00 23, *Fax (941) 31 03 93*, « Rest. típico con bodega » – ▤. VISA
cerrado domingo noche, lunes, del 1 al 15 de julio y del 15 al 31 de octubre – **Comida** - cordero asado - carta 1550 a 3100.

en la carretera N 124 *SE : 1 km – ✉ 26200 Haro :*

Iturrimurri, carret. de circunvalación ✆ (941) 31 12 13, *Fax (941) 31 17 21*, ≤, ⛱ – |‡| ▤ TV ☎ P – 🏛 25/100. AE ⓓ E VISA. ✂ rest
Siglo XXI : **Comida** carta 2900 a 4400 – ☕ 975 – **52 hab** 8800/12900.

HECHO *22720 Huesca* 443 **D 27** – *alt. 833.*
Madrid 497 – Huesca 102 – Jaca 49 – Pamplona/Iruñea 122.

Lo Foratón sin, urb. Cruz Alta (974) 37 52 47 – . VISA.
Comida (ver rest. ***Lo Foratón***) – **28 hab** 5000/7000, 1 suite.

Gaby-Casa Blasquico con hab, pl. Palacio 1 (974) 37 50 07, – . VISA.
cerrado del 1 al 15 de septiembre – **Comida** - es necesario reservar - carta aprox. 3500 – 500 – **4 hab** 3500/6000.

Lo Foratón con hab, urb. Cruz Alta (974) 37 52 47 – VISA.
Comida carta aprox. 2100 – 400 – **10 hab** 5000/7000.

en la carretera de Selva de Oza *N : 7 km* – *22720 Hecho :*

Usón, (974) 37 53 58, *Fax (974) 37 53 58*, valle y montañas – . VISA.
cerrado enero-14 marzo – **Comida** 1600 – 500 – **14 hab** 4000/6000 – PA 3300.

HELLÍN *02400 Albacete* 444 **Q 24** – *23 540 h. alt. 566.*
Madrid 306 – Albacete 59 – Murcia 84 – Valencia 186.

Reina Victoria, Coullaut Valera 3 (967) 30 02 50, *Fax (967) 30 02 50* – . AE VISA. rest
Comida 1600 – 400 – **24 hab** 6000/10000, 1 suite.

Modesto, López de Oro 18 (967) 30 02 50, *Fax (967) 30 02 50* – rest, . AE VISA. rest
Comida 1600 – 400 – **19 hab** 3000/6000.

Hellín, carret. de Murcia 31 (967) 30 01 42, *Fax (967) 30 28 89* – rest, . AE VISA JCB.
Comida 1400 **- *D'on Manuel* : Comida** carta 1500 a 3050 – 300 – **20 hab** 3600/6000 – PA 3100.

Emilio con hab, carret. de Jaén 23 (967) 30 15 80, *Fax (967) 30 47 75* – . AE VISA.
Comida carta 2850 a 3950 – 600 – **15 hab** 6000/8000.

HERNANI *20120 Guipúzcoa* 442 **C 24** – *18 524 h.*
Madrid 452 – Biarritz 56 – Bilbao/Bilbo 103 – San Sebastián/Donostia 8 – Vitoria/Gasteiz 102 – Pamplona/Iruñea 72.

en la carretera de Goizueta *SE : 5 km* – *20120 Hernani :*

Fagollaga, barrio Fagollaga (943) 55 00 31, *Fax (943) 33 18 01*, – .

La HERRADURA *18697 Granada* 446 **V 18** – *Playa.*
Alred. : *O : Carretera★ de La Herradura a Nerja ★★.*
Madrid 523 – Almería 138 – Granada 93 – Málaga 66.

Tryp Los Fenicios, paseo Andrés Segovia (958) 82 79 00, *Fax (958) 82 79 10*, , – . AE VISA.
Comida 2400 – 1050 – **43 hab** 12150/15200 – PA 4970.

HERRERA DEL DUQUE *06670 Badajoz* 444 **O 14** – *4 116 h. alt. 471.*
Madrid 231 – Cáceres 171 – Plasencia 193.

El Torreón, av. Juan Carlos I-2 (924) 64 20 42, *Fax (924) 64 21 07* – . AE VISA.
Comida 1300 – 250 – **28 hab** 2500/4500.

HERREROS *42145 Soria* 442 G 21 - *alt. 1118.*
Madrid 250 - Burgos 121 - Logroño 128 - Soria 24.

Casa del Cura, Estación (975) 27 04 64, « Ambiente acogedor en una casa rural con jardín y montañas » - VISA.
Comida - sólo cena - carta 2350 a 4150 - 700 - **12 hab** 5000/8800.

HIERRO *Santa Cruz de Tenerife - ver Canarias.*

LA HINOJOSA *16750 Cuenca* 444 M 22 - *352 h.*
Madrid 147 - Alarcón 44 - Albacete 107 - Cuenca 57 - Toledo 165.

Los Rosales con hab, carret. Madrid-Valencia 14 (967) 19 44 02 - E VISA.
Comida carta 1625 a 2900 - 600 - **8 hab** 4800/6420.

HONDARRIBIA *Guipúzcoa - ver Fuenterrabía.*

HONRUBIA DE LA CUESTA *40541 Segovia* 442 H 18 - *107 h. alt. 1001.*
Madrid 143 - Aranda de Duero 18 - Segovia 97.

en El Miliario *S : 4 km - 40541 Honrubia de la Cuesta :*

Mesón Las Campanas con hab, antigua carret. N I (921) 53 43 65, « Decoración rústica regional » - AE E VISA.
cerrado febrero - **Comida** carta 2650 a 3650 - 250 - **7 hab** 6500.

HORNA *Burgos - ver Villarcayo.*

HORTIGÜELA *09640 Burgos* 442 F 19 - *115 h. alt. 941.*
Madrid 211 - Burgos 42 - Palencia 113 - Soria 103.

Virgen de las Naves, San Roque (947) 38 41 96, *Fax (947) 38 41 98,* - rest, VISA.
cerrado febrero - **Comida** 1500 - 600 - **27 hab** 4520/7715.

HOSPITALET DEL INFANTE o **L'HOSPITALET DEL INFANT** *43890 Tarragona* 443 J 32 - *2690 h. - Playa.*
Alamanda 2 (977) 82 33 28 Fax (977) 82 33 28.
Madrid 579 - Castellón de la Plana/Castelló de la Plana 151 - Tarragona 37 - Tortosa 52.

Pino Alto, urb. Pino Alto - NE : 1 km, 43892 Miami Platja, (977) 81 10 00, *Fax (977) 81 09 07,* « Terraza », - - 25/140. AE E VISA.
2 abril-24 octubre - **Comida** 2400 - **137 hab** 11700/17000.

Meridiano Mar, passeig Marítim 31 (977) 82 39 27, *Fax (977) 82 39 74,* -
85 hab.

Les Barques, Les Barques 14 (977) 82 02 23, *Fax (977) 82 02 41,* - AE E VISA.
cerrado 22 diciembre-12 enero - **Comida** (ver rest. ***Les Barques***) - 600 - **40 hab** 6800/9600.

Les Barques, passeig Marítim 21 (977) 82 39 61, *Fax (977) 82 02 41,* - AE E VISA.
cerrado domingo noche, martes (salvo festivos, 14 julio-agosto) y 22 diciembre-10 febrero - **Comida** carta 2300 a 4550.

L'Olla, Via Augusta 58 (977) 82 04 38 - E VISA JCB.
cerrado domingo noche (julio-agosto), domingo, lunes y martes noche resto del año y 24 diciembre-7 enero - **Comida** carta aprox. 3400.

Mar Blava, port esportiu (977) 82 02 06 - E VISA.
cerrado noche de domingo a martes (salvo en verano) y 20 diciembre-1 marzo - **Comida** carta 2450 a 3825.

en la playa de L'Almadrava *SO : 10 km - 43890 Hospitalet del Infante :*

Llorca, (977) 82 31 09, *Fax (977) 82 31 09,* - AE E VISA. rest
abril-septiembre - **Comida** 1600 - 650 - **15 hab** 4700/7200 - PA 3270.

HOSTALETS DE BAS o **Els HOSTALETS D'EN BAS** *17177 Gerona* **443** **F 37**.
Madrid 711 – Gerona/Girona 47 – Olot 10 – Vic 44.

L'Hostalet, Vic 18 ✆ (972) 69 00 06 – ▤ Ⓟ. AE VISA. ✈
cerrado domingo noche, martes (salvo festivos) y julio – **Comida** carta 1700 a 2350.

La HOYA *30816 Murcia* **445** **S 25**.
Madrid 471 – Cartagena 72 – Murcia 53.

La Hoya, autovía N 340 - salida 605 ✆ (968) 48 18 06, *Fax (968) 48 19 05*, 🌳, ⛱ – ▤ ☎ ⇔ Ⓟ. AE ⓓ E VISA. ✈ rest
Comida *(cerrado domingo mediodía)* 1300 – ☕ 400 – **36 hab** 4000/6500 – PA 2800

HOYO DE MANZANARES *28240 Madrid* **444** **K 18** – *3 472 h. alt. 1 001.*
Madrid 40 – El Escorial 28 – Segovia 76.

El Vagón de Beni, San Macario 6 ✆ (91) 856 68 12, 🌳, « Vagón de ambiente acogedor en un armónico conjunto imitando una estación de época » – ▤ Ⓟ. AE ⓓ E VISA. ✈
cerrado lunes y noviembre – **Comida** carta 4400 a 4900.

HOYOS DEL ESPINO *05634 Ávila* **442** **K 14** – *332 h.*
Alred. : *Laguna Grande★ (≤★) S : 12 km.*
Madrid 174 – Ávila 68 – Plasencia 107 – Salamanca 130 – Talavera de la Reina 87.

El Milano Real ⛰, Toleo ✆ (920) 34 91 08, *Fax (920) 34 91 56*, ≤ sierra de Gredos, 🌳, « Ambiente acogedor » – |♦| TV ☎ Ⓟ. AE ⓓ E VISA. ✈
cerrado del 12 al 18 de enero y del 16 al 30 de noviembre – **Comida** 2500 – ☕ 1200 – **14 hab** 7100/7900 – PA 5450.

Mira de Gredos ⛰ con hab, ✆ (920) 34 90 23, ≤ sierra de Gredos – TV Ⓟ. VISA ✈
cerrado octubre – **Comida** *(cerrado jueves)* carta 2500 a 3300 – ☕ 450 – **16 hab** 4000/5500.

HOZNAYO *39716 Cantabria* **442** **B 18**.
Madrid 399 – Bilbao/Bilbo 86 – Burgos 156 – Santander 21.

Adelma, carret. N 634 ✆ (942) 52 40 96, *Fax (942) 52 43 72*, ≤ – |♦|, ▤ rest, TV ☎ Ⓟ 36 hab.

Los Pasiegos, carret. N 634 ✆ (942) 52 50 90, *Fax (942) 52 51 14* – |♦|, ▤ rest, TV ☎ ⇔ Ⓟ. E VISA. ✈ rest
Comida 1400 – ☕ 500 – **44 hab** 5000/8000 – PA 3300.

HUARTE *31620 Navarra* **442** **D 25** – *2 828 h. alt. 441.*
Madrid 402 – Pamplona/Iruñea 7.

Iriguibel, carret. C 135 ✆ (948) 33 14 14, *Fax (948) 33 00 69* – ▤ Ⓟ.

HUELVA *21000* **P** **446** **U 9** – *144 579 h. alt. 56.*
ℹ *av. de Alemania 12* ✉ *21001* ✆ *(959) 25 74 03 Fax (959) 25 74 03.*
Madrid 629 ② – Badajoz 248 ② – Faro 105 ① – Mérida 282 ② – Sevilla 92 ②
Plano página siguiente

Luz Huelva sin rest, av. Sundheim 26, ✉ 21003, ✆ (959) 25 00 11, Telex 75527, *Fax (959) 25 81 10* – |♦| ▤ TV ☎ ⇔ – 🎤 25/100. AE ⓓ E VISA. ✈ BZ e
☕ 1300 – **102 hab** 11400/17000, 5 suites.

Monte Conquero sin rest. con cafetería, Pablo Rada 10, ✉ 21003, ✆ (959) 28 55 00, *Fax (959) 28 39 12* – |♦| ▤ TV ☎ ♿ ⇔ – 🎤 25/120. AE ⓓ E VISA. ✈ BZ s
☕ 800 – **168 hab** 8300/12500.

Tartessos, av. Martín Alonso Pinzón 13, ✉ 21003, ✆ (959) 28 27 11, *Fax (959) 25 06 17* – |♦| ▤ TV ☎ – 🎤 25/70. AE ⓓ E VISA. ✈ BZ a
Comida 2300 - ***El Estero*** *(cerrado domingo)* **Comida** carta 3350 a 4000 – ☕ 850 – **108 hab** 8000/12000, 3 suites.

Los Condes sin rest, Alameda Sundheim 14, ✉ 21003, ✆ (959) 28 24 00, *Fax (959) 28 50 41* – |♦| ▤ TV ☎ ⇔. AE ⓓ E VISA. ✈ BZ b
☕ 400 – **53 hab** 4200/7500.

Costa de la Luz sin rest y sin ☕, José María Amo 8, ✉ 21001, ✆ (959) 25 64 22, *Fax (959) 25 64 22* – |♦| TV ☎. ✈ AZ d
35 hab 3750/6500.

HUELVA

Arquitecto Pérez Carasa . . . . BZ 4
Concepción . . . . . . AZ 9
Las Bocas . . . . AZ 25
Palacios . . . . AZ 35
Plus Ultra . . . . AZ 37
Rábida . . . . BZ 39

Alameda de Sundheim . . . BZ 2
Alcalde Federico Molina Orta (Av.) . ABY 3
Buenos Aires (Pas.) . AY 8
Francisco Montenegro (Av. de) AY 10
Fray Junípero Serra . AY 14
Guatemala (Av. de) . AY 16
Independencia (Pas.) AZ 18
Jabugo . . . . BY 19
Jesús de la Pasión . BZ 34
José Nogales . . . . . AZ 20
La Fuente . . . . BZ 22
La Palma . . . . AZ 23
Las Monjas (Pl. de) . AZ 26
Manuel de Falla . . . AY 27
Marina . . . . AZ 28
Martín Alonso Pinzón (Av. de) . . BZ 29
Méndez Núñez . . . . AZ 31
Pablo Rada . . . . . . BZ 33
Pío XII (Av. de) . . . . BZ 36
Puente del Río Odiel (Carret. al) . AY 38
Roque Barcia . . . . . AY 41
Rubén Darío . . . . . . AY 42
San Antonio (Av. de) AY 43
San Sebastián . . . . BZ 45
Santa Fé (Pas. de) . ABZ 46
Tomás Domínguez Ortiz (Av. de) . . . AZ 50
Vázquez López . . . . AZ 51
3 de Agosto . . . . . . BZ 52

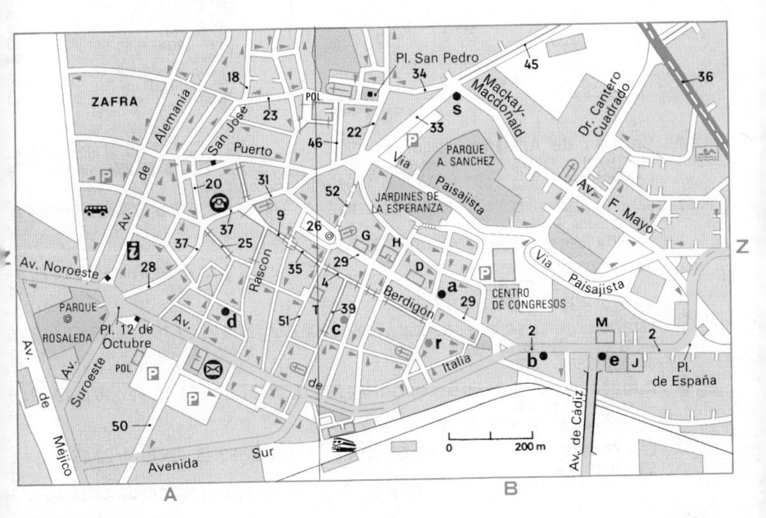

XX **Las Meigas,** av. Guatemala 48, ✉ 21003, ✆ (959) 27 19 58, *Fax (959) 27 19 77* – ▤. AE ⦿ E VISA. ✂ — AY s
cerrado domingo en verano – **Comida** carta 3300 a 5050.

X **La Cazuela,** Garci Fernández 5, ✉ 21003, ✆ (959) 25 80 96 – ▤. AE ⦿ E VISA. ✂ — BZ r
cerrado domingo noche – **Comida** carta 2400 a 3475.

X **La Marmita,** Miguel Redondo 12, ✉ 21003, ✆ (959) 26 22 16 – ▤. AE ⦿ E VISA JCB. ✂ — BZ c
cerrado lunes noche – **Comida** - espec. en carnes a la brasa - carta 2600 a 4250.

HUESCA *22000* Ⓟ 443 F 28 – *50 085 h. alt. 466.*

Ver : *Catedral★ (retablo de Damián Forment★★)* A – *Museo Arqueológico Provincial★ (co- lección de primitivos aragoneses★)* **M1** – *Iglesia de San Pedro el Viejo★ (claustro★)* B.

Excurs. : *Castillo de Loarre★★ ※★★ NO : 32 km por ③.*

🅘 *General Lasheras 5 ✉ 22003 ☎ (974) 22 57 78 Fax (974) 22 57 78 y pl. de la Catedr. 1 ✉ 22002 ☎ (974) 29 21 00 (Ext. 141).*

Madrid 392 ② – Lérida/Lleida 123 ① – Pamplona/Iruñea 164 ③ – Pau 211 ③ – Zaragoz 72 ②

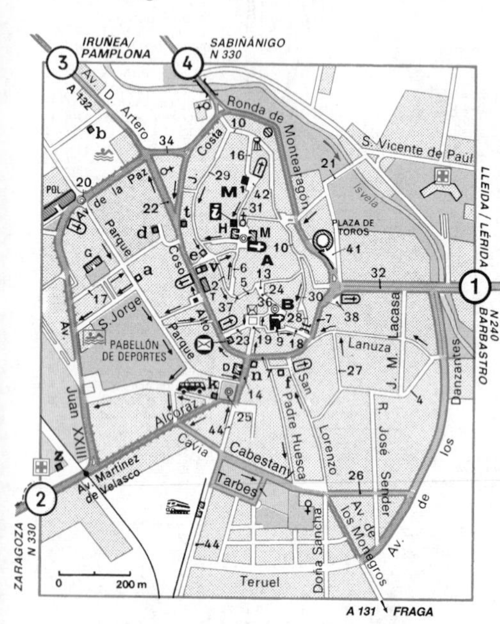

HUESCA

Coso Alto

Pedro I de Aragón, Parque 34, ✉ 22003, ☎ (974) 22 03 00, Telex 58626, *Fax (974) 22 00 94,* 🏊 – 🛗 ▤ 📺 ☎ 🚗 – 🎪 25/500. AE ⓓ E VISA. ✂ rest — a
Comida 3500 – ☕ 1450 – **131 hab** 15070/18865, 2 suites.

Sancho Abarca, pl. de Lizana 13, ✉ 22002, ☎ (974) 22 06 50, *Fax (974) 22 51 69* – 🛗 📺 ☎ 🚗 – 🎪 40/250 — v
Comida (ver rest. Sancho Abarca) – **35 hab.**

San Marcos sin rest, San Orencio 10, ✉ 22001, ☎ (974) 22 29 31, *Fax (974) 22 29 31* – 🛗 ▤ 📺 ☎. AE E VISA. ✂ — f
☕ 375 – **29 hab** 3400/5775.

Lizana sin rest y sin ☕, pl. de Lizana 6, ✉ 22002, ☎ (974) 22 07 76, *Fax (974) 22 07 76* – 📺 🚗. AE ⓓ E VISA — e
34 hab 2500/6000.

Rugaca sin rest, Porches de Galicia 1, ✉ 22002, ☎ (974) 22 64 49, *Fax (974) 23 08 05* – ▤ 📺 ☎. E VISA — n
☕ 500 – **24 hab** 3500/6000.

Las Torres, María Auxiliadora 3, ✉ 22003, ☎ (974) 22 82 13, *Fax (974) 22 88 79* – ▤. AE ⓓ E VISA. ✂ — d
cerrado domingo, Semana Santa y del 16 al 31 de agosto – **Comida** carta 3600 a 4600.

Lillas Pastia, pl. de Navarra 4, ✉ 22002, ☎ (974) 21 16 91, *Fax (974) 21 16 91,* 🏛, « En el antiguo casino » – ▤. AE ⓓ E VISA. ✂ — k
cerrado martes y 26 octubre-9 noviembre – **Comida** carta 3000 a 4500.

Sancho Abarca, pl. de Lizana 13, ✉ 22002, ☎ (974) 22 06 50, *Fax (974) 22 51 69* – ▤ 🚗 — v

El Molinero, San Orencio 10, ✉ 22001, ☎ (974) 23 07 31, *Fax (974) 23 07 31* – ▤. E VISA. ✂ — f
Comida carta aprox. 3500.

X La Campana, Coso Alto 78, ✉ 22003, ☎ (974) 22 95 00 - ▤ — t

X **Parrilla Gombar,** av. Martínez de Velasco 34, ✉ 22004, ☎ (974) 21 22 70 - ▤. E VISA. ✻
Comida carta 1600 a 2600. — z

X Casa Vicente, pl. de Lérida 2, ✉ 22004, ☎ (974) 22 98 11 - ▤ — b

IBARRA *Guipúzcoa - ver Tolosa.*

IBIZA *Baleares - ver Baleares.*

ICOD DE LOS VINOS *Santa Cruz de Tenerife - ver Canarias (Tenerife).*

LA IGLESUELA DEL CID *44142 Teruel* 443 **K 29** - *484 h. alt. 1 227.*
Madrid 415 - Morella 37 - Teruel 113.

Casa Amada, Fuentenueva 10 ☎ (964) 44 33 73, *Fax (964) 44 33 73* - AE E VISA. ✻
Comida 1475 - ☕ 350 - **21 hab** 2350/3450 - PA 2850.

IGORRE *Vizcaya - ver Yurre.*

IGUALADA *08700 Barcelona* 443 **H 34** - *32 422 h. alt. 315.*
Madrid 562 - Barcelona 67 - Lérida/Lleida 93 - Tarragona 93.

América, antigua carret. N II ☎ (93) 803 10 00, *Fax (93) 805 00 78*, ⛱, 🏊, 🌳 - |‡|
▤ TV ☎ P - 🏛 25/400. AE ① E VISA. ✻
cerrado del 1 al 15 de agosto - **Comida** 2200 - ☕ 850 - **52 hab** 5000/10000 - PA 4400.

X **El Jardí de Granja Plá,** Rambla de Sant Isidre 12 ☎ (93) 803 18 64, *Fax (93) 805 03 13*
- ▤. AE ① E VISA
cerrado domingo noche, lunes y 28 julio-18 agosto - **Comida** carta 3200 a 4400.

X **El Mirall,** passeig Verdaguer 6 ☎ (93) 806 27 97 - ▤. AE ① E VISA
cerrado domingo, miércoles noche, Semana Santa y 1ª quincena de septiembre - **Comida**
carta 3500 a 4800.

ILLESCAS *45200 Toledo* 444 **L 18** - *7 942 h. alt. 588.*
Madrid 36 - Aranjuez 31 - Ávila 144 - Toledo 34.

XX **El Bohío,** av. Castilla-La Mancha 81 ☎ (925) 51 11 26, *Fax (925) 51 11 26*, « Decoración
castellana » - ▤. AE ① E VISA. ✻
cerrado domingo y agosto - **Comida** carta 4900 a 6200.

ILLETAS o ses ILLETES *Baleares - ver Baleares (Mallorca).*

S'ILLOT *Baleares - ver Baleares (Mallorca).*

INCA *Baleares - ver Baleares (Mallorca).*

INCLES *Andorra - ver Andorra (Principado de) : Soldeu.*

INGLÉS (Playa del) *Las Palmas - ver Canarias (Gran Canaria) : Maspalomas.*

La IRUELA *23476 Jaén* 446 **S 21** - *2 186 h. alt. 932.*
Ver : *Carretera de los miradores* ≤★★.
Madrid 365 - Jaén 103 - Úbeda 48.

Sierra de Cazorla 🐎, carret. de la Sierra - NE : 1 km ☎ (953) 72 00 15,
Fax (953) 72 00 17, ≤, 🏊 - ▤ TV ☎ P. AE ① E VISA. ✻ rest
Comida 1200 - ☕ 400 - **50 hab** 4700/7400, 2 suites - PA 2450.

Verwechseln Sie nicht :

Komfort der Hotels : 🏨 ... 🏠, ⛺
Komfort der Restaurants : XXXXX ... X
Gute Küche : ✿✿✿, ✿✿, ✿, 🍽

IRÚN *20300 Guipúzcoa* 442 **B y C 24** – *53 861 h. alt. 20.*

Alred. : *Ermita de San Marcial* ✻★★ *E : 3 km.*

barrio de Behobia-E : 2 km ✉ 20305 ✆ (943) 62 26 27.

Madrid 509 – Bayonne 34 – Pamplona/Iruñea 90 – San Sebastián/Donostia 20.

Lizaso sin rest y sin ☕, Aduana 5, ✉ 20302, ✆ (943) 61 16 00 – ☎
20 hab 3600/5200.

Mertxe, Francisco de Gainza 9 - barrio Beraun, ✉ 20302, ✆ (943) 62 46 82, 🏡 – ▤
AE E VISA
cerrado domingo noche, miércoles y 20 diciembre-3 enero – **Comida** carta 4100 a 5600

Romantxo, pl. Urdanibia, ✉ 20304, ✆ (943) 62 09 71, « Decoración rústica regional »
– ▤.

Larretxipi, Larretxipi 5, ✉ 20304, ✆ (943) 63 26 59 – AE ⓓ E VISA. ✂
cerrado domingo noche, martes, 2ª quincena de marzo y 2ª quincena de noviembre –
Comida carta 3500 a 4700.

al Oeste :

Tryp Urdanibia, carret. N I : 3 km, ✉ 20305, ✆ (943) 63 04 40, *Fax (943) 63 04 10*
– |‡| ▤ TV ☎ P – 🏛 25/500. AE ⓓ E VISA. ✂ rest
Comida 1950 – ☕ 800 – **115 hab** 11550/14700 – PA 4350.

Jaizubía, Poblado vasco de Urdanibia : 4 km, ✉ 20305, ✆ (943) 61 80 66 – AE ⓓ E
VISA JCB
cerrado lunes y febrero – **Comida** carta 4600 a 6100.

IRUÑEA *Navarra – ver Pamplona.*

IRURITA *31730 Navarra* 442 **C 25.**

Madrid 448 – Bayonne 57 – Pamplona/Iruñea 53 – St-Jean-Pied-de-Port 40.

Olari, Pedro María Hualde ✆ (948) 45 22 54 – ▤. ⓓ E VISA. ✂
cerrado lunes (salvo agosto) y última semana de junio – **Comida** carta 2500 a 3700.

ISABA *31417 Navarra* 442 **D 27** – *551 h. alt. 813.*

Alred. : *O : Valle del Roncal★ – SE : Carretera★ del Roncal a Ansó.*

Madrid 467 – Huesca 129 – Pamplona/Iruñea 97.

Isaba 🐦, Bormapea 51 ✆ (948) 89 30 00, *Fax (948) 89 30 30,* ← – |‡| ☎ P – 🏛 35/60
50 hab.

Lola 🐦, Mendigacha 17 ✆ (948) 89 30 12, *Fax (948) 89 30 12*
15 hab.

ISLA – *ver a continuación y el nombre propio de la isla.*

ISLA *39195 Cantabria* 442 **B 19** – *Playa.*

Madrid 426 – Bilbao/Bilbo 81 – Santander 48.

en la playa de La Arena *NO : 2 km – ✉ 39195 Isla :*

Campomar 🐦, ✆ (942) 67 94 32, *Fax (942) 67 94 28* – |‡|, ▤ rest, TV ☎ P. AE ⓓ
E VISA. ✂
Comida *(cerrado diciembre-enero)* 1300 – ☕ 550 – **41 hab** 8500/9500 – PA 2600.

en la playa de Quejo *E : 3 km – ✉ 39195 Isla :*

Olimpo 🐦, Finca Los Cuarezos ✆ (942) 67 93 32, *Fax (942) 67 94 63,* ← playa, 🏋, 🏊,
🌴, 🎾 – |‡| ▤ TV ☎ 🚗 P – 🏛 25/60. AE ⓓ E VISA. ✂
cerrado 1ª quincena de enero – **Comida** 3100 – ☕ 1100 – **68 hab** 13100/19400.

Pelayo, av. Juan Hormaechea 22 ✆ (942) 67 96 01, *Fax (942) 67 96 42* – |‡|, ▤ rest
TV ☎ P. AE E VISA. ✂
Semana Santa y julio-septiembre – **Comida** 2100 – ☕ 350 – **27 hab** 6500/9500 –
PA 3400.

Astuy, av. Juan Hormaechea 1 ✆ (942) 67 95 40, *Fax (942) 67 95 88,* ←, 🏡, 🏊 – |‡|
▤ rest, TV ☎ P. AE ⓓ E VISA. ✂
Comida carta 4000 a 4800 – ☕ 550 – **53 hab** 7000/9500.

en Soano *SE : 3,5 km – ✉ 39196 Soano :*

El Limonar, barrio Riegos 13 ✆ (942) 63 13 12, 🏡 – ▤ P. E VISA. ✂
Comida *(sólo almuerzo en invierno salvo fines de semana)* - cenas es necesario reservar
- carta 3250 a 3550.

ISLA CANELA (playa de) *Huelva - ver Ayamonte.*

ISLA CRISTINA *21410 Huelva* 446 U 8 - *16 575 h. - Playa.*
Madrid 672 - Beja 138 - Faro 69 - Huelva 56.

Paraíso Playa, av. de la playa (959) 33 18 73, *Fax (959) 34 37 45*, - hab, . AE E VISA.
cerrado 15 diciembre-15 enero - **Comida** *(julio-septiembre)* 1500 - 500 - **34 hab** 5500/8000 - PA 3100.

Sol y Mar, playa Central (959) 33 20 50, - .
Comida 1500 - 250 - **16 hab** 5500/8000.

en la urbanización Islantilla *E : 6,5 km - 21410 :*

Confortel Islantilla, (959) 48 60 17, *Fax (959) 48 60 70*, - - 25/120. AE E VISA.
Manhattan *(sólo buffet)* **Comida** 1550 - ***El Fogón de la Antilla :*** **Comida** carta 4500 a 5550 - 850 - **328 hab** 10750/18100, 16 suites.

ISLANTILLA (Urbanización) *Huelva - ver Isla Cristina.*

ISLARES *39798 Cantabria* 442 B 20 - *Playa.*
Madrid 437 - Bilbao/Bilbo 41 - Santander 80.

El Langostero con hab, playa de Arenillas (942) 87 12 12, *Fax (942) 86 22 12*, -
10 hab.

IURRETA *48215 Vizcaya* 442 C 22 - *4 874 h. alt. 114.*
Madrid 390 - Bilbao 32 - San Sebastian/Donostia 74 - Vitoria/Gasteiz 42.

en Goiuria *NO : 2,5 km - 48215 Iurreta :*

Goiuria, (94) 681 08 86, *Fax (94) 681 08 86*, Durango, valle y montañas - . AE E VISA JCB.
cerrado domingo noche, martes noche y agosto - **Comida** carta 3550 a 4575.

Ikuspegi, Goiuria 12 (94) 681 10 82, Durango, valle y montañas - . AE E VISA.
cerrado lunes y septiembre - **Comida** carta 2775 a 3750.

JACA *22700 Huesca* 443 E 28 - *14 426 h. alt. 820.*
Ver : *Catedral★ (capiteles historiados★) - Museo Episcopal (frescos★).*
Alred. : *Monasterio de San Juan de la Peña★★ : paraje★★ - Claustro★ (capiteles★★) SO : 28 km.*
av. Regimiento de Galicia 2 (974) 36 00 98 Fax (974) 35 51 65.
Madrid 481 - Huesca 91 - Oloron-Ste-Marie 87 - Pamplona/Iruñea 111.

Aparthotel Oroel, av. de Francia 37 (974) 36 24 11, *Fax (974) 36 38 04*, - rest, . AE E VISA.
cerrado octubre - **Comida** carta 2600 a 4850 - 800 - **124 hab** 9700/12200 - PA 4500.

Gran Hotel, paseo de la Constitución 1 (974) 36 09 00, *Fax (974) 36 40 61*, - rest, . AE E VISA.
cerrado noviembre - **Comida** 2300 - 800 - **164 hab** 8800/11100, 1 suite.

Conde Aznar, paseo de la Constitución 3 (974) 36 10 50, *Fax (974) 36 07 97* - rest, . AE E VISA. rest
Comida (ver también rest. ***La Cocina Aragonesa***) 1990 - 590 - **24 hab** 5950/8000 - PA 3900.

Canfranc, av. Oroel 23 (974) 36 31 32, *Fax (974) 36 49 79*, - . AE E VISA. rest
Comida 1650 - 625 - **20 hab** 7250/9750.

Mur, Santa Orosia 1 (974) 36 01 00, *Fax (974) 35 57 55* - . AE E VISA.
Comida 1600 - **68 hab** 4500/7500.

Ramiro I, Carmen 23 (974) 36 13 67, *Fax (974) 36 13 61* - . E VISA.
cerrado noviembre - **Comida** 1500 - 475 - **28 hab** 4500/7750 - PA 3475.

Ciudad de Jaca sin rest, Siete de Febrero 8 (974) 36 43 11, *Fax (974) 36 43 95* - .
diciembre-abril y julio-septiembre - 450 - **18 hab** 4000/5500.

A Boira sin rest, Valle de Ansó 3 ☎ (974) 36 38 48, *Fax (974) 35 52 76* – |♦| TV ☎. VISA
☕ 535 – **30 hab** 3700/6900.

La Cocina Aragonesa, Cervantes 5 ☎ (974) 36 10 50, *Fax (974) 36 07 97*, « Decoración regional » – ▤. AE E VISA. ✻
Comida carta 3500 a 4500.

El Parador, Ferrenal 16 ☎ (974) 35 57 28.

El Rancho Grande, del Arco 2 ☎ (974) 36 01 72, « Decoración rústica » – ▤. E VISA. ✻
cerrado lunes y octubre – **Comida** carta 3150 a 3550.

Gastón, av. Primer Viernes de Mayo 14-1º ☎ (974) 36 17 19 – ▤. E VISA. ✻
cerrado miércoles, 15 días en mayo y 15 días en octubre – **Comida** carta aprox. 3750.

José, av. Domingo Miral 4 ☎ (974) 36 11 12, *Fax (974) 36 11 12* – ▤. AE E VISA. ✻
cerrado lunes (salvo festivos y vísperas) y noviembre – **Comida** carta 2300 a 4300.

JADRAQUE *19240 Guadalajara* 444 J 21 – *1 184 h. alt. 832.*

Madrid 103 – Guadalajara 48 – Soria 114.

El Castillo, carret. de Soria ☎ (949) 89 02 54, *Fax (949) 89 02 54* – ▤ rest, P. AE ⓓ VISA. ✻
Comida 1200 – ☕ 250 – **19 hab** 2400/4400 – PA 2250.

Cuatro Caminos con hab, Cuatro Caminos 10 ☎ (949) 89 00 21 – ▤ rest, TV. VISA. ✻
Comida carta aprox. 3600 – ☕ 300 – **8 hab** 3000/6000.

JAÉN *23000* P 446 S 18 – *107 413 h. alt. 574.*

Ver : *Paisaje de olivares*★★ *(desde la Alameda de Calvo Sotelo) Museo provincial*★ *(colecciones arqueológicas*★*)* AY **M** – *Catedral (sillería*★, *museo*★*)* AZ **E** – *Capilla de San Andrés (capilla de la Inmaculada*★★*)* AYZ **B**.

Alred. : *Castillo de Santa Catalina (carretera*★ ✻★*) O : 4,5 km* AZ.

ℹ *Arquitecto Bergés 1* ✉ *23007* ☎ *(953) 22 27 37 Fax (953) 22 27 37* – **R.A.C.E.** *Arquitecto Berges 1 (bajo)* ✉ *23007* ☎ *(953) 25 38 15 Fax (953) 25 38 15.*

Madrid 336 ① – Almería 232 ② – Córdoba 107 ③ – Granada 94 ② – Linares 51 ① – Úbeda 57 ②

Plano página siguiente

Condestable Iranzo, paseo de la Estación 32, ✉ 23008, ☎ (953) 22 28 00, *Fax (953) 26 38 07* – |♦| ▤ TV ☎ – 🔑 30/250. AE VISA. ✻ BY r
Comida 2300 – ☕ 600 – **159 hab** 8000/11500.

Xauen sin rest, pl. Deán Mazas 3, ✉ 23001, ☎ (953) 24 07 89, *Fax (953) 19 03 12* – |♦| ▤ TV. ⓓ E VISA BZ s
☕ 300 – **35 hab** 5200/7000.

Europa sin rest y sin ☕, pl. Belén 1, ✉ 23001, ☎ (953) 22 27 00, *Fax (953) 22 26 92* – |♦| ▤ TV ☎ 🚗. AE ⓓ E VISA BZ b
37 hab 4675/7500.

Reyes Católicos sin rest, av. de Granada 1-6º, ✉ 23001, ☎ (953) 22 22 50, *Fax (953) 22 22 50* – |♦| ▤ TV BZ b
☕ 400 – **28 hab** 4000/6500.

Casa Vicente, Francisco Martín Mora 1, ✉ 23002, ☎ (953) 23 28 16 – ▤. AE ⓓ E VISA AZ a
cerrado domingo noche y del 15 al 30 de agosto – **Comida** carta 3000 a 3700.

La Alacena, Puerta del Sol 4, ✉ 23007, ☎ (953) 26 62 14, *Fax (953) 26 62 14* – ▤. AE E VISA. ✻ AY a
cerrado lunes – **Comida** carta aprox. 3850.

Mesón Río Chico, Nueva 12, ✉ 23001, ☎ (953) 24 08 02 – ▤. E VISA. ✻ BZ n
cerrado lunes y agosto – **Comida** carta 2100 a 2900.

Mesón Nuyra, pasaje Nuyra, ✉ 23001, ☎ (953) 24 07 63 – ▤. AE ⓓ E VISA. ✻ BZ n
cerrado domingo noche – **Comida** carta 2850 a 3750.

al Oeste : *4,5 km* AZ

Parador de Jaén 🐦, ✉ 23001, ☎ (953) 23 00 00, *Fax (953) 23 09 30*, « Instalado en un castillo con ≤ Jaén, olivares y montañas », 🏊 – |♦| ▤ TV ☎ P – 🔑 25/60. AE ⓓ E VISA. ✻
Comida 3500 – ☕ 1300 – **45 hab** 14000/17500 – PA 7055.

en la carretera N 323 *por ② : 7,3 km*

Mistral, ✉ 23170 La Guardia de Jaén, ☎ (953) 32 21 04, *Fax (953) 32 21 00*, 🏊 – ▤ TV ☎ P – 🔑 25/450. AE E VISA. ✻
Comida 1400 – ☕ 325 – **16 hab** 4500/6500 – PA 3000.

JAÉN

Bernabé Soriano . . . . BZ 9
Dr. Civera Espartería . . . . . . AZ 13
Maestra . . . . AZ 20
Virgen de la Capilla . . . . BZ 36

Adarves Bajos . . . . BZ 2
Álamos . . . . AZ 3
Alféreces Provisionales . . . . AY 4
Almendros Aguilar . . . . AZ 5
Andalucía (Av. de) . . . . AY 6
Arquitecto Bergés . . . . AY 7
Batallas (Pl. de Las) . . . . . . ABY 8
Coca de la Piñera (Pl.) . . . . . BZ 10
Constitución (Pl. de la) . . . . BZ 12
Ejército Español (Av. del) . . . AY 14
Estación (Paseo de la) . . . . . BYZ 15
Granada (Avenida de) . . . . . BZ 16
Madre Soledad Torres Acosta . . . ABZ 18
Madrid (Av. de) . . . . BYZ 19
Martínez Molina . . . . AZ 21
Merced Alta . . . . AZ 22
Muñoz Garnica . . . . BZ 24
Obispo Estúñiga . . . . AY 25
Rey Alhamar . . . . AY 26
Ruiz Jiménez (Av. de) . . . . . . BY 27
San Andrés . . . . AY 28
San Clemente . . . . AZ 29
San Francisco (Pl.) . . . . AZ 31
Santa María (Pl.) . . . . AZ 32
Vicente Montuno . . . . BZ 33
Virgen de la Cabeza . . . . BY 35

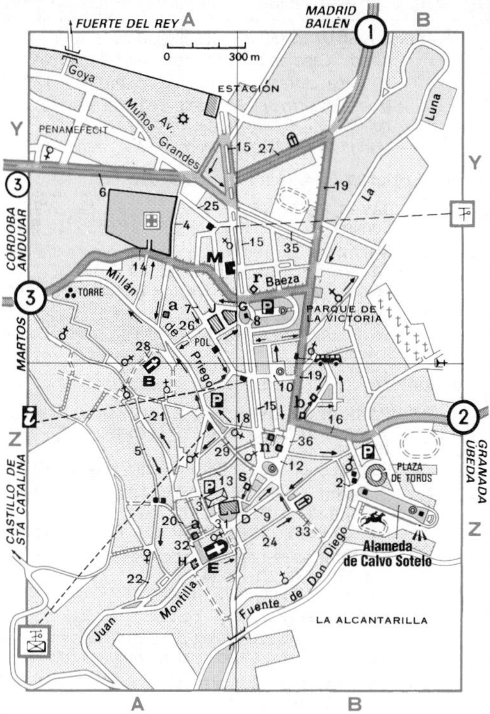

Le nostre guide alberghi e ristoranti, ***guide turistiche*** *e* ***carte stradali*** *sono complementari. Utilizzatele insieme.*

LA JARA o LA XARA *03700 Alicante* 445 P 30

18 La Sella, carret. de La Jara a Jesús Pobre S : 4 km ✆ (96) 645 42 52.
Madrid 443 – Alicante/Alacant 88 – Valencia 95.

X **Venta de Posa,** partida Fredat 12 ✆ (96) 578 46 72 – ▤ P. AE ⓓ E VISA. ⚘
cerrado lunes y noviembre – **Comida** - arroces y carnes - carta aprox. 2500.

JARANDILLA DE LA VERA *10450 Cáceres* 444 L 12 – *3 022 h. alt. 660.*

Alred. : *Monasterio de Yuste★ SO : 12 km.*
Madrid 213 – Cáceres 132 – Plasencia 53.

Parador de Jarandilla de la Vera ⛰, ✆ (927) 56 01 17, *Fax (927) 56 00 88,* « Instalado en un castillo feudal del siglo XV », ⛱, ⚘, ✂ – ▤ TV ☎ P. AE ⓓ E VISA JCB. ⚘
Comida 3700 – ☕ 1300 – **53 hab** 14000/17500 – PA 8500.

X **El Labrador,** av. Dª Soledad Vega Ortiz 133 ✆ (927) 56 07 91 – ▤. E VISA. ⚘
cerrado martes y octubre – **Comida** carta aprox. 2900.

JÁTIVA o XÀTIVA *46800 Valencia* 445 P 28 – *24 586 h. alt. 110.*

Ver : *Ermita de Sant Feliu (pila de agua bendita★).*
Alameda Jaume I-50 ✆ (96) 227 33 46 Fax (96) 228 22 21.
Madrid 379 – Albacete 132 – Alicante/Alacant 108 – Valencia 59.

Vernisa sin rest, Académico Maravall 1 ✆ (96) 227 10 11, *Fax (96) 228 13 65* – ▤ TV ☎ ⇔. AE ⓓ E VISA
☕ 600 – **39 hab** 6000/9000.

XX **Hostería de Mont Sant** ⛰ con hab, carret. del Castillo ✆ (96) 227 50 81, *Fax (96) 228 19 05,* ⛱, « Antigua alquería en un extenso paraje verde », ⛱, ⚘ – ▤ TV ☎ P. AE ⓓ E VISA. ⚘ rest
cerrado 8 enero-12 febrero – **Comida** carta 3600 a 4900 – **7 hab** ☕ 12500/15000.

X Casa La Abuela, Reina 17 ✆ (96) 228 10 85 – ▤.

JÁVEA o XÀBIA *03730 Alicante* **445** **P 30** – *16 603 h. – Playa.*

Alred. : *Cabo de San Antonio★ (≤★) N : 5 km – Cabo de la Nao★ (≤★) SE : 10 km.*

Jávea, carret. de Benitachel 4,5 km ☎ (96) 579 25 84 Fax (96) 646 05 54.

en el puerto : pl. Almirante Bastarreche 11 ☎ (96) 579 07 36 Fax (96) 579 60 57 y av del Plà 136 ☎ (96) 646 06 05.

Madrid 457 – Alicante/Alacant 87 – Valencia 109.

en el puerto *E : 1,5 km – ✉ 03730 Jávea :*

Jávea, Pío X-5 ☎ (96) 579 54 61, *Fax (96) 579 54 63* – TV ☎. E VISA JCB. res
Comida - sólo cena - carta 1800 a 3650 – 500 – **24 hab** 5000/7000.

Miramar sin rest y sin , pl. Almirante Bastarreche 12 ☎ (96) 579 01 00
Fax (96) 579 01 00 – TV ☎. AE E VISA
cerrado 22 diciembre-2 enero – **26 hab** 5000/8500.

Oligarum, Las Barcas 9 ☎ (96) 646 17 14, *Fax (96) 579 11 30,* – . E VISA.
cerrado miércoles, jueves mediodía y febrero – **Comida** - sólo cena en verano - carta 3400 a 4650.

al Sureste *por la carretera del Cabo de la Nao :*

Parador de Jávea , playa del Arenal 2 - 4 km ☎ (96) 579 02 00, *Fax (96) 579 03 08* ≤, , « Jardín con césped y palmeras », – TV ☎ – 25/200. AE E VISA JCB.
Comida 3500 – 1300 – **65 hab** 15600/19500.

El Rodat , 5,5 km ☎ (96) 647 07 10, *Fax (96) 647 15 50,* , climatizada, , – TV ☎ . AE E VISA.
Comida *(cerrado lunes)* 1500 – 650 – **30 apartamentos** 19600.

Solymar sin rest, av. del Mediterráneo 83 - 3,5 km ☎ (96) 646 19 19, *Fax (96) 646 19 0* – TV ☎ . AE VISA
850 – **38 hab** 7885/10800.

El Negresco, 3 km ☎ (96) 646 05 52, *Fax (96) 646 05 52* – . AE E VISA JCB.
cerrado martes de octubre a mayo, 15 días en febrero y 15 días en noviembre – **Comida** - sólo cena salvo sábado y domingo de octubre a mayo - carta 3100 a 4200.

Gota de Mar, Cap Martí 531 - 5,5 km ☎ (96) 577 16 48, *Fax (96) 577 16 48,* –
AE E VISA.
cerrado miércoles (salvo julio-agosto) y 15 noviembre-15 diciembre – **Comida** - sólo cen salvo domingo de octubre a mayo - carta 3100 a 5200.

L'Escut, 6,5 km ☎ (96) 577 05 07, – . E VISA
cerrado martes (salvo julio-septiembre) y 11 enero-11 febrero – **Comida** - sólo cena - cart 2600 a 3900.

Chez Ángel, Jávea Park - 3 km ☎ (96) 579 27 23 – . AE E VISA.
cerrado martes (salvo julio-septiembre) y febrero – **Comida** carta 2700 a 4300.

Asador el Caballero, Jávea Park bloque 8, local 10 - 3 km ☎ (96) 579 34 47 – .

en el camino Cabanes *S : 7 km – ✉ 03730 Jávea :*

La Rústica, Partida Adsubia 64 ☎ (96) 577 08 55, *Fax (96) 577 08 55,* – . AE
E VISA.
cerrado lunes (salvo julio-agosto) y enero – **Comida** carta 3400 a 6750.

JAVIER *31411 Navarra* **442** **E 26** – *132 h. alt. 475.*

Madrid 411 – Jaca 68 – Pamplona/Iruñea 51.

Xabier , pl. del Santo ☎ (948) 88 40 06, *Fax (948) 88 40 78* – , rest, TV ☎. A
E VISA.
15 febrero-22 diciembre – **Comida** 1900 – 750 – **46 hab** 5000/8000.

El Mesón con hab, Explanada ☎ (948) 88 40 35, *Fax (948) 88 42 26* – rest, T
☎. AE E VISA.
marzo-15 diciembre – **Comida** carta 1850 a 3250 – 600 – **8 hab** 4500/6200.

JEREZ DE LA FRONTERA *11400 Cádiz* **446** **V 11** – *184 364 h. alt. 55.*

Ver : *Bodegas★* AZ – *Museo de relojes "La Atalaya"★★* AY – *Real Escuela Andaluza de Art Ecuestre★ (exhibición★★)* BY.

de Jerez, por la carretera N IV ① : 11 km ☎ (956) 15 00 00 – Aviaco, aeropuert ☎ (956) 15 00 10.

Larga 39 ☎ (956) 33 11 50 Fax (956) 33 17 31.

Madrid 613 ② – Antequera 176 ② – Cádiz 35 ③ – Écija 155 ② – Ronda 116 ② – Sevil 90 ①

JEREZ DE LA FRONTERA

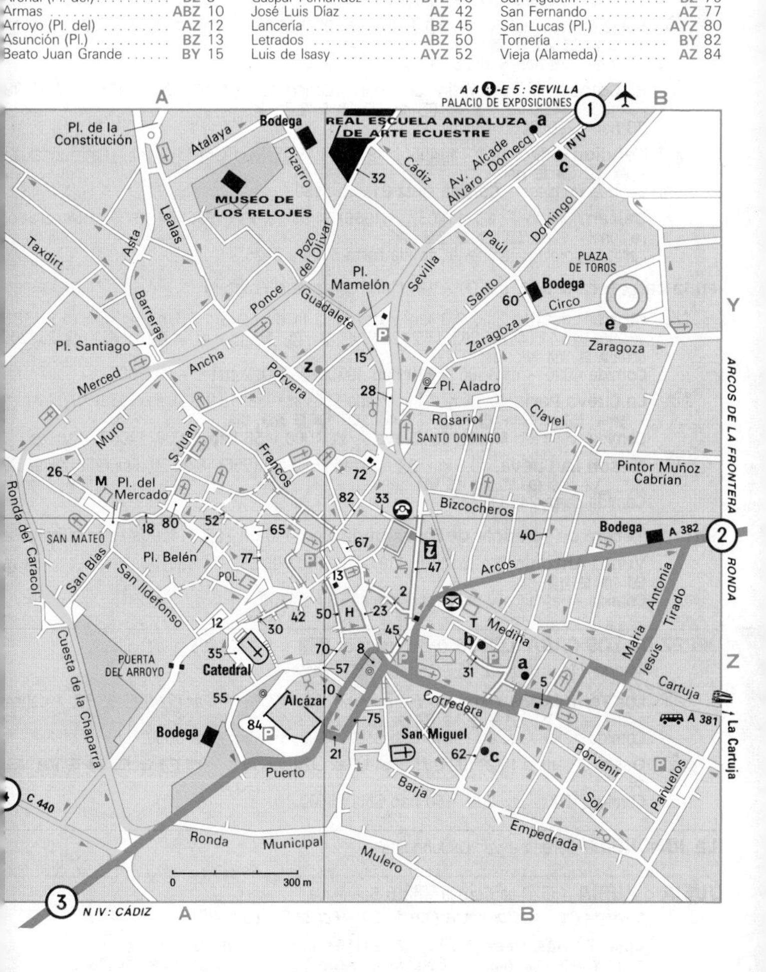

Jerez, av. Alcalde Álvaro Domecq 35, ✉ 11405, ✆ (956) 30 06 00, *Fax (956) 30 50 01,* ... – 25/350. AE ⓓ E VISA. Comida 3500 – ▭ 1400 – **116 hab** 15100/18900, 5 suites.

Royal Sherry Park, av. Alcalde Álvaro Domecq 11 bis, ✉ 11405, ✆ (956) 30 30 11, *Fax (956) 31 13 00,* « Jardín con ... » – 25/280. AE ⓓ E VISA. BY a
Comida 3000 - ***El Ábaco*** **: Comida** carta 3250 a 4550 – ▭ 1200 – **170 hab** 14200/17750, 3 suites.

NH Avenida Jerez, av. Alcalde Álvaro Domecq 10, ✉ 11405, ✆ (956) 34 74 11, *Fax (956) 33 72 96* – 25/50. AE ⓓ E VISA. BY c
Comida 3000 – ▭ 1400 – **95 hab** 24000/26000 – PA 7400.

Guadalete, av. Duque de Abrantes 50, ✉ 11407, ☎ (956) 18 22 88, *Fax (956) 18 22 93* – ‑ ‑ ‑ ‑ ‑. AE ⓓ E VISA JCB. ✂ por av. Duque de Abrantes BY
Comida *(cerrado domingo en invierno)* 3500 – 1200 – **124 hab** 23600/27200, 1 suite

Doña Blanca sin rest, Bodegas 11, ✉ 11402, ☎ (956) 34 87 61, *Fax (956) 34 85 8*
– ‑ ‑ ‑ ‑ ‑. AE ⓓ E VISA. ✂ BZ
700 – **30 hab** 15000/20000.

Serit sin rest, Higueras 7, ✉ 11402, ☎ (956) 34 07 00, *Fax (956) 34 07 16* – ‑ ‑ ‑
‑ ‑. AE ⓓ E VISA. ✂ BZ
450 – **29 hab** 6000/8000.

El Coloso sin rest y sin ‑, Pedro Alonso 13, ✉ 11402, ☎ (956) 34 90 08
Fax (956) 34 90 08 – ‑ ‑ ‑ ‑. AE ⓓ E VISA. ✂ BZ
28 hab 4280/7060.

Tendido 6, Circo 10, ✉ 11405, ☎ (956) 34 48 35, *Fax (956) 33 03 74*, « Patio andaluz »
– ‑. AE ⓓ E VISA. ✂ BY
cerrado domingo – **Comida** carta 2150 a 3150.

Gaitán, Gaitán 3, ✉ 11403, ☎ (956) 34 58 59, *Fax (956) 34 58 59*, « Decoración regional » – ‑. AE ⓓ E VISA. ✂ AY
cerrado domingo noche – **Comida** carta 3025 a 3675.

en la carretera N 342 *por ② – ✉ 11406 Jerez de la Frontera :*

Montecastillo ‑, 9,8 km y desvío a la derecha 1,5 km, ✉ apartado 386
☎ (956) 15 12 00, *Fax (956) 15 12 09*, ‑, ‑, ‑, ‑, 18 – ‑ ‑ ‑ ‑ ‑ – 25/200
AE ⓓ E VISA. ✂ rest
Comida 4000 – 1500 – **119 hab** 19700/25000, 2 suites – PA 8000.

La Cueva Park, 10,5 km, ✉ apartado 536, ☎ (956) 18 91 20, *Fax (956) 18 91 21*, ‑
– ‑ ‑ ‑ ‑ ‑ ‑ – 25/400. AE ⓓ E VISA. ✂
Comida (ver rest. ***Mesón La Cueva***) – 1000 – **56 hab** 11000/14000, 2 suites.

Mesón La Cueva, 10,5 km, ✉ apartado 536, ☎ (956) 18 90 20, *Fax (956) 18 90 20*
‑, ‑ – ‑ ‑. AE ⓓ E VISA. ✂
Comida carta 2450 a 3300.

en la carretera de Sanlúcar de Barrameda *por ④ : 6 km – ✉ 11408 Jerez de la Frontera*

Venta Antonio, ✉ apartado 618, ☎ (956) 14 05 35, *Fax (956) 14 05 35*, ‑ – ‑ ‑
AE ⓓ E VISA. ✂
Comida - pescados y mariscos - carta 2200 a 4300.

JEREZ DE LOS CABALLEROS *06380 Badajoz* 444 R 9 – *10 295 h. alt. 507.*
Madrid 444 – Badajoz 75 – Mérida 103 – Zafra 40.

Los Templarios, carret. de Villanueva ☎ (924) 73 16 36, *Fax (924) 75 03 38*, ‑ dehesa extremeña, ‑, ‑ – ‑ ‑ ‑ ‑ ‑ – 25/150. E VISA. ✂
Comida 1250 – 800 – **46 hab** 5300/7900, 3 suites – PA 3000.

Oasis, El Campo 18 ☎ (924) 73 12 44, *Fax (924) 73 14 53* – ‑ ‑ ‑. AE ⓓ E VISA JCB
✂
Comida 1200 – 200 – **30 hab** 3500/5500.

La JONQUERA *Gerona – ver La Junquera.*

JUBIA o XUBIA *15570 La Coruña* 441 B 5 – *Playa.*
Madrid 601 – La Coruña/A Coruña 64 – Ferrol 8 – Lugo 97.

Casa Tomás, carret. LC 115 ☎ (981) 38 02 40, ‑ – ‑. AE ⓓ VISA
cerrado domingo noche – **Comida** - pescados y mariscos - carta aprox. 4600.

La JUNQUERA o La JONQUERA *17700 Gerona* 443 E 38 – *2 639 h. alt. 112.*
autopista. A7 - área servicio Porta Catalana ☎ (972) 55 43 54 Fax (972) 55 45 80.
Madrid 762 – Figueras/Figueres 21 – Gerona/Girona 55 – Perpignan 36.

en la autopista A 7 *S : 2 km – ✉ 17700 La Junquera :*

Porta Catalana, ☎ (972) 55 46 40, *Fax (972) 55 52 75* – ‑ ‑ ‑ ‑ ‑ ‑. AE ⓓ
VISA. ✂ rest
Comida 1400 – 925 – **81 hab** 8200/11500.

KEXAA *Álava – ver Quejana.*

Le pneu
fait Homme
(1898)

BIBENDUM
a cent ans !

Témoin de son temps...

Il n'a
jamais été
aussi jeune !

Pas de roue sans
BIBENDUM

Au service de tous ceux qui roulent

BIBENDUM
sans frontières...

BIBENDUM,
votre compagnon de voyage...

...vous conduit vers le XXIe siècle !

LE GUIDE MICHELIN DU PNEUMATIQUE

Qu'est-ce qu'un pneu ?

Produit de haute technologie, le pneu constitue le seul point de liaison de la voiture avec le sol. Ce contact correspond, pour une roue, à une surface équivalente à celle d'une carte postale. Le pneu doit donc se contenter de ces quelques centimètres carrés de gomme au sol pour remplir un grand nombre de tâches souvent contradictoires :

Porter le véhicule à l'arrêt, mais aussi résister aux transferts de charge considérables à l'accélération et au freinage.

Transmettre la puissance utile du moteur, les efforts au freinage et en courbe.

Rouler régulièrement, plus sûrement, plus longtemps pour un plus grand plaisir de conduire.

Guider le véhicule avec précision, quels que soient l'état du sol et les conditions climatiques.

Amortir les irrégularités de la route, en assurant le confort du conducteur et des passagers ainsi que la longévité du véhicule.

Durer, c'est-à-dire, garder au meilleur niveau ses performances pendant des millions de tours de roue.

Afin de vous permettre d'exploiter au mieux toutes les qualités de vos pneumatiques, nous vous proposons de lire attentivement les informations et les conseils qui suivent.

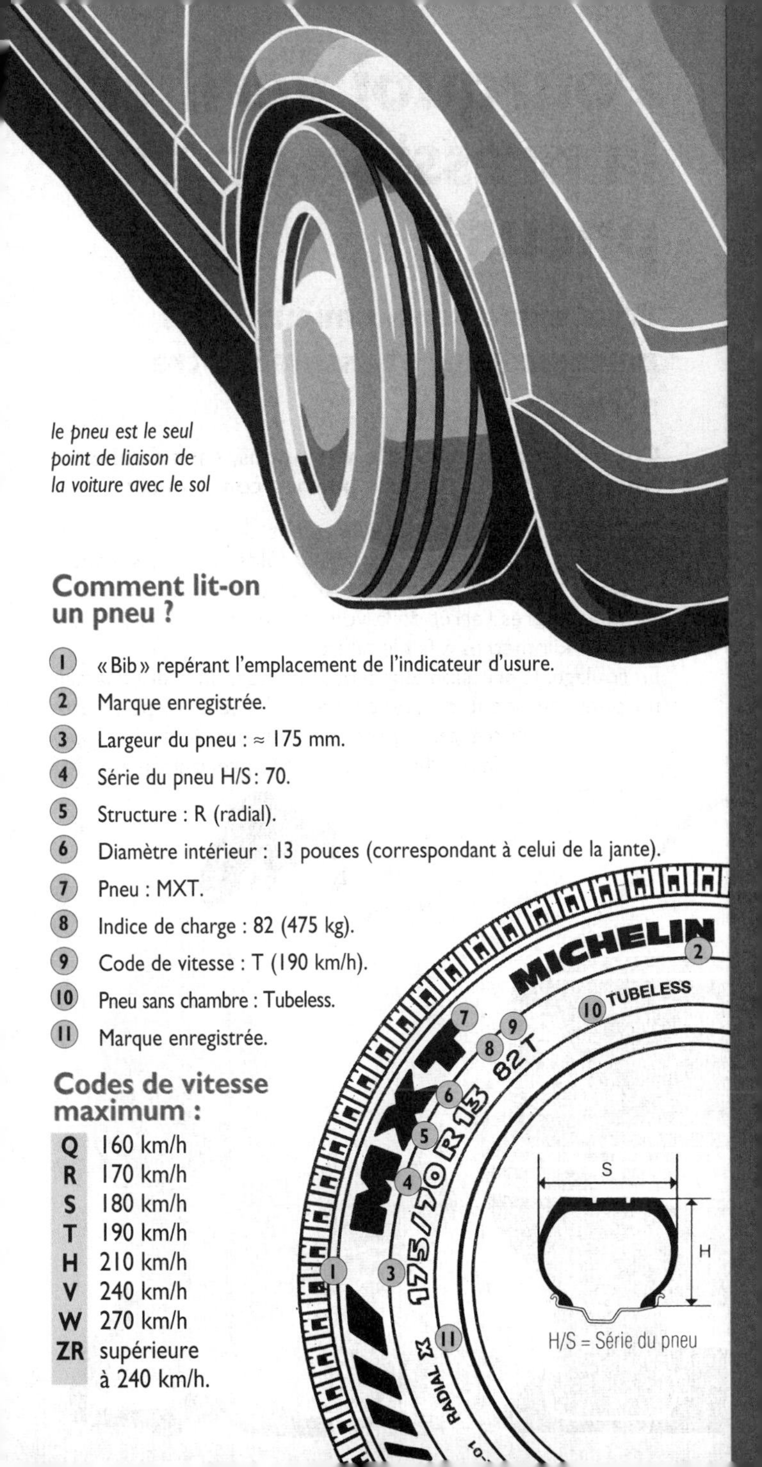

le pneu est le seul point de liaison de la voiture avec le sol

Comment lit-on un pneu ?

1. « Bib » repérant l'emplacement de l'indicateur d'usure.
2. Marque enregistrée.
3. Largeur du pneu : ≈ 175 mm.
4. Série du pneu H/S : 70.
5. Structure : R (radial).
6. Diamètre intérieur : 13 pouces (correspondant à celui de la jante).
7. Pneu : MXT.
8. Indice de charge : 82 (475 kg).
9. Code de vitesse : T (190 km/h).
10. Pneu sans chambre : Tubeless.
11. Marque enregistrée.

Codes de vitesse maximum :

Q	160 km/h
R	170 km/h
S	180 km/h
T	190 km/h
H	210 km/h
V	240 km/h
W	270 km/h
ZR	supérieure à 240 km/h.

Pourquoi vérifier la pression de vos pneus ?

Pour exploiter au mieux leurs performances et assurer votre sécurité.

Contrôlez la pression de vos pneus, sans oublier la roue de secours, dans de bonnes conditions :

Un pneu perd régulièrement de la pression. Les pneus doivent être contrôlés, une fois toutes les 2 semaines, à froid, c'est-à-dire une heure au moins après l'arrêt de la voiture ou après avoir parcouru 2 à 3 kilomètres à faible allure.

En roulage, la pression augmente ; ne dégonflez donc jamais un pneu qui vient de rouler : considérez que, pour être correcte, sa pression doit être au moins supérieure de 0,3 bar à celle préconisée à froid.

Le surgonflage : si vous devez effectuer un long trajet à vitesse soutenue, ou si la charge de votre voiture est particulièrement importante, il est généralement conseillé de majorer la pression de vos pneus. Attention : l'écart de pression avant-arrière nécessaire à l'équilibre du véhicule doit être impérativement respecté. Consultez les tableaux de gonflage Michelin chez tous les professionnels de l'automobile et chez les spécialistes du pneu, et n'hésitez pas à leur demander conseil.

Le sous-gonflage : lorsque la pression de gonflage est insuffisante, les flancs du pneu travaillent anormalement, ce qui entraîne une fatigue excessive de la carcasse, une élévation de température et une usure anormale. Le pneu subit alors des dommages irréversibles qui peuvent entraîner sa destruction immédiate ou future. En cas de perte de pression, il est impératif de consulter un spécialiste qui en recherchera la cause et jugera de la réparation éventuelle à effectuer.

Le bouchon de valve : en apparence, il s'agit d'un détail ; c'est pourtant un élément essentiel de l'étanchéité. Aussi, n'oubliez pas de le remettre en place après vérification de la pression, en vous assurant de sa parfaite propreté.

Voiture tractant caravane, bateau... Dans ce cas particulier, il ne faut jamais oublier que le poids de la remorque accroît la charge du véhicule. Il est donc nécessaire d'augmenter la pression des pneus arrière de votre voiture, en vous conformant aux indications des tableaux de gonflage Michelin. Pour de plus amples renseignements, demandez conseil à votre revendeur de pneumatiques, c'est un véritable spécialiste.

Vérifiez la pression de vos pneus régulièrement et avant chaque voyage.

Comment faire durer vos pneus ?

Afin de préserver longtemps les qualités de vos pneus, il est impératif de les faire contrôler régulièrement, et avant chaque grand voyage. Il faut savoir que la durée de vie d'un pneu peut varier dans un rapport de 1 à 4, et parfois plus, selon son entretien, l'état du véhicule, le style de conduite et l'état des routes ! L'ensemble roue-pneumatique doit être parfaitement équilibré pour éviter les vibrations qui peuvent apparaître à partir d'une certaine vitesse. Pour supprimer ces vibrations et leurs désagréments, vous confierez l'équilibrage à un professionnel du pneumatique car cette opération nécessite un savoir-faire et un outillage très spécialisé.

Les facteurs qui influent sur l'usure et la durée de vie de vos pneumatiques :
les caractéristiques du véhicule (poids, puissance…), le profil des routes (rectilignes, sinueuses), le revêtement (granulométrie : sol lisse ou rugueux), l'état mécanique du véhicule (réglage des trains avant, arrière, état des suspensions et des freins…), le style de conduite (accélérations, freinages, vitesse de passage en courbe…), la vitesse (en ligne droite à 120 km/h un pneu s'use deux fois plus vite qu'à 70 km/h), la pression des pneumatiques (si elle est incorrecte, les pneus s'useront beaucoup plus vite et de manière irrégulière).
D'autres événements de nature accidentelle (chocs contre trottoirs, nids de poule…), en plus du risque de déréglage et de détérioration de certains éléments du véhicule, peuvent provoquer des dommages internes au pneumatique dont les conséquences ne se manifesteront parfois que bien plus tard. Un contrôle régulier de vos pneus vous permettra donc de détecter puis de corriger rapidement les anomalies (usure anormale, perte de pression…). A la moindre alerte, adressez-vous immédiatement à un revendeur spécialiste qui interviendra pour préserver les qualités de vos pneus, votre confort et votre sécurité.

Surveillez l'usure de vos pneumatiques :
comment ? Tout simplement en observant la profondeur de la sculpture. C'est un facteur de sécurité, en particulier sur sol mouillé. Tous les pneus possèdent des indicateurs d'usure de 1,6 mm d'épaisseur. Ces indicateurs sont repérés par un Bibendum situé aux « épaules » des pneus Michelin. Un examen visuel suffit pour connaître le niveau d'usure de vos pneumatiques. Attention : même si vos pneus n'ont pas encore atteint la limite d'usure légale (en France, la profondeur restante de la sculpture doit être supérieure à 1,6 mm sur l'ensemble de la bande de roulement), leur capacité à évacuer l'eau aura naturellement diminué avec l'usure.

Les chocs contre les trottoirs, les nids de poule... peuvent endommager gravement vos pneus.

Comment choisir vos pneus ?

Le type de pneumatique qui équipe d'origine votre véhicule a été déterminé pour optimiser ses performances. Il vous est cependant possible d'effectuer un autre choix en fonction de votre style de conduite, des conditions climatiques, de la nature des routes et des trajets effectués.
Dans tous les cas, il est indispensable de consulter un spécialiste du pneumatique, car lui seul pourra vous aider à trouver la solution la mieux adaptée à votre utilisation dans le respect de la législation.

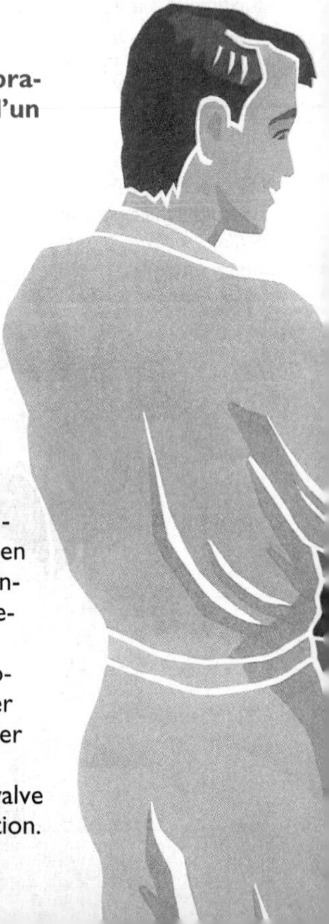

Montage, démontage, équilibrage du pneu ; c'est l'affaire d'un professionnel :
un mauvais montage ou démontage du pneu peut le détériorer et mettre en cause votre sécurité.

Sauf cas particulier et exception faite de l'utilisation provisoire de la roue de secours, les pneus montés sur un essieu donné doivent être identiques. Il est conseillé de monter les pneus neufs ou les moins usés à l'arrière pour assurer la meilleure tenue de route en situation difficile (freinage d'urgence ou courbe serrée) principalement sur chaussée glissante.
En cas de crevaison, seul un professionnel du pneu saura effectuer les examens nécessaires et décider de son éventuelle réparation.
Il est recommandé de changer la valve ou la chambre à chaque intervention.

Il est déconseillé de monter une chambre à air dans un ensemble tubeless.

L'utilisation de pneus cloutés est strictement réglementée ; il est important de s'informer avant de les faire monter.

Attention : la capacité de vitesse des pneumatiques Hiver « M+S » peut être inférieure à celle des pneus d'origine. Dans ce cas, la vitesse de roulage devra être adaptée à cette limite inférieure. Une étiquette de rappel de cette vitesse sera apposée à l'intérieur du véhicule à un endroit aisément visible du conducteur.

Innover pour aller plus loin

En 1889, Edouard Michelin prend la direction de l'entreprise qui porte son nom. Peu de temps après, il dépose le brevet du pneumatique démontable pour bicyclette. Tous les efforts de l'entreprise se concentrent alors sur le développement de la technique du pneumatique. C'est ainsi qu'en 1895, pour la première fois au monde, un véhicule baptisé « l'Eclair » roule sur pneumatiques. Testé sur ce véhicule lors de la course Paris-Bordeaux-Paris, le pneumatique démontre immédiatement sa supériorité sur le bandage plein.

Créé en 1898, le Bibendum symbolise l'entreprise qui, de recherche en innovation, du pneu vélocipède au pneu avion, impose le pneumatique à toutes les roues.

En 1946, c'est le dépôt du brevet du pneu radial ceinturé acier, l'une des découvertes majeures du monde du transport.

Cette recherche permanente de progrès a permis la mise au point de nouveaux produits. Ainsi, depuis 1991, le pneu dit « vert » ou « basse résistance au roulement », est devenu une réalité. Ce concept contribue à la protection de l'environnement, en permettant une diminution de la consommation de carburant du véhicule, et le rejet de gaz dans l'atmosphère.

Concevoir les pneus qui font tourner chaque jour 2 milliards de roues sur la terre, faire évoluer sans relâche plus de 3500 types de pneus différents, c'est le combat permanent des 4500 chercheurs Michelin.

Leurs outils : les meilleurs supercalculateurs, des laboratoires à la pointe de l'innovation scientifique, des centres de recherche et d'essais installés sur

6000 hectares en France, en Espagne, aux Etats-Unis et au Japon. Et c'est ainsi que quotidiennement sont parcourus plus d'un million de kilomètres, soit 25 fois le tour du monde.

Leur volonté : écouter, observer puis optimiser chaque fonction du pneumatique, tester sans relâche, et recommencer.

C'est cette volonté permanente de battre demain le pneu d'aujourd'hui pour offrir le meilleur service à l'utilisateur, qui a permis à Michelin de devenir le leader mondial du pneumatique.

MICHELIN®

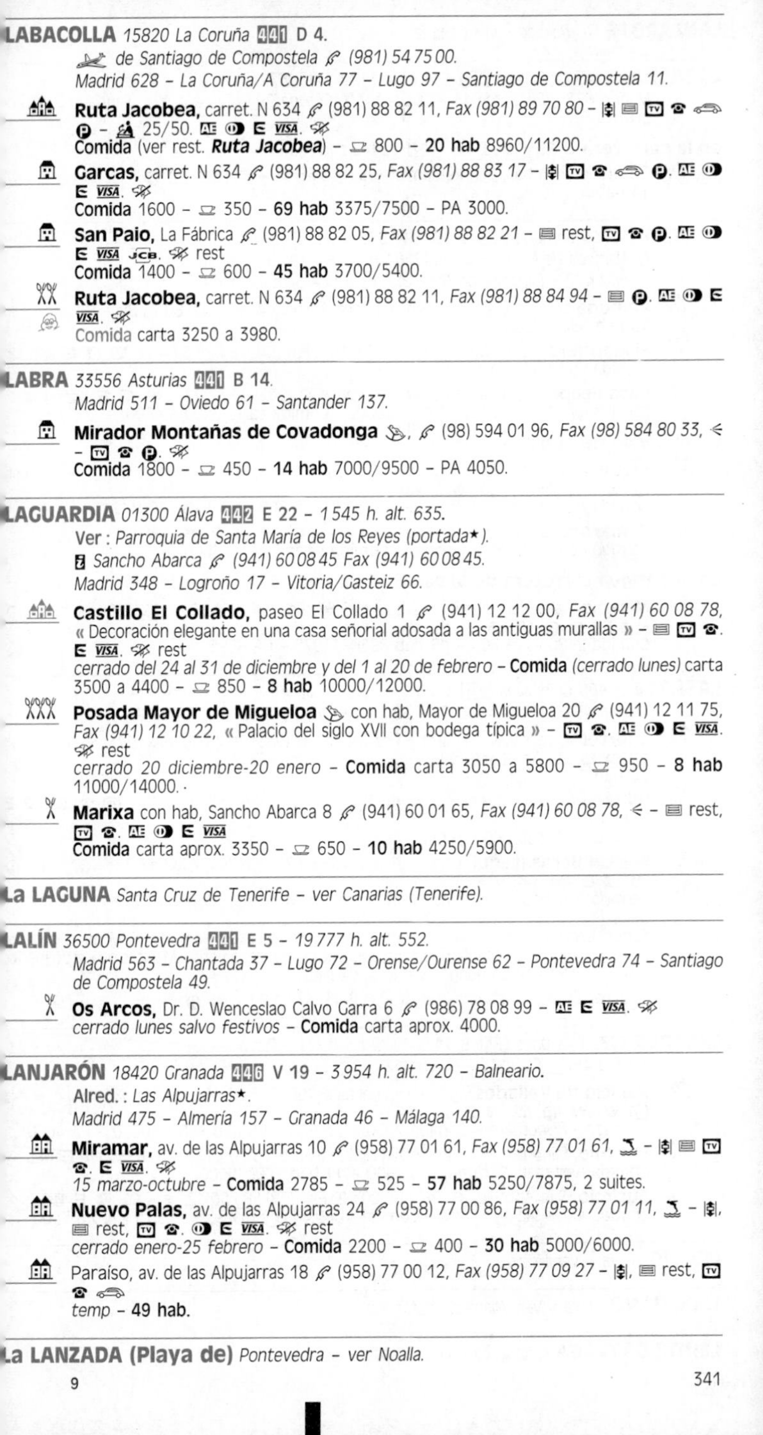

LABACOLLA *15820 La Coruña* 441 D 4.
de Santiago de Compostela ✆ (981) 54 75 00.
Madrid 628 – La Coruña/A Coruña 77 – Lugo 97 – Santiago de Compostela 11.

Ruta Jacobea, carret. N 634 ✆ (981) 88 82 11, *Fax (981) 89 70 80* – 25/50. – Comida (ver rest. ***Ruta Jacobea***) – 800 – **20 hab** 8960/11200.

Garcas, carret. N 634 ✆ (981) 88 82 25, *Fax (981) 88 83 17* – Comida 1600 – 350 – **69 hab** 3375/7500 – PA 3000.

San Paio, La Fábrica ✆ (981) 88 82 05, *Fax (981) 88 82 21* – rest, rest
Comida 1400 – 600 – **45 hab** 3700/5400.

Ruta Jacobea, carret. N 634 ✆ (981) 88 82 11, *Fax (981) 88 84 94* –
Comida carta 3250 a 3980.

LABRA *33556 Asturias* 441 B 14.
Madrid 511 – Oviedo 61 – Santander 137.

Mirador Montañas de Covadonga, ✆ (98) 594 01 96, *Fax (98) 584 80 33*, –
Comida 1800 – 450 – **14 hab** 7000/9500 – PA 4050.

LAGUARDIA *01300 Álava* 442 E 22 – *1 545 h. alt. 635.*
Ver : *Parroquia de Santa María de los Reyes (portada★).*
Sancho Abarca ✆ (941) 60 08 45 Fax (941) 60 08 45.
Madrid 348 – Logroño 17 – Vitoria/Gasteiz 66.

Castillo El Collado, paseo El Collado 1 ✆ (941) 12 12 00, *Fax (941) 60 08 78*, « Decoración elegante en una casa señorial adosada a las antiguas murallas » – rest
cerrado del 24 al 31 de diciembre y del 1 al 20 de febrero – **Comida** *(cerrado lunes)* carta 3500 a 4400 – 850 – **8 hab** 10000/12000.

Posada Mayor de Migueloa con hab, Mayor de Migueloa 20 ✆ (941) 12 11 75, *Fax (941) 12 10 22*, « Palacio del siglo XVII con bodega típica » – rest
cerrado 20 diciembre-20 enero – **Comida** carta 3050 a 5800 – 950 – **8 hab** 11000/14000.

Marixa con hab, Sancho Abarca 8 ✆ (941) 60 01 65, *Fax (941) 60 08 78*, – rest,
Comida carta aprox. 3350 – 650 – **10 hab** 4250/5900.

La LAGUNA *Santa Cruz de Tenerife – ver Canarias (Tenerife).*

LALÍN *36500 Pontevedra* 441 E 5 – *19 777 h. alt. 552.*
Madrid 563 – Chantada 37 – Lugo 72 – Orense/Ourense 62 – Pontevedra 74 – Santiago de Compostela 49.

Os Arcos, Dr. D. Wenceslao Calvo Garra 6 ✆ (986) 78 08 99 –
cerrado lunes salvo festivos – **Comida** carta aprox. 4000.

LANJARÓN *18420 Granada* 446 V 19 – *3 954 h. alt. 720 – Balneario.*
Alred. : *Las Alpujarras★.*
Madrid 475 – Almería 157 – Granada 46 – Málaga 140.

Miramar, av. de las Alpujarras 10 ✆ (958) 77 01 61, *Fax (958) 77 01 61*, –
15 marzo-octubre – **Comida** 2785 – 525 – **57 hab** 5250/7875, 2 suites.

Nuevo Palas, av. de las Alpujarras 24 ✆ (958) 77 00 86, *Fax (958) 77 01 11*, – rest, rest
cerrado enero-25 febrero – **Comida** 2200 – 400 – **30 hab** 5000/6000.

Paraíso, av. de las Alpujarras 18 ✆ (958) 77 00 12, *Fax (958) 77 09 27* – rest,
temp – **49 hab.**

La LANZADA (Playa de) *Pontevedra – ver Noalla.*

LANZAROTE *Las Palmas – ver Canarias.*

LARACHA *15145 La Coruña* 441 **C 4** – *10 119 h. alt. 167.*
Madrid 622 – Betanzos 43 – La Coruña/A Coruña 29 – Carballo 12 – Santiago de Compostela 57.

en la carretera C 552 *O : 2 km – ✉ 15145 Laracha :*

X Cerqueiro con hab, San Román ☎ (981) 60 66 68 – ▤ rest, TV P
14 hab.

LAREDO *39770 Cantabria* 442 **B 19** – *13 019 h. alt. 5 – Playa.*
Alameda de Miramar ☎ (942) 61 10 96 Fax (942) 61 10 96.
Madrid 427 – Bilbao/Bilbo 58 – Burgos 184 – Santander 49.

Ramona sin rest y sin ☕, Alameda José Antonio 4 ☎ (942) 60 71 89 – TV ☎
16 hab 5500/7800.

XX **El Marinero,** Zamanillo 6 ☎ (942) 60 60 08, *Fax (942) 61 25 54* – ▤. AE ⓓ E VISA. ✂
Comida carta 3750 a 4650.

X **Casa Felipe,** travesía Comandante Villar 5 ☎ (942) 60 32 12 – ▤. AE E VISA
cerrado lunes y del 15 al 31 de octubre – **Comida** carta 3200 a 4600.

en el barrio de la playa :

El Ancla ⛰, González Gallego 10 ☎ (942) 60 55 00, *Fax (942) 61 16 02,* 🌳 – ▤ rest
TV ☎ – 🏛 25/50. AE ⓓ E VISA. ✂
Comida *(cerrado diciembre y enero)* 1950 – ☕ 800 – **25 hab** 7100/12100.

XX **Camarote,** av. Victoria ☎ (942) 60 67 07 – ▤. AE ⓓ E VISA. ✂
cerrado domingo noche y enero – **Comida** carta 3200 a 4600.

en la antigua carretera de Bilbao *S : 1 km – ✉ 39770 Laredo :*

Miramar, alto de Laredo ☎ (942) 61 03 67, *Fax (942) 61 16 92,* ← Laredo y bahía, 🏊
– |‡| TV ☎ P. AE ⓓ E VISA. ✂
Comida 2500 – ☕ 600 – **45 hab** 8950/11970 – PA 4695.

LASARTE *20160 Guipúzcoa* 442 **C 23** – *18 165 h. alt. 42 – Hipódromo.*
Madrid 491 – Bilbao/Bilbo 98 – San Sebastián/Donostia 9 – Tolosa 22.

Txartel sin rest y sin ☕, antigua carret. N I ☎ (943) 36 23 40, *Fax (943) 36 48 04* – |‡|
TV ☎ P. AE ⓓ E VISA. ✂
70 hab 7000/9000.

Ibiltze sin rest, Antxota 3-4 ☎ (943) 36 56 44, *Fax (943) 36 67 46* – TV ☎. AE ⓓ E
VISA. ✂
☕ 400 – **36 hab** 6000/10000.

XXXX ✿✿ **Martín Berasategui,** Loidi 4 ☎ (943) 36 64 71, *Fax (943) 36 61 07,* ←, 🌳 – ▤ P
AE ⓓ E VISA. ✂
cerrado domingo noche, lunes y 14 diciembre-14 enero – **Comida** 7500 y carta 4900 a 5800
Espec. Lágrimas de guisantitos fríos en gelée de percebes (abril-mayo). Milhojas caramelizado de anguila ahumada, foie gras, cebolleta y manzana verde. Manitas de cerdo ibérico rellenas con tosta de hongos y queso Idiazábal.

X Txartel Txoko, antigua carret. N I ☎ (943) 37 01 92 – ▤ P.

LASTRES *33330 Asturias* 441 **B 14** – *1 312 h. alt. 21 – Playa.*
Madrid 497 – Gijón 46 – Oviedo 62.

Palacio de Vallados ⛰, Pedro Villarta ☎ (98) 585 04 44, *Fax (98) 585 05 17,* ← – |‡|
TV ☎ 🚗 P. AE ⓓ E VISA. ✂
15 marzo-15 octubre – **Comida** 2000 – ☕ 600 – **29 hab** 8000/10000 – PA 4600.

Eutimio, San Antonio ☎ (98) 585 00 12, *Fax (98) 585 00 12* – TV ☎. AE ⓓ E VISA. ✂
Comida (ver rest. ***Eutimio***) – ☕ 600 – **11 hab** 7000/9000.

X **Eutimio,** San Antonio ☎ (98) 585 00 12, *Fax (98) 585 00 12,* ← – AE ⓓ E VISA. ✂
cerrado lunes salvo festivos – **Comida** - pescados y mariscos - carta 2200 a 5300.

LAUDIO *Álava – ver Llodio.*

LEGUTIANO *Álava – ver Villarreal de Álava.*

LEINTZ-GATZAGA *Guipúzcoa – ver Salinas de Leniz.*

LEIZA o **LEITZA** *31880 Navarra* 442 C 24 – *3 123 h. alt. 450.*
Madrid 446 – Pamplona/Iruñea 51 – San Sebastián/Donostia 47.

Arakindegia, Elbarren 42 ☎ (948) 51 00 52
E VISA.
cerrado domingo noche, Semana Santa y Navidades – **Comida** carta 2600 a 3500.

en el alto de Leiza *NE : 5 km – ✉ 31880 Leiza :*

Basa Kabi con hab, ☎ (948) 51 01 25, *Fax (948) 61 09 65*, ←, – rest, ☎ Ⓟ. VISA.
cerrado febrero salvo fines de semana – **Comida** carta 2200 a 3100 – 600 – **21 hab** 3000/5500.

LEKEITIO *Vizcaya – ver Lequeitio.*

LEÓN *24000* P 441 E 13 – *147 625 h. alt. 822.*
Ver : *Catedral★★★* B *(vidrieras★★★, trascoro★, Descendimiento★, claustro★) – San Isidoro★* B *(Panteón Real★★ : capiteles★ y frescos★★ - Tesoro★★ : Cáliz de Doña Urraca★, Arqueta de los marfiles★) – Antiguo Convento de San Marcos★ (fachada★★, Museo de León★, Cristo de Carrizo★★★, sacristía★)* A.
Excurs. : *San Miguel de la Escalada★ (pórtico exterior★, iglesia★) 28 km por ② – Cuevas de Valporquero★★ N : 47 km* B.
pl. de Regla 3 ✉ 24003 ☎ (987) 23 70 82 Fax (987) 27 33 91 – **R.A.C.E.** *Gonzalo de Tapia 4 (bajo comercial) ✉ 24008 ☎ (987) 24 71 22 Fax (987) 24 71 22.*
Madrid 327 ② – Burgos 192 ② – La Coruña/A Coruña 325 ③ – Salamanca 197 ③ – Valladolid 139 ② – Vigo 367 ③

Plano página siguiente

San Marcos, pl. de San Marcos 7, ✉ 24001, ☎ (987) 23 73 00, *Fax (987) 23 34 58*, « Lujosa instalación en un convento del siglo XVI », – , rest, ☎ Ⓟ – 25/500. AE E VISA JCB. A
Comida 3800 – 1400 – **185 hab** 17200/21500, 15 suites.

Alfonso V, Padre Isla 1, ✉ 24002, ☎ (987) 22 09 00, *Fax (987) 22 12 44*, « Decoración moderna » – ☎. AE E VISA. B v
Comida 2500 – 1250 – **57 hab** 10900/15900, 5 suites – PA 5300.

Conde Luna, av. de la Independencia 7, ✉ 24003, ☎ (987) 20 66 00, *Fax (987) 21 27 52*, – , rest, ☎ – 45/270. AE VISA. B a
Mesón del Conde Luna : **Comida** carta 2475 a 3775 – 1100 – **151 hab** 9400/14200, 3 suites.

Quindós, av. José Antonio 24, ✉ 24002, ☎ (987) 23 62 00, *Fax (987) 24 22 01*, « Decoración moderna » – , rest, ☎. AE E VISA. A e
Comida *(cerrado domingo)* (ver también rest. ***Formela***) 1950 – 725 – **96 hab** 6990/9900.

Riosol sin rest. con cafetería, av. de Palencia 3, ✉ 24009, ☎ (987) 21 66 50, *Fax (987) 21 69 97* – ☎ – 25/300. AE E VISA JCB. A s
850 – **141 hab** 8000/12000.

París, Generalísimo Franco 18, ✉ 24003, ☎ (987) 23 86 00, *Fax (987) 27 15 72* – ☎ – 25/200. AE E VISA. B f
Comida 1300 – 300 – **32 hab** 5600/8500 – PA 2600.

Formela, av. José Antonio 24, ✉ 24002, ☎ (987) 22 45 34, *Fax (987) 24 22 01*, « Decoración moderna » – . AE E VISA. A e
cerrado domingo – **Comida** carta 3250 a 4100.

Bitácora, García I-8, ✉ 24006, ☎ (987) 21 27 58, « Decoración interior de un barco » – . AE E VISA. B y
cerrado domingo – **Comida** - pescados y mariscos - carta 3100 a 4300.

Adonías, Santa Nonia 16, ✉ 24003, ☎ (987) 20 67 68 – . AE E VISA. B n
cerrado domingo – **Comida** carta 3750 a 4450.

Vivaldi, Platerías 4, ✉ 24003, ☎ (987) 26 07 60 – . E VISA. B u
cerrado domingo en verano, domingo noche y lunes resto del año y del 1 al 15 de julio – **Comida** carta 3750 a 4725.

Bodega Regia, General Mola 5, ✉ 24003, ☎ (987) 21 31 73, *Fax (987) 21 30 31*, , « Decoración moderna » – . AE E VISA. B t
cerrado domingo, 2ª quincena de febrero y 1ª quincena de septiembre – **Comida** carta 3200 a 4400.

Casa Pozo, pl. San Marcelo 15, ✉ 24003, ☎ (987) 22 30 39, *Fax (987) 23 71 03* – . AE E VISA. B x
cerrado domingo en verano y domingo noche resto del año – **Comida** carta 2800 a 4100.

LEÓN

Generalísimo Franco . . . . . . B 20
Ordoño II . . . . A
Padre Isla (Av. del) . . . . AB
Rúa . . . . B

Alcalde Miguel Castaño . . . B 2
Almirante Martín-Granizo (Av. del) . . . . A 3
Arquitecto Ramón Cañas del Rio . . . . B 4
Calvo Sotelo (Pl. de) . . . . . . A 5
Caño Badillo . . . . B 8
Espolón (Pl. de) . . . . B 12
Facultad (Paseo de la) . . . . A 15
General Sanjurjo (Av.) . . . . A 17
Guzmán el Bueno (Glorieta de) . . . . A 23
Independencia . . . . B 25
Jorge de Montemayor . . . . B 26
Mariano Andrés (Av. de) . . B 28
Murias de Paredes . . . . B 30
Palomera . . . . B 31
Papalaguinda (Paseo de) . . A 33
Puerta Obispo . . . . B 38
Quevedo (Av. de) . . . . A 40
Ramiro Valbuena . . . . A 45
Sáez de Miera (Paseo de) . A 47
San Francisco (Paseo) . . . . B 48
San Isidoro (Pl. de) . . . . B 50
San Marcelo (Pl.) . . . . B 52
San Marcos (Pl. de) . . . . . . A 55
Santo Domingo (Pl. de) . . . B 58
Santo Martino (Pl. de) . . . . B 61

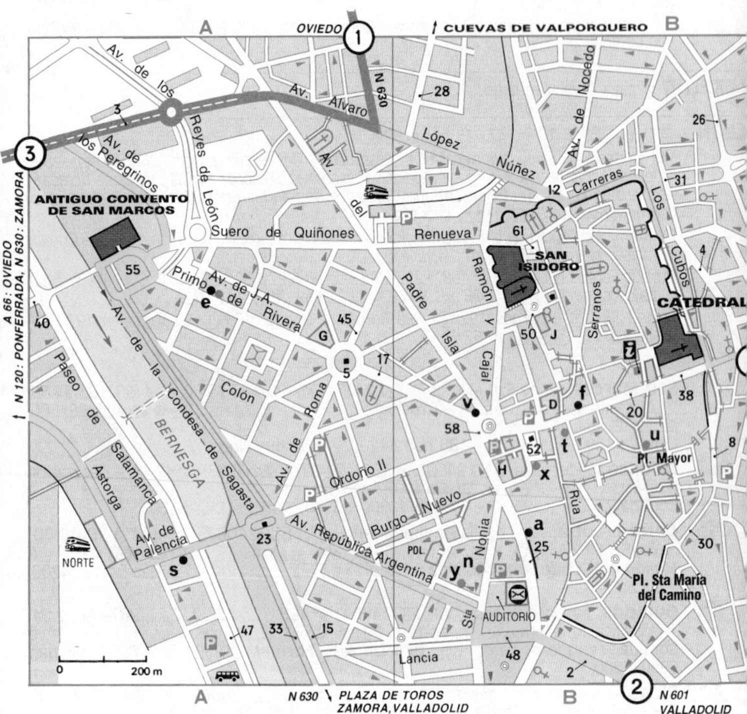

en la carretera N 630 *por ① : 4 km – ✉ 24008 León :*

Cortes de León, ☎ (987) 27 24 22, *Fax (987) 27 00 30*, ←, ⛱, 🎾 – |ǂ| ▤ TV ☎ 🚗 **P** – 🏃 25/1000. AE ⓓ E VISA. ✂
Comida 2000 – ☕ 900 – **118 hab** 9000/14000, 4 suites – PA 4300.

Ver también : **San Andrés del Rabanedo** *por ③ : 4 km*
Villabalter *por av. de los Peregrinos : 6 km* A

Neumáticos MICHELIN S.A., Sucursal calle V-Pasarela de Trobajo del Cercedo, carretera N 630 por paseo de Papalaguinda A ☎ 902 23 88 35, Fax 902 23 90 62

LEPE *21440 Huelva* 446 **U 8** – *16 562 h. alt. 28.*
Madrid 657 – Faro 72 – Huelva 41 – Sevilla 121.

La Noria sin rest, av. Diputación ☎ (959) 38 31 93, *Fax (959) 38 22 82* – ▤ TV ☎. AE ⓓ E VISA. ✂
18 hab ☕ 4000/7500.

Tamara sin rest, Río Segre 19 ☎ (959) 38 35 48, *Fax (959) 38 35 49* – ▤ TV ☎
20 hab.

en la carretera N 431 *NE : 1,5 km – ✉ 21440 Lepe :*

Camelot sin rest, ☎ (959) 38 07 02, *Fax (959) 38 07 02* – ▤ TV ☎. ⓓ VISA
cerrado Navidades – ☕ 350 – **14 hab** 3500/5800.

LEQUEITIO o LEKEITIO *48280 Vizcaya* 442 B 22 - *6 780 h. alt. 10.*

Alred. : *Carretera en cornisa de Lequeitio a Deva* ≤★.

Madrid 452 - Bilbao/Bilbo 59 - San Sebastián/Donostia 61 - Vitoria/Gasteiz 82.

Emperatriz Zita, av. Santa Elena ℘ (94) 684 26 55, *Fax (94) 624 35 00,* ≤ playa y puerto, Servicios de talasoterapia, – rest, – 25/55.
Comida 2000 – 1000 – **42 hab** 6000/9000 – PA 4250.

Beitia, av. Pascual Abaroa 25 ℘ (94) 684 01 11, *Fax (94) 684 21 65,* –
marzo-octubre – **Comida** 2100 – 800 – **30 hab** 5500/8800.

Piñupe sin rest, av. Pascual Abaroa 10 ℘ (94) 684 29 84, *Fax (94) 684 07 72* –
cerrado octubre – 700 – **12 hab** 6200/7800.

Egaña, Antiguako Ama 2 ℘ (94) 684 01 03 –
cerrado lunes y 15 enero-15 febrero – **Comida** carta 3100 a 3600.

Arropain, carret. de Marquina - S : 1 km ℘ (94) 684 03 13, « Decoración rústica » –
cerrado domingo noche, miércoles y 25 diciembre-15 enero – **Comida** carta 3300 a 4500.

LÉRIDA o LLEIDA *25000* P 443 H 31 - *119 380 h. alt. 151.*

Ver : *La Seu Vella*★★ - *Situación*★ - *Iglesia*★★ *(capiteles*★*), claustro*★ *(capiteles*★ *campanario*★★*)* Y - *Iglesia de Sant Llorenç*★ Z.

Raimat, por ⑤ : 9 km ℘ (973) 73 75 39.

av. de Madrid 36 ✉ 25002 ℘ (973) 27 09 97 Fax (973) 27 09 49 – **R.A.C.C.** *av. del Segre 6 ✉ 25007 ℘ (973) 24 12 45 Fax (973) 23 08 25.*

Madrid 470 ④ – Barcelona 169 ③ – Huesca 123 ⑤ – Pamplona/Iruñea 314 ⑤ – Perpignan 340 ⑤ – Tarbes 276 ① – Tarragona 97 ② – Toulouse 323 ① – Valencia 350 ③ – Zaragoza 150 ④

Plano página siguiente

NH Pirineos, Gran Passeig de Ronda 63, ✉ 25006, ℘ (973) 27 31 99, *Fax (973) 26 20 43* – – 25/180. rest Y c
Comida 3550 – 1200 – **92 hab** 11000/13500.

Sansi Park H. y Camparan Suites H., av. Alcalde Porqueras 4, ✉ 25008, ℘ (973) 24 40 00, *Fax (973) 24 31 38* – – 25/400. rest Y a
Comida 1750 - ***La LLosa*** cocina regional, *(cerrado domingo)* **Comida** carta 2275 a 3700 – 875 – **120 hab** 7900/8950, 70 apartamentos

Real sin rest, av. de Blondel 22, ✉ 25002, ℘ (973) 23 94 05, *Fax (973) 23 94 07* – – 25/40. Z d
575 – **41 hab** 4800/7000.

Tryp Segrià sin rest, Il passeig de Ronda 23, ✉ 25004, ℘ (973) 23 89 89, *Fax (973) 23 36 07* – Y h
500 – **49 hab** 7000/8000.

Transit sin rest. con cafetería, pl. Berenguer IV (estación RENFE), ✉ 25007, ℘ (973) 23 00 08, *Fax (973) 22 27 85* – – 25/200. Y n
500 – **51 hab** 5500/6500.

Principal sin rest, pl. Paeria 7, ✉ 25007, ℘ (973) 23 08 00, *Fax (973) 23 08 03* – – 52 hab. Z n

Ramón Berenguer IV sin rest, pl. de Ramón Berenguer IV-2, ✉ 25007, ℘ (973) 23 73 45, *Fax (973) 23 95 41* – Y z
400 – **52 hab** 4000/5000.

Sheyton, av. Prat de la Riba 39, ✉ 25008, ℘ (973) 23 81 97, « Interior de estilo inglés » – Y f
cerrado domingo y del 9 al 19 de abril – **Comida** carta 3250 a 3600.

Forn del Nastasi, Salmerón 10, ✉ 25004, ℘ (973) 23 45 10, *Fax (973) 23 45 10* – Y s
cerrado domingo noche, lunes y del 1 al 15 de agosto – **Comida** carta aprox. 4100.

La Pérgola, Gran Passeig de Ronda 123, ✉ 25006, ℘ (973) 23 82 37 – Y d
cerrado domingo en verano, domingo noche resto del año y 10 días en agosto – **Comida** carta aprox. 4650.

L'Antull, Cristóbal de Boleda 1, ✉ 25006, ℘ (973) 26 96 36 –
cerrado miércoles noche, festivos y del 1 al 15 de agosto – **Comida** carta 3200 a 4900. Y v

LLEIDA
LÉRIDA

Carme .... Y 9
Magdalena .... Y 24
Major .... Z
Paeria (Pl.) .... Z 29
Sal (Pl.) .... Y 36
Sant Antoni .... Z
Sant Joan .... YZ 42

Almadi Vell .... Z 3
Bisbe Messeguer .... YZ 5
Canyeret .... YZ 8
Catedral (Pl.) .... Z 10
Comtes d'Urgell .... Y 12
Exèrcit (Av.) .... Z 14
Exèrcit (Pl.) .... Z 15
Francesc Macià .... Y 16
Gov. Montcada .... Z 18
Missions (Pl.) .... Y 26
Mossèn Jacint Verdaguer (Pl.) .... Y 27

Pallars .... Y 30
Pau (Pl.) .... YZ 31
Ramon Berenguer IV (Pl.) .... Y 32
República del Paraguai .... Z 33
Ricard Vinyes (Pl.) .... Y 34
Sant Andreu .... YZ 38
Sant Crist .... Z 39
Sant Josep (Pl.) .... Z 43
Sant Llorenç (Pl.) .... Z 45
Sant Martí (Ronda) .... Y 46
Saragossa .... YZ 49
Valcallent .... Y 55

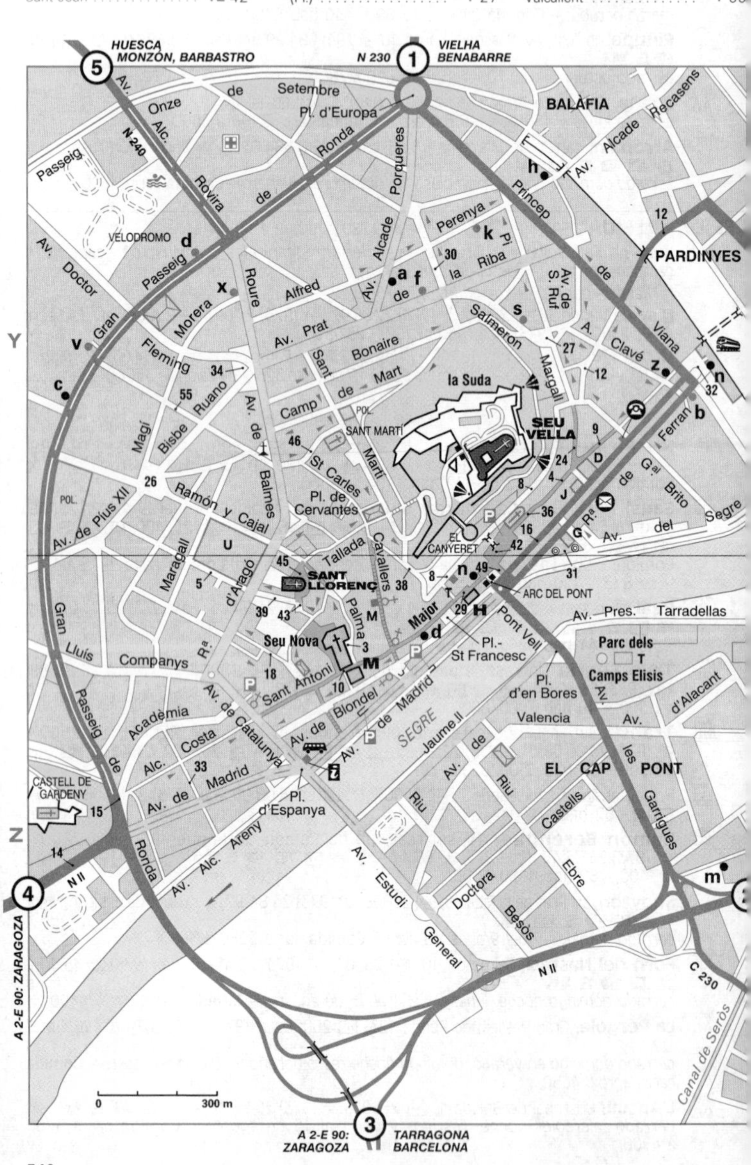

XX **Racó d'Anna,** Camí Mariola 48, ✉ 25192, ☎ (973) 26 19 00, *Fax (973) 26 19 43,* – ▤ P. AE ⓓ E VISA. por av. de Pius XII YZ
cerrado domingo noche, lunes y del 15 al 31 de julio – **Comida** carta 2800 a 4350.

XX **El Petit Català,** Alfred Perenya 64, ✉ 25004, ☎ (973) 23 07 95 – ▤. AE ⓓ E VISA Y k
cerrado domingo noche y lunes – **Comida** carta 3000 a 4350.

X **La Huerta,** av. Tortosa 9, ✉ 25005, ☎ (973) 24 24 13, *Fax (973) 22 09 76* – ▤. AE ⓓ E VISA. por av. del Segre Y
Comida carta 2000 a 4250.

X **Casa Lluís,** pl. de Ramón Berenguer IV-8, ✉ 25007, ☎ (973) 24 00 26 – ▤. ⓓ E VISA. Y b
cerrado sábado – **Comida** carta 2400 a 3700.

X **Xalet Suís,** Alcalde Rovira Roure 9, ✉ 25006, ☎ (973) 23 55 67, *Fax (973) 22 09 76* – ▤. AE ⓓ E VISA. Y x
cerrado del 15 al 31 de enero y agosto – **Comida** carta 3300 a 5100.

en la carretera N II – ✉ *25001 Lleida :*

Sol Condes de Urgel, av. de Barcelona 21 ☎ (973) 20 23 00, *Fax (973) 20 24 04* – ▤ TV ☎ P – 25/300. AE ⓓ E VISA JCB. Z m
El Sauce : **Comida** carta 3100 a 4400 – ☐ 975 – **105 hab** 9800/12950.

Ilerda, por ② : 1,5 km ☎ (973) 20 07 50, *Fax (973) 20 08 78* – ▤ TV ☎ P – 25/300. AE ⓓ E VISA.
Comida 1500 – ☐ 525 – **106 hab** 4500/7500 – PA 3000.

en la carretera C 230 *por ③ : 2 km* – ✉ *25001 Lérida :*

XX **Malena,** av. de Flix 30 ☎ (973) 21 15 41 – ▤. ⓓ E VISA.
cerrado domingo noche y martes – **Comida** carta 3300 a 5450.

en la autopista A2 *por ③ : 10 km al Sur* – ✉ *25161 Alfés :*

Lleida sin rest, área de Lleida ☎ (973) 13 60 23, *Fax (973) 13 60 25,* ≤ – ▤ TV ☎ P – 25/100. AE ⓓ E VISA
☐ 925 – **75 hab** 9050/11350.

en la carretera N 240 *por ⑤* – ✉ *25001 Lleida :*

XXX **El Nou Forn del Nastasi,** 2 km ☎ (973) 22 37 28, *Fax (973) 22 37 28,* – ▤ P. AE ⓓ E VISA
cerrado domingo noche, lunes y del 1 al 15 de agosto – **Comida** carta aprox. 4150.

XX **Fonda del Nastasi,** 3 km ☎ (973) 24 92 22, *Fax (973) 24 76 92,* , Interesante bodega – ▤ P. AE ⓓ E VISA
cerrado domingo noche y lunes – **Comida** carta aprox. 3350.

LERMA *09340 Burgos* 442 F 18 – *2 417 h. alt. 844.*

Ver : *Plaza Mayor★.*
Audiencia 6 ☎ (947) 17 01 43.
Madrid 206 – Burgos 37 – Palencia 72.

Alisa, antigua carret. N I - salida 203 autovía ☎ (947) 17 02 50, *Fax (947) 17 11 60* – ▤ rest, TV ☎ P – 25/300. AE ⓓ E VISA.
Comida 2250 – ☐ 650 – **36 hab** 5100/8000.

Docar sin rest, Santa Teresa de Jesús 18 ☎ (947) 17 10 73, *Fax (947) 17 10 73* – TV. ⓓ E VISA JCB
☐ 400 – **15 hab** 3900/5800.

X **Lis 2,** antigua carret. N I ☎ (947) 17 01 25 – ▤. AE ⓓ E VISA.
Comida carta 2900 a 4450.

LÉS *25540 Lérida* 443 D 32 – *648 h. alt. 630.*

pl. de l'Ajuntament 1 ☎ (973) 64 73 03 Fax (973) 64 83 82.
Madrid 616 – Bagnères-de-Luchon 23 – Lérida/Lleida 184.

Talabart, Baños 1 ☎ (973) 64 80 11 – P. AE ⓓ E VISA
cerrado noviembre – **Comida** 1700 – ☐ 600 – **24 hab** 3000/5500 – PA 4000.

LESACA o LESAKA *31770 Navarra* 442 C 24 – *2 687 h. alt. 77.*

Madrid 482 – Biarritz 41 – Pamplona/Iruñea 71 – San Sebastián/Donostia 39.

X **Casino,** pl. Vieja 23 ☎ (948) 63 71 52, – AE ⓓ VISA
cerrado lunes noche salvo festivos o vísperas – **Comida** carta 2900 a 3100.

LEVANTE (Playa de) *Valencia – ver Valencia.*

LEYRE (Monasterio de) *31410 Navarra* 442 E 26 – *alt. 750.*

Ver : ✳★★ – *Monasterio★ (iglesia★★ : cripta★★, interior★, portada oeste★).*

Alred. : *Hoz de Lumbier★ (O : 14 km), Hoz de Arbayún★ (mirador : ≤★★) N : 31 km.*

Madrid 419 – Jaca 68 – Pamplona/Iruñea 51.

Hospedería, ☎ (948) 88 41 00, *Fax (948) 88 41 37* – rest, ☎ P. AE E VISA. *cerrado 11 diciembre-febrero* – **Comida** 1500 – ☕ 700 – **29 hab** 4400/8600.

LIBRILLA *30892 Murcia* 445 S 25 – *3 735 h. alt. 167.*

Madrid 411 – Cartagena 59 – Lorca 46 – Murcia 29.

en la autovía N 340 *NE : 5 km – ✉ 30892 Librilla :*

Entre-Sierras, ☎ (968) 65 91 10, *Fax (968) 65 91 10* – TV ☎ P
Comida 1150 – ☕ 350 – **60 hab** 4700/7400, 2 suites.

LIÉDENA *31487 Navarra* 442 E 26 – *282 h. alt. 450.*

Madrid 402 – Jaca 71 – Pamplona/Iruñea 40 – Tafalla 49 – Zaragoza 144.

Latorre, carret. N 240 ☎ (948) 87 06 10, *Fax (948) 87 11 11,* ≤, 🏊, 🎾 – rest, TV ☎ P – 🏛 25/200. AE VISA.
Comida 1800 – ☕ 800 – **48 hab** 4200/5800 – PA 3600.

LILLA o L'ILLA *43414 Tarragona* 443 H 33.

Madrid 533 – Barcelona 107 – Lérida/Lleida 69 – Tarragona 33.

Les Fonts de Lilla, carret. N 240 - NE : 1,8 km ☎ (977) 86 03 03, *Fax (977) 86 30 18,* ≤, « Decoración rústica » – P. AE E VISA.
cerrado lunes noche, martes y 2º quincena de junio – **Comida** - carnes - carta aprox. 4200.

LINARES *23700 Jaén* 446 R 19 – *58 417 h. alt. 418.*

Madrid 297 – Ciudad Real 154 – Córdoba 122 – Jaén 51 – Úbeda 27 – Valdepeñas 96.

Sol Inn Aníbal, Cid Campeador 11 ☎ (953) 65 04 00, *Fax (953) 65 22 04* – TV ☎ – 🏛 30/600. AE E VISA.
Comida 1900 – ☕ 600 – **126 hab** 7250/10000 – PA 4000.

Victoria sin rest y sin ☕, Cervantes 7 ☎ (953) 69 25 04, *Fax (953) 69 25 00* – TV ☎. AE VISA
56 hab 4200/6200.

La LÍNEA DE LA CONCEPCIÓN *11300 Cádiz* 446 X 13 y 14 – *58 646 h. – Playa.*

av. 20 de Abril ☎ (956) 76 99 50 Fax (956) 76 72 64.

Madrid 673 – Algeciras 20 – Cádiz 144 – Málaga 127.

Almadraba, Los Caireles 2 ☎ (956) 17 55 66, *Fax (956) 17 15 63,* 🏊 – TV ☎. AE E VISA. rest
Comida 1200 – ☕ 500 – **84 hab** 7260/11450 – PA 2700.

LIZARRA *Navarra – ver Estella.*

LLADÓ *17745 Gerona* 443 F 38 – *481 h.*

Madrid 757 – Figueras/Figueres 13 – Gerona/Girona 50.

Can Kiku, pl. Major 1 ☎ (972) 56 51 04 – . E VISA.
cerrado lunes y del 1 al 16 de enero – **Comida** carta 2800 a 3700.

LLAFRANCH o LLAFRANC *17211 Gerona* 443 G 39 – *Playa.*

Alred. : *Faro de San Sebastián★ (✳★) E : 2 km.*

Madrid 726 – Gerona/Girona 42 – Palafrugell 5 – Palamós 16.

Llevant, Francesc de Blanes 5 ☎ (972) 30 03 66, *Fax (972) 30 03 45,* – TV ☎ – 🏛 25. AE E VISA. rest
cerrado 3 noviembre-20 diciembre – **Comida** *(cerrado domingo noche de Navidades a Semana Santa)* 2400 – ☕ 1050 – **24 hab** 12200/17000.

Terramar sin rest. con cafetería, passeig de Cipsela 1 ☎ (972) 30 02 00, *Fax (972) 30 06 26,* ≤ – TV ☎. AE E VISA.
Semana Santa-1 de octubre – ☕ 1000 – **56 hab** 9000/13500.

Casamar ⑤, Nero 3 ☎ (972) 30 01 04, *Fax (972) 61 06 51*, « Terraza con < » – TV ☎. AE E VISA. rest
Semana Santa-15 octubre – **Comida** 1600 – 600 – **20 hab** 6600/10000 – PA 3000.

L'Espasa, Fra Bernat Boil 14 ☎ (972) 61 50 32, – E VISA
mayo-septiembre – **Comida** carta 2100 a 2900.

LLAGOSTERA *17240 Gerona* 443 G 38 – *5 381 h.*
Madrid 699 – Barcelona 86 – Gerona/Girona 20.

en la carretera de Sant Feliu de Guíxols *E : 5 km – ✉ 17240 Llagostera :*

Els Tinars, ☎ (972) 83 06 26, *Fax (972) 83 12 77*, « Decoración rústica » – P. AE E VISA
cerrado martes (octubre-mayo) y 12 enero-5 febrero – **Comida** carta 2700 a 4700.

LLANARS *17869 Gerona* 443 F 37 – *388 h. alt. 1 080.*
Madrid 701 – Barcelona 129 – Gerona/Girona 82.

Grèvol ⑤, carret. de Camprodón ☎ (972) 74 10 13, *Fax (972) 74 10 87*, <, « Chalet de montaña decorado con elegancia », – TV ☎ P – 25/60. AE E VISA.
Comida 3850 – 1375 – **36 hab** 15970 – PA 7500.

LLÁNAVES DE LA REINA *24912 León* 441 C 15.
Madrid 373 – León 118 – Oviedo 133 – Santander 147.

San Glorio ⑤, carret. N 621 ☎ (987) 74 04 18, *Fax (987) 74 04 61* – TV ☎. AE E VISA.
Comida 2100 – 700 – **26 hab** 4800/6950.

LLANÇÀ *Gerona – ver Llansá.*

LLANES *33500 Asturias* 441 B 15 – *13 382 h. – Playa.*
Alfonso IX (edificio La Torre) ☎ (98) 540 01 64 Fax (98) 540 19 99.
Madrid 453 – Gijón 103 – Oviedo 113 – Santander 96.

Don Paco, Posada Herrera 1 ☎ (98) 540 01 50, *Fax (98) 540 26 81* – TV ☎. AE E VISA.
junio-septiembre – **Comida** 3575 – 850 – **42 hab** 7575/10500.

G.H. Paraíso sin rest, Pidal 2 ☎ (98) 540 19 71, *Fax (98) 540 25 90* – TV ☎. AE E VISA.
Semana Santa-1 octubre – 500 – **22 hab** 8900.

Montemar sin rest. con cafetería, Genaro Riestra 8 ☎ (98) 540 01 00, *Fax (98) 540 26 81*, < – TV ☎ P. AE E VISA.
850 – **41 hab** 7575/10500.

Miraolas, paseo de San Antón 14 ☎ (98) 540 08 28, *Fax (98) 540 27 74*, < – TV ☎ P. E VISA.
cerrado febrero – **Comida** *(cerrado lunes salvo verano)* 1500 – 600 – **37 hab** 7500/10000 – PA 3600.

Las Rocas sin rest, Marqués de Canillejas 3 ☎ (98) 540 24 31, *Fax (98) 540 24 34* – TV ☎ P. E VISA.
abril-15 octubre – 650 – **33 hab** 6500/10000.

Sablon's, playa del Sablón 1 ☎ (98) 540 19 87, *Fax (98) 540 19 88*, < – TV ☎. AE E VISA
20 marzo-noviembre – **Comida** (ver rest. ***Sablon's***) – 500 – **21 hab** 5500/7500, 5 apartamentos.

Peñablanca sin rest, Pidal 1 ☎ (98) 540 01 66, *Fax (98) 540 14 45* – TV ☎. AE E VISA
15 junio-15 septiembre – 500 – **31 hab** 4000/8000.

Sablon's, playa del Sablón 1 ☎ (98) 540 00 62, *Fax (98) 540 19 88*, – AE E VISA.
20 marzo-noviembre – **Comida** carta 2550 a 3250.

en la playa de Toró *O : 1 km – ✉ 33500 Llanes :*

Mirador de Toró, ☎ (98) 540 08 82, *Fax (98) 540 08 82*, <, – P. AE E VISA.
cerrado lunes – **Comida** carta 3100 a 4500.

en Pancar *SO : 1,5 km – ✉ 33509 Pancar :*

El Jornu sin ☕ con hab, Cuetu Molin ☎ (98) 540 16 15, *Fax (98) 540 16 15,* –
☎. AE E VISA.
cerrado noviembre – **Comida** *(cerrado domingo noche y lunes salvo julio-agosto)* cart
3150 a 3600 – **4 apartamentos** 15000.

en La Arquera – ✉ *33500 Llanes :*

La Arquera sin rest, S : 2 km ☎ (98) 540 24 24, *Fax (98) 540 01 75,* ←, « Antigua casor
con mobiliario de estilo » – TV ☎ P. E VISA.
☕ 800 – **13 hab** 8800/11000.

Las Brisas, S : 2 km ☎ (98) 540 17 26, *Fax (98) 540 13 82,* – TV ☎ P
63 hab.

Prau Riu con hab, carret. de Parres - S : 2,5 km ☎ (98) 540 11 54, *Fax (98) 540 11 5*
– TV P. AE E VISA.
cerrado noviembre – **Comida** carta 2600 a 4300 – ☕ 500 – **6 hab** 5600/7000.

en La Pereda *S : 4 km – ✉ 33509 La Pereda :*

La Posada de Babel con hab, ☎ (98) 540 25 25, *Fax (98) 540 26 22,* « Amplia zon
de césped con árboles » – TV ☎ P. AE E VISA. rest
Comida *(cerrado 7 enero-5 febrero)* - sólo cena - carta aprox. 3400 – ☕ 850 – **11 ha**
8500/11000.

Los LLANOS DE ARIDANE *Santa Cruz de Tenerife – ver Canarias (La Palma).*

LLANSÁ o **LLANÇÀ** *17490 Gerona* 443 E 39 – *3 500 h. – Playa.*

Alred. : *Port de Llançà* ★.

av. de Europa 37 ☎ (972) 38 08 55 Fax (972) 38 12 58.

Madrid 767 – Banyuls 31 – Gerona/Girona 60.

Beri, La Creu 16 ☎ (972) 38 01 98, *Fax (972) 38 01 98,* – rest, P. AE E
VISA JCB
abril-octubre – **Comida** 1000 – ☕ 500 – **60 hab** 3000/5500 – PA 2500.

Carbonell, Mayor 19 ☎ (972) 38 02 09 – rest, TV P. AE E VISA.
Semana Santa y 20 junio-20 septiembre – **Comida** 1800 – **34 hab** ☕ 3000/5800 –
PA 3500.

en la carretera de Port-Bou *N : 1 km – ✉ 17490 Llançà :*

Gri-Mar, ☎ (972) 38 01 67, *Fax (972) 38 12 00,* ←, – TV ☎ P – 25
AE E VISA
Semana Santa-septiembre – **Comida** 2450 – ☕ 700 – **39 hab** 6800/9700 – PA 4450

en el puerto *NE : 1,5 km – ✉ 17490 Llançà :*

Berna, passeig Marítim 13 ☎ (972) 38 01 50, *Fax (972) 12 15 09,* ←,
temp – **38 hab.**

La Goleta, Pintor Terruella 22 ☎ (972) 38 01 25, *Fax (972) 12 06 86* – rest, TV
☎ P. AE E VISA.
cerrado noviembre – **Comida** 2675 – ☕ 650 – **30 hab** 6000/7000 – PA 4250.

El Vaixell, Canigó 18 ☎ (972) 38 02 95 – P. AE E VISA.
cerrado noches salvo viernes y sábados en invierno – **Comida** carta 2775 a 4125.

La Vela, Pintor Martínez Lozano 3 ☎ (972) 38 04 75 – AE E VISA JCB
cerrado 15 octubre-15 noviembre – **Comida** carta 2800 a 4500.

Can Quim, Verge del Carme 5 ☎ (972) 38 05 37 – AE E VISA
cerrado miércoles y noviembre – **Comida** carta 3300 a 4150.

La Brasa, pl. Catalunya 6 ☎ (972) 38 02 02, – AE E VISA.
cerrado martes (salvo en verano) y 20 diciembre-1 marzo – **Comida** carta 3200 a 4500.

LLEIDA – *ver Lérida.*

LLESSUY o **LLESSUI** *25567 Lérida* 443 E 33 – *alt. 1 400.*

Ver : *Valle de Llessui*★★.

Madrid 603 – Lérida/Lleida 150 – Seo de Urgel/La Seu d'Urgell 66.

en Altrón *E : 7,5 km – ✉ 25560 Sort :*

Vall d'Assua, carret. de Llessuy ☎ (973) 62 17 38, ← – rest, P.
cerrado noviembre – **Comida** 1880 – ☕ 550 – **11 hab** 4000 – PA 3500.

LLIVIA *17527 Gerona* 443 E 35 – *901 h. alt. 1 224.*

Ver : *Museo Municipal (farmacia★).*

Forns ☎ (972) 89 63 13.

Madrid 658 – Gerona/Girona 156 – Puigcerdá 6.

Llivia, av. de Catalunya ☎ (972) 14 60 00, *Fax (972) 14 60 00*, ≤, – rest
cerrado noviembre – **Comida** 2350 – **63 hab** 7200/10800, 12 apartamentos – PA 4400.

L'Esquirol, av. de Catalunya ☎ (972) 89 63 03, *Fax (972) 89 63 03*, ≤ –
Comida 1600 – **20 hab** 4000/8500.

Can Ventura, pl. Major 1 ☎ (972) 89 61 78, *Fax (972) 89 61 78*, « Decoración rústica en un edificio del siglo XVIII » –
cerrado lunes noche, martes, del 16 al 30 de junio y del 15 al 30 de octubre – **Comida** carta 3100 a 3650.

La Ginesta *(Can Jesús)*, av. de Catalunya ☎ (972) 89 62 87, *Fax (972) 14 63 59* –
cerrado lunes – **Comida** carta aprox. 3500.

en Gorguja *NE : 2 km – ✉ 17527 Llivia :*

La Formatgeria de Llivia, Pla de Ro ☎ (972) 14 62 79, ≤, « En una antigua fábrica de quesos » –
cerrado martes noche, miércoles (salvo festivos) y 2ª quincena de junio – **Comida** carta 2100 a 3300.

LLODIO o **LAUDIO** *01400 Álava* 442 C 21 – *20 251 h. alt. 130.*

Madrid 385 – Bilbao/Bilbo 21 – Burgos 142 – Vitoria/Gasteiz 49.

Martina, Zubiaur 1 ☎ (94) 672 22 68 –
Comida carta 3250 a 4000.

en Areta *E : 3 km – ✉ 01400 Llodio :*

Palacio de Anuncibai, ✉ apartado 106, ☎ (94) 672 61 88, *Fax (94) 672 61 79* –
cerrado Semana Santa y del 3 al 23 de agosto – **Comida** carta 3200 a 4950.

LLORET DE MAR *17310 Gerona* 443 G 38 – *22 504 h. – Playa.*

pl. de la Vila 1 ☎ (972) 36 47 35 Fax (972) 36 77 50 y Estación de Autobuses ☎ (972) 36 57 88 Fax (972) 37 13 95.

Madrid 695 ② – Barcelona 67 ② – Gerona/Girona 39 ③

Plano página siguiente

Roger de Flor, Turó de l'Estelat, ✉ apartado 66, ☎ (972) 36 48 00, *Fax (972) 37 16 37*, « Grandes terrazas con ≤ », – rest, – 25/120. t
abril-octubre – **Comida** 4100 – 1900 – **87 hab** 10000/18000, 6 suites – PA 8500.

G.H. Monterrey, carret. de Tossa de Mar ☎ (972) 36 40 50, *Fax (972) 36 35 12*, Servicios de talasoterapia, « Amplio jardín », – – 25/425. rest m
marzo-octubre – **Comida** - sólo buffet - 2500 – 1100 – **223 hab** 13000/17000 – PA 5275.

Marsol, passeig Mossèn J. Verdaguer 7 ☎ (972) 36 57 54, *Fax (972) 37 22 05*, – – 25/75. rest h
Comida 1500 - ***Els Dofins*** **: Comida** carta 2100 a 3000 – **100 hab** 9800/12500 – PA 3000.

Mercedes, av. F. Mistral 32 ☎ (972) 36 43 12, *Fax (972) 36 49 53*, climatizada – k
abril-octubre – **Comida** 1950 – 750 – **88 hab** 5000/9000.

Excelsior, passeig Mossèn J. Verdaguer 16 ☎ (972) 36 61 76, *Fax (972) 37 16 54* – rest, rest y
marzo-noviembre – **Comida** *(cerrado lunes)* 1800 – 600 – **45 hab** 5650/10900.

Santa Ana sin rest, Sénia del Rabic 26 ☎ (972) 37 32 66, *Fax (972) 37 32 66* – a
junio-septiembre – **48 hab** 6000.

Can Bolet, Sant Mateu 6 ☎ (972) 37 12 37 – r
cerrado domingo noche y lunes salvo abril-15 noviembre – **Comida** carta aprox. 4200.

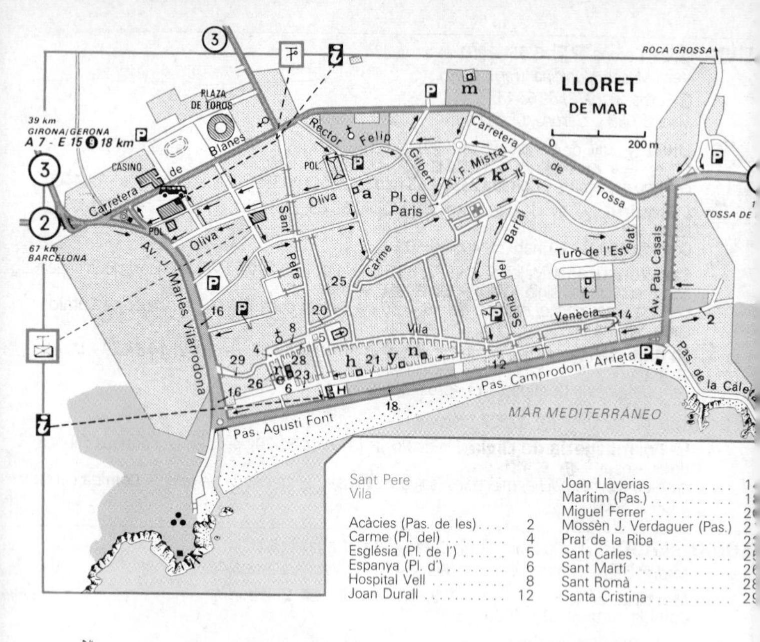

X **Can Tarradas,** pl. d'Espanya 7 ☎ (972) 36 97 95, *Fax (972) 37 06 02,* 🏖 – ▤. AE ⓓ E VISA. 🐕
Comida carta 2600 a 4500.

X **Taverna del Mar,** Pescadors 5 ☎ (972) 36 40 90, 🏖 – AE ⓓ E VISA. 🐕
mayo-octubre – **Comida** carta 2600 a 4450.

en la carretera de Blanes *por ② : 1,5 km – ✉ 17310 Lloret de Mar :*

Fanals, ☎ (972) 36 41 12, *Fax (972) 37 03 29,* ⛱, ⛱, 🏖 – |‡| ☎ 🅟 – 🏠 25/80. ⓓ E VISA. 🐕 rest
abril-octubre – **Comida** - sólo buffet - 2300 – **82 hab** ☕ 5830/10165 – PA 4200.

en la playa de Fanals *por ② : 2 km – ✉ 17310 Lloret de Mar :*

Rigat Park 🐴, ☎ (972) 36 52 00, *Fax (972) 37 04 11,* ≤, 🏖, « Parque con arbolado », ⛱, 🏖, 🎾 – |‡| ▤ 📺 ☎ 🅟 – 🏠 25/650. AE ⓓ E VISA. 🐕 rest
febrero-noviembre – **Comida** 4600 – ☕ 1700 – **87 hab** 17000/20000, 17 suites.

en la playa de Santa Cristina *por ② : 3 km – ✉ 17310 Lloret de Mar :*

Santa Marta 🐴, ☎ (972) 36 49 04, *Fax (972) 36 92 80,* ≤, « Gran pinar », ⛱, 🏖, 🎾 – |‡| ▤ 📺 ☎ 🅟 – 🏠 25/120. AE ⓓ E VISA JCB. 🐕 rest
cerrado 15 diciembre-15 febrero – **Comida** 6000 – ☕ 1800 – **76 hab** 19000/29500, 2 suites.

en la urbanización Playa Canyelles *por ① : 3 km – ✉ 17310 Lloret de Mar :*

XX **El Trull,** ✉ apartado 429, ☎ (972) 36 49 28, *Fax (972) 37 13 08,* 🏖, « Decoración rústica », ⛱, 🎾 – |‡| ▤ 🅟. AE ⓓ E VISA. 🐕
Comida carta 3900 a 5200.

LODOSA *31580 Navarra* **442** **E 23** – *4 483 h. alt. 320.*
Madrid 334 – Logroño 34 – Pamplona/Iruñea 81 – Zaragoza 152.

X **Marzo** con hab, Ancha 24 ☎ (948) 69 30 52, *Fax (948) 69 40 38* – |‡|, ▤ rest, 📺 ☎. E VISA. 🐕
Comida carta aprox. 2900 – ☕ 550 – **14 hab** 2800/5000.

LOGROÑO 26000 P La Rioja 442 **E 22** – *128 331 h. alt. 384.*

Excurs. : *Valle del Iregua★ (contrafuertes de la sierra de Cameros★) 50 km por ③.*

paseo del Príncipe de Vergara (Espolón) ✉ 26071 ☎ (941) 26 06 65 Fax (941) 25 60 45 – **R.A.C.E.** *Huesca 3 bajo ✉ 26002 ☎ (941) 24 82 91 Fax (941) 24 83 06.*

Madrid 331 ③ – Burgos 144 ④ – Pamplona/Iruñea 92 ① – Vitoria/Gasteiz 93 ④ – Zaragoza 175 ③

LOGROÑO

Portales . . . . AB 32

Alférez Provisional (Pl. del) . A 2
Autonomía (Av. de la) . . . . . . B 3
Bretón de los Herreros . . . . A 4
Capitán Gaona . . . . B 5
Carmen (Muro del) . . . . . . B 6
Cervantes (Muro de) . . . . . B 7
Comandancia . . . . A 8
Daniel Trevijano . . . . A 9
Depósitos . . . . A 10
Doce Ligero de Artillería (Av. del) . . . . B 12
Duquesa de la Victoria . . . . B 13
España (Av. de) . . . . B 14
Fausto Elhuyar . . . . A 15
Francisco de la Mata (Muro) B 16
Ingenieros Pino y Amorena B 19
Juan XXIII (Av. de) . . . . . . B 22
Marqués de Murrieta . . . . . A 23
Marqués de San Nicolás . . AB 25
Mercado (Pl. del) . . . . B 26
Miguel Villanueva . . . . A 27
Navarra (Av. de) . . . . B 28
Navarra (Carret. de) . . . . . B 29
Once de Junio . . . . A 30
Pío XII (Av. de) . . . . B 31
Portugal (Av. de) . . . . A 33
Rioja (Av. de la) . . . . A 34
Rodríguez Paterna . . . . . . B 35
Sagasta . . . . A 36
Teniente Coronel Santos Ascarza . . . . B 40
Tricio . . . . B 41
Viana (Av. de) . . . . B 42

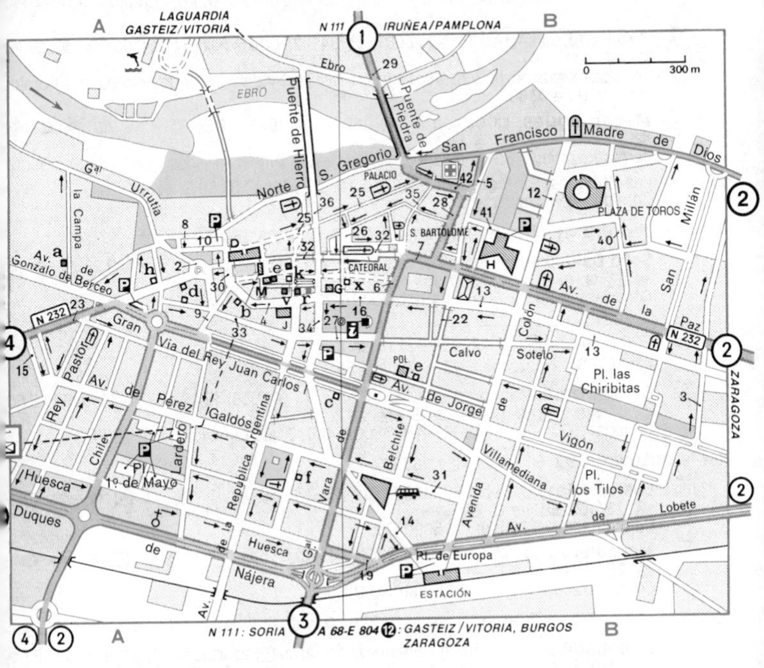

NH Herencia Rioja, Marqués de Murrieta 14, ✉ 26005, ☎ (941) 21 02 22, *Fax (941) 21 02 06* – 25/120. AE VISA. A h
Comida 2500 – 1300 – **81 hab** 12700, 2 suites.

Carlton Rioja, Gran Vía del Rey Juan Carlos I-5, ✉ 26002, ☎ (941) 24 21 00, *Fax (941) 24 35 02* – 25/150. AE VISA JCB. rest A c
Comida *(cerrado domingo)* carta aprox. 4400 – 1150 – **116 hab** 10000/15000, 4 suites.

Meliá Confort Los Bracos sin rest. con cafetería, Bretón de los Herreros 29, ✉ 26001, ☎ (941) 22 66 08, Telex 37126, *Fax (941) 22 67 54* – 25/60. AE VISA JCB. A b
1100 – **72 hab** 12900/15700.

Ciudad de Logroño sin rest, Menéndez Pelayo 7, ✉ 26002, ☎ (941) 25 02 44, *Fax (941) 25 43 90* – 25/70. AE VISA. A f
950 – **95 hab** 9100/11500.

Murrieta sin rest. con cafetería, av. Marqués de Murrieta 1, ✉ 26005, ☎ (941) 22 41 50, *Fax (941) 22 32 13* – 25/140. AE VISA. A d
850 – **113 hab** 8000/10000.

Green Condes de Haro sin rest, Saturnino Ulargui 6, ✉ 26001, ☎ (941) 20 85 00 *Fax (941) 20 87 96* – AE VISA. A c
600 – **44 hab** 8900/11250.

Marqués de Vallejo sin rest, Marqués de Vallejo 8, ✉ 26001, ☎ (941) 24 83 33 *Fax (941) 24 02 88* – AE VISA B x
600 – **30 hab** 5950/8400.

Niza sin rest y sin, Capitán Gallarza 13, ✉ 26001, ☎ (941) 20 60 44 – VISA. A k
16 hab 5050/7300.

Isasa sin rest y sin, Doctores Castroviejo 13-1º, ✉ 26003, ☎ (941) 25 65 99 *Fax (941) 25 65 99* – AE VISA. B e
cerrado 20 diciembre-7 enero – **30 hab** 3600/6400.

Cachetero, Laurel 3, ✉ 26001, ☎ (941) 22 84 63, *Fax (941) 22 84 63* – A v

Los Gabrieles, Bretón de los Herreros 8, ✉ 26001, ☎ (941) 22 00 43 – AE E VISA. A r
cerrado domingo noche, miércoles, julio y 23 diciembre-7 enero – **Comida** carta 2400 a 4300.

Zubillaga, San Agustín 3, ✉ 26001, ☎ (941) 22 00 76, *Fax (941) 22 00 76* – AE E VISA. A e
cerrado martes noche y miércoles (salvo festivos) y del 3 al 19 de noviembre – **Comida** carta 2800 a 4300.

Mesón Egües, La Campa 3, ✉ 26005, ☎ (941) 22 86 03 – AE E VISA A a
cerrado domingo, Semana Santa y Navidades – **Comida** - asados - carta 3300 a 3900.

Las Cubanas, San Agustín 17, ✉ 26001, ☎ (941) 22 00 50 – A e
Comida - sólo almuerzo salvo viernes -.

en la carretera de circunvalación *por ① : 4 km – ✉ 26006 Logroño :*

Soto Galo, polígono industrial de Cantabria ☎ (941) 25 91 22, *Fax (941) 25 73 89* – 25/300. VISA.
Comida 1100 – 300 – **44 hab** 5000/7760.

LOJA *18300 Granada* 446 **U 17** – *20 321 h. alt. 475.*
Madrid 484 – Antequera 43 – Granada 55 – Málaga 71.

Del Manzanil, carret. de Granada - E : 1,5 km ☎ (958) 32 17 11, *Fax (958) 32 18 50,* – AE E VISA. rest
Comida 1500 – 550 – **47 hab** 3800/5400, 2 apartamentos – PA 3500.

en la autovía A 92 *S : 5 km – ✉ 18300 Loja :*

Los Abades, ☎ (958) 32 38 00, *Fax (958) 32 38 04,* – 25/100. AE E VISA JCB
Comida 1200 – **76 hab** 5000/7000.

Manzanil Área, ☎ (958) 32 32 00, *Fax (958) 32 34 80,* – 25/60. AE E VISA. rest
Comida 1200 – 500 – **76 hab** 3500/6000.

en la Finca La Bobadilla *por la autovía A 92 - O : 18 km y desvío 3 km – ✉ 18300 Loja :*

La Bobadilla, por salida a Villanueva de Tapia, ✉ apartado 144, ☎ (958) 32 18 61, *Fax (958) 32 18 10,* « Elegante cortijo andaluz », – 25/120. AE E VISA. rest
La Finca *(sólo cena en verano)* **Comida** carta 5900 a 8600 - ***EL Cortijo*** **: Comida** carta 4200 a 5850 – **50 hab** 28200/36500, 10 suites.

Lo PAGÁN *Murcia – ver San Pedro del Pinatar.*

LORCA *30800 Murcia* 445 **S 24** – *67 024 h. alt. 331.*
Lope Gisbert (Palacio de Guevara) ☎ (968) 46 61 57.
Madrid 460 – Almería 157 – Cartagena 83 – Granada 221 – Murcia 64.

Jardines de Lorca, Alameda Rafael Méndez ☎ (968) 47 05 99, *Fax (968) 47 07 19* – 25/500. AE E VISA. rest
Comida carta 2625 a 3150 – 1000 – **45 hab** 9350/11550.

Alameda sin rest, Musso Valiente 8 ☎ (968) 40 66 00, *Fax (968) 40 66 44* – AE E VISA
400 – **40 hab** 6000/8000.

XX **El Teatro,** pl. Colón 12 ✆ (968) 46 99 09 – ▤. AE E VISA
cerrado domingo y agosto – **Comida** carta 2000 a 2900.

X Rincón de los Valientes, Rincón de los Valientes 3 ✆ (968) 44 12 63 – ▤.

en la antigua carretera de Granada *SO : 3 km – ✉ 30800 Lorca :*

Amaltea, polígono Los Peñones ✆ (968) 40 65 65, *Fax (968) 40 69 89*, « Jardín con », – ▤ TV ☎ P – 25/800. AE ⓓ VISA.
Comida *(cerrado domingo en julio y agosto)* 3000 – ☕ 1000 – **58 hab** 12100/15100.

LOREDO *39140 Cantabria* 442 **B 18** – *Playa.*
Madrid 409 – Bilbao/Bilbo 96 – Santander 26.

El Encinar sin rest, callejo de los Beatos-Latas, ✉ 39140 Somo, ✆ (942) 50 40 33, *Fax (942) 50 02 44* – P.
Semana Santa y julio-15 septiembre – **19 hab** ☕ 6500/8500.

X **Latas,** barrio de Latas ✆ (942) 50 42 33, *Fax (942) 50 92 36*, – ▤ P. ⓓ E VISA.
cerrado domingo noche, del 15 al 30 de septiembre y del 15 al 31 de diciembre – **Comida** carta 2225 a 3600.

LOURIDO (Playa de) *Pontevedra – ver Pontevedra.*

LOYOLA *Guipúzcoa – ver Azpeitia.*

LUANCO *33440 Asturias* 441 **B 12** – *Playa.*
Ver : *Cabo de Peñas★.*
Madrid 478 – Gijón 15 – Oviedo 43.

Aramar, Gijón 10 ✆ (98) 588 00 25, *Fax (98) 588 00 25* – TV ☎. AE ⓓ E VISA.
Comida 1700 – ☕ 400 – **31 hab** 6000/8000 – PA 2500.

X **Casa Néstor,** Conde Real Agrado 6 ✆ (98) 588 03 15
AE E VISA.
cerrado lunes noche y del 1 al 15 de octubre – **Comida** carta aprox. 4300.

LUARCA *33700 Asturias* 441 **B 10** – *19 920 h.* – *Playa.*
Ver : *Emplazamiento★ (≤★).*
Excurs. : *SO, Valle del Navia : recorrido de Navia a Grandas de Salime (✻★★ Embalse de Arbón, Vivedro ✻★★, confluencia★★ de los ríos Navia y Frío).*
Olabarrieta (Capilla Palacio del Marqués de Ferrera) ✆ *(98) 564 00 83.*
Madrid 536 – La Coruña/A Coruña 226 – Gijón 97 – Oviedo 101.

Gayoso, paseo de Gómez 4 ✆ (98) 564 00 50, *Fax (98) 547 02 71* – TV ☎
temp – **33 hab.**

Báltico sin rest y sin ☕, paseo del muelle 1 ✆ (98) 564 09 91, *Fax (98) 564 09 91*, ≤ – TV ☎. VISA.
15 hab 10000.

Rico sin rest, pl. Alfonso X el Sabio 6 ✆ (98) 547 05 59 – TV ☎. E VISA.
cerrado Navidades – ☕ 300 – **15 hab** 8000.

XX **Villa Blanca,** av. de Galicia 25 ✆ (98) 564 10 79, *Fax (98) 564 10 79* – ▤. AE ⓓ E VISA.
Comida carta 2000 a 4400.

X **Sport,** Rivero 8 ✆ (98) 564 10 78, *Fax (98) 564 16 93* – AE ⓓ E VISA.
cerrado jueves noche (salvo verano y festivos) y del 15 al 31 de octubre – **Comida** - pescados y mariscos - carta 3150 a 4700.

X **Brasas,** Aurelio Martínez 4 ✆ (98) 564 02 89 – E VISA.
cerrado martes y noviembre – **Comida** carta 2650 a 3700.

en Almuña *SE : 2 km – ✉ 33700 Luarca :*

Casa Manoli sin rest, carret. de Paredes y desvío a la izquierda 1 km ✆ (98) 547 00 40, *Fax (98) 547 00 40*, ≤, – TV P.
☕ 325 – **9 hab** 6000.

en Otur *O : 6 km – ✉ 33792 Otur :*

Casa Consuelo, carret. N 634 ✆ (98) 547 07 67, *Fax (98) 564 16 42*, ≤ – TV ☎ P. AE ⓓ E VISA.
Comida (ver rest. ***Casa Consuelo***) – ☕ 500 – **38 hab** 5000/6500.

El Rocío, carret. N 634 ☎ (98) 564 15 07, *Fax (98) 564 15 07* – **VISA**.
Comida 1000 – 350 – **21 hab** 7000 – PA 2350.

Casa Consuelo, carret. N 634 ☎ (98) 564 18 09, *Fax (98) 564 16 42* – AE E VISA.
cerrado lunes salvo julio y agosto – **Comida** carta 4500 a 7500.

LUCENA *14900 Córdoba* 446 T 16 – *32 054 h. alt. 485.*
Madrid 471 – Antequera 57 – Córdoba 73 – Granada 150.

Baltanás sin rest y sin, av. del Parque 10 ☎ (957) 50 05 24, *Fax (957) 50 12 72* – AE E VISA
39 hab 4000/6000.

en la carretera N 331 *SO : 2,5 km – ✉ 14900 Lucena :*

Los Bronces, ☎ (957) 50 09 12, *Fax (957) 50 09 12*, – AE E VISA JCB.
Comida - espec. en asados - carta 3100 a 4200 – 275 – **41 hab** 5000/8000.

LUGO *27000* P 441 C 7 – *87 605 h. alt. 485.*
Ver : *Murallas★★ – Catedral★ (portada Norte : Cristo en Majestad★)* Z **A**.
pr. Maior 27 (galerías) ✉ 27001 ☎ (982) 23 13 61 – **R.A.C.E.** *Das Hermanitas 1 (entlo.) ✉ 27002 ☎ (982) 25 07 11 Fax (982) 25 07 11.*
Madrid 506 ② – La Coruña/A Coruña 97 ④ – Orense/Ourense 96 ③ – Oviedo 255 ① – Santiago de Compostela 107 ③

LUGO

Conde Pallarés	Z 15
Doctor Castro	Z 27
Praza Maior	Z 45
Progreso	Y 47
Quiroga Ballesteros	Y 50
Raíña	Y 53
San Marcos	Y 68
San Pedro	Z 71
Santo Domingo (Pr. de)	YZ 77
Xeneral Franco	Y 85
Ánxel López Pérez (Av.)	Z 2
Bispo Aguirre	Z 3
Bolaño Rivadeneira	Y 5
Campo (Pr. del)	Z 8
Comandante Manso (Pr.)	Z 12
Coruña (Av. de la)	Y 21
Cruz	Z 23
Dezaoito de Xullo (Av. del)	Y 24
Montero Ríos (Av.)	Z 37
Paxariños	Z 39
Pío XII (Pr. de)	Z 43
Ramón Ferreiro	Z 56
Rodríguez Mourelo (Av.)	Z 62
San Fernando	Y 65
Santa María (Pr. de)	Z 74
Teniente Coronel Teijeiro	YZ 78
Tineria	Z 80
Vilalba	Z 83

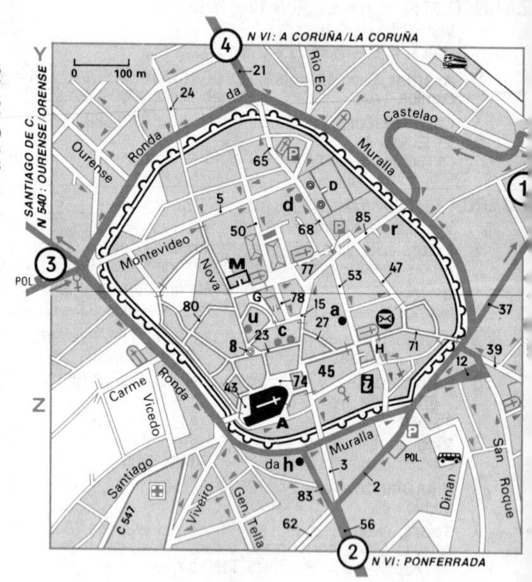

G.H. Lugo, av. Ramón Ferreiro 21, ✉ 27002, ☎ (982) 22 41 52, *Fax (982) 24 16 60*, – 25/350. AE E VISA JCB.
Comida 3800 – 1400 – **156 hab** 12700/15900, 12 suites.
por av. Ramón Ferreiro Z

Méndez Núñez sin rest, Raiña 1, ✉ 27001, ☎ (982) 23 07 11, *Fax (982) 22 97 38* – 25/100. E VISA Z a
450 – **86 hab** 5500/7500.

España sin rest y sin, Vilalba 2 bis, ✉ 27002, ☎ (982) 23 15 40 – Z h
17 hab 2800/4700.

XX **La Barra,** San Marcos 27, ✉ 27001, ☎ (982) 25 29 20, *Fax (982) 25 30 22* – ▤. AE ⓓ E VISA. ✻ Y d
cerrado domingo – **Comida** carta 3875 a 5075.

XX Alberto, Cruz 4, ✉ 27001, ☎ (982) 22 83 10, *Fax (982) 25 13 58* – ▤ Z c

XX **Antonio,** av. das Américas 87, ✉ 27004, ☎ (982) 21 64 70, *Fax (982) 21 63 13* – ▤ Ⓟ. AE ⓓ E VISA. ✻ por ③
Comida carta 2700 a 4500.

XX **España,** Xeneral Franco 10, ✉ 27001, ☎ (982) 22 60 16 – ▤. AE ⓓ E VISA. ✻ Y r
Comida carta 2050 a 3200.

XX **Verruga,** Cruz 12, ✉ 27001, ☎ (982) 22 98 55, *Fax (982) 22 98 18* – ▤. AE ⓓ E VISA JCB Z c
cerrado lunes – **Comida** carta aprox. 4250.

X **Campos,** Nova 4, ✉ 27001, ☎ (982) 22 97 43 – ▤. AE ⓓ E VISA Z u
cerrado del 15 al 30 de octubre – **Comida** carta 2750 a 4350.

en la carretera N 640 *por ① : 4 km – ✉ 27192 Muja :*

Jorge I, La Campiña ☎ (982) 22 34 55, *Fax (982) 25 01 07* – ▤ rest, TV ☎ 🚗 Ⓟ. AE E VISA JCB. ✻
Comida 1500 – ☕ 550 – **30 hab** 5400/6700 – PA 3100.

en la carretera N VI :

Los Olmos sin rest, por ④ : 3 km, ✉ 27298 Bocamaos, ☎ (982) 20 00 32, *Fax (982) 21 59 18* – |‡| TV ☎ 🚗 Ⓟ. AE ⓓ E VISA. ✻
☕ 400 – **70 hab** 3500/6000.

Torre de Nuñez, Conturiz - por ② : 4,5 km, ✉ 27160 Conturiz, ☎ (982) 30 40 40, *Fax (982) 30 43 93* – |‡|, ▤ rest, TV ☎ 🚗 Ⓟ. AE E VISA. ✻
Comida 1215 – ☕ 420 – **129 hab** 3880/5610.

XX **O Muiño,** entre ② y ③ : 2 km, ✉ 27294 Lugo, ☎ (982) 23 05 50, « Terrazas al borde del río. Decoración rústica » – ▤ Ⓟ. AE ⓓ E VISA. ✻
cerrado lunes – **Comida** carta 2850 a 3600.

en la carretera N 540 *por ③ : 4,5 km – ✉ 27294 Esperante :*

Santiago, ☎ (982) 25 03 18, *Fax (982) 25 26 00*, 🏊, 🎾 – |‡| ▤ TV ☎ 🚗 Ⓟ – 🏛 25/700. AE ⓓ E VISA. ✻
Comida 1300 – ☕ 500 – **60 hab** 7000/12000.

MACAEL *04867 Almería* 446 U 23 – *5 961 h. alt. 535.*
Madrid 531 – Almería 113 – Murcia 145.

Villa de Macael sin rest, av. de Andalucía ☎ (950) 44 55 13, 🏊, 🎾 – ▤ TV ☎ Ⓟ. VISA
☕ 500 – **12 hab** 4240/6360.

MAÇANET DE CABRENYS *Gerona – ver Massanet de Cabrenys.*

MADREMANYA *17462 Gerona* 443 G 38 – *179 h. alt. 177.*
Madrid 717 – Barcelona 115 – Gerona/Girona 19 – Figueras/Figueres 49 – Palafrugell 21.

XX **La Plaça,** Sant Esteve 17 ☎ (972) 49 04 87, *Fax (972) 49 04 87*, 🏡, « Decoración moderna en un marco rústico » – ▤ Ⓟ. AE E VISA. ✻
cerrado de domingo noche a jueves mediodía (en invierno) y 15 enero-15 febrero – **Comida** - sólo cena en verano salvo fines de semana - carta 2850 a 4000.

MADRID

28000 P 444 K 19 – *3 084 673 h. alt. 646.*

Barcelona 627 ② – *Bilbao/Bilbo 397* ① – *La Coruña/A Coruña 603* ⑦ – *Lisboa 653* ⑥ – *Málaga 548* ④ – *Paris 1310* ① – *Porto 599* ⑦ – *Sevilla 550* ④ – *Valencia 351* ③ – *Zaragoza 322* ②.

OFICINAS DE TURISMO

- *Duque de Medinaceli 2,* ✉ *28014,* ☎ *(91) 429 49 51.*
- *Pl. Mayor 3,* ✉ *28012,* ☎ *(91) 366 54 77.*
- *Mercado Puerta de Toledo,* ✉ *28005,* ☎ *(91) 364 18 76.*
- *Estación de Chamartín,* ✉ *28036,* ☎ *(91) 315 99 76.*
- *Aeropuerto de Madrid-Barajas,* ✉ *28042* ☎ *(91) 305 86 56.*

INFORMACIONES PRÁCTICAS

BANCOS Y OFICINAS DE CAMBIO

Principales bancos :
invierno (abiertos de lunes a viernes de 8.30 a 14 h. y sábados de 8.30 a 14 h. salvo festivos).
verano (abiertos de lunes a viernes de 8.30 a 14 h. salvo festivos).
En las zonas turísticas suele haber oficinas de cambio no oficiales.

TRANSPORTES

Taxi : *cartel visible indicando LIBRE durante el día y luz verde por la noche. Compañías de radio-taxi.*

Metro y Autobuses : *Una completa red de metro y autobuses enlaza las diferentes zonas de Madrid. Para el aeropuerto existe línea de autobuses con su terminal urbana en Pl. de Colón (parking subterráneo).*

Aeropuerto y Compañías Aéreas :
✈ *Aeropuerto de Madrid-Barajas por* ② *: 13 km,* ☎ *(91) 393 60 00.*
Iberia, Velázquez 130, ✉ *28006,* ☎ *(91) 587 87 87* HV.
Iberia, aeropuerto, ✉ *28042,* ☎ *(91) 329 57 67.*
Aviaco, Maudes 51, ✉ *28003,* ☎ *(91) 534 42 00* FV.

ESTACIONES DE TREN

Chamartín, 🚗 ☎ *(91) 733 11 22* HR.
Atocha, ☎ *(91) 328 90 20* GZY.

RACE *(Real Automóvil Club de España)*

José Abascal 10, ✉ 28003, ☎ (91) 447 32 00, Fax (91) 593 20 64 BL.

HÍPICA Y CAMPOS DE GOLF

Hipódromo de la Zarzuela, ☎ (91) 307 01 40 AL.

18, 18 *Puerta de Hierro ☎ (91) 316 17 45* AL

9, 18 *Club de Campo ☎ (91) 357 21 32* AL

18 *La Moraleja por ① : 11 km ☎ (91) 650 07 00*

9 *Club Barberán por ⑤ : 10 km ☎ (91) 509 11 40*

18 *Las Lomas – El Bosque por ⑤ : 18 km ☎ (91) 616 75 00*

18 *Real Automóvil Club de España por ① : 28 km ☎ (91) 657 00 11*

18 *Nuevo Club de Madrid, Las Matas por ⑦ : 26 km ☎ (91) 630 08 20*

9 *Somosaguas O : 10 km por Casa de Campo ☎ (91) 352 16 47* AM

9 *Club Olivar de la Hinojosa, por M-40 ☎ (91) 721 18 89* CL

ALQUILER DE COCHES

AVIS, ☎ (91) 348 03 48 – EUROPCAR, ☎ (91) 721 12 22 – HERTZ, ☎ (91) 372 93 00 – BUDGET, ☎ (91) 402 14 80 – EURODOLLAR ATESA, ☎ (91) 561 48 00.

CURIOSIDADES

PANORÁMICAS DE MADRID

Faro de Madrid : ✳ ★★ DV – *Edificio España :* ← ★ KV.

MUSEOS

Museo del Prado★★★ NY – *Museo Thyssen Bornemisza*★★★ MY **M⁶** – *Palacio Real*★★ KX *(Palacio*★ *: Salón del trono*★*, Real Armería*★★*, Museo de Carruajes Reales*★ DY **M¹***)* – *Museo Arqueológico Nacional*★★ *(Dama de Elche*★★★*)* NV – *Museo Lázaro Galdiano*★★ *(colección de esmaltes y marfiles*★★★*)* HV **M⁴** – *Casón del Buen Retiro*★ NY – *Museo Nacional Centro de Arte Reina Sofía*★ *(El Guernica*★★★*)* MZ – *Museo del Ejército*★ NY – *Museo de América*★ *(Tesoro de los Quimbayas*★*, Códice Trocortesiano*★★★*)* DV – *Real Academia de Bellas Artes de San Fernando*★ LX **M²** – *Museo Cerralbo*★ KV – *Museo Sorolla*★ GV **M⁵** – *Museo de la Ciudad (maquetas*★*)* HU – *Museo de Cera*★ NV – *Museo Naval (maquetas*★*, mapa de Juan de la Cosa*★★*)* MXY **M³.**

IGLESIAS Y MONASTERIOS

Monasterio de las Descalzas Reales★★ KLX – *Iglesia de San Francisco el Grande (sillería*★*, sillería de la sacristía*★*)* KZ – *Real Monasterio de la Encarnación*★ KX – *Iglesia de San Antonio de la Florida (frescos*★★*)* DX.

BARRIOS HISTÓRICOS

Barrio de Oriente★★ KVXY – *El Madrid de los Borbones*★★ MNXYZ – *El Viejo Madrid*★ KYZ.

LUGARES PINTORESCOS

Plaza Mayor★★ KY – *Parque del Buen Retiro*★★ NYZ – *Zoo*★★ AM – *Plaza de la Villa*★ KY – *Jardines de las Vistillas (*✳ ★*)* KYZ – *Campo del Moro*★ DY – *Ciudad Universitaria*★ DV – *Casa de Campo*★ DX – *Plaza de la Cibeles*★ MNX – *Paseo del Prado*★ MNXYZ – *Puerta de Alcalá*★ NX – *Plaza Monumental de las Ventas*★ JV **B** – *Parque del Oeste*★ DV.

COMPRAS

Grandes almacenes : *calles Preciados, Carmen, Goya, Serrano, Arapiles, Princesa, Raimundo Fernández Villaverde.*

Centros comerciales : *El Jardín de Serrano, ABC, La Galería del Prado, La Vaguada.*

Comercios de lujo : *calles Serrano, Velázquez, Goya, Ortega y Gasset.*

Antigüedades : *calle del Prado, barrio de Las Cortes, barrio Salamanca, calle Ribera de Curtidores (El Rastro).*

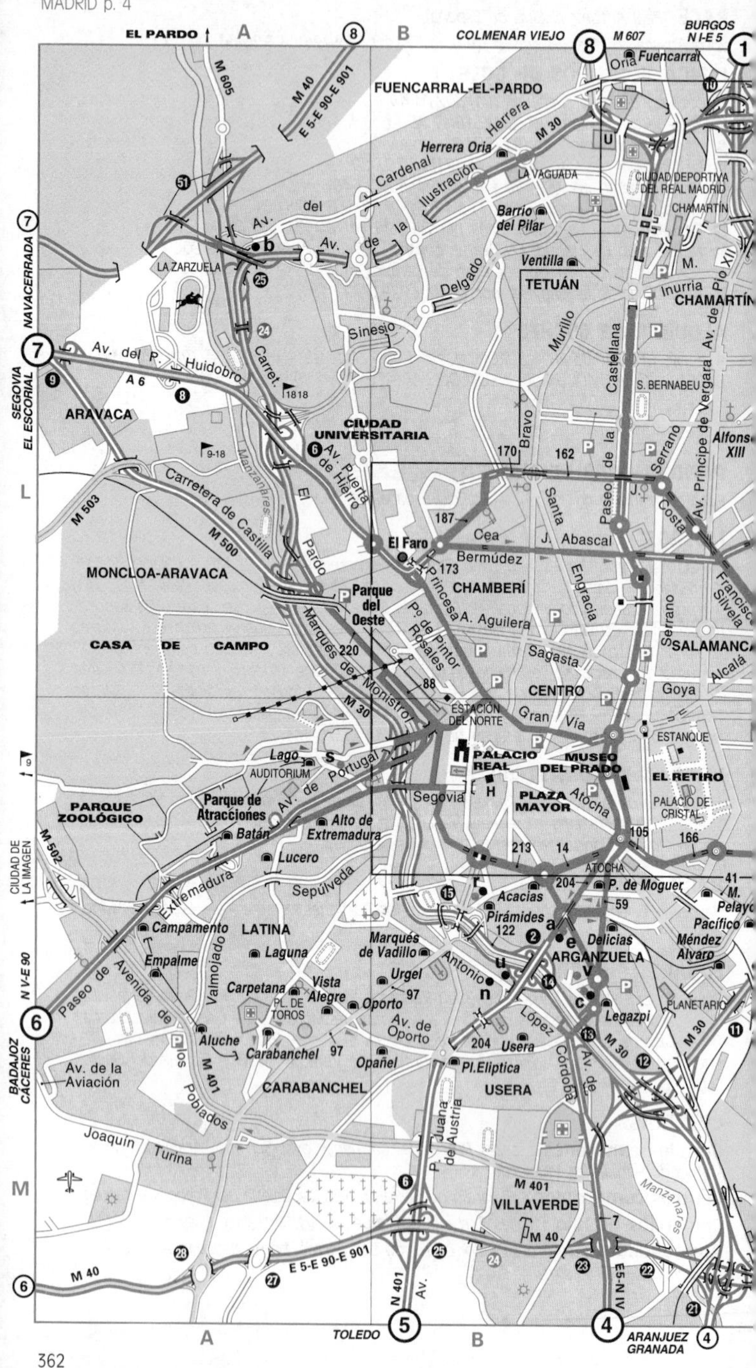
EL PARDO
COLMENAR VIEJO
BURGOS N I-E 5
FUENCARRAL-EL-PARDO
Herrera Oria
Fuencarral
LA VAGUADA
CIUDAD DEPORTIVA DEL REAL MADRID
CHAMARTÍN
Barrio del Pilar
Ventilla
TETUÁN
NAVACERRADA
SEGOVIA EL ESCORIAL
LA ZARZUELA
Av. del P. Huidobro
ARAVACA
CIUDAD UNIVERSITARIA
S. BERNABEU
Alfonso XIII
MONCLOA-ARAVACA
El Faro
CHAMBERÍ
Parque del Oeste
CASA DE CAMPO
SALAMANCA
CENTRO
ESTACIÓN DEL NORTE
PALACIO REAL
MUSEO DEL PRADO
EL RETIRO
ESTANQUE
PALACIO DE CRISTAL
PLAZA MAYOR
ATOCHA
AUDITORIUM
PARQUE ZOOLÓGICO
Parque de Atracciones
Batán
Lago
Alto de Extremadura
Lucero
CIUDAD DE LA IMAGEN
Campamento
LATINA
Laguna
Empalme
Carpetana
PL. DE TOROS
Vista Alegre
Oporto
Urgel
Marqués de Vadillo
Pirámides
Acacias
P. de Moguer
Delicias
ARGANZUELA
Legazpi
PLANETARIO
Pacífico
Méndez Álvaro
Aluche
Carabanchel
Opañel
Usera
Pl. Elíptica
USERA
CARABANCHEL
BADAJOZ CÁCERES
N V-E 90
Av. de la Aviación
VILLAVERDE
M 40
E 5-E 90-E 901
TOLEDO
ARANJUEZ GRANADA

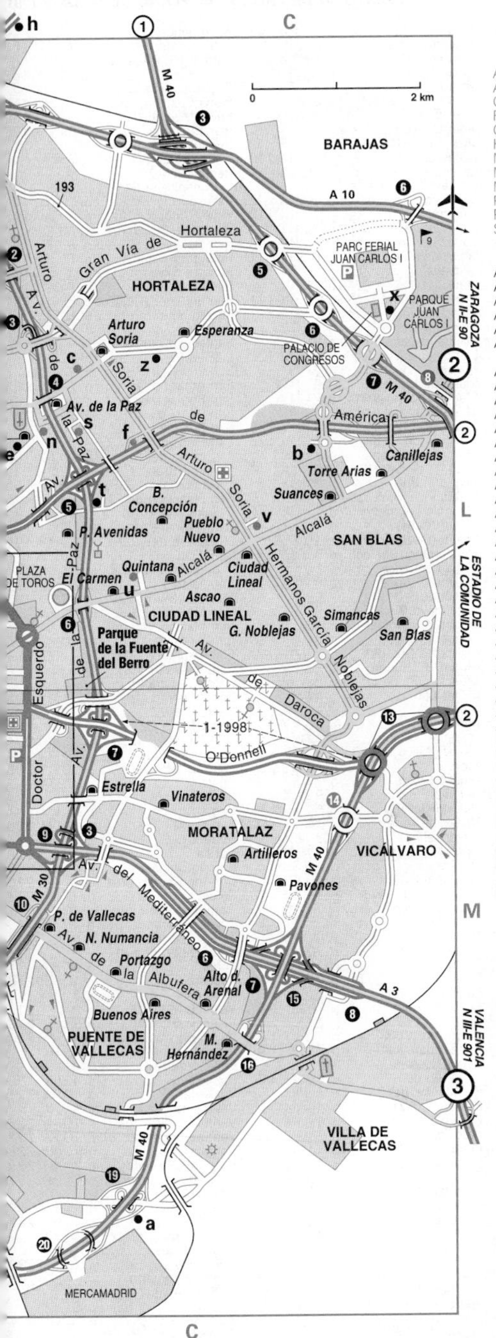

REPERTORIO DE CALLES DEL PLANO DE MADRID

Alcalá	p. 11	MX	
Arenal	p. 10	KY	
Carmen	p. 10	LX	
Fuencarral	p. 10	LV	
Gran Vía	p. 10	LX	
Hortaleza	p. 10	LX	
Mayor (Calle)	p. 10	KY	
Mayor (Plaza)	p. 10	KY	
Montera	p. 10	LX	
Preciados	p. 10	LX	155
Puerta del Sol (Pl.)	p. 10	LY	
San Jerónimo (Carrera de)	p. 10	LY	191
Agustín de Foxá	p. 7	HR	
Alberto Aguilera	p. 8	EV	
Alberto Alcocer (Av. de)	p. 7	HS	
Albufera (Av. de la)	p. 5	CM	
Alcalá	p. 11	MX	
Alcalde Sáinz de Baranda	p. 9	HY	
Alfonso XI	p. 11	NX	
Alfonso XII	p. 11	NX	
Alfonso XIII (Av. de)	p. 7	HS	
Almagro	p. 9	GV	
Almirante	p. 11	MV	
Alonso Cano	p. 7	FU	
Alonso Martínez (Pl.)	p. 11	MV	
Álvarez Gato	p. 10	LY	6
Amaniel	p. 10	KV	
América (Av. de)	p. 5	CL	
Andalucía (Av. de)	p. 4	BM	7
Antonio López	p. 4	BM	
Antonio Maura	p. 11	NY	
Apodaca	p. 10	LV	
Arapiles	p. 8	EV	
Arenal	p. 10	KY	
Argensola	p. 11	MV	
Argumosa	p. 10	LZ	
Arrieta	p. 10	KX	13
Arturo Soria	p. 5	CL	
Atocha	p. 10	LY	
Atocha (Ronda de)	p. 8	FZ	14
Ave María	p. 10	LZ	
Aviación (Av. de la)	p. 4	AM	
Ávila	p. 7	FT	
Ayala	p. 11	NV	18
Bailén	p. 10	KY	
Bárbara de Braganza	p. 11	NV	19
Barceló	p. 10	LV	
Barco	p. 10	LV	
Barquillo	p. 11	MX	
Bilbao (Glorieta de)	p. 10	LV	
Blasco de Garay	p. 8	EV	
Bola	p. 10	KX	
Bravo Murillo	p. 7	FT	
Burgos (Av. de)	p. 7	HR	
Caídos de la División Azul	p. 7	HS	21
Callao (Pl. del)	p. 10	LX	22
Canalejas (Pl. de)	p. 10	LY	
Cánovas del Castillo (Pl.)	p. 11	MY	
Capitán Blanco Argibay	p. 7	FS	
Capitán Haya	p. 7	GS	25
Card. Herrera Oria (Av. del)	p. 4	BL	
Carmen	p. 10	LX	
Carranza	p. 8	FV	
Carretas	p. 10	LY	
Cartagena	p. 9	HV	
Cascorro (Pl. de)	p. 10	LZ	
Castellana (Paseo)	p. 11	NV	
Castilla (Carret. de)	p. 4	AL	
Castilla (Pl. de)	p. 7	GS	
Cava Alta	p. 10	KZ	35
Cava Baja	p. 10	KZ	36
Cava de San Miguel	p. 10	KY	39
Cea Bermúdez	p. 8	EV	
Cebada (Pl. de la)	p. 10	KZ	
Cibeles (Pl. de)	p. 11	MX	
Cinca	p. 7	HT	
Ciudad de Barcelona (Av.)	p. 11	NZ	41
Claudio Moyano	p. 11	NZ	
Colegiata	p. 10	LZ	
Colón	p. 10	LV	

Continuación Madrid p. 6

Calle	Página	Cuadrícula	Nº
Colón (Pl. de)	p. 11	NV	44
Comandante Zorita	p. 7	FT	45
Complutense (Av.)	p. 8	DU	
Concepción Jerónima	p. 10	LY	48
Concha Espina (Av.)	p. 7	HT	
Conde de Casal (Pl.)	p. 9	JZ	
Conde de Peñalver	p. 9	HV	
Conde de Romanones	p. 10	LY	51
Conde Duque	p. 10	KV	
Córdoba (Av. de)	p. 4	BM	
Corredera Baja de San Pablo	p. 10	LV	
Cortes (Pl. de las)	p. 11	MY	53
Costa Rica	p. 7	HS	55
Cruz	p. 10	LY	
Cuatro Caminos (Glta)	p. 7	FU	56
Cuchilleros	p. 10	KY	58
Cuzco (Pl. de)	p. 7	GS	
Daroca (Av. de)	p. 5	CM	
Delicias (Pas. de las)	p. 4	BM	59
Diego de León	p. 9	HV	
Divino Pastor	p. 10	LV	
Dr Arce (Av. del)	p. 7	HU	62
Dr Esquerdo	p. 9	JX	
Dr Fléming	p. 7	GT	63
Don Pedro	p. 10	KZ	
Don Ramón de la Cruz	p. 9	HV	
Donoso Cortés	p. 8	EV	
Dos de Mayo (Pl.)	p. 10	LV	
Dulcinea	p. 7	FT	
Duque de Alba	p. 10	LZ	65
Echegaray	p. 10	LY	66
Eduardo Dato (Pas.)	p. 9	GV	
Eloy Gonzalo	p. 8	FV	
El Pardo (Carret. de)	p. 4	AL	
Embajadores	p. 10	LZ	
Embajadores (Glta)	p. 8	FZ	
Emilio Castelar (Glta)	p. 9	HV	
Emperador Carlos V (Plaza)	p. 11	NZ	
Enrique Larreta	p. 7	HS	76
Espalter	p. 11	NZ	
España (Pl. de)	p. 10	KV	
Espíritu Santo	p. 10	LV	
Espoz y Mina	p. 10	LY	79
Estébanez Calderón	p. 7	GS	80
Estudios	p. 10	KZ	82
Extremadura (Pas de)	p. 4	AM	
Felipe IV	p. 11	NY	
Félix Boix	p. 7	HS	
Fernando VI	p. 11	MV	
Fernando El Católico	p. 8	EV	
Fernando el Santo	p. 11	NV	85
Ferraz	p. 8	DX	
Filipinas (Av.)	p. 8	EV	
Florida (Pas. de la)	p. 8	DX	88
Francisco Gervás	p. 7	GS	
Francisco Silvela	p. 9	HV	
Francisco Suárez	p. 7	HS	
Fray Bernardino Sahagún	p. 7	HS	90
Fuencarral	p. 10	LV	
García de Paredes	p. 9	GV	
Gen. Ibáñez de Ibero	p. 8	EU	
Gen. López Pozas	p. 7	HS	92
Gen. M. Campos	p. 9	GV	
Gen. Moscardó	p. 7	FT	95
Gen. Perón (Av.)	p. 7	GT	
Gen. Ricardos	p. 4	BM	97
Gen. Vara del Rey (Pl.)	p. 10	KZ	99
Gen. Yagüe	p. 7	GT	
Génova	p. 11	NV	
Goya	p. 11	NV	100
Gran Vía	p. 10	LX	
Guzmán El Bueno	p. 8	EV	
La Habana (Pas. de)	p. 7	HT	
Hermanos García Noblejas	p. 5	CL	
Hermosilla	p. 11	NV	
Hernani	p. 7	FT	
Hortaleza	p. 10	LX	
Hortaleza (Gran Vía)	p. 5	CL	
Huertas	p. 11	MZ	
Ibiza	p. 9	HY	
Ilustración (Av. de la)	p. 4	BL	
Imperial (Paseo)	p. 8	DZ	
Independencia (Pl.)	p. 11	NX	103
Infanta Isabel (Pas.)	p. 11	NZ	105
Infanta Mercedes	p. 7	FS	
Infantas	p. 10	LX	
Isaac Peral	p. 8	DV	
Isabel II (Pl. de)	p. 10	KX	
Jacinto Benavente (Pl.)	p. 10	LY	
Jerez	p. 7	HS	107
Joaquín Costa	p. 7	HU	
Joaquín Turina	p. 4	AM	
Jorge Juan	p. 9	HX	
José Abascal	p. 8	FV	
J. Ortega y Gasset	p. 9	HV	
Juan Bravo	p. 9	HV	
Juan Duque	p. 8	DY	
Juan Ramón Jiménez	p. 7	HS	
Lagasca	p. 9	HX	116
Lavapiés	p. 10	LZ	
Lealtad (Pl. de la)	p. 11	NY	
Leganitos	p. 10	KX	
Libreros	p. 10	KX	119
Lima (Pl. de)	p. 7	GT	
López de Hoyos	p. 9	HV	
López de Hoyos (Glta)	p. 9	HV	
Luchana	p. 8	FV	
Luna	p. 10	KV	
Madrazo (Los)	p. 11	MY	121
Madre de Dios	p. 7	HS	
Magdalena	p. 10	LZ	
Manuel Becerra (Pl. de)	p. 9	JX	
Manzanares (Av. del)	p. 4	BM	122
Marcenado	p. 7	HT	
María de Molina	p. 9	HV	
Mariano de Cavia (Pl.)	p. 9	HY	
M. de Monistrol (Pas.)	p. 4	AL	
M. de Salamanca (Pl.)	p. 9	HV	125
Marqués de Urquijo	p. 8	DV	126
Marqués de Viana	p. 7	FS	
Marqués de Zafra (Pas.)	p. 9	JX	
Mateo Inurria	p. 7	HS	
Maudes	p. 7	FU	
Mauricio Legendre	p. 7	HR	
Mayor (Calle)	p. 10	KY	
Mayor (Plaza)	p. 10	KY	
Mediterráneo (Av. del)	p. 5	CM	
Mejía Lequerica	p. 10	LV	132
Meléndez Valdés	p. 8	EV	
Menéndez y Pelayo (Av.)	p. 9	HY	
Mesón de Paredes	p. 10	LZ	
Miguel Ángel	p. 9	GV	136
Miraflores (Av. de)	p. 4	AL	
Modesto Lafuente	p. 8	FV	
Moncloa (Pl. de la)	p. 8	DV	
Montalbán	p. 11	NX	
Montera	p. 10	LX	
Montserrat	p. 10	KV	
Moratín	p. 11	MZ	
Moret (Paseo de)	p. 8	DV	
Moreto	p. 11	NY	
Murillo (Pl. de)	p. 11	NZ	
Narváez	p. 9	HX	
Nicasio Gallego	p. 8	FV	138
Núñez de Arce	p. 10	LY	140
O'Donnell	p. 9	HX	
Oporto (Av. de)	p. 4	BM	
Orense	p. 7	GS	
Oriente (Pl. de)	p. 10	KX	
Pablo Iglesias (Av.)	p. 8	EU	142
Padre Damián	p. 7	HS	
Padre Huidobro (Av. del)	p. 4	AL	
Paja (Pl. de la)	p. 10	KZ	
Palma	p. 10	KV	
Paraguay	p. 7	HS	
La Paz (Av. de)	p. 5	CL	
Pedro Teixeira	p. 7	GT	145
Pez	p. 10	LV	
Pinos Alta	p. 7	FS	146
Pintor Juan Gris	p. 7	FS	148
Pintor Rosales (Paseo del)	p. 8	DX	
Pío XII (Av. de)	p. 7	HS	
Poblados (Av.)	p. 4	AM	
Portugal (Av. de)	p. 4	AM	
Pradillo	p. 7	HT	
Prado	p. 11	MY	
Prado (Pas. del)	p. 11	NZ	
Preciados	p. 10	LX	155
Presidente Carmona	p. 7	FT	157
Princesa	p. 10	KV	
Princesa Juana de Austria (Av.)	p. 4	BM	
Príncipe	p. 10	LY	
Príncipe de Vergara	p. 9	HU	
Puerta Cerrada (Pl.)	p. 10	KY	159
Puerta de Hierro (Av.)	p. 8	DV	160
Puerta de Moros (Pl.)	p. 10	KZ	161
Puerta de Toledo (Glta)	p. 8	EZ	
Puerta del Sol (Pl.)	p. 10	LY	
R. Fernández Villaverde	p. 7	FU	162
Ramón y Cajal (Av.)	p. 7	HT	
Recoletos	p. 11	NX	163
Recoletos (Paseo)	p. 11	NV	
Reina Cristina (Pas.)	p. 9	HZ	166
Reina Mercedes	p. 7	FT	168
Reina Victoria (Av.)	p. 8	EU	170
República Argentina (Pl.)	p. 7	HU	
República Dominicana (Pl.)	p. 7	HS	172
Reyes	p. 10	KV	
Reyes Católicos (Av.)	p. 8	DV	173
Ribera de Curtidores	p. 10	KZ	
Ríos Rosas	p. 8	FV	
Rodríguez Marín	p. 7	HT	
Rosa de Silva	p. 7	FS	177
Rosario Pino	p. 7	GS	179
Ruiz Jiménez (Glta)	p. 8	EV	181
Sacramento	p. 10	KY	
Sagasta	p. 10	LV	
Sagrados Corazones (Plaza)	p. 7	HT	
Salvador Dalí (Pl.)	p. 9	HX	
San Amaro (Pl.)	p. 7	FT	183
San Bernardino	p. 10	KV	184
San Bernardo	p. 10	KV	
San Enrique	p. 7	FT	
San Francisco (Carrera de)	p. 10	KZ	186
San Francisco (Gran Vía)	p. 10	KZ	
San Francisco de Sales (Pas.)	p. 8	DV	187
San Jerónimo (Carrera de)	p. 10	LY	191
San Juan de la Cruz (Pl.)	p. 9	GV	
San Justo	p. 10	KY	192
San Luis (Av. de)	p. 5	CL	193
San Marcos	p. 11	MX	
San Mateo	p. 10	LV	
San Millán	p. 10	KZ	196
San Vicente (Cuesta de)	p. 8	DX	
Santa Bárbara (Pl.)	p. 11	MV	
Santa Engracia	p. 11	MV	203
Santa Isabel	p. 11	MZ	
Santa María de la Cabeza (Pas.)	p. 4	BM	204
Santo Domingo (Cuesta Pl. de)	p. 10	KX	205
Segovia	p. 10	KY	
Segovia (Ronda)	p. 8	EY	
Segre	p. 4	AM	
Sepúlveda	p. 7	HT	206
Serrano	p. 7	HU	
Sevilla	p. 10	LY	208
Sinesio Delgado	p. 7	GR	209
Sor Ángela de la Cruz	p. 7	GS	210
Teruel	p. 7	FT	211
Tirso de Molina (Pl.)	p. 10	LZ	
Toledo	p. 10	KZ	
Toledo (Ronda de)	p. 8	EZ	213
Toreros (Av. de los)	p. 9	JV	
Torija	p. 10	KX	
Tudescos	p. 10	LX	216
Uruguay	p. 7	HT	
Valencia	p. 8	FZ	217
Valencia (Ronda)	p. 8	FZ	218
Valladolid (Av. de)	p. 4	AL	220
Valle (Av. del)	p. 8	DU	
Vallehermoso	p. 8	EV	
Valmojado	p. 4	AM	
Valverde	p. 10	LV	221
Velázquez	p. 9	HX	
Ventura de la Vega	p. 10	LY	225
Ventura Rodríguez	p. 10	KV	227
Vergara	p. 10	KY	228
V Andrés Belaunde	p. 7	HT	229
Víctor de la Serna	p. 7	HT	231
Victoria (Av. de la)	p. 8	DV	
Villa (Pl. de la)	p. 10	KY	
Villa de París (Pl.)	p. 11	NV	232
Villanueva	p. 11	NV	
Virgen de los Peligros	p. 10	LX	233
Virgen del Puerto (Pas. de la)	p. 8	DY	
Viriato	p. 8	FV	
Zurbano	p. 9	GV	
Zurbarán	p. 9	GV	237

MADRID

Caídos de la División Azul . . . HS 21
Capitán Haya . . . GS 25
Comandante Zorita . . . FT 45
Costa Rica . . . HS 55
Cuatro Caminos (Glorieta de) . . . FU 56
Doctor Arce (Av. del) . HU 62
Doctor Fléming . . . GT 63
Enrique Larreta . . . HS 76
Estébanez Calderón . . . GS 80
Fray Bernardino Sahagún . . . HS 90
Gen. López Pozas . . . HS 92
Gen. Moscardó . . . FT 95
Jerez . . . HS 107
Pedro Teixeira . . . GT 145
Pinos Alta . . . FS 146
Pintor Juan Gris . . . FS 148
Presidente Carmona . . FT 157
Raimundo Fernández Villaverde . . . FU 162
Reina Mercedes . . . FT 168
República Dominicana (Pl.) . . . HS 172
Rosa de Silva . . . FS 177
Rosario Pino . . . GS 179
San Amaro (Pl.) . . . FT 183
Segre . . . HT 206
Sinesio Delgado . . . GR 209
Sor Ángela de la Cruz . GS 210
Teruel . . . FT 211
Víctor Andrés Belaunde . . . HT 229
Víctor de la Serna . . . HT 231

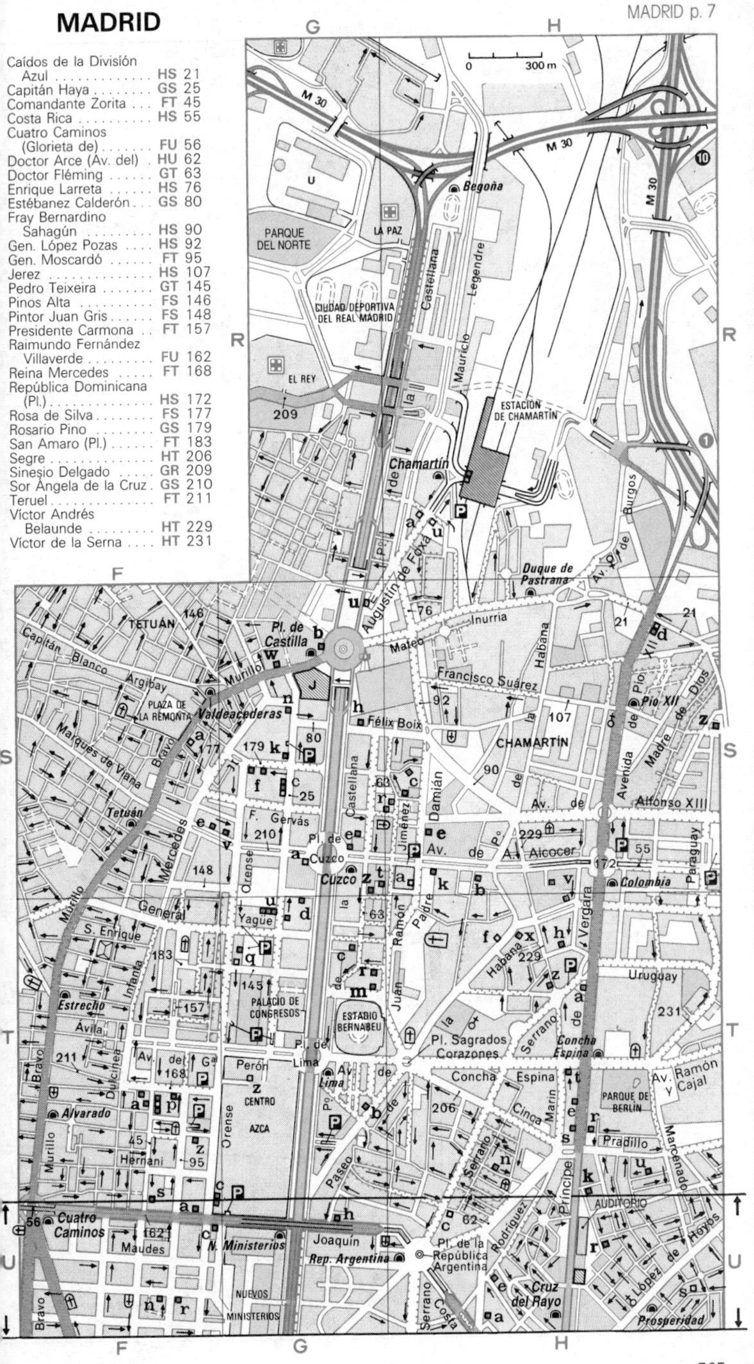

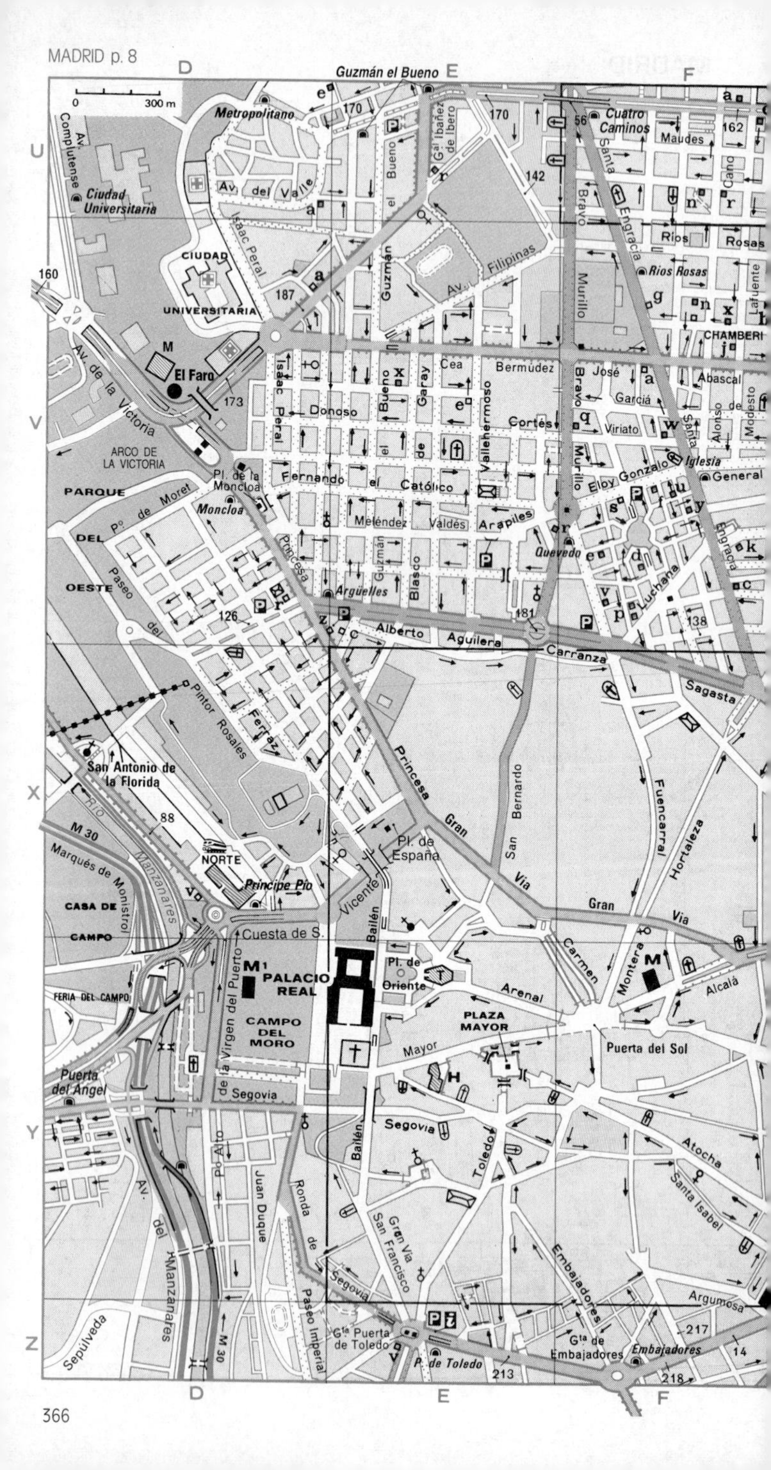
Guzmán el Bueno
Metropolitano
Cuatro Caminos
Ciudad Universitaria
CIUDAD UNIVERSITARIA
Av. del Valle
Av. Filipinas
Ríos Rosas
CHAMBERI
El Faro
Av. de la Victoria
ARCO DE LA VICTORIA
PARQUE DEL OESTE
Pl. de la Moncloa
Moncloa
Fernando el Católico
Meléndez Valdés
Arapiles
Quevedo
Argüelles
Alberto Aguilera
Carranza
Sagasta
Princesa
Paseo del Pintor Rosales
Ferraz
San Antonio de la Florida
Río Manzanares
M 30
Marqués de Monistrol
CASA DE CAMPO
NORTE
Príncipe Pío
Pl. de España
Gran Vía
San Bernardo
Fuencarral
Hortaleza
Cuesta de S. Vicente
Bailén
PALACIO REAL
CAMPO DEL MORO
Pl. de Oriente
Arenal
Carmen
Montera
Alcalá
PLAZA MAYOR
Puerta del Sol
Mayor
FERIA DEL CAMPO
Puerta del Ángel
Segovia
Toledo
Atocha
Santa Isabel
Po. Alto
Juan Duque
Ronda de Segovia
Gran Vía San Francisco
Embajadores
Argumosa
Paseo Imperial
Gta Puerta de Toledo
Pta de Toledo
Gta de Embajadores
Sepúlveda
Av. del Manzanares

MADRID

Atocha (Ronda de)	FZ	14
Florida (Paseo de la)	DX	88
Lagasca	HVX	116
Marqués de Salamanca (Pl.)	HV	125
Marqués de Urquijo	DV	126
Miguel Ángel	GV	136
Puerta de Hierro (Av.)	DV	160
Reina Cristina (Pas.)	HZ	166
Reina Victoria (Av.)	EU	170
Reyes Católicos (Av.)	DV	173
Ruiz Jiménez (Glta)	EV	181
San Francisco de Sales (Pas.)	DV	187
Toledo (Ronda de)	EZ	213
Valencia	FZ	217
Valencia (Ronda de)	FZ	218

Repertorio de calles
ver Madrid p. 5 y p. 6

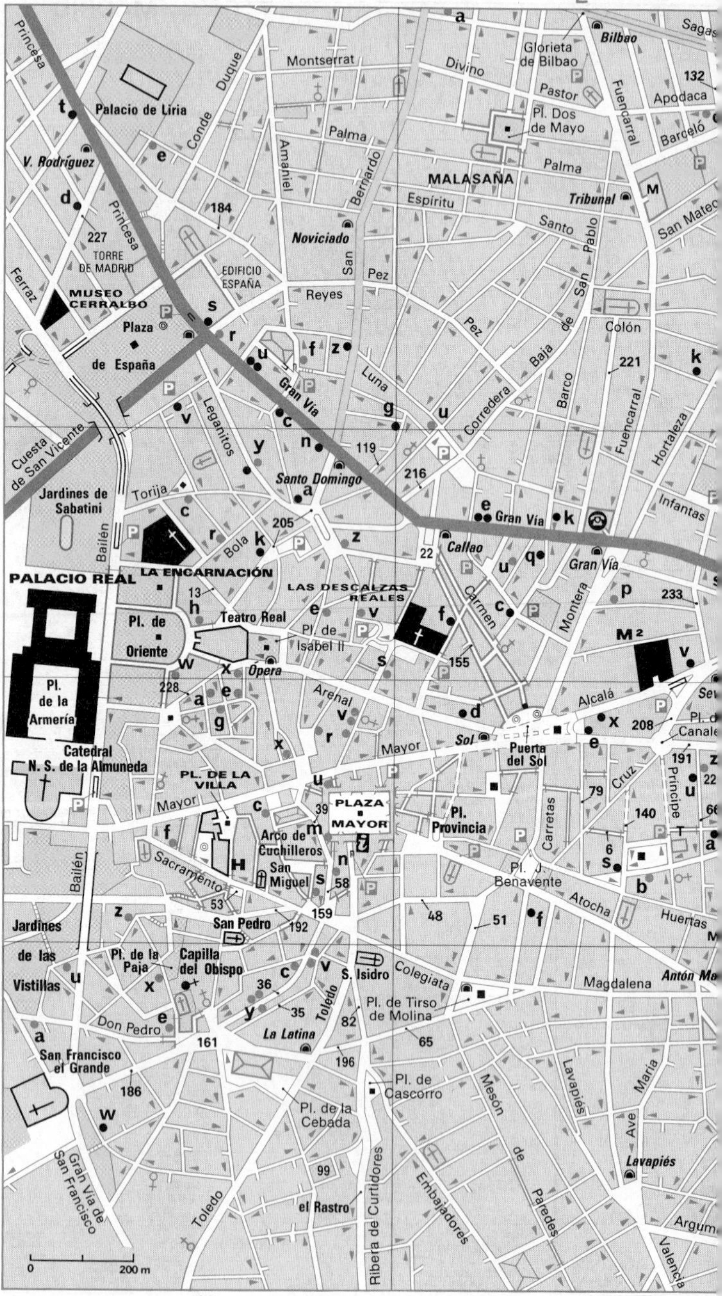

K L

Princesa
Palacio de Liria
V. Rodríguez
Conde Duque
Montserrat
Amaniel
Palma
San Bernardo
Noviciado
Glorieta de Bilbao
Bilbao
Sagasta
Divino Pastor
132
Apodaca
Barceló
Pl. Dos de Mayo
Fuencarral
Palma
MALASAÑA
Espíritu
Tribunal
San Mateo
Santo
San Pablo
184
227
TORRE DE MADRID
EDIFICIO ESPAÑA
Pez
Reyes
Ferraz
MUSEO CERRALBO
Plaza de España
Baja de San Pablo
Colón
221
Gran Vía
Luna
Corredera
Barco
Leganitos
Cuesta de San Vicente
119
216
Santo Domingo
Hortaleza
Jardines de Sabatini
Torija
205
Bailén
Bola
Gran Vía
Infantas
Callao
22
Gran Vía
PALACIO REAL
LA ENCARNACIÓN
LAS DESCALZAS REALES
13
Teatro Real
Pl. de Oriente
Pl. de Isabel II
Carmen
Montera
233
M²
Ópera
155
Pl. de la Armería
228
Arenal
Alcalá
208
Pl. de Canalejas
Catedral N. S. de la Almuneda
Mayor
Sol
Puerta del Sol
191
PL. DE LA VILLA
PLAZA MAYOR
39
Pl. Provincia
Principe
Cruz
79
Carretas
140
Mayor
Arco de Cuchilleros
San Miguel
6
Sacramento
58
Pl. J. Benavente
Atocha
Huertas
53
159
48
51
Jardines de las Vistillas
San Pedro
192
Pl. de la Paja
Capilla del Obispo
S. Isidro
Colegiata
Magdalena
Antón Martín
36
35
Toledo
Pl. de Tirso de Molina
82
Don Pedro
La Latina
65
161
San Francisco el Grande
196
186
Pl. de Cascorro
Lavapiés
María
Mesón de Paredes
Pl. de la Cebada
Ave
Lavapiés
Gran Vía de San Francisco
99
Toledo
el Rastro
Ribera de Curtidores
Embajadores
Argumosa
Valencia
0 200 m

V X Y Z

MADRID

Street	Grid	No.
Alcalá	LMXY	
Arenal	KY	
Carmen	LX	
Fuencarral	LV	
Gran Vía	KLX	
Hortaleza	LVX	
Mayor	KLY	
Mayor (Plaza)	KY	
Montera	LX	
Preciados	LX	155
Puerta del Sol (Pl.)	LY	
San Jerónimo (Carrera de)	LMY	191
Álvarez Gato	LY	6
Arrieta	KX	13
Ayala	NV	18
Bárbara de Braganza	NV	19
Callao (Pl. del)	LX	22
Cava Alta	KZ	35
Cava Baja	KZ	36
Cava de San Miguel	KY	39
Ciudad de Barcelona (Av.)	NZ	41
Colón (Pl. de)	NV	44
Concepción Jerónima	LY	48
Conde de Romanones	LY	51
Cortes (Pl. de las)	MY	53
Cuchilleros	KY	58
Duque de Alba	LZ	65
Echegaray	LY	66
Espoz y Mina	LY	79
Estudios	KZ	82
Fernando el Santo	NV	85
Gen. Vara del Rey (Pl.)	KZ	99
Goya	NV	100
Independencia (Pl. de la)	NX	103
Infanta Isabel (Pas.)	NZ	105
Libreros	KX	119
Madrazo (Los)	MY	121
Mejía Lequerica	LMV	132
Núñez de Arce	LY	140
Puerta Cerrada (Pl.)	KY	159
Puerta de Moros (Pl.)	KZ	161
Recoletos	NX	163
San Bernardino	KV	184
San Francisco (Carrera de)	KZ	186
San Justo	KY	192
San Millán	KZ	196
Santa Engracia	MV	203
Santo Domingo (Cuesta, Pl. de)	KX	205
Sevilla	LY	208
Tudescos	LX	216
Valverde	LV	221
Ventura de la Vega	LY	225
Ventura Rodríguez	KV	227
Vergara	KY	228
Villa de París (Pl.)	NV	232
Virgen de los Peligros	LX	233

Michelin pone sus mapas constantemente al día. Llévelos en su coche y no tendrá Vd. sorpresas desagradables en carretera.

Lista alfabética de hoteles y restaurantes
Lista alfabética de hotéis e restaurantes
Liste alphabétique des hôtels et restaurants
Elenco alfabetico degli alberghi e ristoranti
Alphabetisches Hotel- und Restaurantverzeichnis
Alphabetical list of hotels and restaurants

D – E

F

G

H

Q – R

S

T

V – W – X – Z

Establecimientos con estrellas
Estabelecimentos com estrelas
Les établissements à étoiles
Gli esercizi con stelle
Die Stern-Restaurants
Starred establishments

33 Zalacaín

26 Amparo (El)
28 Casa d'a Troya
30 Cuatro Estaciones (Las)
33 Goizeko Kabi
30 Jockey
33 Olivo (El)
26 Paloma (La)
33 Pazo (O')
28 Pescador (El)
33 Príncipe de Viana
28 Trainera (La)
26 Viridiana

Restaurantes especializados
Restaurants classés suivant leur genre
Ristoranti classificati secondo il loro genere
Restaurants nach Art geordnet
Restaurants classified according to type

Andaluces

36 **Borrachos de Velázquez (Los)**
36 **Cumbres (Las)**
28 **Giralda III (La)** Maldonado 4
31 **Giralda II (La)** Hartzenbuch 12
28 **Giralda IV (La)** Claudio Coello 24

Arroces

33 **Albufera (L')**
31 **Balear**
23 **Barraca (La)**
23 **Pato Mudo (El)**
27 **St. James**

Asturianos

28 **Casa Portal**
23 **Casa Parrondo**
34 **Ferreiro**
27 **Hoja (La)**

Bacalaos

34 **Foque (El)**

Carnes y asados

22 **Asador de Aranda (El)** Preciados 44
27 **Asador de Aranda (El)** Diego de León 9
35 **Asador de Aranda (El)** pl. de Castilla 3
36 **Asador Los Condes**
31 **Babel**
34 **De María**
22 **Julián de Tolosa**
35 **Molino (El)** Conde de Serrallo 1
35 **Molino (El)** Orense 70
34 **Ox's**
36 **Rancho Texano**
30 **Reses (Las)**
34 **Tahona (La)**

Catalanes

34 **Endavant**
27 **Fonda (La)** Lagasca 11
34 **Fonda (La)** Príncipe de Vergara 211

Cocido

24 **Bola (La)**

Gallegos

31 **Asquiniña**
24 **Cabo Finisterre**
28 **Casa d'a Troya**
22 **Casa Gallega** Bordadores 11
22 **Casa Gallega** pl. de San Miguel 8
28 **Grelo (O')** Menorca 39
22 **Moaña**
23 **Pazo de Gondomar**
26 **Ponteareas**
36 **Portonovo**
35 **Rianxo** Raimundo F. Villaverde 49
35 **Rianxo** Oruro 11
29 **Ribadas**
22 **Toja (La)**

Pescados y mariscos

22 **Bajamar**
33 **Bogavante**
34 **Combarro**
30 **Kulixka**
34 **María (De)**
33 **Pazo (O')**
28 **Pescador (El)**
31 **Polizón**
36 **Remos (Los)**
34 **Serramar**
34 **Telégrafo (El)**
28 **Trainera (La)**

Tablao flamenco

23 **Corral de la Morería**

Vascos y navarros

22 **Ainhoa**
23 **Alamillo de los Austrias (El)**
28 **Asador Velate**
29 **Currito**
36 **Gaztelubide**
34 **Gaztelupe**
33 **Goizeko-Kabi**
23 **Gure-Etxea**
34 **Jai-Alai**
30 **Lur Maitea**
27 **Oter**
33 **Príncipe de Viana**
24 **Taberna del Alabardero**

Alemanes

35 **Fass**

Chinos

27 **Dynasty**
27 **Hang Zhou**
35 **House of Ming**

Escandinavos

20 **Bellman** – H. Suecia

Franceses

22 **Gastroteca de Stéphane y Arturo (La)**

Hindúes

30 **Annapurna**
34 **Ganges**

Italianos

Japoneses

Libaneses

Maghrebíes

MAPAS Y GUÍAS MICHELIN

Oficina de información

Doctor Esquerdo 157, 28007 Madrid - **557 60 00**

Abierto de lunes a viernes de 8 h. a 16 h. 30

Centro : Paseo del Prado, Puerta del Sol, Gran Vía, Alcalá, Paseo de Recoletos, Plaza Mayor (planos p. 8 y 9)

Palace, pl. de las Cortes 7, 28014, (91) 360 80 00, Telex 22272, *Fax (91) 360 81 00* – – 25/600. rest MY e
Comida - buffet - 5100 - ***La Cupola*** (cocina italiana, *cerrado domingo lunes y agosto*) **Comida** carta aprox. 6500 – 3100 – **440 hab** 52000/59000, 40 suites.

Husa Princesa, Princesa 40, 28008, (91) 542 21 00, *Fax (91) 542 73 28*, – – 25/825. DEV z
Comida 2700 – 2075 – **263 hab** 26200/32100, 12 suites.

Villa Real, pl. de las Cortes 10, 28014, (91) 420 37 67, *Fax (91) 420 25 47*, « Decoración elegante » – – 25/100. MY c
Comida carta 4200 a 5200 – 1900 – **96 hab** 26400/33000, 19 suites.

Holiday Inn Crowne Plaza, pl. de España, 28013, (91) 547 12 00, Telex 27383, *Fax (91) 548 23 89*, – – 25/350. KV s
Comida 4200 – 1800 – **295 hab** 19800/22800, 11 suites.

Tryp Ambassador, Cuesta de Santo Domingo 5, 28013, (91) 541 67 00, Telex 49538, *Fax (91) 559 10 40* – – 25/280.
Comida carta 3260 a 4850 – 1500 – **163 hab** 18350/23000, 18 suites. KX k

NH Nacional, paseo del Prado 48, 28014, (91) 429 66 29, *Fax (91) 369 15 64* – – 25/200. NZ r
1700 – **214 hab** 14800/16800, 1 suite.

Liabeny, Salud 3, 28013, (91) 531 90 00, *Fax (91) 532 74 21* – – 25/125. LX c
Comida 2900 – 1500 – **222 hab** 10500/18000 – PA 6500.

Moncloa Garden sin rest, Serrano Jover 1, 28015, (91) 542 45 82, *Fax (91) 542 71 69* – . EV c
995 – **103 hab** 14000/16560, 20 suites.

Emperador sin rest, Gran Vía 53, 28013, (91) 547 28 00, Telex 46261, *Fax (91) 547 28 17*, – – 25/150. KX n
1735 – **232 hab** 16320/20400.

Arosa sin rest. con cafetería, Salud 21, 28013, (91) 532 16 00, Telex 43618, *Fax (91) 531 31 27* – – 25/60. LX q
1300 – **139 hab** 12730/19680.

G.H. Reina Victoria, pl. de Santa Ana 14, 28012, (91) 531 45 00, *Fax (91) 522 03 07* – – 25/350. LY s
Comida 3645 – 1650 – **195 hab** 20000/25000, 6 suites.

Santo Domingo, pl. de Santo Domingo 13, 28013, (91) 547 98 00, *Fax (91) 547 59 95* – – 25/60. KX a
Comida 3650 – 1400 – **120 hab** 14450/22125.

Mayorazgo, Flor Baja 3, 28013, (91) 547 26 00, Telex 45647, *Fax (91) 541 24 85* – – 25/250. KV c
Comida 2240 – 1200 – **200 hab** 13000/17000.

El Coloso, Leganitos 13, 28013, (91) 559 76 00, Telex 47017, *Fax (91) 547 49 68* – – 25/200. KX y
Comida 1825 – 1400 – **84 hab** 17445/21770.

Suecia, Marqués de Casa Riera 4, 28014, (91) 531 69 00, Telex 22313, *Fax (91) 521 71 41* – – 25/150. MX r
Comida 3500 - ***Bellman*** (cocina escandinava) : **Comida** carta 3005 a 3875 – 1500 – **119 hab** 18900/23700, 9 suites – PA 8500.

Gaudí, Gran Vía 9, 28013, (91) 531 22 22, *Fax (91) 531 54 69*, – – 25/120. LX s
Comida 2500 – 1650 – **88 hab** 18850/22600 – PA 6650.

Tryp Menfis, Gran Vía 74, 28013, (91) 547 09 00, Telex 48773, *Fax (91) 547 51 99* – . KV u
Comida 2000 – 700 – **115 hab** 15525/20175.

Regina sin rest, Alcalá 19, ✉ 28014, ☎ (91) 521 47 25, Telex 27500, *Fax (91) 521 47 25* - 🛗 ▤ 📺 ☎. AE ⓓ E VISA. 🚫 LX v
☕ 750 - **142 hab** 9200/12400.

Casón del Tormes sin rest, Río 7, ✉ 28013, ☎ (91) 541 97 46, *Fax (91) 541 18 52* - 🛗 ▤ 📺 ☎. E VISA. 🚫 KV v
☕ 700 - **63 hab** 9000/13000.

Green Prado, Prado 11, ✉ 28014, ☎ (91) 369 02 34, *Fax (91) 429 28 29* - 🛗 ▤ 📺 ☎ - 25/50. AE ⓓ E VISA JCB LY a
Comida *(cerrado domingo y agosto)* 1500 - ☕ 500 - **47 hab** 11760/14700 - PA 3500.

Suite Prado sin rest, Manuel Fernández y González 10, ✉ 28014, ☎ (91) 420 23 18, *Fax (91) 420 05 59* - 🛗 ▤ 📺 ☎. AE ⓓ E VISA. 🚫 LY a
☕ 650 - **18 hab** 12980/15900.

Mercator sin rest. con cafetería, Atocha 123, ✉ 28012, ☎ (91) 429 05 00, *Fax (91) 369 12 52* - 🛗 📺 ☎ P. AE ⓓ E VISA NZ b
☕ 850 - **89 hab** 8900/12400.

Carlos V sin rest, Maestro Vitoria 5, ✉ 28013, ☎ (91) 531 41 00, Telex 48547, *Fax (91) 531 37 61* - 🛗 ▤ 📺 ☎. AE ⓓ E VISA JCB. 🚫 LX f
67 hab ☕ 11020/13870.

Cortezo sin rest. con cafetería, Dr. Cortezo 3, ✉ 28012, ☎ (91) 369 01 01, *Fax (91) 369 37 74* - 🛗 ▤ 📺 ☎ 🚗. AE ⓓ E VISA JCB. 🚫 LY f
☕ 825 - **90 hab** 8750/11500.

Atlántico sin rest, Gran Vía 38-3º, ✉ 28013, ☎ (91) 522 64 80, Telex 43142, *Fax (91) 531 02 10* - 🛗 ▤ 📺 ☎. AE ⓓ E VISA JCB. 🚫 LX e
80 hab ☕ 11455/15650.

París, Alcalá 2, ✉ 28014, ☎ (91) 521 64 96, Telex 43448, *Fax (91) 531 01 88* - 🛗 📺 ☎. AE ⓓ E VISA JCB. 🚫 LY x
Comida 2700 - ☕ 500 - **120 hab** 8400/11000.

Tryp Washington, Gran Vía 72, ✉ 28013, ☎ (91) 541 72 27, Telex 48773, *Fax (91) 547 51 99* - 🛗 ▤ 📺 ☎. AE ⓓ E VISA. 🚫 KV u
Comida (en el Hotel ***Tryp Menfis***) - ☕ 700 - **120 hab** 13350/17450.

Los Condes sin rest, Los Libreros 7, ✉ 28004, ☎ (91) 521 54 55, Telex 42730, *Fax (91) 521 78 82* - 🛗 ▤ 📺 ☎. AE ⓓ E VISA JCB. 🚫 KLV g
☕ 600 - **68 hab** 7500/10490.

Reyes Católicos sin rest, Ángel 18, ✉ 28005, ☎ (91) 365 86 00, *Fax (91) 365 98 67* - 🛗 ▤ 📺 ☎ 🚗. AE ⓓ E VISA JCB. 🚫 KZ w
☕ 850 - **38 hab** 8300/12900.

Italia, Gonzalo Jiménez de Quesada 2-2º, ✉ 28004, ☎ (91) 522 47 90, *Fax (91) 521 28 91* - 🛗, ▤ rest, 📺 ☎. AE ⓓ E VISA. 🚫 LX k
Comida 1400 - ☕ 400 - **58 hab** 5700/7200 - PA 2800.

Moderno sin rest, Arenal 2, ✉ 28013, ☎ (91) 531 09 00, *Fax (91) 531 35 50* - 🛗 ▤ 📺 ☎. AE ⓓ E VISA JCB. 🚫 LY d
☕ 750 - **97 hab** 7300/11000.

Inglés sin rest, Echegaray 8, ✉ 28014, ☎ (91) 429 65 51, *Fax (91) 420 24 23* - 🛗 📺 ☎ 🚗. AE ⓓ E VISA. 🚫 LY u
☕ 550 - **58 hab** 7700/10800.

California sin rest, Gran Vía 38, ✉ 28013, ☎ (91) 522 47 03, *Fax (91) 531 61 01* - 🛗 ▤ 📺 ☎. AE ⓓ E VISA. 🚫 LX e
☕ 350 - **26 hab** 6700/8900.

Alexandra sin rest, San Bernardo 29, ✉ 28015, ☎ (91) 542 04 00, *Fax (91) 559 28 25* - 🛗 ▤ 📺 ☎. AE ⓓ E VISA JCB. 🚫 KV z
☕ 800 - **78 hab** 8130/10165.

Centro Sol sin rest y sin ☕, Carrera de San Jerónimo 5-2º, ✉ 28014, ☎ (91) 522 15 82, *Fax (91) 522 57 78* - 🛗 ▤ 📺 ☎. AE ⓓ E VISA. 🚫 LY e
22 hab 5000/7000.

Barajas sin rest y sin ☕, Augusto Figueroa 17-2º, ✉ 28004, ☎ (91) 532 40 78, *Fax (91) 531 02 09* - 🛗 ▤ 📺 ☎. AE E VISA. 🚫 LV k
17 hab 4895/5990.

Paradis Madrid, Marqués de Cubas 14, ✉ 28014, ☎ (91) 429 73 03, *Fax (91) 429 32 95* - ▤. AE ⓓ E VISA MY v
cerrado sábado mediodía, domingo, Semana Santa y agosto - **Comida** carta 4400 a 5300.

El Landó, pl. Gabriel Miró 8, ✉ 28005, ☎ (91) 366 76 81, *Fax (91) 366 76 81*, « Decoración elegante » - ▤. AE ⓓ E VISA. 🚫 KZ a
cerrado domingo, festivos y agosto - **Comida** carta 3600 a 6200.

XXX **Moaña,** Hileras 4, ✉ 28013, ☎ (91) 548 29 14, *Fax (91) 541 65 98* – ▤ 🚗. AE ⓓ E VISA JCB. ✂ KY r
cerrado domingo noche – **Comida** - cocina gallega - carta 4140 a 5600.

XXX **Bajamar,** Gran Vía 78, ✉ 28013, ☎ (91) 548 48 18, *Fax (91) 559 13 26* – ▤. AE ⓓ E VISA JCB. ✂ KV r
Comida - pescados y mariscos - carta 4800 a 6950.

XX **El Espejo,** paseo de Recoletos 31, ✉ 28004, ☎ (91) 308 23 47, *Fax (91) 593 22 23*, « Evocación de un antiguo café parisino » – ▤. AE E VISA. ✂ NV a
cerrado sábado mediodía – **Comida** carta aprox. 2850.

XX **Errota-Zar,** Jovellanos 3-1º, ✉ 28014, ☎ (91) 531 25 64, *Fax (91) 531 25 64* – ▤. AE ⓓ E VISA MY s
cerrado domingo, Semana Santa y del 10 al 17 de agosto – **Comida** carta 3400 a 4850.

XX **Ainhoa,** Bárbara de Braganza 12, ✉ 28004, ☎ (91) 308 27 26 – ▤. AE E VISA. ✂
cerrado domingo y agosto – **Comida** - cocina vasca - carta 3600 a 5000. NV s

XX **Horno de Santa Teresa,** Santa Teresa 12, ✉ 28004, ☎ (91) 308 66 98 – ▤. E VISA JCB. ✂ MV t
Comida carta 3725 a 4250.

XX **Café de Oriente,** pl. de Oriente 2, ✉ 28013, ☎ (91) 541 39 74, *Fax (91) 547 77 07*, « En una bodega » – ▤. AE ⓓ E VISA. ✂ KXY w
Comida carta 4550 a 5650.

XX **Posada de la Villa,** Cava Baja 9, ✉ 28005, ☎ (91) 366 18 80, *Fax (91) 366 18 80*, « Antigua posada de estilo castellano » – ▤. ⓓ E VISA. ✂ KZ v
cerrado domingo noche y agosto – **Comida** carta 3600 a 5825.

XX **La Gastroteca de Stéphane y Arturo,** pl. de Chueca 8, ✉ 28004, ☎ (91) 532 25 64 – ▤. AE ⓓ E VISA MV e
cerrado sábado mediodía, domingo y agosto – **Comida** - cocina francesa - carta 4460 a 5600.

XX **Don Pelayo,** Alcalá 33, ✉ 28014, ☎ (91) 531 00 31, *Fax (91) 531 00 31* – ▤. AE ⓓ E VISA JCB. ✂ MX s
cerrado domingo – **Comida** carta aprox. 5400.

XX **Platerías,** pl. de Santa Ana 11, ✉ 28012, ☎ (91) 429 70 48, « Evocación de un café de principio de siglo » – ▤. AE ⓓ E VISA. ✂ LY b
cerrado sábado mediodía, domingo, Semana Santa y agosto – **Comida** carta aprox. 5500.

XX **Da Nicola,** pl. de los Mostenses 11, ✉ 28015, ☎ (91) 542 25 74, *Fax (91) 547 89 82* – ▤. AE ⓓ E VISA JCB. ✂ KV f
Comida - cocina italiana - carta aprox. 3070.

XX **El Asador de Aranda,** Preciados 44, ✉ 28013, ☎ (91) 547 21 56, *Fax (91) 556 62 02*, « Decoración castellana » – ▤. AE ⓓ E VISA. ✂ KX z
cerrado lunes noche y 21 julio-12 agosto – **Comida** - cordero asado - carta aprox. 3950.

XX **Arce,** Augusto Figueroa 32, ✉ 28004, ☎ (91) 522 04 40, *Fax (91) 522 59 13* – ▤. AE ⓓ E VISA JCB. ✂ MV c
cerrado sábado mediodía, domingo y 2ª quincena de agosto – **Comida** carta 5365 a 6115.

XX **La Rioja,** Las Negras 8, ✉ 28015, ☎ (91) 548 04 97, *Fax (91) 542 56 37*, « Decoración rústica medieval » – ▤ Ⓟ. AE ⓓ E VISA JCB. ✂ KV e
cerrado domingo salvo mayo-junio – **Comida** carta 3350 a 6100.

XX **El Mentidero de la Villa,** Santo Tomé 6, ✉ 28004, ☎ (91) 308 12 85, *Fax (91) 319 87 92*, « Decoración original » – ▤. AE ⓓ E VISA. ✂ MV b
cerrado sábado mediodía y 2ª quincena de agosto – **Comida** carta aprox. 4500.

XX **Julián de Tolosa,** Cava Baja 18, ✉ 28005, ☎ (91) 365 82 10, « Decoración neorústica » – ▤. AE ⓓ E VISA JCB KZ c
cerrado domingo – **Comida** - carnes a la brasa - carta aprox. 4600.

XX **Sixto Gran Mesón,** Cervantes 28, ✉ 28014, ☎ (91) 429 22 55, *Fax (91) 523 31 74*, « Decoración castellana » – ▤. AE ⓓ E VISA. ✂ MY n
cerrado domingo noche – **Comida** carta aprox. 3450.

XX **Casa Gallega,** pl. de San Miguel 8, ✉ 28005, ☎ (91) 547 30 55 – ▤. AE ⓓ E VISA JCB. ✂ KY c
Comida - cocina gallega - carta 3100 a 4900.

XX **La Toja,** Siete de Julio 3, ✉ 28012, ☎ (91) 366 46 64, *Fax (91) 366 52 30* – ▤. AE ⓓ E VISA. ✂ KY u
cerrado julio – **Comida** - cocina gallega - carta aprox. 6000.

XX **Casa Gallega,** Bordadores 11, ✉ 28013, ☎ (91) 541 90 55, *Fax (91) 559 12 25* – ▤. AE ⓓ E VISA JCB. ✂ KY v
Comida - cocina gallega - carta 3100 a 4900.

XX **La Joya de Jardines,** Jardines 3, ✉ 28013, ☎ (91) 521 22 17, Telex 43618, *Fax (91) 531 31 27* – ▤. AE ⓓ E VISA LX p
cerrado agosto – **Comida** carta 3140 a 4305.

XX **Gure-Etxea,** pl. de la Paja 12, ✉ 28005, ☎ (91) 365 61 49 – ▤. AE ⓓ E VISA JCB. ✻ KZ x
cerrado domingo, lunes mediodía y agosto – **Comida** - cocina vasca - carta 3525 a 5300.

XX **La Ópera de Madrid,** Amnistía 5, ✉ 28013, ☎ (91) 559 50 92, *Fax (91) 559 50 92* – ▤. AE ⓓ E VISA JCB. ✻ KY g
cerrado domingo y agosto – **Comida** carta 3275 a 4400.

XX **Botín,** Cuchilleros 17, ✉ 28005, ☎ (91) 366 42 17, *Fax (91) 366 84 94,* « Decoración viejo Madrid. Bodega típica » – ▤. AE ⓓ E VISA JCB. ✻ KY n
Comida carta 3350 a 5855.

XX **Esteban,** Cava Baja 36, ✉ 28005, ☎ (91) 365 90 91, *Fax (91) 366 93 91* – ▤. AE ⓓ VISA. ✻ KZ y
cerrado domingo y 2ª quincena de julio – **Comida** carta 4300 a 4500.

XX **El Alamillo de los Austrias,** pl. del Alamillo, ✉ 28005, ☎ (91) 364 07 33, 🏠 – ▤. VISA. ✻ KY z
cerrado martes – **Comida** - cocina vasca, sólo cena salvo viernes, sábado y domingo - carta aprox. 3800.

XX **Casa Parrondo,** Trujillos 4, ✉ 28013, ☎ (91) 522 62 34 – ▤. AE ⓓ E VISA. ✻ KX v
Comida - cocina asturiana - carta 4600 a 7500.

XX **El Rincón de Esteban,** Santa Catalina 3, ✉ 28014, ☎ (91) 429 92 89, *Fax (91) 365 87 70* – ▤. AE ⓓ E VISA. ✻ MY a
cerrado domingo noche y del 15 al 31 de agosto – **Comida** carta 3700 a 5200.

XX **El Pato Mudo,** Costanilla de los Angeles 8, ✉ 28013, ☎ (91) 559 48 40 – ▤. AE ⓓ E VISA JCB. ✻ KX e
cerrado domingo noche, lunes y del 11 al 25 de agosto – **Comida** - arroces - carta aprox. 2700.

X **La Barraca,** Reina 29, ✉ 28004, ☎ (91) 532 71 54, *Fax (91) 521 58 96* – ▤. AE ⓓ E VISA JCB. ✻ LX a
Comida - arroces - carta 3600 a 5350.

X **Casa Lucio,** Cava Baja 35, ✉ 28005, ☎ (91) 365 32 52, *Fax (91) 366 48 66,* « Decoración castellana » – ▤. AE ⓓ E VISA. ✻ KZ y
cerrado sábado mediodía y agosto – **Comida** carta aprox. 5500.

X **Robata,** Reina 31, ✉ 28004, ☎ (91) 521 85 28, *Fax (91) 531 30 63* – ▤. AE ⓓ VISA JCB. ✻ LX a
cerrado martes – **Comida** - rest. japonés - carta 4100 a 5100.

X **La Vaca Verónica,** Moratín 38, ✉ 28014, ☎ (91) 429 78 27 – ▤. AE ⓓ E VISA. ✻ MZ e
cerrado sábado mediodía, domingo y del 3 al 25 de agosto – **Comida** carta aprox. 4300.

X **Mesón Gregorio III,** Bordadores 5, ✉ 28013, ☎ (91) 542 59 56 – ▤. AE ⓓ E VISA. ✻ KY v
cerrado miércoles – **Comida** carta 3200 a 4400.

X **Las Cuevas de Luis Candelas,** Cuchilleros 1, ✉ 28005, ☎ (91) 366 54 28, *Fax (91) 366 49 37,* « Decoración viejo Madrid. Camareros vestidos como los antiguos bandoleros » – ▤. ⓓ E VISA. ✻ KY m
Comida carta 3275 a 5125.

X **Pazo de Gondomar,** San Martín 2, ✉ 28013, ☎ (91) 532 31 63, *Fax (91) 532 31 63* – ▤. AE ⓓ E VISA JCB. ✻ KXY s
Comida - cocina gallega - carta 3600 a 5650.

X **Corral de la Morería,** Morería 17, ✉ 28005, ☎ (91) 365 84 46, *Fax (91) 364 12 19,* Tablao flamenco – ▤. AE ⓓ E VISA JCB. ✻ KZ u
Comida - sólo cena-suplemento espectáculo - carta aprox. 9500.

X **El Arcón,** Silva 25, ✉ 28004, ☎ (91) 522 60 05 – ▤. AE ⓓ E VISA JCB. ✻ LV u
cerrado domingo noche y agosto – **Comida** carta 3050 a 4800.

X **Viejo Madrid,** Cava Baja 32, ✉ 28005, ☎ (91) 366 38 38, *Fax (91) 366 48 66* – ▤. AE ⓓ E VISA. ✻ KZ y
cerrado domingo noche, lunes y julio – **Comida** carta aprox. 5500.

X **La Bóveda del Teatro,** Prim 5, ✉ 28004, ☎ (91) 531 17 97, « En una bodega » – ▤. AE ⓓ E VISA. ✻ MV n
cerrado sábado mediodía, domingo y agosto – **Comida** carta 3275 a 4800.

X **El Schotis,** Cava Baja 11, ✉ 28005, ☎ (91) 365 32 30, *Fax (91) 365 72 44* – ▤. AE ⓓ E VISA JCB. ✻ KZ v
cerrado domingo noche – **Comida** carta 2950 a 4900.

Taberna del Alabardero, Felipe V-6, ✉ 28013, ☎ (91) 547 25 77, *Fax (91) 547 77 07,* « Taberna típica » – ▤. AE ⊕ E VISA JCB KX h
Comida - cocina vasca - carta 3800 a 5350.

La Quintana, Bordadores 7, ✉ 28013, ☎ (91) 542 04 88, *Fax (91) 542 04 88* – ▤. AE ⊕ E VISA JCB. ✻ KY v
cerrado lunes – **Comida** carta 3125 a 5250.

Dómine Cabra, Huertas 54, ✉ 28014, ☎ (91) 429 43 65 – ▤. AE ⊕ E VISA JCB. ✻
cerrado domingo noche y 15 días en agosto – **Comida** carta 3125 a 3350. MZ s

Casa Vallejo, San Lorenzo 9 ☎ (91) 308 61 58
▤. VISA JCB. ✻ LV f
cerrado domingo, lunes noche, festivos y agosto – **Comida** carta 2550 a 3550.

Bolivar, Manuela Malasaña 28, ✉ 28004, ☎ (91) 445 12 74 – ▤. AE ⊕ E VISA. ✻ LV a
cerrado domingo, Semana Santa y agosto – **Comida** carta 2950 a 4100.

Cabo Finisterre, Chinchilla 7, ✉ 28013, ☎ (91) 523 37 79 – ▤. AE ⊕ E VISA. ✻ LX u
cerrado domingo – **Comida** - cocina gallega - carta aprox. 5100.

Ciao Madrid, Argensola 7, ✉ 28004, ☎ (91) 308 25 19 – ▤. AE ⊕ E VISA JCB MV t
cerrado sábado mediodía, domingo y agosto – **Comida** - cocina italiana - carta 2900 a 3750.

La Bola, Bola 5, ✉ 28013, ☎ (91) 547 69 30, *Fax (91) 547 04 63* – ▤. ✻ KX r
cerrado sábado noche (julio-agosto) y domingo – **Comida** - cocido madrileño - carta 3550 a 4225.

Casa Paco, Puerta Cerrada 11, ✉ 28005, ☎ (91) 366 31 66 – ▤. ⊕. ✻ KY s
cerrado domingo y agosto – **Comida** carta 3850 a 6300.

El Buey II, pl. de la Marina Española 1, ✉ 28013, ☎ (91) 541 30 41, *Fax (91) 577 95 80* – ▤. AE E VISA JCB. ✻ KX c
Comida carta 2925 a 3475.

Taberna Carmencita, Libertad 16, ✉ 28004, ☎ (91) 531 66 12, « Taberna típica » – ▤. AE ⊕ E VISA. ✻ MX u
cerrado sábado mediodía y domingo – **Comida** carta 2100 a 3900.

Donzoko, Echegaray 3, ✉ 28014, ☎ (91) 429 57 20, *Fax (91) 429 57 20* – ▤. AE ⊕ E VISA JCB. ✻ LY z
cerrado domingo – **Comida** - rest. japonés - carta 3150 a 6700.

La Quinta del Sordo, Sacramento 10, ✉ 28005, ☎ (91) 548 18 52, *Fax (91) 548 18 52* – ▤. AE ⊕ E VISA JCB. ✻ KY f
cerrado domingo en verano y domingo noche resto del año – **Comida** carta 2585 a 3925.

Casa Marta, Santa Clara 10, ✉ 28013, ☎ (91) 548 28 25 – ▤. AE ⊕ E VISA. ✻ KY a
cerrado domingo y agosto – **Comida** carta 2000 a 3350.

La Esquina del Real, Amnistía 2, ✉ 28013, ☎ (91) 559 43 09 – ▤. AE E VISA. ✻ KY e
cerrado sábado mediodía, domingo y agosto – **Comida** carta 3770 a 4625.

Ciao Madrid, Apodaca 20, ✉ 28004, ☎ (91) 447 00 36 – ▤. AE ⊕ E VISA JCB
cerrado sábado mediodía, domingo, 1ª semana de abril y septiembre – **Comida** - cocina italiana - carta 3200 a 4200. LV d

Mi Pueblo, Costanilla de Santiago 2, ✉ 28013, ☎ (91) 548 20 73 – ▤. VISA. ✻ KY x
cerrado domingo noche y lunes – **Comida** carta 2425 a 3625.

El Ingenio, Leganitos 10, ✉ 28013, ☎ (91) 541 91 33, *Fax (91) 547 35 34* – ▤. AE ⊕ E VISA JCB. ✻ KX y
cerrado domingo, festivos y agosto – **Comida** carta 2200 a 3300.

Chez Margo, Vergara 3, ✉ 28013, ☎ (91) 548 18 05 – ▤. E VISA. ✻ KX x
cerrado sábado mediodía, domingo y agosto – **Comida** - carnes - carta aprox. 5100.

Retiro, Salamanca, Ciudad Lineal : Paseo de la Castellana, Velázquez, Serrano, Goya, Príncipe de Vergara, Narváez, Don Ramón de la Cruz (plano p. 7 salvo mención especial)

Ritz, pl. de la Lealtad 5, ✉ 28014, ☎ (91) 521 28 57, *Fax (91) 532 87 76,* ⛱, Fø – |‡| ▤ TV ☎ – 🎤 25/280. AE ⊕ E VISA JCB. ✻ rest NY k
Comida carta 7500 a 9300 – ☕ 2950 – **127 hab** 44000/51000, 29 suites.

Villa Magna, paseo de la Castellana 22, ✉ 28046, ☎ (91) 587 12 34, *Fax (91) 575 31 58,* ⛱, Fø – |‡| ▤ TV ☎ 🚗 – 🎤 25/250. AE ⊕ E VISA JCB. ✻ rest
Comida 5500 - ***Berceo*** : **Comida** carta 5600 a 8450 - ***Tsé Yang*** *(Rest. chino)* **Comida** carta 4000 a 5600 – ☕ 2950 – **164 hab** 50000/55000, 18 suites. GV y

Wellington, Velázquez 8, ✉ 28001, ☎ (91) 575 44 00, Telex 22700, *Fax (91) 576 41 64,* 🏊 – |‡| ▤ TV ☎ 🚗 – 🎤 25/300. AE ⊕ E VISA. ✻ HX
Comida (ver rest. ***El Fogón***) – ☕ 2200 – **198 hab** 27000/34250, 25 suites.

Meliá Confort Los Galgos, Claudio Coello 139, ✉ 28006, ✆ (91) 562 66 00, Telex 43957, *Fax (91) 561 76 62* – 25/300. AE VISA JCB. HV a
Diábolo : Comida carta 3225 a 4975 – ☐ 1450 – **358 hab** 16750/28400.

Tryp Fénix, Hermosilla 2, ✉ 28001, ✆ (91) 431 67 00, *Fax (91) 576 06 61* – 25/100. AE VISA JCB. NV c
Comida 2625 – ☐ 1650 – **213 hab** 24100/30190, 13 suites.

Meliá Avenida América, Juan Ignacio Luca de Tena 36, ✉ 28027, ✆ (91) 320 30 30, *Fax (91) 320 14 40,* – 25/1200. AE VISA. CL b
Comida carta aprox. 5500 – ☐ 1800 – **210 hab** 22700/28000, 18 suites.

Sofitel Madrid-Aeropuerto, Campo de las Naciones, ✉ 28042, ✆ (91) 721 00 70, Telex 45008, *Fax (91) 721 05 15,* – 50/120. AE VISA
Comida carta 4625 a 6045 – ☐ 2035 – **175 hab** 26535/31030, 3 suites. CL x

NH Príncipe de Vergara, Príncipe de Vergara 92, ✉ 28006, ✆ (91) 563 26 95, *Fax (91) 563 72 53* – 25/300. AE VISA JCB. HV c
Comida carta 4850 a 5350 – ☐ 1900 – **167 hab** 17500/19000, 3 suites.

Emperatriz, López de Hoyos 4, ✉ 28006, ✆ (91) 563 80 88, *Fax (91) 563 98 04* – 25/150. AE VISA JCB. GV z
Comida 3500 – ☐ 1800 – **155 hab** 19200/24000, 3 suites.

NH Sanvy, Goya 3, ✉ 28001, ✆ (91) 576 08 00, *Fax (91) 575 24 43* – 25/150. AE VISA JCB. NV r
Comida (ver rest. ***Sorolla***) – ☐ 1900 – **144 hab** 19500, 15 suites.

Agumar sin rest. con cafetería, paseo Reina Cristina 7, ✉ 28014, ✆ (91) 552 69 00, Telex 22814, *Fax (91) 433 60 95* – 25/150. AE VISA JCB. HZ a
☐ 1400 – **245 hab** 14750/18500.

Novotel Madrid, Albacete 1, ✉ 28027, ✆ (91) 405 46 00, *Fax (91) 404 11 05,* – 25/250. AE VISA CL t
Comida 1950 – ☐ 1500 – **236 hab** 17700/19375.

Pintor, Goya 79, ✉ 28001, ✆ (91) 435 75 45, Telex 23281, *Fax (91) 576 81 57* – 25/350. AE VISA. HX c
Comida 1900 – ☐ 1700 – **174 hab** 16540/20675, 2 suites.

Conde de Orgaz, av. Moscatelar 24, ✉ 28043, ✆ (91) 388 40 99, *Fax (91) 388 00 09* – 25/100. AE VISA. rest CL z
Comida 1500 – ☐ 1250 – **89 hab** 11800/18000.

NH Parque Avenidas, Biarritz 2, ✉ 28028, ✆ (91) 361 02 88, *Fax (91) 361 21 38,* – 25/400. AE VISA JCB. rest JV a
Comida 4750 – ☐ 1700 – **198 hab** 17300, 1 suite – PA 7500.

NH Lagasca, Lagasca 64, ✉ 28001, ✆ (91) 575 46 06, *Fax (91) 575 16 94* – 25/60. AE VISA JCB. rest HX k
Comida *(cerrado sábado, domingo y agosto)* 1650 – ☐ 1700 – **100 hab** 17500.

NH Alcalá, Alcalá 66, ✉ 28009, ✆ (91) 435 10 60, *Fax (91) 435 11 05* – 25/100. AE VISA. HX w
Comida 2500 – ☐ 1800 – **146 hab** 17500/18600.

Aparthotel El Madroño, General Díaz Porlier 101, ✉ 28006, ✆ (91) 562 52 92, *Fax (91) 563 06 97* – 25/250. AE VISA JCB. HV z
Comida 1300 – ☐ 950 – **66 hab** 13800/17000.

G.H. Colón, Pez Volador 11, ✉ 28007, ✆ (91) 573 59 00, *Fax (91) 573 08 09,* – 25/250. AE VISA JCB. JY x
Comida 1900 – ☐ 1100 – **380 hab** 9500/14400.

Novotel Madrid-Campo de las Naciones, Campo de las Naciones, ✉ 28042, ✆ (91) 721 18 18, *Fax (91) 721 11 22,* – 25/400. AE VISA JCB. rest CL x
Comida 2400 – ☐ 1500 – **240 hab** 17475/18560, 6 suites.

Convención sin rest. con cafetería, O'Donnell 53, ✉ 28009, ✆ (91) 574 84 00, Telex 23944, *Fax (91) 574 56 01* – 25/800. AE VISA JCB. JX a
☐ 1390 – **739 hab** 11770/14710, 51 suites.

Claridge, pl. Conde de Casal 6, ✉ 28007, ✆ (91) 551 94 00, Telex 44970, *Fax (91) 501 03 85* – AE VISA JCB. JZ a
Comida 1400 – ☐ 850 – **150 hab** 9950/12990.

Serrano sin rest, Marqués de Villamejor 8, ✉ 28006, ✆ (91) 435 52 00, *Fax (91) 435 48 49* – AE VISA JCB. GHV k
☐ 1000 – **30 hab** 13750/17100, 4 suites.

NH Balboa, Núñez de Balboa 112, ✉ 28006, ☎ (91) 563 03 24, *Fax (91) 562 69 80* – Comida 2500 – 1700 – **122 hab** 15600/17700 – PA 6700. HV n

NH Sur sin rest, paseo Infanta Isabel 9, ✉ 28014, ☎ (91) 539 94 00, *Fax (91) 467 09 96* – 25/30. AE E VISA. 1500 – **68 hab** 12500/13900. NZ a

Abeba sin rest, Alcántara 63, ✉ 28006, ☎ (91) 401 16 50, *Fax (91) 402 75 91* – AE E VISA JCB. 600 – **90 hab** 8000/10500. HV r

Club 31, Alcalá 58, ✉ 28014, ☎ (91) 531 00 92 – AE E VISA JCB. NX e
cerrado agosto – **Comida** carta 5850 a 8700.

El Amparo, Puigcerdá 8, ✉ 28001, ☎ (91) 431 64 56, *Fax (91) 575 54 91*, « Decoración original » – AE E VISA JCB HX h
cerrado sábado mediodía, domingo, Semana Santa y del 10 al 16 de agosto – **Comida** carta 7100 a 8675
Espec. Milhojas de manzana ácida, con pescado ahumado y foie-gras. Rabo de buey guisado al vino tinto con su puré de patata especial. Soufflé caliente de chocolate con crema helada.

El Fogón, Villanueva 34, ✉ 28001, ☎ (91) 575 44 00, Telex 22700, *Fax (91) 576 41 64* – AE E VISA. HX t
cerrado agosto – **Comida** carta 6100 a 7400.

Sorolla, Hermosilla 4, ✉ 28001, ☎ (91) 431 27 15, Telex 44994, *Fax (91) 575 24 43* – AE E VISA. NV r
cerrado domingo y agosto – **Comida** carta aprox. 4800.

Suntory, paseo de la Castellana 36, ✉ 28046, ☎ (91) 577 37 34, *Fax (91) 577 44 55* – AE E VISA JCB GV d
cerrado domingo y festivos – **Comida** - rest. japonés - carta 5250 a 7300.

Villa y Corte de Madrid, Serrano 110, ✉ 28006, ☎ (91) 563 52 74, *Fax (91) 564 50 19*, « Decoración elegante » – AE E VISA JCB. HV a
cerrado domingo y agosto – **Comida** carta aprox. 5100.

El Gran Chambelán, Ayala 46, ✉ 28001, ☎ (91) 431 77 45 – HX r

Balzac, Moreto 7, ✉ 28014, ☎ (91) 420 01 77, *Fax (91) 429 83 70* – AE E VISA. NY a
cerrado domingo y agosto – **Comida** carta 5000 a 5900.

Pedro Larumbe, Serrano 61-ático, ✉ 28006, ☎ (91) 575 11 12, *Fax (91) 562 16 09* – AE E VISA. HV d
cerrado sábado mediodía, domingo y 15 días en agosto – **Comida** carta 5600 a 6400.

Paradis Casa América, paseo de Recoletos 2, ✉ 28001, ☎ (91) 575 45 40, *Fax (91) 576 02 15*, « En una dependencia del Palacio de Linares » – AE E VISA. NX n
cerrado sábado mediodía y domingo – **Comida** carta aprox. 5500.

Ponteareas, Claudio Coello 96, ✉ 28006, ☎ (91) 575 58 73, *Fax (91) 541 65 98* – AE E VISA JCB. HV w
cerrado domingo, festivos y agosto – **Comida** - cocina gallega - carta 4140 a 5795.

Castelló 9, Castelló 9, ✉ 28001, ☎ (91) 435 00 67, *Fax (91) 435 91 34* – AE E VISA. HX e
cerrado domingo y festivos – **Comida** carta 5000 a 5875.

La Paloma, Jorge Juan 39, ✉ 28001, ☎ (91) 576 86 92 – AE E VISA. HX g
cerrado domingo, festivos, Semana Santa y agosto – **Comida** 7500 y carta 4150 a 5350
Espec. Ensalada templada de paloma torcaz (temp). Medallones de rape sobre lasagna de verduras y colas de gambas al jugo de mariscos. Merengue con crema de castañas y helado de ciruelas pasas al ron.

Viridiana, Juan de Mena 14, ✉ 28014, ☎ (91) 523 44 78, *Fax (91) 532 42 74* – AE VISA NY r
cerrado domingo y agosto – **Comida** carta 5200 a 7500
Espec. Langostinos de la marisma con garbanzos fritos a la manzanilla de Sanlúcar. Escalopines de ternera rellenos de flores de calabacín y torta del Casar. Flan de chocolate amargo en salsa de cacao blanco.

La Gamella, Alfonso XII-4, ✉ 28014, ☎ (91) 532 45 09, *Fax (91) 523 11 84* – AE E VISA. NX r
cerrado sábado mediodía, domingo y 15 días en Semana Santa – **Comida** carta aprox. 4950.

El Borbollón, Recoletos 7, ✉ 28001, ☎ (91) 431 41 34 – AE E VISA JCB. NV u
cerrado domingo, festivos y agosto – **Comida** carta 3865 a 5495.

Puertochico, Pio Baroja (edificio Casa Cantabria), ✉ 28009, ☎ (91) 504 44 66, *Fax (91) 504 34 07*, Vivero propio – E VISA. HY d
cerrado domingo noche, festivos noche y agosto – **Comida** carta aprox. 5500.

XX **Lucca,** José Ortega y Gasset 29, ✉ 28006, ☎ (91) 576 01 44 – ▤. AE ⓓ E VISA JCB. ✂ HV f
Comida - cocina italiana - carta 3600 a 4040.

XX **Oter,** Claudio Coello 71, ✉ 28001, ☎ (91) 431 67 71, *Fax (91) 401 34 43* – ▤. AE ⓓ E VISA. ✂ HX n
cerrado domingo y 2ª quincena de agosto – **Comida** - cocina vasco-navarra - carta aprox. 5500.

XX **Al Mounia,** Recoletos 5, ✉ 28001, ☎ (91) 435 08 28, « Ambiente oriental » – ▤. AE ⓓ E VISA. ✂ NV u
cerrado domingo, lunes y agosto – **Comida** - cocina maghrebí - carta 4300 a 4750.

XX **Gerardo,** D. Ramón de la Cruz 86, ✉ 28006, ☎ (91) 401 89 46, *Fax (91) 401 34 43* – ▤. AE ⓓ E VISA. ✂ JX s
Comida carta 3500 a 5000.

XX **Teatriz,** Hermosilla 15, ✉ 28001, ☎ (91) 577 53 79, *Fax (91) 577 53 79*, « Instalado en un antiguo teatro » – ▤. AE ⓓ E VISA JCB. ✂ HX u
cerrado agosto – **Comida** - cocina italiana - carta 3800 a 4300.

XX **Tristana,** Montalbán 9, ✉ 28014, ☎ (91) 532 82 88 – ▤. AE VISA. ✂ NX a
cerrado sábado mediodía, domingo y agosto – **Comida** carta 3550 a 4650.

XX **Laray,** Hermanos Bécquer 6, ✉ 28006, ☎ (91) 564 01 75, *Fax (91) 564 92 20* – ▤. AE ⓓ E VISA JCB. ✂ HV b
cerrado sábado mediodía y domingo en verano – **Comida** carta 4600 a 5800.

XX **La Fonda,** Lagasca 11, ✉ 28001, ☎ (91) 577 79 24, *Fax (91) 570 95 30* – ▤. AE ⓓ E VISA HX f
cerrado domingo noche – **Comida** - cocina catalana - carta 3460 a 4100.

XX **El Chiscón de Castelló,** Castelló 3, ✉ 28001, ☎ (91) 575 56 62, « Ambiente acogedor » – ▤. AE E VISA. ✂ HX e
cerrado domingo, festivos y agosto – **Comida** carta 3050 a 4275.

XX **Rafa,** Narváez 68, ✉ 28009, ☎ (91) 573 10 87, 🏠 – ▤. AE ⓓ E VISA JCB. ✂ HY a
Comida carta 4450 a 6550.

XX **La Misión,** José Silva 22, ✉ 28043, ☎ (91) 519 24 63, *Fax (91) 416 26 93*, 🏠, « Evocación de una antigua misión americana » – ▤. AE ⓓ E VISA. ✂ CL c
cerrado sábado mediodía, domingo, Semana Santa y agosto – **Comida** carta 3625 a 4600.

XX **El Asador de Aranda,** Diego de León 9, ✉ 28006, ☎ (91) 563 02 46, *Fax (91) 556 62 02* – ▤. AE ⓓ E VISA. ✂ HV s
cerrado domingo noche y agosto – **Comida** - cordero asado - carta aprox. 3950.

XX **Guisando,** Núñez de Balboa 75, ✉ 28006, ☎ (91) 575 10 10 – ▤. AE ⓓ E VISA. ✂
cerrado sábado mediodía, domingo, Semana Santa y agosto – **Comida** carta 2700 a 3800. HV f

XX **Dynasty,** O'Donnell 31, ✉ 28009, ☎ (91) 431 08 47 – ▤. AE E VISA. ✂ HX a
Comida - rest. chino - carta 2300 a 3000.

XX **St. James,** Juan Bravo 26, ✉ 28006, ☎ (91) 575 00 69, 🏠 – ▤. AE VISA. ✂ HV t
cerrado domingo – **Comida** - arroces - carta 4500 a 6300.

XX **Casa Quinta,** Padilla 3, ✉ 28006, ☎ (91) 576 74 18, *Fax (91) 576 74 18* – ▤. AE ⓓ E VISA JCB. ✂ HV m
cerrado domingo y agosto – **Comida** carta 3225 a 4025.

XX **Casa Domingo,** Alcalá 99, ✉ 28009, ☎ (91) 576 01 37, *Fax (91) 575 78 62*, 🏠 – ▤. AE E VISA JCB. ✂ HX d
Comida carta 3300 a 5100.

XX **Nicolás,** Villalar 4, ✉ 28001, ☎ (91) 431 77 37, *Fax (91) 431 77 37* – ▤. AE ⓓ E VISA JCB. ✂ NX t
cerrado domingo, lunes, Semana Santa y agosto – **Comida** carta 3600 a 4400.

XX **Jota Cinco,** Alcalá 423, ✉ 28027, ☎ (91) 742 93 85, *Fax (91) 742 62 09* – ▤ 🚗. AE E VISA. ✂ CL v
cerrado domingo noche y del 3 al 28 de agosto – **Comida** carta 4350 a 5250.

XX **Il Salotto,** Velázquez 61, ✉ 28001, ☎ (91) 577 27 09 – ▤. AE ⓓ E VISA JCB. ✂ HV j
cerrado domingo – **Comida** - cocina italiana - carta 3700 a 4300.

XX **La Hoja,** Doctor Castelo 48, ✉ 28009, ☎ (91) 409 25 22, *Fax (91) 574 14 78* – ▤. AE E VISA. ✂ HJX y
cerrado domingo – **Comida** - cocina asturiana - carta 3900 a 5200.

XX **Don Víctor,** Emilio Vargas 18, ✉ 28043, ☎ (91) 415 47 47 – ▤. AE ⓓ E VISA. ✂ CL f
cerrado sábado mediodía, domingo y agosto – **Comida** carta 4900 a 6800.

XX **Hang Zhou,** López de Hoyos 14, ✉ 28006, ☎ (91) 563 11 72 – ▤. AE ⓓ E VISA HV u
Comida - rest. chino - carta aprox. 2400.

Casa d'a Troya, Emiliano Barral 14, ✉ 28043, ☎ (91) 416 44 55 – ▤. E VISA
CL s
cerrado domingo, festivos y 15 julio-1 septiembre – **Comida** - cocina gallega, pescados y mariscos, es necesario reservar - carta aprox. 4950
Espec. Pulpo a la gallega. Merluza a la gallega. Lacón con grelos (octubre-mayo).

Alkalde, Jorge Juan 10, ✉ 28001, ☎ (91) 576 33 59, *Fax (91) 576 33 59* – ▤. AE ⓓ E VISA JCB. HX v
cerrado sábado y domingo en julio-agosto – **Comida** carta aprox. 4800.

O'Grelo, Menorca 39, ✉ 28009, ☎ (91) 409 72 04 – ▤. AE ⓓ E VISA HX y
cerrado domingo noche – **Comida** - cocina gallega - carta aprox. 5500.

La Giralda IV, Claudio Coello 24, ✉ 28001, ☎ (91) 576 40 69 – ▤. AE ⓓ E VISA.
cerrado del 15 al 31 de agosto, domingo noche en invierno y domingo en verano – **Comida** - rest. andaluz - carta aprox. 5500. HX h

La Giralda III, Maldonado 4, ✉ 28006, ☎ (91) 577 77 62 – ▤. AE ⓓ E VISA HV g
cerrado domingo en julio-agosto y domingo noche resto del año – **Comida** - rest. andaluz - carta aprox. 5300.

Asador Velate, Jorge Juan 91, ✉ 28009, ☎ (91) 435 10 24, *Fax (91) 574 38 54* – ▤ AE ⓓ E VISA. HJX x
cerrado domingo y agosto – **Comida** - cocina vasca - carta 4350 a 5900.

Casa Portal, Doctor Castelo 26, ✉ 28009, ☎ (91) 574 20 26 – ▤. E VISA. HX b
Comida - cocina asturiana - carta 3050 a 5000.

Pelotari, Recoletos 3, ✉ 28001, ☎ (91) 578 24 97, *Fax (91) 431 60 04* – ▤. AE ⓓ E VISA. NV u
cerrado domingo y 15 días en agosto – **Comida** carta aprox. 5225.

Sixto, José Ortega y Gasset 83, ✉ 28006, ☎ (91) 402 15 83, *Fax (91) 523 31 74* – ▤ AE ⓓ E VISA. JV e
cerrado domingo noche – **Comida** carta aprox. 3300.

La Trainera, Lagasca 60, ✉ 28001, ☎ (91) 576 05 75, *Fax (91) 575 06 31* – ▤. AE ⓓ E VISA JCB. HX k
cerrado domingo y agosto – **Comida** - pescados y mariscos - carta 4700 a 5950
Espec. Salpicón de marisco. Rodaballo. Bogavante plancha.

El Pescador, José Ortega y Gasset 75, ✉ 28006, ☎ (91) 402 12 90, *Fax (91) 401 30 26* – ▤. E VISA. JV f
cerrado domingo, Semana Santa y agosto – **Comida** - pescados y mariscos - carta 4550 a 5450
Espec. Lenguado Evaristo. Mero al horno. Almejas a la marinera.

Betelu, Florencio Llorente 27, ✉ 28027, ☎ (91) 326 50 87 – ▤. AE E VISA. CL u
cerrado domingo, lunes, agosto y Navidades – **Comida** carta 2990 a 4700.

Orbayo, Claudio Coello 4, ✉ 28001, ☎ (91) 576 41 86 – ▤. AE E VISA HX m
cerrado domingo noche y agosto – **Comida** carta 3200 a 4600.

Casa Julián, Don Ramón de la Cruz 10, ✉ 28001, ☎ (91) 431 35 35 – ▤. AE ⓓ VISA HX c
cerrado domingo y festivos noche – **Comida** carta 2200 a 2700.

Arganzuela, Carabanchel, Villaverde : Antonio López, Paseo de Las Delicias, Paseo de Santa María de la Cabeza (plano p. 2 salvo mención especial)

Rafael Pirámides, paseo de las Acacias 40, ✉ 28005, ☎ (91) 517 18 28, *Fax (91) 517 00 90* – ▤ TV ☎ ♿. AE ⓓ E VISA. rest BM
Comida *(cerrado sábado, domingo y agosto)* 1200 – ☕ 1175 – **84 hab** 11500/14200, 9 suites.

Carlton, paseo de las Delicias 26, ✉ 28045, ☎ (91) 539 71 00, Telex 44571, *Fax (91) 527 85 10* – ▤ TV ☎. AE ⓓ E VISA. GZ r
Comida 3300 – ☕ 1450 – **112 hab** 17500/22600 – PA 8050.

Praga sin rest. con cafetería, Antonio López 65, ✉ 28019, ☎ (91) 469 06 00, Telex 22823, *Fax (91) 469 83 25* – ▤ TV ☎ – 25/350. AE ⓓ E VISA JCB. BM u
☕ 850 – **428 hab** 10100/12800.

Diana Plus, autopista M-40, salida 19-B, ✉ 28018, ☎ (91) 507 20 40, *Fax (91) 507 14 22* – ▤ TV ☎ – 25/200. AE ⓓ E VISA. CM a
Comida 2500 - ***Asador San Isidro :*** **Comida** carta aprox. 5500 – ☕ 800 – **103 hab** 11900/14900, 1 suite.

Aramo, paseo Santa María de la Cabeza 73, ✉ 28045, ☎ (91) 473 91 11, Telex 45885, *Fax (91) 473 92 14* – ▤ TV ☎. AE ⓓ E VISA. rest BM e
Comida 1500 – ☕ 1000 – **105 hab** 9600/12000 – PA 4000.

Puerta de Toledo, glorieta Puerta de Toledo 4, 28005, (91) 474 71 00, Telex 22291, *Fax (91) 474 07 47* – 25/30. AE E VISA JCB.
Comida (ver rest. ***Puerta de Toledo***) – 900 – **152 hab** 7600/11600. EZ v

Auto, paseo de la Chopera 69, 28045, (91) 539 66 00, *Fax (91) 530 67 03* – AE E VISA. BM c
Comida (ver rest. ***Mesón Auto***) – 300 – **110 hab** 6000/10000.

Hontoria, pl. del General Maroto 2, 28045, (91) 473 04 25 – AE E VISA. BM v
cerrado domingo, festivos, Semana Santa y agosto – **Comida** carta 3450 a 4700.

Puerta de Toledo, glorieta Puerta de Toledo 4, 28005, (91) 474 76 75, *Fax (91) 474 30 35* – E VISA. EZ v
Comida carta 3300 a 3700.

Los Cigarrales, Antonio López 52, 28019, (91) 469 74 52, *Fax (91) 569 30 48* – AE E VISA JCB. BM n
cerrado domingo noche – **Comida** carta 3900 a 4600.

Ribadas, paseo de las Acacias 50, 28005, (91) 517 22 44 – AE E VISA.
cerrado lunes y agosto – **Comida** - cocina gallega - carta 2675 a 4200. BM r

Mesón Auto, paseo de la Chopera 71, 28045, (91) 467 23 49, *Fax (91) 530 67 03,* « Decoración rústica » – AE E VISA. BM c
Comida carta 2800 a 4000.

Quo Venus, Jaime el Conquistador 1, 28045, (91) 474 09 83 – AE E VISA
cerrado domingo noche – **Comida** carta 3200 a 4650. BM a

Moncloa : Princesa, Paseo del pintor Rosales, Paseo de la Florida, Casa de Campo (planos p. 2, 6 y 8)

Meliá Madrid, Princesa 27, 28008, (91) 541 82 00, Telex 22537, *Fax (91) 541 19 88,* – 25/200. AE E VISA JCB. KV t
Comida carta 3100 a 5700 – 2000 – **253 hab** 28300/32500, 23 suites.

Tryp Monte Real, Arroyofresno 17, 28035, (91) 316 21 40, *Fax (91) 316 39 34,* « Jardín », – 25/250. AE E VISA. AL b
Comida carta aprox. 4450 – 1500 – **76 hab** 18350/23000, 4 suites.

Florida Norte, paseo de la Florida 5, 28008, (91) 542 83 00, Telex 23675, *Fax (91) 547 78 33* – AE E VISA JCB. DX v
Comida 2600 – 900 – **399 hab** 12000/17000.

Sofitel-Plaza de España sin rest, Tutor 1, 28008, (91) 541 98 80, *Fax (91) 542 57 36* – AE E VISA JCB KV d
2000 – **97 hab** 29000/33000.

Tirol sin rest. con cafetería, Marqués de Urquijo 4, 28008, (91) 548 19 00, *Fax (91) 541 39 58* – E VISA. DV r
89 hab 8160/10200, 6 suites.

Sal Gorda, Beatriz de Bobadilla 9, 28040, (91) 553 95 06 – AE E VISA.
cerrado domingo y agosto – **Comida** carta 3540 a 4000. DEU e

Currito, Casa de Campo-Pabellón de Vizcaya, 28011, (91) 464 57 04, *Fax (91) 479 72 54,* – AE VISA. AM s
cerrado domingo noche – **Comida** - cocina vasca - carta 5000 a 6300.

A'Casiña, Casa de Campo-Pabellón de Pontevedra, 28011, (91) 526 34 25, *Fax (91) 526 37 13,* – AE E VISA. AM s
cerrado domingo noche – **Comida** carta 3600 a 4700.

Chamberí : San Bernardo, Fuencarral, Alberto Aguilera, Santa Engracia (planos p. 6 a 9)

Santo Mauro, Zurbano 36, 28010, (91) 319 69 00, *Fax (91) 308 54 77,* « Elegante palacete con jardín », – 25/70. AE E VISA JCB GV e
Belagua : **Comida** carta 6500 a 7500 – 2500 – **33 hab** 32000/35000, 4 suites.

Miguel Ángel, Miguel Ángel 31, 28010, (91) 442 00 22, Telex 44235, *Fax (91) 442 53 20,* – 25/300. AE E VISA JCB.
Comida carta 3500 a 6000 – 2000 – **251 hab** 25200/35700, 20 suites. GV c

Castellana Inter-Continental, paseo de la Castellana 49, 28046, (91) 310 02 00, Telex 27686, *Fax (91) 319 58 53,* « Terraza-jardín », – 25/550. AE E VISA JCB. GV a
Comida carta 3695 a 6930 – 2500 – **278 hab** 34600/41800, 27 suites.

Mindanao, San Francisco de Sales 15, 28003, (91) 549 55 00, Telex 22631, *Fax (91) 544 55 96,* – 25/200. AE E VISA JCB. DV a
Comida *(cerrado agosto)* 3750 – 1600 – **272 hab** 14250/17850, 9 suites.

Gran Versalles sin rest, Covarrubias 4, ✉ 28010, ☎ (91) 447 57 00, Telex 49150, *Fax (91) 446 39 87* – 25/120. AE ⓓ E VISA. MV a
1250 – **143 hab** 15200, 2 suites.

NH Zurbano, Zurbano 79, ✉ 28003, ☎ (91) 441 45 00, Telex 27578, *Fax (91) 441 32 24* – 25/100. AE ⓓ E VISA JCB. GV x
Comida carta 3500 a 4500 – 1700 – **266 hab** 16800, 1 suite.

NH Embajada, Santa Engracia 5, ✉ 28010, ☎ (91) 594 02 13, *Fax (91) 447 33 12*, « Bonito edificio de estilo español » – 25/45. AE ⓓ E VISA. MV r
Comida 2500 – 1600 – **101 hab** 16000/17800.

NH Prisma, Santa Engracia 120, ✉ 28003, ☎ (91) 441 93 77, *Fax (91) 442 58 51* – 25/70. AE ⓓ E VISA JCB. FV g
Comida carta aprox. 3750 – 1700 – **103 suites** 16800.

NH Argüelles sin rest. con cafetería, Vallehermoso 65, ✉ 28015, ☎ (91) 593 97 77, *Fax (91) 594 27 39* – AE ⓓ E VISA JCB. EV e
1500 – **75 hab** 13900/15400.

Escultor, Miguel Ángel 3, ✉ 28010, ☎ (91) 310 42 03, *Fax (91) 319 25 84* – 25/150. AE ⓓ E VISA. GV s
Comida carta aprox. 3800 – 1300 – **79 hab** 19950/24675, 3 suites.

NH Bretón sin rest, Bretón de los Herreros 29, ✉ 28003, ☎ (91) 442 83 00, *Fax (91) 441 38 16* – AE ⓓ E VISA JCB. FV n
1200 – **56 hab** 13000/15000.

Sol Inn Alondras sin rest. con cafetería, José Abascal 8, ✉ 28003, ☎ (91) 447 40 00, Telex 49454, *Fax (91) 593 88 00* – AE ⓓ VISA. FV a
975 – **72 hab** 17220/20790.

Trafalgar sin rest. con cafetería, Trafalgar 35, ✉ 28010, ☎ (91) 445 62 00, *Fax (91) 446 64 56* – AE ⓓ E VISA. FV s
48 hab 8300/11500.

Jockey, Amador de los Ríos 6, ✉ 28010, ☎ (91) 319 24 35, *Fax (91) 319 24 35* – AE ⓓ E VISA JCB. NV k
cerrado sábado mediodía, domingo, festivos y agosto – **Comida** carta 6500 a 10050
Espec. Huevos escalfados a la muselina de trufas. Lomos de lubina en papillote. Pichón de sangre a la parrilla con patatas paja.

Las Cuatro Estaciones, General Ibáñez de Íbero 5, ✉ 28003, ☎ (91) 553 63 05, *Fax (91) 553 32 98*, « Decoración moderna » – AE ⓓ E VISA JCB. EU r
cerrado sábado mediodía, domingo y agosto – **Comida** 4500 y carta 4580 a 5880
Espec. Espárragos verdes a la plancha con langostinos (temp). Arroz negro con chipirones. Foie a las uvas.

Lur Maitea, Fernando el Santo 4, ✉ 28010, ☎ (91) 308 03 50, *Fax (91) 308 03 93* – AE ⓓ E VISA. MV u
cerrado sábado mediodía, domingo, festivos y agosto – **Comida** - cocina vasca - carta 4900 a 5950.

Annapurna, Zurbano 5, ✉ 28010, ☎ (91) 308 32 49, *Fax (91) 308 32 49* – AE ⓓ E VISA. MV w
cerrado sábado mediodía, domingo y festivos – **Comida** - cocina hindú - carta aprox. 3990.

Las Reses, Orfila 3, ✉ 28010, ☎ (91) 308 03 82 – AE E VISA. NV e
cerrado sábado mediodía y domingo – **Comida** - carnes - carta 3765 a 5875.

Solchaga, pl. Alonso Martínez 2, ✉ 28004, ☎ (91) 447 14 96, *Fax (91) 593 22 23* – AE E VISA. MV x
cerrado sábado mediodía, domingo y agosto – **Comida** carta 4100 a 5500.

La Cava Real, Espronceda 34, ✉ 28003, ☎ (91) 442 54 32, *Fax (91) 442 34 04* – AE ⓓ E VISA. FV h
cerrado domingo, festivos, lunes noche y agosto – **Comida** carta 4100 a 5300.

Casa Arturo, Sagasta 29, ✉ 28004, ☎ (91) 445 55 43 – AE ⓓ VISA. MV t
Comida carta 3400 a 4500.

Kulixka, Fuencarral 124, ✉ 28010, ☎ (91) 447 25 38 – AE ⓓ E VISA JCB. FV v
cerrado domingo y agosto – **Comida** - pescados y mariscos - carta 3800 a 5500.

Porto Alegre 2, Trafalgar 15, ✉ 28010, ☎ (91) 445 19 74, *Fax (91) 445 19 74* – AE ⓓ E VISA JCB. FV d
cerrado domingo noche y agosto – **Comida** carta 3950 a 5050.

Casa Hilda, Bravo Murillo 24, ✉ 28015, ☎ (91) 446 35 69 – AE ⓓ E VISA. FV q
cerrado domingo noche, lunes noche y agosto – **Comida** carta 3200 a 4400.

Jeromín, San Bernardo 115, ✉ 28015, ☎ (91) 448 98 43, *Fax (91) 446 44 81*, – AE ⓓ E VISA. EFV r
cerrado domingo noche y lunes noche – **Comida** carta 2650 a 4750.

XX **Polizón,** Viriato 39, ✉ 28010, ☎ (91) 593 39 19 – ▤. AE ⓓ E VISA JCB. ✂ FV w
cerrado domingo en verano, domingo noche resto del año y agosto – **Comida** - pescados y mariscos - carta 3425 a 4350.

XX **La Plaza de Chamberí,** pl. de Chamberí 10, ✉ 28010, ☎ (91) 446 06 97 – ▤. AE ⓓ E VISA JCB FV k
cerrado domingo – **Comida** carta 3650 a 4300.

XX **La Fuente Quince,** Modesto Lafuente 15, ✉ 28003, ☎ (91) 399 14 75, *Fax (91) 441 90 24* – ▤. AE ⓓ E VISA. ✂ FV j
cerrado sábado mediodía, domingo y agosto – **Comida** carta 3150 a 4150.

XX **Chuliá,** María de Guzmán 36, ✉ 28003, ☎ (91) 535 31 23, *Fax (91) 535 10 10* – ▤. AE ⓓ E VISA JCB. ✂ FU n
cerrado sábado mediodía, domingo y agosto – **Comida** carta 3325 a 5300.

XX **Mesón del Cid,** Fernández de la Hoz 57, ✉ 28003, ☎ (91) 442 07 55, *Fax (91) 442 96 47* – ▤. AE ⓓ E VISA GV r
cerrado domingo, festivos noche, Semana Santa y Navidades – **Comida** carta aprox. 4650.

XX **Gala,** Espronceda 14, ✉ 28003, ☎ (91) 441 95 48 – ▤. AE ⓓ E VISA. ✂ FV n
cerrado domingo y festivos – **Comida** carta aprox. 4500.

XX **Doña,** Zurbano 59, ✉ 28010, ☎ (91) 319 25 51, *Fax (91) 441 90 20* – ▤. AE E VISA. ✂ GV h
cerrado domingo noche y 2ª quincena de agosto – **Comida** carta 2800 a 3500.

XX **Babel,** Alonso Cano 60, ✉ 28003, ☎ (91) 553 08 27 – ▤. AE ⓓ VISA. ✂ FU r
cerrado sábado mediodía, domingo y agosto – **Comida** - carnes - carta aprox. 5100.

XX **Asquiniña,** Modesto Lafuente 88, ✉ 28003, ☎ (91) 553 17 95, *Fax (91) 554 91 51* – ▤. AE VISA. ✂ FU c
Comida - cocina gallega - carta 3600 a 4600.

X **Horno de Juan,** Joaquín María López 30, ✉ 28015, ☎ (91) 543 30 43 – ▤. AE ⓓ E VISA EV x
cerrado 2ª quincena de agosto – **Comida** carta 3400 a 4400.

X **La Parra,** Monte Esquinza 34, ✉ 28010, ☎ (91) 319 54 98 – ▤. AE ⓓ E VISA. ✂ GV v
cerrado sábado mediodía, domingo y agosto – **Comida** carta 3150 a 4500.

X **Pinocchio,** Orfila 2, ✉ 28010, ☎ (91) 308 16 47, *Fax (91) 766 98 04* – ▤. AE ⓓ E VISA. ✂ NV d
cerrado sábado mediodía, domingo, festivos y agosto – **Comida** - cocina italiana - carta 3030 a 3835.

X **Quattrocento,** General Ampudia 18, ✉ 28003, ☎ (91) 534 49 11 – ▤. AE ⓓ E VISA. ✂ DU a
cerrado domingo y del 15 al 31 de agosto – **Comida** - cocina italiana - carta aprox. 3100.

X **El Pedrusco de Aldealcorvo,** Juan de Austria 27, ✉ 28010, ☎ (91) 446 88 33, « Decoración castellana » – ▤. AE ⓓ E VISA. ✂ FV f
cerrado sábado, domingo noche y agosto – **Comida** carta 3900 a 4900.

X **Balear,** Sagunto 18, ✉ 28010, ☎ (91) 447 91 15 – ▤. AE E VISA. ✂ FV y
cerrado domingo noche y lunes noche – **Comida** - arroces - carta 3450 a 4500.

X **La Gran Tasca,** Santa Engracia 24, ✉ 28010, ☎ (91) 448 77 79, « Decoración castellana » – ▤. AE ⓓ E VISA. ✂ FV c
cerrado domingo noche y festivos – **Comida** carta 3800 a 4125.

X **Casa Félix,** Bretón de los Herreros 39, ✉ 28003, ☎ (91) 441 24 79 – ▤ Ⓟ. AE E VISA FV x
Comida carta 3300 a 4800.

X **Don Sancho,** Bretón de los Herreros 58, ✉ 28003, ☎ (91) 441 37 94 – ▤. AE ⓓ E VISA. ✂ GV u
cerrado domingo, lunes noche, festivos y agosto – **Comida** carta aprox. 4500.

X **La Giralda II,** Hartzenbuch 12, ✉ 28010, ☎ (91) 445 77 79, *Fax (91) 445 17 43* – ▤. AE ⓓ E VISA. ✂ FV p
cerrado domingo noche y julio – **Comida** - rest. andaluz - carta aprox. 5300.

X **Villa de Foz,** Gonzálo de Córdoba 10, ✉ 28010, ☎ (91) 446 89 93 – ▤. AE VISA. ✂ FV e
cerrado domingo y agosto – **Comida** carta 3000 a 4500.

X **Bene,** Castillo 19, ✉ 28010, ☎ (91) 448 08 78 – ▤. AE ⓓ E VISA. ✂ FV u
cerrado domingo y agosto – **Comida** carta 3075 a 3875.

X **La Despensa,** Cardenal Cisneros 6, ✉ 28010, ☎ (91) 446 17 94 – ▤. AE ⓓ E VISA. ✂ FV p
cerrado domingo y lunes noche en verano, domingo noche y lunes resto del año y septiembre – **Comida** carta 2450 a 3200.

Chamartín, Tetuán : Paseo de la Castellana, Capitán Haya, Orense, Alberto Alcocer, Paseo de la Habana (plano p. 5 salvo mención especial)

Meliá Castilla, Capitán Haya 43, 28020, (91) 567 50 00, Telex 23142, *Fax (91) 567 50 51*, - 25/800. GS c
Comida (ver rest ***L'Albufera*** y rest ***La Fragata***) - 2400 - **896 hab** 28200/32400, 14 suites.

Holiday Inn Madrid, pl. Carlos Trías Beltrán 4 (acceso por Orense 22-24), 28020, (91) 456 80 00, *Fax (91) 456 80 01*, - 25/400. rest GT z
La Terraza : **Comida** carta 3850 a 5250 - ***Big Blue :*** **Comida** carta 4035 a 4585 - 2150 - **282 hab** 26695/29795, 31 suites.

NH Eurobuilding, Padre Damián 23, 28036, (91) 345 45 00, Telex 22548, *Fax (91) 345 45 76*, « Jardín y terraza con », - 25/900. HS a
La Taberna : **Comida** carta 4700 a 5700 - ***Le Relais :*** **Comida** carta 3200 a 4500 - 2000 - **416 hab** 25250/30850, 84 suites.

Cuzco sin rest. con cafetería, paseo de la Castellana 133, 28046, (91) 556 06 00, Telex 22464, *Fax (91) 556 03 72*, - 25/450. GS a
1190 - **320 hab** 18900/23625, 8 suites.

Augusta Club 143, López de Hoyos 143, 28002, (91) 519 91 91, *Fax (91) 519 67 73* - 25/80. CL e
Comida 1980 - 1025 - **120 apartamentos** 14850/17600.

Chamartín, estación de Chamartín, 28036, (91) 334 49 00, Telex 49201, *Fax (91) 733 02 14* - 25/500. HR
Comida (ver rest. ***Cota 13***) - 1400 - **360 hab** 16500/19100, 18 suites.

NH La Habana, paseo de la Habana 73, 28036, (91) 345 82 84, *Fax (91) 457 75 79* - 25/250. rest HT f
Comida carta 3600 a 5050 - 1800 - **157 hab** 16000/17800.

Orense, Pedro Teixeira 5, 28020, (91) 597 15 68, *Fax (91) 597 12 95* - GT q
Comida 1300 - 1150 - **140 hab** 20175/24335.

Foxá 32, Agustín de Foxá 32, 28036, (91) 733 10 60, *Fax (91) 314 11 65* - 25/250. HR u
Comida 3700 - 1200 - **63 hab** 19000, 98 suites.

Foxá 25, Agustín de Foxá 25, 28036, (91) 323 11 19, *Fax (91) 314 53 11* - HR a
Comida 3700 - 1200 - **121 suites** 19000.

Castilla Plaza, paseo de la Castellana 220, 28046, (91) 323 11 86, *Fax (91) 315 54 06* - 25/150. GS u
Comida 2500 - 1450 - **147 hab** 23600/25400.

El Gran Atlanta sin rest, Comandante Zorita 34, 28020, (91) 553 59 00, *Fax (91) 533 08 58*, - 25/120. FT p
1200 - **180 hab** 18800/23500.

El Jardín sin rest, carret. N I-km 5'7 (entrada por M 40-vía de servicio), 28050, (91) 302 83 36, *Fax (91) 766 86 91*, CL h
41 apartamentos 11000/12500.

Tryp Togumar sin rest, Canillas 59, 28002, (91) 519 00 51, *Fax (91) 519 48 45* - HU s
800 - **62 hab** 11900.

Aristos, av. Pío XII-34, 28016, (91) 345 04 50, *Fax (91) 345 10 23* - HS d
Comida (ver rest ***El Chaflán***) - 900 - **24 hab** 15200/19000, 1 suite.

NH Práctico sin rest, Bravo Murillo 304, 28020, (91) 571 28 80, *Fax (91) 571 56 31* - 25/40. FS a
1200 - **35 hab** 13900/15000.

La Residencia de El Viso, Nervión 8, 28002, (91) 564 03 70, *Fax (91) 564 19 65* - HU c
Comida 1700 - 750 - **12 hab** 9000/16000 - PA 4150.

Zalacaín, Álvarez de Baena 4, 28006, (91) 561 48 40, *Fax (91) 561 47 32*, - GV b
cerrado sábado mediodía, domingo, festivos, Semana Santa y agosto - **Comida** 6950 y carta 6050 a 8800
Espec. Lasagna de hongos y foie. Suprema de lubina al Noilly Prat. Gratinado de frutas de temporada.

XXXX **Príncipe y Serrano,** Serrano 240, ✉ 28016, ✆ (91) 458 62 31, *Fax (91) 458 62 31* – ▤. AE ⓓ E VISA. ✂ HT a
cerrado sábado mediodía, domingo y agosto – **Comida** carta 5200 a 7300.

XXXX **La Máquina,** Sor Ángela de la Cruz 22, ✉ 28020, ✆ (91) 572 33 18, *Fax (91) 570 13 04* – ▤. AE ⓓ VISA. ✂ FS e
cerrado domingo – **Comida** carta 4450 a 5200.

XXXX **El Bodegón,** Pinar 15, ✉ 28006, ✆ (91) 562 88 44 – ▤. AE ⓓ E VISA. ✂ GV q
cerrado sábado mediodía, domingo y agosto – **Comida** carta 6200 a 7650.

XXXX ✿ **Príncipe de Viana,** Manuel de Falla 5, ✉ 28036, ✆ (91) 457 15 49, *Fax (91) 457 52 83,* – ▤. AE ⓓ E VISA JCB. ✂ GT c
cerrado sábado mediodía, domingo, festivos, Semana Santa y agosto – **Comida** - cocina vasco-navarra - carta 5200 a 5775
Espec. Ensalada de salmonetes con aceite de calabacín. Bacalao con patatas y puerro. Costillar de cordero a la diabla.

XXXX **Nicolasa,** Velázquez 150, ✉ 28002, ✆ (91) 563 17 35, *Fax (91) 564 32 75* – ▤. AE ⓓ E VISA. ✂ HU a
Comida carta aprox. 6100.

XXX ✿ **O'Pazo,** Reina Mercedes 20, ✉ 28020, ✆ (91) 553 23 33, *Fax (91) 554 90 72* – ▤. E VISA. ✂ FT p
cerrado domingo y agosto – **Comida** - pescados y mariscos - carta 4500 a 5650
Espec. Cocochas en salsa verde. Rapito al horno. Filloas.

XXX **L'Albufera,** Capitán Haya 43, ✉ 28020, ✆ (91) 567 51 97, *Fax (91) 567 50 51* – ▤ 🚗. AE ⓓ E VISA JCB. ✂ GS c
Comida - arroces - carta 4550 a 6100.

XXX **La Fragata,** Capitán Haya 43, ✉ 28020, ✆ (91) 567 51 96 – ▤ 🚗. AE ⓓ E VISA JCB. ✂ GS c
cerrado festivos y agosto – **Comida** carta aprox. 5950.

XXX **José Luis,** Rafael Salgado 11, ✉ 28036, ✆ (91) 457 50 36, *Fax (91) 344 18 37* – ▤. AE ⓓ E VISA. ✂ GT m
cerrado domingo y agosto – **Comida** carta aprox. 5500.

XXX **La Misión,** Comandante Zorita 6, ✉ 28020, ✆ (91) 533 27 57, *Fax (91) 534 50 90* – ▤. AE ⓓ VISA. ✂ FTU s
cerrado sábado mediodía, domingo y del 9 al 24 de agosto – **Comida** carta 3650 a 4625.

XXX **Bogavante,** Capitán Haya 20, ✉ 28020, ✆ (91) 556 21 14, *Fax (91) 597 00 79* – ▤. AE ⓓ E VISA JCB. ✂ GT d
cerrado domingo noche – **Comida** - pescados y mariscos - carta 4300 a 6650.

XXX **Vandelvira,** Suero de Quiñones 42, ✉ 28002, ✆ (91) 411 01 18, *Fax (91) 411 01 17* – ▤. AE ⓓ E VISA HTU k
cerrado sábado mediodía, domingo y agosto – **Comida** carta 4000 a 4250.

XXX **Señorío de Alcocer,** Alberto Alcocer 1, ✉ 28036, ✆ (91) 345 16 96, *Fax (91) 345 16 96* – ▤. AE ⓓ E VISA. ✂ GS e
cerrado sábado mediodía, domingo, festivos y 15 días en agosto – **Comida** carta 4400 a 6100.

XXX ✿ **El Olivo,** General Gallegos 1, ✉ 28036, ✆ (91) 359 15 35, *Fax (91) 345 91 83* – ▤. AE ⓓ E VISA JCB HS c
cerrado domingo, lunes y del 15 al 31 de agosto – **Comida** 5600 y carta 4800 a 5900
Espec. Pastel de verduritas con langosta y su vinagreta de aceitunas negras. Lamprea a la bordelesa (febrero-marzo). Foie gras caliente con salsa de Pedro Ximénez.

XXX ✿ **Goizeko Kabi,** Comandante Zorita 37, ✉ 28020, ✆ (91) 533 01 85, *Fax (91) 533 02 14* – ▤. AE ⓓ E VISA. ✂ FT a
cerrado sábado mediodía (20 junio-20 agosto) y domingo – **Comida** - cocina vasca - carta 5800 a 7780
Espec. Terrina de foie gras. Txipirones encebollados. Bacalao al estilo de la casa.

XXX **Cabo Mayor,** Juan Ramón Jiménez 37, ✉ 28036, ✆ (91) 350 87 76, *Fax (91) 359 16 21* – ▤. AE ⓓ E VISA. ✂ GHS r
cerrado sábado mediodía, domingo, Semana Santa y 7 días en agosto – **Comida** carta 5200 a 7100.

XXX **Blanca de Navarra,** av. de Brasil 13, ✉ 28020, ✆ (91) 555 10 29 – ▤. AE ⓓ E VISA
cerrado domingo, Semana Santa y agosto – **Comida** carta aprox. 5400. GT q

XXX **Lutecia,** Corazón de María 78, ✉ 28002, ✆ (91) 519 34 15 – ▤. AE ⓓ E VISA. ✂ CL n
cerrado sábado mediodía, domingo, festivos y agosto – **Comida** carta 3100 a 3650.

XXX **Aldaba,** Alberto Alcocer 5, ✉ 28036, ✆ (91) 345 21 93 – ▤. AE ⓓ E VISA GS e
cerrado sábado mediodía, domingo y agosto – **Comida** carta 4775 a 6000.

XXX **El Foque,** Suero de Quiñones 22, ✉ 28002, ✆ (91) 519 25 72, *Fax (91) 519 52 61* – ▤. AE ⓞ E VISA. ✻ HU r
cerrado domingo – **Comida** - espec. en bacalaos - carta 4300 a 4750.

XX **Ganges,** Bolivia 11, ✉ 28016, ✆ (91) 457 27 29 – ▤. AE ⓞ E VISA JCB. ✻ HST v
Comida - cocina hindú - carta aprox. 4500.

XX **Combarro,** Reina Mercedes 12, ✉ 28020, ✆ (91) 554 77 84, *Fax (91) 534 25 01* – ▤. AE ⓞ E VISA JCB. ✻ FT a
cerrado domingo noche y agosto – **Comida** - pescados y mariscos - carta 4600 a 7800.

XX **La Tahona,** Capitán Haya 21 (lateral), ✉ 28020, ✆ (91) 555 04 41, *Fax (91) 556 62 02,* « Decoración castellano-medieval » – ▤. AE ⓞ E VISA. ✻ GT u
cerrado domingo noche y agosto – **Comida** - cordero asado - carta 3400 a 3975.

XX **De Funy,** Serrano 213, ✉ 28016, ✆ (91) 457 95 22, *Fax (91) 458 85 84,* ☂ – ▤. AE ⓞ E VISA. ✻ HT z
Comida - rest. libanés - carta 3700 a 5050.

XX **La Fonda,** Príncipe de Vergara 211, ✉ 28002, ✆ (91) 563 46 42 – ▤. AE ⓞ E VISA. ✻ HT e
cerrado domingo en julio y agosto – **Comida** - cocina catalana - carta aprox. 4400.

XX **Gaztelupe,** Comandante Zorita 32, ✉ 28020, ✆ (91) 534 90 28 – ▤. AE ⓞ E VISA. ✻ FT p
cerrado domingo (20 junio-15 agosto) y domingo noche resto del año – **Comida** - cocina vasca - carta 5100 a 5600.

XX **Mirasierra,** Peña Auseba 5 (colonia Mirasierra), ✉ 28034, ✆ (91) 735 03 78, *Fax (91) 734 48 10,* « Terraza con arbolado » – ▤. AE ⓞ E VISA. ✻ por ⑧
cerrado sábado, domingo, Semana Santa y agosto – **Comida** carta aprox. 5100.

XX **Jai-Alai,** Balbina Valverde 2, ✉ 28002, ✆ (91) 561 27 42, *Fax (91) 561 38 46,* ☂ – ▤. AE ⓞ E VISA JCB GU h
cerrado lunes – **Comida** - cocina vasca - carta 3780 a 4625.

XX **Pedralbes,** Basílica 15, ✉ 28020, ✆ (91) 555 30 27, ☂ – ▤. AE ⓞ E VISA. ✻ FT z
cerrado domingo noche – **Comida** carta aprox. 4500.

XX **Asador Frontón II,** Pedro Muguruza 8, ✉ 28036, ✆ (91) 345 36 96, *Fax (91) 350 95 33* – ▤. AE ⓞ E VISA. ✻ HS c
cerrado domingo noche – **Comida** carta 4200 a 6050.

XX **Gerardo,** Alberto Alcocer 46 bis, ✉ 28016, ✆ (91) 457 94 59, *Fax (91) 401 34 43* – ▤. AE ⓞ E VISA. ✻ HS v
cerrado domingo y 1ª quincena de agosto – **Comida** carta 3750 a 5100.

XX **Carta Marina,** Padre Damián 40, ✉ 28036, ✆ (91) 458 68 26, *Fax (91) 350 78 83* – ▤. AE ⓞ E VISA JCB. ✻ HS k
cerrado domingo y agosto – **Comida** carta 4450 a 5650.

XX **El Telégrafo,** Padre Damián 44, ✉ 28036, ✆ (91) 350 61 19, *Fax (91) 401 34 43,* « Imitando el interior de un barco » – ▤. AE ⓞ E VISA. ✻ HS e
Comida - pescados y mariscos - carta 3750 a 5100.

XX **Rugantino,** Velázquez 136, ✉ 28006, ✆ (91) 561 02 22 – ▤. AE ⓞ E VISA JCB. ✻ HV e
Comida - cocina italiana - carta 3450 a 3840.

XX **Serramar,** Rosario Pino 12, ✉ 28020, ✆ (91) 570 07 90, *Fax (91) 570 48 09* – ▤. AE ⓞ E VISA. ✻ GS k
cerrado domingo – **Comida** - pescados y mariscos - carta 4100 a 4500.

XX **De María,** Félix Boix 5, ✉ 28036, ✆ (91) 359 65 07, *Fax (91) 345 22 94* – ▤. AE ⓞ E VISA. ✻ GS h
Comida - pescados y carnes a la brasa - carta aprox. 5500.

XX **Tattaglia,** paseo de la Habana 17, ✉ 28036, ✆ (91) 562 85 90 – ▤. AE ⓞ E VISA JCB. ✻ GT b
Comida - cocina italiana - carta 3450 a 3840.

XX **Paparazzi,** Sor Ángela de la Cruz 22, ✉ 28020, ✆ (91) 579 67 67 – ▤. AE ⓞ E VISA JCB. ✻ FGS v
Comida - cocina italiana - carta 3030 a 3450.

XX **Ox's,** Juan Ramón Jiménez 11, ✉ 28036, ✆ (91) 458 19 03, *Fax (91) 344 14 37* – ▤. AE ⓞ E VISA. ✻ GHS t
cerrado domingo y agosto – **Comida** - carnes a la brasa - carta 3900 a 4950.

XX **Barlovento,** paseo de la Habana 84, ✉ 28016, ✆ (91) 344 14 79 – ▤. AE ⓞ E VISA. ✻ HT x
cerrado domingo noche y del 10 al 30 de agosto – **Comida** carta 4000 a 4800.

XX **Ferreiro,** Comandante Zorita 32, ✉ 28020, ✆ (91) 553 93 42 – ▤. AE ⓞ E VISA FT p
Comida - cocina asturiana - carta 3375 a 4375.

XX **Endavant,** Velázquez 160, ✉ 28002, ✆ (91) 561 27 38, ☂ – ▤. AE ⓞ VISA. ✻ HU e
cerrado domingo y Semana Santa – **Comida** - cocina catalana - carta 3700 a 4900.

XX **Fass,** Rodríguez Marín 84, ✉ 28002, ☎ (91) 563 60 83, *Fax (91) 563 74 53,* « Decoración estilo bávaro » – ▤. AE ⓓ E VISA. ✂ HT t
Comida - cocina alemana - carta 3000 a 4700.

XX **Asador Castillo de Javier,** Capitán Haya 19, ✉ 28020, ☎ (91) 556 87 97 – ▤. AE ⓓ E VISA. ✂ GT u
cerrado sábado mediodía y del 14 al 21 de agosto – **Comida** carta aprox. 4600.

XX **La Parrilla de Madrid,** Capitán Haya 19 (posterior), ✉ 28020, ☎ (91) 555 12 83, *Fax (91) 597 29 18* – ▤. AE ⓓ E VISA. ✂ GT u
cerrado domingo y del 15 al 31 de agosto – **Comida** carta aprox. 4700.

XX **Sacha,** Juan Hurtado de Mendoza 11 (posterior), ✉ 28036, ☎ (91) 345 59 52, 🏠 – ▤. AE ⓓ VISA. ✂ GHS r
cerrado domingo, Semana Santa y del 10 al 31 de agosto – **Comida** carta 3850 a 6550.

XX **Rianxo,** Oruro 11, ✉ 28016, ☎ (91) 457 10 06, *Fax (91) 457 22 04* – ▤. AE ⓓ E VISA. ✂ HT h
cerrado domingo en agosto – **Comida** - cocina gallega - carta 3900 a 6350.

XX **El Chaflán,** av. Pío XII-34, ✉ 28016, ☎ (91) 350 61 93, *Fax (91) 345 10 23,* 🏠 – ▤. AE ⓓ E VISA JCB. ✂ HS d
cerrado domingo noche y Semana Santa – **Comida** carta 4100 a 5000.

XX **Tándem,** Pedro Muguruza 5, ✉ 28036, ☎ (91) 350 30 47 – ▤. AE ⓓ E VISA. ✂ HS x
cerrado sábado mediodía, domingo y agosto – **Comida** carta 2450 a 3950.

XX **Cota 13,** estación de Chamartín, ✉ 28036, ☎ (91) 314 95 00, *Fax (91) 733 02 14* – ▤. AE ⓓ VISA JCB. ✂ HR
cerrado domingo – **Comida** carta 2450 a 4650.

XX **La Broche,** Dr. Fleming 36, ✉ 28036, ☎ (91) 457 99 60 – ▤. AE ⓓ E VISA GS z
cerrado sábado mediodía, domingo, Semana Santa y agosto – **Comida** carta 3900 a 4950.

XX **Asador de Roa,** Pintor Juan Gris 5, ✉ 28020, ☎ (91) 555 39 28, *Fax (91) 555 86 29* – ▤. AE ⓓ VISA. ✂ GT d
Comida carta 3500 a 4400.

XX **Donde Marian,** Torpedero Tucumán 32, ✉ 28016, ☎ (91) 359 04 84, 🏠 – ▤. AE ⓓ E VISA. ✂ HS z
cerrado sábado mediodía, domingo y agosto – **Comida** carta 2750 a 3550.

XX **House of Ming,** paseo de la Castellana 74, ✉ 28046, ☎ (91) 561 10 13, *Fax (91) 561 98 27* – ▤. AE ⓓ E VISA. ✂ GV f
Comida - rest. chino - carta 2805 a 3565.

X **El Molino,** Conde de Serrallo 1, ✉ 28020, ☎ (91) 571 24 09, « Decoración castellana » – ▤. AE ⓓ E VISA GS w
Comida - asados - carta 3050 a 5100.

X **La Ancha,** Príncipe de Vergara 204, ✉ 28002, ☎ (91) 563 89 77, 🏠 – ▤. AE ⓓ E VISA JCB. ✂ HT r
cerrado domingo, festivos, Semana Santa y Navidades – **Comida** carta 3400 a 4900.

X **El Asador de Aranda,** pl. de Castilla 3, ✉ 28046, ☎ (91) 733 87 02, *Fax (91) 556 62 02,* « Decoración castellana » – ▤. AE ⓓ E VISA. ✂ GS b
cerrado domingo noche y 17 agosto-13 septiembre – **Comida** - cordero asado - carta aprox. 3950.

X **Prost,** Orense 6, ✉ 28020, ☎ (91) 555 28 94 – ▤. AE ⓓ VISA. ✂ FT c
cerrado domingo y festivos – **Comida** carta 2825 a 4000.

X **Da Nicola,** Orense 4, ✉ 28020, ☎ (91) 555 77 53, *Fax (91) 556 68 17* – ▤. AE ⓓ E VISA JCB. ✂ FTU c
Comida - cocina italiana - carta aprox. 2570.

X **Asador Ansorena,** Capitán Haya 55 (interior), ✉ 28020, ☎ (91) 579 64 51 – ▤. AE ⓓ E VISA. ✂ GS n
cerrado domingo y agosto – **Comida** carta 5500 a 6500.

X **Rianxo,** Raimundo Fernández Villaverde 49, ✉ 28003, ☎ (91) 534 88 32 – ▤. AE ⓓ E VISA. ✂ FU a
cerrado domingo y agosto – **Comida** - cocina gallega - carta 4250 a 6100.

X **El Molino,** Orense 70, ✉ 28020, ☎ (91) 571 38 34, *Fax (91) 653 59 83,* « Decoración castellana » – ▤. AE ⓓ VISA. ✂ GS f
Comida - asados - carta aprox. 4000.

X **Zacarías de Santander,** Rosario Pino 17, ✉ 28020, ☎ (91) 571 28 86, *Fax (91) 548 30 70,* 🏠 – ▤. AE ⓓ E VISA. ✂ GS f
Comida carta 4450 a 7400.

X **Casa Benigna,** Benigno Soto 9, ✉ 28002, ☎ (91) 413 33 56, *Fax (91) 416 93 57* – ▤. AE ⓓ E VISA HT u
Comida carta 4000 a 5300.

La Villa, Leizarán 19, ✉ 28002, ☎ (91) 563 55 99, *Fax (91) 435 62 30* – AE ① E VISA. HT n
cerrado sábado mediodía, domingo, Semana Santa y agosto – **Comida** carta 2900 a 3675.

Los Borrachos de Velázquez, Príncipe de Vergara 205, ✉ 28002, ☎ (91) 564 04 01, *Fax (91) 563 93 35* – AE ① E VISA. HT s
cerrado domingo – **Comida** - rest. andaluz - carta 3900 a 4700.

Las Cumbres, Alberto Alcocer 32, ✉ 28036, ☎ (91) 458 76 92, *Fax (91) 457 04 81,* « Taberna andaluza » – AE ① E VISA JCB. HS b
Comida carta 2700 a 5050.

El Cenachero, Manuel de Falla 8, ✉ 28036, ☎ (91) 457 59 04 – AE ① E VISA. GT r
cerrado sábado mediodía, domingo, Semana Santa y agosto – **Comida** carta 3025 a 4275.

Alrededores

por la salida ② *N II y acceso carretera Coslada - San Fernando E : 12 km – ✉ 28022 Madrid :*

Rancho Texano, av. Aragón 364 ☎ (91) 747 47 36, *Fax (91) 747 94 68,* « Terraza » – P. AE ① E VISA JCB.
cerrado domingo noche – **Comida** - carnes a la brasa - carta 3685 a 6035.

por la salida ⑦ – ✉ *28023 Madrid :*

Concordy sin rest. con cafetería, cruce N VI con M-40 - El Plantío : 11,7 km ☎ (91) 307 65 54, *Fax (91) 372 81 95* – TV P. E VISA.
300 – **22 hab** 6000/9000.

Gaztelubide, Sopelana 13 - La Florida : 12,8 km ☎ (91) 372 85 44, *Fax (91) 372 84 19,* – P. AE ① E VISA.
cerrado domingo noche – **Comida** - cocina vasca - carta aprox. 5500.

Portonovo, 10,5 km - salida 11 autopista ☎ (91) 307 01 73, *Fax (91) 307 02 86,* – P. AE ① E VISA JCB.
cerrado domingo noche – **Comida** - cocina gallega - carta 4140 a 5395.

Los Remos, La Florida : 13 km ☎ (91) 307 72 30, *Fax (91) 372 84 35* – P. AE ① E VISA.
Comida - pescados y mariscos - carta 4500 a 5400.

Asador Los Condes, av. de la Victoria 7 - El Plantío : 12,5 km, ✉ 28023, ☎ (91) 307 73 00, *Fax (91) 307 79 69* – AE ① E VISA.
cerrado domingo noche y lunes – **Comida** - espec. en asados - carta aprox. 4500.

Hacienda Santa Fé, av. de la Victoria 46 - El Plantío : 13,7 km ☎ (91) 307 66 03, *Fax (91) 372 91 95,* – AE ① E VISA.
cerrado domingo noche, lunes (invierno), domingo y lunes mediodía resto del año – **Comida** carta 3050 a 4200.

La Dehesa, centro comercial Sexta Avenida (terraza) - El Plantío : 13 km ☎ (91) 372 91 27, *Fax (91) 815 06 45,* – AE ① E VISA
cerrado domingo (julio-agosto), domingo noche y lunes noche resto del año y una semana en agosto – **Comida** carta aprox. 3975.

por la salida ⑧ *en Fuencarral : 9 km – ✉ 28034 Madrid :*

Casa Pedro, Nuestra Señora de Valverde 119 ☎ (91) 734 02 01, *Fax (91) 358 40 89,* « Decoración castellana » – AE ① E VISA.
Comida carta 2800 a 4600.

por la salida ⑧ *14,5 km – ✉ 28049 Madrid :*

El Mesón, carret. M 607 ☎ (91) 734 10 19, *Fax (91) 734 05 77,* « Decoración rústica en una casa de campo castellana » – P. AE ① E VISA JCB.
Comida carta 3725 a 4450.

Ver también : **Barajas** *por* ② *: 14 km*
Alcobendas *por* ① *: 16 km.*

Neumáticos MICHELIN S.A., División Comercial Dr. Esquerdo 157, ✉ 28007 JY ☎ (91) 557 60 00, Fax (91) 557 60 10

Neumáticos MICHELIN S.A., Sucursal av. José Gárate 7, COSLADA por ②, ✉ 28820 ☎ 902 23 88 35, Fax 902 23 90 62

Não confundir :

Conforto dos hotéis	: ...
Conforto dos restaurantes	: XXXXX ... X
Qualidade da cozinha	: ✿✿✿, ✿✿, ✿,

MADRIDEJOS *45710 Toledo* 444 **N 19** – *10 332 h. alt. 688.*

Madrid 120 – Alcázar de San Juan 29 – Ciudad Real 84 – Toledo 74 – Valdepeñas 81.

en la autovía N IV *N : 6 km – ✉ 45710 Madridejos :*

Un Alto en el Camino, ☎ (925) 46 00 00, *Fax (925) 46 35 41* – ▤ Ⓟ. VISA
cerrado sábado y del 7 al 20 de septiembre – **Comida** - sólo almuerzo - carta aprox. 3800.

MADRIGALEJO DEL MONTE *09330 Burgos* 442 **F 18** – *192 h. alt. 893.*

Madrid 210 – Aranda de Duero 57 – Burgos 25 – Palencia 89.

La Venta, autovía N I ☎ (947) 17 30 02 – TV ☎ Ⓟ
7 hab.

MADRONA *40154 Segovia* 442 **J 17** – *alt. 1 088.*

Madrid 90 – Ávila 58 – Segovia 9.

Sotopalacio sin rest, Segovia 15 ☎ (921) 48 51 00, *Fax (921) 48 52 24* – TV ☎. AE E VISA JCB
400 – **12 hab** 3500/6500.

El MADROÑAL *Las Palmas – ver Canarias (Gran Canaria) : Santa Brígida.*

MAGALUF *Baleares – ver Baleares (Mallorca).*

MAGAZ *34220 Palencia* 442 **G 16** – *782 h. alt. 728.*

Madrid 237 – Burgos 79 – León 137 – Palencia 9 – Valladolid 49.

Europa Centro, urb. Castillo de Magaz - carret. de Palencia O : 1 km ☎ (979) 78 40 00, *Fax (979) 78 41 85*, ≤ – |‡| ▤ TV ☎ ♿ Ⓟ – 25/500. AE ⓘ E VISA. ✻ rest
Comida 2500 – 1000 – **114 hab** 8500/11000, 8 suites – PA 6500.

MAHÓN *Baleares – ver Baleares (Menorca).*

MÁLAGA *29000* P 446 **V 16** – *534 683 h. – Playa.*

Ver : *Gibralfaro : ≤★★* DY - *Alcazaba★ (Museo Arqueológico★)* DY – *Catedral★* CZ – *Iglesia del El Sagrario (retablo manierista★)* CY.

Alred. : *Finca de la Concepción★ 7 km por ④.*

18 *Málaga, por ② : 9 km ☎ (95) 237 66 77 Fax (95) 237 66 12* – 9 *El Candado, por ① : 5 km ☎ (95) 229 93 40 Fax (95) 229 08 45.*

de Málaga por ② : 9 km ☎ (95) 204 84 84 – Iberia : Molina Larios 13 ✉ 29015 ☎ (95) 213 61 48 CY *y aeropuerto ☎ (95) 204 84 84.*

☎ (95) 212 82 25.

para Melilla : Cía. Trasmediterránea, Estación Marítima, Local E-1 ✉ 29016 CZ *☎ (95) 222 43 91 Fax (95) 222 48 83.*

pasaje de Chinitas 4 ✉ 29015 ☎ (95) 221 34 45 Fax (95) 222 94 21 – **R.A.C.E.** *Calderería (galerias Goya 5º-1) ✉ 29008 ☎ (95) 221 42 60 Fax (95) 221 20 32.*

Madrid 548 ④ – Algeciras 133 ② – Córdoba 175 ④ – Sevilla 217 ④ – Valencia 651 ④

Planos páginas siguientes

Parador de Málaga-Gibralfaro, Castillo de Gibralfaro, ✉ 29016, ☎ (95) 222 19 02, *Fax (95) 222 19 04*, « Magnífica situación con ≤ Málaga y mar », – |‡| ▤ TV ☎ ♿ Ⓟ – 25/60. AE ⓘ E VISA JCB. ✻ DY
Comida 3700 – 1300 – **38 hab** 15200/19000 – PA 7400.

Málaga Palacio sin rest, av. Cortina del Muelle 1, ✉ 29015, ☎ (95) 221 51 85, *Fax (95) 222 51 00*, ≤, – |‡| ▤ TV ☎ – 25/300. AE ⓘ E VISA JCB. ✻ CZ b
1000 – **221 hab** 13000/18600.

Larios, Marqués de Larios 2, ✉ 29005, ☎ (95) 222 22 00, *Fax (95) 222 24 07* – |‡| ▤ TV ☎ – 25/150. AE ⓘ E VISA. ✻ CY s
Comida *(cerrado domingo)* carta aprox. 3300 – 1250 – **40 hab** 13000/15500.

Don Curro sin rest. con cafetería, Sancha de Lara 7, ✉ 29015, ☎ (95) 222 72 00, *Fax (95) 221 59 46* – |‡| ▤ TV ☎. AE ⓘ E VISA JCB CZ e
650 – **103 hab** 8500/12000.

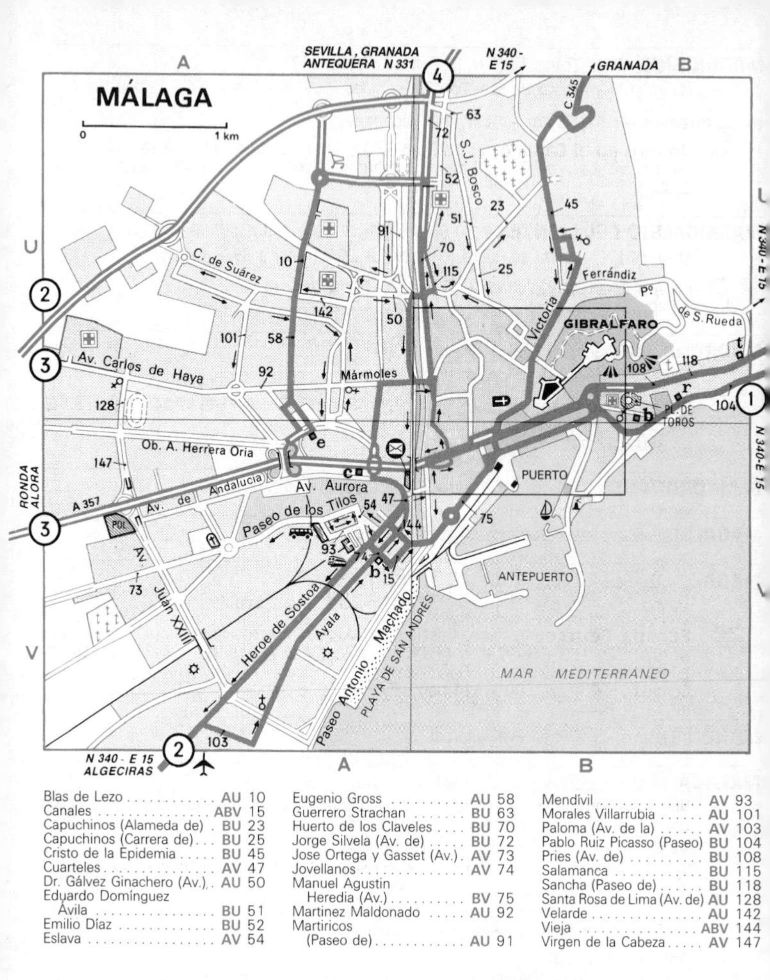

Blas de Lezo .... AU 10	Eugenio Gross .... AU 58	Mendívil .... AV 93
Canales .... ABV 15	Guerrero Strachan ...... BU 63	Morales Villarrubia ...... AU 101
Capuchinos (Alameda de) . BU 23	Huerto de los Claveles .... BU 70	Paloma (Av. de la) ...... AV 103
Capuchinos (Carrera de) ... BU 25	Jorge Silvela (Av. de) ..... BU 72	Pablo Ruiz Picasso (Paseo) BU 104
Cristo de la Epidemia ..... BU 45	Jose Ortega y Gasset (Av.). AV 73	Pries (Av. de) .... BU 108
Cuarteles .... AV 47	Jovellanos .... AV 74	Salamanca .... BU 115
Dr. Gálvez Ginachero (Av.) . AU 50	Manuel Agustin Heredia (Av.) .... BV 75	Sancha (Paseo de) ...... BU 118
Eduardo Domínguez Ávila .... BU 51	Martinez Maldonado ..... AU 92	Santa Rosa de Lima (Av. de) AU 128
Emilio Díaz .... BU 52	Martiricos (Paseo de) .... AU 91	Velarde .... AU 142
Eslava .... AV 54		Vieja .... ABV 144
		Virgen de la Cabeza ..... AV 147

Los Naranjos sin rest, paseo de Sancha 35, ✉ 29016, ☎ (95) 222 43 19, *Fax (95) 222 59 75* – |‡| ▤ TV ☎ 🚗. AE ⓓ E VISA. ✈ — BU t
☕ 900 – **40 hab** 10800/14900, 1 suite.

Don Paco sin rest, Salitre 53, ✉ 29002, ☎ (95) 231 90 08, *Fax (95) 231 90 62* – |‡| ▤ TV ☎ 🚗. AE E VISA. ✈ — AV b
☕ 375 – **25 hab** 6300/8000.

Venecia sin rest y sin ☕, Alameda Principal 9, ✉ 29001, ☎ (95) 221 36 36 – |‡| TV ☎. AE ⓓ E VISA. ✈ — CZ u
40 hab 4950/8250.

XXX **Café de París,** Vélez Málaga 8, ✉ 29016, ☎ (95) 222 50 43, *Fax (95) 260 38 64* – ▤. AE ⓓ E VISA JCB. ✈ — DZ x
cerrado domingo y del 15 al 31 de julio – **Comida** carta aprox. 3900.

XX **Adolfo,** paseo Marítimo Pablo Ruiz Picasso 12, ✉ 29016, ☎ (95) 260 19 14 – ▤. AE ⓓ E VISA. ✈ — BU r
cerrado domingo – **Comida** carta 2200 a 3900.

XX **Doña Pepa,** Vélez Málaga 6, ✉ 29016, ☎ (95) 260 34 89 – ▤. AE ⓓ E VISA. ✈ — DZ a
cerrado domingo y septiembre – **Comida** carta 2450 a 3850.

MÁLAGA

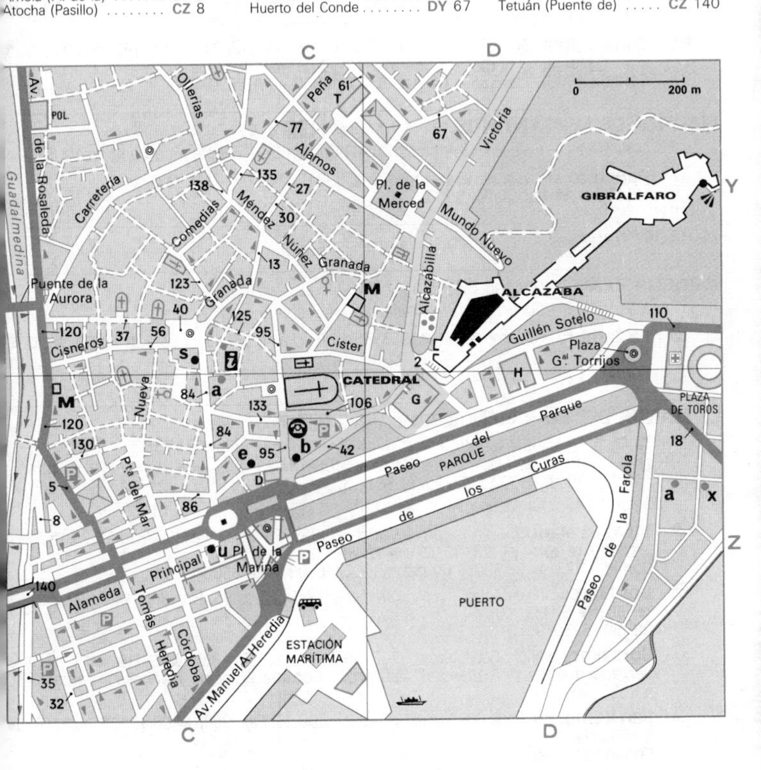

Refectorium, Cervantes 8, ⊠ 29016, ℰ (95) 221 89 90 – ▤. AE ⓓ E VISA. ✂ BUV b
cerrado domingo y del 1 al 15 de junio – **Comida** carta 3100 a 4300.

Figón de Juan, pasaje Esperanto 3, ⊠ 29007, ℰ (95) 228 75 47 – ▤. AE E VISA. ✂ AV e
cerrado domingo y del 3 al 24 de agosto – **Comida** carta 3000 a 3300.

Cueva del Camborio, av. de la Aurora 18, ⊠ 29006, ℰ (95) 234 78 16 – ▤. AE ⓓ E VISA. ✂ AV c
cerrado domingo y lunes noche – **Comida** - sólo almuerzo en verano - carta aprox. 3500.

El Chinitas, Moreno Monroy 4, ⊠ 29015, ℰ (95) 221 09 72, *Fax (95) 222 00 31*, ☂ – ▤. AE ⓓ E VISA. ✂ CYZ a
Comida carta 3000 a 3925.

en Cerrado de Calderón *por ① : 6 km – ⊠ 29018 Málaga :*

El Campanario, paseo de la Sierra 36 ℰ (95) 220 24 48, ☂, « Magnífica situación con ← bahía de Málaga » – ▤. AE ⓓ E VISA. ✂
cerrado lunes – **Comida** carta aprox. 4500.

en la playa de El Palo *por ① : 6 km – ⊠ 29017 Málaga :*

Casa Pedro, Quitapenas 121 ℰ (95) 229 00 13, *Fax (95) 229 00 03*, ← – |‡| ▤. AE ⓓ E VISA
cerrado lunes noche – **Comida** carta 2200 a 3850.
Ver también : **Torremolinos** *por ② : 14 km.*

MALPARTIDA DE CÁCERES *10910 Cáceres* **444** **N 10** – *3 747 h. alt. 371.*
Madrid 308 – Alcántara 52 – Badajoz 103 – Cáceres 12 – Mérida 81 – Plasencia 94.

Peña Cruz, carret. N 521 (927) 27 62 92 – . VISA.
Comida 950 – 400 – **12 hab** 3000/6000 – PA 1740.

MALPARTIDA DE PLASENCIA *10680 Cáceres* **444** **M 11** – *4 234 h. alt. 467.*
Madrid 227 – Ávila 158 – Cáceres 88 – Ciudad Real 313 – Salamanca 139 – Talavera de la Reina 111 – Plasencia 8.

Cañada Real, carret. C 511 - S : 1 km (927) 45 94 07, *Fax (927) 45 94 34*, – – 25/600. AE VISA.
Comida 1800 – 535 – **61 hab** 9500/12000 – PA 3550.

MALPICA DE BERGANTIÑOS *15113 La Coruña* **441** **C 3** – *7 434 h. – Playa.*
Madrid 651 – Carballo 18 – La Coruña/A Coruña 58 – Santiago de Compostela 63.

Panchito sin rest, pl. Villar Amigo 6 (981) 72 03 07 – . VISA.
575 – **11 hab** 4500/5000.

MALLORCA *Baleares – ver Baleares.*

MANCHA REAL *23100 Jaén* **446** **S 19** – *8 409 h. alt. 760.*
Madrid 355 – Córdoba 118 – Granada 92 – Jaén 19.

La Zambra, La Zambra 47 (953) 35 11 93, *Fax (953) 35 11 93* – . AE VISA.
Comida 1300 – 300 – **11 hab** 3750/6000.

La MANGA DEL MAR MENOR *30380 Murcia* **445** **T 27** – *Playa.*
La Manga, SO : 11 km (968) 17 50 00 Fax (968) 17 50 58.
urb. Castillo de Mar - Torre Norte (968) 14 18 12 Fax (968) 14 21 72 y Gran Vía km 0 (968) 56 33 55 Fax (968) 56 35 32.
Madrid 473 – Cartagena 34 – Murcia 83.

Villas La Manga, Gran Vía de La Manga (968) 14 52 22, *Fax (968) 14 53 23*, – – 25/80. AE VISA.
Comida 1500 – 500 – **60 hab** 11000/16000 – PA 3500.

Dos Mares sin rest y sin , pl. Bohemia (968) 14 00 93, *Fax (968) 14 03 22* – . AE VISA.
28 hab 5350/8560.

Borsalino, edificio Babilonia (968) 56 31 30, , – AE VISA.
cerrado martes y 7 enero-10 febrero – **Comida** - cocina francesa - carta 3250 a 4650.

San Remo, Hacienda Dos Mares (968) 14 08 13, *Fax (968) 14 08 13*, – . AE VISA.
Comida carta aprox. 2695.

Michel, edificio Babilonia (968) 56 30 02, , – VISA
cerrado enero – **Comida** - cocina francesa - carta 1450 a 3250.

MANILVA *29691 Málaga* 446 **W 14** – *4 902 h.* – *Playa.*
Madrid 643 – Algeciras 40 – Málaga 97 – Ronda 61.

en el Puerto de la Duquesa *SE : 4 km* – ✉ *29692 Puerto de la Duquesa :*

XX **Macues,** ✆ (95) 289 03 39, *Fax (95) 289 03 39,* ≤, – AE ◑ E VISA. ✂
cerrado lunes y febrero – **Comida** - sólo cena salvo fines de semana - carta 3750 a 4500.

en la carretera de Cádiz *SE : 4,5 km* – ✉ *29691 Manilva :*

La Duquesa, ✆ (95) 289 12 11, *Fax (95) 289 16 30,* 18 – TV ☎ P
93 hab.

en Castillo de la Duquesa *SE : 4,8 km* – ✉ *29691 Manilva :*

X **Mesón del Castillo,** pl. Mayor ✆ (95) 289 07 66 – . AE ◑ E VISA. ✂
cerrado martes – **Comida** carta 2800 a 4150.

Sieben ***Michelin-Abschnittskarten :***

Spanien : Nordwesten 441, ***Norden*** 442, ***Nordosten*** 443, ***Zentralspanien*** 444, ***Zentral- und Ostspanien*** 445, ***Süden*** 446.

Portugal 440.

Die auf diesen Karten rot unterstrichenen Orte sind im vorliegenden Führer erwähnt.

Für die gesamte ***Iberische Halbinsel*** *benutzen Sie die* ***Michelin-Karte*** 990 *im Maßstab 1 : 1 000 000,*
oder der ***Atlas Michelin Spanien Portugal*** *im Maßstab 1/400 000.*

MANISES *46940 Valencia* 445 **N 28** – *24 453 h. alt. 52.*
Manises, carret. de Ribaroja NO : 2,5 km ✆ (96) 152 38 04.
de Valencia-Manises, ✆ (96) 370 95 00.
Madrid 346 – Castellón de la Plana/Castelló de la Plana 78 – Requena 64 – Valencia 9,5.

Meliá Confort Azafata, autopista del aeropuerto 15 ✆ (96) 154 61 00, *Fax (96) 153 20 19* – TV ☎ P – 25/300. AE ◑ E VISA. ✂ rest
Comida 2900 – 1150 – **124 hab** 12800/19000, 4 suites – PA 6950.

MANLLEU *08560 Barcelona* 443 **F 36** – *16 242 h. alt. 461.*
Madrid 649 – Barcelona 78 – Gerona/Girona 104 – Vic 9.

Torres, passeig de Sant Joan 42 ✆ (93) 850 61 88, *Fax (93) 850 63 13* – rest, TV ☎ . AE ◑ E VISA. ✂ rest
cerrado 19 diciembre-6 enero – ***Torres Petit*** *(cerrado domingo)* **Comida** carta 3200 a 4800 – 575 – **17 hab** 3600/5800.

X **La Cabanya,** Vía Ausetania 1 ✆ (93) 851 33 19, *Fax (93) 851 33 19* – . VISA
cerrado lunes salvo festivos – **Comida** - mariscos - carta 3900 a 5700.

MANRESA *08240 Barcelona* 443 **G 35** – *66 879 h. alt. 205.*
pl. Major 1 ✆ (93) 878 23 01 Fax (93) 878 23 03.
Madrid 591 ③ – Barcelona 67 ① – Lérida/Lleida 122 ③ – Perpignan 239 ① – Tarragona 115 ② – Sabadell 67 ①

Plano página siguiente

Pere III, Muralla Sant Francesc 49 ✆ (93) 872 40 00, *Fax (93) 875 05 06* – TV ☎ P – 25/600. AE E VISA. ✂ rest AZ a
Comida 1700 – 500 – **113 hab** 6000/8000.

XX **Catalonia,** Pompeu Fabra 13-1º ✆ (93) 872 08 44, *Fax (93) 875 13 81* – . VISA. ✂ AY b
cerrado de domingo a martes por la noche y agosto – **Comida** carta 3090 a 5000.

XX **La Cuina,** Alfons XII-18 ✆ (93) 872 89 69, *Fax (93) 872 89 69* – . AE ◑ E VISA JCB. ✂ AZ e
cerrado jueves – **Comida** carta 3025 a 4400.

XX **Aligué,** barriada El Guix 8 - carret. de Vic ✆ (93) 873 25 62, *Fax (93) 874 53 52* – P. AE ◑ E VISA. ✂ por ①
cerrado domingo noche y lunes noche – **Comida** carta 3700 a 5100.

MANRESA

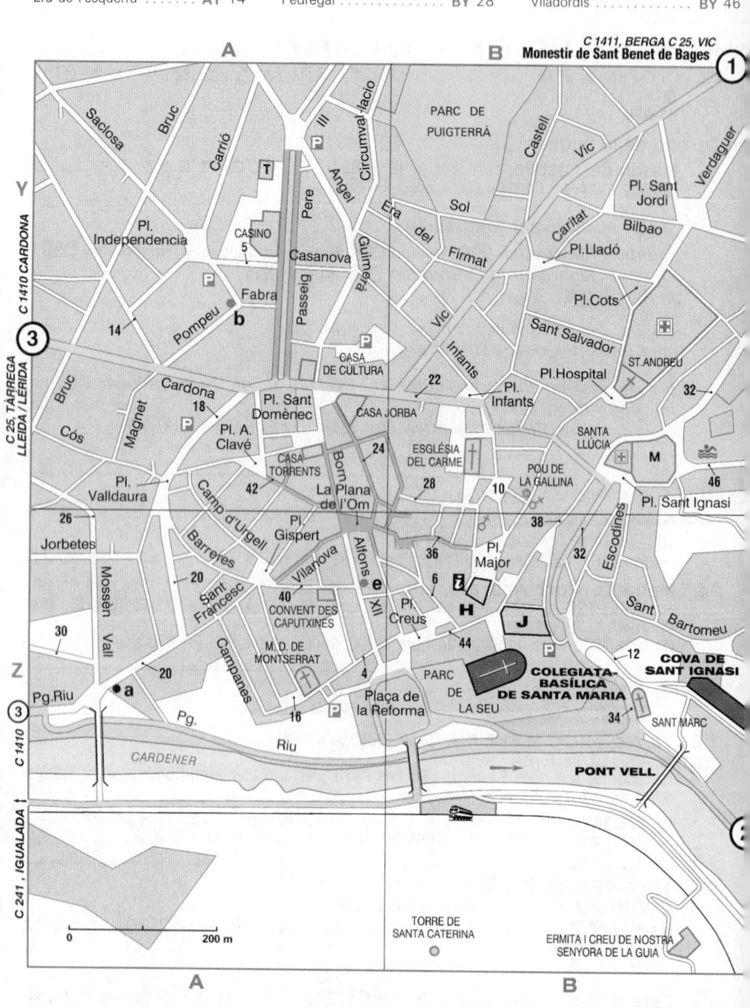

MANZANARES *13200 Ciudad Real* 444 **O 19** – *18 326 h. alt. 645.*
Madrid 173 – Alcázar de San Juan 63 – Ciudad Real 52 – Jaén 159.

Parador de Manzanares, autovía N IV ✆ (926) 61 04 00, *Fax (926) 61 09 35*, – 25/300. AE VISA. **Comida** 3300 – 1200 – **50 hab** 10000/12500.

El Cruce, autovía N IV ✆ (926) 61 19 00, *Fax (926) 61 19 12*, « Ampio jardín con césped y » – 25/200. AE VISA. **Comida** 2800 – 575 – **37 hab** 4400/9350 – PA 4940.

MANZANARES EL REAL *28410 Madrid 444 J 18 – 2 334 h. alt. 908.*

Ver : *Castillo★.*

Madrid 53 – Ávila 85 – El Escorial 34 – Segovia 51.

Parque Real, Padre Damián 4 ☎ (91) 853 99 12, *Fax (91) 853 99 60,* – AE E VISA.
Comida 2400 – 750 – **24 hab** 6500/8600 – PA 5250.

MANZANERA *44420 Teruel 445 L 27 – 465 h. alt. 700 – Balneario.*

Madrid 352 – Teruel 51 – Valencia 120.

en la carretera de Abejuela – *44420 Manzanera :*

Balneario El Paraíso, SO : 4 km ☎ (978) 78 18 18, Telex 62025, *Fax (978) 78 18 18,* – VISA.
junio-15 octubre – **Comida** 2200 – 600 – **64 hab** 5600/8600 – PA 4250.

Alta Montaña Los Cerezos, Los Cerezos - SO : 3,5 km ☎ (978) 78 19 64 – VISA.
Comida 1350 – 350 – **15 hab** 5500 – PA 2500.

MAÓ *Baleares – ver Baleares (Menorca) : Mahón.*

MARANGES o **MERANGES** *17539 Gerona 443 E 35 – 61 h.*

Madrid 652 – Gerona/Girona 166 – Puigcerdá 18 – Seo de Urgel/La Seu d'Urgell 50.

Can Borrell con hab, Retorn 3 ☎ (972) 88 00 33, *Fax (972) 88 01 44,* « En un típico pueblo de montaña. Decoración rústica » – E VISA.
cerrado 6 enero-abril salvo fines de semana – **Comida** *(cerrado lunes noche y martes salvo festivos)* - cocina regional - carta 3600 a 4250 – 750 – **8 hab** 7000/9000.

MARBELLA *29600 Málaga 446 W 15 – 84 410 h. – Playa.*

Ver : *Casco antiguo★.*

Río Real, por ① : 5 km ☎ (95) 277 95 09 Fax (95) 277 21 40 – Los Naranjos, por ② : 7 km ☎ (95) 281 24 28 – Aloha urb. Aloha, por ② : 8 km ☎ (95) 281 23 88 – Las Brisas, Nueva Andalucía por ② : 11 km ☎ (95) 281 08 75.

glorieta de la Fontanilla ☎ (95) 277 14 42 Fax (95) 277 94 57 y pl. de los Naranjos ☎ (95) 282 35 50 Fax (95) 277 36 21.

Madrid 602 ① – Algeciras 77 ② – Cádiz 201 ② – Málaga 56 ①

Plano página siguiente

Gran Meliá Don Pepe, José Meliá ☎ (95) 277 03 00, *Fax (95) 277 99 54,* mar y montaña, « Césped con vegetación subtropical » – 25/300. AE E VISA. — por ②
Comida 5950 - ***Grill La Farola*** *(sólo cena)* **Comida** carta 5600 a 8750 – 2400 – **198 hab** 34500/37900, 6 suites.

El Fuerte, av. del Fuerte ☎ (95) 286 15 00, Telex 77523, *Fax (95) 282 44 11,* « Terrazas con jardín y palmeras » – 25/500. AE E VISA. rest — AB e
Comida - sólo cena salvo julio y agosto - carta 4350 a 5600 – 1500 – **244 hab** 11000/19900, 19 suites.

Marbella Inn sin rest. con cafetería, Jacinto Benavente - bloque 6 ☎ (95) 282 54 87, *Fax (95) 282 54 87,* climatizada – AE E VISA. — A x
700 – **24 hab** 8700/11600, 32 apartamentos.

Lima sin rest, av. Antonio Belón 2 ☎ (95) 277 05 00, *Fax (95) 286 30 91* – AE E VISA. — A h
495 – **64 hab** 8360/10450.

Santiago, av. Duque de Ahumada 5 ☎ (95) 277 43 39, *Fax (95) 282 45 03,* – AE E VISA JCB. — A b
cerrado noviembre – **Comida** - pescados y mariscos - carta 3950 a 5700.

Triana, Gloria 11 ☎ (95) 277 99 62 – AE E VISA. — B t
cerrado lunes y 10 enero-5 marzo – **Comida** - espec. en arroces - carta 2750 a 5300.

Cenicienta, av. Cánovas del Castillo 52 (circunvalación) ☎ (95) 277 43 18, – AE E VISA — por ②
cerrado 15 enero-15 febrero – **Comida** - sólo cena - carta 3350 a 4500.

Mena, pl. de los Naranjos 10 ☎ (95) 277 15 97, *Fax (95) 277 80 10,* – AE E VISA. — A c
cerrado domingo y enero-febrero – **Comida** carta 3300 a 5450.

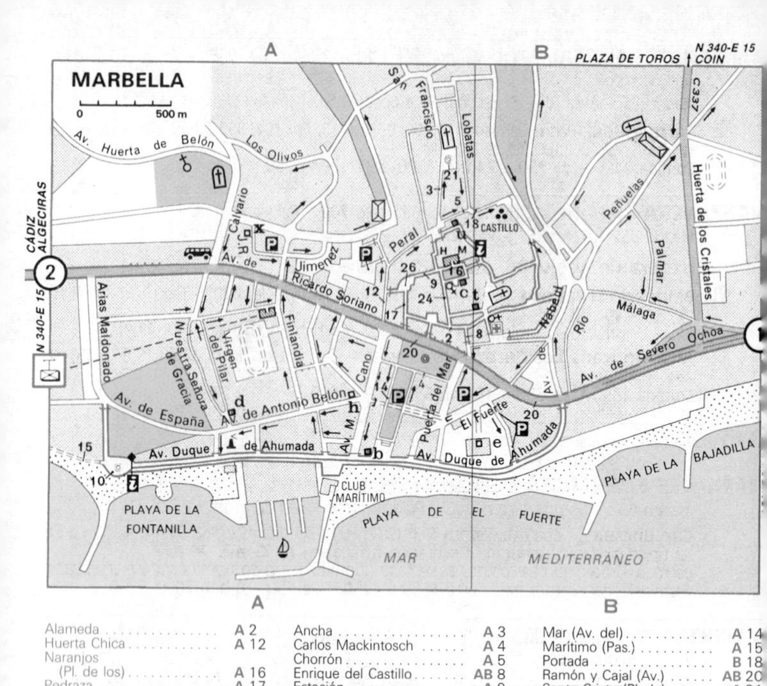

X **Mamma Angela,** Virgen del Pilar 17 ☎ (95) 277 68 99, – . AE E VISA — A d
cerrado martes y del 10 al 15 de diciembre – **Comida** - cocina italiana, sólo cena - carta 2680 a 3250.

X **El Balcón de la Virgen,** Remedios 2 ☎ (95) 277 60 92, *Fax (95) 277 60 92,* , « Edificio del siglo XVI » – AE E VISA — A u
cerrado martes – **Comida** - sólo cena - carta 1885 a 3185.

en la carretera de Málaga por ① – ✉ *29600 Marbella :*

Don Carlos, 10 km ☎ (95) 283 11 40, *Fax (95) 283 34 29,* <, , « Amplio jardín », , climatizada, , – 25/1200. AE E.
Los Naranjos *(sólo cena)* **Comida** carta 4895 a 8300 – 1500 – **223 hab** 28000/33000, 15 suites.

Artola sin rest, 12,5 km ☎ (95) 283 13 90, *Fax (95) 283 04 50,* <, « En un campo de golf », , , – . AE E VISA
900 – **29 hab** 7500/11500, 2 suites.

XXX **La Hacienda,** 11,5 km y desvío 1,5 km ☎ (95) 283 12 67, *Fax (95) 283 33 28,* , « Decoración rústica. Terraza » – . AE E VISA JCB.
cerrado lunes (salvo agosto), martes (salvo julio-agosto) y 16 noviembre-18 diciembre – **Comida** - sólo cena en agosto - carta aprox. 6450.

XX **Le Chêne Liège,** La Mairena - 10 km y desvío 5,5 km ☎ (95) 283 60 92, *Fax (95) 283 62 23,* – . AE E VISA.
cerrado martes – **Comida** - sólo cena - carta 3300 a 5350.

XX **Las Banderas,** 9,5 km y desvío 0,5 km ☎ (95) 283 18 19, – AE E VISA
cerrado lunes – **Comida** carta 2700 a 4700.

X **La Hostería,** urb. Los Pinos - 8 km ☎ (95) 283 11 35, – . E VISA
cerrado martes y febrero – **Comida** carta aprox. 3100.

en la carretera de Cádiz por ② – ✉ *29600 Marbella :*

Marbella Club, 3 km ☎ (95) 282 22 11, Telex 77319, *Fax (95) 282 98 84,* , climatizada, , , – 25/180. AE E VISA JCB.
Comida carta 7250 a 9150 – 2400 – **83 hab** 34000/46500, 46 suites.

Puente Romano, 3,5 km (95) 282 09 00, *Fax (95) 277 57 66*, « Elegante conjunto de estilo andaluz en un magnífico jardín », climatizada, - - 25/170. AE E VISA JCB. rest
Comida 5900 - ***La Plaza*** *(sólo cena)* **Comida** carta 5500 a 6200 - 2500 - **142 hab** 33000/45000, 77 suites - PA 12500.

Coral Beach, 5 km (95) 282 45 00, Telex 79816, *Fax (95) 282 62 57*, - - 25/200. AE E VISA.
15 marzo-octubre - - ***Florencia*** *(sólo cena)* **Comida** carta 4200 a 6400 - 2000 - **148 hab** 27000/32000, 22 suites.

Rincón Andaluz, 8 km, 29660 Nueva Andalucía, (95) 281 15 17, *Fax (95) 281 41 80*, « Imitación de un pueblo andaluz », climatizada, - - 25/100. AE E VISA.
Comida 3500 - 1400 - **224 hab** 18900/28000 - PA 8000.

Tryp Marbella Dinamar, 6 km, 29660 Nueva Andalucía, (95) 281 05 00, *Fax (95) 281 23 46*, « Jardín con », - - 25/150. AE E VISA.
Comida 3200 - **116 hab** 19200/25000.

La Meridiana, camino de la Cruz - 3,5 km (95) 277 61 90, *Fax (95) 282 60 24*, « Terraza con jardín » - . AE E VISA
cerrado lunes, martes mediodía y 7 enero-20 febrero - **Comida** - sólo cena en verano - carta 5300 a 7500.

Villa Tiberio, 2,5 km (95) 277 17 99, *Fax (95) 282 47 72*, « Terraza-jardín » - . AE E VISA.
cerrado domingo - **Comida** carta 4050 a 6650.

Trascorrales, 8 km, 29660 Nueva Andalucía, (95) 281 45 17, « Villa con bonita terraza y jardín » - E VISA.
cerrado domingo y febrero - **Comida** carta 3300 a 4900.

El Portalón, 3 km (95) 282 78 80, *Fax (95) 277 71 04* - . AE E VISA.
Comida - espec. en carnes y asados - carta 4900 a 5800.

Ver también : **Puerto Banús** *por ② : 8 km*
San Pedro de Alcántara *por ② : 13 km.*

MARCILLA *31340 Navarra* 442 **F 24** - *2 237 h. alt. 290.*

Madrid 345 - Logroño 65 - Pamplona/Iruñea 63 - Tudela 38 - Zaragoza 123.

Villa Marcilla, carret. Estación - NE : 2 km (948) 71 37 37, « Casa señorial con jardín » - . AE VISA.
Comida - sólo almuerzo salvo fines de semana - carta aprox. 3500.

MARGOLLES *33547 Asturias* 441 **B 14**.

Madrid 491 - Gijón 80 - Oviedo 73 - Ribadesella 11.

La Tiendona, carret. N 634 (98) 584 04 74, *Fax (98) 584 13 16*, « Casona del siglo XIX » - . E VISA.
Comida 1600 - 600 - **18 hab** 6000 - PA 3800.

La MARINA o **La MARINA DEL PINET** *03194 Alicante* 445 **R 28** - *Playa.*

Madrid 437 - Alicante/Alacant 31 - Cartagena 79 - Murcia 57.

Marina sin rest. con cafetería, av. de la Alegría 30 (96) 541 94 50, *Fax (96) 541 94 25* - . AE E VISA.
500 - **20 hab** 2900/5100.

MARQUINA o **MARKINA-XEMEIN** *48270 Vizcaya* 442 **C 22** - *4 847 h. alt. 85.*

Alred. : *Balcón de Vizcaya★★ SO : 15 km.*

Madrid 443 - Bilbao/Bilbo 50 - San Sebastián/Donostia 58 - Vitoria/Gasteiz 60.

MARTINET *25724 Lérida* 443 **E 35** - *alt. 980.*

Madrid 626 - Lérida/Lleida 157 - Puigcerdá 26 - Seo de Urgel/La Seu d'Urgell 24.

Boix, carret. N 260 (973) 51 50 50, *Fax (973) 51 50 65*, - . AE E VISA
cerrado martes de noviembre a mayo salvo festivos - **Comida** carta 4000 a 4700.

MARTORELL *08760 Barcelona* 443 H 35 – *16 793 h. alt. 56.*
Madrid 598 – Barcelona 32 – Manresa 37 – Lérida/Lleida 141 – Tarragona 80.

X **Manel** con hab, Pedro Puig 74 ☎ (93) 775 23 87, *Fax (93) 775 23 87* – – 25/35. AE E VISA. rest
Comida carta 3350 a 4400 – 800 – **29 hab** 5500/6600.

en la urbanización Can Amat *por la carretera N II - NO : 6 km – ✉ 08760 Martorell :*

XX **Paradis Can Amat,** ☎ (93) 771 40 27, *Fax (93) 771 47 03,* « Antigua casa señorial con jardín » – P. AE VISA.
Comida - sólo almuerzo salvo viernes y sábado - carta 3895 a 4475.

MASCA *Santa Cruz de Tenerife – ver Canarias (Tenerife).*

MASIAS DE VOLTREGÁ o **Les MASIES DE VOLTREGÀ** *08519 Barcelona* 443 F 36 – *2 423 h. alt. 533.*
Madrid 649 – Barcelona 78 – Gerona/Girona 104 – Vic 12.

X **Cal Peyu,** carret. N 152 ☎ (93) 850 25 35 – P. AE E VISA.
cerrado martes noche, miércoles, y del 1 al 15 de agosto – **Comida** carta 2475 a 4000.

en Vinyoles *N : 3,5 km – ✉ 08519 Masias de Voltregá :*

X **Montecarlo,** carret. N 152 ☎ (93) 859 03 77, *Fax (93) 859 03 77* – P. VISA.
cerrado lunes noche, martes y agosto – **Comida** carta 1850 a 3350.

MAS NOU (Urbanización) *Gerona – ver Playa de Aro.*

MASPALOMAS *Las Palmas – ver Canarias (Gran Canaria).*

La MASSANA *Andorra – ver Andorra (Principado de).*

MASSANET DE CABRENYS o **MAÇANET DE CABRENYS** *17720 Gerona* 443 E 38 – *690 h.*
Madrid 769 – Figueras/Figueres 28 – Gerona/Girona 62.

Els Caçadors, urb. Casanova ☎ (972) 54 41 36, *Fax (972) 54 33 60,* ←, , , – , rest, P. E VISA.
Comida 1700 – 650 – **18 hab** 4250/8500 – PA 4050.

MATADEPERA *08230 Barcelona* 443 H 36 – *4 734 h.*
Madrid 617 – Barcelona 32 – Lérida/Lleida 160 – Manresa 38.

XX **El Celler,** Gaudí 2 ☎ (93) 787 08 57, *Fax (93) 730 03 61* – . E VISA
cerrado domingo noche, miércoles y 1ª quincena de agosto – **Comida** carta 3175 a 4450
Espec. Calamarcitos con alcachofas y cigalas (primavera). Hígado de pato poêlé al Casta Diva. Gratinado de fresitas y requesón.

en Pla de Sant Llorenç *N : 2,5 km – ✉ 08230 Matadepera :*

XX **Masía Can Solà del Pla,** ☎ (93) 787 08 07, *Fax (93) 730 03 12,* « Masía de ambiente acogedor » – P. AE E VISA.
cerrado martes y agosto – **Comida** - espec. en bacalaos - carta 2775 a 3800.

MATAELPINO *28492 Madrid* 444 J 18.
Madrid 51 – Segovia 43.

XX **Azaya,** Muñoz Grandes 7 ☎ (91) 857 33 95, *Fax (91) 857 33 95,* ←, – P. E VISA.
Comida carta 3800 a 4850.

MATAGORDA (Urbanización) *Las Palmas – ver Canarias (Lanzarote) : Puerto del Carmen.*

MATALEBRERAS *42113 Soria* 442 G 23 – *119 h. alt. 1 200.*
Madrid 262 – Logroño 134 – Pamplona/Iruñea 133 – Soria 36 – Zaragoza 122.

Mari Carmen, carret. N 122 ☎ (975) 38 30 68, *Fax (976) 64 67 24* – rest, P. E VISA.
Comida 1000 – 500 – **30 hab** 2750/3850.

MATAMOROSA *39200 Cantabria* 442 **D 17**.
Madrid 346 – Aguilar de Campóo 31 – Reinosa 3 – Santander 71.

Mesón Las Lanzas, Real 85 (942) 75 19 57, *Fax (942) 75 53 43* – P. AE O E VISA.
Comida carta 3300 a 4150.

MATARÓ *08300 Barcelona* 443 **H 37** – *101 479 h. – Playa.*
La Riera 48 (Ajuntament) 08301 (93) 758 21 21 Fax (93) 758 21 22.
Madrid 661 – Barcelona 28 – Gerona/Girona 72 – Sabadell 47.

NH Ciutat de Mataró, Camí Real 648, 08302, (93) 757 55 22, *Fax (93) 757 57 26* – 25/300. AE O E VISA JCB. rest
Comida 2500 – 1100 – **101 hab** 10400, 4 suites, 17 apartamentos – PA 4960.

Colón sin rest. con cafetería, Colón 6, 08301, (93) 790 58 04, *Fax (93) 790 62 86* – AE O E VISA
800 – **52 hab** 6000/8250.

El Nou Cents, El Torrent 21, 08302, (93) 799 37 51 – AE O E VISA
cerrado domingo, Semana Santa y agosto – **Comida** carta 4200 a 5400.

Magí, Argentona 43, 08302, (93) 799 71 95 – .

MAZAGÓN *21130 Huelva* 446 **U 9** – *Playa.*
av. de los Descubridores (959) 37 60 44 Fax (959) 37 63 00.
Madrid 638 – Huelva 23 – Sevilla 102.

por la carretera de Matalascañas – *21130 Mazagón :*

Parador de Mazagón , SE : 6,5 km (959) 53 63 00, *Fax (959) 53 62 28,* mar, « Jardín con », – P – 25/180. AE O E VISA JCB.
Comida 3700 – 1300 – **42 hab** 15600/19500, 1 suite – PA 7395.

Albaida, SE : 1 km (959) 37 60 29, *Fax (959) 37 61 08,* – P – 25/45. AE O E VISA.
Comida 1500 – 500 – **24 hab** 6000/9000 – PA 3500.

EL MÉDANO *Santa Cruz de Tenerife – ver Canarias (Tenerife).*

MEDINA DE POMAR *09500 Burgos* 442 **D 19** – *5 584 h. alt. 607.*
Madrid 329 – Bilbao/Bilbo 81 – Burgos 86 – Santander 108.

Las Merindades, pl. de Juan Salazar (947) 19 08 22, *Fax (947) 19 15 56* – rest, . AE O E VISA. rest
Comida *(cerrado domingo noche)* 2200 – 600 – **29 hab** 7000/9000.

San Francisco, Juan de Ortega 3 (947) 19 09 33.

El Olvido, av. de Burgos (947) 19 00 01 – . VISA.
cerrado 5 octubre-8 noviembre – **Comida** carta aprox. 3000.

MEDINA DE RIOSECO *47800 Valladolid* 442 **G 14** – *4 945 h. alt. 735.*
Ver : Iglesia de Santa María (capilla de los Benavente★).
Madrid 223 – León 94 – Palencia 50 – Valladolid 41 – Zamora 80,

Pasos, Lázaro Alonso 44 (983) 70 10 02, « Decoración castellana » – . AE O E VISA.
cerrado lunes y del 16 al 31 de octubre – **Comida** carta 2600 a 4100.

La Rua, San Juan 25 (983) 70 05 19,
. AE E VISA.
cerrado jueves noche y del 10 al 30 de septiembre – **Comida** carta 2750 a 3600.

MEDINA DEL CAMPO *47400 Valladolid* 442 **I 15** – *20 499 h. alt. 721.*
Ver : Castillo de la Mota★.
pl. Mayor de la Hispanidad 27- 1º (Casa del Peso) (983) 81 13 57.
Madrid 154 – Salamanca 81 – Valladolid 43.

La Mota sin rest y sin , Fernando el Católico 4 (983) 80 04 50, *Fax (983) 80 36 30* – P. AE E VISA.
40 hab 4400/6600.

El Orensano, Claudio Moyano 20 (983) 80 03 41 – . VISA.
Comida 1100 – 200 – **24 hab** 2500/3500.

Don Pepe, Claudio Moyano 1 (983) 80 18 95 – . AE O E VISA JCB.
Comida carta aprox. 3300.

Mónaco, pl. de España 26 (983) 81 02 95 – . O VISA.
cerrado del 14 al 20 de septiembre – **Comida** carta 3050 a 4050.

MEDINA SIDONIA 11170 Cádiz 446 W 12 - 15 877 h. alt. 304.

Ver : *Iglesia de Santa María (retablo★).*

Madrid 620 - Algeciras 73 - Arcos de la Frontera 42 - Cádiz 42 - Jerez de la Fronter 37.

en la carretera C 346 *S : 4 km - ✉ 11170 Medina Sidonia :*

X **Medina Park** con hab, ☎ (956) 23 30 55, *Fax (956) 41 20 30* - ▤ TV P. AE ⓓ E VISA rest
Comida carta 1500 a 3700 - ☕ 225 - **11 hab** 4000/6000.

MEDINACELI 42240 Soria 442 I 22 - 775 h. alt. 1 201.

Madrid 154 - Soria 76 - Zaragoza 178.

X **Arco Romano y Resid. Medinaceli** con hab y sin ☕, Portillo 1 ☎ (975) 32 61 30 ← - E VISA.
cerrado noviembre - **Comida** *(cerrado lunes noche)* carta 2100 a 3100 - **7 hab** 3000/4500.

en la antigua carretera N II *SE : 3,5 km - ✉ 42240 Medinaceli :*

Nico-H. 70, ☎ (975) 32 60 11, *Fax (975) 32 64 72,* ⛱ - ▤ rest, TV ☎ P. AE ⓓ E VISA.
Comida 2000 - ☕ 600 - **22 hab** 6500/8000.

Duque de Medinaceli, ☎ (975) 32 61 11, *Fax (975) 32 64 72* - TV ☎. AE ⓓ E VISA.
Comida 1550 - ☕ 500 - **12 hab** 3760/6600 - PA 3575.

Las MELEGUINAS *Las Palmas - ver Canarias (Gran Canaria) : Santa Brígida.*

Siete ***mapas detallados Michelin*** *:*

España *: Norte-Oeste* **441**, *Centro-Norte* **442**, *Norte-Este* **443**, *Centro* **444**, *Centro-Este* **445**, *Sur* **446**.

Portugal **440**.

Las localidades subrayadas en rojo en estos mapas aparecen citadas en esta Guía.

Para el conjunto de ***España*** *y* ***Portugal,*** *adquiera el* ***mapa Michelin*** **990** *1/1 000 000,* *o el* ***Atlas Michelin España Portugal*** *1/400 000.*

MELILLA 52800 959 ⑥ y ⑪ - 63 670 h. - Playa.

Ver : *Ciudad vieja★ : Terraza Museo Municipal ※★.*

✈ *de Melilla, carret. de Yasinen por av. de la Duquesa Victoria 4 km* AY ☎ *(95) 269 86 22 - Iberia : Cándido Lobera 2* ☎ *(95) 267 38 00.*

⛴ *para Almería y Málaga : Cía. Trasmediterránea : General Marina 1* ☎ *(95) 268 12 45 Fax (95) 268 25 72* AY.

ℹ *av. General Aizpuru 20* ✉ *52004* ☎ *(95) 267 40 13 Fax (95) 67 68 57* - **R.A.C.E.** *Pablo Vallescá 8-2º (edificio Ánfora)* ☎ *(95) 268 17 13 Fax (95) 267 01 12.*

Plano página siguiente

Parador de Melilla, av. Cándido Lobera, ✉ 52801, ☎ (95) 268 49 40, *Fax (95) 268 34 86,* ←, ⛱, - |‡| ▤ TV ☎ P. AE ⓓ E VISA. AY a
Comida carta aprox. 4000 - ☕ 1200 - **40 hab** 15000.

Rusadir, Pablo Vallescá 5, ✉ 52801, ☎ (95) 268 12 40, *Fax (95) 267 05 27* - |‡| ▤ TV ☎ - 25/100. AE ⓓ E VISA AY e
Comida 2500 - ☕ 880 - **36 hab** 14685/18370.

X **Granada,** Marqués de Montemar 36, ✉ 52806, ☎ (95) 267 30 26 - ▤. AE E VISA por av. Marqués de Montemar AZ
cerrado jueves - **Comida** carta aprox. 3100.

X **Los Salazones,** Conde Alcaudete 15, ✉ 52806, ☎ (95) 267 36 52, *Fax (95) 267 15 15* - ▤. AE ⓓ E VISA. por av. Marqués de Montemar AZ
cerrado lunes y 20 días en octubre - **Comida** - pescados y mariscos - carta aprox. 4600.

X **Mesón La Choza,** av. Alférez Guerrero Romero, ✉ 52806, ☎ (95) 268 16 29 - ▤. E VISA. por av. General Mola AY
cerrado domingo noche, martes y agosto - **Comida** - carnes - carta 2775 a 3525.

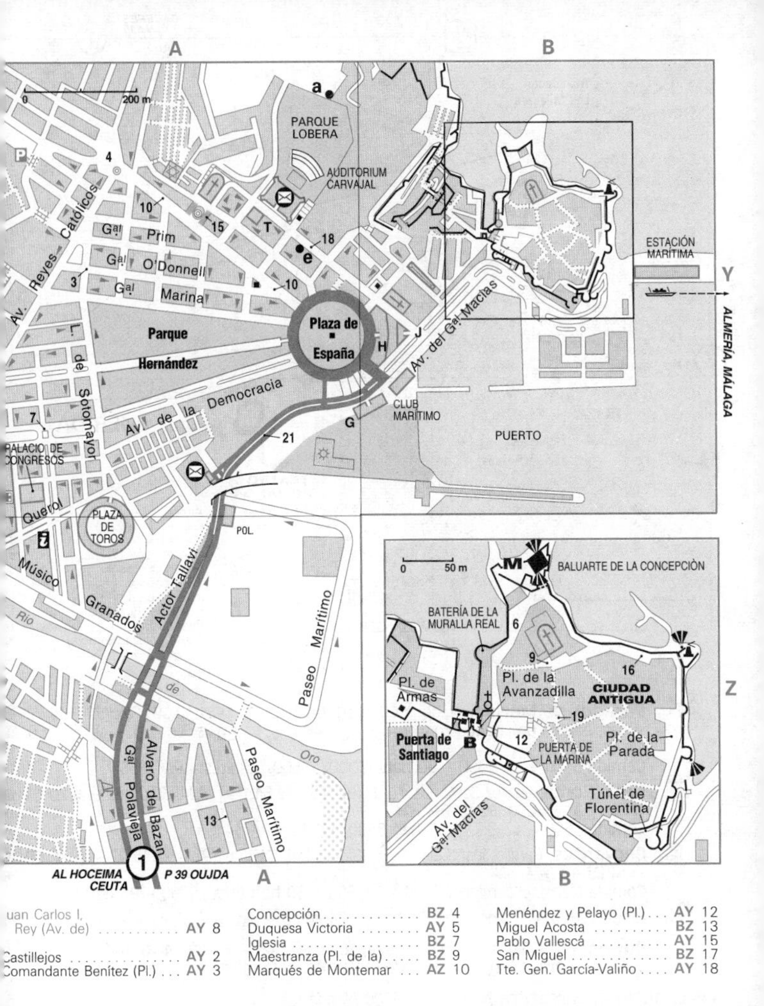

Juan Carlos I, Rey (Av. de) . . . AY 8	Concepción . . . BZ 4	Menéndez y Pelayo (Pl.) . . . AY 12
	Duquesa Victoria . . . AY 5	Miguel Acosta . . . BZ 13
	Iglesia . . . BZ 7	Pablo Vallescá . . . AY 15
Castillejos . . . AY 2	Maestranza (Pl. de la) . . . BZ 9	San Miguel . . . BZ 17
Comandante Benítez (Pl.) . . . AY 3	Marqués de Montemar . . . AZ 10	Tte. Gen. García-Valiño . . . AY 18

Per i grandi viaggi d'affari o di turismo,
Guida MICHELIN** rossa : **EUROPE.

MENORCA *Baleares – ver Baleares.*

MERANGES *Gerona – ver Maranges.*

Ses MERAVELLES *Baleares – ver Baleares (Mallorca) : Palma.*

Es MERCADAL *Baleares – ver Baleares (Menorca).*

MÉRIDA *06800 Badajoz* **444 P 10 Y 11** *– 51 135 h. alt. 221.*

Ver : *Mérida romana★★ : Museo Nacional de Arte Romano★★, Mosaicos★* BYZ **M1** *– Teatro romano★★* BZ *– Anfiteatro romano★* BZ *– Puente romano★* BZ.

paseo de José Alvárez Sáenz de Buruaga ☎ (924) 31 53 53.

Madrid 347 ② – Badajoz 62 ③ – Cáceres 71 ① – Ciudad Real 252 ② – Córdoba 254 ③ – Sevilla 194 ③

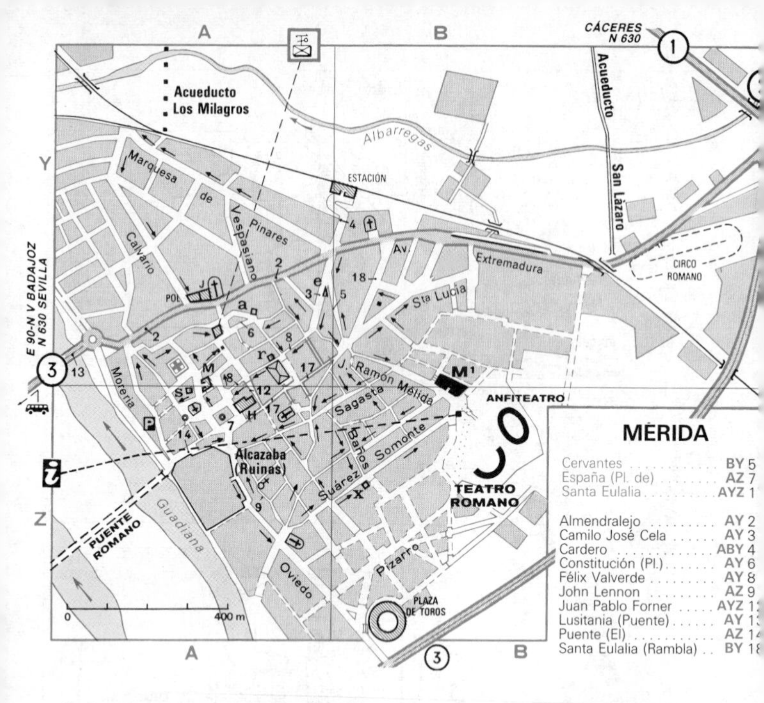

Parador de Mérida, pl. de la Constitución 3 ☎ (924) 31 38 00, *Fax (924) 31 92 08*
« Instalado en un antiguo convento », 🏊, 🌳 – |‡| ▤ TV ☎ 🚗 P – 🏛 25/150. AE ① E VISA. ✂ — AY a
Comida 3500 – ☕ 1300 – **80 hab** 13200/16500, 2 suites – PA 7055.

Nova Roma, Suárez Somonte 42 ☎ (924) 31 12 61, *Fax (924) 30 01 60* – |‡| ▤ TV ☎ 🚗 – 🏛 25/200. AE E VISA. ✂ — BZ x
Comida 1600 – ☕ 850 – **55 hab** 8500/11295 – PA 3445.

Cervantes, Camilo José Cela 10 ☎ (924) 31 49 01, *Fax (924) 31 13 42* – |‡| ▤ TV ☎ 🚗. AE ① VISA. ✂ — AY e
Comida *(cerrado domingo)* 2200 – ☕ 500 – **30 hab** 6000/9000 – PA 4900.

Nicolás, Félix Valverde Lillo 13 ☎ (924) 31 96 10 – ▤ — AY

Rufino, pl. de Santa Clara 2 ☎ (924) 30 19 30, 🌂 – ▤. AE ① E VISA. ✂ — AZ s
cerrado domingo y del 10 al 30 de septiembre – **Comida** carta aprox. 4700.

en la antigua carretera N V – ✉ *06800 Mérida* :

Tryp Medea, av. de Portugal - por ③ : 3 km ☎ (924) 37 24 00, *Fax (924) 37 30 20,* 🏋
🏊, 🏊 – |‡| ▤ TV ☎ 🚗 – 🏛 25/350. AE ① E VISA. ✂
Comida 3500 – ☕ 1100 – **126 hab** 10475/13075.

Las Lomas, por ② : 3 km ☎ (924) 31 10 11, Telex 28840, *Fax (924) 30 08 41,* 🏊 – |‡|
▤ TV ☎ P – 🏛 25/800. AE ① E VISA. ✂
Comida 2100 – ☕ 850 – **134 hab** 11200/14000 – PA 4700.

Bahía Nirri, centro comercial El Foro - por ③ : 3 km ☎ (924) 37 20 01 – ▤. AE E VISA
✂
Comida - pescados y mariscos - carta 2800 a 4500.

MERZA *36580 Pontevedra* **441** D 5.

Madrid 581 – Lugo 97 – Orense/Ourense 85 – Pontevedra 88 – Santiago de Compostela 36.

al Sureste : *2 km*

Balneario Baños da Brea ♨, Paradela 4 ☎ (986) 58 36 14, *Fax (986) 58 36 19,* ≤,
🌂, Servicios terapéuticos – TV ☎ P. AE VISA. ✂
Comida 1500 – **21 hab** ☕ 5000/6600.

MESTAS DE ARDISANA *33507 Asturias* 441 B 15.
Madrid 458 – Cangas de Onís 27 – Gijón 96 – Oviedo 83 – Ribadesella 32.

Benzua sin rest, (98) 592 56 85, *Fax (98) 592 56 85* – TV P. VISA.
10 hab 7500/10000.

MIAJADAS *10100 Cáceres* 444 O 12 – *9 619 h. alt. 297.*
Madrid 291 – Cáceres 60 – Mérida 52.

El Cortijo, carret. de Don Benito - S : 1 km (927) 34 79 95, *Fax (927) 34 79 95* – TV P. E VISA.
cerrado 2ª quincena de junio – **Comida** 1400 – 350 – **20 hab** 2800/4800.

en la antigua carretera N V *SO : 2 km – 10100 Miajadas :*

La Torre, (927) 34 78 55, *Fax (927) 34 78 55* – TV P. E VISA.
rest
Comida carta aprox. 2700 – 350 – **31 hab** 3000/4500.

MIAMI PLAYA o **MIAMI PLATJA** *43892 Tarragona* 443 I 32 – *1 438 h. – Playa.*
Madrid 532 – Tarragona 33 – Tortosa 53.

Tropicana, av. de Barcelona 56 (carret. N 340) (977) 81 03 40, *Fax (977) 81 05 18,* – TV P. E VISA. rest
Comida 1250 – 650 – **34 hab** 3500/6000 – PA 2675.

MIERES *33600 Asturias* 441 C 12 – *53 170 h. alt. 209.*
Madrid 426 – Gijón 48 – León 102 – Oviedo 19.

L'Albar, Teodoro Cuesta 1 (98) 546 84 45 – . AE E VISA
cerrado lunes y del 1 al 15 de julio – **Comida** carta 2875 a 4350.

Casa Óscar, La Vega 39 (98) 546 68 88 – . AE E VISA.
cerrado domingo y agosto – **Comida** - pescados y mariscos - carta 3600 a 4300.

Es MIGJORN GRAN *Baleares – ver Baleares (Menorca).*

MIJAS *29650 Málaga* 446 W 16 – *32 835 h. alt. 475.*
Ver : Pueblo★.
18 18 *Mijas, S : 5 km (95) 247 68 43 Fax (95) 246 79 43.*
Madrid 585 – Algeciras 115 – Málaga 30.

Mijas, urb. Tamisa 2 (95) 248 58 00, *Fax (95) 248 58 25,* montañas, Fuengirola y mar, , « Conjunto de estilo andaluz », , , – rest, TV P – 25/70. AE E VISA JCB.
Comida 2800 – 1350 – **95 hab** 12000/14000, 3 suites – PA 6950.

El Capricho, Los Caños 5-1º (95) 248 51 11, , « Terraza con » – . AE E VISA JCB.
cerrado miércoles (en invierno) y 15 noviembre-15 diciembre – **Comida** carta aprox. 3425.

El Olivar, av. Virgen de la Peña - edificio El Rosario (95) 248 61 96, , – AE E VISA.
cerrado sábado y febrero – **Comida** carta 1550 a 2700.

en la carretera de Fuengirola *S : 4 km – 29650 Mijas :*

Valparaíso, (95) 248 59 75, *Fax (95) 248 59 96,* Fuengirola y mar, , – P. AE E VISA.
cerrado domingo en invierno – **Comida** - sólo cena - carta 3200 a 5300.

El MILIARIO *Segovia – ver Honrubia de la Cuesta.*

MIRAFLORES DE LA SIERRA *28792 Madrid* 444 J 18 – *2 649 h. alt. 1 150.*
Madrid 52 – El Escorial 50.

La Posada, Calvo Sotelo 6 (91) 844 46 46, *Fax (91) 844 32 12* – TV – 25. AE E VISA.
Comida (ver rest. ***Mesón Maito***) – 600 – **22 hab** 7900/9000, 4 apartamentos.

Mesón Maito, Calvo Sotelo 5 (91) 844 35 67, *Fax (91) 844 37 52,* , « Decoración castellana » – . AE E VISA.
Comida carta aprox. 4500.

Llerja, Norte 5 (91) 844 37 86 – . AE E VISA.
Comida carta aprox. 3300.

Asador La Fuente, Mayor 12 (91) 844 42 16, – .
Comida - asados - carta aprox. 3100.

Las Llaves, Calvo Sotelo 4 (91) 844 40 57 – . AE VISA.
Comida carta aprox. 3300.

MIRAMBEL *44141 Teruel* 443 **K 28** – *138 h. alt. 993.*
Madrid 420 – Morella 24 – Teruel 120.

Fonda Guimerá, Agustín Pastor 28 (964) 17 82 69, *Fax (964) 17 82 93*
16 hab.

MIRANDA DE EBRO *09200 Burgos* 442 **D 21** – *37 197 h. alt. 463.*
Madrid 322 – Bilbao/Bilbo 84 – Burgos 79 – Logroño 71 – Vitoria/Gasteiz 33.

Hospedería El Convento, San Francisco 15 (casco antiguo) (947) 33 27 12, *Fax (947) 33 26 52,* « En un convento con claustro. Amplio jardín con arboleda » – TV – 25/150. AE VISA.
Comida *(cerrado domingo noche)* 2300 – 650 – **36 hab** 5180/8635 – PA 4460.

Tudanca, carret. N I (947) 31 18 43, Telex 39442, *Fax (947) 31 18 48,* ≤ – , rest, TV . AE VISA.
Comida 2000 - ***Horno de San Juan* : Comida** carta 2200 a 4100 – 575 – **120 hab** 5070/7415.

Neguri, Estación 80 (947) 32 25 12, *Fax (947) 32 25 12* – . AE VISA.
cerrado domingo noche, lunes y del 16 al 31 de agosto – **Comida** carta 3625 a 4225.

MOCEJÓN *45270 Toledo* 444 **M 18** – *4 005 h. alt. 480.*
Madrid 62 – Aranjuez 38 – Toledo 13.

Guindanao, av. Castilla-La Mancha 31 (925) 27 04 00, *Fax (925) 27 04 00* – TV . VISA.
Comida 1100 – 450 – **14 hab** 3400/6500 – PA 2150.

MOGRO *39310 Cantabria* 442 **B 18.**
Madrid 394 – Santander 15 – Torrelavega 12.

El Desierto sin rest, junto estación ferrocarril (942) 57 66 47, *Fax (942) 57 66 47,* ≤, « Antigua casona » – . AE VISA.
Semana Santa y julio-15 septiembre – 425 – **11 hab** 4600/7200.

MOGUER *21800 Huelva* 446 **U 9** – *12 193 h. alt. 50.*
Ver : *Iglesia del convento de Santa Clara (sepulcros★).*
Madrid 618 – Huelva 19 – Sevilla 82.

Platero sin rest y sin , Aceña 4 (959) 37 21 59 – TV.
18 hab 1715/3210.

MOIÀ *Barcelona – ver Moyá.*

MOJÁCAR *04638 Almería* 446 **U 24** – *4 305 h. alt. 175 – Playa.*
Ver : *Paraje★.*
Cortijo Grande (Turre) (950) 47 91 76 Fax (950) 46 81 75.
pl. Nueva (950) 47 51 62 Fax (950) 47 51 62.
Madrid 527 – Almería 95 – Murcia 141.

en la playa :

Parador de Mojácar, paseo del Mediterráneo - SE : 2,5 km (950) 47 82 50, *Fax (950) 47 81 83,* ≤, , , – TV – 25/300. AE VISA.
Comida 3500 – 1200 – **98 hab** 12000/15000.

El Puntazo, paseo del Mediterráneo - SE : 4,5 km (950) 47 82 29, *Fax (950) 47 82 85,* ≤, , – TV – 25/150. VISA.
Comida 1600 – 300 – **36 hab** 8160/10200 – PA 3000.

Continental, carret de Garrucha - NE : 4 km (950) 47 81 64, *Fax (950) 47 51 36,* ≤, , , – hab, TV . VISA.
Comida 2000 – 700 – **23 hab** 11000/13000.

El MOLAR *28710 Madrid* 444 **J 19** – *2 755 h. alt. 817.*
Madrid 44 – Aranda de Duero 115 – Guadalajara 63.

Azul sin rest, av. José Antonio 57 ☎ (91) 841 02 53, *Fax (91) 841 02 55* – ▤ TV ☎ P. E VISA
450 – **29 hab** 5500/6500.

en la autovía N I *S : 5 Km* – ✉ *28710 El Molar :*

Le Normandie, ☎ (91) 841 00 53, *Fax (91) 522 19 93,* , « Hostería rústica en un verde paraje », – P. AE VISA.
cerrado domingo noche y lunes – **Comida** carta 4405 a 5970.

La MOLINA *17537 Gerona* 443 **E 35** – *alt. 1 300 – Deportes de invierno* *11.*
av. Supermolina ☎ (972) 89 20 31 Fax (972) 14 50 48.
Madrid 651 – Barcelona 148 – Gerona/Girona 131 – Lérida/Lleida 180.

Roc Blanc, alt. 1 450 ☎ (972) 14 50 00, *Fax (972) 14 50 02,* <, , – TV ☎ P. AE E VISA. rest
enero-19 abril, julio-11 septiembre y diciembre – **Comida** - sólo buffet - 1675 – 720 – **52 hab** 5565/9220 – PA 3680.

Adserá, alt. 1 600 ☎ (972) 89 20 01, *Fax (972) 89 20 25,* <, – ☎ P. VISA. rest
4 diciembre-12 abril y 4 julio-14 septiembre – **Comida** - sólo buffet - 2000 – 800 – **41 hab** 7000/10000 – PA 4000.

MOLINA DE ARAGÓN *19300 Guadalajara* 444 **J 24** – *3 656 h. alt. 1 050.*
Madrid 197 – Guadalajara 141 – Teruel 104 – Zaragoza 144.

La Subalterna, Martínez Izquierdo ☎ (949) 83 23 63, *Fax (949) 83 23 18,* « En el palacio de los Molina » – TV ☎. E VISA.
Comida 1500 – 400 – **15 hab** 8500/9500.

San Francisco sin rest y sin , pl. San Francisco 6 ☎ (949) 83 27 14 – TV ☎. VISA.
18 hab 3500/5700.

MOLINASECA *24413 León* 441 **E 10** – *744 h. alt. 585.*
Madrid 383 – León 103 – Lugo 125 – Oviedo 213 – Ponferrada 6,5.

Casa Ramón, Jardines Ángeles Balboa 2 ☎ (987) 45 31 53 – ▤. AE E VISA JCB.
cerrado lunes y 22 septiembre-21 octubre – **Comida** carta 3250 a 4650.

Es MOLINAR *Baleares – ver Baleares (Mallorca) : Palma.*

LOS MOLINOS *28460 Madrid* 444 **J 17** – *2 530 h. alt. 1 045.*
Madrid 55 – Ávila 71 – Segovia 57.

Asador Paco, Pradillos 11 ☎ (91) 855 17 52 – ▤. E VISA
cerrado martes y del 16 al 31 de septiembre – **Comida** - asados y carnes, sólo almuerzo salvo en verano - carta aprox. 4000.

MOLINOS DE DUERO *42156 Soria* 442 **G 21** – *189 h. alt. 1 323.*
Madrid 232 – Burgos 110 – Logroño 75 – Soria 38.

San Martín, pl. San Martín Ximénez 3 ☎ (975) 37 84 42, *Fax (975) 37 84 77* – TV ☎. E VISA.
Comida 1400 – 500 – **16 hab** 3500/4500.

MOLINS DE REI *08750 Barcelona* 443 **H 36** – *17 771 h. alt. 37.*
Madrid 600 – Barcelona 20 – Tarragona 92.

D'en Robert, av. de Barcelona 232 ☎ (93) 680 02 14 – ▤. AE E VISA.
cerrado domingo, lunes noche y agosto – **Comida** carta 1800 a 2790.

In this guide,
a symbol or a character,
printed in red or **black**, in **bold** or light type,
does not have the same meaning.
Please read the explanatory pages carefully.

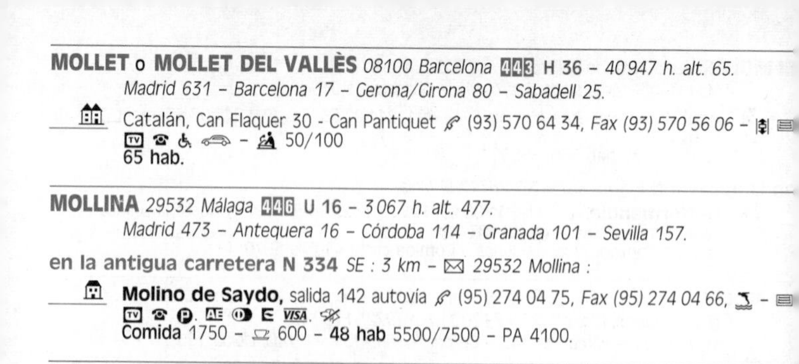

MOLLET o **MOLLET DEL VALLÈS** *08100 Barcelona* 443 **H 36** – *40 947 h. alt. 65.*
Madrid 631 – Barcelona 17 – Gerona/Girona 80 – Sabadell 25.

Catalán, Can Flaquer 30 - Can Pantiquet (93) 570 64 34, *Fax (93) 570 56 06* – 50/100
65 hab.

MOLLINA *29532 Málaga* 446 **U 16** – *3 067 h. alt. 477.*
Madrid 473 – Antequera 16 – Córdoba 114 – Granada 101 – Sevilla 157.

en la antigua carretera N 334 *SE : 3 km – 29532 Mollina :*

Molino de Saydo, salida 142 autovía (95) 274 04 75, *Fax (95) 274 04 66,* –
Comida 1750 – 600 – **48 hab** 5500/7500 – PA 4100.

MOLLÓ *17868 Gerona* 443 **E 37** – *333 h. alt. 1 140.*
Alred. : *Beget★★ (iglesia románica★★ : Majestad de Beget★) SE : 18 km.*
Madrid 707 – Barcelona 135 – Gerona/Girona 88 – Prats de Molló 24.

François, carret. de Camprodón (972) 13 00 29, *Fax (972) 13 00 34,* montaña y valle del río Tort, –
Comida *(cerrado lunes)* – 600 – **28 hab** 4000/6300 – PA 3800.

Calitxó, passatge El Serrat (972) 74 03 86, *Fax (972) 74 07 46,* montañas, Pista polideportiva –
Comida *(cerrado lunes y 15 enero-15 febrero)* carta aprox. 3990 – 1000 – **25 hab** 7350.

MOMBUEY *49310 Zamora* 441 **F 11** – *530 h.*
Madrid 320 – León 124 – Orense/Ourense 181 – Valladolid 138 – Zamora 86.

La Ruta, carret. N 525 - SE : 1 km (980) 64 27 30, *Fax (980) 64 27 30,* –
Comida 1200 – 350 – **14 hab** 1800/4000 – PA 2500.

MONASTERIO – *ver el nombre propio del monasterio.*

MONDA *29110 Málaga* 446 **W 15** – *1 664 h. alt. 377.*
Madrid 567 – Algeciras 96 – Málaga 40 – Marbella 17 – Ronda 76.

El Castillo de Monda, (95) 245 71 42, *Fax (95) 245 73 36,* serranía de Ronda y pueblo, « Instalado en un castillo árabe », – – 25/80.
Comida 3000 – 1500 – **23 hab** 15000/18000 – PA 7500.

MONDARIZ-BALNEARIO *36878 Pontevedra* 441 **F 4** – *662 h. alt. 70 – Balneario.*
Madrid 575 – Orense/Ourense 70 – Pontevedra 51 – Vigo 34.

Balneario Tryp Mondariz, av. Enrique Peinador (986) 65 61 56, *Fax (986) 65 61 86,* Servicios terapéuticos, – – 25/300.
Comida 2600 – 1150 – **65 hab** 13300/16775 – PA 6350.

MONDOÑEDO *27740 Lugo* 441 **B 7** – *5 774 h. alt. 139.*
Ver : *Catedral★.*
Madrid 571 – La Coruña/A Coruña 115 – Lugo 60 – Viveiro 59.

MONDRAGÓN o **ARRASATE** *20500 Guipúzcoa* 442 **C 22** – *25 213 h. alt. 211.*
Madrid 390 – San Sebastián/Donostia 79 – Vergara/Bergara 9 – Vitoria/Gasteiz 34.

Arrasate sin rest, Biteri 1 (943) 79 73 22, *Fax (943) 79 14 16* –
450 – **12 hab** 6000/8500.

MONESTERIO *06260 Badajoz* 444 **R 11** – *5 202 h. alt. 755.*
Madrid 444 – Badajoz 126 – Cáceres 150 – Córdoba 197 – Mérida 82 – Sevilla 97.

Moya, paseo de Extremadura 278 (924) 51 61 36, *Fax (924) 51 63 24* –
Comida 1000 – 200 – **36 hab** 5000.

MONFORTE DE LEMOS 27400 Lugo 441 E 7 - 20 510 h. alt. 298.

Madrid 501 - Lugo 65 - Orense/Ourense 49 - Ponferrada 112.

Puente Romano *(anexo* 🏠*)* sin rest, pl. Doctor Goyanes 6 ☎ (982) 41 11 68, *Fax (982) 40 35 51* - AE E VISA
475 - **27 hab** 3000/5000.

O Grelo, Chantada 16 ☎ (982) 40 47 01 - AE E VISA.
cerrado del 1 al 20 de julio - **Comida** carta 2500 a 3500.

La Fortaleza, Campo de la Virgen (subida al Castillo) ☎ (982) 40 06 04, - AE E VISA.
Comida carta 2000 a 3000.

MONNEGRE o MONTNEGRE 03115 Alicante 445 Q 28.

Madrid 435 - Alicante/Alacant 18 - Valencia 176.

Valle del Sol, ☎ (96) 595 09 73, *Fax (96) 595 08 85*, - VISA.
Comida 1600 - **24 hab** 5400/7800 - PA 3000.

MONREAL DEL CAMPO 44300 Teruel 443 J 25 - 2 318 h. alt. 939.

Madrid 245 - Teruel 56 - Zaragoza 126.

El Botero, av. de Madrid 2 ☎ (978) 86 31 66, *Fax (978) 86 34 96* - rest, E VISA.
Comida 1300 - 350 - **30 hab** 2450/4400 - PA 2950.

MONTANEJOS 12448 Castellón 445 L 28 - 422 h. alt. 369.

Madrid 408 - Castellón de la Plana/Castelló de la Plana 62 - Teruel 106 - Valencia 95.

Rosaleda del Mijares, carret. de Tales 28 ☎ (964) 13 10 79, *Fax (964) 13 14 66* - rest,
57 hab.

Xauen, av. Fuente de los Baños 26 ☎ (964) 13 11 51, *Fax (964) 13 13 75* - E VISA.
cerrado 18 diciembre-31 enero - **Comida** 1800 - 600 - **48 hab** 3000/5600.

MONTAÑAS DEL FUEGO *Las Palmas - ver Canarias (Lanzarote).*

MONTBLANC 43400 Tarragona 443 H 33 - 5 612 h. alt. 350.

Ver : *Emplazamiento★★ - Recinto amurallado★★ (Iglesia de Sant Miquel★, Iglesia de Santa María★★ : órgano★★, Museo Comarcal de la Conca de Barberá★).*

Otras curiosidades : *Convento de la Serra★, Hospital de Santa Magdalena★.*

Muralla de Sta. Tecla 18 ☎ (977) 86 12 32 Fax (977) 86 24 24.

Madrid 518 - Barcelona 112 - Lérida/Lleida 61 - Tarragona 36.

Ducal, Francesc Macià 11 ☎ (977) 86 00 25, *Fax (977) 86 21 31* - rest, - 25/50. AE E VISA. rest
Comida 1100 - 500 - **41 hab** 3500/6000.

El Molí del Mallol, Muralla Santa Anna 2 ☎ (977) 86 05 91, *Fax (977) 86 26 83* - AE E VISA.
cerrado domingo noche y lunes noche - **Comida** carta 2175 a 3700.

MONTBRIÓ DEL CAMP 43340 Tarragona 443 I 33 - 1 393 h.

Madrid 554 - Barcelona 125 - Lérida/Lleida 97 - Tarragona 21.

Termes Montbrió, Nou 38 ☎ (977) 81 40 00, *Fax (977) 82 62 51*, Servicios terapéuticos, « En una antigua finca con un extenso y bonito jardín », - - 40/450. AE E VISA.
Comida 3950 - ***Horta Florida*** : **Comida** carta aprox. 5770 - **150 hab** 15330/19160.

Torre dels Cavallers, carret. de Cambrils ☎ (977) 82 60 53, *Fax (977) 82 60 53*, « Decoración rústica » - AE E VISA.
cerrado martes - **Comida** carta 2400 a 3800.

MONTE - *ver el nombre propio del monte.*

MONTE HACHO *Ceuta – ver Ceuta.*

MONTE LENTISCAL *Las Palmas – ver Canarias (Gran Canaria) : Santa Brígida.*

MONTEAGUDO *30160 Murcia* 445 R 26.
Madrid 400 – Alicante/Alacant 77 – Murcia 5.

XX **Monteagudo,** av. Constitución 93 ☎ (968) 85 00 64, *Fax (968) 85 13 53* – ▤ P. AE ⓓ E VISA. ✂
cerrado domingo noche – **Comida** carta 3300 a 4300.

MONTEMAYOR *14530 Córdoba* 446 T 15 – *3 629 h. alt. 387.*
Madrid 433 – Córdoba 33 – Jaén 117 – Lucena 37.

Castillo de Montemayor, carret. N 331 ☎ (957) 38 42 00, *Fax (957) 38 43 06,* ☂, ⛱ – |‡| ▤ TV ☎ ♿ P – 🎤 25/800. AE ⓓ E VISA. ✂
Comida carta 2225 a 3350 – ☕ 400 – **54 hab** 3200/6000 – PA 2900.

MONTFERRER o **MONTFERRER I CASTELLBÒ** *25711 Lérida* 443 E 34 – *681 h.*
Madrid 599 – Lérida/Lleida 130 – Seo de Urgel/La Seu d'Urgell 3.

X **La Masía,** carret. N 260 ☎ (973) 35 24 45 – ▤ P. AE ⓓ E VISA JCB. ✂
cerrado miércoles y 25 junio-25 julio – **Comida** carta aprox. 3900.

MONTILLA *14550 Córdoba* 446 T 16 – *21 607 h. alt. 400.*
Madrid 443 – Córdoba 45 – Jaén 117 – Lucena 28.

XX **Las Camachas,** antigua carret. N 331 ☎ (957) 65 00 04, *Fax (957) 65 03 32,* ☂ – ▤ P. AE ⓓ E VISA JCB. ✂
Comida carta aprox. 3100.

en la carretera N 331 – ✉ 14550 Montilla :

Don Gonzalo, SO : 3 km ☎ (957) 65 06 58, *Fax (957) 65 06 66,* ☂, ⛱, ⛭, 🎾 – |‡| ▤ TV ☎ P – 🎤 25/70. AE ⓓ E VISA. ✂
Comida 1500 – ☕ 550 – **29 hab** 5550/8850.

Alfar, NO : 5 km ☎ (957) 65 11 11, *Fax (957) 65 11 20,* ⛱ – ▤ TV ☎ P. AE ⓓ E VISA. ✂
Comida 1100 – ☕ 250 – **32 hab** 3500/6000 – PA 2450.

MONTMELÓ *08160 Barcelona* 443 H 36 – *7 470 h. alt. 72.*
Madrid 627 – Barcelona 18 – Gerona/Girona 80 – Manresa 54.

Montmeló H., Nou 1 ☎ (93) 572 24 24, *Fax (93) 572 12 08* – |‡| ▤ TV ☎ ♿ 🚗 P – 🎤 25/80. AE ⓓ E VISA
Comida *(cerrado domingo)* 1425 – ☕ 1285 – **30 hab** 9370/11025.

MONTNEGRE *Alicante – ver Monnegre.*

MONTSENY *08460 Barcelona* 443 G 37 – *277 h. alt. 522.*
Alred. : *Sierra de Montseny*★.
Madrid 673 – Barcelona 60 – Gerona/Girona 68 – Vic 36.

XX **Can Barrina** 🐦 con hab, carret. de Palautordera - S : 1,2 km ☎ (93) 847 30 65, *Fax (93) 847 31 84,* ☂, « Antigua casa de campo. Césped con ⛱. Terraza y ≤ sierra de Montseny » – TV ☎ P. AE ⓓ E VISA. ✂
Comida carta 2600 a 3750 – ☕ 1300 – **14 hab** 6900/9900.

MONTSERRAT *08691 Barcelona* 443 H 35 – *alt. 725.*
Ver : *Lugar*★★★ *– La Moreneta*★★.
Alred. : *Carretera de acceso por el oeste* ≤★★ *– Ermita Sant Jeroni*★, *Ermita de Santa Cecilia (iglesia*★*), Ermita de Sant Mi quel*★.
Madrid 594 – Barcelona 53 – Lérida/Lleida 125 – Manresa 22.

Abat Cisneros 🐦, pl. Monestir ☎ (93) 835 02 01, *Fax (93) 835 06 59* – |‡|, ▤ rest, TV ☎. AE ⓓ E VISA. ✂
Comida 2675 – ☕ 650 – **41 hab** 5000/8360.

MONZÓN *22400 Huesca* 443 G 30 – *14 405 h. alt. 368.*
pl. Aragón (974) 40 48 54.
Madrid 463 – Huesca 70 – Lérida/Lleida 50.

Vianetto, av. de Lérida 25 (974) 40 19 00, *Fax (974) 40 45 40* – AE E VISA.
Comida 1500 – 550 – **84 hab** 3800/6500 – PA 3250.

Bellomonte, av. de Lérida 87 (974) 40 20 44 – AE E VISA JCB.
Comida *(cerrado domingo y del 15 al 30 de agosto)* 1050 – 300 – **16 hab** 1950/3900 – PA 2400.

XX Piscis, pl. de Aragón 1 (974) 40 00 48 – .

MORA *45400 Toledo* 444 M 18 – *9 244 h. alt. 717.*
Madrid 100 – Ciudad Real 92 – Toledo 31.

Agripino, pl. Príncipe de Asturias 8 (925) 30 00 00 – E VISA. hab
cerrado agosto – **Comida** 1700 – 300 – **20 hab** 3000/5000 – PA 3050.

X **Los Conejos** con hab, Cánovas del Castillo 14 (925) 30 15 04, *Fax (925) 30 15 86* – E VISA.
cerrado 23 junio-10 julio – **Comida** *(cerrado viernes noche)* carta 3000 a 4100 – 300 – **5 hab** 4000/6000.

MORA DE RUBIELOS *44400 Teruel* 443 L 27 – *1 313 h. alt. 1 035.*
Madrid 341 – Castellón de la Plana/Castelló de la Plana 92 – Teruel 40 – Valencia 129.

Jaime I, pl. de la Villa (978) 80 00 92, *Fax (978) 80 00 92* – AE E VISA. rest
Comida 1200 – 600 – **39 hab** 6000/9000.

MORAIRA *03724 Alicante* 445 P 30 – *757 h. – Playa.*
edificio Kristal-Mar local 11 (96) 574 51 68 Fax (96) 574 51 68.
Madrid 483 – Alicante/Alacant 75 – Gandía 65.

Costera del Mar sin rest y sin , Mar del Norte 20 (96) 649 03 51, *Fax (96) 649 03 50,* – AE E VISA.
16 apartamentos 12000.

XX **La Sort,** av. de Madrid 1 (96) 574 51 35, *Fax (96) 574 51 35,* – . AE E VISA
cerrado domingo en invierno, del 1 al 15 de marzo y del 1 al 15 de diciembre – **Comida** carta 4800 a 6500.

X Casa Dorita, Iglesia 6 (96) 574 48 61, *Fax (96) 574 48 61,* – .

X **La Seu,** Dr. Calatayud 24 (96) 574 57 52
VISA.
cerrado martes – **Comida** carta 2500 a 3900.

por la carretera de Calpe – *03724 Moraira :*

Swiss Moraira , O : 2,5 km (96) 574 71 04, Telex 63855, *Fax (96) 574 70 74,* – – 30/100. AE E VISA
cerrado 2 enero-2 febrero – **Comida** *(cerrado domingo noche y lunes)* - sólo cena de octubre a mayo - 3500 – 1250 – **24 hab** 15000/18000, 1 suite.

Gema H. , Estaca de Bares 11 - SO : 2,5 km, apartado 330, (96) 574 71 88, *Fax (96) 574 71 88,* –
39 hab.

XXX **Girasol,** SO : 1,5 km (96) 574 43 73, *Fax (96) 649 05 45,* , « Villa acondicionada con elegancia » – . AE E VISA JCB
cerrado lunes (salvo julio-agosto) y noviembre – **Comida** - sólo cena en verano salvo domingo - carta 6250 a 8150
Espec. Carpaccio de atún con wasabi y pequeñas patatas (verano). Bavarois de gambas de Denia con bogavante. Sinfonía de chocolate.

XX **La Bona Taula,** SO : 1,5 km (96) 649 02 06, *Fax (96) 574 23 84,* mar, – . AE E VISA.
Comida carta 3350 a 5750.

en El Portet *NE : 1,5 km – 03724 Moraira :*

XXX **Le Dauphin,** apartado 324 Moraira, (96) 649 04 32, *Fax (96) 649 04 32,* , « Villa mediterránea con terraza y peñón de Ifach, Calpe y mar » – . AE E VISA.
cerrado lunes, 15 febrero-15 marzo y noviembre – **Comida** - sólo cena mayo-noviembre - carta 4250 a 5600.

LA MORALEJA *Madrid - ver Alcobendas.*

MORALZARZAL *28411 Madrid* 444 J 18 - *2 248 h. alt. 979.*
Madrid 42 - Ávila 77 - Segovia 57.

El Cenador de Salvador, av. de España 30 ☎ (91) 857 77 22, *Fax (91) 857 77 80,* « Elegante villa con terraza ajardinada » - AE VISA.
cerrado domingo noche, lunes y del 1 al 15 de octubre - **Comida** 6000 y carta 5775 a 7725
Espec. Ensalada de bacalao con salsa de toronja y mango. Infusión especiada de percebes y vieiras. Lubina en celosía de arroz con emulsión de acelgas.

MOREDA DE ALLER *33670 Asturias* 441 C 12.
Madrid 436 - Gijón 60 - León 103 - Oviedo 30.

Collainos, av. Tartiere 44 ☎ (98) 548 10 40 - E VISA.
Comida 1000 - 400 - **8 hab** 4000/6000 - PA 2200.

La Teyka, Constitución 35 ☎ (98) 548 10 20 - E VISA.
Comida carta 3050 a 3950.

MORELLA *12300 Castellón* 445 K 29 - *2 717 h. alt. 1 004.*
Ver : *Emplazamiento★ - Basílica de Santa María la Mayor★ - Castillo ≤★.*
pl. de San Miguel ☎ (964) 17 30 32 Fax (964) 16 07 62.
Madrid 440 - Castellón de la Plana/Castelló de la Plana 98 - Teruel 139.

Rey Don Jaime, Juan Giner 6 ☎ (964) 16 09 11, *Fax (964) 16 09 11* - rest, 25/200. AE E VISA.
Comida 1400 - 700 - **44 hab** 4500/7500 - PA 2975.

Cardenal Ram, Cuesta Suñer 1 ☎ (964) 17 30 85, *Fax (964) 17 32 18* - rest, E VISA.
Comida 1750 - 800 - **17 hab** 4500/7500, 2 suites - PA 4000.

Meson del Pastor, Cuesta Jovaní 7 ☎ (964) 16 02 49, *Fax (964) 16 02 49* - E VISA.
cerrado miércoles (salvo festivos) y del 22 al 30 de junio - **Comida** carta aprox. 2400.

Casa Roque, Segura Barreda 8 ☎ (964) 16 03 36, *Fax (964) 16 02 00* - AE E VISA JCB
cerrado lunes y del 1 al 20 de febrero - **Comida** carta 2800 a 4150.

en la carretera CS 840 *O : 4,5 km - ✉ 12300 Morella :*

Fábrica de Giner, ☎ (964) 17 31 42, *Fax (964) 17 31 97* - E VISA.
Comida *(cerrado lunes y martes)* 1600 - 600 - **24 hab** 5500/7500.

MORRO DEL JABLE *Las Palmas - ver Canarias (Fuerteventura).*

MÓSTOLES *28930 Madrid* 444 L 18 - *193 056 h.*
Madrid 19 - Toledo 64.

Mesón Gregorio I, Reyes Católicos 16, ✉ 28938, ☎ (91) 613 22 75, « Decoración típica » - E VISA.
Comida carta 3300 a 3800.

en la autovía N V *SO : 5,5 km - ✉ 28935 Móstoles :*

La Fuencisla, ☎ (91) 647 22 89, « Decoración rústica » - E VISA.
Comida carta aprox. 4500.

MOTA DEL CUERVO *16630 Cuenca* 444 N 21 - *5 568 h. alt. 750.*
Madrid 139 - Albacete 108 - Alcázar de San Juan 36 - Cuenca 113.

Mesón de Don Quijote, carret. N 301 ☎ (967) 18 02 00, *Fax (967) 18 07 11,* « Decoración regional », - VISA.
Comida 1500 - 500 - **36 hab** 5000/8500 - PA 3000.

MOTILLA DEL PALANCAR *16200 Cuenca* 444 N 24 - *4 744 h. alt. 900.*
Madrid 202 - Cuenca 68 - Valencia 146.

Del Sol, carret. N III ☎ (969) 33 10 25, *Fax (969) 33 10 30* - rest, AE E VISA.
Comida 2000 - 500 - **38 hab** 3600/6200.

Seto con hab, carret. N III - O : 1,5 km ☎ (969) 33 32 28, *Fax (969) 33 32 28* - rest, AE E VISA JCB. rest
Comida carta aprox. 3700 - 550 - **21 hab** 4000/7000.

MOTRICO o **MUTRIKU** *20830 Guipúzcoa* 442 C 22 – *4 466 h. – Playa.*

Ver : *Emplazamiento★ (miradores : ≤★).*

Madrid 464 – Bilbao/Bilbo 75 – San Sebastián/Donostia 46.

Jarri-Toki, carret. de Deva - E : 1 km ☎ (943) 60 32 39, ≤ mar, – P. AE E VISA.
cerrado domingo noche y lunes (septiembre-mayo) – **Comida** carta 2800 a 4100.

MOTRIL *18600 Granada* 446 V 19 – *45 880 h. alt. 65.*

Los Moriscos, urb. playa Granada carret. de Bailén : 8 km ☎ (958) 82 55 27.

Madrid 501 – Almería 112 – Antequera 147 – Granada 71 – Málaga 96.

Costa Nevada, Martín Cuevas 31 ☎ (958) 60 05 00, *Fax (958) 82 16 08,* – 25/80. AE E VISA.
Comida 1450 – 495 – **65 hab** 4950/7700.

Tropical sin, Rodríguez Acosta 23 ☎ (958) 60 04 50, *Fax (958) 60 04 50* – . AE E VISA.
Comida *(cerrado domingo)* 1400 – **21 hab** 4500/7000.

MOYÁ o **MOIÀ** *Barcelona* 443 G 38 – *3 303 h. alt. 776.*

Alred. : *Monasterio de Santa María de l'Estany★, (claustro★ : capiteles★★) N : 8 km.*

Madrid 611 – Barcelona 72 – Manresa 26.

Mozárbez, carret. N 630 ☎ (923) 30 82 91, *Fax (923) 30 82 91* – rest, P. AE E VISA.
Comida 1200 – 350 – **28 hab** 3500/5000 – PA 2750.

MUCHAVISTA (Playa) *Alicante – ver Campello.*

MÚJICA o **MUXIKA** *48392 Vizcaya* 442 C 21 – *1 432 h. alt. 40.*

Madrid 406 – Bilbao/Bilbo 27 – San Sebastián/Donostia 84 – Vitoria/Gasteiz 56.

Remenetxe, carret. BI 635 - barrio Ugarte ☎ (94) 625 35 20, *Fax (94) 625 57 83,* « Caserío típico » – P. AE E VISA.
cerrado miércoles y del 1 al 15 de febrero – **Comida** carta 4300 a 5300.

MUNDACA o **MUNDAKA** *48360 Vizcaya* 442 B 21 – *1 639 h. – Playa.*

Madrid 436 – Bilbao/Bilbo 35 – San Sebastián/Donostia 105.

Atalaya sin rest, paseo de Txorrokopunta 2 ☎ (94) 617 70 00, *Fax (94) 687 68 99* – P. AE E VISA.
950 – **15 hab** 8300/12500.

El Puerto sin rest, Portu 1 ☎ (94) 687 67 25, *Fax (94) 687 67 26,* ≤ – . E VISA
900 – **11 hab** 7500/9500.

Mundaka sin rest, Florentino Larrínaga 9 ☎ (94) 687 67 00, *Fax (94) 687 61 58* – P. VISA
700 – **19 hab** 6000/8500.

La Fonda, pl. Olazábal ☎ (94) 687 65 43 – AE E VISA.
cerrado lunes y enero – **Comida** carta 1500 a 3500.

MUNGUÍA o **MUNGIA** *48100 Vizcaya* 442 B 21 – *12 995 h. alt. 20.*

Madrid 449 – Bermeo 17 – Bilbao/Bilbo 16 – San Sebastián/Donostia 114.

Torrebillela, Beko-Kale 18 ☎ (94) 674 32 00, *Fax (94) 674 39 27* – , rest, . E VISA.
Comida 1700 – 600 – **18 hab** 7800/8800 – PA 4000.

Lauaxeta, Lauaxeta 4 ☎ (94) 674 43 80, *Fax (94) 674 43 79,* – rest, . E VISA.
Comida 1700 – 600 – **17 hab** 6800/7800 – PA 4000.

Gorrotxa, Trobika 7 ☎ (94) 674 04 75 – . AE E VISA.
cerrado domingo, del 9 al 13 de abril y 26 julio-16 agosto – **Comida** carta 3750 a 4750.

MURCIA *30000* P 445 S 26 – *338 250 h. alt. 43.*

Ver : *Catedral★ (fachada★, Capilla de los Vélez★, Museo : San Jerónimo★, campanario : ≤★* DY – *Museo Salzillo★* CY - *calle de la Trapería★.*

de Murcia-San Javier por ② : 50 km ✆ (968) 17 20 00 – Iberia : av. Libertad ✆ *(968) 28 50 52.*

San Cristóbal 6 ✉ 30001 ✆ (968) 36 61 00 Fax (968) 36 61 10 – **R.A.C.E.** *Alfonso X E Sabio 14 (plta. baja) ✉ 30008 ✆ (968) 23 02 66 Fax (968) 23 05 17.*

Madrid 395 ① – Albacete 146 ① – Alicante/Alacant 81 ① – Cartagena 49 ② – Lorc 64 ③ – Valencia 256 ①

Plano página siguiente

Meliá 7 Coronas, paseo de Garay 5, ✉ 30003, ✆ (968) 21 77 72, *Fax (968) 22 12 94*, « Terraza-jardín » – ✆ – 25/400. AE ⓓ E VISA. X
Comida (ver rest. ***Las Coronas***) – 1500 – **155 hab** 13000/15750, 1 suite.

Rincón de Pepe, pl. Apóstoles 34, ✉ 30001, ✆ (968) 21 22 39, Telex 67116 *Fax (968) 22 17 44* – 25/600. AE ⓓ E VISA. DY
Comida (ver rest. ***Rincón de Pepe***) – 1250 – **158 hab** 12500, 4 suites.

NH Amistad Murcia, Condestable 1, ✉ 30009, ✆ (968) 28 29 29, *Fax (968) 28 08 2* – 25/600. AE ⓓ E VISA JCB. X
Comida carta aprox. 5100 – 1300 – **143 hab** 14000/17000, 5 suites.

Arco de San Juan, pl. de Ceballos 10, ✉ 30003, ✆ (968) 21 04 55, *Fax (968) 22 08 0* – 25/80. AE ⓓ E VISA. DZ
Comida (ver rest. ***Del Arco***) – 1250 – **112 hab** 12000/16500, 3 suites.

Conde de Floridablanca, Princesa 18, ✉ 30002, ✆ (968) 21 46 26 *Fax (968) 21 32 15* – AE ⓓ E VISA. DZ
Comida 1200 – 700 – **80 hab** 6500/8500, 5 suites – PA 2900.

Hispano 2, Radio Murcia 3, ✉ 30001, ✆ (968) 21 61 52, *Fax (968) 21 68 59* – 25/100. AE ⓓ E VISA. DY e
Comida (ver rest. ***Hispano***) – 900 – **35 hab** 5500/7500.

Churra-Vistalegre con cafetería, Arquitecto Juan J. Belmonte 4, ✉ 30007 ✆ (968) 20 17 50, *Fax (968) 20 17 95* – 25/100. AE ⓓ E VISA X e
Comida (ver rest. ***El Churra***) – 700 – **57 hab** 6500/8500.

Fontoria sin rest, Madre de Dios 4, ✉ 30004, ✆ (968) 21 77 89, *Fax (968) 21 07 4* – 25/120. AE ⓓ E VISA. DY a
900 – **120 hab** 7500/11900.

Pacoche Murcia, Cartagena 30, ✉ 30002, ✆ (968) 21 33 85, *Fax (968) 21 33 85* – AE ⓓ E VISA. DZ e
Comida (ver rest. ***Universal Pacoche***) – 450 – **72 hab** 6000/9000.

La Huertanica, Infantes 5, ✉ 30001, ✆ (968) 21 76 69, *Fax (968) 21 25 04* – – **31 hab.** DY b

El Churra, Obispo Sancho Dávila 1, ✉ 30007, ✆ (968) 23 84 00, *Fax (968) 23 77 93* – AE ⓓ E VISA. X z
Comida (ver rest. ***El Churra***) – 600 – **96 hab** 6000/7500, 1 suite.

Casa Emilio sin rest. con cafetería, Alameda de Colón 9, ✉ 30002, ✆ (968) 22 06 31 *Fax (968) 21 30 29* – E VISA. DZ c
425 – **42 hab** 4500/7000.

Majesty sin rest. con cafetería, pl. San Pedro 5, ✉ 30004, ✆ (968) 21 47 42 *Fax (968) 21 67 65* – AE ⓓ E VISA CY a
900 – **67 hab** 8000/10300.

Universal Pacoche sin, Cartagena 21, ✉ 30002, ✆ (968) 21 76 05 *Fax (968) 21 76 05* – AE ⓓ E VISA. DZ b
Comida (ver rest. ***Universal Pacoche***) – **47 hab** 3500/5500.

Rincón de Pepe, pl. Apóstoles 34, ✉ 30001, ✆ (968) 21 22 39, Telex 67116 *Fax (968) 22 17 44* – AE ⓓ E VISA. DY r
Comida carta 3650 a 5750.

Alfonso X, av. Alfonso X el Sabio 8, ✉ 30008, ✆ (968) 23 10 66, *Fax (968) 24 26 26* « Decoración moderna » – AE ⓓ E VISA. X f
cerrado domingo y festivos en julio y agosto – **Comida** carta 3100 a 4300.

Del Arco, pl. de San Juan 1, ✉ 30003, ✆ (968) 21 04 55, *Fax (968) 22 08 09*, – AE ⓓ E VISA. DZ d
cerrado domingo y agosto – **Comida** carta 2950 a 4000.

Rocío, Batalla de las Flores, ✉ 30008, ✆ (968) 24 29 30, *Fax (968) 23 76 61* – X a

La Onda, Bando de la Huerta 8, ✉ 30008, ✆ (968) 24 78 82 – AE ⓓ E VISA. X v
cerrado domingo y 12 días en agosto – **Comida** carta aprox. 3100.

MURCIA

Colón (Alameda de) .... DZ
Floridablanca .... DZ, X 18
Isidoro de la Cierva .... DY 40
Platería .... DY
Trapería .... DY

Alfonso x el Sabio
(Gran Vía) .... DY, X 2
Cardenal Belluga (Pl.) ... DY 5
Ciudad
de Almería (Av.) ..... X 7
Constitución (Av. de la) . X 9
Emilio Díez de
Revenga (Plaza) ..... X 12
España (Glorieta de) .... DZ 15
Garay (Paseo de) ...... DZ 20
General Primo de
Rivera (Av.) .... X 22
General Yagüe .... X 25
Gómez Cortina .... CY 28
Industria .... X 30
Infante Juan Manuel
(Avenida) .... DZ 33
Intendente Jorge
Palacio (Av.) .... X 35
Isaac Albéniz .... X 37
Jaime I
el Conquistador ..... X 42
José Antonio Ponzoa ... DY 44
Juan Carlos I (Av. de) ... X 46
Juan XXIII (Plaza de) ... X 48
Levante (Ronda de) .... X 50
Libertad (Av. de la) ..... X 53
Licenciado Cascales .... DY 56
Luis Fontes Pagán ..... X 58
Marcos Redondo ...... CY 60
Mariano Vergara .... X 61

Marqués de Corvera (Paseo). X 63
Martínez Tornel (Pl.) .... DZ 65
Miguel de Cervantes (Av.) .. X 67
Norte (Ronda) .... X 69
Obispo Frutos .... X 71
Perea (Av.) .... X 73

Proclamación .... DZ 75
San Francisco
(Plano de) .... CYZ 78
Sociedad .... DY 80
Teniente Flomesta (Av.) .... DZ 83
Vistabella (Puente de) ..... X 85

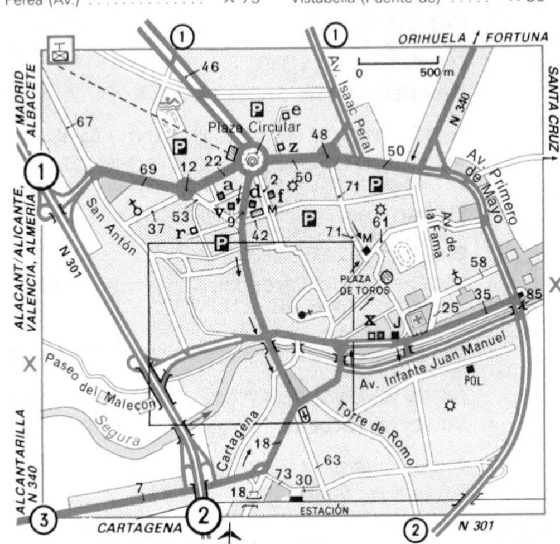

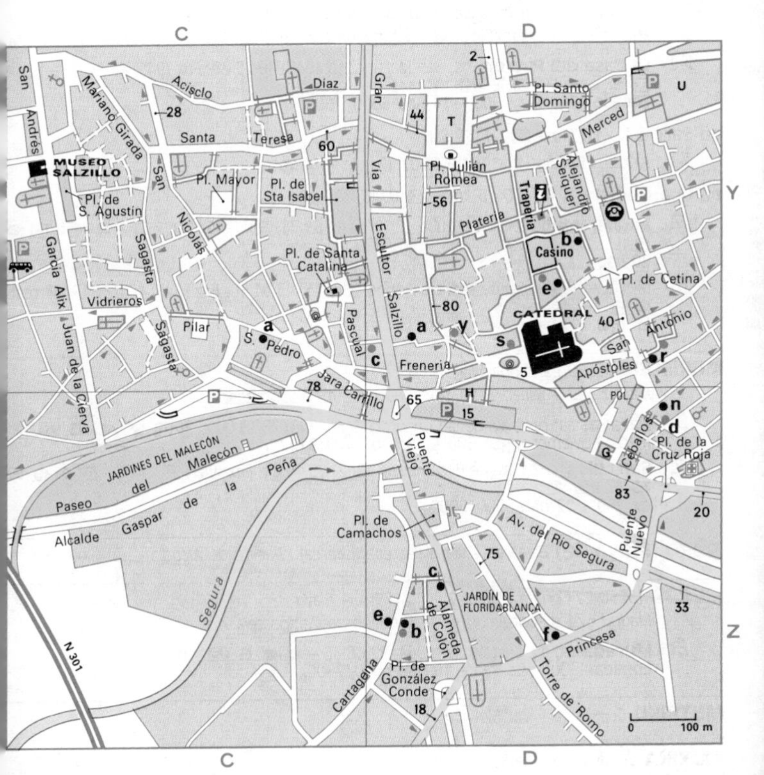

XX **Las Coronas,** paseo de Garay 5, ✉ 30003, ✆ (968) 21 77 72, *Fax (968) 22 12 94* – ▤. AE ⓓ E VISA. ✂ X x
Comida carta 3200 a 4600.

XX **Hispano,** Arquitecto Cerdá 7, ✉ 30001, ✆ (968) 21 61 52, *Fax (968) 21 68 59* – ▤. AE ⓓ E VISA. ✂ DY e
Comida carta aprox. 3600.

XX **Pacopepe,** Madre de Dios 14, ✉ 30004, ✆ (968) 21 95 87 – ▤. AE ⓓ E VISA. ✂ DY c
cerrado domingo y del 9 al 25 de agosto – **Comida** carta 3100 a 3800.

XX **Acuario,** pl. Puxmarina 3, ✉ 30004, ✆ (968) 21 99 55 – ▤. AE ⓓ E VISA. ✂ DY y
cerrado domingo y del 15 al 31 de agosto – **Comida** carta 2650 a 3150.

XX **El Churra,** av. Marqués de los Vélez 12, ✉ 30008, ✆ (968) 23 84 00, *Fax (968) 23 77 93* – ▤. AE ⓓ E VISA. ✂ X z
Comida carta 2700 a 3800.

X **Las Cocinas del Cardenal,** pl. del Cardenal Belluga 7, ✉ 30001, ✆ (968) 21 13 10, – ▤. AE ⓓ E VISA. ✂ DY s
Comida carta 2600 a 3000.

X **Morales,** av. de la Constitución 12, ✉ 30008, ✆ (968) 23 10 26 – ▤. AE ⓓ E VISA. ✂ X d
cerrado sábado noche, domingo y del 15 al 31 de agosto – **Comida** carta 3500 a 4100.

X **Universal Pacoche,** Cartagena 25, ✉ 30002, ✆ (968) 21 13 38 – ▤. AE ⓓ E VISA. ✂ DZ b
Comida carta aprox. 2500.

Ver también : **Santa Cruz** X *NE : 9 km*

MURGUÍA *01130 Álava* 442 **D 21** – *alt. 620.*

Zuia, zona deportiva de Altube NO : 5 km ✆ (945) 40 31 72.

Madrid 362 – Bilbao/Bilbo 45 – Vitoria/Gasteiz 19.

La Casa del Patrón ⑤, San Martín 2 ✆ (945) 46 25 28, *Fax (945) 46 24 80* – ▤ TV ☎. AE ⓓ E VISA. ✂ rest
Comida 1200 – ☕ 500 – **14 hab** 5000/7500.

en Sarria *N : 1,5 km – ✉ 01139 Sarria :*

XX Arlobi, Elizalde 21 ✆ (945) 43 02 12, – ▤ Ⓟ.

en la autopista A 68 *NO : 5 km – ✉ 01139 Altube :*

Altube, área de servicio Altube ✆ (945) 43 01 73, *Fax (945) 43 02 51* – ▤ rest, TV ☎ Ⓟ
20 hab.

Motel Altube, área de servicio Altube ✆ (945) 43 01 50, *Fax (945) 43 02 51* – ▤ rest, ☎ Ⓟ
20 hab.

MURIEDAS *39600 Cantabria* 442 **B 18.**

Madrid 392 – Bilbao/Bilbo 102 – Burgos 149 – Santander 7.

Parayas sin rest, av. de la Concordia 6 ✆ (942) 25 13 00 – TV ☎. E VISA. ✂
marzo-noviembre – ☕ 500 – **26 hab** 6420/9100.

San Luis sin rest, av. de Bilbao 28 ✆ (942) 25 15 41, *Fax (942) 25 11 08* – TV ☎ Ⓟ. AE ⓓ E VISA. ✂
☕ 250 – **22 hab** 6500/8000.

MURO (Playa de) *Baleares – ver Baleares (Mallorca) : Puerto de Alcúdia.*

MUROS *15250 La Coruña* 441 **D 2** – *10 178 h. – Playa.*

Madrid 674 – Pontevedra 97 – Santiago de Compostela 72.

Muradana, av. Castelao ✆ (981) 82 68 85 – ☎. E VISA. ✂
Comida 1300 – ☕ 350 – **16 hab** 4500/7500.

MUTRIKU *Guipúzcoa – ver Motrico.*

MUXIKA *Vizcaya – ver Mújica.*

NÁJERA *26300 La Rioja 442 E 21 – 6 901 h. alt. 484.*

Ver : Monasterio de Santa María la Real★ (claustro★★, iglesia : panteón real★, sepulcro de Blanca de Navarra★, coro alto : sillería★).

Madrid 324 – Burgos 85 – Logroño 28 – Vitoria/Gasteiz 84.

NAVA *33520 Asturias 441 B 13 – 5 564 h.*

Madrid 463 – Gijón 41 – Oviedo 32 – Santander 173.

Villa de Nava, carret. de Santander (98) 571 80 70, *Fax (98) 571 80 83* – rest, AE E VISA.
Comida 1200 – 600 – **39 hab** 6500/9500, 1 suite – PA 3000.

NAVACERRADA *28491 Madrid 444 J 17 – 1 597 h. alt. 1 203 – Deportes de invierno en el Puerto de Navacerrada 8.*

Madrid 50 – El Escorial 21 – Segovia 35.

Nava Real, Huertas (91) 853 10 00, *Fax (91) 853 12 40*, « Decoración íntima en un ambiente acogedor » – – 25. AE E VISA.
Comida 2000 – 500 – **12 hab** 6000/7000.

Ricardo, Audiencia (91) 853 11 23 – . E VISA.
cerrado lunes y septiembre – **Comida** carta 3350 a 4700.

La Galería, Iglesia 9 (91) 856 05 79 – . AE E VISA.
cerrado del 15 al 30 de septiembre – **Comida** carta 3840 a 4900.

Felipe, av. de Madrid 2 (91) 856 08 34, *Fax (91) 856 08 34* – . AE E VISA.
Comida carta 2725 a 5200.

Asador Felipe, del Mayo 3 (91) 853 10 41, *Fax (91) 854 08 34*, , « Decoración castellana » – AE E VISA.
Comida carta 2800 a 4850.

La Cocina del Obispo, Doctor Villasante 7 (91) 856 09 36, – AE E VISA
Comida carta 3100 a 4775.

en la carretera M 601 – *28491 Navacerrada :*

Arcipreste de Hita, NO : 1,5 km (91) 856 01 25, *Fax (91) 856 02 70*, pantano y montañas, , , – , rest, – 25/60
40 hab.

La Fonda Real, NO : 2 km (91) 856 03 05, *Fax (91) 856 03 52*, « Decoración castellana del siglo XVIII » – . AE E VISA
Comida carta 4000 a 5800.

Las Postas con hab, SO : 1,5 km (91) 856 02 50, *Fax (91) 853 11 51*, , – rest, – 25/60. AE E VISA. hab
Comida *(cerrado lunes salvo julio-septiembre)* carta 2850 a 4100 – **20 hab** 5600/8000.

en el valle de La Barranca *NE : 3,5 km* – *28491 Navacerrada :*

La Barranca, pinar de La Barranca - alt. 1 470 (91) 856 00 00, *Fax (91) 856 03 52*, , , – – 25/35. E VISA. rest
Comida 3150 – 900 – **42 hab** 8200/10300, 2 suites – PA 6300.

NAVACERRADA (Puerto de) *28470 Madrid-Segovia 444 J 17 – alt. 1 860 – Deportes de invierno : 8.*

Ver : Puerto★ (★).

Madrid 57 – El Escorial 28 – Segovia 28.

Pasadoiro, carret. N 601 (91) 852 14 27, *Fax (91) 852 35 29*, – . AE E VISA
Comida 2250 – 375 – **36 hab** 5000/7000 – PA 4300.

NAVAJAS *12470 Castellón 445 M 28 – 457 h. alt. 750.*

Madrid 399 – Castellón de la Plana/Castelló de la Plana 64 – Sagunto/Sagunt 38 – Teruel 82.

Navas Altas, Rodríguez Fornos 3 (964) 71 09 66, *Fax (964) 71 00 98*, –
30 hab.

NAVAL *22320 Huesca 443 F 30 – 303 h. alt. 637.*

Madrid 471 – Huesca 81 – Lérida/Lleida 108.

Olivera, San Miguel (974) 30 03 01, *Fax (974) 30 03 01*, , – rest,
30 hab.

NAVALCARNERO *28600 Madrid* 444 L 17 – *10 294 h. alt. 671.*
Madrid 32 – El Escorial 42 – Talavera de la Reina 85.

Real Villa de Navalcarnero, paseo San Damián 3 ☎ (91) 811 24 93, *Fax (91) 811 11 42,* ≤, – – 25/300
36 hab.

Hostería de las Monjas, pl. de la Iglesia 1 ☎ (91) 811 18 19, « Decoración castellana » – . AE E VISA
cerrado lunes y del 1 al 15 de septiembre – **Comida** carta 3800 a 4600.

en la autovía N V – ✉ *28600 Navalcarnero :*

El Labrador G.H., SO : 5 km ☎ (91) 813 94 20, *Fax (91) 813 94 44,* – . AE E VISA.
Comida 1350 – **82 hab** 4800/7000.

Felipe IV, E : 3 km ☎ (91) 811 09 13, – .

NAVALENO *42149 Soria* 442 G 20 – *973 h. alt. 1 200.*
Madrid 219 – Burgos 97 – Logroño 108 – Soria 48.

El Maño, Calleja del Barrio 5 ☎ (975) 37 42 61
. VISA.
cerrado 2ª quincena de enero – **Comida** carta 2500 a 3700.

Your recommendation is self-evident if you always walk into a hotel or a restaurant Guide in hand.

NAVALMORAL DE LA MATA *10300 Cáceres* 444 M 13 – *15 211 h. alt. 514.*
Madrid 180 – Cáceres 121 – Plasencia 69.

Brasilia, antigua carret. N V ☎ (927) 53 07 50, *Fax (927) 53 07 54,* – . VISA.
Comida 2200 – 400 – **43 hab** 4700/7400.

Los Arcos de Baram, Regimiento Argel 6 ☎ (927) 53 30 60 – . AE E VISA.
Comida carta 2850 a 3950.

Las NAVAS DEL MARQUÉS *05230 Ávila* 442 K 17 – *4 087 h. alt. 1 318.*
Madrid 81 – Ávila 40 – El Escorial 26.

Excelsior, av. de Aniceto Marinas 26 ☎ (91) 897 14 14, *Fax (91) 897 14 52* –
36 hab.

Montecarlo, García del Real 22 ☎ (91) 897 06 49 – .

NAVIA *33710 Asturias* 441 B 9 – *8 914 h. – Playa.*
El Muelle 3 ☎ (98) 563 00 94 (temp).
Madrid 565 – La Coruña/A Coruña 203 – Gijón 118 – Oviedo 122.

Palacio Arias sin rest, av. José Antonio 11 ☎ (98) 547 36 75, *Fax (98) 547 36 83,* « Antiguo palacete » – . AE E VISA.
16 hab 7000/14000.

Blanco , La Colorada - N : 1 km ☎ (98) 563 07 75, *Fax (98) 547 32 01,* – , rest, – 25/300. AE E VISA.
Comida 1200 – 600 – **38 hab** 4000/7500 – PA 3000.

Palacio Arias II, av. José Antonio 11 ☎ (98) 547 36 75, *Fax (98) 547 36 83* – . AE E VISA. rest
Comida 1000 – 500 – **29 hab** 4500/7400, 4 apartamentos – PA 2500.

El Sotanillo, Mariano Luiña 24 ☎ (98) 563 08 84 – AE E VISA.
Comida carta aprox. 4200.

NA XAMENA (Urbanización) *Baleares* – *ver Baleares (Ibiza) : San Miguel.*

NEGREIRA *15830 La Coruña* 441 D 3 – *6 265 h. alt. 183.*
Madrid 633 – La Coruña/A Coruña 92 – Santiago de Compostela 20.

Tamara, carret. de Santiago 81 ☎ (981) 88 52 01, *Fax (981) 88 58 13* –
40 hab, 22 apartamentos.

NEGURI *Vizcaya* – *ver Getxo.*

NERJA *29780 Málaga* **446** **V 18** – *14 334 h.* – *Playa.*

Alred. : *Cueva de Nerja** NE : 4 km – Carretera* de Nerja a La Herradura ⩽**.*

Puerta del Mar 2 ✆ (95) 252 15 31 Fax (95) 252 62 87.

Madrid 549 – Almería 169 – Granada 120 – Málaga 52.

Parador de Nerja, playa de Burriana - Tablazo ✆ (95) 252 00 50, *Fax (95) 252 19 97*, ⩽ mar, « Césped frente al mar », – 25/80. AE E VISA.
Comida 3500 – 1300 – **73 hab** 15200/19000.

Perla Marina, Mérida 7 ✆ (95) 252 33 50, *Fax (95) 252 40 83*, ⩽, – 25/180. AE E VISA. rest
Comida - sólo buffet - 2200 – 700 – **106 hab** 8500/14000 – PA 4400.

Plaza Cavana, pl. Cavana 10 ✆ (95) 252 40 00, *Fax (95) 252 40 08*, – 25/175. AE E VISA.
Comida - sólo cena - 1700 – **32 hab** 9900/13900.

Balcón de Europa, paseo Balcón de Europa 1 ✆ (95) 252 08 00, *Fax (95) 252 44 90*, ⩽, – 25/100. AE E VISA. rest
Comida 2250 – 850 – **105 hab** 11500/15900 – PA 4700.

Jimesol, Chaparil 6 ✆ (95) 252 58 88, *Fax (95) 252 58 88*,
Comida - sólo cena - – **30 hab.**

Don Peque sin rest, Diputación Provincial 13-1º ✆ (95) 252 13 18 – . E VISA.
400 – **10 hab** 5000.

Estrella del Mar, Bella Vista 5 ✆ (95) 252 04 61,
marzo-octubre – **Comida** 975 – 350 – **12 hab** 3700/4600 – PA 1900.

De Miguel, Pintada 2 ✆ (95) 252 29 96 – . E VISA.
cerrado febrero – **Comida** - sólo cena - carta aprox. 3650.

Pepe Rico, Almirante Ferrándiz 28 ✆ (95) 252 02 47, *Fax (95) 252 44 98*, – E VISA.
cerrado martes, del 1 al 15 de febrero y del 1 al 15 de diciembre – **Comida** carta 2600 a 4200.

Verano Azul, Almirante Ferrándiz 31 ✆ (95) 252 18 95, – AE E VISA.
cerrado miércoles y 15 noviembre-15 diciembre – **Comida** carta 2350 a 2750.

en la carretera N 340 *E : 1,5 km – ✉ 29780 Nerja :*

Nerja Club, ✆ (95) 252 01 00, *Fax (95) 252 26 08*, ⩽,
67 hab.

NIGRÁN *36350 Pontevedra* **441** **F 3.**

Madrid 619 – Orense/Ourense 108 – Pontevedra 44 – Vigo 17.

Los Abetos, av. Val Niñor 89 (carret. C 550) ✆ (986) 36 81 47, *Fax (986) 36 55 67*, – . AE E VISA.
Comida carta 2100 a 3950.

NOALLA *36990 Pontevedra* **441** **E 3** – *Playa.*

Madrid 633 – Pontevedra 27 – Santiago de Compostela 79.

en la playa de La Lanzada *O : 1,3 km – ✉ 36990 Noalla :*

Delfín Azul, ✆ (986) 74 51 66, *Fax (986) 74 48 09*, ⩽ – . E VISA.
Comida carta aprox. 2500 – **87 hab** 4500/8800.

Marola, ✆ (986) 74 32 44, *Fax (986) 74 30 58*, ⩽,
temp – **58 hab.**

NOIA *La Coruña – ver Noya.*

NOJA *39180 Cantabria* **442** **B 19** – *1 562 h.* – *Playa.*

Madrid 422 – Bilbao/Bilbo 79 – Santander 44.

en la playa de Ris *NO : 2 km – ✉ 39184 Ris :*

Torre Cristina, La Sierra 9 ✆ (942) 67 54 20, *Fax (942) 63 10 24*, ⩽, – rest, . VISA.
15 junio-15 septiembre – **Comida** 1300 – 400 – **49 hab** 7000/9800.

La Encina, av. de Ris 75 ✆ (942) 63 01 41, *Fax (942) 63 01 41*, – . AE E VISA.
marzo-octubre – **Comida** 1800 – 570 – **47 hab** 6000/9800.

Las Dunas, paseo Marítimo 4 ☎ (942) 63 01 23, *Fax (942) 63 01 08*, ≤, ⛱ - |♦| 📺 ☎ 🅟. ✂
Semana Santa-octubre - **Comida** 1200 - ☕ 350 - **72 hab** 6800/8800.

Los Nogales, av. de Ris 21 ☎ (942) 63 02 65, *Fax (942) 63 02 65* - |♦| 📺 ☎ 🅟
temp - **42 hab.**

Montemar 🐦, Arenal 21 ☎ (942) 63 03 20, *Fax (942) 63 03 20*, ⛱ - |♦|, ▤ rest, 📺 ☎ 🅟. VISA. ✂
junio-septiembre - **Comida** 1700 - ☕ 600 - **61 hab** 4900/7850.

NOREÑA *33180 Asturias* 441 B 12 - *4 193 h.*
Madrid 447 - Oviedo 12.

Doña Nieves sin ☕, Pío XII-4 ☎ (98) 574 02 74, *Fax (98) 574 12 71* - |♦| 📺 ☎. AE ⓓ E VISA. ✂
Comida (en el Hotel ***Cabeza***) - **27 hab** 6000/7700.

Cabeza, Javier Lauzurica 4 ☎ (98) 574 02 74, *Fax (98) 574 12 71* - |♦| 📺 ☎ 🚗. AE ⓓ E VISA. ✂
Comida *(cerrado domingo)* 1200 - ☕ 550 - **48 hab** 6000/7700 - PA 2950.

NOVO SANCTI PETRI (Urbanización) *Cádiz - ver Chiclana de la Frontera.*

Dans les hôtels et restaurants
cités avec des menus à prix fixes,
il est généralement possible de se faire servir également à la carte.

NOYA o **NOIA** *15200 La Coruña* 441 D 3 - *14 082 h.*
Ver : *Iglesia de San Martín*★.
Alred. : *O : Rías de Muros y Noya*★★.
Madrid 639 - La Coruña/A Coruña 109 - Pontevedra 62 - Santiago de Compostela 35.

Park 🐦, carret. de Muros-Barro ☎ (981) 82 37 29, *Fax (981) 82 31 33*, ≤, ⛱ - 📺 ☎ 🅟. E VISA. ✂
Comida 1500 - ☕ 500 - **35 hab** 5000/7500.

Ceboleiro con hab, Galicia 15 ☎ (981) 82 05 31, *Fax (981) 82 44 97* - ▤ rest, 📺 ☎. AE ⓓ E VISA. ✂
cerrado Navidades - **Comida** carta 2400 a 4900 - ☕ 400 - **13 hab** 7000.

La NUCÍA o **La NUCIA** *03530 Alicante* 445 Q 29 - *6 106 h. alt. 85.*
Madrid 450 - Alicante/Alacant 56 - Candía 64.

en la carretera de Benidorm - ✉ *03530 La Nucía :*

Kaskade I, urb. Panorama III - S : 4,5 km y desvío a la derecha 1 km ☎ (96) 587 31 40, *Fax (96) 587 34 48*, 🏖, ⛱ - E VISA. ✂
cerrado del 1 al 15 de diciembre - **Comida** carta 1540 a 2950.

Kaskade II, urb. Panorama I - S : 5 km y desvío a la derecha 0,3 km ☎ (96) 587 33 37, 🏖, ⛱ - 🅟.

NUESTRA SEÑORA DE LA SALUT (Santuario de) *Gerona* 443 F 37 - ✉ *17174 Sant Feliu de Pallerols.*
Madrid 706 - Barcelona 122 - Gerona/Girona 59 - Vic 37.

de La Salut 🐦, ☎ (972) 44 40 06, *Fax (972) 44 44 87*, « Magnífica situación con ≤ montañas y valle » - |♦| 📺 ☎ ♿ 🅟. AE ⓓ E VISA. ✂
Comida 1375 - ☕ 600 - **30 hab** 3600/7200 - PA 2750.

NUEVA DE LLANES *33592 Asturias* 441 B 15.
Madrid 495 - Cangas de Onís 31 - Gijón 77 - Llanes 20 - Oviedo 92 - Ribadesella 10.

Cuevas del Mar sin rest, pl. de Laverde Ruiz ☎ (98) 541 03 77, *Fax (98) 541 03 78* - |♦| 📺 ☎. AE ⓓ E VISA
cerrado en invierno salvo fines de semana - **12 hab** ☕ 6350/8700.

Playa San Antonio, Ovio - N : 1,5 km ☎ (98) 541 03 43, *Fax (98) 541 01 95* - 📺 ☎ 🅟. ✂ rest
Comida *(cerrado febrero)* 1000 - **25 hab** ☕ 8000 - PA 2100.

NUEVA EUROPA (Urbanización) *Las Palmas - ver Canarias (Gran Canaria) : Maspalomas.*

NULES *12520 Castellón* **445** **M 29** - *11510 h. alt. 15.*
Madrid 402 - Castellón de la Plana/Castelló de la Plana 19 - Teruel 125 - Valencia 54.

X **Barbacoa,** carret. de Burriana ☎ (964) 67 05 04 - ▤ P. AE O E VISA. ✈
cerrado domingo noche, lunes noche y agosto - **Comida** carta 1800 a 2800.

OCHAGAVÍA *31680 Navarra* **442** **D 26** - *591 h. alt. 765.*
Madrid 472 - Bayonne 119 - Pamplona/Iruñea 75 - Tudela 165.

Auñamendi, pl. Gurpide 1 ☎ (948) 89 01 89, *Fax (948) 89 01 89* - ▤ rest, ☎. O E VISA. ✈
cerrado 15 septiembre-6 octubre - **Comida** 1600 - ☕ 500 - **11 hab** 4550/6500.

OCHANDIANO u **OTXANDIO** *48210 Vizcaya* **442** **C 22.**
Madrid 377 - Bilbao/Bilbo 50 - Vitoria/Gasteiz 23.

X **María Jesús,** pl. Nagusia 15 ☎ (945) 45 00 28 - AE O E VISA. ✈
cerrado lunes y del 15 al 31 de agosto - **Comida** - es necesario reservar - carta 3600 a 5800.

OIARTZUN *Guipúzcoa - ver Oyarzun.*

OIEREGI *Navarra - ver Oyeregui.*

OION *Álava - ver Oyón.*

OJEDO *39585 Cantabria* **442** **C 16.**
Madrid 398 - Aguilar de Campóo 81 - Santander 111.

Infantado, carret. N 621 ☎ (942) 73 09 39, *Fax (942) 73 05 78,* ⛱ - |♦|, ▤ rest, TV ☎ 🚗 P. AE E VISA JCB. ✈
Comida 2000 - ☕ 450 - **46 hab** 6000/9100, 2 suites - PA 4450.

Peña Sagra, cruce carret. N 621 y N 627 ☎ (942) 73 07 92, *Fax (942) 73 07 96* - TV ☎ P. VISA. ✈
Comida 1000 - **25 hab** ☕ 5200/8000.

X **Martín,** carret. N 621 ☎ (942) 73 07 00, *Fax (942) 73 02 33,* ≤ - AE VISA. ✈
cerrado 10 diciembre-10 febrero - **Comida** carta 2600 a 3100.

OJÉN *29610 Málaga* **446** **W 15** - *1976 h. alt. 780.*
Madrid 610 - Algeciras 85 - Málaga 64 - Marbella 8.

en la Sierra Blanca *NO : 10 km por C 337 y carretera particular* - ✉ *29610 Ojén :*

Refugio de Juanar ⛰, ☎ (95) 288 10 00, *Fax (95) 288 10 01,* « Refugio de caza », ⛱, 🌳, 🎾 - TV ☎ P. AE O E VISA JCB. ✈
Comida 3050 - ☕ 900 - **25 hab** 8100/10300 - PA 6200.

OLABERRÍA *20212 Guipúzcoa* **442** **C 23** - *1078 h. alt. 332.*
Madrid 419 - Pamplona/Iruñea 65 - San Sebastián/Donostia 42 - Vitoria/Gasteiz 72.

en la carretera N I *NO : 2,4 km* - ✉ *20212 Olaberria :*

Castillo, ☎ (943) 88 19 58, *Fax (943) 88 34 60* - |♦|, ▤ rest, TV ☎ 🚗 P. AE O E VISA. ✈ rest
Comida *(cerrado domingo noche)* 1850 - **28 hab** 6700/9000.

OLAVE u **OLABE** *31799 Navarra* **442** **D 25.**
Madrid 411 - Bayonne 106 - Pamplona/Iruñea 12.

X **Sarasate,** carret. N 121-A ☎ (948) 33 08 20
P. O VISA. ✈
cerrado domingo noche, lunes y Semana Santa - **Comida** carta aprox. 4100.

OLEIROS *15173 La Coruña* **441** **B 5** - *18727 h. alt. 79.*
Madrid 580 - La Coruña/A Coruña 8 - Ferrol 24 - Santiago de Compostela 78.

XX **El Refugio,** pl. de Galicia 11 ☎ (981) 61 08 03, *Fax (981) 63 14 80* - ▤. AE O E VISA. ✈
cerrado domingo noche y 15 días en octubre - **Comida** carta 4000 a 6500.

OLITE *31390 Navarra* 442 E 25 – *3 049 h. alt. 380.*
Ver : *Castillo de los Reyes de Navarra★ – Iglesia de Santa María la Real (fachada★).*
pl. Carlos III el Noble (948) 71 24 34 Fax (948) 71 24 34.
Madrid 370 – Pamplona/Iruñea 43 – Soria 140 – Zaragoza 140.

Parador de Olite, pl. de los Teobaldos 2 (948) 74 00 00, *Fax (948) 74 02 01* « Instalado parcialmente en el antiguo castillo de los Reyes de Navarra » – 25/100. AE VISA JCB.
Comida 3500 – 1300 – **43 hab** 13200/16500.

Merindad de Olite, Rua de la Judería 11 (948) 74 07 35, *Fax (948) 74 07 35* – AE VISA
Comida *(cerrado domingo noche, lunes, 15 días en febrero y 15 días en noviembre)* 1800 – 600 – **10 hab** 6000/7500.

Carlos III el Noble, Rua de Medios 1 (948) 74 06 44 – AE VISA.
Comida 1800 – 600 – **13 hab** 5800/7500.

Casa Zanito con hab, Rua Mayor 16 (948) 74 00 02, *Fax (948) 71 20 87* –
15 hab.

OLIVA *46780 Valencia* 445 P 29 – *20 311 h. – Playa.*
Madrid 424 – Alicante/Alacant 101 – Gandía 8 – Valencia 76.

en la playa *E : 3 km – 46780 Oliva :*

Pau-Pi sin rest, Roger de Lauria 2 (96) 285 12 02, *Fax (96) 285 10 49* – VISA
abril-15 octubre – 550 – **38 hab** 3300/6500.

Kiko Port, (96) 285 09 05, *Fax (96) 285 43 20,* « Frente al puerto deportivo con mar » – AE VISA
Comida carta 2400 a 4100.

Soqueta, (96) 285 14 52,

por la carretera de Alicante *al borde del mar - SE : 6 km – 46780 Oliva :*

Oliva Nova Golf, apartado 31 (96) 285 33 00, *Fax (96) 285 51 08,* « Bonito conjunto con jardines y frente al mar », 18 – 25/400. AE VISA.
Comida 2900 – **90 hab** 11900/19100, 88 apartamentos.

La OLIVA (Monasterio de) *31310 Navarra* 442 E 25.
Ver : *Monasterio★ (iglesia★★, claustro★).*
Madrid 366 – Pamplona/Iruñea 73 – Zaragoza 117.

OLOST u **OLOST DE LLUÇANÉS** *08519 Barcelona* 443 G 36 – *960 h. alt. 669.*
Madrid 618 – Barcelona 85 – Gerona/Girona 98 – Manresa 71.

Sala con hab, pl. Major 17 (93) 888 01 06, *Fax (93) 812 90 68* – rest, AE VISA. rest
cerrado del 1 al 18 de septiembre y Navidades – **Comida** *(cerrado domingo noche)* carta 3500 a 6550 – 600 – **12 hab** 2500/5000
Espec. Milhojas de trufas en su jugo (noviembre-febrero). Rodaballo al horno con patatas del buffete. Salmis de becada (noviembre-febrero).

OLOT *17800 Gerona* 443 F 37 – *26 613 h. alt. 443.*
Ver : *Iglesia de Sant Esteve★ (cuadro de El Greco★), Museo Comarcal de la Garrotxa★ – Casa Solá-Morales (fachada modernista★★).*
Alred. : *Parque Natural de la Zona volcánica de la Garrotxa★.*
Lorenzana 15 (972) 26 01 41 Fax (972) 27 00 56.
Madrid 700 – Barcelona 130 – Gerona/Girona 55.

Riu Olot sin rest, carret. de Santa Pau (972) 26 94 44, *Fax (972) 26 67 03,* – 25/40. AE VISA.
32 hab 8600/10900.

Borrell sin rest, Nónit Escubós 8 (972) 26 92 75, *Fax (972) 27 04 08* – AE VISA.
900 – **24 hab** 4575/7800.

Perla d'Olot, av. Santa Coloma 97 (972) 26 23 26, *Fax (972) 27 07 74* – AE VISA. rest
Comida 1160 – 500 – **30 apartamentos** 3900/6100 – PA 2300.

La Perla, carret. La Deu 9 (972) 26 23 26, *Fax (972) 27 07 74* – rest, AE VISA.
Comida 1160 – 500 – **30 hab** 2200/4300 – PA 2300.

Les Cols, Mas Les Cols - carret. de La Canya ☎ (972) 26 92 09, 🏞 - ▤. AE ⓓ E VISA JCB
cerrado domingo, festivos y 27 julio-16 agosto – **Comida** carta 2700 a 4150.

9 Purgatori, Bisbe Serra 56 ☎ (972) 26 16 06 – ▤. AE ⓓ E VISA. ⚔
cerrado domingo noche, lunes y del 15 al 31 de julio – **Comida** carta 2950 a 3650.

La Deu, carret. La Deu - S : 2 km por carret. de Vic ☎ (972) 26 10 04, *Fax (972) 26 64 36,* 🏞 – ▤ Ⓟ. AE ⓓ E VISA. ⚔
Comida carta aprox. 2600.

OLULA DEL RÍO *04860 Almería* 446 **T 23** – *5 695 h. alt. 487.*
Madrid 528 – Almería 116 – Murcia 142.

La Tejera, antigua carret. N 336 ☎ (950) 44 22 12, *Fax (950) 44 15 12,* 🏞 – ▤ TV ☎ Ⓟ. AE E VISA. ⚔
Comida *(cerrado domingo)* 1200 – **36 hab** ☕ 3750/6000 – PA 2650.

ONDARA *03760 Alicante* 445 **P 30** – *4 776 h. alt. 35.*
Madrid 431 – Alcoy/Alcoi 88 – Alicante/Alacant 84 – Denia 10 – Jávea/Xàbia 16 – Valencia 94.

Casa Pepa, Pla de la Font 87 - SO : 1,5 km ☎ (96) 576 66 06, 🏞, « Típica casa de campo » – Ⓟ. E VISA. ⚔
cerrado domingo noche, lunes y febrero – **Comida** carta 3700 a 4950.

ONDÁRROA *48700 Vizcaya* 442 **C 22** – *10 265 h. – Playa.*
Ver : *Pueblo típico★.*
Alred. : *Carretera en cornisa de Ondárroa a Lequeitio ≤★.*
Madrid 427 – Bilbao/Bilbo 61 – San Sebastián/Donostia 49 – Vitoria/Gasteiz 72.

ONTENIENTE u **ONTINYENT** *46870 Valencia* 445 **P 28** – *29 511 h. alt. 400.*
Madrid 369 – Albacete 122 – Alicante/Alacant 91 – Valencia 84.

El Rincón de Pepe, av. de Valencia 1 ☎ (96) 238 32 10, *Fax (96) 238 30 51* – ▤. AE ⓓ E VISA. ⚔
cerrado domingo, Semana Santa y del 1 al 15 de agosto – **Comida** carta 3800 a 5000.

OÑATE u **OÑATI** *20560 Guipúzcoa* 442 **C 22** – *10 264 h. alt. 231.*
Alred. : *Carretera★ a Arantzazu.*
🅸 *Foruen Enparantza 4 ☎ (943) 78 34 53 Fax (943) 78 30 69.*
Madrid 401 – San Sebastián/Donostia 74 – Vitoria/Gasteiz 45.

Iturritxo, Atzeko 32 ☎ (943) 71 60 78
▤. AE ⓓ E VISA
cerrado lunes noche y del 1 al 15 de agosto – **Comida** carta 3200 a 4100.

por la carretera de Mondragón *O : 1,5 km – ✉ 20560 Oñate :*

Etxe-Aundi con hab, Torre Auzo 9 ☎ (943) 78 19 56, *Fax (943) 78 32 90,* « Antigua casa solariega » – ▤ TV ☎ Ⓟ. AE ⓓ E VISA. ⚔
Comida carta 3050 a 4900 – ☕ 450 – **12 hab** 6500/8000.

en la carretera de Aránzazu *SO : 2 km – ✉ 20560 Oñate :*

Soraluze 🐦, ☎ (943) 71 61 79, *Fax (943) 71 60 70,* ≤ – ▤ rest, TV ☎ Ⓟ. AE E VISA. ⚔ rest
Comida *(cerrado domingo noche)* 975 – ☕ 550 – **12 hab** 6000/7550 – PA 2500.

ÓRDENES u **ORDES** *15680 La Coruña* 441 **C 4** – *11 693 h.*
Madrid 599 – La Coruña/A Coruña 39 – Santiago de Compostela 27.

Nogallas, Alfonso Senra 110 ☎ (981) 68 01 55, *Fax (981) 68 01 31* – |‡| TV ☎. AE E VISA. ⚔
Comida 1400 – ☕ 400 – **38 hab** 3000/5800 – PA 2900.

ORDESA Y MONTE PERDIDO (Parque Nacional de) *Huesca* 443 **E 29 y 30** – *alt. 1 320.*
Ver : *Parque Nacional★★★.*
Madrid 490 – Huesca 100 – Jaca 62.
Hoteles y restaurantes ver : **Torla** *SO : 8 km.*

ORDINO *Andorra – ver Andorra (Principado de).*

ORDICIA u **ORDIZIA** *20240 Guipúzcoa* 442 **C 23** *– 8 966 h.*
Madrid 421 – Beasain 2 – Pamplona/Iruñea 68 – San Sebastián/Donostia 40 – Vitoria/Gasteiz 71.

Martínez, Santa María 10 ☎ (943) 88 06 41 – ▤. E VISA. ✻
cerrado lunes y agosto – **Comida** carta 2950 a 4000.

ORDUÑA *48460 Vizcaya* 442 **D 20** *– 4 194 h. alt. 283.*
Alred. : *S : Carretera del Puerto de Orduña* ✻★.
Madrid 357 – Bilbao/Bilbo 41 – Burgos 111 – Vitoria/Gasteiz 40.

ORENSE u **OURENSE** *32000* P 441 **E 6** *– 108 382 h. alt. 125.*
Ver : *Catedral★ (Pórtico del Paraíso★★)* AY **B** *– Museo Arqueológico y de Bellas Artes (Camino del Calvario★)* AZ **M** *– Claustro de San Francisco★* AY.
Excurs. : *Ribas de Sil (Monasterio de San Esteban : paraje★) 27 km por ② - Gargantas del Sil★ 26 km por ② –* ℹ *Curros Enríquez 1 (Torre de Orense)* ☎ *(988) 37 20 20 –* **R.A.C.E.** *Valle Inclán 5 (galerías Xesta)* ✉ *32003* ☎ *(988) 23 25 27 Fax (988) 23 25 27.*
Madrid 499 ④ – Ferrol 198 ① – La Coruña/A Coruña 183 ① – Santiago de Compostela 111 ① – Vigo 101 ⑤

OURENSE/ORENSE

Bedoya . . . . . . AY
Capitán Eloy . . . . . . AY
Cardenal Quiroga Palacios . . . . . . AY 9
Coronel Ceano Vivas . . . . . AY 10
Doctor Marañón . . . . . . AZ 16
Lamas Carvajal . . . . . . AY 20
Paseo . . . . . . AY
Paz . . . . . . AY 29
Praza Maior . . . . . . AZ
Progreso . . . . . . AYZ
Santo Domingo . . . . . . AY 39

Alfonso R. Castelao . . . B 2
Barreira . . . . . . AZ 3
Basilio Álvarez . . . . . . B 4
Buenos Aires (Av. de) . . B 5
Cabeza de Manzaneda . AZ 6
Caldas (Av. de As) . . . . B 7
Cruz Vermella . . . . . . AY 14
Curros Enríquez . . . . . AY 15
Ferro (Pr. do) . . . . . . AY 17
Magdalena (Pr. de) . . . . AZ 23
Marín (Av. de) . . . . . . B 24
Padre Feijóo . . . . . . AZ 27
Parada Justel . . . . . . AY 28
Pena Corneira . . . . . . AZ 31
Pontevedra (Av. de) . . . AZ 32
Remedios . . . . . . B 33
Río Arnoia . . . . . . B 35
San Miguel . . . . . . AY 36
Santiago (Av. de) . . . . . B 37
Trigo (Pr. do) . . . . . . AZ 40

G.H. San Martín sin rest. con cafetería, Curros Enríquez 1, ✉ 32003, ☎ (988) 37 18 11, *Fax (988) 37 21 38* – |‡| ▤ TV ☎ 🚗 – 25/250. AE ① E VISA. ✂ AY a
☕ 1350 – **89 hab** 12700/15900, 1 suite.

Francisco II sin rest, Bedoya 17, ✉ 32003, ☎ (988) 24 20 95, *Fax (988) 24 24 16* – |‡| ▤ TV ☎ 🚗 – 25/100. AE E VISA. ✂ AY e
☕ 1000 – **80 hab** 9000/13000.

Padre Feijoó sin rest, Cruz Vermella 2, ✉ 32005, ☎ (988) 22 31 04, *Fax (988) 22 31 00* – |‡| TV ☎. ① E VISA. ✂ AY p
☕ 550 – **71 hab** 4000/6250.

Altiana sin rest. con cafetería, Ervedelo 14, ✉ 32002, ☎ (988) 37 09 52, *Fax (988) 37 01 28* – |‡| TV ☎ – 25/40 AY u
32 hab.

Sanmiguel, San Miguel 12, ✉ 32005, ☎ (988) 22 12 45, *Fax (988) 24 27 49* – ▤ 🚗. AE ① E VISA JCB. ✂ AY s
cerrado 9 enero-1 febrero – **Comida** carta 3750 a 5775.

Martín Fierro, Sáenz Díez 17, ✉ 32003, ☎ (988) 37 26 43, *Fax (988) 37 22 63* – ▤ P. AE ① E VISA JCB. ✂ AY b
cerrado domingo – **Comida** carta aprox. 4200.

Zarampallo con hab, Hermanos Villar 29, ✉ 32005, ☎ (988) 23 00 08, *Fax (988) 23 00 08* – |‡|, ▤ rest, TV ☎. AE ① E VISA. ✂ AY c
Comida *(cerrado domingo noche)* carta 2400 a 3500 – ☕ 500 – **14 hab** 3500/5500.

ORGAÑA u ORGANYÀ *25794 Lérida* 443 F 33 – *1 049 h. alt. 558.*

Alred. : *Garganta de Tresponts★★ N : 2 km – Embalse de Oliana★ S : 6 km – Coll de Nargó (iglesia de Sant Climent★★) S : 6 km.*

pl. Homilies ☎ (973) 38 20 02 Fax (973) 38 35 36 (temp).

Madrid 579 – Lérida/Lleida 110 – Seo de Urgel/La Seu d'Urgell 23.

ÓRGIVA *18400 Granada* 446 V 19 – *4 994 h. alt. 450.*

Madrid 485 – Almería 121 – Granada 55 – Málaga 121.

Taray Alpujarra ⛰, carret. C 333 - S : 1 km ☎ (958) 78 45 25, *Fax (958) 78 45 31*, 🏊 – ▤ TV ☎ P. AE ① E VISA. ✂ rest
Comida 1600 – **15 hab** ☕ 6000/8000.

Alpujarras, El Empalme ☎ (958) 78 55 49, *Fax (958) 78 43 90* – |‡|, ▤ rest, ☎ 🚗 P
22 hab.

Mirasol, av. González Robles 5 ☎ (958) 78 51 08 – |‡| TV ☎. ① VISA
Comida 1290 – ☕ 500 – **19 hab** 3500/6000.

ORIENT *Baleares – ver Baleares (Mallorca).*

ORIO *20810 Guipúzcoa* 442 C 23 – *4 247 h. – Playa.*

Alred. : *Carretera de Zarauz ≤★.*

Madrid 479 – Bilbao/Bilbo 85 – Pamplona/Iruñea 100 – San Sebastián/Donostia 20.

Itsas-Ondo, Kaia 7 ☎ (943) 13 11 79 – ▤.

OROPESA *45460 Toledo* 444 M 14 – *2 911 h. alt. 420.*

Ver : *Castillo★.*

Madrid 155 – Ávila 122 – Talavera de la Reina 33.

Parador de Oropesa, pl. del Palacio 1 ☎ (925) 43 00 00, *Fax (925) 43 07 77*, « Instalado en un palacio feudal », 🏊, 🌳 – |‡| ▤ TV ☎ P – 25/45. AE ① E VISA. ✂
Comida 3700 – ☕ 1300 – **44 hab** 12000/15000, 4 suites.

OROPESA DEL MAR u ORPESA *12594 Castellón* 445 L 30 – *2 451 h. alt. 16 – Playa.*

av. de la Plana 4 ☎ (964) 31 22 41.

Madrid 447 – Castellón de la Plana/Castelló de la Plana 22 – Tortosa 100.

en la zona de la playa – ✉ *12594 Oropesa del Mar* :

Marina d'Or sin rest, paseo Marítimo - urb. Marina d'Or ☎ (964) 31 10 00, *Fax (964) 31 32 84* – |‡| ▤ TV ☎ 🚗 P. E VISA. ✂
144 hab ☕ 10730/17170.

Neptuno Playa sin rest, paseo Marítimo La Concha 1 ☎ (964) 31 00 40, *Fax (964) 31 00 75*, ≤ – |‡| ▤ TV ☎ 🚗. AE E VISA
abril-septiembre – ☕ 650 – **88 hab** 5500/9600.

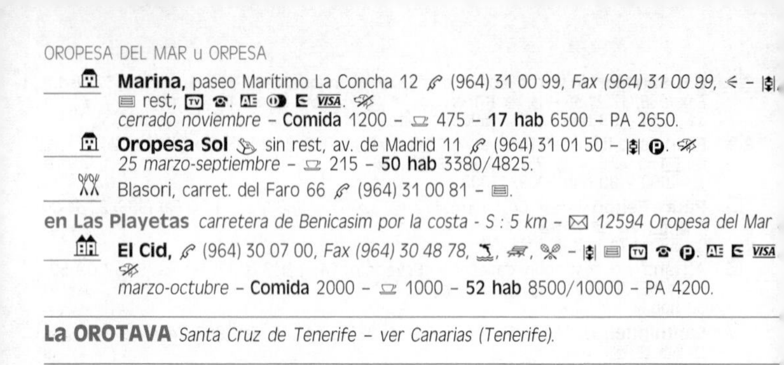

Marina, paseo Marítimo La Concha 12 ☎ (964) 31 00 99, *Fax (964) 31 00 99*, ≤ – ▮. ▤ rest, TV ☎. AE ● E VISA. ✻
cerrado noviembre – **Comida** 1200 – ▭ 475 – **17 hab** 6500 – PA 2650.

Oropesa Sol sin rest, av. de Madrid 11 ☎ (964) 31 01 50 – ▮ P. ✻
25 marzo-septiembre – ▭ 215 – **50 hab** 3380/4825.

Blasori, carret. del Faro 66 ☎ (964) 31 00 81 – ▤.

en Las Playetas *carretera de Benicasim por la costa - S : 5 km* – ✉ *12594 Oropesa del Mar*

El Cid, ☎ (964) 30 07 00, *Fax (964) 30 48 78*, ⛱, ⛉, ✂ – ▮ ▤ TV ☎ P. AE E VISA ✻
marzo-octubre – **Comida** 2000 – ▭ 1000 – **52 hab** 8500/10000 – PA 4200.

La OROTAVA *Santa Cruz de Tenerife – ver Canarias (Tenerife).*

ORREAGA *Navarra – ver Roncesvalles.*

ORRIOLS *17468 Gerona* **443** **F 38**.
Madrid 730 – Figueras/Figueres 21 – Gerona/Girona 20.

L'Odissea de L'Empordà con hab, av. del Castell 6 ☎ (972) 56 04 18, *Fax (972) 56 04 18*, ⛱, « Palacio de estilo renacentista », ⛱ – ▤ TV ☎. E VISA
cerrado enero y febrero – **Comida** *(cerrado lunes, martes y miércoles salvo en verano)* carta 3900 a 6200 – ▭ 1700 – **5 hab** 18000/27000.

ORTIGOSA DEL MONTE *40421 Segovia* **442** **J 17** – *290 h.*
Madrid 72 – Ávila 56 – Segovia 15.

en la carretera N 603 – ✉ *40421 Ortigosa del Monte :*

Venta Vieja, E : 2,5 km ☎ (921) 48 91 64, *Fax (921) 48 90 61*, ⛱, « Decoración rústica » – P. AE VISA. ✻
Comida carta aprox. 3400.

Becea, E : 2,3 km ☎ (921) 48 90 49, ⛱ – P. AE E VISA. ✻
Comida carta aprox. 3100.

ORTIGUEIRA *15330 La Coruña* **441** **A 6** – *9 658 h. alt. 11.*
Madrid 615 – La Coruña/A Coruña 97 – Lugo 104 – Viveiro 34.

La Perla sin rest, av. de La Penela ☎ (981) 40 01 50, *Fax (981) 40 01 51* – TV ☎ P. ✻
▭ 300 – **20 hab** 3500/5500.

OSEJA DE SAJAMBRE *24916 León* **441** **C 14** – *345 h. alt. 760.*
Alred. : *Mirador★★ ≤★★ N : 2 km – Desfiladero de los Beyos★★★ NO : 5 km – Puerto del Pontón★ (≤★★) S : 11 km – Puerto de Panderruedas★ (mirador de Piedrafitas ≤★★ 15 mn. a pie) SE : 17 km.*
Madrid 385 – León 122 – Oviedo 108 – Palencia 159.

OSORNO LA MAYOR *34460 Palencia* **442** **E 16** – *1 786 h. alt. 800.*
Madrid 277 – Burgos 58 – Palencia 51 – Santander 150.

Tierra de Campos, La Fuente ☎ (979) 81 72 16, *Fax (979) 81 72 18* – ▮ ☎ P. E VISA. ✻
cerrado febrero – **Comida** 2000 – ▭ 500 – **30 hab** 4500/6500 – PA 4000.

OSUNA *41640 Sevilla* **446** **U 14** – *16 240 h. alt. 328.*
Ver : *Zona monumental★ – Colegiata (lienzos de Ribera★, Sepulcro Ducal★) – Calle San Pedro★.*
Madrid 489 – Córdoba 85 – Granada 169 – Málaga 123 – Sevilla 92.

Villa Ducal, área de servicio - salida 84 autovía ☎ (95) 582 02 72, *Fax (95) 582 02 80* – ▤ TV ☎. AE ● E VISA. ✻
Comida 1200 – ▭ 300 – **23 hab** 3500/6500.

Doña Guadalupe, pl. de Guadalupe 6 ☎ (95) 481 05 58, *Fax (95) 481 15 45* – ▤. AE ● E VISA. ✻
cerrado martes y del 1 al 15 de agosto – **Comida** carta 3100 a 3700.

OTUR *Asturias – ver Luarca.*

OURENSE - *ver Orense.*

OVIEDO *33000* P *Asturias* 441 B 12 - *204 276 h. alt. 236.*

Ver : *Catedral★ (retablo mayor★, Cámara Santa : estatuas-columnas★★, tesoro★★)* BYZ – *Antiguo Hospital del Principado (escudo★)* AY **P.**

Alred. : *Santuarios del Monte Naranco★ (Santa María del Naranco★★, San Miguel de Lil lo★ : jambas★★) NO : 4 km por av. de los Monumentos* AY.

Excurs. : *Iglesia de Santa Cristina de Lena★ ※★ 34 km por ② – Teverga ≤★ de Peñas Juntas - Desfiladero de Teverga★ 43 km por ③.*

Club Deportivo La Barganiza : 12 km ℘ (98) 74 24 68 Fax (98) 74 24 68.

de Asturias por ① : 47 km ℘ (98) 512 75 00 – Iberia : Ventura Rodríguez 6 ✉ 33004 ℘ (98) 524 24 16.

pl. Alfonso-II el Casto 6 ✉ 33003 ℘ (98) 521 33 85 Fax (98) 522 84 59 – **R.A.C.E.** *pl. Longoría Carbajal 3-1º ✉ 33004 ℘ (98) 522 31 06 Fax (98) 522 76 68.*

Madrid 445 ② – Bilbao/Bilbo 306 ① – La Coruña/A Coruña 326 ③ – Gijón 29 ① – León 121 ② – Santander 203 ②

OVIEDO

Palacio Valdés ..... AY 28
Pelayo ..... AYZ 30
Uría ..... AY 45

Adelantado de la Florida ..... BY 2
Alcalde G. Conde ..... BY 3
Alfonso II (Plaza) ..... BZ 4
Argüelles ..... ABY 5
Arzobispo Guisasola ..... BZ 6
Cabo Noval ..... AZ 7
Campos de los Patos (Pl.) ..... BY 8
Canóniga ..... BZ 9
Cimadevilla ..... BZ 10
Constitución (Plaza de la) ..... BZ 12
Covadonga ..... AY 13
Daoiz y Velarde (Pl. de) ..... BZ 14
División Azul ..... AZ 15
Fruela ..... ABZ 17
Ingeniero Marquina ..... AY 18
Marqués de Gastañaga ..... BZ 20
Marqués de Santa Cruz ..... AZ 21
Martínez Marina ..... ABZ 22
Martínez Vigil ..... BY 23
Melquíades Álvarez ..... AY 25
Monumentos (Av. de los) ..... AY 27
Porlier (Plaza de) ..... BZ 32
Postigo Alto ..... BZ 33
Riego (Plaza) ..... BZ 34
San Antonio ..... BZ 36
San Francisco ..... ABZ 37
San José ..... BZ 38
San Vicente ..... BYZ 39
Tenderina (La) ..... BY 42
Teniente Alfonso Martínez ..... BY 44

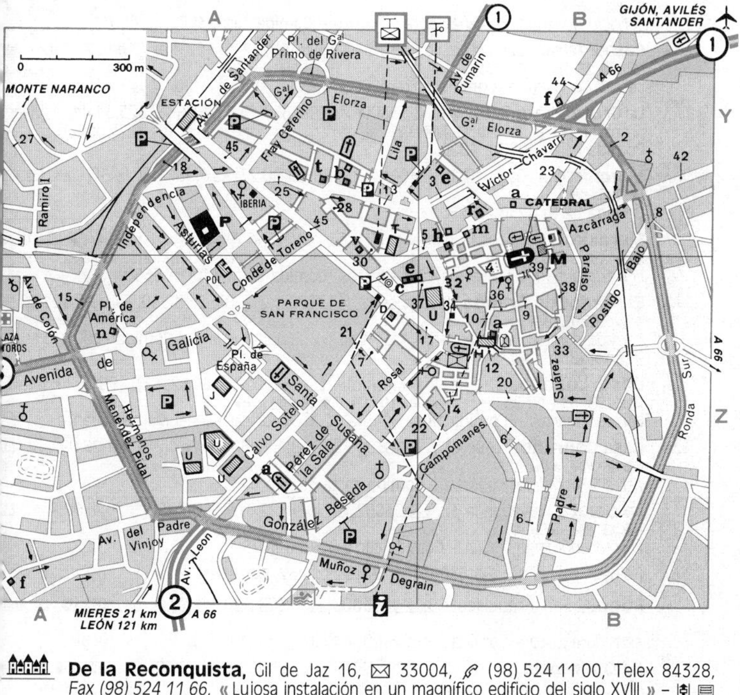

De la Reconquista, Gil de Jaz 16, ✉ 33004, ℘ (98) 524 11 00, Telex 84328, *Fax (98) 524 11 66,* « Lujosa instalación en un magnífico edificio del siglo XVIII » – 25/800. AE VISA. AY P
Comida carta 5500 a 6500 – 1950 – **132 hab** 23200/29000, 10 suites.

G.H. España sin rest, Jovellanos 2, ✉ 33003, ℘ (98) 522 05 96, *Fax (98) 522 05 96* – 25/200. AE VISA BY m
1300 – **86 hab** 12800/16000, 3 suites.

Regente sin rest, Jovellanos 31, ✉ 33003, ✆ (98) 522 23 43, *Fax (98) 522 93 31* – |‡| TV ☎ P – 🏛 25/220. AE ⓓ E VISA BY a
☕ 1300 – **126 hab** 12800/16000.

NH Principado, San Francisco 6, ✉ 33003, ✆ (98) 521 77 92, *Fax (98) 521 39 46* – |‡|, ▤ rest, TV ☎ – 🏛 25/200. AE ⓓ VISA. ✗ AZ e
Comida 2100 – ☕ 1100 – **62 hab** 9800/12000, 4 suites – PA 4400.

Ciudad de Oviedo sin rest. con cafetería, Gascona 21, ✉ 33001, ✆ (98) 522 22 24 *Fax (98) 522 15 99* – |‡| ▤ TV ☎ 🚗. AE ⓓ E VISA. ✗ BY e
☕ 925 – **58 hab** 10000/14100.

Clarín sin rest. con cafetería, Caveda 23, ✉ 33002, ✆ (98) 522 72 72 *Fax (98) 522 80 18* – |‡| TV ☎ – 🏛 25/60. AE ⓓ E VISA. ✗ AY b
☕ 925 – **47 hab** 10000/14100.

Ramiro I sin rest. con cafetería, av. Calvo Sotelo 13, ✉ 33007, ✆ (98) 523 28 50, *Fax (98) 523 63 29* – |‡| TV ☎ 🚗 – 🏛 25/30. AE ⓓ E VISA. ✗ AZ a
83 hab ☕ 8474/12330.

La Gruta, alto de Buenavista, ✉ 33006, ✆ (98) 523 24 50, *Fax (98) 525 31 41*, � – |‡| ▤ TV ☎ P – 🏛 25/600. AE ⓓ E VISA. ✗ por ③
Comida (ver rest. ***La Gruta***) – ☕ 900 – **101 hab** 7000/10900, 4 suites.

Campus sin rest, Ildefonso Sánchez del Río, ✉ 33001, ✆ (98) 11 16 19 *Fax (98) 11 16 19* – |‡| TV ☎ 🚗. AE ⓓ E VISA BY
☕ 750 – **56 apartamentos** 8000/12000.

El Magistral sin rest, Jovellanos 3, ✉ 33003, ✆ (98) 521 51 16, *Fax (98) 521 06 79* – |‡| TV ☎ – 🏛 25/40. AE ⓓ E VISA BY h
☕ 800 – **34 hab** 9000/11500.

Del Arco, pl. de América, ✉ 33005, ✆ (98) 525 55 22, *Fax (98) 527 58 79* – ▤. AE ⓓ E VISA JCB AZ r
cerrado domingo, Semana Santa y agosto – **Comida** carta 3900 a 5400.

Casa Fermín, San Francisco 8, ✉ 33003, ✆ (98) 521 64 52, *Fax (98) 522 92 12* – ▤ AE ⓓ E VISA JCB. ✗ AZ c
cerrado domingo – **Comida** carta 4200 a 6000.

La Gruta, alto de Buenavista, ✉ 33006, ✆ (98) 523 24 50, *Fax (98) 525 31 41*, ⋞, Vivero propio – ▤ P. AE ⓓ E VISA. ✗ por ③
Comida carta 3850 a 4800.

Marchica, Dr. Casal 10, ✉ 33004, ✆ (98) 521 30 27, *Fax (98) 521 19 58* – ▤. AE ⓓ E VISA. ✗ AY
Comida carta 4250 a 5250.

Meraxko, av. de Los Monumentos 21, ✉ 33012, ✆ (98) 529 55 76 – ▤ P. AE ⓓ E VISA. ✗ por carret. del Monte Naranco AY
cerrado domingo (salvo mayo) y agosto – **Comida** carta 3100 a 5650.

El Asador de Aranda, Jovellanos 19, ✉ 33003, ✆ (98) 521 32 90, *Fax (98) 521 32 90* – ▤. AE E VISA BY
cerrado domingo (julio-agosto) y domingo noche resto del año – **Comida** - cordero asado - carta 2850 a 4375.

Casa Lobato, av. de los Monumentos 67, ✉ 33012, ✆ (98) 529 77 45 *Fax (98) 511 18 25*, ⋞, 🌳 – ▤ P. AE ⓓ E VISA JCB. ✗
cerrado martes – **Comida** carta 3045 a 5200. por carret. del Monte Naranco AY

Casa Conrado, Argüelles 1, ✉ 33003, ✆ (98) 522 39 19, *Fax (98) 521 26 09* – ▤. AE ⓓ E VISA JCB. ✗ BY h
cerrado domingo y agosto – **Comida** carta 3325 a 5475.

La Goleta, Covadonga 32, ✉ 33002, ✆ (98) 522 07 73, *Fax (98) 521 26 09* – ▤. AE ⓓ E VISA JCB. ✗ AY b
cerrado domingo y julio – **Comida** carta 3275 a 5475.

Pelayo, Pelayo 15, ✉ 33003, ✆ (98) 521 26 52, 🌳 – ▤ AY v

Logos, San Francisco 10, ✉ 33003, ✆ (98) 521 20 70 – ▤. AE ⓓ E VISA ✗ AZ c
cerrado agosto – **Comida** carta 2800 a 4950.

La Querencia, av. del Cristo 29, ✉ 33006, ✆ (98) 525 73 70 – ▤. AE ⓓ E VISA ✗ AZ
cerrado domingo en julio y agosto – **Comida** - carnes a la brasa - carta 3100 a 4600.

El Raitán y El Chigre, pl. de Trascorrales 6, ✉ 33009, ✆ (98) 521 42 18 *Fax (98) 522 83 21*, « Decoración rústica regional » – ▤. AE E VISA. ✗ BZ a
cerrado domingo – **Comida** - cocina regional - carta 3800 a 5500.

en la carretera de Santander *por La Tenderina* BY – ✉ *33010 Cerdeño :*

Las Lomas, ✆ (98) 528 22 61, *Fax (98) 529 96 95* – |♣| TV ☎ P – 25/300. AE ⓘ E VISA. ✈
Comida 1500 – ☕ 650 – **102 hab** 10400/13000 – PA 3650.

en Santa Ana de Abuli *por La Tenderina* BY *cruce de Limanes y desvío 1 km* – ✉ *33010 Santa Ana de Abuli :*

XX **Botas,** Monterrey 28 ✆ (98) 511 08 47, – P. AE ⓘ E VISA. ✈
cerrado domingo noche, lunes, Semana Santa y 3 semanas en agosto – **Comida** carta 3750 a 4500.

OYARZUN u **OIARTZUN** *20180 Guipúzcoa* 442 C 24 – *8 393 h. alt. 81.*
Madrid 481 – Bayonne 42 – Pamplona/Iruñea 98 – San Sebastián/Donostia 13.

XXX ✿✿ **Zuberoa,** barrio Iturriotz 8 ✆ (943) 49 12 28, *Fax (943) 49 26 79*, , « Rústico elegante en un caserío del siglo XV con bonita terraza y ≤ » – ▤ P. AE ⓘ E VISA
cerrado domingo noche, lunes, del 1 al 15 de enero, del 14 al 28 de abril y del 15 al 31 de octubre – **Comida** 9000 y carta 6250 a 8450
Espec. Gazpacho de tomate, gelée de bogavante y crema de limón (junio-15 octubre). Milhojas de ternera en salsa de vino tinto. Copa de arroz con leche, infusión de limón y gelatina de canela.

XX ✿ **Matteo,** barrio Ugaldetxo 11 ✆ (943) 49 11 94 – ▤ P. AE ⓘ E VISA. ✈
cerrado domingo noche, lunes y Navidades – **Comida** 5500 y carta 4350 a 5950
Espec. Ensalada templada de cigalitas con mollejitas de pato. Merluza a la mantequilla de langostinos. Soufflé de chocolate fluido con helado de hierba Luisa.

XX **Kazkazuri,** Kazkazuri ✆ (943) 49 32 26 – ⓘ E VISA. ✈
cerrado domingo noche – **Comida** carta aprox. 3125.

X **Albistur,** pl. Martintxo 38 (barrio de Alcibar) ✆ (943) 49 07 11, – VISA. ✈
cerrado lunes noche y martes – **Comida** carta 2750 a 4700.

OYEREGUI u **OIEREGI** *31720 Navarra* 442 C 25.
Alred. : *NO : Valle del Bidasoa★.*
Madrid 449 – Bayonne 68 – Pamplona/Iruñea 50.

Mugaire, carret. N 121-A ✆ (948) 59 20 50, *Fax (948) 59 20 50* – ▤ rest, TV ☎ P. AE ⓘ E VISA. ✈
Comida *(cerrado martes de noviembre-abril)* 2000 – ☕ 500 – **14 hab** 3900/7000 – PA 4500.

OYÓN u **OION** *01320 Álava* 442 E 22 – *2 192 h. alt. 440.*
Madrid 339 – Logroño 4 – Pamplona/Iruñea 90 – Vitoria/Gasteiz 89.

Felipe IV, av. Navarra 28 ✆ (941) 60 10 56, *Fax (941) 60 14 00*, – ▤ rest, TV ☎
30 hab.

X **Mesón la Cueva,** Concepción 15 ✆ (941) 60 10 22, « Instalado en una antigua bodega » – ▤. E VISA. ✈
cerrado lunes y del 1 al 15 de agosto – **Comida** carta 2000 a 3050.

PADRÓN *15900 La Coruña* 441 D 4 – *10 147 h. alt. 5.*
Madrid 634 – La Coruña/A Coruña 94 – Orense/Ourense 135 – Pontevedra 37 – Santiago de Compostela 20.

XX **Chef Rivera** con hab, enlace Parque 7 ✆ (981) 81 04 13, *Fax (981) 81 14 54* – |♣|, ▤ rest, TV ☎ . AE ⓘ E VISA. ✈
Comida *(cerrado domingo noche en invierno)* carta 3100 a 4650 – ☕ 450 – **20 hab** 4500/6200.

en la carretera N 550 *N : 2 km* – ✉ *15900 Padrón :*

Scala, ✆ (981) 81 13 12, *Fax (981) 81 15 00*, ≤ – |♣|, ▤ rest, TV ☎ P. VISA. ✈
Comida 1300 – ☕ 275 – **194 hab** 6000/9000 – PA 2875.

PAGUERA *Baleares – ver Baleares (Mallorca).*

PAJARES (Puerto de) *33693 Asturias* 441 C 12 – *alt. 1 364 – Deportes de invierno : 13.*
Ver : *Puerto★★ – Carretera del puerto★★.*
Madrid 378 – León 59 – Oviedo 59.

Los PALACIOS Y VILLAFRANCA *41720 Sevilla* 446 U 12 – *29 417 h. alt. 12.*
Madrid 529 – Cádiz 94 – Huelva 120 – Sevilla 32.

X **Casa Manolo** con hab, av. de Sevilla 29 ☎ (95) 581 10 86, *Fax (95) 581 11 52* – ▤ TV ☎ ⇔. AE ① E VISA. ✻
cerrado del 4 al 10 de agosto – **Comida** carta 2600 a 3700 – ☕ 400 – **25 hab** 6000/7000.

PALAFRUGELL *17200 Gerona* 443 G 39 – *17 343 h. alt. 87 – Playas : Calella, Llafranch y Tamariu.*
ℹ *Carrilet 2 ☎ (972) 30 02 28 Fax (972) 61 12 61 y pl. de l'Església (Can Rosés) ☎ (972) 61 18 20 Fax (972) 61 17 56.*
Madrid 736 ② – Barcelona 123 ② – Gerona/Girona 39 ① – Portbou 108 ①

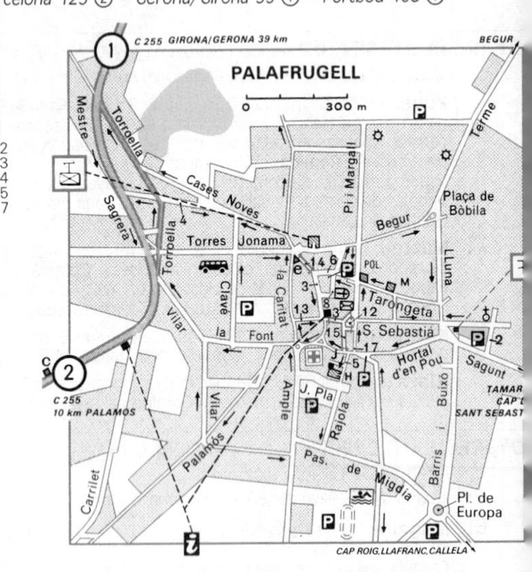

XX **La Xicra,** Estret 17 ☎ (972) 30 56 30, *Fax (972) 30 56 30* – ▤. AE ① E VISA. ✻
cerrado martes noche, miércoles y noviembre – **Comida** carta 3050 a 5575.

X **La Casona,** paraje La Sauleda 4 ☎ (972) 30 36 61 – ▤ Ⓟ. E VISA
cerrado domingo noche, lunes y noviembre-15 diciembre – **Comida** carta 1725 a 3100.

Ver también : **Calella de Palafrugell** *SE : 3,5 km*
Llafranch *SE : 3,5 km*
Tamariu *E : 4,5 km*

PALAMÓS *17230 Gerona* 443 G 39 – *13 258 h. – Playa.*
ℹ *passeig del Mar ☎ (972) 60 05 00 Fax (972) 60 01 37.*
Madrid 726 – Barcelona 109 – Gerona/Girona 49.

Trias, passeig del Mar ☎ (972) 60 18 00, *Fax (972) 60 18 19,* ⩽, climatizada – ⧉ ▤ ☎ ⇔ Ⓟ. AE ① E VISA. ✻ rest
4 abril-octubre – **Comida** 3500 – ☕ 1200 – **70 hab** 8000/18000.

Marina, av. 11 de Setembre 48 ☎ (972) 31 42 50, *Fax (972) 60 00 24* – ⧉, ▤ rest, TV ☎. AE ① E VISA JCB. ✻ rest
Comida 1825 – ☕ 775 – **62 hab** 6250/7950.

Vostra Llar, av. President Macià 12 ☎ (972) 31 42 62, *Fax (972) 31 76 02,* ☂ – ⧉, ▤ rest,. AE E VISA
abril-15 octubre – **Comida** 1165 – **45 hab** ☕ 4500/7500.

XX **La Gamba,** pl. Sant Pere 1 ☎ (972) 31 46 33, *Fax (972) 31 85 26,* ☂ – ▤. AE ① E VISA
cerrado miércoles mediodía en verano, miércoles resto del año y noviembre – **Comida** - pescados y mariscos - carta 4450 a 6250.

X **Plaça Murada,** pl. Murada 5 ☎ (972) 31 53 76, ⩽ – ▤. AE ① E VISA
Comida carta 2700 a 4150.

X **La Menta,** Tauler i Servià 1 ☎ (972) 31 47 09 – ▤. AE ① E VISA. ✻
cerrado miércoles mediodía en verano, miércoles resto del año y noviembre – **Comida** carta 3200 a 4950.

X **María de Cadaqués,** Tauler i Servià 6 ℘ (972) 31 40 09 – ▤. AE ⓓ E VISA
cerrado lunes y 15 diciembre-enero – **Comida** - pescados y mariscos - carta 3500 a 5600.

X **L' Arcada,** Pagès Ortiz 49 ℘ (972) 31 51 69 – ▤. VISA
cerrado enero – **Comida** carta aprox. 5200.

X **L'Art,** passeig del Mar 7 ℘ (972) 31 55 32 – ▤. AE ⓓ E VISA
cerrado jueves y domingo noche (en invierno) y enero – **Comida** carta 3250 a 4950.

X **Celler de la Planassa,** Vapor 4 (La Planassa) ℘ (972) 31 64 96, 余 – ▤. E VISA
cerrado domingo noche, lunes y octubre – **Comida** carta 2950 a 4900.

en La Fosca *NE : 2 km – ✉ 17230 Palamós :*

Áncora ⑤, Josep Plà, ✉ apartado 242, ℘ (972) 31 48 58, *Fax (972) 60 24 70*, ≤, ⛱, ⚘ – ▤ TV ☎ P. AE E VISA. ⚘ rest
Comida 2450 – ☕ 725 – **44 hab** 7325/10220.

en Plà de Vall-Llobregà *carretera de Palafrugell C 255 - N : 3,5 km – ✉ 17253 Vall Llobregà :*

XX **Mas dels Arcs,** ✉ 17230 apartado 115 Palamós, ℘ (972) 31 51 35, *Fax (972) 60 01 12* – ▤ P. ⓓ E VISA
cerrado jueves (septiembre-junio) y 10 enero-1 marzo – **Comida** carta 3050 a 4325.

PALAU-SATOR *17256 Gerona* 443 G 39 – *291 h. alt. 20.*

Madrid 732 – Gerona/Girona 37 – Figueras/Figueres 51 – Palafrugell 17 – Palamós 24.

X **Mas Pou,** Extramurs 8 ℘ (972) 63 41 25, *Fax (972) 63 41 25* – ▤ P. AE ⓓ E VISA. ⚘
cerrado lunes y 21 diciembre-6 febrero – **Comida** carta 2200 a 2800.

PALAU-SAVERDERA *17495 Gerona* 443 F 39 – *682 h.*

Madrid 763 – Figueras/Figueres 17 – Gerona/Girona 56.

X Terra Nostra, San Onofre 12 ℘ (972) 53 03 04, ≤, 余 – P.

X **El Tinell,** av. de Catalunya 2 ℘ (972) 53 00 82, ≤, 余 – P. AE E VISA
cerrado martes (octubre-marzo), enero y febrero – **Comida** carta 2450 a 3300.

PALENCIA *34000* P 442 F 16 – *81 988 h. alt. 781.*

Ver : *Catedral★★ (interior★★ : tríptico★ - Museo★ : tapices★).*

Alred. : *Baños de Cerrato (Basílica de San Juan Bautista★) 14 km por ②.*

ℹ *Mayor 105 ✉ 34001 ℘ (979) 74 00 68 Fax (979) 70 08 22* – **R.A.C.E.** *av. Casado del Alisal 25 ✉ 34001 ℘ (979) 74 69 50 Fax (979) 70 19 74.*

Madrid 235 ② – Burgos 88 ② – León 128 ③ – Santander 203 ① – Valladolid 47 ②

Plano página siguiente

Castilla Vieja, av. Casado del Alisal 26, ✉ 34001, ℘ (979) 74 90 44, *Fax (979) 74 75 77* – 🛗, ▤ rest, TV ☎ ⛟ – 🏛 25/250. AE ⓓ E VISA. ⚘ rest — x
Comida 2000 – ☕ 800 – **85 hab** 6950/10000, 2 suites.

Rey Sancho, av. Ponce de León, ✉ 34005, ℘ (979) 72 53 00, *Fax (979) 71 03 34*, 余, ⛱, ⚘ – 🛗, ▤ rest, TV ☎ ⛟ P – 🏛 25/550. AE ⓓ VISA. ⚘ — a
Comida 1500 – ☕ 1000 – **100 hab** 5500/9000.

Monclús sin rest, Menéndez Pelayo 3, ✉ 34001, ℘ (979) 74 43 00, *Fax (979) 74 44 90* – 🛗 TV ☎. AE ⓓ E VISA JCB — c
☕ 400 – **40 hab** 4500/6700.

Colón 27 sin rest y sin ☕, Colón 27, ✉ 34002, ℘ (979) 74 07 00, *Fax (979) 74 07 20* – 🛗 TV ☎. VISA — f
22 hab 3500/5500.

Ávila sin rest, Conde Vallellano 5, ✉ 34002, ℘ (979) 71 19 10, *Fax (979) 71 19 10* – TV ☎ ⛟. AE ⓓ E VISA. ⚘ — n
☕ 500 – **20 hab** 3900/6000.

XX **Casa Lucio,** Don Sancho 2, ✉ 34001, ℘ (979) 74 81 90, *Fax (979) 74 81 90* – ▤. AE ⓓ E VISA. ⚘ — s
cerrado domingo y del 1 al 15 de julio – **Comida** carta aprox. 3900.

XX **La Fragata,** Pedro Fernández del Pulgar 6, ✉ 34005, ℘ (979) 75 01 29 – ▤. AE ⓓ E VISA. ⚘ — e
cerrado del 1 al 15 de agosto – **Comida** carta 3350 a 4900.

XX **Isabel,** Valentín Calderón 6, ✉ 34001, ℘ (979) 74 99 98 – ▤. AE ⓓ E VISA. ⚘ — b
cerrado domingo noche, lunes noche y del 1 al 15 de julio – **Comida** carta 2175 a 2775.

XX **Lorenzo,** av. Casado del Alisal 10, ✉ 34001, ℘ (979) 74 35 45 – ▤. AE ⓓ E VISA JCB. ⚘ — h
cerrado domingo y 10 septiembre-10 octubre – **Comida** carta 3700 a 4200.

PALENCIA

Mayor
Mayor (Pl.) 24

Asturias (Av. de) 2
Barrio y Mier 3
Cardenal Almaraz 4
Cardenal Cisneros (Av.) .. 5
Cervantes (Pl.) 8
Don Sancho 10
Eduardo Dato 14
España (Pl. de) 15
General Franco 16
Ignacio Martínez
de Azcoitia 20
Jorge Manrique 21
José Antonio Primo
de Rivera (Av.) 22
Mayor (Puente) 26
Miguel Primo
de Rivera (Av.) 27
Padre Faustino
Calvo (Pas. del) 28
República Argentina (Av.). 32
Salvino Sierra 33
San Marcos 34
Santander (Av. de) 38

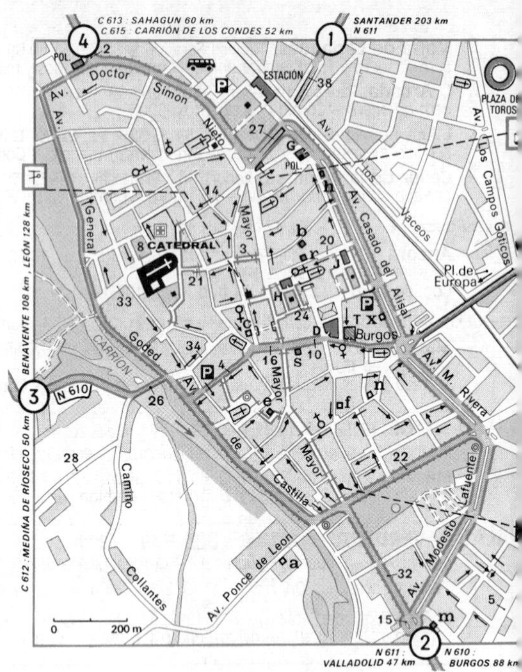

Los nombres de las principales calles comerciales figuran en rojo al principio del índice de calles de los planos de ciudades.

X **Asador La Encina,** Casañé 2, ✉ 34002, ☎ (979) 71 09 36, « Decoración rústica » n
▤. AE ⓓ E VISA. ✖
cerrado domingo noche y 31 julio-16 agosto – **Comida** carta 3300 a 4000.

X **Casa Damián,** Ignacio Martínez de Azcoitia 9, ✉ 34001, ☎ (979) 74 46 28
Fax (979) 74 38 70 – ▤. AE ⓓ E VISA. ✖
cerrado lunes, 23 diciembre-4 enero y 25 julio-25 agosto – **Comida** carta 3100 a 4800.

Ver también : **Magaz** *por ② : 10 km.*

PALLEJÀ *08780 Barcelona* 443 H 35 – *6 595 h. alt. 87.*
Madrid 606 – Barcelona 20 – Manresa 48 – Tarragona 89.

XX **Pallejà Paradis,** av. Prat de la Riba 119 ☎ (93) 663 00 96, *Fax (93) 663 00 97*
« Decoración rústica en una antigua casa señorial » – ▤ Ⓟ. AE ⓓ E VISA. ✖
Comida - sólo almuerzo salvo viernes y sábado - carta aprox. 4975.

La PALMA *Santa Cruz de Tenerife – ver Canarias.*

PALMANOVA *Baleares – ver Baleares (Mallorca).*

PALMA *Baleares – ver Baleares (Mallorca).*

PALMA DEL RÍO *14700 Córdoba* 446 S 14 – *17 978 h. alt. 54.*
Madrid 462 – Córdoba 55 – Sevilla 92.

Castillo, Portada 47 ☎ (957) 64 57 10, *Fax (957) 64 57 40* – |\$| ▤ TV ☎ Ⓟ. AE ⓓ E
VISA. ✖ rest
Comida 1000 – ☕ 350 – **38 hab** 4500/6500 – PA 2350.

XX **Hospedería de San Francisco** con hab, av. Pío XII-35 ☎ (957) 71 01 83
Fax (957) 71 01 83, « Antiguo convento » – ▤ TV ☎ 🚗. E VISA. ✖ rest
Comida *(cerrado domingo noche)* carta aprox. 4850 – ☕ 700 – **22 hab** 7020/9720.

El PALMAR *46012 Valencia* 445 O 29.
Madrid 368 – Gandía 48 – Valencia 20.

Racó de l'Olla, carret. de El Saler - N : 1,5 km ☎ (96) 162 01 72, *Fax (96) 162 02 68,* ←, 🏞, « En un paraje verde junto a la Albufera » – ▤ P. AE VISA. ✂
cerrado domingo (julio-agosto), lunes y del 15 al 31 de enero – **Comida** - sólo almuerzo salvo en verano - carta 3700 a 4500.

Las PALMAS DE GRAN CANARIA *Las Palmas – ver Canarias (Gran Canaria).*

PALMONES *11379 Cádiz* 446 X 13 – *Playa.*
Madrid 661 – Algeciras 8 – Cádiz 125 – Málaga 133.

Mesón El Copo, Trasmayo 2 ☎ (956) 67 77 10, *Fax (956) 67 77 86* – ▤. AE ① E VISA. ✂
cerrado domingo – **Comida** - pescados y mariscos - carta 3500 a 4600.

El PALO (Playa de) *Málaga – ver Málaga.*

PALOL DE REVARDIT *17483 Gerona* 443 F 38 – *378 h. alt. 152.*
Madrid 699 – Barcelona 110 – Figueras/Figueres 30 – Gerona/Girona 13 – Vic 77.

Els Caçadors, Mas Bosch (carret. de Camós) ☎ (972) 59 42 39 – ▤. AE ① E VISA
cerrado domingo noche, miércoles y 11 septiembre-20 octubre – **Comida** carta 2530 a 4250.

Sie möchten in einem Parador, Pousada
oder in einem ruhigen, abgelegenen Hotel übernachten ?
Wir empfehlen Ihnen – vor allem in der Hauptreisezeit –
Ihr Zimmer rechtzeitig zu reservieren.

PALOS DE LA FRONTERA *21810 Huelva* 446 U 9 – *7 335 h. alt. 26.*
Madrid 623 – Huelva 12 – Sevilla 93.

La Pinta, Rábida 79 ☎ (959) 35 05 11, *Fax (959) 53 01 64* – ▤ TV ☎ 🚗. AE ① E VISA. ✂
Comida 1500 – ☕ 400 – **30 hab** 6000/10000.

PALS *17256 Gerona* 443 G 39 – *1 675 h.*
Ver : *Pueblo medieval★.*
Pals, playa ☎ (972) 63 60 06 Fax (972) 63 70 09.
Aniceta Figueras 6 ☎ (972) 66 78 57 Fax (972) 66 78 18 (temp).
Madrid 744 – Gerona/Girona 41 – Palafrugell 8.

en la playa – ✉ *17256 Pals :*

Sa Punta ⛰, E : 6 km ☎ (972) 66 73 76, *Fax (972) 66 73 15,* « 🏊 con terrazas ajardinadas » – |‡| ▤ TV ☎ 🚗 P – 🏛 25/60. AE ① E VISA JCB. ✂
Comida (ver rest. ***Sa Punta***) – ☕ 1500 – **22 hab** 14000/18000, 3 suites.

La Costa ⛰, av. Arenales de Mar 3 - E : 8 km ☎ (972) 66 77 40, *Fax (972) 66 77 36,* ←, 🏞, « Gran 🏊 junto a un pinar », 🏋, 🎾, 18 – |‡| ▤ TV ☎ ♿ 🚗 P – 🏛 25/70. AE ① E VISA. ✂
3 abril-25 octubre – **Comida** 4100 – **120 hab** ☕ 18300/24000.

Sa Punta, E : 6 km ☎ (972) 66 73 76, *Fax (972) 66 73 15,* « 🏊 con terrazas ajardinadas » – ▤ 🚗 P. AE ① E VISA JCB. ✂
Comida carta 4990 a 5800.

PAMPLONA o IRUÑEA *31000* P *Navarra* 442 D 25 – *191 197 h. alt. 415.*
Ver : *Catedral★ (sepulcro★, claustro★)* BY – *Museo de Navarra★ (mosaicos★, capiteles★, pinturas murales★, arqueta hispano-árabe★)* AY **M.**
Ulzama, por ① : 21 km ☎ (948) 30 54 71 Fax (948) 30 54 71.
✈ *de Pamplona por ③ : 7 km ☎ (948) 16 87 00 – LAN (Líneas Aéreas Navarras) : aeropuerto ☎ (948) 16 87 23, y Aviaco : aeropuerto ✉ 31003 ☎ (948) 31 71 82.*
Duque de Ahumada 3 ✉ 31002 ☎ (948) 22 07 41 Fax (948) 21 14 62 – **R.A.C.V.N.** *av. Sancho el Fuerte 29 ✉ 31007 ☎ (948) 26 65 62 Fax (948) 17 68 83.*
Madrid 385 ③ – Barcelona 471 ③ – Bayonne 118 ① – Bilbao/Bilbo 157 ⑤ – San Sebastián/Donostia 94 ⑤ – Zaragoza 169 ③

IRUÑEA PAMPLONA

Abejeras	X 3	Biurdana	VX 14	Mendigorría	V 42
Artica	V 7	Buenaventura Iñiguez	X 15	Monasterio Irache	X 45
Baja Navarra (Av.)	X 8	Enamorados	V 23	Monasterio Velate	X 46
Barañain (Av. de)	X 10	Ermitagaña	X 24	Pío XII (Av.)	X 53
Bayona (Av.)	V 13	Fuente de la Teja (Camino)	X 28	Río Queiles	X 58
		Julián Gayarre	X 34	San Cristóbal	V 62
		Landaben (Av.)	V 35	San Pedro (Puente de)	V 68
		Lezkairu (Camino)	X 37	Tajonar	X 75
		Magdalena	V 39	Valle de Aranguren	X 76

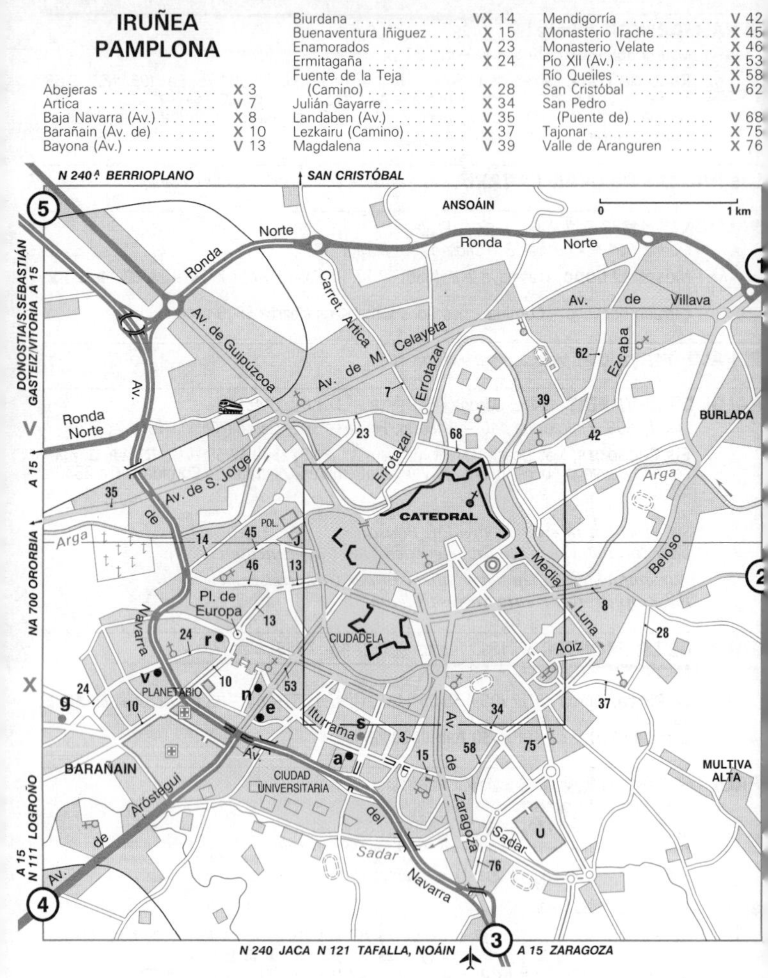

Iruña Park H., Arcadio María Larraona 1, ✉ 31008, ☎ (948) 17 32 00, Telex 37948, *Fax (948) 17 23 87* – 25/1000. AE ⓓ E VISA. X r
Comida 2600 – ☐ 1500 – **219 hab** 18500/25000, 6 suites.

Blanca de Navarra, Av. Pío XII-43, ✉ 31008, ☎ (948) 17 10 10, *Fax (948) 17 54 14* – 25/400. AE ⓓ E VISA. X e
Comida 2800 – ☐ 1200 – **100 hab** 12300/15400, 2 suites.

Tres Reyes, jardines de la Taconera, ✉ 31001, ☎ (948) 22 66 00, *Fax (948) 22 29 30,* climatizada – 25/400. AE ⓓ E VISA. rest AY x
Comida 4800 – ☐ 1650 – **160 hab** 16000/20000, 8 suites.

NH Ciudad de Pamplona, Iturrama 21, ✉ 31007, ☎ (948) 26 60 11, *Fax (948) 17 36 26* – 25/80. AE ⓓ E VISA. rest X a
Comida 2350 – ☐ 1250 – **115 hab** 11950/13200, 2 suites.

Reino de Navarra, Acella 1, ✉ 31008, ☎ (948) 17 75 75, *Fax (948) 17 77 78* – 25/90. AE ⓓ E VISA. X n
Comida 2100 – ☐ 1000 – **83 hab** 13300/15300 – PA 5200.

Maisonnave, Nueva 20, ✉ 31001, ☎ (948) 22 26 00, *Fax (948) 22 01 66* – 25/60. AE ⓓ E VISA. rest AY e
Comida carta 2600 a 3900 – ☐ 1200 – **152 hab** 9400/13500.

IRUÑEA PAMPLONA

Carlos III (Av. de) . . . . BYZ
Chapitela . . . . BY 17
García Castañón . . . . ABY 30
San Ignacio (Av. de) . . . . . BYZ 66
Zapatería . . . . AY 89

Amaya . . . . BYZ 4
Ansoleaga . . . . AY 5
Bayona (Av. de) . . . . AY 13
Castillo de Maya . . . . BZ 16
Conde Oliveto (Av. del) . . . AZ 19
Cortes de Navarra . . . . BY 20
Cruz (Pl. de la) . . . . BZ 22
Esquiroz . . . . AZ 25
Estafeta . . . . BY 26
Juan de Labrit . . . . BY 33
Leyre . . . . BYZ 36
Mayor . . . . AY 40
Mercaderes . . . . BY 43
Navarrería . . . . BY 48
Navas de Tolosa . . . . AY 50
Paulino Caballero . . . . BZ 51
Príncipe
de Viana (Pl. del) . . . . . . BZ 54
Reina (Cuesta de la) . . . . . AY 56
Roncesvalles (Av. de) . . . . . BY 59
Sancho el Mayor . . . . ABZ 60
San Fermín . . . . BZ 63
San Francisco (Pl. de) . . . . . AY 65
Sangüesa . . . . BZ 69
Santo Domingo . . . . AY 70
Sarasate (Paseo de) . . . . AY 72
Taconera (Recta de) . . . . . . AY 73
Vínculo (Pl. del) . . . . AYZ 78

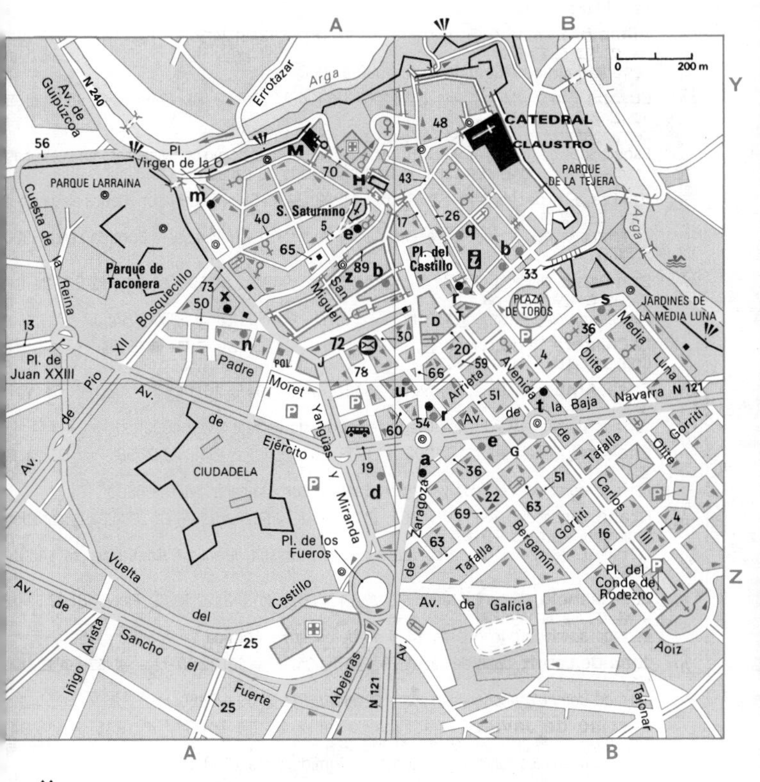

🏨 **Albret** sin rest. con cafetería, Ermitagaña 3, ✉ 31008, ☎ (948) 17 22 33, *Fax (948) 17 83 84* – 🛗 ▤ TV ☎ ♿ 🚗 – 🎓 60/150. AE ⓓ E VISA JCB. ✗ X v
☕ 1100 – **108 hab** 12400/15300, 2 suites.

🏨 **Europa,** Espoz y Mina 11-1º, ✉ 31002, ☎ (948) 22 18 00, *Fax (948) 22 92 35* – 🛗 ▤ TV ☎. AE ⓓ E VISA. ✗ BY r
Comida (ver rest. ***Europa***) – ☕ 925 – **25 hab** 6900/14265.

🏨 **Avenida,** av. de Zaragoza 5, ✉ 31003, ☎ (948) 24 54 54, *Fax (948) 23 23 23* – 🛗 ▤ TV ☎ 🚗. AE ⓓ E VISA JCB. ✗ rest BZ a
Comida *(cerrado domingo noche)* carta aprox. 3600 – ☕ 1100 – **27 hab** 9200/12500.

🏨 **Yoldi** sin rest, av. San Ignacio 11, ✉ 31002, ☎ (948) 22 48 00, *Fax (948) 21 20 45* – 🛗 TV ☎ – 🎓 25/40. AE ⓓ E VISA BZ r
☕ 850 – **50 hab** 6700/9700.

🏨 **Leyre** sin rest, Leyre 7, ✉ 31002, ☎ (948) 22 85 00, *Fax (948) 22 83 18* – 🛗 TV ☎ – 🎓 25/50. AE ⓓ E VISA BZ t
☕ 850 – **55 hab** 9800/15100.

🏨 **Eslava** sin rest, Recoletas 20, ✉ 31001, ☎ (948) 22 22 70, *Fax (948) 22 51 57* – 🛗 TV ☎. AE ⓓ E VISA. ✗ AY m
cerrado 24 diciembre-1 enero – ☕ 500 – **28 hab** 5000/8000.

XXXX **Josetxo,** pl. Príncipe de Viana 1, ✉ 31002, ✆ (948) 22 20 97, *Fax (948) 22 41 57*
✿ « Decoración elegante » – ▤. AE ⓓ VISA. ✗ BZ r
cerrado domingo (salvo mayo) y agosto – **Comida** 6500 y carta 5375 a 8075
Espec. Salteado de verduras con perretxicos (abril-junio). Lomo de rape asado con salsa agridulce. Parfait de café sobre fondo de crema inglesa.

XXX **Rodero,** Arrieta 3, ✉ 31002, ✆ (948) 22 80 35, *Fax (948) 21 12 17* – ▤. AE E VISA
✿ ✗ BY s
cerrado domingo y 15 días en agosto – **Comida** carta 5000 a 5400
Espec. Ostras con gelatina de trufas. Crujiente de lubina sobre lecho de borraja con almejas. Pastel fluido de turrón con su helado.

XXX **Alhambra,** Francisco Bergamín 7, ✉ 31003, ✆ (948) 24 50 07, *Fax (948) 24 09 19* –
▤. AE ⓓ E VISA. ✗ BZ e
cerrado domingo – **Comida** carta 5000 a 6000.

XXX **Europa,** Espoz y Mina 11-1º, ✉ 31002, ✆ (948) 22 18 00, *Fax (948) 22 92 35* – ▤. AE
✿ ⓓ E VISA. ✗ BY r
cerrado domingo – **Comida** 3875 y carta 4850 a 5950
Espec. Sopa de guisantes y verduritas con foie. Mero al horno con vinagreta de aceitunas. Crema de almendras con sopa de frutas y helado de canela.

XXX **Hartza,** Juan de Labrit 19, ✉ 31001, ✆ (948) 22 45 68, « Decoración rústica elegante »
– ▤. AE ⓓ E VISA BY b
cerrado domingo noche, lunes, del 1 al 24 de agosto y Navidades – **Comida** carta 5500 a 7100.

XXX **Don Pablo,** Navas de Tolosa 19, ✉ 31002, ✆ (948) 22 52 99, *Fax (948) 22 52 99* – ▤
AE ⓓ E VISA JCB. ✗ AY n
cerrado domingo noche y 15 julio-15 agosto – **Comida** carta 5050 a 5450.

XX **La Chistera,** San Nicolás 40, ✉ 31001, ✆ (948) 21 05 12 – ▤. AE ⓓ E VISA AY z
Comida carta 3450 a 4600.

XX **Casa Amparo,** Esquiroz 22, ✉ 31007, ✆ (948) 26 11 62 – ▤. AE ⓓ VISA
✗ X s
cerrado domingo y 20 julio-10 agosto – **Comida** carta 3400 a 4000.

XX **Enekorri,** Tudela 14, ✉ 31002, ✆ (948) 23 07 98, *Fax (948) 23 07 98* – ▤. AE ⓓ E
VISA. ✗ AZ d
cerrado domingo, festivos y Semana Santa – **Comida** carta 3400 a 4800.

XX **Otano,** San Nicolás 5-1º, ✉ 31001, ✆ (948) 22 70 36, *Fax (948) 21 20 12*, « Decoración regional » – ▤. AE ⓓ VISA AY b
cerrado lunes, 2ª quincena de febrero y 2ª quincena de julio – **Comida** carta 3400 a 4150.

XX **Casa Manolo,** García Castañón 12-1º, ✉ 31002, ✆ (948) 22 51 02, *Fax (948) 22 51 02*
– ▤. AE ⓓ E VISA. ✗ BYZ u
cerrado domingo noche y del 14 al 30 de agosto – **Comida** carta 3100 a 4500.

XX **Juan de Labrit,** Juan de Labrit 29, ✉ 31001, ✆ (948) 22 90 92 – ▤. AE ⓓ E VISA
✗ BY b
cerrado domingo noche y agosto – **Comida** carta 2700 a 5150.

X **Castillo de Javier,** bajada de Javier 2-1º, ✉ 31001, ✆ (948) 22 18 94, *Fax (948) 22 05 28* – ▤. AE ⓓ E VISA JCB BY a
cerrado miércoles salvo julio y agosto – **Comida** carta 2550 a 3500.

en Barañain – ✉ *31010 Barañain :*

X **La Casona,** Pueblo Viejo ✆ (948) 18 67 13 – ▤. AE ⓓ E VISA JCB. ✗ X g
cerrado del 14 al 31 de julio – **Comida** carta 2800 a 4700.

PANCAR *Asturias* – *ver Llanes.*

PANES *33570 Asturias* 441 **C 16** – *alt. 50.*

Alred. : *Desfiladero de La Hermida*★★ *SO : 12 km.*

ℹ *Mayor* ✆ *(98) 541 42 97 (temp).*

Madrid 427 – Oviedo 128 – Santander 89.

🏠 **Tres Palacios,** Mayor ✆ (98) 541 40 32, *Fax (98) 541 44 63* – |♦| TV ☎ P. AE E VISA
✗
Comida 1500 – ☕ 800 – **29 hab** 4000/7800 – PA 3200.

X **Covadonga** con hab, Virgilio Linares ✆ (98) 541 40 35, *Fax (98) 541 41 62*, ☂ – TV
☎. VISA. ✗
Comida carta aprox. 3500 – ☕ 300 – **10 hab** 4000/6000.

en Alevia *NO : 3 km – ✉ 33579 Alevia :*

Casona D'Alevia ⛰ sin rest, ☎ (98) 541 41 76, *Fax (98) 541 44 26*, « Acogedor marco regional » – TV ☎. VISA. ✗
☕ 700 – **9 hab** 6975/9300.

en la carretera de Cangas de Onís :

La Molinuca, O : 6 km, ✉ 33578 Peñamellera Alta, ☎ (98) 541 40 30, *Fax (98) 541 43 97*, ≤, – TV ☎ P. VISA. ✗
marzo-3 noviembre – **Comida** 1350 – ☕ 500 – **18 hab** 5200/7000 – PA 2720.

Casa Julián ⛰ con hab, O : 9 km, ✉ 33578 Niserias, ☎ (98) 541 57 97, *Fax (98) 541 57 97*, ≤, « Al borde del río Cares » – TV ☎ P. ⓓ E VISA. ✗
marzo-15 diciembre – **Comida** *(cerrado del 16 al 31 de diciembre)* carta 2800 a 4900 – ☕ 500 – **4 hab** 5000/8000.

en Alles *por la carretera de Cangas de Onís - O : 10,5 km – ✉ 33578 Alles :*

La Tahona de Besnes ⛰, Besnes ☎ (98) 541 57 49, *Fax (98) 541 57 49*, , « Rústico regional » – TV ☎ P. AE ⓓ E VISA. ✗
Comida 1850 – ☕ 750 – **19 hab** 8400 – PA 4200.

PANTICOSA *22661 Huesca* 443 D 29 – *1 005 h. alt. 1 185 – Balneario – Deportes de invierno : 11.*

Alred. : *Balneario de Panticosa★ – N : Garganta del Escalar★★.*

Madrid 481 – Huesca 86.

Escalar ⛰, La Cruz ☎ (974) 48 70 08, *Fax (974) 48 70 03*, ≤, climatizada – TV ☎ . E VISA. ✗
diciembre-abril y 10 junio-septiembre – **Comida** 1350 – ☕ 500 – **32 hab** 4900/5400 – PA 2600.

Arruebo ⛰, La Cruz 8 ☎ (974) 48 70 52, *Fax (974) 48 70 52*, ≤ – TV ☎. ⓓ E VISA. ✗
Comida 1800 – ☕ 650 – **18 hab** 5500/8000 – PA 3850.

Morlans ⛰, San Miguel ☎ (974) 48 70 57, *Fax (974) 48 73 86* – ▤ rest, TV ☎ P. AE E VISA. ✗
5 diciembre-abril y 25 junio-15 septiembre – **Comida** 1500 – ☕ 600 – **25 hab** 4500/6500.

Panticosa ⛰, La Cruz ☎ (974) 48 70 00, *Fax (974) 48 70 01* – TV ☎ P. AE VISA. ✗
diciembre-abril y julio-15 septiembre – **Comida** 1500 – ☕ 500 – **30 hab** 4500/6000.

Valle de Tena ⛰, La Cruz ☎ (974) 48 70 73, *Fax (974) 48 70 92* – TV ☎ P. VISA. ✗
6 diciembre-15 abril y 20 junio-20 septiembre – **Comida** 1350 – ☕ 500 – **28 hab** 4200/5800.

El PARDO *28048 Madrid* 444 K 18.

Ver : *Palacio Real★ (tapices★) – Convento de Capuchinos : Cristo yacente★.*

Madrid 13 – Segovia 93.

Pedro's, av. de La Guardia ☎ (91) 376 08 83, – ▤. AE ⓓ VISA. ✗
Comida carta 2700 a 4250.

Menéndez, av. de La Guardia 25 ☎ (91) 376 15 56, – ▤. AE ⓓ E VISA JCB. ✗
Comida carta 3250 a 4850.

PAREDES *Pontevedra – ver Vilaboa.*

PARETS o PARETS DEL VALLÈS *08150 Barcelona* 443 H 36 – *10 928 h. alt. 94.*

Madrid 637 – Barcelona 26 – Gerona/Girona 81 – Manresa 64.

El Jardí, Major 1 ☎ (93) 573 02 97, , « Terraza » – ▤. AE ⓓ VISA. ✗
cerrado martes, Semana Santa y agosto – **Comida** carta 3300 a 5200.

PAS DE LA CASA *Andorra – ver Andorra (Principado de).*

PASAJES DE SAN JUAN o PASAI DONIBANE *20110 Guipúzcoa* 442 B 24 – *18 203 h.*

Ver : *Localidad pintoresca★.*

Alred. : *Trayecto★★ de Pasajes de San Juan a Fuenterrabía por el Jaizkíbel.*

Madrid 477 – Pamplona/Iruñea 100 – St-Jean-de-Luz 27 – San Sebastián/Donostia 10.

Casa Cámara, San Juan 79 ☎ (943) 52 36 99, ≤ - E VISA. ⋪
cerrado domingo noche y lunes - **Comida** - pescados y mariscos - carta 3200 a 3750.

Nicolasa, San Juan 59 ☎ (943) 51 54 69, ≤ - AE E VISA
cerrado domingo noche, lunes y 15 diciembre-15 enero - **Comida** carta 2300 a 3600.

Txulotxo, San Juan 71 ☎ (943) 52 39 52, ≤ - AE ⓓ E VISA JCB. ⋪
cerrado domingo noche y martes - **Comida** - pescados - carta 2500 a 4100.

PASAJES DE SAN PEDRO o PASAI SAN PEDRO *20110 Guipúzcoa* 442 **C 24** - *18 203 h.*
Madrid 458 - Bayonne 50 - Pamplona/Iruñea 84 - San Sebastián/Donostia 5.

en Trintxerpe : - ✉ *20110 Trintxerpe* :

Izkiña, Euskadi Etorbidea 19 ☎ (943) 39 90 43, *Fax (943) 39 90 43*, Vivero propio - ▤. AE E VISA. ⋪
cerrado domingo noche y lunes - **Comida** - pescados y mariscos - carta 3400 a 5500.

PASTRANA *19100 Guadalajara* 444 **K 21** - *1 092 h. alt. 759.*
Ver : *Colegiata (tapices★).*
Madrid 101 - Guadalajara 46 - Sacedón 39 - Tarancón 59.

Hospedería Real de Pastrana ⛰, Convento del Carmen - S : 1,5 km ☎ (949) 37 10 60, *Fax (949) 37 10 60*, « Instalado en un convento » - |◆|, ▤ rest, TV ☎ P - 🏛 25/30. AE ⓓ VISA. ⋪ rest
Comida 1975 - ☕ 495 - **25 hab** 5475/7975, 2 suites.

PATALAVACA (Playa de) *Las Palmas - ver Canarias (Gran Canaria) : Arguineguín.*

PATONES *28189 Madrid* 444 **J 19** - *339 h. alt. 832.*
Madrid 76 - Guadalajara 55 - Segovia 116.

en Patones de Arriba : - ✉ *28189 Patones* :

El Tiempo Perdido ⛰, travesía del Ayuntamiento 7 ☎ (91) 843 21 52, *Fax (91) 843 21 48*, « Ambiente acogedor » - ▤ TV ☎. AE E VISA. ⋪ rest
fines de semana, festivos y vísperas (cerrado 15 julio-30 agosto) - **Comida** (ver rest. ***El Poleo***) - ☕ 1500 - **5 hab** 25000.

El Poleo, travesía del Arroyo 3 ☎ (91) 843 21 01, *Fax (91) 843 21 48*, « Rústico elegante » - ▤. AE E VISA
fines de semana y festivos - **Comida** *(cerrado 2ª quincena de julio y 1ª semana de agosto)* carta aprox. 4450.

PAU *17494 Gerona* 443 **F 39** - *363 h.*
Madrid 760 - Figueras/Figueres 14 - Gerona/Girona 53.

L'Olivar d'en Norat, carret. de Rosas - E : 1 km ☎ (972) 53 03 00, 🏠 - ▤ P. AE ⓓ E VISA
cerrado lunes - **Comida** - cocina vasca - carta 3100 a 4750.

El PAULAR *28741 Madrid* 444 **J 18** - *alt. 1 073.*
Ver : *Cartuja★ (iglesia : retablo★★).*
Madrid 76 - Segovia 55.
Hoteles y restaurantes ver : **Rascafría** *N : 1,5 km.*

PAXARIÑAS (Playa de) *Pontevedra - ver Portonovo.*

PECHINA *04259 Almería* 446 **V 22** - *2 166 h. alt. 98 - Balneario.*
Madrid 566 - Almería 12 - Guadix 102.

al Noreste : *8 km*

Balneario de Sierra Alhamilla ⛰, Los Baños ☎ (950) 31 74 13, *Fax (950) 16 02 57*, ≤ sierra, valle y mar, 🏠, « Antiguas albercas », ⛲ de agua termal - TV ☎. AE ⓓ E VISA. ⋪
Comida 1850 - ☕ 700 - **22 hab** 6000/9500.

PECHÓN *39594 Cantabria* 442 B 16 - *Playa.*
Madrid 417 - Gijón 116 - Oviedo 128 - Santander 68.

Don Pablo ⛰, sin rest, El Cruce ✆ (942) 71 95 00, *Fax (942) 71 95 00* - TV ☎ 🚗. AE ⓓ E VISA
18 hab ☕ 7400/8900.

PEDRAZA DE LA SIERRA *40172 Segovia* 442 I 18 - *448 h. alt. 1 073.*
Ver : *Pueblo histórico★★.*
Madrid 126 - Aranda de Duero 85 - Segovia 35.

El Hotel de la Villa ⛰, Calzada ✆ (921) 50 86 51, *Fax (921) 50 86 53,* « Ambiente acogedor. Decoración elegante » - ▤ ☎ - 🏛 25/50. AE ⓓ E VISA. ✻
Comida 3700 - ☕ 800 - **22 hab** 11500/14100, 2 suites.

La Posada de Don Mariano ⛰, Mayor 14 ✆ (921) 50 98 86, *Fax (921) 50 98 86,* « Elegante decoración interior » - TV ☎. AE ⓓ E VISA JCB. ✻
Comida *(cerrado lunes del 15 al 25 de enero y del 15 al 25 de junio)* 2950 - ☕ 950 - **18 hab** 10000/12000 - PA 6850.

La Olma, pl. del Ganado 1 ✆ (921) 50 99 81, *Fax (921) 50 99 35* - AE ⓓ E VISA. ✻
cerrado martes y 10 días en septiembre - **Comida** carta 3000 a 4500.

El Corral de Joaquina, Íscar 3 ✆ (921) 50 98 19, *Fax (921) 50 98 19.*

PEDREZUELA *28723 Madrid* 444 J 19 - *798 h.*
Madrid 44 - Aranda de Duero 117 - Guadalajara 72.

Los Nuevos Hornos *(Ángel),* carret. N I - N : 2 km ✆ (91) 843 35 71, *Fax (91) 843 38 73,* ☂ - ▤ Ⓟ. AE E VISA. ✻
cerrado martes y agosto - **Comida** carta 3600 a 5550.

Las PEDROÑERAS *16660 Cuenca* 444 N 21 y 22 - *6 475 h. alt. 700.*
Madrid 160 - Albacete 89 - Alcázar de San Juan 58 - Cuenca 111.

Las Rejas, av. del Brasil ✆ (967) 16 10 89, « Decoración regional » - ▤ Ⓟ. AE ⓓ E VISA JCB. ✻
cerrado lunes (salvo festivos) y 2ª quincena de junio - **Comida** 6000 y carta 4350 a 5300
Espec. Parmentier de ajo arriero con hongos, trufas y panes fritos. Aspic de cabeza de cordero con ostras en su jugo. Lechona confitada en aceite de hierbas y canela al jugo de vino especiado.

PEGUERA *Baleares - ver Baleares (Mallorca) : Paguera.*

PENÁGUILA *03815 Alicante* 445 P 28 - *351 h. alt. 685.*
Madrid 432 - Alcoy/Alcoi 19 - Alicante/Alacant 76 - Gandía 100.

al Oeste : *3,5 km*

Mas de Pau ⛰, carret. de Alcoy ✆ (96) 551 31 11, *Fax (96) 551 31 09,* ≤, ☂, « Interior rústico », 🏊, 🎾 - TV ☎ Ⓟ - 🏛 25/65. AE ⓓ VISA. ✻ rest
Comida 1000 - **18 hab** ☕ 5500/8500 - PA 2000.

PEÑAFIEL *47300 Valladolid* 442 H 17 - *5 003 h. alt. 755.*
Ver : *Castillo★.*
Madrid 176 - Aranda de Duero 38 - Valladolid 55.

Ribera del Duero ⛰, av. Escalona 17 ✆ (983) 88 16 16, *Fax (983) 88 14 44* - |‡| ▤ TV ☎ Ⓟ. ✻
Comida 2000 - ☕ 800 - **27 hab** 8800/10500.

PEÑARANDA DE BRACAMONTE *37300 Salamanca* 441 J 14 - *6 290 h. alt. 730.*
ℹ *Carlos I-1* ✆ *(923) 54 00 01.*
Madrid 164 - Ávila 56 - Salamanca 43.

Las Cabañas, Carmen 10 ✆ (923) 54 02 03
▤. AE E VISA. ✻
cerrado lunes noche - **Comida** carta 2600 a 3800.

La Encina, av. de Salamanca 10 ✆ (923) 54 20 40 - ▤.

PEÑARROYA PUEBLONUEVO *14200 Córdoba* 446 R 14 – *13 946 h. alt. 577.*
Madrid 394 – Azuaga 46 – Córdoba 83 – Sevilla 232.

Gran Hotel sin rest, Trinidad 7 ☎ (957) 57 00 58, *Fax (957) 57 01 94* – TV ☎. VISA.
400 – **17 hab** 3500/5900.

Los Corales, Constitución 8 ☎ (957) 57 05 68 – .

PEÑÍSCOLA *12598 Castellón* 445 K 31 – *3 677 h. – Playa.*
Ver : *Ciudad Vieja★ (castillo ≤★).*
paseo Marítimo ☎ (964) 48 02 08 Fax (964) 48 02 08.
Madrid 494 – Castellón de la Plana/Castelló de la Plana 76 – Tarragona 124 – Tortosa 63.

Hostería del Mar (Parador Colaborador), av. Papa Luna 18 ☎ (964) 48 06 00, *Fax (964) 48 13 63*, ≤ mar y Peñíscola, Cenas medievales los sábados, « Interior castellano », , , – TV ☎ P. AE E VISA. rest
Comida 2500 – 1050 – **85 hab** 12300/16200, 1 suite – PA 5100.

Jaime I, av. Pigmalión ☎ (964) 48 99 00, *Fax (964) 48 94 10*, – TV ☎ P. AE E VISA.
cerrado 20 diciembre-15 enero y noviembre – **Comida** 1850 – 750 – **47 hab** 5300/10600.

Prado, av. Papa Luna 3 ☎ (964) 48 91 20, *Fax (964) 48 95 17*, ≤, – ☎ P. AE E VISA.
abril-diciembre – **Comida** 2000 – 650 – **154 hab** 6000/11000.

Porto Cristo, av. Papa Luna 2 ☎ (964) 48 07 18, *Fax (964) 48 90 49*, – P. E VISA.
Semana Santa-octubre – **Comida** 1400 – 500 – **39 hab** 3600/6900 – PA 3300.

Cabo de Mar, av. Primo de Rivera 1 ☎ (964) 48 00 16, ≤ – rest,
temp – **23 hab.**

Marina, av. José Antonio 42 ☎ (964) 48 08 90, *Fax (964) 48 08 90* – rest, ☎. E VISA.
abril-octubre – **Comida** 1300 – 400 – **19 hab** 2100/4300 – PA 2550.

Ciudad de Gaya, av. Papa Luna 1 ☎ (964) 48 00 24, ≤, – P
temp – **27 hab.**

Tío Pepe, av. José Antonio 32 ☎ (964) 48 06 40
10 hab.

Les Doyes, av. Papa Luna 10 ☎ (964) 48 07 95, *Fax (964) 48 08 55*, – . AE E VISA.
abril-septiembre – **Comida** carta 3200 a 4450.

Simó con hab, Porteta 5 ☎ (964) 48 06 20, *Fax (964) 48 06 20*, ≤, – AE E VISA.
marzo-septiembre – **Comida** *(cerrado martes)* carta 2850 a 4650 – 650 – **10 hab** 5600/7000.

en la urbanización Las Atalayas *por la carretera CS 500 - NO : 1 km – ✉ 12598 Peñíscola :*

Benedicto XIII , ☎ (964) 48 08 01, *Fax (964) 48 95 23*, ≤, , , – , rest, TV ☎ P – 25/80. AE E VISA JCB.
marzo-octubre – **Comida** carta 3750 a 7000 – 850 – **30 hab** 6400/8000.

PERALADA *Gerona – ver Perelada.*

PERALEJO *28211 Madrid* 444 K 17.
Madrid 54 – El Escorial 6 – Ávila 70 – Segovia 66 – Toledo 103.

Casavieja, ☎ (91) 899 20 11, , « Decoración rústica » – . VISA.
cerrado lunes y 15 octubre-15 noviembre – **Comida** - espec. en carnes - carta aprox. 3100.

PERALES DE TAJUÑA *28540 Madrid* 444 L 19 – *1 961 h. alt. 585.*
Madrid 40 – Aranjuez 44 – Cuenca 125.

Las Vegas, antigua carret. N III ☎ (91) 874 83 90, *Fax (91) 874 83 90*, – P. AE E VISA.
Comida carta 2050 a 4050.

PERALTA *31350 Navarra* 442 E 24 – *4 544 h. alt. 292.*
Madrid 347 – Logroño 70 – Pamplona/Iruñea 59 – Zaragoza 122.

Atalaya con hab, Dabán 11 ☎ (948) 75 01 52, *Fax (948) 75 01 52* – , rest, TV ☎. AE E VISA.
cerrado 23 diciembre-6 enero – **Comida** *(cerrado domingo noche y lunes)* carta aprox. 3950 – 350 – **22 hab** 3000/5000.

PERAMOLA *25790 Lérida* 443 F 33 - *393 h. alt. 566.*
Madrid 567 - Lérida/Lleida 98 - Seo de Urgel/La Seu d'Urgell 47.

al **Noreste** : *2,5 km*

Can Boix *(anexo)* , (973) 47 02 66, *Fax (973) 47 02 66*, ≤, , - ▤ TV ☎ ♿ P - 25/40. AE ⓓ E VISA JCB. ✗ rest
cerrado 10 enero-10 febrero y 15 días en noviembre - **Comida** carta 3600 a 5550 - ☕ 1000 - **48 hab** 13400/16740.

PERATALLADA *17113 Gerona* 443 G 39.
Madrid 752 - Gerona/Girona 33 - Palafrugell 16.

XXX **Castell de Peratallada** con hab, pl. del Castell 1 (972) 63 40 21, *Fax (972) 63 40 11*, , « Castillo medieval con su torre de homenaje », - ▤ hab, ☎. AE ⓓ E VISA
Comida *(cerrado domingo noche todo el año y lunes en invierno)* carta 4275 a 5300 - **5 hab** ☕ 22500/27500.

XX **La Riera** con hab, pl. les Voltes 3 (972) 63 41 42, *Fax (972) 63 50 40*, « Instalado en una antigua casa medieval. Decoración rústica » - TV P. AE ⓓ E VISA
cerrado 15 diciembre-febrero - **Comida** *(cerrado martes salvo verano)* carta 2100 a 3650 - ☕ 800 - **6 hab** 9000, 2 apartamentos.

X **Can Nau,** pl. Esquiladors 2 (972) 63 40 35, « Instalado en una antigua casa de estilo regional » - ▤. E VISA. ✗
cerrado domingo noche (salvo agosto), miércoles no festivos y 3 febrero-12 marzo - **Comida** carta 2600 a 3500.

X **El Borinot,** del Forn 15 (972) 63 40 84 - P. AE E VISA. ✗
cerrado martes y enero - **Comida** carta 2595 a 3455.

X **Can Bonay,** pl. Les Voltes (972) 63 40 34, « Bodega museo » - ▤. E VISA. ✗
cerrado lunes salvo festivos y noviembre - **Comida** carta 2125 a 2675.

La PEREDA *Asturias - ver Llanes.*

PERELADA o **PERALADA** *17491 Gerona* 443 F 39 - *1 118 h.*
Madrid 738 - Gerona/Girona 42 - Perpignan 61.

XX Cal Sagristà, Rodona 2 (972) 53 83 01, .

PERELLÓ o **El PERELLÓ** *43519 Tarragona* 443 J 32 - *2 119 h. alt. 142.*
Madrid 519 - Castellón de la Plana/Castelló de la Plana 132 - Tarragona 59 - Tortosa 33.

X **Censals,** carret. N 340 (977) 49 00 59, *Fax (977) 49 10 20* - ▤ P. AE E VISA. ✗
cerrado martes noche, miércoles y 1ª quincena de noviembre - **Comida** carta 2400 a 4300.

PERILLO *La Coruña - ver La Coruña.*

PERUYES *33547 Asturias* 441 B 14.
Madrid 522 - Gijón 89 - Oviedo 71 - Ribadesella 13.

Aultre Naray sin rest, (98) 584 08 08, *Fax (98) 584 08 48*, « En un bonito paraje entre montañas » - TV ☎ P. AE ⓓ E VISA. ✗
☕ 800 - **10 hab** 8500/11000.

PETREL o **PETRER** *03610 Alicante* 445 Q 27 - *24 383 h. alt. 640.*
Madrid 380 - Albacete 130 - Alicante/Alacant 36 - Elda 2 - Murcia 82.

XX **La Sirena,** av. de Madrid 14 (96) 537 17 18, *Fax (96) 537 17 18* - ▤. AE ⓓ E VISA. ✗
cerrado domingo noche, lunes, Semana Santa y 10 agosto-2 septiembre - **Comida** carta aprox. 3850.

El PÍ DE SANT JUST *25286 Lérida* 443 G 34.
Madrid 582 - Lérida/Lleida 113 - Manresa 47 - Solsona 5.

X **El Pí de Sant Just** con hab, carret. C 1410 (973) 48 07 00, *Fax (973) 48 30 37*, , - ▤ rest, TV ☎ P. AE ⓓ E VISA. ✗
Comida *(cerrado lunes)* carta aprox. 3500 - ☕ 700 - **11 hab** 3000/5000.

PIEDRA (Monasterio de) *Zaragoza* 443 I 24 – *alt. 720* – ✉ *50210 Nuévalos.*

Ver : *Parque y cascadas★★.*

Madrid 231 – Calatayud 29 – Zaragoza 118.

Monasterio de Piedra ⛰, ☎ (976) 84 90 11, *Fax (976) 84 90 54,* « Instalado en el antiguo monasterio », 🏊, 🎾 – ▤ rest, TV ☎ ♿ P – 🏛 25/170. AE ⓓ E VISA. ✂ rest
Comida 2500 – ☕ 550 – **61 hab** 7000/10500 – PA 5000.

PIEDRAHITA *05500 Ávila* 442 **k 14** – *2 242 h. alt. 1 062.*

Madrid 171 – Ávila 62 – Béjar 46 – Plasencia 89 – Salamanca 70.

Chivis, Calvo Sotelo 10-1º ☎ (920) 36 00 36, « Rústico antiguo » – AE VISA. ✂
cerrado lunes y 15 septiembre-15 octubre – **Comida** carta 2200 a 3000.

PIEDRALAVES *05440 Ávila* 442 **L 15** – *2 097 h. alt. 730.*

Madrid 95 – Ávila 83 – Plasencia 159.

Almanzor, Progreso 4 ☎ (91) 866 50 00, « Terraza con arbolado y 🏊 » – ▤ rest, ☎ P
59 hab.

LA PINEDA (Playa de) *Tarragona – ver Salou.*

PINEDA DE MAR *08397 Barcelona* 443 **H 38** – *16 317 h.* – *Playa.*

ℹ *Sant Joan Nonell ☎ (93) 767 15 60 Fax (93) 767 12 12.*

Madrid 694 – Barcelona 51 – Gerona/Girona 46.

Mercè, Rdo. Antoni Doltra 2 ☎ (93) 767 00 78, *Fax (93) 767 10 10,* 🏊, 🎾 – 🛗, ▤ rest,
temp – **Comida** La Taverna – **170 hab.**

Mont Palau, Roig i Jalpi 1 ☎ (93) 767 14 66, *Fax (93) 767 05 83,* 🏊 – 🛗 P. AE ⓓ E VISA. ✂ rest
abril-octubre – **Comida** 1400 – ☕ 480 – **82 hab** 4000/6000 – PA 2800.

Sabiote, Rdo. Antoni Doltra 15 ☎ (93) 767 14 40, *Fax (93) 767 14 40* – 🛗, ▤ rest, TV ☎. AE E VISA JCB. ✂
cerrado 10 diciembre-9 enero – **Comida** 1000 – ☕ 550 – **26 hab** 3000/6000 – PA 2500.

PINETA (Valle de) *Huesca – ver Bielsa.*

PINOS GENIL *18191 Granada* 446 **U 19** – *1 069 h. alt. 774.*

Madrid 443 – Granada 13.

en la carretera de Granada – ✉ *18191 Pinos Genil :*

Labella María, O : 0,5 km ☎ (958) 48 87 46, *Fax (958) 48 87 26* – 🛗 ▤ TV ☎ P. AE ⓓ E VISA. ✂
Comida 1500 – ☕ 425 – **25 hab** 4800/6500.

Los Pinillos, O : 3 km ☎ (958) 48 61 09, *Fax (958) 48 72 16,* 🏖 – ▤ P. AE ⓓ E VISA
cerrado domingo noche, martes y agosto – **Comida** carta 3300 a 4800.

PLÀ DE LA ERMITA *Lérida – ver Taüll*

PLÀ DE SANT LLORENÇ *Barcelona – ver Matadepera.*

PLÀ DE VALL LLOBREGÀ *Gerona – ver Palamós.*

PLASENCIA *10600 Cáceres* 444 **L 11** – *36 826 h. alt. 355.*

Ver : *Catedral★ (retablo★, sillería★).*

ℹ *del Rey 8 ☎ (927) 42 21 59.*

Madrid 257 – Ávila 150 – Cáceres 85 – Ciudad Real 332 – Salamanca 132 – Talavera de la Reina 136.

Alfonso VIII, Alfonso VIII-34 ☎ (927) 41 02 50, *Fax (927) 41 80 42* – 🛗 ▤ TV ☎ 🚗 – 🏛 25/400. AE ⓓ E VISA. ✂
Comida carta 3400 a 5750 – ☕ 1500 – **55 hab** 7000/11000, 2 suites.

Real, N : 1,5 km ☎ (927) 41 29 00, *Fax (927) 41 68 24* – 🛗 ▤ TV ☎ P. AE ⓓ E VISA. ✂
Comida 1300 – ☕ 350 – **33 hab** 3500/5800 – PA 2500.

Florida 2, av. de España 22 ☎ (927) 41 38 58 – ▤. AE E VISA. ✂
Comida carta 3300 a 4100.

en la carretera N 630 *SO : 3 km – 10600 Plasencia :*

Azar, (927) 42 18 33, *Fax (927) 42 18 33* – 25/400. E VISA.
Comida 2300 – 900 – **48 hab** 6300/10000.

PLASENCIA DEL MONTE *22810 Huesca* 443 F 28 – *263 h. alt. 535.*
Madrid 407 – Huesca 17 – Pamplona/Iruñea 147.

El Cobertizo con hab, carret. A 132 (974) 27 00 11, *Fax (974) 27 00 92,* – rest, AE E VISA JCB
Comida carta aprox. 2800 – 600 – **24 hab** 3500/6000.

PLATJA D'ARO *Gerona – ver Playa de Aro.*

PLAYA – *ver el nombre propio de la playa.*

PLAYA BARCA *Las Palmas – ver Canarias (Fuerteventura).*

PLAYA BLANCA *Las Palmas – ver Canarias (Fuerteventura) : Puerto del Rosario.*

PLAYA BLANCA DE YAIZA *Las Palmas – ver Canarias (Lanzarote).*

PLAYA CANYELLES (Urbanización) *Gerona – ver Lloret de Mar.*

PLAYA GRANDE *Murcia – ver Puerto de Mazarrón.*

PLAYA DE ARO o PLATJA D'ARO *17250 Gerona* 443 G 39 – *4 785 h. – Playa.*
18 9 D'Aro, urb. Mas Nou NO : 4,5 km (972) 82 69 00 Fax (972) 82 69 06.
Jacinto Verdaguer 4 (972) 81 71 79 Fax (972) 82 56 57.
Madrid 715 – Barcelona 102 – Gerona/Girona 37.

Columbus, passeig del Mar 100 (972) 81 71 66, *Fax (972) 81 75 03,* – 25/250. AE E VISA.
abril-octubre – **Comida** 3100 – **108 hab** 12500/20000, 2 suites.

Platja Park, av. d'Estrasburg 10 (972) 81 68 05, *Fax (972) 81 68 03,* – 25/400. AE E VISA.
Comida - sólo buffet - 2600 – **189 hab** 8560/13920, 8 suites.

Mar Condal, paseo Marítimo 104 (972) 81 80 69, *Fax (972) 81 61 14,* – rest, AE E VISA.
mayo-octubre – **Comida** 1100 – **144 hab** 8500/14000, 2 suites – PA 2200.

Cosmopolita, Pinar del Mar 30 (972) 81 73 50, *Fax (972) 81 74 50,* – rest, E VISA. rest
cerrado enero – **Comida** 1700 – 800 – **90 hab** 7000/12000.

Costa Brava, carret. de Palamós - Punta d'en Ramís (972) 81 73 08, *Fax (972) 82 63 48,* « Al borde del mar » – AE E VISA. rest
marzo-noviembre – **Comida** 1800 - ***Can Poldo :*** **Comida** carta 2200 a 4350 – 950 – **57 hab** 7800/12900.

Xaloc, carret. de Palamós - playa de Rovira (972) 81 73 00, *Fax (972) 81 61 00* – AE E VISA. rest
abril-octubre – **Comida** - sólo cena - 1950 – 700 – **47 hab** 6950/11500.

Els Pins, Nostra Señora del Carme 34 (972) 81 72 19, *Fax (972) 81 75 46,* – E VISA. rest
abril-septiembre – **Comida** 1250 – 625 – **65 hab** 7125/9740.

Miramar, Virgen del Carmen 45 (972) 81 71 50, *Fax (972) 81 71 50,* –
temp – **42 hab.**

Aradi, carret. de Palamós (972) 81 73 76, *Fax (972) 81 75 72,* – AE E VISA
Comida carta 2450 a 4250.

Japet con hab, carret. de Palamós 50 (972) 81 73 66, – AE E VISA JCB
Comida carta aprox. 3600 – 400 – **20 hab** 3500/5600.

en la carretera de Mas Nou *O : 1,5 km – 17250 Playa de Aro :*

Carles Camós-Big Rock con hab, barri de Fanals 5 (972) 81 80 12, *Fax (972) 81 89 71,* « Antigua masía señorial », – AE E VISA
cerrado enero – **Comida** *(cerrado domingo noche y lunes)* carta aprox. 4740 – 1100 – **5 suites** 24000.

en Condado de San Jorge *NE : 2 km – ✉ 17251 Calonge :*

Park H. San Jorge, ✆ (972) 65 23 11, *Fax (972) 65 25 76,* « Agradable terraza con arbolado, ≤ rocas y mar », *marzo-noviembre* – **Comida** - sólo cena salvo julio-agosto - 3000 – **99 hab** 17950/23850, 5 suites.

en la carretera de Sant Feliu de Guíxols – ✉ *17250 Playa de Aro :*

Panamá sin rest, SO : 1 km ✆ (972) 81 76 39, *Fax (972) 81 79 34,* *mayo-septiembre* – **42 hab** 5800/8300.

en la urbanización Mas Nou *NO : 4,5 km – ✉ 17250 Playa de Aro :*

Mas Nou, ✆ (972) 81 78 53, Telex 57205, *Fax (972) 81 67 22,* ≤, « Decoración rústica », *cerrado miércoles (salvo julio y agosto), 6 enero-10 marzo y 10 noviembre-15 diciembre* – **Comida** carta 3200 a 4950.

PLAYA DE PALMA *Baleares – ver Baleares (Mallorca) : Palma.*

PLAYA DE SAN JUAN o PLATJA DE SAN JUAN *03540 Alicante* 445 Q 28 – *Playa.*
Madrid 424 – Alicante/Alacant 7 – Benidorm 33.

Sidi San Juan ✆ (96) 516 13 00, *Fax (96) 516 33 46,* ≤ mar, 25/250. rest
Comida 3450 - ***Grill Sant Joan :*** **Comida** carta 3450 a 4800 – 1650 – **172 hab** 17300/21600, 4 suites.

Holiday Inn Alicante-Playa de San Juan, av. de Cataluña 20 ✆ (96) 515 61 85, *Fax (96) 515 39 36,* 50/100.
Comida 1700 – 800 – **66 hab** 11500/13500 – PA 3500.

Almirante, av. de Niza 38 ✆ (96) 565 01 12, *Fax (96) 565 71 69,* ≤, 25/150.
Pocardy : **Comida** carta aprox. 3200 – 560 – **64 hab** 7000/11000.

Castilla, av. países Escandinavos 7 ✆ (96) 516 20 33, *Fax (96) 516 20 61,* 25/120.
Comida 2500 – 945 – **154 hab** 9000/17000 – PA 5445.

Estella, av. Costa Blanca 125 ✆ (96) 516 04 07 –
cerrado domingo noche, lunes, 2ª quincena de junio y 2ª quincena de noviembre – **Comida** carta 3190 a 4225.

El Trasmallo, av. de Cataluña 21 ✆ (96) 516 44 54, *Fax (96) 516 44 54,*

Regina, av. de Niza 19 ✆ (96) 526 41 39,

Max's, Currican 43 ✆ (96) 516 59 15 –
cerrado lunes – **Comida** - cocina francesa - carta aprox. 3500.

Marcolisa, av. La Condomina 62 ✆ (96) 516 41 38,
Comida - cocina franco-belga, sólo cena en verano salvo sábado y domingo.

en la carretera de San Juan de Alicante *NO : 2 km – ✉ 03560 Campello :*

Monastrell, carret. Benimagrell 52 ✆ (96) 594 03 23, *Fax (96) 598 00 27* –
cerrado domingo noche y lunes (salvo julio-agosto) y 15 enero-febrero – **Comida** carta 3200 a 4400.

PLAYA DE LAS AMÉRICAS *Santa Cruz de Tenerife – ver Canarias (Tenerife).*

Las PLAYAS *Santa Cruz de Tenerife – ver Canarias (Hierro) : Valverde.*

PLAYAS DE FORNELLS (Urbanización) *Baleares – ver Baleares (Menorca) : Fornells.*

Las PLAYETAS *Castellón – ver Oropesa del Mar.*

PLENCIA o PLENTZIA *48620 Vizcaya* 442 B 21 – *2 520 h. – Playa.*
Madrid 416 – Bilbao/Bilbo 21 – Vitoria/Gasteiz 91.

Uribe sin rest, Erribera 13 ✆ (94) 677 44 78, *Fax (94) 677 44 61* –
600 – **8 hab** 7000/8500.

Gaminiz, Areatza 38 ✆ (94) 677 30 93, « Villa de época con terraza acristalada » –
cerrado lunes (15 septiembre-15 junio) – **Comida** carta 4200 a 5400.

LA POBLA DE BENIFASSÀ *Castellón - ver La Puebla de Benifasar.*

La POBLA DE CLARAMUNT *08787 Barcelona* 443 H 35 - *1 635 h. alt. 246.*
Madrid 570 - Barcelona 71 - Lérida/Lleida 101 - Manresa 35.

en la carretera C 244 *S : 2 km - ✉ 08787 La Pobla de Claramunt :*

✕ La Farga, av. Corral de la Farga 15 (residencial El Xaro) ☎ (93) 808 61 85, *Fax (93) 808 61 85,* « Césped con piscina », - ▤ Ⓟ.

La POBLA DE FARNALS *Valencia - ver Puebla de Farnals.*

POBLET (Monasterio de) *43448 Tarragona* 443 H 33 - *alt. 490.*
Ver : Paraje★ - Monasterio★★★ (capilla de Sant Jordi★★, Plaza Mayor★, Puerta Real★, Palacio del Rey Martín★, claustro★★ : capiteles★, templete★, sala capitular★★ ; Iglesia★★ : Panteón Real★★, Retablo Mayor★★).
Madrid 528 - Barcelona 122 - Lérida/Lleida 51 - Tarragona 46.

Masía del Cadet ⛰, ✉ 43449 Les Masies, ☎ (977) 87 08 69, *Fax (977) 87 08 69,* ≤, – |‡|, ▤ rest, ☎ Ⓟ. AE ⓓ E VISA. ✗
cerrado del 8 al 20 de noviembre - **Comida** *(cerrado domingo noche y lunes)* 2100 - ☕ 700 - **12 hab** 5000/7000 - PA 4420.

Monestir ⛰, ✉ 43449 Les Masies, ☎ (977) 87 00 58, *Fax (977) 87 00 30,* , piscina – |‡|, ▤ rest, ☎ 🚗 Ⓟ. AE E VISA. ✗
Semana Santa-octubre - **Comida** 2100 - ☕ 750 - **30 hab** 4800/6900 - PA 4950.

✕ **Fonoll,** pl. Ramón Berenguer IV-2 ☎ (977) 87 03 33, *Fax (977) 87 03 33,* – Ⓟ. AE ⓓ E VISA
cerrado jueves, diciembre y enero - **Comida** carta 2700 a 3200.

POBOA DE TRIVES *Orense - ver La Puebla de Trives.*

POBRA DO CARAMIÑAL *La Coruña - ver Puebla del Caramiñal.*

Los POCILLOS (Playa de) *Las Palmas - ver Canarias (Lanzarote) : Puerto del Carmen.*

POLA DE ALLANDE *33880 Asturias* 441 C 10 - *710 h. alt. 524.*
Madrid 500 - Cangas 21 - Luarca 84 - Oviedo 106.

✕ **La Nueva Allandesa** con hab, Donato Fernández 3 ☎ (98) 580 70 27, *Fax (98) 580 73 12* - TV. AE ⓓ E VISA JCB. ✗
Comida *(cerrado domingo noche)* carta 2000 a 2500 - ☕ 500 - **24 hab** 3600/6000.

POLA DE SIERO *33510 Asturias* 441 B 12.
Madrid 470 - Gijón 23 - Oviedo 17.

Lóriga, Valeriano León 22 ☎ (98) 572 00 26, *Fax (98) 572 07 98* - |‡| TV ☎ 🚗. AE ⓓ E VISA. ✗
Comida 1500 - ☕ 600 - **40 hab** 6500/10500.

POLA DE SOMIEDO *33840 Asturias* 441 C 11.
Madrid 444 - Oviedo 86.

Casa Miño sin rest, Rafael Rey López ☎ (98) 576 37 30, *Fax (98) 576 37 50* - |‡| TV ☎. E VISA. ✗
cerrado enero y febrero - ☕ 600 - **15 hab** 4500/6500.

en Valle de Lago *SE : 8 km - ✉ 33840 Valle de Lago :*

Valle de Lago ⛰, ☎ (98) 576 36 11, *Fax (98) 576 37 11* - TV ☎ Ⓟ. AE ⓓ E VISA. ✗
Comida 2000 - ☕ 1000 - **10 hab** 5650/6990 - PA 5000.

POLOP *03520 Alicante* 445 Q 29 - *1 903 h. alt. 230.*
Madrid 449 - Alicante/Alacant 57 - Gandía 63.

✕ **Ca L'Àngeles,** Gabriel Miró 36 ☎ (96) 587 02 26 - E VISA
cerrado martes y 15 junio-15 julio - **Comida** - sólo almuerzo salvo viernes, sábado y junio-septiembre - carta aprox. 4100.

POLLENSA o POLLENÇA *Baleares - ver Baleares (Mallorca).*

PONFERRADA *24400 León* 441 E 10 – *59 702 h. alt. 543.*

Alred. : *Peñalba de Santiago★ SE : 21 km – Las Médulas★ SO : 22 km.*

Gil y Carrasco 4 (junto al Castillo) (987) 42 42 36.

Madrid 385 – Benavente 125 – León 105 – Lugo 121 – Orense/Ourense 159 – Oviedo 210

Del Temple, av. de Portugal 2 (987) 41 00 58, *Fax (987) 42 35 25,* « Decoración evocadora de la época de los Templarios » – 25/120. AE E VISA.
Comida 2000 – 850 – **112 hab** 8000/11600, 2 suites.

Madrid, av. de La Puebla 44 (987) 41 15 50, *Fax (987) 41 18 61* – rest, – 25/200. AE E VISA JCB.
Comida *(cerrado domingo noche)* 1150 – 400 – **55 hab** 3450/5000 – PA 2295.

Bérgidum sin rest. con cafetería, av. de la Plata 4 (987) 40 15 99, *Fax (987) 40 16 00* – . AE E VISA
900 – **71 hab** 7200/10200.

en la carretera N VI – *24400 Ponferrada :*

Novo, N : 2,5 km (987) 42 44 41, *Fax (987) 42 60 59* – . E VISA.
Comida *(cerrado domingo)* 1450 – 500 – **26 hab** 3500/6000 – PA 3400.

Azul Montearenas, NE : 6 km (987) 41 70 12, *Fax (987) 42 48 21,* ← – . AE E VISA.
cerrado domingo noche – **Comida** carta 2700 a 4150.

Se cercate un albergo tranquillo,
oltre a consultare le carte dell'introduzione,
rintracciate nell'elenco degli stabilimenti quelli con il simbolo o

PONS o PONTS *25740 Lérida* 443 G 33 – *2 247 h. alt. 363.*

Madrid 533 – Barcelona 131 – Lérida/Lleida 64.

Boncompte, pl. Sant Cristòfol 1 (973) 46 10 02, *Fax (973) 46 10 04* – . AE E VISA
Comida 1600 – 500 – **34 hab** 4000/6800 – PA 3200.

Ventureta, carret. de Seo de Urgel 2 (973) 46 03 45, *Fax (973) 46 03 45* – . VISA.
cerrado jueves – **Comida** carta aprox. 2900.

PONT D'ARRÓS *Lérida – ver Viella.*

EL PONT DE BAR *25723 Lérida* 443 E 34 – *169 h.*

Madrid 614 – Puigcerdà 34 – Seo de Urgel/La Seu d'Urgell 23.

en la carretera N 260 *E : 4,5 km – 25723 El Pont de Bar :*

La Taverna dels Noguers, (973) 38 40 20 – . E VISA
cerrado jueves, 7 enero-7 febrero y julio (salvo fines de semana) – **Comida** - sólo almuerzo salvo sábado - carta aprox. 3600.

PONT DE MOLINS *17706 Gerona* 443 F 38 – *260 h.*

Madrid 749 – Figueras/Figueres 6 – Gerona/Girona 42.

El Molí con hab, carret. Les Escaules - O : 2 km (972) 52 92 71, *Fax (972) 52 91 01,* « Antiguo molino », – . AE E VISA.
abril-octubre – **Comida** *(cerrado miércoles y 15 diciembre-15 enero)* carta 2150 a 4350 – **8 hab** 5000/9500.

PONT DE SUERT *25520 Lérida* 443 E 32 – *2 143 h. alt. 838.*

Alred. : *Embalse de Escales★ S : 5 km.*

Madrid 555 – Lérida/Lleida 123 – Viella 40.

en la carretera de Bohí *N : 2,5 km – 25520 Pont de Suert :*

Mesón del Remei, (973) 69 02 55, *Fax (973) 69 12 08* – . E VISA.
cerrado lunes salvo enero-marzo y julio-septiembre – **Comida** - carnes a la brasa - carta 2250 a 3100.

Es PONT D'INCA *Baleares – ver Baleares (Mallorca).*

PONTEAREAS *Pontevedra – ver Puenteareas.*

PONTEDEUME *La Coruña – ver Puentedeume.*

PONTEVEDRA *36000* Ⓟ 441 E 4 – *75 148 h.*

Ver : *Barrio antiguo★ : Plaza de la Leña★* BY - *Museo Provincial (tesoros célticos★)* BY **M1** – *Iglesia de Santa María la Mayor★ (fachada oeste★)* AY – *Ría★.*

Alred. : *Mirador de Coto Redondo★★ ※★★ 14 km por ③.*

General Mola 1 ✉ 36001 ✆ (986) 85 08 14 Fax (986) 85 08 14 – **R.A.C.E.** *Joaquín Costa 35 ✉ 36001 ✆ (986) 86 09 85 Fax (986) 86 08 98.*

Madrid 599 ② – Lugo 146 ① – Orense/Ourense 100 ② – Santiago de Compostela 57 ① – Vigo 27 ③

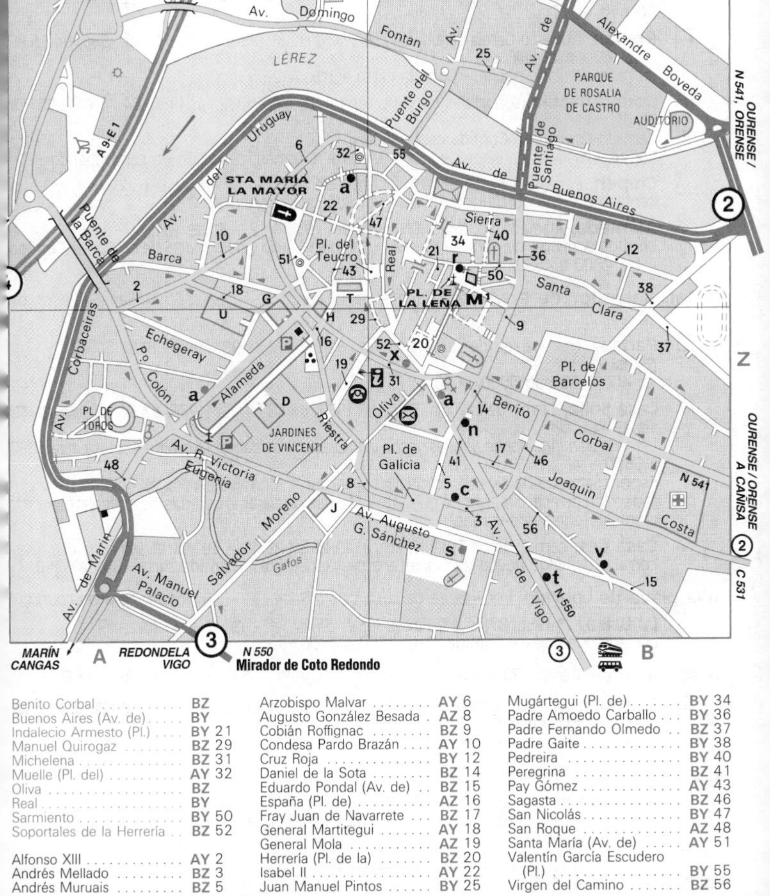

Benito Corbal	BZ	
Buenos Aires (Av. de)	BY	
Indalecio Armesto (Pl.)	BY	21
Manuel Quiroga	BZ	29
Michelena	BZ	31
Muelle (Pl. del)	AY	32
Oliva	BZ	
Real	BY	
Sarmiento	BY	50
Soportales de la Herrería	BZ	52
Alfonso XIII	AY	2
Andrés Mellado	BZ	3
Andrés Muruais	BZ	5
Arzobispo Malvar	AY	6
Augusto González Besada	AZ	8
Cobián Roffignac	BZ	9
Condesa Pardo Brazán	AY	10
Cruz Roja	BY	12
Daniel de la Sota	BZ	14
Eduardo Pondal (Av. de)	BZ	15
España (Pl. de)	AZ	16
Fray Juan de Navarrete	BZ	17
General Martitegui	AY	18
General Mola	AZ	19
Herrería (Pl. de la)	BZ	20
Isabel II	AY	22
Juan Manuel Pintos	BY	25
Mugártegui (Pl. de)	BY	34
Padre Amoedo Carballo	BY	36
Padre Fernando Olmedo	BZ	37
Padre Gaite	BY	38
Pedreira	BY	40
Peregrina	BZ	41
Pay Gómez	AY	43
Sagasta	BZ	46
San Nicolás	BY	47
San Roque	AZ	48
Santa María (Av. de)	AY	51
Valentín García Escudero (Pl.)	BY	55
Virgen del Camino	BZ	56

Parador de Pontevedra, Barón 19, ✉ 36002, ☎ (986) 85 58 00, *Fax (986) 85 21 95,* « Antiguo pazo acondicionado », – – 25/40. AE ① E VISA JCB. AY a
Comida 3200 – ☕ 1300 – **45 hab** 12000/15000, 2 suites.

Galicia Palace, av. de Vigo 3, ✉ 36003, ☎ (986) 86 44 11, *Fax (986) 86 10 26* – – 25/300. AE ① E VISA. BZ t
Comida 2200 – ☕ 950 – **80 hab** 10500/13500, 5 suites – PA 4450.

Rías Bajas sin rest. con cafetería, Daniel de la Sota 7, ✉ 36001, ☎ (986) 85 51 00, *Fax (986) 85 51 00* – – 25/90. AE ① E VISA BZ n
☕ 600 – **93 hab** 7000/12000, 7 suites.

Don Pepe sin rest, carret. de La Toja 24, ✉ 36163 Poyo, ☎ (986) 87 22 60, *Fax (986) 87 34 33* – . AE ① E VISA. por Puente de la Barca AY
☕ 600 – **25 hab** 7800/8500.

Virgen del Camino sin rest. con cafetería, Virgen del Camino 55, ✉ 36001, ☎ (986) 85 59 00, *Fax (986) 85 09 00* – – 25/50. AE ① E VISA. BZ v
☕ 650 – **53 hab** 7400/11400.

Ruas sin rest, Sarmiento 20, ✉ 36002, ☎ (986) 84 64 16, *Fax (986) 84 64 11* – . AE ① E VISA JCB. BY r
☕ 600 – **22 hab** 5500/8000.

Madrid sin rest, Andrés Mellado 5, ✉ 36001, ☎ (986) 86 51 80 – BZ c
40 hab.

Román, Augusto García Sánchez 12, ✉ 36001, ☎ (986) 84 35 60, *Fax (986) 84 35 60* – . AE ① E VISA. BZ s
cerrado domingo noche – **Comida** carta aprox. 4125.

Doña Antonia, soportales de la Herrería 4-1º, ✉ 36002, ☎ (986) 84 72 74 – AE ① E VISA. BZ x
cerrado domingo – **Comida** carta 3600 a 4150
Espec. Ensalada marinada de lubina. Merluza al romero. Solomillo de cerdo ibérico.

Chipén, Peregrina 3, ✉ 36001, ☎ (986) 84 58 80 – . ① E VISA JCB. BZ a
cerrado del 1 al 16 de noviembre – **Comida** carta aprox. 2500.

Alameda, Alameda 10, ✉ 36001, ☎ (986) 85 74 12 – AE E VISA. AZ a
cerrado domingo, del 11 al 18 de enero, 21 junio-5 julio y del 18 al 25 de octubre – **Comida** carta 2800 a 4550.

en San Salvador de Poyo *por Puente de la Barca* AY – ✉ *36994 San Salvador de Poyo :*

París sin rest, carret. de La Toja : 3 km ☎ (986) 87 31 98, *Fax (986) 87 30 40,* – . VISA.
☕ 400 – **39 hab** 3000/6000.

Casa Solla, carret. de La Toja : 2 km ☎ (986) 87 28 84, *Fax (986) 87 31 29* – . AE ① E VISA.
cerrado domingo noche, jueves noche y 15 días en Navidades – **Comida** 4800 y carta 3800 a 5600
Espec. Salteado de cigalas, colmenillas y verduras (primavera-verano). Foie de pato con reducción de aceto y puré de guisantes. Mousse de naranja con rulo de chocolate y arroz cremoso (primavera-verano).

Casa Ces, carret. de La Toja : 2 km ☎ (986) 87 29 46 – AE ① E VISA.
cerrado domingo noche y 2ª quincena de septiembre – **Comida** carta 2850 a 3950.

en la playa de Lourido *por Puente de la Barca : 3,5 km* AY – ✉ *36994 Playa de Lourido :*

La Brisa, ☎ (986) 87 31 27, *Fax (986) 87 35 74,* ← – . E VISA.
cerrado miércoles – **Comida** carta 2750 a 4100.

en San Juan de Poyo *por Puente de la Barca : 4 km* AY – ✉ *36994 San Juan de Poyo :*

San Juan sin rest, Cesteiro 6 ☎ (986) 77 00 20, *Fax (986) 77 05 11* – . AE ① E VISA.
☕ 400 – **72 hab** 4000/6000.

en la carretera N 550 *por ① : 4 km* – ✉ *36157 Alba :*

Corinto con hab, ☎ (986) 87 03 45, *Fax (986) 87 07 51* – . AE E VISA.
cerrado 22 diciembre-25 enero – **Comida** *(cerrado lunes)* carta 2300 a 4300 – ☕ 300 – **16 hab** 2500/4500.

PONTS *Lérida* – *ver Pons.*

PÓO DE CABRALES *33554 Asturias* 441 C 15.
Madrid 453 – Oviedo 104 – Santander 113.

Principado de Europa, Mirador del Naranjo de Bulnes 2 (98) 584 54 74, *Fax (98) 584 54 74*, – – **37 hab.**

PORRERA *43739 Tarragona* 443 I 32 – *435 h. alt. 316.*
Madrid 530 – Lérida/Lleida 84 – Tarragona 42 – Tortosa 80.

Lo Teatret, Onze de Setembre 4 (977) 82 81 61, « Ambientado en un teatro » – . E VISA. – *cerrado domingo noche, del 1 al 15 de febrero y del 13 al 27 de octubre* – **Comida** carta aprox. 2800.

PORRIÑO *36400 Pontevedra* 441 F 4 – *15 093 h. alt. 29.*
Madrid 585 – Orense/Ourense 86 – Pontevedra 34 – Porto 142 – Vigo 15.

Motel Acapulco, Antonio Palacios 147 (986) 33 15 07, *Fax (986) 33 64 65* – . AE E VISA
Albariño **: Comida** carta 2000 a 3000 – 500 – **40 hab** 5500/10285.

Parque sin rest. con cafetería, parque del Cristo (986) 33 16 04, *Fax (986) 33 15 79* – . AE E VISA.
700 – **47 hab** 6000/7500.

por la autovía N 120 *salida 660 - NO : 5 km – 36416 Mos :*

Casa Alfredo, Tameiga-Rans 226 (986) 33 85 40, *Fax (986) 22 74 33* – . AE E VISA.
cerrado domingo, del 15 al 25 de agosto y 25 diciembre-4 enero – **Comida** carta 3300 a 4800.

PORTBOU *17497 Gerona* 443 E 39 – *1 908 h.* – *Playa.*
Alred. : *carretera de Colera*★★.
passeig Lluís Companys (972) 12 51 61 Fax (972) 12 51 23 (temp).
Madrid 782 – Banyuls 17 – Gerona/Girona 75.

Comodoro sin rest, Méndez Núñez 1 (972) 39 01 87 – E VISA
julio-septiembre – 700 – **14 hab** 5500/9500.

L'Áncora, passeig de la Sardana 3 (972) 39 00 25, *Fax (972) 39 03 60*, , « Decoración rústica » – E VISA
cerrado martes y noviembre – **Comida** carta 3600 a 5700.

PORT BALÍS *Barcelona – ver San Andrés de Llavaneras.*

PORT D'ALCUDIA *Baleares – ver Baleares (Mallorca) : Puerto de Alcudia.*

PORT D'ANDRATX *Baleares – ver Baleares (Mallorca) : Puerto de Andraitx.*

PORT DE POLLENÇA *Baleares – ver Baleares (Mallorca) : Puerto de Pollensa.*

PORT DE SÓLLER *Baleares – ver Baleares (Mallorca) : Puerto de Sóller.*

PORT DE LA SELVA *Gerona – ver Puerto de la Selva.*

PORT ESCALA *Gerona – ver La Escala.*

PORTALS NOUS *Baleares – ver Baleares (Mallorca).*

PORTALS VELLS *Baleares – ver Baleares (Mallorca).*

LA PORTELA DE VALCARCE *León – ver Vega de Valcarce.*

El PORTET *Alicante – ver Moraira.*

PORTO DO SON *La Coruña – ver Puerto del Son.*

PORTOCOLOM *Baleares – ver Baleares (Mallorca).*

PORTOCRISTO *Baleares – ver Baleares (Mallorca).*

PORTOMARÍN *Lugo – ver Puertomarín.*

PORTOPETRO *Baleares – ver Baleares (Mallorca).*

PORTOPÍ *Baleares – ver Baleares (Mallorca) : Palma.*

PORTONOVO *36970 Pontevedra* 441 E 3 – *Playa.*
Madrid 626 – Pontevedra 22 – Santiago de Compostela 79 – Vigo 49.

Caneliñas sin rest, av. de Pontevedra 40 ☎ (986) 69 03 63, *Fax (986) 69 08 90* – VISA.
abril-octubre – 550 – **29 hab** 7200/8400.

Siroco sin rest, av. de Pontevedra 12 ☎ (986) 72 08 43, *Fax (986) 69 10 16*, ← – VISA.
Semana Santa-13 octubre – 400 – **32 hab** 5000/8000.

Nuevo Cachalote, Marina ☎ (986) 72 34 54, *Fax (986) 72 34 55* – rest, E VISA.
abril-15 octubre – **Comida** 1750 – 420 – **31 hab** 4120/7500.

Cachalote sin rest, Marina ☎ (986) 72 08 52, *Fax (986) 72 34 55* – E VISA.
mayo-15 octubre – 420 – **27 hab** 3600/6100.

Punta Lucero, av. de Pontevedra 18 ☎ (986) 72 02 24, *Fax (986) 69 06 54*, ← – AE VISA.
marzo-noviembre – **Comida** *(cerrado noviembre-febrero)* 1700 – **35 hab** 6300/10200

Titanic, Rafael Pico 46 ☎ (986) 72 36 45, ← – . AE E VISA.
cerrado 20 diciembre-5 enero – **Comida** carta 2600 a 3650.

en la playa de Canelas *O : 1 km – ✉ 36970 Portonovo :*

Villa Cabicastro, ☎ (986) 69 08 48, *Fax (986) 69 02 58*, – 25/100 E VISA. – *cerrado noviembre-enero* – **Comida** *(cerrado lunes)* 3100 – **34 apartamentos** 11500/16000.

Duna , ☎ (986) 69 14 11, *Fax (986) 69 14 43*, ← – rest, .
abril-15 octubre – **Comida** - sólo almuerzo - 1750 – 420 – **33 hab** 5460/9785.

Canelas, ☎ (986) 72 08 67, *Fax (986) 69 08 90* – rest, . VISA.
abril-octubre – **Comida** 1650 – 530 – **36 hab** 6000/6500.

en la playa de Paxariñas *O : 2 km – ✉ 36970 Portonovo :*

Luz de Luna, ☎ (986) 69 09 09, *Fax (986) 69 12 63*, ←, , –
temp – **67 hab.**
Ver también : **Sangenjo** *E : 1,5 km*
Noalla *NO : 9 km.*

PORTUGOS *18415 Granada* 446 **V 20** – *457 h. alt. 1 305.*
Madrid 506 – Granada 77 – Motril 56.

Nuevo Malagueño , ☎ (958) 76 60 98, *Fax (958) 85 73 37*, ← – . AE E VISA. – *cerrado junio* – **Comida** *(cerrado miércoles)* 1400 – 720 – **30 hab** 4200/7500.

POSADA DE VALDEÓN *24915 León* 441 **C 15** – *496 h. alt. 940.*
Alred. : *Puerto de Pandetrave★★ SE : 9 km – Puerto de Panderruedas★ (Mirador de Piedrafitas★★) SO : 6 km – Puerto del Pontón★ ←★★ SO : 12 km.*
Madrid 411 – León 123 – Oviedo 140 – Santander 170.

Corona , Rebanal 4 ☎ (987) 74 05 78, *Fax (987) 74 05 95* – E VISA.
Semana Santa-diciembre – **Comida** 1650 – 525 – **20 hab** 5600.

Casa Abascal , El Salvador ☎ (987) 74 05 07, *Fax (987) 74 05 07* – . E VISA.
Comida 1500 – 400 – **40 hab** 4500/6500 – PA 3400.

POTES *39570 Cantabria* 442 **C 16** – *1411 h. alt. 291.*
Ver : *Paraje★.*
Alred. : *Santo Toribio de Liébana ←★ SO : 3 km – Desfiladero de La Hermida★★ N : 18 km – Puerto de San Glorio★ (Mirador de Llesba ←★★) SO : 27 km y 30 mn. a pie.* – *Independencia 12 ☎ (942) 73 07 87. – Madrid 399 – Palencia 173 – Santander 115.*

Valdecoro, Roscabado 5 ☎ (942) 73 00 25, *Fax (942) 73 03 15*, ← – rest, . VISA.
Comida 2000 - ***Paco Wences* : Comida** carta 2300 a 3600 – 450 – **41 hab** 4500/8000.

en la carretera de Fuente Dé *O : 1,5 km – ✉ 39570 Potes :*

La Cabaña sin rest, La Molina ✆ (942) 73 00 50, *Fax (942) 73 00 51*, ≤, – TV ☎ P. E VISA.
Semana Santa-noviembre – 600 – **24 hab** 7690/8690.

POVEDA DE LA SIERRA *19463 Guadalajara* 444 **K 23** – *171 h. alt. 1 198.*
Madrid 234 – Cuenca 94 – Guadalajara 175 – Teruel 140.

Alto Tajo, La Ermita ✆ (949) 81 61 51
23 hab.

POZOBLANCO *14400 Córdoba* 446 **Q 15** – *15 445 h. alt. 649.*
Pozoblanco, S : 3 km ✆ (957) 33 91 71.
Madrid 361 – Ciudad Real 164 – Córdoba 67.

Los Godos, Villanueva de Córdoba 32 ✆ (957) 77 00 22, *Fax (957) 77 00 2*[illegible] TV ☎. AE E VISA.
Comida 1100 – 500 – **35 hab** 4500/8500.

en la carretera de Alcaracejos *O : 2 km – ✉ 14400 Po*[illegible]

San Francisco, ✆ (957) 77 15 12, *Fax (957)* [illegible] TV ☎ P. AE E VISA.
Comida 1100 – 500 – **40 hab** 4500/85[illegible]

POZUELO DE ALARCÓN *28200 Madrid* [illegible] – *48 297 h.*
Madrid 10.

La Española, av. Juan XXIII-5 [illegible]224, ✆ (91) 715 87 85, *Fax (91) 715 94 66*, – P. AE E VISA.
cerrado domingo noche [illegible] – **Comida** carta 3750 a 4575.

Bodega La Sal[illegible]sús Gil González 36, ✉ 28223, ✆ (91) 715 33 90, *Fax (91) 352 67* [illegible] AE E VISA.
cerrado domi[illegible]*he, jueves, Semana Santa y agosto* – **Comida** - carnes a la brasa - carta 342[illegible]

en la carre[illegible]**602** *SE : 2,5 km – ✉ 28223 Pozuelo de Alarcón :*

[illegible]**,** Zoco ✆ (91) 715 75 59, – . AE E VISA.
[illegible]*do domingo noche y festivos noche* – **Comida** carta aprox. 3650.

[illegible]**DERA DE NAVALHORNO** *Segovia – ver La Granja.*

PRADES *43364 Tarragona* 443 **I 32** – *475 h.*
Madrid 530 – Lérida/Lleida 68 – Tarragona 50.

L'Estanc, pl. Major 9 ✆ (977) 86 81 67 – E VISA.
cerrado miércoles y 15 enero-15 febrero – **Comida** - carnes - carta 2500 a 3600.

PRADO *33344 Asturias* 441 **B 14** – *alt. 135.*
Madrid 498 – Gijón 56 – Oviedo 96 – Santander 141.

Caravia con hab, carret. N 632 ✆ (98) 585 30 14 – rest, P. VISA.
Comida *(cerrado domingo noche salvo vísperas de festivos, Semana Santa y verano)* carta aprox. 4600 – 350 – **20 hab** 3400/6500.

PRADO DEL REY *11660 Cádiz* 446 **V 13** – *5 489 h. alt. 431.*
Madrid 556 – Arcos de la Frontera 34 – Algeciras 114 – Cádiz 98 – Ronda 56 – Sevilla 95.

en la carretera C 344 *SE : 7 km – ✉ 11660 Prado del Rey :*

Puerta del Parque, ✆ (956) 23 12 58 – TV ☎ P. E VISA.
Comida 1375 – 350 – **14 hab** 4000/7000 – PA 3000.

PRATS DE CERDAÑA o **PRATS DE CERDANYA** *25721 Lérida* 443 **E 35** – *133 h. alt. 1 100 – Deportes de invierno en Masella E : 9 km : 11.*
Madrid 639 – Lérida/Lleida 170 – Puigcerdà 14.

Moixaró, carret. de Alp ✆ (972) 89 02 38, *Fax (972) 89 04 01*, ≤, – ☎ P. AE E VISA JCB.
Comida 2100 – 650 – **40 hab** 7000/8600.

PRATS DE LLUÇANÈS *08513 Barcelona* 443 F 36 – *2 625 h. alt. 707.*
pl. Nova 10 (93) 856 01 00 Fax (93) 850 80 70 (temp).
Madrid 607 – Barcelona 98 – Berga 32 – Gerona/Girona 97 – Manresa 43 – Vic 29.

Lluçanès, Major 1 (93) 850 80 50 – . VISA.
cerrado lunes noche, martes y 26 enero-8 febrero – **Comida** carta 2725 a 4700.

PRAVIA *33120 Asturias* 441 B 11 – *9 831 h. alt. 17.*
Madrid 490 – Gijón 49 – Oviedo 55.

Casa del Busto, pl. del Rey Don Silo 1 (98) 582 27 71, *Fax (98) 582 27 72,* « Caserón palaciego del siglo XVI » – . VISA.
Comida carta aprox. 2700 – 800 – **18 hab** 6500/8500.

Balbona, Pico Meras 2 (98) 582 11 62 – . VISA.
cerrado martes y 2ª quincena de agosto – **Comida** carta aprox. 3900.

en Beifar *SE : 3,5 km – 33129 Beifar :*

Juan de la Tuca, carret. AS 236 (98) 582 06 94 – . VISA
cerrado jueves, Navidades y enero – **Comida** carta 3000 a 4500.

PREMIÀ DE DALT *08338 Barcelona* 443 H 37 – *6 511 h. alt. 142.*
Madrid 627 – Barcelona 22 – Gerona/Girona 82.

en la carretera de Premià de Mar *S : 2 km – 08338 Premià de Dalt :*

Sant Antoni, Penedés 43 (93) 752 34 81, *Fax (93) 752 34 81,* , « Decoración regional » – . VISA.
cerrado domingo noche y lunes (en verano) y 2ª quincena de agosto – **Comida** - sólo almuerzo en invierno salvo viernes y sábado - carta 2800 a 4575.

PREMIÀ DE MAR *08330 Barcelona* 443 H 37 – *22 740 h. – Playa.*
Madrid 653 – Barcelona 20 – Gerona/Girona 82.

Jordi, Mossèn Jacint Verdaguer 128 (93) 751 09 10 – . VISA
cerrado domingo noche y lunes – **Comida** carta 2800 a 4950.

PRENDES *33438 Asturias* 441 B 12.
Madrid 484 – Avilés 17 – Gijón 10 – Oviedo 39.

Casa Gerardo, carret. AS 19 (98) 588 77 97, *Fax (98) 588 77 98* – . VISA.
cerrado lunes y 20 días en enero – **Comida** - sólo almuerzo salvo viernes y sábado - 5500 y carta 4100 a 5825
Espec. Sopa fría de tomate con crujiente y gelatina de lechuga (primavera-verano). Ensalada templada de morros y marisco al aceite virgen. Hígado de pato fresco asado con sal gorda y salsa de caramelo.

PRIEGO *16800 Cuenca* 444 K 23 – *1 046 h. alt. 868.*
Madrid 179 – Cuenca 65 – Sacedón 58 – Teruel 201.

El Rosal, Dr. Nicolás Herráiz 45 (969) 31 20 85, *Fax (969) 31 20 86* – rest,
26 hab.

PRIEGO DE CÓRDOBA *14800 Córdoba* 446 T 17 – *20 823 h. alt. 649.*
Ver : *Fuentes del Rey y de la Salud★ – Parroquia de la Asunción : Capilla del Sagrario★★ – Barrio de la Villa★.*
Madrid 395 – Antequera 85 – Córdoba 103 – Granada 79.

en Zagrilla *NO : 10 km – 14816 Zagrilla :*

Villa Turística de Priego , (957) 70 35 03, *Fax (957) 70 35 73,* , « Imitación de un pueblo andaluz en un bonito paraje de olivares y montañas », – – 50/150. VISA. rest
Comida 1900 – 750 – **52 apartamentos** 7250/9075 – PA 3500.

La PROVIDENCIA *Asturias – ver Gijón.*

PRULLANS *25727 Lérida* 443 E 35 – *192 h. alt. 1 096.*
Madrid 632 – Lérida/Lleida 163 – Puigcerdá 22.

Muntanya , Puig 3 (973) 51 02 60, *Fax (973) 51 06 06,* , , – . VISA. rest
cerrado 2 noviembre-4 diciembre – **Comida** 1900 – 520 – **32 hab** 4850/7200.

PRUVIA *33192 Asturias* 441 **B 12**.
Madrid 468 – Avilés 29 – Gijón 13 – Oviedo 13.

La Campana, carret. AS 18 ☎ (98) 526 58 36, *Fax (98) 526 48 80,* – rest, TV ☎ P. AE VISA.
Comida 1400 – 715 – **34 hab** 9255/11980.

PUÇOL *Valencia – ver Puzol.*

PUEBLA DE ALFINDÉN *50171 Zaragoza* 443 **H 27** – *1 439 h. alt. 197.*
Madrid 340 – Huesca 83 – Lérida/Lleida 139 – Zaragoza 17.

Galatea, Barrio Nuevo 6 (carret. N II) ☎ (976) 10 79 99, *Fax (976) 10 79 99,* « Ambiente acogedor » – . AE E VISA
cerrado domingo, Semana Santa y 17 días en agosto – **Comida** carta 3200 a 4600.

en la autopista A 2 *NO : 1,5 km – ✉ 50171 Puebla de Alfindén :*

Aragón sin rest. con cafetería, área de servicio Casablanca ☎ (976) 10 73 47, *Fax (976) 10 73 28* – TV ☎ P. AE E VISA.
400 – **39 hab** 4100/6100.

La PUEBLA DE ARGANZÓN *09294 Burgos* 442 **D 21** – *289 h. alt. 481.*
Madrid 338 – Bilbao/Bilbo 75 – Burgos 95 – Logroño 75 – Vitoria/Gasteiz 17.

Palacios con hab, carret. N I-km 333 ☎ (945) 37 30 30, *Fax (945) 37 30 30* – TV P. AE E VISA.
cerrado 24 diciembre-7 enero – **Comida** carta 2600 a 3450 – 350 – **11 hab** 4000/7500.

PUEBLA DE BENIFASAR *12599 Castellón* 445 **K 30** – *231 h. alt. 600.*
Madrid 531 – Amposta 53 – Castellón de la Plana 122 – Peñíscola 65 – Tarragona 139 – Tortosa 53.

Tinença de Benifassà, Mayor 50 ☎ (977) 72 90 44, *Fax (977) 72 90 44,* – rest, TV ☎ . E VISA. rest – *cerrado mayo-15 junio salvo fines de semana* – **Comida** *(cerrado martes salvo en verano)* 1600 – 700 – **10 hab** 6000/7800.

PUEBLA DE FARNALS o **LA POBLA DE FARNALS** *46137 Valencia* 445 **N 29** – *4 501 h. alt. 14.*
Madrid 369 – Castellón de la Plana/Castelló de la Plana 58 – Valencia 18.

en la playa *E : 5 km – ✉ 46137 Puebla de Farnals :*

Bergamonte, av. del Mar 10 ☎ (96) 146 16 12, *Fax (96) 146 14 77,* , « Típica barraca valenciana », , – P. AE VISA.
Comida carta 3125 a 4700.

PUEBLA DE SANABRIA *49300 Zamora* 441 **F 10** – *1 696 h. alt. 898.*
Alred. : *Carretera a San Martín de Castañeda* ★ *NE : 20 km.*
Madrid 341 – León 126 – Orense/Ourense 158 – Valladolid 183 – Zamora 110.

Parador de Puebla de Sanabria, carret. del lago 18 ☎ (980) 62 00 01, *Fax (980) 62 03 51,* – TV ☎ P – 25/40. AE E VISA JCB. rest
Comida 3200 – 1300 – **44 hab** 10800/13500.

Los Perales sin rest, colonia Los Perales ☎ (980) 62 00 25, *Fax (980) 62 03 85* – TV ☎ P. AE E VISA
600 – **24 hab** 5600/7000.

Carlos V sin rest, av. Braganza 6 ☎ (980) 62 01 61 – **10 hab.**

LA PUEBLA DE TRIVES o **POBOA DE TRIVES** *32780 Orense* 441 **E 8** – *3 077 h. alt. 730.*
Madrid 479 – Bragança 146 – Lugo 115 – Orense/Ourense 74 – Ponferrada 84.

Casa Grande de Trives sin rest, Marqués de Trives 17 ☎ (988) 33 20 66, *Fax (988) 33 20 66,* « En una casa rural » – TV. AE E VISA.
750 – **7 hab** 6200/7700.

La PUEBLA DE VALVERDE *44450 Teruel* 443 **L 27** – *474 h. alt. 1 118.*
Madrid 329 – Morella 134 – Sagunto/Sagunt 96 – Teruel 24.

en la carretera N 234 *SE : 4,5 km – ✉ 44450 La Puebla de Valverde :*

Euro-Ruta, ☎ (978) 67 01 37, *Fax (978) 67 01 37* – TV ☎ P. AE E VISA. rest
Comida 1400 – 500 – **27 hab** 3500/7000 – PA 2900.

PUEBLA DEL CARAMIÑAL o **POBRA DO CARAMIÑAL** *15940 La Coruña* 441 E 3
9 863 h. – Playa.
Alred. : *Mirador de la Curota★★★ N : 10 km.*
Madrid 665 – La Coruña/A Coruña 123 – Pontevedra 68 – Santiago de Compostela 51
XX O'Lagar, Condado 5 ✆ (981) 83 00 37 – ▤.

PUEBLA DE LA SIERRA *28190 Madrid* 444 I 19 – *48 h. alt. 1 161.*
Madrid 103 – Guadalajara 110 – Segovia 104.
X **Parador de la Puebla** con hab, pl. de Carlos Ruiz 2 ✆ (91) 869 72 56 *Fax (91) 869 72 56*, ≤, ☂ – TV. AE E VISA. ✂
Comida carta 2800 a 4000 – **5 hab** ☐ 3500/7000.

PUENTE ARCE *39478 Cantabria* 442 B 18.
Madrid 380 – Bilbao/Bilbo 110 – Santander 13 – Torrelavega 14.
XXX **El Molino,** carret. N 611 ✆ (942) 57 50 55, *Fax (942) 57 52 54*, « Instalado en un antiguo molino » – P. AE ① E VISA. ✂
cerrado domingo noche y lunes salvo en verano – **Comida** carta aprox. 4650.
XX **Puente Arce** *(Casa Setien)*, barrio del Puente 5 ✆ (942) 57 52 51, *Fax (942) 57 50 35* ☂, « Terraza-jardín. Decoración rústica » – ▤ P. AE ① E VISA. ✂
cerrado octubre – **Comida** carta 3450 a 5100.

en la carretera de Vioño *S : 2 km – ✉ 39478 Oruña :*
X Paraíso del Pas, ✆ (942) 57 50 01, ☂, « Decoración rústica » – P.

PUENTE GENIL *14500 Córdoba* 446 T 15 – *25 969 h. alt. 171.*
Madrid 469 – Córdoba 71 – Málaga 102 – Sevilla 128.
⌂ **Xenil** sin rest y sin ☐, Poeta García Lorca 3 ✆ (957) 60 02 00, *Fax (957) 60 58 75* – ⇕ ▤ TV ☎ P. AE E VISA. ✂
35 hab 5000/8000.

PUENTE VIESGO *39670 Santander* 442 C 18 – *2 464 h. alt. 71 – Balneario.*
Ver : *Cueva del castillo★.*
Madrid 364 – Bilbao/Bilbo 128 – Burgos 125 – Santander 30.
⌂⌂⌂ **G.H. Puente Viesgo** ♨, Manuel Pérez Mazo ✆ (942) 59 80 61, *Fax (942) 59 82 61*, Servicios terapéuticos, ⚕, ⛱, ☂, ✂ – ⇕, ▤ rest, TV ☎ ⇐ P – 25/300. AE ① E VISA. ✂
Comida 2800 - ***El Jardín* :** **Comida** carta 3300 a 3950 – ☐ 1200 – **98 hab** 15500/18500, 3 suites – PA 6000.

PUENTE DE SAN MIGUEL *39530 Cantabria* 442 B 17.
Madrid 376 – Burgos 141 – Santander 25 – Torrelavega 4.
XX **La Ermita 1883** con hab, pl. Javier Irastorza 89 ✆ (942) 83 82 47, *Fax (942) 71 90 71* – ▤ TV ☎. AE VISA. ✂ rest
Comida carta 3000 a 4300 – ☐ 300 – **6 hab** 5200.

PUENTE DE SANABRIA *49350 Zamora* 441 F 10.
Alred. : *N : Carretera a San Martín de Castañeda ≤★.*
Madrid 347 – Benavente 90 – León 132 – Orense/Ourense 164 – Zamora 116.
⌂ **Gela,** carret. del lago ✆ (980) 62 03 40 – ✂
cerrado Navidades – **Comida** 1200 – ☐ 250 – **16 hab** 5000.

PUENTE LA REINA *31100 Navarra* 442 D 24 – *2 155 h. alt. 346.*
Ver : *Iglesia del Crucifijo (Cristo★) – Iglesia Santiago (portada★).*
Alred. : *Eunate★ E : 5 km – Cirauqui★ (iglesia de San Román : portada★) O : 6 km.*
Madrid 403 – Logroño 68 – Pamplona/Iruñea 24.
⌂⌂ **Jakue,** carret. de Pamplona - NE : 1 km ✆ (948) 34 10 17, *Fax (948) 34 11 20*, ⛱ – ▤ rest, TV ☎ P – 25/300. AE ① E VISA. ✂ rest
Comida 1500 – ☐ 500 – **28 hab** 12000/15000 – PA 3000.
XXX **Mesón del Peregrino** con hab, carret. de Pamplona - NE : 1 km ✆ (948) 34 00 75, *Fax (948) 34 11 90*, « Decoración original en un ambiente rústico », ⛱, ☂ – ▤ rest, TV ☎ P. AE ① E VISA
cerrado 25 diciembre-7 enero – **Comida** *(cerrado domingo noche y lunes)* carta 3850 a 5650 – ☐ 1300 – **14 hab** 7000/9000.

PUENTEAREAS o **PONTEAREAS** *36860 Pontevedra* **441** **F 4** – *15 630 h.*
Madrid 576 – Orense/Ourense 75 – Pontevedra 45 – Vigo 26.

Condado, Alcázar de Toledo 62 ☎ (986) 64 13 10, *Fax (986) 64 13 10* – AE E VISA.
Comida 1800 – 500 – **28 hab** 4800/7500 – PA 3700.

PUENTEDEUME o **PONTEDEUME** *15600 La Coruña* **441** **B 5** – *8 851 h. – Playa.*
Madrid 599 – La Coruña/A Coruña 48 – Ferrol 15 – Lugo 95 – Santiago de Compostela 85.

Brasilia, carret. N VI ☎ (981) 43 02 49, *Fax (981) 43 34 34* – AE VISA.
Comida carta aprox. 3675.

PUERTO – *ver el nombre propio del puerto.*

PUERTO BANÚS *Málaga* **446** **W 15** – ✉ *29660 Nueva Andalucía – Playa.*
Ver : *Puerto deportivo★.*
Madrid 622 – Algeciras 69 – Málaga 67 – Marbella 8.

Cipriano, av. Playas del Duque - edificio Sevilla ☎ (95) 281 10 77, *Fax (95) 281 10 77,* – AE E VISA
Comida carta 4550 a 6250.

Taberna del Alabardero, muelle Benabola ☎ (95) 281 27 94, *Fax (95) 281 86 30,* – AE E VISA JCB
Comida carta aprox. 4300.

PUERTO LÁPICE *13650 Ciudad Real* **444** **O 19** – *1 000 h. alt. 676.*
Madrid 135 – Alcázar de San Juan 25 – Ciudad Real 62 – Toledo 85 – Valdepeñas 65.

El Puerto, av. Juan Carlos I-59 ☎ (926) 58 30 50, *Fax (926) 58 30 52* – 25. AE E VISA
Comida 1250 – 500 – **27 hab** 4000/6000 – PA 2550.

Venta del Quijote, El Molino 4 ☎ (926) 57 61 10, *Fax (926) 57 61 10,* , « Antigua venta manchega » – AE E VISA.
Comida - cocina regional - carta 3600 a 5650.

PUERTO LUMBRERAS *30890 Murcia* **445** **T 24** – *9 824 h. alt. 333.*
Madrid 466 – Almería 141 – Granada 203 – Murcia 80.

Parador de Puerto Lumbreras, av. de Juan Carlos I-77 ☎ (968) 40 20 25, *Fax (968) 40 28 36,* – 25. AE E VISA.
Comida 3200 – 1200 – **60 hab** 10000/12500 – PA 6460.

Riscal, av. Juan Carlos I-5 ☎ (968) 40 20 50, *Fax (968) 40 06 71,* – 25/800. E VISA. rest
Comida 1450 – 650 – **48 hab** 4050/5975 – PA 3550.

PUERTO NAOS *Santa Cruz de Tenerife – ver Canarias (La Palma).*

PUERTO SHERRY *Cádiz – ver El Puerto de Santa María.*

PUERTO DE ALCUDIA *Baleares – ver Baleares (Mallorca).*

PUERTO DE ANDRAITX *Baleares – ver Baleares (Mallorca).*

PUERTO DE MAZARRÓN *30860 Murcia* **445** **T 26** – *Playa.*
av. Dr. Meca 47 ☎ (968) 59 44 26 Fax (968) 59 44 26.
Madrid 459 – Cartagena 33 – Lorca 55 – Murcia 69.

La Cumbre , urb. La Cumbre ☎ (968) 59 48 61, *Fax (968) 59 44 50,* – 25/300. AE E VISA.
Comida *(cerrado diciembre y enero)* 2000 – 700 – **119 hab** 6500/9500.

Virgen del Mar, paseo Marítimo 2 ☎ (968) 59 50 57, – AE E VISA.
cerrado noviembre – **Comida** - pescados y mariscos - carta 2900 a 4300.

El Puerto, pl. del Mar ☎ (968) 59 48 05 – .

en la playa de La Reya *O : 1,5 km* – ✉ *30860 Puerto de Mazarrón :*

Barbas, ☎ (968) 59 41 06, – AE E VISA.
cerrado martes noche (salvo mayo-septiembre) y 20 diciembre-20 febrero – **Comida** - pescados y mariscos - carta aprox. 3250.

en Playa Grande *O : 3 km – ✉ 30870 Mazarrón :*

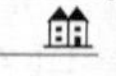

Playa Grande, carret. de Bolnuevo ☎ (968) 59 44 81, *Fax (968) 15 34 30,* ≤, – 25/250. VISA.
Comida *(cerrado 15 diciembre-15 enero)* 2000 – **38 hab** 8200/11400.

PUERTO DE POLLENSA *Baleares – ver Baleares (Mallorca).*

El PUERTO DE SANTA MARÍA *11500 Cádiz* 446 **W 11** – *69 663 h. – Playa.*

Vistahermosa, O : 1,5 km ☎ (956) 87 56 05 Fax (956) 87 56 04.

Guadalete 1 ☎ (956) 54 24 13 Fax (956) 854 22 46.

Madrid 610 ① – Cádiz 22 ② – Jerez de la Frontera 12 ① – Sevilla 102 ①

EL PUERTO DE SANTA MARÍA

Antonio Fernández Sevilla ... AZ
Ejército (Av. del) ... AZ
Ganado ... BY
Luna ... BZ
Virgen de los Milagros ... BCYZ

Alfonso X El Sabio (Pl.) ... BZ 3
Arzobispo Bizarrón ... ABY 4
Aurora ... BZ 6
Caldevilla ... CY 7
Carmen Pérez Pascual ... BY 9
Catavino ... BZ 10
Curva ... BZ 12
Dr Múñoz Seca ... BY 13
Elias Ahuja (Pl. de) ... AZ 15
Enrique Bartolomé (Pl. de) ... AZ 16
Fernán Caballero ... BZ 18
Fray Bernal Boyl ... CY 19
Galeras Reales (Pl. de las) ... BZ 21
Herrería (Pl. de la) ... BZ 22
Isaac Peral (Pl. de) ... BZ 24
Javier de Burgos ... CZ 25
Libertad (Av. de la) ... AZ 27
Luis Manzatini ... AZ 28
Magisterio (Rotonda) ... AZ 30
Menesteo ... BZ 31
Micaela Aramburu de Mora ... BZ 33
Miguel del Pino (Pl.) ... AZ 34
Misericordia ... BZ 36
Pedro Múñoz Seca ... BZ 37
Polvorista (Pl. del) ... BZ 39
Pozos Dulces ... CY 40
Ribera del Río ... CYZ 42
Ricarco Alón ... BZ 43
San Isidro Labrador ... AY 45
San Juan ... BY 46
San Juan (Pl.) ... AY 48
San Sebastian ... ABYZ 49
Santa M. de la Cabeza ... AY 51
Santísima Trinidad ... CY 52
Santo Domingo ... BZ 54
Varilergueros ... AZ 55

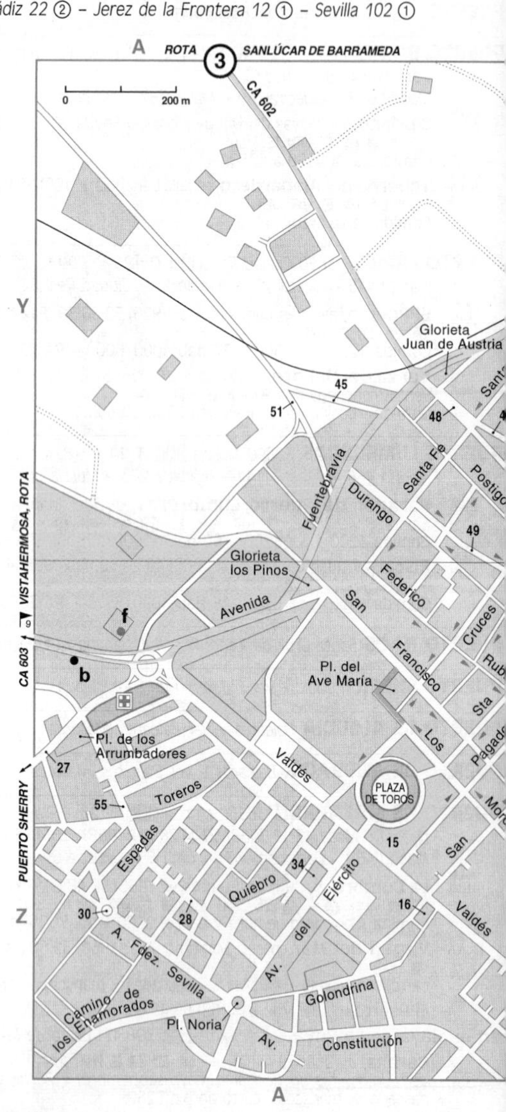

Monasterio de San Miguel, Larga 27 ℘ (956) 54 04 40, *Fax (956) 54 26 04*, « Antiguo convento », – – 25/400. AE VISA JCB. CY a
Comida carta 2850 a 4350 – 1300 – **137 hab** 17200/21300, 13 suites.

Santa María sin rest. con cafetería, av. de la Bajamar ℘ (956) 87 32 11, *Fax (956) 87 36 52*, – – 25/280. AE VISA. BZ c
700 – **100 hab** 9100/11400.

Del Mar sin rest. con cafetería, av. Marina de Guerra ℘ (956) 87 59 11, *Fax (956) 85 87 16* – . AE VISA AZ b
650 – **40 hab** 6000/8000.

Los Cántaros sin rest. con cafetería, Curva 6 ℘ (956) 54 02 40, *Fax (956) 54 11 21* – . AE VISA. BZ e
550 – **39 hab** 8340/11500.

Chaikana sin rest, Javier de Burgos 17 ☎ (956) 54 29 02, *Fax (956) 54 29 22* – CZ
25 hab 6000/8500.

El Faro del Puerto, av. de Fuentebravía ☎ (956) 87 09 52, *Fax (956) 54 04 66,* – AZ
cerrado domingo noche salvo agosto – **Comida** carta 3600 a 4700.

Casa Flores, Ribera del Río 9 ☎ (956) 54 35 12, *Fax (956) 54 02 64* – CZ
Comida carta aprox. 3300.

Los Portales, Ribera del Río 13 ☎ (956) 54 21 16, *Fax (956) 54 21 16* – CZ
Comida carta 2350 a 3800.

El Patio, pl. Herrería ☎ (956) 54 05 06, « Instalado en una antigua posada » – BZ

El Ancla, av. de la Libertad 7 ☎ (956) 54 13 71 –
cerrado domingo noche salvo julio y agosto – **Comida** carta 2475 a 3550.
por av. de la Libertad AZ

en la carretera de Cádiz *por ② : 2,5 km – ✉ 11500 El Puerto de Santa María :*

Meliá el Caballo Blanco, av. Madrid 1 ☎ (956) 56 25 41, *Fax (956) 56 27 12,*
« Jardín con » – – 25/150. rest
Comida 2500 – 1200 – **94 hab** 15200/19000 – PA 6200.

en Valdelagrana *por ② : 2,5 km – ✉ 11500 El Puerto de Santa María :*

Puertobahía, av. la Paz 38 ☎ (956) 56 27 00, *Fax (956) 56 12 21,* – – 25/200.
Comida carta aprox. 3400 – 775 – **330 hab** 9700/13900.

en la carretera de Rota CA 603 *O : 3 km* AZ – ✉ *11500 El Puerto de Santa María :*

Asador de Castilla, ☎ (956) 48 03 99, *Fax (956) 48 03 99,* –
cerrado lunes de septiembre a junio – **Comida** - cordero asado y carnes - carta aprox. 3000.

en Puerto Sherry *SO : 3,5 km* AZ – ✉ *11500 El Puerto de Santa María :*

Yacht Club, av. de la Libertad ☎ (956) 87 20 00, *Fax (956) 85 33 00,*
– – 25/450.
La Regata **: Comida** carta aprox. 4350 – 850 – **57 hab** 13750/20250, 1 suite.

PUERTO DE SANTIAGO *Santa Cruz de Tenerife – ver Canarias (Tenerife).*

PUERTO DE SÓLLER *Baleares – ver Baleares (Mallorca).*

PUERTO DEL CARMEN *Las Palmas – ver Canarias (Lanzarote).*

PUERTO DEL ROSARIO *Las Palmas – ver Canarias (Fuerteventura).*

PUERTO DEL SON o PORTO DO SON *15970 La Coruña* 441 D 2 – *10414 h. – Playa.*
Madrid 662 – Muros 47 – Noia 15 – Pontevedra 72 – Santiago de Compostela 52.

Arnela II, travesía 13 Septiembre ☎ (981) 76 73 44.

PUERTO DE LA CRUZ *Santa Cruz de Tenerife – ver Canarias (Tenerife).*

PUERTO DE LA SELVA o El PORT DE LA SELVA *17489 Gerona* 443 E 39 – *760 h. – Playa.*
Ver : *centro turístico★.*
Alred. : *Monasterio de Sant Pere de Rodes★★ (paraje★★, iglesia★★, capiteles★).*
Madrid 776 – Banyuls 39 – Gerona/Girona 69.

Ca l'Herminda, l'Illa 7 ☎ (972) 38 70 75, « Decoración rústica » –
abril-septiembre – **Comida** *(cerrado domingo noche y lunes de abril a junio)* carta 3050 a 4000.

Club Nàutic, La Lloia ☎ (972) 12 61 51, *Fax (972) 38 70 01,* pueblo y puerto deportivo, –
cerrado enero – **Comida** - sólo fines de semana y festivos salvo junio-septiembre - carta 2900 a 4850.

Bellavista, Platja 3 ☎ (972) 38 70 50, –
Comida - sólo almuerzo en invierno.

PUERTOLLANO *13500 Ciudad Real* 444 **P 17** – *49 459 h. alt. 708.*

Excurs. : *Castillo Convento de Calatrava la Nueva★ E : 35 km.*

Madrid 235 – Ciudad Real 38.

Tryp Puertollano, Lope de Vega 3 ☎ (926) 41 07 68, *Fax (926) 41 05 45* – ▤ TV ☎ 🚗 – 🧑‍🏫 25/200. AE ⓞ E VISA. ✗
Comida 1200 – ☕ 750 – **39 hab** 6100/8400.

Cabañas, carret. de Ciudad Real 3 ☎ (926) 42 06 50, *Fax (926) 42 06 54* – |♦| ▤ TV ☎. E VISA. ✗
Comida 1100 – ☕ 450 – **45 hab** 4000/7100 – PA 2210.

Casa Gallega, Vélez 5 ☎ (926) 42 01 00 – ▤.

en la carretera de Ciudad Real *NE : 2 km* – ✉ *13500 Puertollano :*

Verona, ☎ (926) 42 54 79, 🏊 – |♦| ▤ TV ☎ 🚗 P – 🧑‍🏫 25/200. E VISA. ✗
Comida 1500 – ☕ 450 – **30 hab** 4800/8400 – PA 3315.

PUERTOMARÍN o **PORTOMARÍN** *27170 Lugo* 441 **D 7** – *2 159 h.*

Ver : *Iglesia★.*

Excurs. : *Vilar de Donas (iglesia : frescos★) NO : 36 km.*

Madrid 515 – Lugo 40 – Orense/Ourense 80.

Pousada de Portomarín 🐦, av. de Sarria ☎ (982) 54 52 00, *Fax (982) 54 52 70*, ←, Ƒ6, 🏊 – |♦|, ▤ rest, TV ☎ 🚗 P – 🧑‍🏫 25/300. AE ⓞ E VISA. ✗ rest
Comida 2500 – ☕ 950 – **32 hab** 8250/12500, 2 suites.

Los PUERTOS DE SANTA BÁRBARA *30396 Murcia* 445 **T 26.**

Madrid 436 – Cartagena 12 – Lorca 58 – Murcia 46.

María Zapata, S : 1 km ☎ (968) 16 30 30, « Antigua casa de campo » – ▤ P. AE ⓞ E VISA
cerrado lunes – **Comida** carta aprox. 3250.

PUIG o **EL PUIG** *46540 Valencia* 445 **N 29** – *6 430 h. alt. 50.*

Madrid 367 – Castellón de la Plana/Castelló de la Plana 57 – Valencia 20.

Ronda II, Ronda Este 15 ☎ (96) 147 12 28, *Fax (96) 147 12 28* – |♦| ▤ TV ☎ – 🧑‍🏫 25/225. AE E VISA. ✗
Comida (ver rest. ***L'Horta***) – **59 hab** ☕ 5500/8200.

Ronda I, Ronda Este 9 ☎ (96) 147 12 79, *Fax (96) 147 12 79* – |♦| ▤ TV ☎ 🚗 – 🧑‍🏫 25/225. AE E VISA. ✗
Comida (ver rest. ***L'Horta***) – ☕ 500 – **45 hab** 3750/5800.

Pensión Ronda, Ronda Este 5 ☎ (96) 147 12 79, *Fax (96) 147 12 79* – |♦|. AE E VISA. ✗
Comida (ver rest. ***L'Horta***) – ☕ 500 – **19 hab** 1900/3300.

L'Horta, Ronda Este 9 ☎ (96) 147 12 79, *Fax (96) 147 12 79* – ▤. AE E VISA
cerrado domingo noche – **Comida** carta aprox. 3500.

PUIGCERDÀ *17520 Gerona* 443 **E 35** – *6 414 h. alt. 1 152.*

Ver : *Campanario★.*

⛳18 *Cerdaña, SO : 1 km ☎ (972) 14 14 08 Fax (972) 88 13 38.*

ℹ *Querol 1 ☎ (972) 88 05 42 Fax (972) 88 05 42.*

Madrid 653 – Barcelona 169 – Gerona/Girona 152 – Lérida/Lleida 184.

Avet Blau sin rest, pl. de Santa Maria 14 ☎ (972) 88 25 52, *Fax (972) 88 12 12* – TV ☎. E VISA
6 hab ☕ 7000/10000.

Tèrminus, pl. Estació 2 ☎ (972) 88 02 12, *Fax (972) 88 00 02* – |♦| TV ☎ – 🧑‍🏫 30. AE E VISA. ✗
Comida 1500 – ☕ 600 – **24 hab** 4000/7000 – PA 3600.

Del Lago 🐦 sin rest, av. Dr. Piguillem 7 ☎ (972) 88 10 00, *Fax (972) 14 15 11*, « Amplio jardín con 🏊 » – TV ☎ P. AE ⓞ E VISA. ✗
☕ 800 – **13 hab** 6500/9500, 2 suites.

Puigcerdà, av. Catalunya 42 ☎ (972) 88 21 81, *Fax (972) 88 12 56* – |♦|, ▤ rest, TV ☎. AE E VISA. ✗
Comida 1735 – **39 hab** ☕ 7700/11650 – PA 3470.

Estació, pl. Estació 2 ☎ (972) 88 03 50, *Fax (972) 14 13 14* – AE E VISA. ✗
Comida 1600 – ☕ 500 – **23 hab** 2500/5400 – PA 3400.

XX **La Tieta,** dels Ferrers 20 ☎ (972) 88 01 56 – AE ⓓ E VISA. ✱
cerrado martes y 15 abril-15 julio – **Comida** carta aprox. 3350.

XX **La Vila,** Alfons I-34 ☎ (972) 14 08 04 – ▤. AE ⓓ E VISA
cerrado domingo noche y lunes (salvo vísperas y festivos), 29 junio-12 julio y 5 días en noviembre – **Comida** carta 3925 a 4925.

en la carretera de Llivia *NE : 1 km – ✉ 17520 Puigcerdà :*

Del Prado, ☎ (972) 88 04 00, *Fax (972) 14 11 58,* ⛱, 🌳, 🎾 – ⬍, ▤ rest, TV ☎ ♿ 🚗 P – 🏛 25/100. AE ⓓ E VISA
Comida 2800 – ☕ 900 – **54 hab** 6300/9500.
Ver también : **Bolvir** *SO : 6 km.*

ES PUJOLS *Baleares – ver Baleares (Formentera).*

PUNTA PRIMA *Baleares – ver Baleares (Formentera) : Es Pujols.*

PUNTA UMBRÍA *21100 Huelva* 446 U 9 – *9 897 h. – Playa.*
Madrid 648 – Huelva 21.

Pato Amarillo, urb. Everluz ☎ (959) 31 12 50, *Fax (959) 31 12 58,* ≤, ⛱, ⛱, 🌳 – ⬍ TV ☎ P – 🏛 25/300
temp – **120 hab.**

Ayamontino, av. de Andalucía 35 ☎ (959) 31 14 50, *Fax (959) 31 03 16* – ⬍ TV ☎ 🚗 P. AE ⓓ E VISA. ✱
Comida 2300 – ☕ 475 – **45 hab** 5600/8800 – PA 4600.

en la antigua carretera de Huelva *NO : 7,5 km – ✉ 21100 Punta Umbría :*

XX **El Paraíso,** ☎ (959) 31 27 56, *Fax (959) 31 27 56* – ▤ P. AE ⓓ E VISA. ✱
Comida carta 3050 a 4400.

PUZOL o PUÇOL *46530 Valencia* 445 N 29 – *12 432 h. alt. 48.*
Madrid 373 – Castellón de la Plana/Castelló de la Plana 54 – Valencia 25.

Monte Picayo 🐦, urb. Monte Picayo ☎ (96) 142 01 00, Telex 62087, *Fax (96) 142 21 68,* ⛱, « En la ladera de un monte con ≤ », ⛱, 🌳, 🎾 – ⬍ ▤ TV ☎ P – 🏛 25/800. AE ⓓ E VISA. ✱
Comida 3750 – ☕ 1400 – **79 hab** 19150/23950, 4 suites.

Alba sin rest y sin ☕, av. Hostalets 96 ☎ (96) 142 24 44, *Fax (96) 142 21 48* – ⬍ ▤ TV ☎ 🚗. E VISA. ✱
17 hab 8000.

XX **Asador Mares,** carret. de Barcelona 17 ☎ (96) 142 07 21, ⛱ – ▤. AE VISA
cerrado lunes noche, martes y 15 días en enero – **Comida** carta 2900 a 3950.

X **Rincón del Faro,** carret. de Barcelona 49 ☎ (96) 142 01 20 – ▤. AE ⓓ E VISA. ✱
cerrado domingo noche, lunes noche y septiembre – **Comida** carta 3500 a 5000.

QUART DE POBLET *46930 Valencia* 445 N 28 – *27 404 h.*
Madrid 343 – Valencia 8.

X **Casa Gijón,** Joanot Martorell 16 ☎ (96) 154 50 11, *Fax (96) 154 10 65,* « Decoración típica » – ▤. AE ⓓ E VISA. ✱
Comida carta aprox. 3195.

QUEJANA o KEXAA *01478 Álava* 442 C 20.
Madrid 377 – Bilbao/Bilbo 47 – Burgos 148 – Vitoria/Gasteiz 50 – Miranda de Ebro 67.

Los Arcos de Quejana 🐦, carret. Beotegi 25 ☎ (945) 39 93 20, *Fax (945) 39 93 44,* « En un pintoresco paraje » – TV ☎ P. AE ⓓ VISA. ✱ rest
Comida *(cerrado domingo noche y lunes mediodía)* carta 2500 a 4150 – ☕ 750 – **19 hab** 6800/7960.

QUEJO (Playa de) *Cantabria – ver Isla.*

QUEVEDA *39314 Cantabria* 442 B 17 – *623 h. alt. 41.*
Madrid 382 – Santander 22 – Santillana del Mar 6 – Torrelavega 6.

La Casona de Luis, carret. C 6316 ☎ (942) 89 50 05, *Fax (942) 89 51 21* – TV ☎ P. AE E VISA. ✱
Comida 1350 – ☕ 350 – **12 hab** 7000/8000.

QUIJAS *39590 Cantabria* 442 B 17.
Madrid 386 – Burgos 147 – Oviedo 172 – Santander 32.

XXX **Hostería de Quijas** con hab, carret. N 634 ☎ (942) 82 08 33, *Fax (942) 83 80 50,* « Casa señorial del siglo XVIII con amplio jardín y 🏊 » – 📺 ☎ 🅿. ⓓ E VISA. ✈ *cerrado 20 diciembre-5 enero* – **Comida** carta aprox. 4700 – ☕ 650 – **14 hab** 6800/8500, 5 suites.

en **Caranceja** *SO : 3,5 km – ✉ 39591 Caranceja :*

XX **Rubín,** ☎ (942) 81 61 37 – ▤ 🅿. AE ⓓ E VISA. ✈
Comida carta 2300 a 4000.

QUINTANADUEÑAS *09197 Burgos* 442 E 18 – *alt. 850.*
Madrid 241 – Burgos 6 – Palencia 90 – Valladolid 125.

XX **La Galería,** Mayor 14 ☎ (947) 29 26 06
▤. AE E VISA. ✈
cerrado del 1 al 15 de agosto – **Comida** carta 2350 a 4250.

QUINTANAR DE LA ORDEN *45800 Toledo* 444 N 20 – *8 991 h. alt. 691.*
Madrid 120 – Albacete 127 – Alcázar de San Juan 27 – Toledo 98.

X **Costablanca,** carret. N 301 ☎ (925) 18 05 19 – ▤ 🅿. AE E VISA. ✈
cerrado lunes – **Comida** carta aprox. 3550.

QUINTANAR DE LA SIERRA *09670 Burgos* 442 G 20 – *2 093 h. alt. 1 200.*
Alred. : *Laguna Negra de Neila★★ (carretera★★) NO : 15 km.*
Madrid 253 – Burgos 76 – Soria 70.

QUINTANAS DE GORMAZ *42313 Soria* 442 H 21 – *200 h. alt. 778.*
Madrid 222 – Almazán 43 – Aranda de Duero 69 – Soria 71.

🏠 **La Casa Grande de Gormaz** 🐚, camino de Las Fuentes - S : 1 km ☎ (975) 34 09 82, « En una villa de estilo colonial », 🌳 – ☎. VISA. ✈
cerrado 24 diciembre-1 enero y del 24 al 30 de junio – **Comida** 1700 – ☕ 500 – **11 hab** 5000/9000.

QUIROGA *27320 Lugo* 441 E 8 – *4 657 h.*
Madrid 461 – Lugo 89 – Orense/Ourense 79 – Ponferrada 79.

🏠 **Marcos,** carret. N 120 ☎ (982) 42 84 52, ≤, 🏊 – ▤ rest, 🅿. VISA. ✈
Comida 1600 – ☕ 400 – **16 hab** 4500 – PA 3200.

La RÁBITA *18760 Granada* 446 V 20 – *Playa.*
Madrid 549 – Almería 69 – Granada 120 – Málaga 152.

🏠 **Las Conchas,** paseo Marítimo 55 ☎ (958) 82 90 17, ≤ – |‡|, ▤ hab, 📺 ☎ 🚗 🅿. ⓓ E VISA. ✈
abril-septiembre – **Comida** 1390 – ☕ 470 – **24 hab** 5000/8400, 1 suite.

RACÓ DE SANTA LLÚCIA *Barcelona – ver Villanueva y Geltrú.*

RAJÓ o **RAXÓ** *36992 Pontevedra* 441 E 3 – *Playa.*
Madrid 617 – Orense/Ourense 103 – Pontevedra 13 – Santiago de Compostela 68.

🏠 **Gran Proa,** playa de Raxó 4 ☎ (986) 74 04 33, *Fax (986) 74 03 17,* 🏋 – |‡|, ▤ rest, 📺 ☎. AE E VISA. ✈
Comida - sólo en verano - 1900 – ☕ 575 – **43 hab** 6880/8600.

Besonders angenehme Hotels oder Restaurants
sind im Führer rot gekennzeichnet.
Sie können uns helfen, wenn Sie uns die Häuser angeben,
in denen Sie sich besonders wohl gefühlt haben.
Jährlich erscheint eine komplett überarbeitete Ausgabe
aller Roten **Michelin-Führer**.

RAMALES DE LA VICTORIA *39800 Cantabria* 442 C 19 – *2 481 h. alt. 84.*
Madrid 368 – Bilbao/Bilbo 64 – Burgos 125 – Santander 51.

Rio Asón con hab, Barón de Adzaneta 17 (942) 64 61 57, *Fax (942) 67 83 60* – rest,. AE VISA.
cerrado 22 diciembre-1 febrero – **Comida** *(cerrado lunes noche en verano, domingo noche y lunes resto del año)* carta 3900 a 5500 – 400 – **9 hab** 2750/5500
Espec. Tarta de foie gras con sus mejores galas. Salmón "Río Asón" asado lentamente (marzo-julio). Manitas de cerdo con hongos y foie en marmita de hojaldre.

en la carretera S 510 *NO : 2,5 km* – *39800 Ramales de la Victoria :*

La Palette con hab, El Montañal (942) 64 61 43, *Fax (942) 64 61 43* – . VISA
cerrado 18 diciembre-16 enero – **Comida** *(cerrado lunes noche)* carta 1700 a 2800 – 300 – **10 hab** 3000/3500.

RANDA *Baleares – ver Baleares (Mallorca).*

RASCAFRÍA *28740 Madrid* 444 J 18 – *1 366 h. alt. 1 163.*
Ver : *Cartuja de El Paular★ (iglesia : retablo★★).*
Madrid 78 – Segovia 54.

Rosaly, av. del Valle 39 (91) 869 12 13, *Fax (91) 869 12 55,* ← – . VISA.
Comida 1000 – 350 – **22 hab** 3100/4900.

Los Calizos con hab, carret. de Miraflores - E : 1 km (91) 869 11 12, *Fax (91) 869 11 12,* , – . AE E VISA.
Comida carta 3450 a 4650 – 650 – **12 hab** 6000/7500.

en la carretera N 604 :

Santa María de El Paular , S : 1,5 km, 28741 El Paular, (91) 869 10 11, Telex 23222, *Fax (91) 869 10 06,* « Antigua cartuja del siglo XIV », climatizada, , – – 25/100. AE E VISA JCB.
Comida 4500 – 1600 – **58 hab** 10000/15000 – PA 9000.

Pinosaguas, S : 5,5 km, 28740 Rascafría, (91) 869 10 25, « En un pinar » – . E VISA.
cerrado martes y del 1 al 25 de septiembre – **Comida** carta 2380 a 3230.

RAXÓ *Pontevedra – ver Rajó.*

Los REALEJOS *Santa Cruz de Tenerife – ver Canarias (Tenerife).*

REBOREDO *36988 Pontevedra* 441 E 3 – *Playa.*
Madrid 650 – La Coruña/A Coruña 116 – Pontevedra 52 – Santiago de Compostela 36.

Bosque-Mar, (986) 73 10 55, *Fax (986) 73 05 12,* , – . E VISA. rest
mayo-15 octubre – **Comida** - sólo cena - 2000 – **65 hab** 8900/12800, 8 apartamentos.

Mirador Ría de Arosa, (986) 73 08 38, *Fax (986) 73 06 48,* ← – . AE E VISA.
Semana Santa-octubre – **Comida** 2600 – 600 – **41 hab** 4500/7000.

REINOSA *39200 Cantabria* 442 C 17 – *12 852 h. alt. 850 – Balneario en Fontibre – Deportes de invierno en Alto Campóo O : 25 km : 9.*
Excurs. : *Pico de Tres Mares★★★ ★★★ O : 26 km y telesilla.*
Madrid 355 – Burgos 116 – Palencia 129 – Santander 70.

Vejo, av. Cantabria 83 (942) 75 17 00, *Fax (942) 75 47 63,* ←, , – – 25/500. AE E VISA. rest
Comida 2500 – 600 – **71 hab** 6650/9500.

Fontibre Iberia, Nestares - O : 1 km (942) 75 04 50, *Fax (942) 75 04 54,* ←, , – – 25/300. AE E VISA.
Comida 1400 – 500 – **50 hab** 6200/8750 – PA 2975.

Peña's, av. Puente de Carlos III-7 (interior) (942) 75 41 26
AE E VISA.
cerrado lunes – **Comida** carta 2850 a 3500.

en Alto Campóo *O : 25 km* – *39200 Reinosa :*

Corza Blanca , alt. 1 660 (942) 77 92 51, *Fax (942) 77 92 50,* ←, – . AE E VISA.
cerrado 15 octubre-noviembre – **Comida** 1975 – 475 – **68 hab** 6100/8800.

RENEDO DE CABUÉRNIGA 39516 Cantabria 441 C 17.

Madrid 400 – Burgos 156 – Santander 60.

Reserva del Saja, carret. de Reinosa ☎ (942) 70 61 90, *Fax (942) 70 61 08*, – rest, – 25/300. E VISA. rest
Comida *(cerrado lunes)* 1750 – **26 hab** 7500/11000.

RENTERÍA o ERRENTERIA 20100 Guipúzcoa 442 C 24 – 41 163 h. alt. 11.

Madrid 479 – Bayonne 45 – Pamplona/Iruñea 98 – San Sebastián/Donostia 8.

Lintzirin, carret. N I - E : 1,5 km, ✉ 20180 apartado 30 Oyarzun, ☎ (943) 49 20 00, *Fax (943) 49 25 04* – , rest, . AE E VISA. rest
Comida *(cerrado domingo noche)* 1300 – 750 – **132 hab** 5500/8500.

REQUENA 46340 Valencia 445 N 26 – 17 014 h. alt. 292.

Madrid 279 – Albacete 103 – Valencia 69.

Mesón del Vino, av. Arrabal 11 ☎ (96) 230 00 01, « Decoración rústica » – . AE E VISA.
cerrado martes y septiembre – **Comida** carta 2250 a 3700.

El Rincón de Jenaro, San Agustín 20 ☎ (96) 231 92 77 – . VISA.
cerrado lunes y octubre – **Comida** carta 2100 a 3700.

*Benutzen Sie für weite Fahrten in **Europa** die **Michelin-Länderkarten**:*
*970 **Europa**, 976 **Tschechische Republik-Slowakische Republik**,*
*980 **Griechenland**, 984 **Deutschland**, 985 **Skandinavien-Finnland**,*
*986 **Großbritannien-Irland**, 987 **Deutschland-Österreich-Benelux**,*
*988 **Italien**, 989 **Frankreich**, 990 **Spanien-Portugal**, 991 **Jugoslawien**.*

REUS 43200 Tarragona 443 I 33 – 88 595 h. alt. 134.

Alred. : *Port Aventura*** por ③.*

Reus Aigüesverds, carret. de Cambrils km 1,8-Mas Guardià ☎ (977) 75 27 25.

de Reus por ② : 3 km ☎ (977) 77 98 23.

pl. Llibertat ✉ 43201 ☎ (977) 34 59 43 Fax (977) 34 00 10.

Madrid 547 ④ – Barcelona 118 ② – Castellón de la Plana/Castelló de la Plana 177 ③ – Lérida/Lleida 90 ① – Tarragona 14 ②

Planos páginas siguientes

NH Ciutat de Reus, av. Marià Fortuny 85, ✉ 43203, ☎ (977) 34 53 53, *Fax (977) 34 32 34* – – 60/400. AE E VISA. rest
Comida carta aprox. 3450 – 1100 – **76 hab** 10500/12000, 8 suites. CX r

Quality Inn, carret. de Salou 129 - SE : 1,5 km, ✉ 43205, ☎ (977) 75 57 40, *Fax (977) 75 57 45* – – 25/50. AE E VISA. rest
Comida 1600 – 775 – **60 hab** 7500/10700 – PA 3600. por ③

Simonet, Raval Santa Anna 18, ✉ 43201, ☎ (977) 34 59 74, *Fax (977) 34 45 81*, – . AE E VISA. BY e
cerrado 25 diciembre-1 enero – **Comida** *(cerrado domingo noche)* 1900 – 700 – **40 hab** 4400/7500 – PA 3975.

Gaudí sin rest. con cafetería, Raval Robuster 49, ✉ 43204, ☎ (977) 34 55 45, *Fax (977) 34 28 08* – – 25/175. AE VISA BZ a
550 – **73 hab** 6150/7800.

La Glorieta del Castell, pl. Castell 2, ✉ 43201, ☎ (977) 34 08 26 – . AE E VISA JCB. BZ c
Comida carta aprox. 4500.

El Tupí, Alcalde Joan Bertran 3, ✉ 43202, ☎ (977) 31 05 37 – . AE E VISA
cerrado domingo y del 15 al 31 de agosto – **Comida** carta 3150 a 4100. AZ s

en la carretera de Tarragona *por ② : 1 km – ✉ 43206 Reus :*

Masia Típica Crusells, ☎ (977) 75 40 60, *Fax (977) 77 24 12*, « Decoración regional » – . AE E VISA.
cerrado domingo noche – **Comida** carta 3000 a 4650.

en Castellvell *(Baix Camp) N : 2 km* AX – ✉ *43392 Castellvell :*

El Pa Torrat, av. de Reus 24 ☎ (977) 85 52 12, « Decoración rústica » – . AE E VISA.
cerrado martes (salvo festivos), 2ª quincena de agosto y Navidades – **Comida** - cocina regional - carta 2500 a 3650.

REUS

Street	Grid	No.
Alt del Carme	AZ	3
Amargura	BY	4
Baluard (Pl. del)	BZ	7
Barreres	BZ	8
Bertran de Castellet	BX	9
Bisbe Borràs	AX	10
Castell (Pl.)	BY	12
Comte de Reus (Pl. de)	AZ	13
Doctor Codina Castellví	AZ	15
Font	BZ	16
Francesc Bartrina	AX	18
Galera	BYZ	21
Galió	BY	22
Hospital	BY	24
Josep Anselm Clavé	BY	25
Josep Anselm Clavé (Pl.)	CY	27
Josep M. Arnavat i Vilaró	CY	28
Josep Sardà i Cailà	AY	30
Jueus (Carreró dels)	BZ	31
Major	BZ	33
Mar	BY	34
Marià Benlliure	BZ	36
Mercadal (Pl. del)	BY	37
Mestres (Closa de)	BZ	39
Monsenyor Higini Anglès	CZ	40
O'Donnell	ABZ	42
Pallol (Raval del)	BY	43
Pintor Fortuny (Pl. del)	AY	45
Pintor Tapiró (Av. del)	AX	46
Puríssima Sang (Pl. de la)	CY	48
Ramón J. Sender	BZ	49
Robuster (Raval de)	BZ	52
Sales (Raseta de)	BZ	54
Sant Elíes	AY	55
Sant Francesc Xavier	BZ	57
Sant Jaume	BZ	58
Sant Miquel	BY	61
Sant Pere (Raval de)	BZ	63
Sant Vicenç	BY	64
Santa Anna (Raval de)	BY	66
Santa Anna	BY	67
Segle XX (Av. del)	AX	69
Selva del Camp	BY	72
Vallroquetes	BY	73
Vapor Nou	AY	74
Víctor (Pl. del)	AX	75
Vidre	BY	78

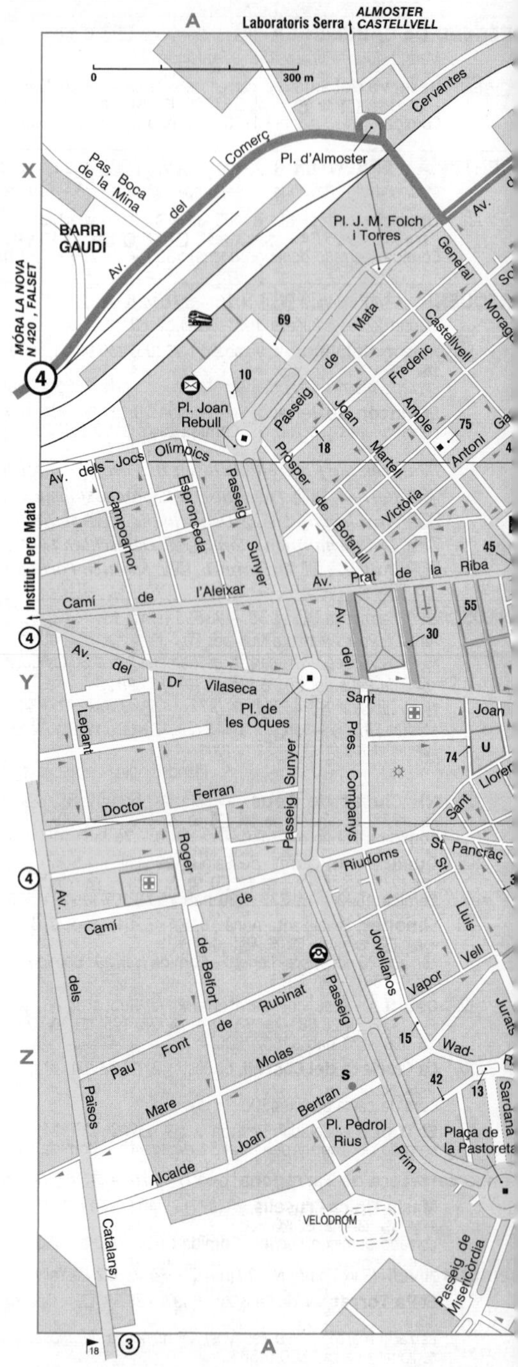

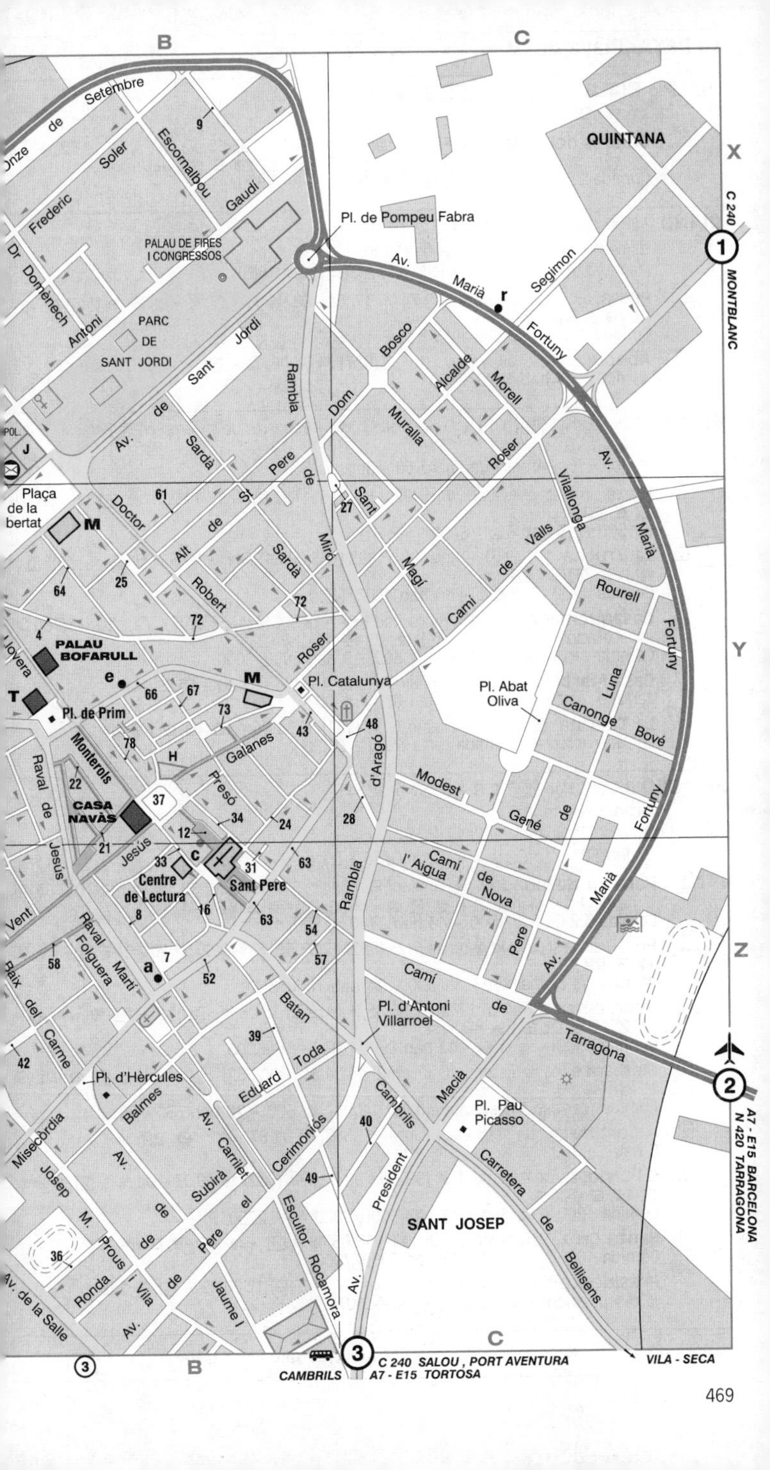

B
C
X
Y
Z
QUINTANA
C 240
1
MONTBLANC
Onze de Setembre
Frederic Soler
Escornalbou
Gaudí
Pl. de Pompeu Fabra
PALAU DE FIRES
I CONGRESSOS
Dr Domènech
Antoni
PARC DE SANT JORDI
Av. Marià Fortuny
Segimon
r
Bosco
Alcalde
Morell
Av. de Sant Jordi
Sardà
Rambla de Miró
Dom
Muralla
Roser
Vilallonga
Pere
POL.
J
Plaça de la bertat
M
Doctor
61
Alt de St Pere
Sant
27
Sardà
Magí
Camí de Valls
Rourell
Fortuny
64
25
Robert
72
4
PALAU BOFARULL
e
66
67
M
Pl. Catalunya
Pl. Abat Oliva
Luna
Canonge
Bové
T
Pl. de Prim
73
43
48
Monterols
78
H
Galanes
Presó
Raval de
22
CASA NAVÀS
37
d'Aragó
Modest
Gené
de
12
34
24
28
21
Jesús
c
31
63
33
Centre de Lectura
Sant Pere
Camí
l' Aigua
de Nova
Marià
Vent
8
16
63
54
Rambla
Pere
Av.
58
Raval Folguera
Martí
a
7
52
57
Camí de Tarragona
Baix del
Carme
Batan
Pl. d'Antoni Villarroel
39
Toda
42
Pl. d'Hèrcules
Eduard
Cambrils
Macià
2
Balmes
Av. Carrilet
Cerimonios
40
Pl. Pau Picasso
A7 - E15 BARCELONA
N 420 TARRAGONA
Misericòrdia
Josep M.
Av. de Subirà
49
President
Carretera de Bellisens
Av. de Pere el
Escultor Rocamora
SANT JOSEP
36
Prous i Vila
Ronda
de
Jaume I
Av.
Av. de la Salle
3
C 240 SALOU , PORT AVENTURA
A7 - E15 TORTOSA
CAMBRILS
VILA - SECA

La REYA (Playa de) *Murcia – ver Puerto de Mazarrón.*

RIALP o **RIALB** *25594 Lérida* 443 **E 33** *– 440 h. alt. 725.*
Madrid 593 – Lérida/Lleida 141 – Sort 5.

Condes del Pallars, av. Flora Cadena 2 ✆ (973) 62 03 50, *Fax (973) 62 12 32,* ≤, ⛷, ⛱, 🏊, ✕ – |♦| ▤ TV ☎ P – 🏔 25/150. AE ⓓ E VISA JCB. ✶
Comida 2500 – ☐ 1100 – **171 hab** 15000 – PA 5800.

RIAÑO *24900 León* 441 **D 14** *– 485 h. alt. 1 125.*
av. Valcayo ✆ (987) 74 06 65 (temp).
Madrid 374 – León 95 – Oviedo 112 – Santander 166.

Presa, av. Valcayo 12 ✆ (987) 74 06 37, *Fax (987) 74 07 37,* ≤ – |♦|, ▤ rest, TV ☎ 🚗. AE ⓓ E VISA. ✶
Comida 1800 – ☐ 575 – **33 hab** 6000/8500.

Abedul sin rest, av. Valcayo 16 ✆ (987) 74 07 06, ≤ – TV 🚗. AE E VISA. ✶
☐ 400 – **14 hab** 4000/7000.

RIAZA *40500 Segovia* 442 **I 19** *– 1 650 h. alt. 1 200 – Deportes de invierno en La Pinilla S : 9 km : 1 11.*
Madrid 116 – Aranda de Duero 60 – Segovia 70.

Plaza sin rest, pl. Mayor 24 ✆ (921) 55 10 55, *Fax (921) 55 11 28* – ▤ TV ☎ – 🏔 25. AE E VISA
☐ 500 – **15 hab** 6000/8000.

La Trucha ⛰, av. Dr. Tapia 17 ✆ (921) 55 00 61, *Fax (921) 55 00 86,* ≤, ⛱, 🏊 – ▤ rest, TV ☎. VISA
Comida 1700 – ☐ 550 – **30 hab** 4800/6800.

Casaquemada con hab, Isidro Rodríguez 18 ✆ (921) 55 00 51, *Fax (921) 55 06 04,* « Decoración rústica » – ▤ TV ☎. AE ⓓ VISA. ✶
Comida carta 2000 a 4200 – ☐ 500 – **9 hab** 6000/8000.

Casa Marcelo, pl. del Generalísimo 16 ✆ (921) 55 03 20 – AE E VISA
cerrado martes – Comida carta 3600 a 4600.

La Taurina, pl. del Generalísimo 6 ✆ (921) 55 01 05 – AE ⓓ E VISA. ✶
cerrado octubre – Comida carta 3200 a 3900.

RIBADEO *27700 Lugo* 441 **B 8** *– 8 761 h. alt. 46.*
Alred. : *Puente ≤★.*
pl. de España ✆ (982) 12 86 89.
Madrid 591 – La Coruña/A Coruña 158 – Lugo 90 – Oviedo 169.

Parador de Ribadeo ⛰, Amador Fernández 7 ✆ (982) 12 88 25, *Fax (982) 12 83 46,* ≤ ría del Eo y montañas – |♦| TV ☎ 🚗 P. AE ⓓ E VISA. ✶
Comida 3500 – ☐ 1300 – **46 hab** 9750/15800, 1 suite.

Eo ⛰ sin rest, av. de Asturias 5 ✆ (982) 12 87 50, *Fax (982) 12 80 21,* ≤, 🏊 – ☎. AE ⓓ E VISA
15 junio-15 septiembre – ☐ 500 – **24 hab** 7000/8500.

Voar, carret. N 634 ✆ (982) 12 86 85, *Fax (982) 13 06 85,* 🏊, ✕ – TV ☎ 🚗 P – 🏔 25/300. AE E VISA. ✶ rest
Comida 1300 – ☐ 650 – **42 hab** 6500/7800 – PA 3000.

Mediante, pl. de España 16 ✆ (982) 13 04 53, *Fax (982) 13 07 58* – |♦| TV ☎. AE ⓓ E VISA. ✶
Comida *(cerrado lunes y noviembre)* 1400 – ☐ 300 – **20 hab** 5500/8000.

A Cortiña ⛰ sin rest, Paco Lanza ✆ (982) 13 01 87, ⛱ – P. VISA. ✶
6 hab ☐ 8000.

O Forno, av. de Asturias 4 ✆ (982) 13 08 02, *Fax (982) 13 08 03* – ▤ rest, TV ☎ 🚗. AE ⓓ E VISA. ✶
Comida 1200 – ☐ 350 – **17 hab** 5000/7000 – PA 2750.

Santa Cruz, Diputación 22 ✆ (982) 13 05 49 – TV 🚗. AE ⓓ E VISA. ✶
Comida 1000 – ☐ 400 – **17 hab** 5000/7000.

Presidente sin rest, Virgen del Camino 3 ✆ (982) 12 80 92 – TV. E VISA
julio-septiembre – ☐ 450 – **19 hab** 5000/6500.

RIBADESELLA *33560 Asturias* 441 **B 14** – *6 182 h.* – *Playa.*

Ver : *Cuevas Tito Bustillo★ (pinturas rupestres★).*

Puente Río Sella - carret. de la Piconera (98) 586 00 38.

Madrid 485 – Gijón 67 – Oviedo 84 – Santander 128.

Marina, Gran Vía 36 (98) 586 00 50, *Fax (98) 586 01 57* – VISA.
marzo-noviembre – **Comida** 2250 – 500 – **46 hab** 6500/8500.

La Bohemia, Gran Vía 53 (98) 586 11 50, *Fax (98) 586 01 57* – VISA.
marzo-noviembre – **Comida** carta aprox. 3900.

Náutico, Marqués de Argüelles 9 (98) 586 00 42, ← – VISA.
Comida carta 4750 a 5300.

en la playa :

G.H. del Sella, (98) 586 01 50, *Fax (98) 585 74 49*, ←, – 25/300. VISA.
abril-octubre – **Comida** 2700 - ***Casa Delfa* : Comida** carta 5000 a 7000 – 1000 – **78 hab** 9600/15000, 4 suites – PA 5385.

Don Pepe, Dionisio Ruisánchez 12 (98) 585 78 81, *Fax (98) 585 78 77*, ← – VISA.
abril-septiembre – **Comida** 2200 – 700 – **32 hab** 8800/11000 – PA 4335.

Ribadesella Playa sin rest, Ricardo Cangás 3 (98) 586 07 15, *Fax (98) 586 02 20*, ← – VISA JCB.
500 – **17 hab** 7500/9500.

La Playa, Dionisio Ruisánchez 16 (98) 586 01 00, ← – VISA.
abril-septiembre – **Comida** 2000 – 500 – **11 hab** 6000/9000 – PA 3500.

Derby sin rest, El Pico 24 (98) 586 00 92 –.
15 marzo-15 octubre – 400 – **27 hab** 4400/6400.

RIBAFORADA *31550 Navarra* 442 **G 25** – *3 148 h. alt. 262.*

Madrid 326 – Logroño 113 – Soria 95 – Tudela 10 – Zaragoza 71.

en la carretera N 232 *SO : 2 km* – *31550 Ribaforada :*

Sancho el Fuerte, (948) 86 40 25, *Fax (948) 86 40 25*, – – 25/500
135 hab.

RIBAS DE FRESER o RIBES DE FRESER *17534 Gerona* 443 **F 36** – *2 358 h. alt. 920 – Balneario.*

Excurs. : *Vall de Núria★ (tren cremallera ←★★).*

pl. Ajuntament 3 (972) 72 77 28 Fax (972) 72 70 16.

Madrid 689 – Barcelona 118 – Gerona/Girona 101.

Catalunya Park H., passeig Mauri 9 (972) 72 71 98, *Fax (972) 72 70 17*, ←, « Césped con » –.
Semana Santa y 21 junio-septiembre – **Comida** 2300 – 750 – **55 hab** 3800/7250 – PA 4800.

Sant Antoni, Sant Quintí 55 (972) 72 70 18, *Fax (972) 72 77 81*, – – 25/100. VISA.
cerrado 2ª quincena de octubre – **Comida** 2150 – 650 – **48 hab** 6000/8000 – PA 4200.

Catalunya, Sant Quintí 37 (972) 72 70 17, *Fax (972) 72 70 17* –.
Comida - sólo cena - 2300 – 650 – **18 hab** 3200/6900.

RIBERA DE CARDÓS *25570 Lérida* 443 **E 33** – *alt. 920.*

Alred. : *Valle de Cardós★.*

Madrid 614 – Lérida/Lleida 157 – Sort 21.

Cardós, Reguera 2 (973) 62 31 00, *Fax (973) 62 31 58*, ←, – VISA.
rest
abril-septiembre – **Comida** 1500 – 750 – **50 hab** 4500/6800 – PA 3300.

Sol i Neu, Llimera 1 (973) 62 31 37, *Fax (973) 62 31 37*, ←, – VISA.
rest
15 marzo-15 diciembre – **Comida** 1600 – 525 – **30 hab** 4500/6000.

RIBES DE FRESER *Gerona* – *ver Ribas de Freser.*

RICOTE *30610 Murcia* 445 R 25 – *1 679 h. alt. 400.*

Madrid 371 – Archena 10 – Cieza 15 – Cehegín 40 – Lorca 93 – Murcia 37.

X **El Sordo,** Algarrobo ✆ (968) 69 71 50, *Fax (968) 69 72 09* – ▤ P. AE ◑ E VISA. ✂
cerrado miércoles (salvo festivos) y julio – **Comida** carta 2200 a 3600.

SA RIERA (Playa de) *Gerona – ver Bagur.*

La RIERA DE GAIÀ *43762 Tarragona* 443 I 34 – *894 h.*

Madrid 558 – Barcelona 102 – Lérida/Lleida 118 – Sitges 34 – Tarragona 14.

X **La Masía de l'Era,** Sant Joan 64 ✆ (977) 65 54 02, ☂, « Marco rústico catalán » – P. E VISA. ✂
junio-septiembre y fines de semana resto del año – **Comida** - sólo almuerzo de mayo a junio - carta 2400 a 3900.

RINCÓN DE LA VICTORIA *29730 Málaga* 446 V 17 – *13 007 h. – Playa.*

18 *Añoreta, av. del Golf-urb. Añoreta Golf ✆ (95) 240 40 00 Fax (95) 240 40 50.*

Madrid 568 – Almería 208 – Granada 139 – Málaga 13.

Rincón Sol, av. del Mediterráneo 174 ✆ (95) 240 11 00, *Fax (95) 240 43 79,* ≤, – ▤ TV ☎ ♿ – 25/180. AE ◑ E VISA. ✂ rest
Comida 1950 – ☕ 725 – **86 hab** 7500/10000, 1 suite – PA 3900.

RIPOLL *17500 Gerona* 443 F 36 – *11 204 h. alt. 682.*

Ver : *Antiguo Monasterio de Santa María★ (portada★★★, iglesia★, claustro★).*

Alred. : *San Juan de las Abadesas★ : puente medieval★, Monasterio★★ (iglesia★ : descendimiento de la Cruz★★, claustro★) NE : 10 km.*

pl. de l'Abat Oliba ✆ (972) 70 23 51.

Madrid 675 – Barcelona 104 – Gerona/Girona 86 – Puigcerdá 65.

Del Ripollés, pl. Nova 11 ✆ (972) 70 02 15, *Fax (972) 70 00 27* – TV ☎. E VISA. ✂
Comida 1500 – ☕ 450 – **8 hab** 4250/7000 – PA 3200.

en la carretera N 152 *S : 2 km – ✉ 17500 Ripoll :*

Solana del Ter, ✆ (972) 70 10 62, *Fax (972) 71 43 43,* ≤, – ▤ rest, TV ☎ P – 25/300. E VISA. ✂
cerrado del 1 al 15 de noviembre – **Comida** *(cerrado domingo noche en invierno)* 2500 – ☕ 750 – **40 hab** 5800/8800 – PA 5000.

RIPOLLET *08291 Barcelona* 443 H 36 – *26 835 h. alt. 79.*

Madrid 625 – Barcelona 11 – Gerona/Girona 74 – Sabadell 6.

XX **Eulalia,** Casanovas 29 ✆ (93) 692 04 02, *Fax (93) 692 03 56* – ▤ P. ◑ VISA
cerrado domingo, lunes noche, Semana Santa y tres semanas en agosto – **Comida** carta 3400 a 5200.

RIS (Playa de) *Cantabria – ver Noja.*

RIUDARENAS o **RIUDARENES** *17421 Gerona* 443 G 38 – *1 102 h. alt. 84.*

Madrid 693 – Barcelona 80 – Gerona/Girona 32.

X **La Brasa,** carret. Santa Coloma 21 ✆ (972) 85 60 17, *Fax (972) 85 62 38* – ▤. AE ◑ E VISA. ✂
cerrado lunes y 15 enero-27 febrero – **Comida** - cocina regional, sólo almuerzo - carta aprox. 2800.

ROA DE DUERO *09300 Burgos* 442 G 18 – *2 264 h. alt. 810.*

Madrid 181 – Aranda de Duero 20 – Burgos 82 – Palencia 72 – Valladolid 76.

X **Chuleta,** av. de la Paz 7 ✆ (947) 54 03 12 – ▤. E VISA
cerrado lunes noche – **Comida** carta 2400 a 3450.

ROCAFORT *46111 Valencia* 445 N 28 – *4 055 h. alt. 35.*

Madrid 361 – Valencia 11.

XX **L'Été,** Francisco Carbonell 33 ✆ (96) 131 11 90 – ▤. AE E VISA
cerrado domingo y festivos – **Comida** carta aprox. 4800.

El ROCÍO *21750 Huelva* 446 **U 10.**
Ver : *Parque Nacional de Doñana★.*
Madrid 607 – Huelva 67 – Sevilla 78.

Toruño, pl. del Acebuchal 22 (959) 44 23 23, *Fax (959) 44 23 38*, « Junto a las marismas de Doñana » – . VISA.
Comida *(cerrado 25 mayo-2 junio)* 1500 – 500 – **30 hab** 7500/10000.

La RODA *02630 Albacete* 444 **O 23** – *12 938 h. alt. 716.*
Madrid 210 – Albacete 37.

Flor de la Mancha, Alfredo Atienza 139 (967) 44 05 55, *Fax (967) 44 09 04* – , rest, . VISA.
Comida 1250 – 500 – **26 hab** 4500/8000.

en la carretera N 301 *NO : 2,5 km – 02630 La Roda :*

Juanito, (967) 44 15 12, *Fax (967) 44 40 06* – . AE VISA.
Comida carta 2050 a 3800.

RODA DE ISÁBENA *22482 Huesca* 443 **F 31** – *281 h. alt. 751.*
Madrid 491 – Huesca 106 – Lérida/Lleida 95.

Hospedería de Roda de Isábena, pl. La Catedral (974) 54 45 54, *Fax (974) 54 45 00*, ≤, « Instalado en un edificio medieval » – . VISA.
cerrado del 23 al 30 de diciembre – **Comida** (ver rest. ***Hospedería La Catedral***) – 400 – **11 hab** 3000/5000.

Hospedería La Catedral, pl. Pons Sorolla (974) 54 45 45, « Instalado en el refectorio. Claustro del siglo XII » – VISA.
cerrado del 23 al 30 de diciembre – **Comida** carta 1800 a 2500.

ROIS *15911 La Coruña* 441 **D 4.**
Madrid 638 – La Coruña/A Coruña 98 – Pontevedra 41.

Casa Ramallo, Castro 5 (981) 80 41 80, *Fax (981) 80 41 80* – . AE VISA.
cerrado lunes y 24 diciembre-7 enero – **Comida** carta 2700 a 3300.

ROJALES *03170 Alicante* 445 **R 27** – *5 227 h. alt. 125.*
Madrid 435 – Alicante/Alacant 58 – Benidorm 100 – Elche/Elx 23 – Cartagena 71 – Murcia 46.

por la carretera de Guardamar del Segura *NE : 2 km y desvío a la izquierda 1 km – 03170 Rojales :*

Viloriens, Huerta Rojales (96) 671 54 72, , « Casa de campo con terraza » – . VISA.
cerrado lunes y noviembre – **Comida** carta 2550 a 2750.

ROMANYÀ DE LA SELVA *17246 Gerona* 443 **G 38.**
Madrid 699 – Barcelona 97 – Gerona/Girona 34 – San Feliú de Guixols/Sant Feliu de Guíxols 18.

Can Roquet, pl. Església (972) 83 32 89 – .

RONCESVALLES u ORREAGA *31650 Navarra* 442 **C 26** – *60 h. alt. 952.*
Ver : *Pueblo★ - Conjunto Monumental : museo★.*
Antiguo Molino (948) 76 01 93.
Madrid 446 – Pamplona/Iruñea 47 – St-Jean-Pied-de-Port 29.

La Posada, (948) 76 02 25, *Fax (948) 76 02 25*, ≤ – . VISA.
cerrado noviembre – **Comida** 1600 – 575 – **18 hab** 5040/6300 – PA 3200.

RONDA *29400 Málaga* 446 **V 14** – *35 788 h. alt. 750.*
Ver : *Situación★★ – Barrio de la ciudad★* YZ – *Tajo★* Y – *Puente Nuevo ≤★* Y – *Plaza de Toros★* Y.
Alred. : *Cueva de la Pileta★ (carretera de acceso ≤★★) 27 km por ①.*
Excurs. : *Carretera★★ de Ronda a San Pedro de Alcántara (cornisa★★) por ② – Carretera★ de Ronda a Algeciras por ③.*
pl. de España (95) 287 12 72 Fax (95) 287 12 72.
Madrid 612 ① – Algeciras 102 ③ – Antequera 94 ① – Cádiz 149 ① – Málaga 96 ② – Sevilla 147 ①

RONDA

Espinel (Carrera de) . . . . . Y

Armiñán . . . . YZ
Capitán Cortés . . . . Y 3
Carmen Abela (Pl. de) . . . Y 5
Cerrillo . . . . Y
Descalzos (Pl. de los) . . . . Y
Doctor Fleming (Av.) . . . . Y 6
Duquesa de Parcent (Pl. de la) . . . . Z 8
España (Pl. de) . . . . Y 12
González Campos . . . . Z 15
Las Imágenes . . . . Z 18
María Auxiliadora (Pl.) . . . Z 20
Marqués de Salvatierra . . Z 21
Merced (Pl. de la) . . . . Y 24
Padre Mariano Soubirón . . . . Y 26
Prado . . . . Z
Peñas . . . . Y
Real . . . . Y
Ruedo Alameda (Pl.) . . . . . Z
Ruedo de Gameros . . . . . Z 27
Santa Cecilia . . . . Y 30
Santo Domingo . . . . Y 33
Sevilla . . . . Y
Tenorio . . . . YZ
Virgen de la Paz . . . . Y
Virgen de los Dolores . . . . Y

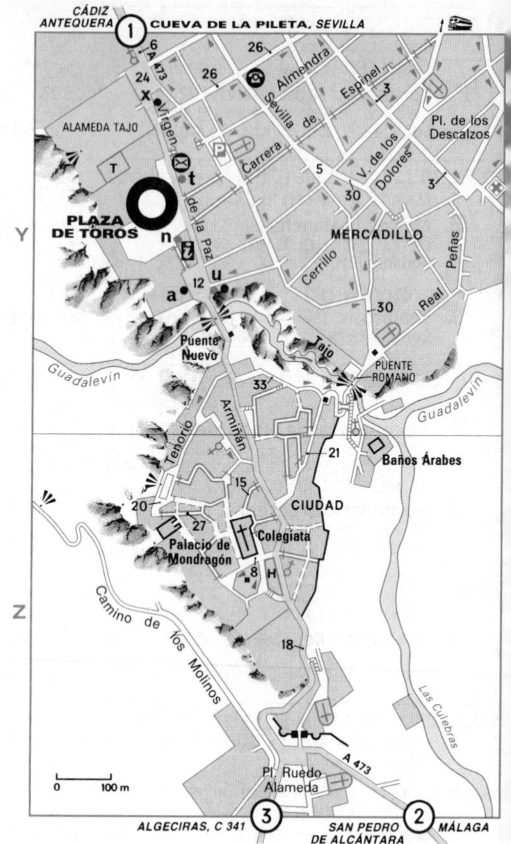

Un consejo ***Michelin*** *:*

Para que sus viajes sean un éxito, prepárelos de antemano. Los ***mapas*** *y las* ***guías Michelin*** *le proporcionan todas las indicaciones útiles sobre : itinerarios, visitas de curiosidades, alojamiento, precios, etc...*

Parador de Ronda, pl. de España ☎ (95) 287 75 00, *Fax (95) 287 81 88,* ≤, « Instalado en el antiguo ayuntamiento. Al borde del Tajo », – 25/80. AE ① E VISA JCB. Y a
Comida 3700 – 1300 – **70 hab** 14800/18500, 8 suites.

Reina Victoria, av. Dr. Fleming 25 ☎ (95) 287 12 40, *Fax (95) 287 10 75,* « Al borde del Tajo, ≤ valle y serranía de Ronda », – 25/200. AE ① E VISA. por ①
Comida 3500 – 1450 – **89 hab** 11050/16800.

Don Miguel, Villanueva 8 ☎ (95) 287 77 22, *Fax (95) 287 83 77,* ≤ – AE ① E VISA JCB. Y u
cerrado del 12 al 26 de enero – **Comida** (ver rest. ***Don Miguel***) – 400 – **19 hab** 6000/9500.

Royal sin rest y sin , Virgen de la Paz 42 ☎ (95) 287 11 41, *Fax (95) 287 81 32* – AE ① E VISA. Y x
29 hab 3300/5885.

Don Miguel, pl. de España 3 ☎ (95) 287 10 90, *Fax (95) 287 83 77,* « Terrazas sobre el Tajo » – AE ① E VISA JCB. Y u
cerrado del 12 al 26 de enero – **Comida** carta 2400 a 3700.

Pedro Romero, Virgen de la Paz 18 ☎ (95) 287 11 10, *Fax (95) 287 10 61,* « Decoración típica » – AE ① E VISA. Y t
Comida carta 3350 a 3875.

Jerez, paseo Blas Infante ☎ (95) 287 20 98, *Fax (95) 287 86 41,* – AE ① E VISA Y n
Comida carta 2375 a 4150.

ROQUETAS DE MAR *04740 Almería* 446 V 22 – *32 361 h.* – *Playa.*

Playa Serena, urb. Playa Serena ✆ (950) 33 30 55.
Madrid 605 – Almería 18 – Granada 176 – Málaga 208.

al Sur : *4 km.*

XX **Al-Baida,** av. Las Gaviotas ✆ (950) 33 38 21, – ▤. AE ⓓ E VISA JCB.
cerrado lunes (salvo vísperas, festivos y verano) y 20 enero-febrero – **Comida** carta 3500 a 5100.

XX **La Colmena,** Lago Como - edificio Concordia I ✆ (950) 33 35 65, *Fax (950) 33 46 13,* – ▤. AE ⓓ E VISA.
cerrado martes (salvo julio-septiembre) y febrero – **Comida** carta 2600 a 4300.

ROSAS o ROSES *17480 Gerona* 443 F 39 – *10 303 h.* – *Playa.*

Ver : *Ciudadela★.*
av. de Rhode 101 ✆ (972) 25 73 31 Fax (972) 15 11 50.
Madrid 763 – Gerona/Girona 56.

Terraza, passeig Marítim 16 ✆ (972) 25 61 54, *Fax (972) 25 68 66,* ≤, climatizada, – |♦| ▤ TV ☎ ⇔ P – 25/150. AE ⓓ E VISA. rest
Semana Santa-octubre – **Comida** *(cerrado domingo)* - sólo cena en abril-mayo - carta 3550 a 5200 – ☐ 1250 – **112 hab** 10300/16500.

Ramblamar, av. de Rhode 153 ✆ (972) 25 63 54, *Fax (972) 25 68 11,* ≤ mar – |♦|, ▤ rest, TV ☎. AE E VISA.
Semana Santa-octubre – **Comida** 1975 – ☐ 950 – **52 hab** 7800/11500 – PA 3950.

Coral Platja, av. de Rhode 28 ✆ (972) 25 62 50, *Fax (972) 15 18 11,* ≤ – |♦| TV ☎ P. AE E VISA. rest
Semana Santa-octubre – **Comida** 2000 – **123 hab** ☐ 7900/12800.

Goya sin rest, Riera Ginjolers ✆ (972) 25 61 23, *Fax (972) 15 14 61,* – |♦| ▤ TV ☎ P. AE ⓓ E VISA
abril-octubre – ☐ 800 – **65 hab** 6600/10000.

Novel Risech, av. de Rhode 183 ✆ (972) 25 62 84, *Fax (972) 25 68 11,* ≤, – |♦|, ▤ rest,. AE E VISA. rest
cerrado 8 noviembre-18 diciembre – **Comida** 1800 – ☐ 875 – **78 hab** 3600/7200.

Casa del Mar sin rest, av. de Rhode 21 ✆ (972) 25 64 50, *Fax (972) 25 64 54* – ☎ P. AE E VISA
abril-15 octubre – ☐ 550 – **28 hab** 6300.

XX **Flor de Lis,** Cosconilles 47 ✆ (972) 25 43 16, *Fax (972) 25 43 16,* « Decoración rústica » – ▤. AE ⓓ E VISA.
cerrado martes (salvo julio-septiembre), 5 enero-Semana Santa y 5 octubre- 21 diciembre – **Comida** - cocina francesa, sólo cena - carta 5225 a 6725
Espec. Gazpacho de bogavante. Lubina con salsa de hinojo. Carro de repostería.

X **L'Entrecot,** Joan Badosa 9 ✆ (972) 25 42 63, *Fax (972) 25 41 19,* « Decoración rústica catalana » – AE ⓓ E VISA
cerrado miércoles (enero-marzo) y 12 noviembre-18 diciembre – **Comida** carta 2325 a 3750.

X **Llevant,** av. de Rhode 145 ✆ (972) 25 68 35, – ▤. AE ⓓ E VISA.
cerrado martes y 20 noviembre-15 enero – **Comida** carta 2425 a 3500.

en la urbanización Santa Margarita *O : 2 km – ✉ 17480 Rosas :*

Sant Marc, av. de la Bocana 42 ✆ (972) 25 21 30, *Fax (972) 25 21 01,* – |♦|, ▤ rest, P. AE VISA.
cerrado enero – **Comida** 1650 – **240 hab** ☐ 7000/10500.

Goya Park, Port de Reig 25 ✆ (972) 25 75 50, *Fax (972) 25 43 41,* ≤, – |♦|, ▤ rest, ☎ P. AE ⓓ E VISA.
marzo-noviembre – **Comida** 1775 – ☐ 850 – **245 hab** 7665/12180.

Montecarlo, av. de la Platja ✆ (972) 25 66 73, *Fax (972) 25 57 03,* ≤, – |♦|, ▤ rest, ☎. AE ⓓ E VISA. rest
15 marzo-15 noviembre – **Comida** 1850 – ☐ 800 – **126 hab** 6500/10000.

Monterrey, passeig Marítim 72 ✆ (972) 25 66 76, *Fax (972) 25 38 69,* ≤, climatizada – |♦|, ▤ rest, TV ☎ ⇔ P. AE ⓓ E VISA. rest
15 marzo-15 noviembre – **Comida** 1800 – ☐ 800 – **135 hab** 9200/13200.

Marítim, Jacinto Benavente 2 ✆ (972) 25 63 90, *Fax (972) 25 68 75,* ≤, – |♦| ☎ P. AE ⓓ E VISA. rest
marzo-noviembre – **Comida** 1600 – **132 hab** ☐ 6275/11000.

Rosamar, av. Nautilus 25 (972) 25 47 12, *Fax (972) 25 48 50,* – rest
Semana Santa y mayo-octubre – **Comida** - sólo buffet - 1100 – **56 hab** 5700/9300

El Jabalí, platja Salatá (972) 25 65 25, « Decoración rústica » –
marzo-noviembre – **Comida** carta 1600 a 4100.

en la playa de Canyelles Petites *SE : 2,5 km – 17480 Rosas :*

Vistabella, av. Díaz Pacheco 26 (972) 25 62 00, *Fax (972) 25 32 13,* « Terraza ajardinada », – rest
abril-octubre – **Comida** 5700 – **36 hab** 14500/28500, 5 suites.

Canyelles Platja, av. Díaz Pacheco 7 (972) 25 65 00, *Fax (972) 25 66 47,* – rest, rest
16 Mayo-22 septiembre – **Comida** 2350 – 700 – **100 hab** 7300/14200.

en la playa de La Almadraba *SE : 4 km – 17480 Roses :*

Almadraba Park H., (972) 25 65 50, *Fax (972) 25 67 50,* mar, « Terrazas ajardinadas », – 25/190. rest
9 abril-13 octubre – **Comida** 4500 – 1300 – **66 hab** 10100/18000.

en la carretera de Figueras *O : 4,5 km – 17480 Rosas :*

La Llar, apartado 315, (972) 25 53 68, *Fax (972) 25 53 68* –
cerrado jueves (salvo festivos y verano), 1ª quincena de febrero y 2ª quincena de noviembre – **Comida** 7100 y carta 5750 a 7775
Espec. Vieiras con punta de espárrago y emulsión de perejil (octubre-mayo). Lluerna asada con Jabugo y emulsión de ajo confitado. Suprema de pintada de Landes con ciruelas e hígado de pato.

en Cala Montjoi *SE : 7 km – 17480 Rosas :*

El Bulli, apartado 30, (972) 15 04 57, *Fax (972) 15 07 17,* « Villa de acogedor marco rústico frente a una cala » –
15 marzo-15 octubre – **Comida** *(cerrado lunes y martes salvo julio-septiembre)* 13500 y carta 8800 a 11200
Espec. Moluscada en gelatina. Gazpacho de buey de mar. Fardo de espardenyes en agridulce.

ROTA *11520 Cádiz* 446 **W 10** – *27 139 h. – Playa.*
pl. de España 3 (956) 82 91 05 (956) Fax 84 02 00.
Madrid 632 – Cádiz 44 – Jerez de la Frontera 34 – Sevilla 125.

en la carretera de Chipiona *O : 2 km – 11520 Rota :*

Playa de la Luz, av. Diputación (956) 81 05 00, Telex 76063, *Fax (956) 81 06 06,* « Conjunto típico andaluz », – rest, – 25/300.
Comida 2750 – 1250 – **265 hab** 10690/14255 – PA 5740.

LAS ROZAS *28230 Madrid* 444 **K 18** – *35 211 h. alt. 718.*
Madrid 16 – Segovia 91.

en la autovía N VI – *28230 Las Rozas :*

Gobolem, La Cornisa 18 - SE : 2 km (91) 634 05 44, –
cerrado domingo noche – **Comida** carta 3600 a 5250.

El Asador de Aranda, SE : 1,5 km (91) 639 30 27, *Fax (91) 556 62 02,* « Decoración castellana. Patio-terraza » –
Comida - cordero asado - carta aprox. 3400.

La RUA o **A RUA** *32350 Orense* 441 **E 8** – *4 933 h. alt. 371.*
Madrid 448 – Lugo 114 – Orense/Ourense 109 – Ponferrada 61.

Os Pinos, carret. N 120 - O : 1,5 km (988) 31 17 16, *Fax (988) 31 22 91* –
Comida 1400 – 500 – **38 hab** 3000/5000 – PA 3000.

RUBÍ *08191 Barcelona* 443 **H 36** – *50 384 h. alt. 123.*
Madrid 616 – Barcelona 24 – Lérida/Lleida 160 – Mataró 43.

Sant Pere II sin rest, Riu Segre 27 (93) 588 59 95, *Fax (93) 588 50 36,* –
1045 – **18 hab** 7500/9500.

en la urbanización Els Avets *SO : 2 km - ✉ 08191 Rubí :*

XX **Macxim,** Guatlla 20 ☎ (93) 699 55 58, *Fax (93) 697 45 55,* - . VISA.
cerrado 2ª y 3ª semanas de agosto - **Comida** - sólo almuerzo - carta 3275 a 4245.

RUBIELOS DE MORA *44415 Teruel 443 L 28 - 570 h. alt. 929.*

pl. de Hispano América 1 ☎ (978) 80 40 96 Fax (978) 80 40 96.

Madrid 357 - Castellón de la Plana/Castelló de la Plana 93 - Teruel 56.

Montaña Rubielos, av. de los Mártires ☎ (978) 80 42 36, *Fax (978) 80 42 84* - rest, - 25/300. AE VISA.
Comida 1600 - 500 - **30 hab** 3850/7150.

X **Portal del Carmen,** Glorieta 2 ☎ (978) 80 41 53, *Fax (978) 80 42 38,* , « Instalado en un convento del siglo XVII » - VISA
cerrado jueves y del 1 al 10 de septiembre - **Comida** carta 2525 a 3450.

RUGAT *46842 Valencia 445 P 28 - 199 h. alt. 300.*

Madrid 398 - Alcoy/Alcoi 41 - Denia 46 - Gandía 21.

La Casa Vieja, Horno 4 ☎ (96) 281 40 13, *Fax (96) 281 40 13,* , « Ambiente acogedor en un marco rústico », - VISA. rest
febrero-septiembre - **Comida** *(cerrado domingo noche, lunes y martes)* 1500 - **5 hab** 7000/10000.

RUILOBA *39527 Cantabria 442 B 17 - 731 h. alt. 35.*

Madrid 393 - Aguilar de Campóo 106 - Oviedo 150 - Santander 37.

La Cigoña, barrio La Iglesia ☎ (942) 72 10 75, - . AE VISA JCB
cerrado 15 enero-15 marzo - **Comida** *(cerrado miércoles salvo julio-15 septiembre)* 1900 - 500 - **16 hab** 5500/7000.

RUPIT *08569 Barcelona 443 F 37 - 353 h. alt. 822.*

Madrid 668 - Barcelona 97 - Gerona/Girona 75 - Manresa 93.

Estrella, pl. Bisbe Font 1 ☎ (93) 852 20 05, *Fax (93) 852 21 71* - , rest,. AE VISA.
rest
Comida 1750 - 700 - **26 hab** 5000/6800 - PA 4200.

RUTE *14960 Córdoba 446 U 16 - 9 703 h. alt. 637.*

Madrid 494 - Antequera 60 - Córdoba 96 - Granada 127.

María Luisa, carret. Lucena-Loja ☎ (957) 53 80 96, *Fax (957) 53 90 37,* , , - . AE VISA.
Comida 2750 - 950 - **37 hab** 5500/9000 - PA 6450.

SABADELL *08200 Barcelona 443 H 36 - 189 184 h. alt. 188 - Iberia : paseo Manresa 14 ☎ (93) 727 84 64.*

Madrid 626 - Barcelona 20 - Lérida/Lleida 169 - Mataró 47 - Tarragona 108.

Sabadell, pl. Catalunya 10, ✉ 08201, ☎ (93) 727 92 00, *Fax (93) 727 86 17* - - 25/300. AE VISA
Comida 2300 - 1050 - **110 hab** 9900/11400 - PA 5500.

G.H. Verdi, av. Francesc Macià 62, ✉ 08206, ☎ (93) 723 11 11, *Fax (93) 723 12 32* - - 25/450. AE VISA
Comida 2500 - 1000 - **172 hab** 11400/14000 - PA 6000.

Urpí, av. 11 Setembre 38, ✉ 08208, ☎ (93) 723 48 48, *Fax (93) 723 35 28* - - 25/600. AE VISA. rest
Comida 1500 - 750 - **123 hab** 4800/7500 - PA 3000.

XX **Marcel,** Advocat Cirera 40, ✉ 08201, ☎ (93) 725 23 00, *Fax (93) 727 53 00* - . AE VISA
cerrado sábado, domingo, Semana Santa y agosto - **Comida** 3500 y carta 4150 a 5100
Espec. Calamarcitos rellenos de colmenillas. Filetes de pescado con jamón de pato y vinagreta suave. Emincé de avestruz en salsa de arándanos.

X **Forrellat,** Horta Novella 27, ✉ 08201, ☎ (93) 725 71 51 - . AE VISA JCB.
cerrado domingo noche, lunes noche, Semana Santa y 3 semanas en agosto - **Comida** carta 3575 a 5350.

SABANELL (Playa de) *Gerona - ver Blanes.*

SABINOSA *Santa Cruz de Tenerife – ver Canarias (Hierro).*

SABIÑÁNIGO *22600 Huesca* 443 **E 28** – *9 917 h. alt. 798.*
Madrid 443 – Huesca 53 – Jaca 18.

La Pardina, Santa Orosia 36 (carret. de Jaca) (974) 48 09 75, *Fax (974) 48 10 73,* – , rest, . rest
Comida 1400 – 500 – **63 hab** 5500/8500 – PA 3300.

Mi Casa, av. del Ejército 32 (974) 48 04 00, *Fax (974) 48 29 79* – , rest, .
Comida *(cerrado domingo noche en invierno)* 1400 – 650 – **72 hab** 5000/7500.

en la carretera de circunvalación *E : 1,5 km – 22600 Sabiñánigo :*

Confortel Sabiñánigo, (974) 48 34 45, *Fax (974) 48 32 80,* – , rest, .
Comida 1300 – 750 – **48 hab** 5900/8800 – PA 2835.

SACEDÓN *19120 Guadalajara* 444 **K 21** – *1 632 h. alt. 740.*
Madrid 107 – Guadalajara 51.

Mariblanca, glorieta de los Mártires 2 (949) 35 00 44, – rest, .
cerrado septiembre – **Comida** *(cerrado domingo noche)* 1300 – 425 – **27 hab** 3350/5000 – PA 2570.

Pino, carret. de Cuenca (949) 35 01 48 – .
cerrado martes noche y 20 diciembre-10 enero – **Comida** carta 2050 a 3350.

SADA *15160 La Coruña* 441 **B 5** – *9 190 h. – Playa.*
Madrid 584 – La Coruña/A Coruña 20 – Ferrol 38.

Sada Marina H., paseo Marítimo (981) 62 34 06, *Fax (981) 62 38 06,* – – 25/1000. rest
Comida 1800 – 800 – **76 hab** 7980/11350 – PA 3740.

S' AGARÓ *17248 Gerona* 443 **G 39** – *Playa.*
Ver : *Centro veraniego★ (★).*
Madrid 717 – Barcelona 103 – Gerona/Girona 38.

Hostal de La Gavina, pl. de la Rosaleda (972) 32 11 00, *Fax (972) 32 15 73,* , « Lujosa instalación con mobiliario de gran estilo », – – 25/130. rest
Semana Santa-12 octubre – **Comida** 5800 - ***Candlelight*** *(sólo cena)* **Comida** carta 4400 a 7400 – 2100 – **74 hab** 27000/39500, 1 suite.

S'Agaró H., platja de Sant Pol (972) 32 52 00, *Fax (972) 32 45 33,* – – 25/250. rest
Comida 3800 – 1500 – **80 hab** 12750/19000.

Confortel Caleta Park, platja de Sant Pol (972) 32 00 12, *Fax (972) 32 40 96,* – – 25/100. rest
abril-noviembre – **Comida** 2500 – **95 hab** 15400/18300 – PA 5000.

Sant Pol, platja de Sant Pol 125, 17220 San Feliú de Guixols, (972) 32 10 70, *Fax (972) 82 23 78,* – , hab, . rest
cerrado noviembre – **Comida** 2200 – 700 – **24 hab** 8000/11000.

Barcarola, platja de Sant Pol (972) 82 09 82, *Fax (972) 82 01 97,* – .
cerrado lunes (octubre-marzo) y 15 enero-15 febrero – **Comida** carta aprox. 3350.

Alicia-Can Joan, carret. de Castell d'Aro 47, 17220 San Feliú de Guixols, (972) 32 48 99 – .
cerrado jueves y noviembre – **Comida** - pescados y mariscos - carta 3100 a 5100.

SAGUNTO o **SAGUNT** *46500 Valencia* 445 **M 29** – *58 164 h. alt. 45.*
Ver : *Acrópolis ★. –* *pl. Cronista Chabret (96) 266 22 13 Fax (96) 265 05 63.*
Madrid 350 – Castellón de la Plana/Castelló de la Plana 40 – Teruel 120 – Valencia 25.

Azahar sin rest, av. Pais Valencià 8 (96) 266 33 68, *Fax (96) 265 01 75* – .
600 – **25 hab** 5900/7900.

L'Armeler, subida del Castillo 44 (96) 266 43 82, *Fax (96) 266 43 82,* – .
cerrado domingo noche y lunes noche salvo festivos y vísperas – **Comida** carta 3250 a 4400.

en el puerto *E : 6 km – 46520 Puerto de Sagunto :*

Teide, av. 9 de Octubre 53 (96) 267 22 44, *Fax (96) 267 57 85* – AE E VISA.
Comida 1400 – 500 – **23 hab** 3500/6000 – PA 3000.

El Bergantín sin rest, pl. del Sol (96) 268 03 59, *Fax (96) 267 33 23* – E VISA
cerrado 10 diciembre-10 enero – 400 – **27 hab** 2500/5500.

El Almirez, Cataluña 7 (96) 268 00 30 – .

en la playa de Corinto *NE : 12 km – 46500 Sagunto :*

Coll Verd de Corinto, av. Danesa 43-E (96) 260 91 04, *Fax (96) 260 89 70,* – E VISA.
cerrado lunes, enero y febrero – **Comida** carta 2700 a 3800.

SAHAGÚN *24320 León* 441 E 14 – *3 351 h. alt. 816.*
Madrid 298 – León 66 – Palencia 63 – Valladolid 110.

La Codorniz, av. de la Constitución 97 (987) 78 02 76, *Fax (987) 78 01 86* – rest, – 25/60. AE E VISA.
Comida 1500 – 500 – **26 hab** 4500/6000.

Alfonso VI, Antonio Nicolás 4 (987) 78 11 44, *Fax (987) 78 12 58* – . AE E VISA.
Comida 1000 – 300 – **10 hab** 4860 – PA 2300.

SALAMANCA *37000* P 441 J 12 y 13 – *186 322 h. alt. 800.*

Ver : *El centro monumental*** : Plaza Mayor**** BY *Casa de las Conchas** BY *Patio de Escuelas*** (fachada de la Universidad***)* BZ **U** – *Escuelas Menores (patio*, cielo de Salamanca*)* BZ **U1** – *Catedral Nueva** (fachada occidental**)* BZ **A** – *Catedral Vieja** (retablo mayor**, sepulcro** del obispo Anaya)* BZ **B** – *Convento de San Esteban* (fachada*, medallones del claustro*)* BZ – *Convento de las Dueñas (claustro**)* BZ **F** – *Palacio de Fonseca (patio*)* BY **D.**

Otras curiosidades : *Iglesia de la Purísima Concepción (retablo de la Inmaculada Concepción*)* BY **P** *Convento de las Úrsulas (sepulcro*)* BY **X**, *Colegio Fonseca (capilla*, patio*)* AY **E.**

Rua Mayor (Casa de Las Conchas) 37008 (923) 26 85 71 Fax (923) 26 24 92 y pl. Mayor 14 37002 (923) 21 83 42 – **R.A.C.E.** *España 6 37001 (923) 21 29 25 Fax (923) 26 97 19.*

Madrid 205 ② – Ávila 98 ② – Cáceres 217 ③ – Valladolid 115 ① – Zamora 62 ①

Planos páginas siguientes

NH Palacio de Castellanos, San Pablo 58, 37001, (923) 26 18 18, *Fax (923) 26 18 19,* , « Elegante patio interior » – – 25/120. AE E VISA. BZ r
Comida 2000 – 1300 – **62 hab** 14000/18200.

Gran Hotel, pl. Poeta Iglesias 3, 37001, (923) 21 35 00, Telex 26809, *Fax (923) 21 35 00* – – 25/600. AE VISA. rest BY r
Comida 2500 - ***Feudal :*** **Comida** carta 2800 a 4200 – **136 hab** 12000/15000, 4 suites.

Parador de Salamanca, Teso de la Feria 2, 37008, (923) 19 20 82, *Fax (923) 19 20 87,* – – 25/220. AE E VISA JCB. AZ a
Comida 3500 – 1200 – **108 hab** 13200/16500.

Rector sin rest, Rector Esperabé 10, 37008, (923) 21 84 82, *Fax (923) 21 40 08* – . AE E VISA. BZ e
1000 – **14 hab** 12000/17000.

Monterrey, Azafranal 21, 37001, (923) 21 44 00, Telex 27836, *Fax (923) 21 44 00* – – 25/250. AE E VISA JCB. CY u
Comida 3600 - ***El Fogón :*** **Comida** carta 3500 a 5100 – 1500 – **144 hab** 13000/18000.

Meliá Confort Salamanca sin rest, Álava 8, 37001, (923) 26 11 11, *Fax (923) 26 24 29* – – 25/60. AE E VISA CYZ f
1050 – **59 hab** 13300/16700, 4 suites.

San Polo, Arroyo de Santo Domingo 2, 37008, (923) 21 11 77, *Fax (923) 21 11 77,* « Junto a las ruinas de una iglesia románico-mudejar » – . AE E VISA. rest
Comida 2500 – 1000 – **37 hab** 9500/13500. BZ n

Las Torres, Concejo 4, 37002, (923) 21 21 00, *Fax (923) 21 21 01* – . AE E VISA JCB. BY e
Comida 2300 – 1000 – **44 hab** 10000/13000 – PA 4480.

SALAMANCA

Azafranal . . . . CY
Mayor (Pl.) . . . . BY
Toro . . . . .BCY
Zamora . . . . BY

Alemania (Av. de) . . . . BY
Álvaro Gil . . . . BY 3
Anaya (Pl.) . . . . BZ 4
Ancha . . . . .ABY
Ángel (Pl.) . . . . BY 6
Balmes . . . . AZ
Bandos (Pl. de Los) . . . . BY 7
Bordadores . . . . BY 9
Caldereros . . . . BZ 10
Calderón de la Barca . . . . BZ 12
Campo Charro (Av. del) . . . . AY
Canaleras (Paseo de) . . . . .CYZ
Carmen (Cuesta del) . . . . BY 13
Casas (Pl. de las) . . . . BY 15
Cervantes . . . . BY
Champagnat (Av. de) . . . . AY
Campaña . . . . BY
Comuneros (Av. de los) . . . . CY 16
Concilio de Trento . . . . BZ 18
Condes de Crespo Rascón . . . . . . BY 19
Constitución (Pl. de la) . . . . CY 21
Corillo (Pl.) . . . . BY 22
Desengaño (Paseo) . . . . AZ 24
Dr. Torres Villarroel
(Paseo del) . . . . BY 25
Ejército (Pl. del) . . . . BY
Enrique Estevan (Puente) . . . . BZ 27
España (Pl. del) . . . . CY
Espoz y Mina . . . . BY 28
Estación (Paseo de la) . . . . CY 30
Federico Anaya (Av. de) . . . . CY 31
Filiberto Villalobos (Av. de) . . . . . . AY 33
Fray Luis de Granada . . . . BY 34
Fregeneda . . . . AZ
Fuente (Pl. de la) . . . . BY 36
Garcia Tejado . . . . AY
Gran Via . . . . CY
Grillo . . . . .CYZ
Italia (Av. de) . . . . BY
Juan de la Fuente . . . . BZ 37
Libertad (Pl. de la) . . . . BY 39
Libreros . . . . BZ 40
María Auxiliadora . . . . CY 42
Marquesa de Almarza . . . . CZ 43
Meléndez . . . . BY 45
Mirat (Av. de) . . . . .BCY
Monterrey (Pl. de) . . . . BY 46
Obispo Jarrín . . . . BY 48
Padilla . . . . CY 49
Palominos . . . . BZ 51
Patio Chico . . . . BZ 52
Pedro Mendoza . . . . CY 54
Peña de Francia . . . . AY 55
Peso (Pl. del) . . . . BY 57
Portugal (Av. de) . . . . CY
Pozo Amarillo . . . . BY 58
Prior . . . . BY
Progreso (Paseo del) . . . . AZ
Ramón y Cajal . . . . AY 60
Rector Esperabe (Paseo del) . . . . BZ
Reina (Pl. de la) . . . . CY 61
Reyes de España (Av.) . . . . BZ 63
Rosario . . . . .BCZ
Rúa Mayor . . . . BZ
San Antonio (Paseo de) . . . . CY
San Blas . . . . AY 64
San Francisco Javier . . . . .CYZ
San Gregorio . . . . AZ
San Isidro (Pl. de) . . . . .BYZ 66
San Julián (Pl.) . . . . CY 67
San Justo . . . . BY
San Pablo . . . . BZ
San Vicente (Paseo de) . . . . AY
Santa Clara . . . . CZ
Santa Eulalia (Pl.) . . . . CY 69
Santa Teresa (Pl. de) . . . . BY 70
Santo Domingo (Pl.) . . . . BZ 72
Sánchez Fabres (Puente) . . . . AZ 73
Sancti Spiritus (Cuesta) . . . . CY 75
Serranos . . . . BZ 76
Sorias . . . . BY
Tostado . . . . BZ 78
Villamayor (Av. de) . . . . AY
Wences Moreno . . . . BY 79

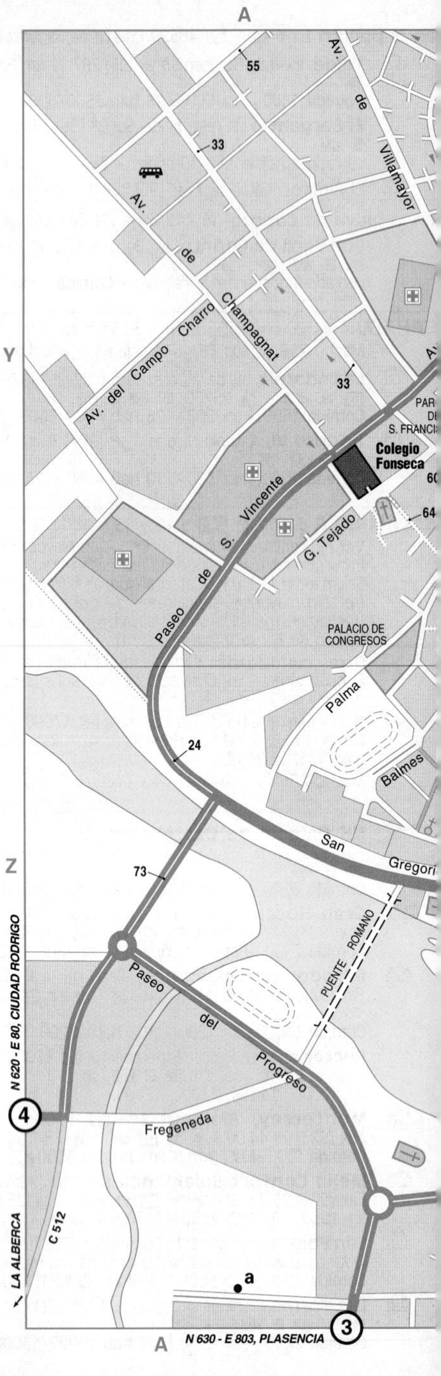

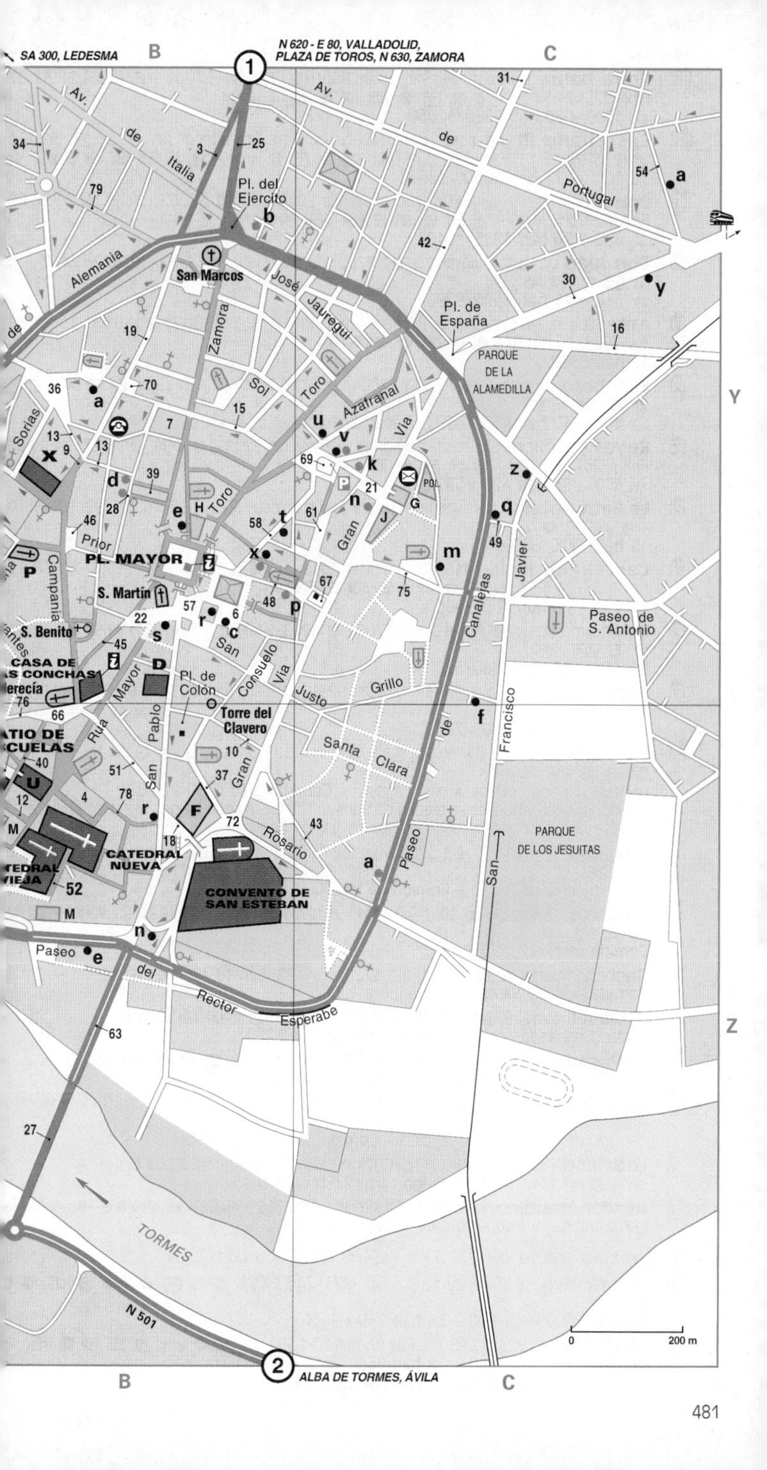
SA 300, LEDESMA
N 620 - E 80, VALLADOLID, PLAZA DE TOROS, N 630, ZAMORA
ALBA DE TORMES, ÁVILA
Av. de Italia
Av. de Portugal
Alemania
Pl. del Ejercito
San Marcos
José Jauregui
Zamora
Pl. de España
PARQUE DE LA ALAMEDILLA
Sol
Toro
Azafranal
Gran Via
Sorias
Prior
Campania
PL. MAYOR
S. Martín
S. Benito
CASA DE LAS CONCHAS
Rua Mayor
San Pablo
Pl. de Colón
Torre del Clavero
San Justo
Consuelo
Grillo
Santa Clara
Paseo de Canalejas
Javier
Paseo de S. Antonio
Francisco
San Francisco
PARQUE DE LOS JESUITAS
Rosario
Paseo
CATEDRAL NUEVA
CONVENTO DE SAN ESTEBAN
Paseo del Rector Esperabe
TORMES
N 501
0
200 m

Rona Dalba sin rest, pl. San Juan Bautista 12, ✉ 37002, ℘ (923) 26 32 32, *Fax (923) 21 54 57* – ⇕ ▤ TV ☎. AE ⓓ E VISA JCB. ✻ — BY a
☕ 1000 – **89 hab** 9880/12950.

Castellano III sin rest. con cafetería, San Francisco Javier 2, ✉ 37003, ℘ (923) 26 16 11, *Fax (923) 26 67 41* – ⇕ ▤ TV ☎ 🚗 – 🏃 25/35. AE ⓓ E VISA. ✻ — CY z
☕ 1000 – **73 hab** 10000/13500.

Condal sin rest. con cafetería, pl. Santa Eulalia 3, ✉ 37002, ℘ (923) 21 84 00, *Fax (923) 21 84 00* – ⇕ TV ☎. AE E VISA JCB. ✻ — CY v
☕ 650 – **70 hab** 6825/10400.

Don Juan sin rest, Quintana 6, ✉ 37001, ℘ (923) 26 14 73, *Fax (923) 26 24 75* – ⇕ ▤ TV ☎. ⓓ VISA. ✻ — BY s
☕ 550 – **16 hab** 6500/9000.

Amefa sin rest y sin ☕, Pozo Amarillo 18, ✉ 37002, ℘ (923) 21 81 89, *Fax (923) 26 02 00* – ⇕ ▤ TV ☎. AE E VISA — BY t
33 hab 5500/7975.

El Toboso sin rest, Clavel 7, ✉ 37001, ℘ (923) 27 14 64, *Fax (923) 27 14 64* – ⇕ TV ☎. AE ⓓ E VISA — BY x
☕ 400 – **30 hab** 4500/6300, 7 apartamentos.

Reyes Católicos sin rest, paseo de la Estación 32, ✉ 37004, ℘ (923) 24 10 64, *Fax (923) 24 10 64* – ⇕ ▤ TV ☎. VISA. ✻ — CY y
☕ 450 – **33 hab** 4200/5900.

Le Petit Hotel sin rest y sin ☕, ronda Sancti Spíritus 39, ✉ 37001, ℘ (923) 26 55 76 – ⇕ ▤ TV ☎ — CY m
15 hab 3900/6000.

Castellano II sin rest, Pedro Mendoza 36, ✉ 37004, ℘ (923) 24 28 12, *Fax (923) 26 67 41* – TV ☎ 🚗. AE ⓓ E VISA. ✻ — CY a
☕ 650 – **29 hab** 7000/9000.

Milán sin rest, pl. del Ángel 5, ✉ 37001, ℘ (923) 21 75 18, *Fax (923) 21 96 97* – ⇕ TV ☎. E VISA. ✻ — BY c
☕ 400 – **25 hab** 3800/5900.

París sin rest, Padilla 1, ✉ 37001, ℘ (923) 26 29 70, *Fax (923) 26 09 91* – ▤ TV ☎ ⓓ E VISA. ✻ — CY
☕ 500 – **13 hab** 5000/7000.

✕✕ ✿ **Chez Víctor,** Espoz y Mina 26, ✉ 37002, ℘ (923) 21 31 23, *Fax (923) 21 76 99* – ▤ AE ⓓ E VISA JCB. ✻ — BY
cerrado domingo noche, lunes y agosto – **Comida** carta 4750 a 5700
Espec. Hongos y nueces salteados con huevo frito. El pichón en dos maneras al Río Viejo. Mousse de queso fresco a los granos de vainilla Bourbon.

✕✕ **Chapeau,** Gran Vía 20, ✉ 37001, ℘ (923) 26 57 95, *Fax (923) 21 172* – ▤. AE ⓓ E VISA. ✻ — CY
cerrado domingo noche – **Comida** carta 2700 a 4700.

✕✕ **Albatros,** Obispo Jarrín 10, ✉ 37001, ℘ (923) 26 93 87, *Fax (923) 21 90 70* – ▤. AE ⓓ E VISA. ✻ — BY
Comida carta aprox. 3500.

✕✕ **Gasteiz,** Puerta de Zamora 4, ✉ 37001, ℘ (923) 24 18 78 – ▤. E VISA — BY
Comida - cocina vasca - carta 3450 a 4000.

✕✕ **El Clavel,** Clavel 6, ✉ 37001, ℘ (923) 21 61 75 – ▤. AE ⓓ E VISA — BY
cerrado domingo noche – **Comida** carta 3360 a 5250.

✕✕ **La Posada,** Aire 1, ✉ 37001, ℘ (923) 21 72 51 – ▤. AE ⓓ E VISA. ✻ — CY
cerrado del 1 al 15 de agosto – **Comida** carta 3000 a 4300.

✕✕ **El Porrón,** Rosario 61, ✉ 37001, ℘ (923) 21 17 26, 🍽, « En un entorno monumental » – ▤ 🚗. AE ⓓ E VISA. ✻ — CZ
cerrado domingo noche y agosto – **Comida** carta 3550 a 4900.

✕ **Le Sablon,** Espoz y Mina 20, ✉ 37002, ℘ (923) 26 29 52 – ▤. AE ⓓ E VISA. ✻ — BY
cerrado martes y julio – **Comida** carta 2750 a 4000.

✕ **Asador Arandino,** Azucena 5, ✉ 37001, ℘ (923) 21 73 82 – ▤. AE ⓓ E VISA — CY
cerrado lunes y julio – **Comida** carta aprox. 4900.

en la carretera N 630 *por ① : 3 km – ✉ 37184 Villares de la Reina :*

Helmántico, ℘ (923) 22 12 20, *Fax (923) 24 53 41* – ⇕ ▤ TV ☎ 🚗 Ⓟ. AE ⓓ E VISA. ✻
Comida 2500 – ☕ 600 – **55 hab** 7500/9500.

Moderno, ℘ (923) 12 03 68, *Fax (923) 12 14 39* – ▤ TV ☎ 🚗 Ⓟ. AE ⓓ E VISA. ✻
Comida 1200 – ☕ 500 – **19 hab** 6500/8500 – PA 2460.

Ver también : **Santa Marta de Tormes** *por ② : 6 km*

SALARDÚ *25598 Lérida* 443 **D 32** – *alt. 1 267 – Deportes de invierno en Baqueira Beret E : 6 km :* *24.*

Ver : *Pueblo★.*

Madrid 611 – Lérida/Lleida 172 – Viella 9.

Petit Lacreu sin rest, carret. de Viella ☎ (973) 64 41 42, *Fax (973) 64 42 43,* ←, climatizada, – TV ☎ P. AE E VISA.
cerrado mayo, junio, octubre y noviembre – 900 – **30 hab** 6500/10000.

Lacreu, carret. de Viella ☎ (973) 64 42 22, *Fax (973) 64 42 43,* ←, climatizada, – TV ☎ P. AE E VISA.
cerrado mayo, junio, octubre y noviembre – **Comida** 2000 – 650 – **68 hab** 4700/7000.

Garona, ☎ (973) 64 50 10, *Fax (973) 64 40 26,* ← – TV ☎. E VISA.
diciembre-abril y julio-septiembre – **Comida** - sólo cena en invierno - 1925 – 700 – **28 hab** 4000/6250.

Deth Païs, pl. de la Pica ☎ (973) 64 58 36, *Fax (973) 64 45 00,* ← – TV ☎ P. E VISA.
cerrado del 1 al 24 de junio, octubre y noviembre – **Comida** carta aprox. 2800 – 600 – **18 hab** 6000/8000.

en Tredós *por la carretera del port de la Bonaigua – ✉ 25598 Salardú :*

De Tredós, E : 1,4 km ☎ (973) 64 40 14, *Fax (973) 64 43 00,* ← – TV ☎ P. VISA.
diciembre-abril y julio-septiembre – **Comida** - sólo cena - 2400 – 900 – **37 hab** 9000/12800.

Orri, E : 1,2 km ☎ (973) 64 60 86, *Fax (973) 64 60 89,* ← – TV ☎ P. AE E VISA.
5 diciembre-mayo y 20 junio-20 septiembre – **Comida** - sólo cena en invierno - 2100 – **30 hab** 9400/16800.

en Bagergue *N : 2 km – ✉ 25598 Salardú :*

Casa Perú, Sant Antoni 6 ☎ (973) 64 54 37, *Fax (973) 64 54 37* – VISA
cerrado junio, octubre y noviembre – **Comida** - carnes - carta 2700 a 2950.

en Baqueira *por la carretera del port de la Bonaigua - E : 4 km – ✉ 25598 Salardú :*

Tuc Blanc, ☎ (973) 64 43 50, *Fax (973) 64 60 08,* – TV ☎ P – 25/250. AE E VISA.
diciembre-abril y julio-septiembre – **Comida** - sólo cena en invierno - 2700 – 1200 – **165 hab** 14800/23000.

Montarto, ☎ (973) 64 44 44, *Fax (973) 64 52 00,* ← alta montaña, climatizada, – TV ☎ P – 25/75
temp – **Comida** La Perdiu Blanca – **166 hab.**

Val de Ruda, ☎ (973) 64 52 58, *Fax (973) 64 58 11,* ←, « Decoración típica aranesa » – TV ☎ P. VISA.
mayo-10 julio y septiembre-noviembre – **Comida** - sólo cena - 2850 – 1450 – **34 hab** 11500/15700.

Ticolet, edificio Biciberri ☎ (973) 64 54 77 – AE E VISA.
cerrado mayo-15 julio y 15 septiembre-noviembre – **Comida** carta 3300 a 3650.

en la carretera de Beret *E : 7 km – ✉ 25598 Salardú :*

Tryp Royal Tanau, ☎ (973) 64 44 46, *Fax (973) 64 43 44,* ←, – TV ☎ P. AE E VISA.
diciembre-abril y julio-15 septiembre – **Comida** - sólo cena en invieno - 4100 - ***Eth Cauder*** : **Comida** carta 4100 a 5300 – 1750 – **30 hab** 34200/42600, 15 apartamentos.

SALAS DE LOS INFANTES *09600 Burgos* 442 **F 20** – *2 064 h.*

Madrid 230 – Aranda de Duero 69 – Burgos 53 – Logroño 118 – Soria 92.

Moreno con hab, Filomena Huerta 5 ☎ (947) 38 01 35 – TV. VISA.
cerrado febrero – **Comida** *(cerrado lunes)* carta 1750 a 2850 – 350 – **15 hab** 3000/4000.

SALDAÑA *34100 Palencia* 442 **E 15** – *3 100 h. alt. 910.*

Madrid 291 – Burgos 92 – León 101 – Palencia 65.

Dipo's, carret. de Relea - N : 1,5 km ☎ (979) 89 01 44, *Fax (979) 89 05 50,* – TV ☎ P
40 hab.

El SALER *46012 Valencia* 445 N 29 – *Playa.*

El Saler, (Parador Luis Vives) S : 7 km ☎ (96) 161 11 86 Fax (96) 162 70 16.
Madrid 356 – Gandía 55 – Valencia 8.

al Sur :

Sidi Saler, playa - 3 km ☎ (96) 161 04 11, *Fax (96) 161 08 38*, ←, – 25/300. AE VISA JCB
Comida 3550 - ***Grill Bendinat*** : **Comida** carta 3600 a 5100 – ☕ 1500 – **260 hab** 17000/21000, 17 suites.

Parador de El Saler, 7 km ☎ (96) 161 11 86, *Fax (96) 162 70 16*, ←, « En el centro de un campo de golf », – – 25/60. AE E VISA.
Comida 3700 – ☕ 1300 – **58 hab** 15600/19500.

SALINAS *33400 Asturias* 441 B 12.
Ver : *Desde la Peñona ←★ de la playa.*
Madrid 488 – Avilés 5 – Gijón 24 – Oviedo 37.

El Pinar sin rest, Pablo Laloux 15 ☎ (98) 550 18 22, *Fax (98) 550 06 61*, ← – **17 hab.**

Real Balneario, Juan Sitges 3 ☎ (98) 551 86 13, *Fax (98) 550 11 58*, ←, – . AE E VISA.
cerrado del 7 al 24 de enero – **Comida** carta aprox. 5400.

Las Conchas, Pablo Laloux - edificio Espartal ☎ (98) 550 14 45, ←, – AE E VISA.
cerrado lunes y octubre – **Comida** carta 4000 a 4500.

Piemonte, Príncipe de Asturias 74 ☎ (98) 550 00 25, – AE E VISA.
cerrado miércoles y del 15 al 30 de septiembre – **Comida** carta 2325 a 4100.

SALINAS DE LENIZ o LEINTZ-GATZAGA *20530 Guipúzcoa* 442 D 22 – *188 h.*
Madrid 377 – Bilbao/Bilbo 66 – San Sebastián/Donostia 83 – Vitoria/Gasteiz 22.

en el puerto de Arlabán *carretera GI 627 - SO : 3 km – ✉ 20530 Salinas de Leniz :*

Gure Ametsa con hab, ☎ (943) 71 49 52, *Fax (943) 71 49 52* – rest, . AE E VISA
cerrado del 10 al 31 de agosto y 23 diciembre-3 enero – **Comida** *(cerrado lunes noche)* carta 3500 a 4100 – ☕ 500 – **5 hab** 4000/5000.

SALINAS DE SIN *22365 Huesca* 443 E 30 – *alt. 725.*
Madrid 541 – Huesca 146.

Mesón de Salinas con hab, cruce carret. de Bielsa ☎ (974) 50 40 01 – rest, AE E VISA.
cerrado del 1 al 26 de diciembre – **Comida** carta 1750 a 3100 – ☕ 600 – **16 hab** 2800/4400.

SALLENT *08650 Barcelona* 443 G 35 – *7 659 h. alt. 275.*
Madrid 593 – Barcelona 70 – Berga 39 – Manresa 14 – Vic 54.

junto a la autovía C 1411 *S : 4,5 km – ✉ 08650 Sallent :*

La Sala, vía de servicio ☎ (93) 837 02 68, *Fax (93) 837 25 54*, « Antigua masía. Interesante bodega » – . AE E VISA
cerrado del 10 al 24 de agosto – **Comida** carta 3200 a 4800.

SALLENT DE GÁLLEGO *22640 Huesca* 443 D 29 – *1 823 h. alt. 1 305 – Deportes de invierno en El Formigal : 1 23.*
Madrid 485 – Huesca 90 – Jaca 52 – Pau 78.

Almud sin rest, Espadilla 11 ☎ (974) 48 83 66, *Fax (974) 48 83 66*, ← – . AE E VISA.
8 hab ☕ 9000/12000.

Garmo Blanco, ☎ (974) 48 82 19, ← – E VISA.
cerrado noviembre – **Comida** carta 2300 a 3500.

en El Formigal *NO : 4 km – ✉ 22640 El Formigal :*

Formigal, ☎ (974) 49 00 30, *Fax (974) 49 02 04*, ← alta montaña, – – 25/120. AE E VISA. rest
cerrado octubre y noviembre – **Comida** 2000 – ☕ 950 – **125 hab** 9500/15500 – PA 4800.

Villa de Sallent, (974) 49 02 23, *Fax (974) 49 01 50*, alta montaña –
Comida 2150 – 1050 – **40 hab** 10000/13000 – PA 4850.

Eguzki-Lore, (974) 49 01 23, *Fax (974) 49 01 22*, alta montaña – rest
diciembre-marzo y julio septiembre – **Comida** *(cerrado julio y agosto)* - sólo cena - carta aprox. 3500 – 650 – **32 hab** 9000/15900.

SALOBREÑA *18680 Granada* 446 V 19 – *9 220 h. alt. 100 – Playa.*

Los Moriscos, SE : 5 km (958) 82 55 27.

Madrid 499 – Almería 119 – Granada 70 – Málaga 102.

en la carretera de Málaga – *18680 Salobreña :*

Salobreña, O : 4 km (958) 61 02 61, *Fax (958) 61 01 01*, mar y costa, – 25/400.
Comida 2035 – 630 – **170 hab** 6150/8500, 2 suites.

Salambina, O : 1 km (958) 61 00 37, *Fax (958) 61 13 28*, plantaciones de cañas y mar, – rest,
Comida 1750 – 470 – **14 hab** 3700/5390.

SALOU *43840 Tarragona* 443 I 33 – *8 236 h. – Playa.*

Alred. : *Port Aventura★★★ (Vila-Seca).*

passeig Jaume I-4 (xalet Torremar) (977) 35 01 02 Fax (977) 38 07 47.

Madrid 556 – Lérida/Lleida 99 – Tarragona 10.

Regente Aragón, Llevant 5 (977) 35 20 02, *Fax (977) 35 20 03*, –
José Luis : **Comida** carta 3500 a 4400 – 1300 – **60 hab** 10900/15500.

Casablanca Playa, passeig Miramar 12 (977) 38 01 07, *Fax (977) 35 01 17*,
–
Comida 1500 – 600 – **63 hab** 9400/12500 – PA 3260.

Caspel, Alfons V-9 (977) 38 02 07, *Fax (977) 35 01 75*, –
25/170.
Comida 1500 – 950 – **95 hab** 10000/12000.

Planas, pl. Bonet 3 (977) 38 01 08, *Fax (977) 38 05 33*, « Terraza con arbolado » – rest,
abril-octubre – **Comida** 2000 – 725 – **100 hab** 4900/8500.

Albatros, Brusel.les 60 (977) 38 50 70, *Fax (977) 38 50 70*, –
cerrado domingo noche, lunes y del 1 al 20 de enero – **Comida** carta 4050 a 5400.

Casa Font, Colóm 17 (977) 38 57 45, *Fax (977) 38 24 36*, –
cerrado lunes de octubre a mayo y Navidades – **Comida** carta 3150 a 4700.

La Goleta, Gavina - playa Capellans (977) 38 35 66, –
cerrado domingo noche (salvo mayo-septiembre) – **Comida** carta aprox. 5900.

en la playa de La Pineda *E : 7 km – 43840 Salou :*

Carabela Roc sin rest. con cafetería, Pau Casals 108 (977) 37 01 66, *Fax (977) 37 07 62*, « Terraza bajo los pinos » –
temp – **96 hab.**

SALT *17190 Gerona* 443 G 38 – *21 939 h. alt. 86.*

Madrid 695 – Gerona/Girona 3 – Palafrugell 40 – Palamós 46.

Vilanova, passeig Marqués de Camps 51 (972) 23 30 26 –
cerrado domingo, Semana Santa y tres semanas en agosto – **Comida** carta 2285 a 3550.

SAMIEIRA *36992 Pontevedra* 441 E 3.

Madrid 616 – Pontevedra 12 – Santiago de Compostela 69 – Vigo 38.

Covelo, carret. de La Toja (986) 74 11 21, *Fax (986) 74 15 20*, –
temp – **53 hab.**

Covelmar, carret. de La Toja (986) 74 10 00, *Fax (986) 74 10 98*, –
65 hab.

SAMIL (Playa de) *Pontevedra - ver Vigo.*

SAN ADRIÁN *31570 Navarra* 442 E 24 - *4 998 h.*
Madrid 324 - Logroño 56 - Pamplona/Iruñea 74 - Zaragoza 131.

Ochoa sin rest, Delicias 3 (948) 67 08 26 - VISA.
500 - **15 hab** 3000/4500.

Ríos, av. Celso Muerza 18 (948) 69 60 68, *Fax (948) 69 60 87* - AE VISA.
cerrado domingo, lunes noche, 23 diciembre-1 enero y del 1 al 15 de agosto - **Comida** carta 3150 a 4200.

SAN AGUSTÍN (Playa de) *Las Palmas - ver Canarias (Gran Canaria) : Maspalomas.*

SAN AGUSTÍN *Baleares - ver Baleares (Mallorca) : Palma.*

SAN AGUSTÍN *Baleares - ver Baleares : Ibiza.*

SAN AGUSTÍN DEL GUADALIX *28750 Madrid* 444 J 19 - *3 133 h. alt. 648.*
Madrid 35 - Aranda de Duero 128.

El Figón de Raúl, av. de Madrid 19 (91) 841 90 11, *Fax (91) 841 90 50* - 25. AE E VISA.
Comida 1300 - 300 - **16 hab** 6500/8000 - PA 2900.

Caserón de Araceli, del Olivar 8 (91) 841 85 31, *Fax (91) 843 52 71,* -
AE E VISA.
Comida carta aprox. 4550.

SAN ANDRÉS *Santa Cruz de Tenerife - ver Canarias (Tenerife).*

SAN ANDRÉS DE LLAVANERAS o **SANT ANDREU DE LLAVANERES** *08392 Barcelona* 443 H 37 - *4 182 h. alt. 114.*
Llavaneras, O : 1 km (93) 792 60 50 Fax (93) 795 25 58.
Madrid 666 - Barcelona 33 - Gerona/Girona 67.

La Bodega, av. Sant Andreu 6 (93) 792 67 79, *Fax (93) 795 25 10,* - AE E VISA.
cerrado lunes - **Comida** carta aprox. 4700.

en Port Balís *SE : 3 km - 08392 San Andrés de Llavaneras :*

Can Jaume, (93) 792 69 60, - VISA.
cerrado miércoles (salvo julio-agosto) y del 1 al 16 de enero - **Comida** - sólo almuerzo salvo sábado - carta 2275 a 4600.

SAN ANDRÉS DEL RABANEDO *24191 León* 441 E 13 - *21 643 h. alt. 825.*
Madrid 331 - Burgos 196 - León 4 - Palencia 132.

Casa Teo, Corpus Christi 203 (987) 84 61 05, -
cerrado domingo noche, lunes, 1ª quincena de marzo y 2ª quincena de octubre - **Comida** carta 2100 a 4400.

SAN ANDRES DE LA BARCA o **SANT ANDREU DE LA BARCA** *08740 Barcelona* 443 H 35 - *14 547 h. alt. 42.*
Madrid 604 - Barcelona 26 - Manresa 43.

Bristol, Via de l'Esport 4 (93) 682 11 77, *Fax (93) 682 37 97,* -
25/180. AE E VISA JCB.
Comida 1600 - 950 - **57 hab** 9100/10000.

SAN ANTONIO DE CALONGE o **SANT ANTONI DE CALONGE** *17252 Gerona* 443 G 39 - *Playa.*
av. Catalunya (972) 66 17 14 Fax (972) 66 10 80.
Madrid 717 - Barcelona 107 - Gerona/Girona 47.

Rosa dels Vents, passeig de Mar (972) 65 13 11, *Fax (972) 65 06 97,* -
rest, E VISA. rest
abril-septiembre - **Comida** 1800 - 1000 - **68 hab** 10000/13500.

Rosamar, passeig Josep Mundet 43 (972) 65 05 48, *Fax (972) 65 21 61,* -
rest, AE E VISA.
Semana Santa-octubre - **Comida** 1500 - **50 hab** 8000/16000.

Reimar, Torre Valentina ✆ (972) 65 22 11, *Fax (972) 65 12 13*, ≤, ⛱, ✂ - TV P. VISA. ✻ rest
Semana Santa-15 octubre - **Comida** 1600 - ☕ 750 - **49 hab** 8000/10000.

Del Pi, Ferran Agulló 4 ✆ (972) 65 14 63, *Fax (972) 65 10 13* - TV ☎. VISA. ✻ rest
abril-octubre - **Comida** 1500 - **20 hab** ☕ 6600/8700.

Refugi de Pescadors, passeig Josep Mundet 55 ✆ (972) 65 06 64, ☂, « Imitación del interior de un barco » - ▤. AE ◑ E VISA
Comida - pescados y mariscos - carta 3100 a 5600.

Costa Brava con hab, av. Catalunya 28 ✆ (972) 65 10 61 - ▤ rest, P. ◑ E VISA. ✻ rest
Comida *(cerrado miércoles y enero)* carta 2350 a 3950 - ☕ 500 - **7 hab** 4000/6000.

El Racó, edificio Eden Playa - Torre Valentina ✆ (972) 65 06 40, ≤, ☂
cerrado 20 diciembre-15 enero - **Comida** carta 2600 a 4350.

SAN ANTONIO DE PORTMANY *Baleares - ver Baleares (Ibiza).*

SAN BAUDILIO DE LLOBREGAT o SANT BOI DE LLOBREGAT *08830 Barcelona* 443

H 36 - 77 894 h. alt. 30.

Madrid 626 - Barcelona 11 - Tarragona 83.

El Castell ⛰, Castell 1 ✆ (93) 640 07 00, *Fax (93) 640 07 04*, ⛱ - |♦|, ▤ rest, TV ☎ P - 🏛 25/100. AE ◑ E VISA JCB. ✻ rest
Comida 1400 - **43 hab** ☕ 7250/11400.

SAN CARLOS DE LA RÁPITA o SANT CARLES DE LA RÁPITA *43540 Tarragona* 443

K 31 - 10 574 h.

ℹ pl. Carles III-13 ✆ (977) 74 01 00 Fax (977) 74 43 87.

Madrid 505 - Castellón de la Plana/Castelló de la Plana 91 - Tarragona 90 - Tortosa 29.

La Rápita, pl. Lluís Companys ✆ (977) 74 15 07, *Fax (977) 74 19 54*, ⛱ - |♦|, ▤ rest, TV ☎ ♿ 🚗 - 🏛 25/50. AE ◑ E VISA. ✻
Semana Santa-octubre - **Comida** - sólo buffet - 1500 - ☕ 800 - **232 apartamentos** 7500/9500.

Llansola, Sant Isidre 98 ✆ (977) 74 04 03, *Fax (977) 74 04 03* - ▤ rest, TV ☎ 🚗 P. AE E VISA. ✻
cerrado noviembre - **Comida** *(cerrado domingo noche y lunes mediodía)* 1600 - **21 hab** ☕ 4200/8000 - PA 3200.

Miami Park, av. Constitució 33 ✆ (977) 74 03 51, *Fax (977) 74 11 66* - |♦| ☎ 🚗. AE ◑ E VISA
Semana Santa-octubre - **Comida** (ver rest. ***Miami***) - ☕ 675 - **62 hab** 4100/7200.

Juanito Platja, passeig Marítim ✆ (977) 74 04 62, *Fax (977) 74 27 57*, ≤, ☂ - P. E VISA. ✻ rest
abril-septiembre - **Comida** 2025 - ☕ 500 - **35 hab** 4800/6900.

Plaça Vella, Arsenal 31 ✆ (977) 74 24 96, *Fax (977) 74 43 97* - |♦|, ▤ rest, TV ☎. AE ◑ E VISA
L'Áncora *(cerrado lunes)* **Comida** carta 3080 a 4885 - ☕ 550 - **21 hab** 6900/7450.

Varadero, av. Constitució 1 ✆ (977) 74 10 01, *Fax (977) 74 22 06*, ☂ - ▤. AE ◑ E VISA
cerrado lunes y 15 diciembre-enero - **Comida** - pescados y mariscos - carta 3200 a 5400.

Miami, av. Constitució 37 ✆ (977) 74 05 51, *Fax (977) 74 11 66* - ▤. AE ◑ E VISA
cerrado por la noche de domingo a jueves (en invierno) y del 15 al 31 de enero - **Comida** - pescados y mariscos - carta 2750 a 4300.

Can Víctor, Vista Alegre 8 ✆ (977) 74 29 05, *Fax (977) 74 53 30*, ☂ - ▤. AE ◑ E VISA. ✻
Comida - pescados y mariscos - carta 3000 a 3875.

Casa Ramón, Pou de les Figueretes 7 ✆ (977) 74 14 58, *Fax (977) 74 53 30* - ▤ P. AE ◑ E VISA. ✻
Comida - pescados y mariscos - carta 3000 a 3875.

Brasseria Elena, pl. Lluís Companys 1 ✆ (977) 74 29 68, ☂ - AE E VISA. ✻
cerrado martes (salvo verano) y 3 noviembre-3 diciembre - **Comida** - carnes a la brasa - carta 1700 a 2600.

Can Batiste con hab, Sant Isidre 204 ✆ (977) 74 23 08, *Fax (977) 74 23 08* - ▤ rest, TV. AE E VISA. ✻
Comida carta 2300 a 4300 - ☕ 500 - **10 hab** 2500/5000.

SAN CELONI o SANT CELONI *08470 Barcelona 443 G 37 – 11 937 h. alt. 152.*

Alred. : *NO, Sierra de Montseny★ : itinerario★★ de San Celoni a Santa Fé del Montseny – Carretera★ de San Celoni a Tona por Montseny.*

Madrid 662 – Barcelona 49 – Gerona/Girona 57.

Suis sin rest, Major 152 ☎ (93) 867 00 02, *Fax (93) 867 43 43* – TV ☎. E VISA. ✗ ☕ 650 – **28 hab** 5000/11000.

El Racó de Can Fabes, Sant Joan 6 ☎ (93) 867 28 51, *Fax (93) 867 38 61,* « Decoración rústica » – ▤ 🚗. AE ⓓ E VISA JCB
cerrado domingo noche, lunes, del 2 al 16 de febrero y 22 junio-6 julio – **Comida** 12500 y carta 9000 a 11000
Espec. Ancas de rana con sofrito de cebolla y tomate. Langosta del Mediterráneo con verduras (verano). Plátanos con crujientes y salsa de chocolate.

Les Tines, passeig dels Esports 16 ☎ (93) 867 25 54, 🏖 – ▤. AE ⓓ E VISA. ✗
cerrado martes y 2ª quincena de septiembre – **Comida** carta 2475 a 4275.

en la carretera C 251 *SO : 5,5 km – ✉ 08460 Santa María de Palautordera :*

Típica Cuina Catalana, ☎ (93) 848 94 51, *Fax (93) 848 94 51* – ▤ P. E VISA. ✗
cerrado lunes y 15 enero-1 febrero – **Comida** carta 2885 a 3900.

SAN CIBRIÁN *39110 Cantabria 442 B 18.*

Madrid 388 – Bilbao/Bilbo 86 – Santander 12 – Torrelavega 15.

Château La Roca 🐦 sin rest, José María Pereda ☎ (942) 57 91 02, *Fax (942) 57 91 97* – |‡| TV ☎ P. AE E VISA. ✗
☕ 700 – **56 hab** 8300/12800.

SAN COSME *33155 Asturias 441 B 11.*

Madrid 530 – Gijón 58 – Luarca 37 – Oviedo 71.

El Chisco 🐦, ☎ (98) 559 73 21, *Fax (98) 559 72 65* – TV ☎ P. AE E VISA. ✗
cerrado 20 septiembre-12 octubre – **Comida** 1100 – **22 hab** ☕ 4500/7000.

SAN CUGAT DEL VALLÉS o SANT CUGAT DEL VALLÈS *08190 Barcelona 443 H 36 – 38 834 h. alt. 180.*

Ver : *Monasterio★★ (Iglesia★ : retablo de todos los Santos★, claustro★ : capiteles románicos★).*

⛳18 Sant Cugat, Villa ☎ (93) 674 39 08 Fax (93) 675 51 52.

Madrid 615 – Barcelona 18 – Sabadell 9.

La Fonda, Enric Granados 12 ☎ (93) 675 54 26 – ▤. AE ⓓ E VISA. ✗
cerrado domingo noche, lunes y del 1 al 15 de septiembre – **Comida** carta 3250 a 4450.

Chez Philippe, pl. Pep Ventura 5 ☎ (93) 674 94 84 – ▤. E VISA. ✗
cerrado sábado mediodía, domingo, del 1 al 8 de enero, del 6 al 13 de abril y del 1 al 23 de agosto – **Comida** carta 3375 a 5200.

al Noroeste : *3 km*

Novotel Barcelona-Sant Cugat 🐦, pl. Xavier Cugat, ✉ 08190 apartado 122, ☎ (93) 589 41 41, *Fax (93) 589 30 31,* ≤, 🏖, 🏊 – |‡| ▤ TV ☎ ♿ 🚗 P – 🏛 25/300. AE ⓓ E VISA
Comida carta aprox. 4400 – ☕ 1500 – **146 hab** 12850/16000, 4 suites.

por la carretera de Rubí *y desvío a la izquierda - O : 3,5 km – ✉ 08190 Sant Cugat del Vallès :*

Masia Ametller, junto a la autopista A7 ☎ (93) 674 91 51, *Fax (93) 674 58 55* – ▤ P. AE ⓓ E VISA. ✗
Comida carta 3400 a 4900.

en la carretera de Barcelona *SE : 6 km. – ✉ 08190 Sant Cugat del Vallès :*

Can Cortés, urb. Can Cortés ☎ (93) 674 17 04, *Fax (93) 675 27 07,* ≤, 🏖, Enoteca de vinos y cavas catalanes, « Antigua masía », 🏊 – P. AE ⓓ E VISA. ✗
cerrado domingo noche – **Comida** carta 2750 a 4025.

SAN ESTEBAN DE BAS o SANT ESTEVE D'EN BAS *17176 Gerona 443 F 37.*

Madrid 692 – Barcelona 122 – Gerona/Girona 48.

Sant Antoni, carret. C 152 ☎ (972) 69 00 33, *Fax (972) 69 04 62,* ≤, 🏊, 🎾 – ▤ rest, P
35 hab.

SAN FELIÚ DE GUIXOLS o **SANT FELIU DE GUÍXOLS** *17220 Gerona* 443 G 39 – *16 088 h.*
– *Playa.*

Ver : *Centro Veraniego*★, *Iglesia Monasterio de Sant Feliu*★ *(portada*★★*)* – *Capilla de Sant Elm (≤★★).*

pl. Monestir 54 ☎ (972) 82 00 51 Fax (972) 82 01 19.

Madrid 713 ③ – Barcelona 100 ③ – Gerona/Girona 35 ③

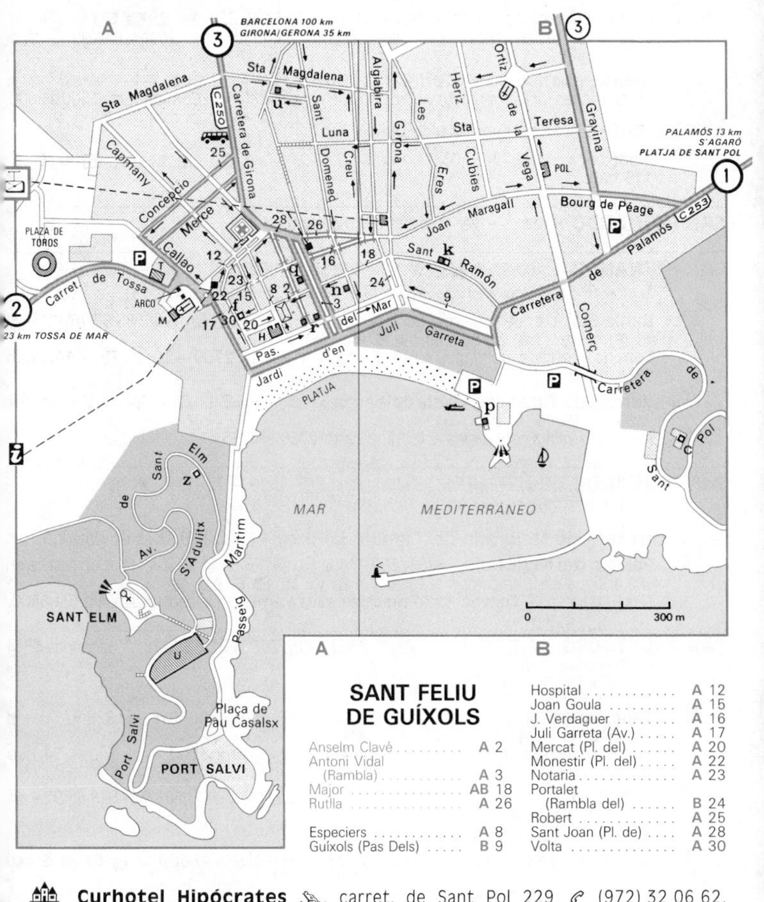

Curhotel Hipócrates ⚘, carret. de Sant Pol 229 ☎ (972) 32 06 62, *Fax (972) 32 38 04*, ≤, Servicios terapéuticos y de cirugía estética, Ⅎ6, ⊡ – |‡| TV ☎ P – 25/180. E VISA. ✂ B c
15 febrero-2 noviembre – **Comida** - sólo buffet - 2625 – **84 hab** ☕ 11340/17430.

Plaça sin rest, pl. Mercat 22 ☎ (972) 32 51 55, *Fax (972) 82 13 21* – |‡| ▤ TV ☎. AE ⓓ E VISA A f
☕ 600 – **16 hab** 11000.

Turist H., Sant Ramon 45 ☎ (972) 32 08 41, *Fax (972) 32 20 59* – |‡| 🚗. AE ⓓ E VISA JCB. ✂ rest B k
abril-septiembre – **Comida** 1200 – ☕ 400 – **20 hab** 3250/6500 – PA 2400.

XX **Eldorado Petit,** rambla Vidal 23 ☎ (972) 32 18 18, *Fax (972) 82 14 69* – ▤. AE ⓓ E VISA. ✂ A q
cerrado miércoles (octubre-junio) y 15 días en noviembre – **Comida** carta 3750 a 5750.

XX **Bahía,** passeig del Mar 18 ☎ (972) 32 02 19, *Fax (972) 82 13 21*, ☂ – ▤. AE ⓓ E VISA
Comida carta 3460 a 5600. A r

Can Salvi, passeig del Mar 23 (972) 32 10 13, – AE E VISA A r
cerrado miércoles (octubre-mayo) y del 7 al 31 de enero – **Comida** carta 3875 a 5100.

Can Toni, Sant Martirià 29 (972) 32 10 26 – AE E VISA A u
cerrado martes de octubre a mayo – **Comida** 2800 y carta 3500 a 4900
Espec. Pastel de pescado azul ganxó con setas y salsa templada de ceps. Cazuela de arroz con cabra de mar. Espaldita de cabrito rellena de carajos.

Cau del Pescador, Sant Domènec 11 (972) 32 40 52 – AE E VISA JCB.
cerrado martes en invierno y 7 enero-7 febrero – **Comida** - pescados y mariscos - carta 2600 a 5500. A n

Nàutic, puerto deportivo (972) 32 06 63, – AE E VISA B p
cerrado lunes (octubre-mayo) y domingo noche resto del año – **Comida** carta 3500 a 5600.

en Sant Elm – *17220 Sant Feliu de Guíxols :*

Montjoi, (972) 32 03 00, *Fax (972) 32 03 04,* – rest,
115 hab. A z

SAN FERNANDO *Baleares – ver Baleares (Formentera).*

SAN FERNANDO *11100 Cádiz* 446 **W 11** – *91 696 h.* – *Playa.*
Madrid 634 – Algeciras 108 – Cádiz 13 – Sevilla 126.

Bahía Sur, parque comercial Bahía Sur (956) 89 91 04, *Fax (956) 88 87 16,* – – 25/850. AE E VISA.
Comida *(cerrado domingo, lunes mediodía y enero)* 2700 – 1075 – **100 hab** 9250/13200.

Venta Los Tarantos, Cuesta de la Ardila 63 (956) 88 12 72, « Decoración regional. Patio » – AE E VISA JCB.
cerrado domingo en verano – **Comida** carta 2750 a 4225.

SAN FERNANDO DE HENARES *28830 Madrid* 444 **L 20** – *25 477 h. alt. 585.*
Madrid 17 – Guadalajara 40.

en la carretera de Mejorada del Campo *SE : 3 km – 28529 Rivas-Vaciamadrid :*

Palacio del Negralejo, (91) 669 11 25, *Fax (91) 672 54 55,* « Instalación rústica en una antigua casa de campo señorial » – AE E VISA.
cerrado agosto – **Comida** - sólo almuerzo salvo viernes y sábado - carta 4400 a 6500.

SAN FRUCTUOSO DE BAGES o **SANT FRUITÓS DE BAGES** *08272 Barcelona* 443 **G 35** – *4 549 h. alt. 246.*
Madrid 596 – Barcelona 72 – Manresa 5.

Sant Benet, carret. de Vic - E : 1,5 km (93) 878 86 00, *Fax (93) 878 87 00* – – 25/180. AE E VISA.
Teixidó *(cerrado domingo noche)* **Comida** carta 3030 a 3600 – 990 – **54 hab** 10260/12850.

La Sagrera sin rest, av. Bertrand i Serra 2 (93) 876 09 42, *Fax (93) 878 85 92* – AE E VISA.
500 – **8 hab** 5000/7000.

La Cuina, carret. de Vic 73 (93) 876 00 32, *Fax (93) 874 47 60* – AE E VISA.
cerrado martes – **Comida** carta 2250 a 4350.

SAN HILARIO SACALM o **SANT HILARI SACALM** *17403 Gerona* 443 **G 37** – *4 677 h. alt. 801 – Balneario.*
carret. de Arbúcies (972) 86 88 26 Fax (972) 86 89 76 (temp).
Madrid 664 – Barcelona 82 – Gerona/Girona 43 – Vic 36.

Ripoll, Vic 26 (972) 86 80 25, *Fax (972) 86 80 26* – . E VISA.
mayo-septiembre (hotel) – **Comida** *(cerrado martes y 22 diciembre-enero)* 1750 – 600 – **30 hab** 3500/4950 – PA 3600.

Torrás y Tarres, pl. Gravalosa 13 (972) 86 80 96, *Fax (972) 87 22 34* – , rest, AE VISA.
cerrado 20 diciembre-enero – **Comida** *(cerrado lunes de noviembre a junio)* 1600 – 650 – **48 hab** 3900/6500.

Brugués, Valls 4 (972) 86 80 18
temp – **16 hab.**

SAN ILDEFONSO *Segovia - ver La Granja.*

SAN ISIDRO *Santa Cruz de Tenerife - ver Canarias (Tenerife).*

SAN JAVIER *30730 Murcia* 445 **S 27** - *15 277 h. alt. 27.*

San Javier, SE : 5 km ✆ *(968) 17 20 00.*

Madrid 440 - Alicante/Alacant 76 - Cartagena 34 - Murcia 45.

Moderno, pl. García Alix ✆ (968) 57 00 49, *Fax (968) 57 05 66* - ▤. AE ⓓ E VISA. ⋟
cerrado lunes y 2ª quincena de septiembre - **Comida** carta 3200 a 3575.

SAN JOSÉ *04118 Almería* 446 **V 23** - *Playa.*

Madrid 590 - Almería 40.

San José ⋟, Correo ✆ (950) 38 01 16, *Fax (950) 38 00 02*, ≤, ⛱, « Villa frente al mar » - TV P. E VISA. ⋟
marzo-octubre - **Comida** 2500 - ***Borany*** *(cerrado lunes)* **Comida** carta 3100 a 4300 - ☕ 700 - **8 hab** 15000.

Tres Pinos ⋟ sin rest. y sin ☕, camino de la Escuela ✆ (950) 38 02 12, *Fax (950) 38 02 13*, ⛱ - TV. AE ⓓ E VISA. ⋟
cerrado febrero - **16 apartamentos** 8000/10000.

SAN JOSÉ *Baleares - ver Baleares (Ibiza).*

SAN JOSÉ DE LA RINCONADA *41300 Sevilla* 446 **T 12** - *8 098 h.*

Madrid 532 - Aracena 87 - Carmona 42 - Huelva 105 - Sevilla 14.

en la carretera C 433 *SO : 4,5 km -* ✉ *41300 San José de la Rinconada :*

Majaravique, ✆ (95) 490 30 99, *Fax (95) 490 34 60* - ▤ TV ☎ P. AE ⓓ E VISA. ⋟ rest
Comida 1200 - ☕ 300 - **32 hab** 8000/10000 - PA 2500.

SAN JUAN DE ALICANTE o **SANT JOAN D'ALACANT** *03550 Alicante* 445 **Q 28** - *14 369 h. alt. 50.*

Madrid 426 - Alcoy 46 - Alicante/Alacant 9 - Benidorm 34.

Villa San Juan sin rest, pl. de la Constitución 6 ✆ (96) 565 39 54, *Fax (96) 594 02 93* - ▤ TV ☎ 🚗. AE ⓓ E VISA
☕ 500 - **40 hab** 6000/7000.

Roma sin rest, Mercat 1 ✆ (96) 565 40 16, *Fax (96) 565 40 16* - |‡| ▤ TV ☎ P. AE ⓓ VISA. ⋟
24 hab ☕ 3780/6615.

El Patio de San Juan, av. de Alicante 17 - S : 1 km ✆ (96) 565 68 00, *Fax (96) 515 30 51*, ⛱ - ▤ P. ⓓ E VISA JCB
cerrado enero-febrero - **Comida** - sólo cena - carta 3000 a 4300.

La Quintería, Dr. Gadea 17 ✆ (96) 565 22 94 - ▤. AE E VISA. ⋟
cerrado domingo noche, miércoles y junio - **Comida** - cocina gallega - carta 3100 a 4100.

Albatros, Doctor Pérez Mateo 1 ✆ (96) 565 72 26 - ▤. AE E VISA. ⋟
cerrado lunes, 2ª quincena de mayo y 2ª quincena de octubre - **Comida** carta 3200 a 4100.

SAN JUAN DE AZNALFARACHE *Sevilla - ver Sevilla.*

SAN JUAN DE POYO *Pontevedra - ver Pontevedra.*

SAN JULIÁN DE SALES o **SAN XULIÁN DE SALES** *15885 La Coruña* 441 **D 4.**

Madrid 629 - La Coruña/A Coruña 78 - Lugo 105 - Santiago de Compostela 9.

Roberto ⋟ con hab, ✆ (981) 51 17 69, *Fax (981) 51 17 69*, ⛱, « Antigua casa de campo con jardín. Decoracion rústica » - TV P. AE ⓓ E VISA. ⋟
cerrado domingo noche y del 1 al 15 de agosto - **Comida** 4500 y carta 3950 a 4350 - **4 hab** ☕ 8000/10000
Espec. Vieira sobre fondo de patata y vinagreta de coral. Lubina sobre fondo de arroz caldoso de verduras. Nougatine con crema de queso y miel.

SAN JULIÁN DE VILLATORTA o SANT JULIÀ DE VILATORTA *08514 Barcelona* 443

G 36 – *1934 h. alt. 595.*

Madrid 643 – Barcelona 72 – Gerona/Girona 85 – Manresa 58.

XX **Ca la Manyana** con hab, av. Nostra Senyora de Montserrat 38 ☎ (93) 812 24 94, *Fax (93) 888 70 04* – rest, TV ☎. AE E VISA. rest
cerrado del 7 al 21 de enero – **Comida** *(cerrado domingo noche y lunes)* carta aprox. 4900 – ☕ 675 – **21 hab** 4000/6500.

SAN LORENZO DE EL ESCORIAL *28200 Madrid* 444 K 17 – *8 704 h. alt. 1 040.*

Ver : *Monasterio★★★ (Palacios★★ : tapices★ - Panteones★★ : Panteón de los Reyes★★★, Panteón de los Infantes★) – Salas capitulares★ - Basílica★★ - Biblioteca★★ – Nuevos Museos★★ : El Martirio de San Mauricio y la legión Tebana★ – Casita del Príncipe★ (Techos pompeyanos★).*

Alred. : *Silla de Felipe II ≤★ S : 7 km.*

18 *Herrería, ☎ (91) 890 51 11 Fax (91) 890 71 54.*

Floridablanca 10 ☎ (91) 890 15 54.

Madrid 46 – Ávila 64 – Segovia 52.

Victoria Palace, Juan de Toledo 4 ☎ (91) 890 15 11, *Fax (91) 890 12 48*, « Terraza con arbolado », – , rest, TV ☎ P – 25/80
85 hab.

Miranda Suizo, Floridablanca 18 ☎ (91) 890 47 11, *Fax (91) 890 43 58*, – , hab, TV ☎
52 hab.

Florida, Floridablanca 12 ☎ (91) 890 17 21, *Fax (91) 890 17 15* – TV ☎ – 40/90. AE E VISA.
El Carillón : **Comida** carta aprox. 2700 – ☕ 600 – **45 hab** 7000/9000.

Cristina, Juan de Toledo 6 ☎ (91) 890 19 61, *Fax (91) 890 12 04*, – TV ☎. E VISA.
Comida 1600 – ☕ 400 – **16 hab** 6200 – PA 3600.

Tres Arcos, Juan de Toledo 42 ☎ (91) 890 68 97, *Fax (91) 890 79 97*, – TV. VISA
Comida *(cerrado domingo noche)* 1100 – ☕ 425 – **30 hab** 4500/6000 – PA 2500.

XXX **Charolés,** Floridablanca 24 ☎ (91) 890 59 75, *Fax (91) 890 05 92*, – . AE E VISA.
Comida carta 5300 a 6800.

XX **Parrilla Príncipe** con hab, Floridablanca 6 ☎ (91) 890 16 11, *Fax (91) 890 76 01*, – rest, TV ☎. AE E VISA.
Comida carta aprox. 5300 – ☕ 700 – **18 hab** 5100/7200.

X **Alaska,** pl. de San Lorenzo 4 ☎ (91) 890 43 65, *Fax (91) 890 43 65*, – AE E VISA.
cerrado lunes – **Comida** carta 2800 a 3500.

X **Mesón Serrano,** Floridablanca 4 ☎ (91) 890 17 04, – VISA
cerrado lunes de noviembre a mayo – **Comida** carta 2850 a 3600.

al Noroeste : *1,8 km*

XX **Horizontal,** Camino Horizontal ☎ (91) 890 38 11, *Fax (91) 890 38 11*, – P. AE VISA.
Comida carta 3100 a 4650.

SAN LORENZO DE MORUNYS o SANT LLORENÇ DE MORUNYS *25282 Lérida* 443

F 34 – *839 h. alt. 925.*

Madrid 596 – Barcelona 148 – Berga 31 – Lérida/Lleida 127.

Cas-Tor , carret. de La Coma - NO : 1 km ☎ (973) 49 21 02, *Fax (973) 49 21 03*, , – TV P. E VISA. rest
junio-octubre – **Comida** 1900 – ☕ 540 – **17 hab** 3200/5400 – PA 4100.

SAN LUIS *Baleares – ver Baleares (Menorca).*

SAN MARTÍN DE LA VIRGEN DE MONCAYO *50584 Zaragoza* 443 G 24 – *332 h. alt. 813.*

Madrid 292 – Zaragoza 100.

Gomar , camino de la Gayata ☎ (976) 19 21 01, *Fax (976) 19 20 98* – TV. E VISA.
Comida 1100 – ☕ 400 – **22 hab** 2500/4300.

SAN MARTÍN DE OSCOS *33777 Asturias* 441 C 9 – *571 h. alt. 697.*
Madrid 602 – Lugo 91 – Oviedo 199.

La Marquesita con hab, carretera Principal (98) 562 60 02, *Fax (98) 562 60 00* –
Comida carta 2750 a 3850 – 700 – **6 hab** 6500/8000.

SAN MARTÍN DE VALDEIGLESIAS *28680 Madrid* 444 K 16 – *5 428 h. alt. 681.*
Madrid 73 – Ávila 58 – Toledo 81.

La Corredera sin rest, Corredera Alta 28 (91) 861 10 84, *Fax (91) 861 10 29* –
500 – **11 hab** 4500/7000.

SAN MARTÍN SARROCA o **SANT MARTÍ SARROCA** *08731 Barcelona* 443 H 34 – *2 394 h. alt. 340.*
Madrid 583 – Barcelona 65 – Tarragona 65.

Ca l'Anna, Pepet Teixidor 14 - barri La Roca - SO : 1,5 km (93) 899 14 08, « Bonita terraza acristalada » –
cerrado domingo noche, lunes y del 15 al 28 de febrero – **Comida** carta 3025 a 5775.

SAN MIGUEL *Baleares – ver Baleares (Ibiza).*

SAN MIGUEL DE LUENA *39687 Cantabria* 442 C 18.
Madrid 345 – Burgos 102 – Santander 54.

en la subida al puerto del Escudo *carretera N 623 - SE : 2,5 km – 39687 San Miguel de Luena :*

Ana Isabel con hab, (942) 59 52 06 –
marzo-noviembre – **Comida** carta aprox. 2325 – 250 – **9 hab** 3500/6000.

SAN MILLÁN DE LA COGOLLA *26226 La Rioja* 442 F 21 – *299 h. alt. 728.*
Ver : *Monasterio de Suso★ - Monasterio de Yuso (marfiles tallados★★).*
Madrid 326 – Burgos 96 – Logroño 53 – Soria 114 – Vitoria/Gasteiz 82.

en el Monasterio de Yuso :

Hostería del Monasterio de San Millán, (941) 37 32 77, *Fax (941) 37 32 66*, « Instalado en un ala del monasterio de Yuso » – – 25/150.
Comida *(cerrado lunes salvo verano)* 1950 – 790 – **22 hab** 8000/12000, 3 suites.

SAN PEDRO DE ALCÁNTARA *29670 Málaga* 446 W 14 – *Playa.*
Excurs. : *Carretera★★ de San Pedro de Alcántara a Ronda (cornisa★★).*
Guadalmina, O : 3 km (95) 288 33 75 Fax (95) 288 34 83 – Aloha, O : 3 km (95) 281 23 88 – Atalaya Park, O : 3,5 km (95) 278 18 94.
Conjunto San Luis blq. 3 (95) 278 52 52 Fax (95) 278 90 90.
Madrid 624 – Algeciras 69 – Málaga 69.

por la carretera de Ronda *N : 2 km – 29670 San Pedro de Alcántara :*

El Gamonal, Camino La Quinta (95) 278 99 21, –
cerrado miércoles y febrero – **Comida** carta aprox. 3150.

en la carretera de Cádiz – *29678 San Pedro de Alcántara :*

Golf H. Guadalmina, urb. Guadalmina - SO : 2 km y desvío 1,2 km (95) 288 50 51, *Fax (95) 288 22 91*, – – 25/40
90 hab.

Víctor, centro comercial Guadalmina - SO : 2,2 km (95) 288 34 91, –
cerrado lunes – **Comida** carta aprox. 3650.

SAN PEDRO DE RIBAS o **SANT PERE DE RIBES** *08810 Barcelona* 443 I 35 – *13 722 h. alt. 44.*
Madrid 596 – Barcelona 46 – Sitges 4 – Tarragona 52.

El Tovalló Verd, carret. dels Carçs 58 (93) 896 21 21 –
cerrado miércoles y noviembre – **Comida** carta 3100 a 4800.

El Rebost de l'Avia, av. Els Cards 29 (93) 896 08 35, *Fax (93) 896 27 92* –
cerrado lunes – **Comida** carta 2800 a 4550.

en la carretera de Olivella *NE : 1,5 km – ✉ 08810 San Pedro de Ribas :*

X **Can Lloses,** ✆ (93) 896 07 46, *Fax (93) 896 07 46,* ← – ▤ Ⓟ. E VISA. ✂
cerrado martes y octubre – **Comida** - carnes - carta 2175 a 3075.

SAN PEDRO DE RUDAGÜERA *39539 Cantabria* 442 **B 17** – *442 h. alt. 70.*
Madrid 387 – Santander 36 – Santillana del Mar 23 – Torrelavega 14.

X **La Ermita 1826** con hab, ✆ (942) 71 90 71, *Fax (942) 71 90 71,* « Decoración rústica regional » – ▤ rest, TV. AE VISA
Comida carta 2250 a 2800 – ☕ 300 – **7 hab** 4500.

X **El Hondal** con hab, ✆ (942) 71 91 09, « Decoración regional » – TV. AE VISA. ✂
Comida *(cerrado lunes)* carta 2650 a 3150 – ☕ 1250 – **4 hab** 5000 – PA 2000.

SAN PEDRO DE VIVERO o **SAN PEDRO DE VIVEIRO** *27866 Lugo* 441 **B 7**.
Madrid 615 – La Coruña/A Coruña 142 – Ferrol 97 – Lugo 104.

O Val do Naseiro, ✆ (982) 59 84 34, *Fax (982) 59 82 64* – |♦|, ▤ rest, TV ☎ ⇔ Ⓟ – 25/700. AE E VISA. ✂
Comida 1200 – **41 hab** ☕ 8000/12000.

SAN PEDRO DEL PINATAR *30740 Murcia* 445 **S 27** – *12 221 h. – Playa.*
ℹ *explanada de Lo Pagán ✆ (968) 18 23 01 Fax (968) 18 37 06.*
Madrid 441 – Alicante/Alacant 70 – Cartagena 40 – Murcia 51.

Mariana sin rest, av. Dr. Artero Guirao 136 ✆ (968) 18 10 13 – ▤ Ⓟ. ✂
cerrado enero-15 marzo, noviembre y diciembre – ☕ 300 – **25 hab** 2383/4393.

en Lo Pagán *S : 2,5 km – ✉ 30740 San Pedro del Pinatar :*

Neptuno, Generalísimo 6 ✆ (968) 18 19 11, *Fax (968) 18 33 01,* ← – |♦| ▤ TV ☎ ⇔. AE ◑ E VISA. ✂ rest
Comida 2600 – ☕ 775 – **40 hab** 5250/9450.

Arce sin rest, Marqués de Santillana 117 ✆ (968) 18 22 47 – ▤ ☎ ⇔. ◑ VISA. ✂
julio-septiembre – ☕ 450 – **14 hab** 3745/6420.

X **Venezuela,** Campoamor ✆ (968) 18 15 15 – ▤. ◑ E VISA. ✂
cerrado 13 octubre-1 noviembre – **Comida** carta 3100 a 4500.

SAN POL DE MAR o **SANT POL DE MAR** *08395 Barcelona* 443 **H 37** – *2 383 h. – Playa.*
Madrid 679 – Barcelona 44 – Gerona/Girona 53.

Gran Sol *(Hotel escuela),* carret. N II ✆ (93) 760 00 51, *Fax (93) 760 09 85,* ←, ⛱, ✂ – |♦|, ▤ hab, TV ☎ Ⓟ – 25/200. AE ◑ E VISA. ✂ rest
Comida 2500 – ☕ 1275 – **44 hab** 8900/12800.

La Costa, Nou 32 ✆ (93) 760 01 51, *Fax (93) 760 01 51,* ←, ⛱ – |♦| ☎ ⇔. VISA. ✂
junio-septiembre – **Comida** - sólo almuerzo - carta aprox. 1900 – ☕ 500 – **17 hab** 3700/7250.

XXX **Sant Pau,** Nou 10 ✆ (93) 760 06 62, *Fax (93) 760 09 50* – ▤ Ⓟ. AE E VISA. ✂
✿✿ *cerrado domingo noche, lunes, del 13 al 29 de abril y del 2 al 18 de noviembre* – **Comida** 8900 y carta 6700 a 8400
Espec. Pagel al horno con cebollas, ajos tiernos y salsa de garnatxa. Hamburguesa de pie de cerdo con cebolla confitada y patatas finas. Tatin de berenjena y manzana con biscuit de vainilla.

SAN QUIRICO DE BESORA o **SANT QUIRZE DE BESORA** *08580 Barcelona* 443 **F 36** – *2 027 h. alt. 550.*
Madrid 661 – Barcelona 90 – Puigcerdá 79.

X **Ca la Càndida,** Berga 8 ✆ (93) 855 04 11 – ▤. AE ◑ E VISA
cerrado domingo noche, lunes y del 15 al 31 de mayo – **Comida** carta 2400 a 3200.

SAN QUIRICO DEL VALLÉS o **SANT QUIRZE DEL VALLÈS** *08192 Barcelona* 443 **H 36** – *9 047 h. alt. 188.*
Madrid 611 – Barcelona 18 – Manresa 46 – Mataró 34 – Vic 59.

X **Lluernari,** Pintor Vila Puig 73 ✆ (93) 721 01 63, ⛱ – ▤. E VISA. ✂
cerrado domingo noche, lunes (salvo festivos) y del 10 al 17 de agosto – **Comida** carta 3050 a 3590.

SAN ROQUE *11360 Cádiz* 446 **X 13** – *23 092 h. alt. 110.*

San Roque, carret. de Málaga NE : 8 km (956) 61 30 30 Fax (956) 61 30 12.
Madrid 678 – Algeciras 15 – Cádiz 136 – Málaga 123.

por la autovía N 340 *O : 2,5 km – 11360 San Roque :*

La Solana, salida km 116,5 (956) 78 02 36, *Fax (956) 78 02 36*, ≤, « Antigua casa de campo », – TV P – 25. AE E VISA. rest
marzo-octubre – **Comida** *(cerrado lunes)* 3500 – 700 – **18 hab** 8000/10000.

en la carretera de La Línea de la Concepción *S : 3 km – 11360 San Roque :*

Los Remos, Villa Victoria (956) 69 84 12, *Fax (956) 69 84 97*, , « Villa de estilo neocolonial rodeada de jadín » – P. AE VISA.
cerrado domingo – **Comida** carta 3550 a 5950.

SAN SADURNÍ DE NOYA o **SANT SADURNÍ D'ANOIA** *08770 Barcelona* 443 **H 35** – *9 283 h. alt. 162.*
Madrid 578 – Barcelona 44 – Lérida/Lleida 120 – Tarragona 68.

en la carretera de Ordal *SE : 4,5 km – 08770 Els Casots :*

Mirador de les Caves, (93) 899 31 78, *Fax (93) 899 33 88*, ≤ – P. AE E VISA JCB.
cerrado domingo noche, lunes noche y 15 días en agosto – **Comida** carta aprox. 4200.

SAN SALVADOR o **SANT SALVADOR** *Baleares – ver Baleares (Mallorca).*

SAN SALVADOR (Playa de) *Tarragona – ver Vendrell.*

SAN SALVADOR DE POYO *Pontevedra – ver Pontevedra.*

SAN SEBASTIÁN o DONOSTIA

20000 P Guipúzcoa 442 C 24 - 176 019 h. - Playa.

Madrid 488 ② - Bayonne 54 ① - Bilbao/Bilbo 100 ③ - Pamplona/Iruñea 94 ② - Vitoria/Gasteiz 115 ②.

OFICINAS DE TURISMO

Reina Regente, ✉ 20003, ☎ (943) 48 11 66, Fax (943) 48 11 72 y Fueros 1, ✉ 20005, ☎ (943) 42 62 82, Fax (943) 43 17 46
R.A.C.V.N. *(Real Automóvil Club Vasco Navarro) Echaide 12, ✉ 20005, ☎ (943) 43 08 00, Fax (943) 42 91 50.*

INFORMACIONES PRÁCTICAS

Hipódromo de Lasarte por ② : 9 km. ☎ (943) 37 32 39.
18 de San Sebastián, Jaizkíbel por N I : 14 km (B) ☎ (943) 61 68 45.
✈ de San Sebastián, Fuenterrabía por ① : 20 km ☎ (943) 66 85 00 - Iberia : Bengoetxea 3, ✉ 20004, ☎ (943) 42 35 86 CZ y Aviaco : aeropuerto, ✉ 20280, ☎ (943) 64 12 67.

CURIOSIDADES

Ver : *Emplazamiento y bahía*★★★ A - *Monte Igueldo* ≤★★★ A - *Monte Urgull* ≤★★ CY
Alred. : *Monte Ulía* ≤★ *NE : 7 km por N I* B

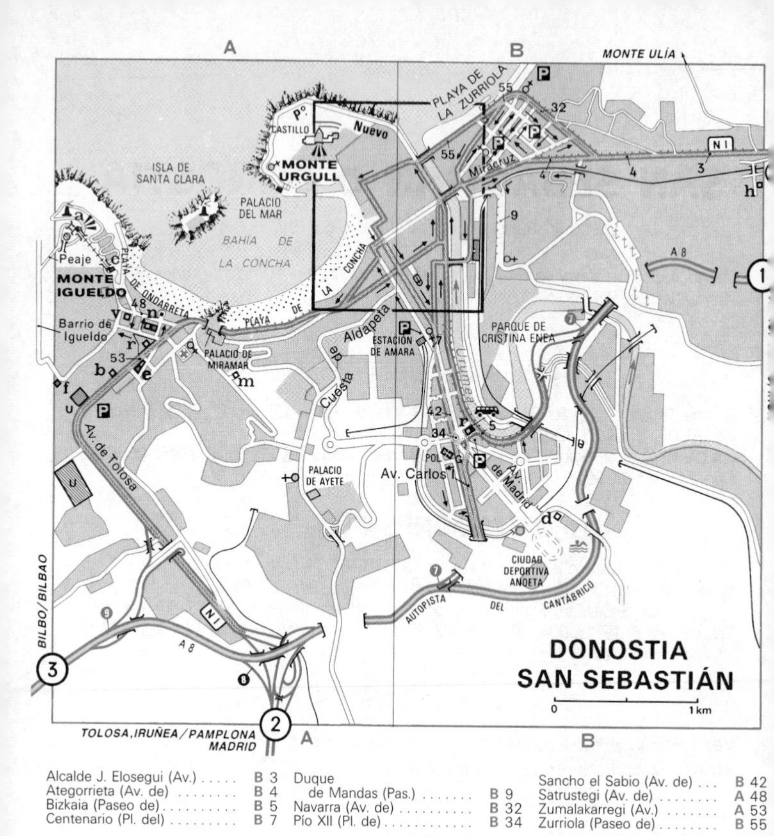

Centro :

María Cristina, Okendo, ⊠ 20004, ℘ (943) 42 49 00, *Fax (943) 42 39 14*, ← – |‡| ▤ TV ☎ – 25/300. AE ◑ E VISA. ✂ – **Comida** 4500 - ***Easo* : Comida** carta 5250 a 6900 – ☕ 2300 – **108 hab** 30000/44000, 28 suites. DY h

De Londres y de Inglaterra, Zubieta 2, ⊠ 20007, ℘ (943) 42 69 89, *Fax (943) 42 00 31*, ← – |‡| ▤ TV ☎ – 25/100. AE ◑ E VISA. ✂ CZ z
Comida 2800 – ☕ 1350 – **133 hab** 16700/20800, 12 suites.

Orly, pl. Zaragoza 4, ⊠ 20007, ℘ (943) 46 32 00, *Fax (943) 45 61 01*, ← – |‡|, ▤ rest, TV ☎ 🚗 – 25/250. AE ◑ E VISA. ✂ CZ a
Comida 1500 – ☕ 975 – **60 hab** 14600/19445.

Europa sin rest. con cafetería, San Martín 52, ⊠ 20007, ℘ (943) 47 08 80, *Fax (943) 47 17 30* – |‡| TV ☎ – 25/130. AE ◑ E VISA. ✂ CZ v
☕ 850 – **65 hab** 14560/18200.

Niza sin rest, Zubieta 56, ⊠ 20007, ℘ (943) 42 66 63, *Fax (943) 42 66 63* – |‡| TV ☎ 🚗. AE ◑ E VISA. ✂ CZ b
☕ 825 – **41 hab** 7150/15600.

Parma sin rest, paseo de Salamanca 10, ⊠ 20003, ℘ (943) 42 88 93, *Fax (943) 42 40 82* – TV ☎. AE ◑ E VISA. ✂ DY u
☕ 925 – **27 hab** 9800/14500.

Casa Nicolasa, Aldamar 4-1º, ⊠ 20003, ℘ (943) 42 17 62, *Fax (943) 42 09 57* – ▤. AE ◑ E VISA JCB DY w
cerrado domingo, lunes noche y 24 enero-16 febrero – **Comida** carta 6150 a 7150.

Urepel, paseo de Salamanca 3, ⊠ 20003, ℘ (943) 42 40 40 – ▤. AE ◑ E VISA
cerrado domingo, martes noche, Semana Santa, 3 primeras semanas de julio y 15 días en Navidades – **Comida** carta 4550 a 5600 DY e
Espec. Zortziko de anchoas (verano). Caza (temp). Callos y morros juntos pero no revueltos.

DONOSTIA SAN SEBASTIÁN

Andia . . . . CZ 2
Boulevard (Alameda del) . . . . . . CY 6
Garibai . . . . CY
Hernani . . . . CY
Libertad (Av. de) . . . . . . CDYZ
Urbieta . . . . CDZ
Constitución (Pl. de la) . . . . CY 8
Euskadi (Pl. de) . . . . DY 10
Fermín Calbetón . . . . CY 12
Getaria . . . . DZ 18
Gipuzkoa (Pl. de) . . . . DY 19
Iñigo . . . . CY 22
Kursaal (Puente del) . . . . . DY 27
Lasala (Pl.) . . . . CY 28
María Cristina (Puente de) . . . . . DZ 30
Miramar . . . . CZ 31
Puerto . . . . CY 35
Ramón María Lili (Pas.) . . . DY 37
Reina Regente . . . . DY 38
República Argentina (Pas.) . . . . . DY 41
San Jerónimo . . . . CY 44
San Juan . . . . CY 45
Santa Catalina (Puente de) . . . . . DY 47
Urdaneta . . . . DZ 51
Zabaleta . . . . DY 54

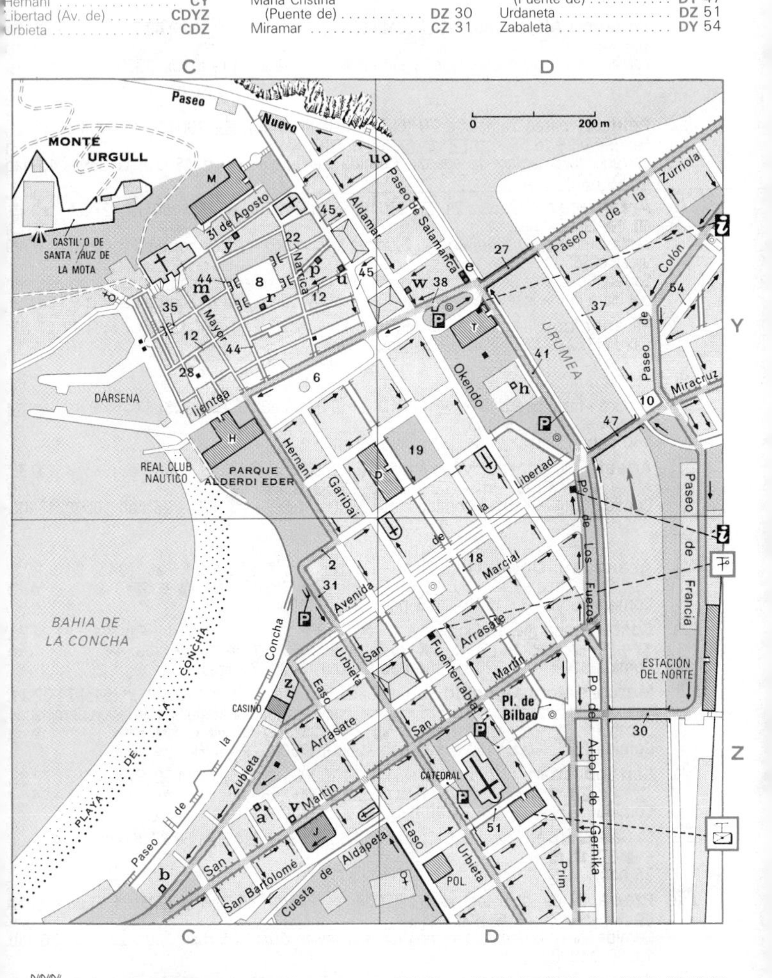

XXXX **Panier Fleuri,** paseo de Salamanca 1, ✉ 20003, ☎ (943) 42 42 05, *Fax (943) 42 42 05* – ▤. AE ⓓ E VISA JCB. ✂ DY e
✿ *cerrado domingo noche, miércoles, 26 enero-12 febrero, del 1 al 21 de junio y Navidades* – **Comida** 5275 y carta 5225 a 6225
Espec. Carpaccio de carabineros al aroma de vinagre de yema. Medallón de merluza al aceite de oliva. Gratinado de frutas con sabayón al marrasquino.

XX **Juanito Kojua,** Puerto 14, ✉ 20003, ☎ (943) 42 01 80, *Fax (943) 42 18 71* – ▤. AE ⓓ E VISA. ✂ CY m
cerrado domingo noche – **Comida** carta aprox. 5050.

XX **Beti Jai,** Fermín Calbetón 22, ✉ 20003, ☎ (943) 42 77 37, *Fax (943) 42 30 09* – ▤. AE ⓓ E VISA JCB. ✂ CY r
cerrado lunes, martes, 20 junio-7 julio y 20 diciembre-7 enero – **Comida** carta aprox. 4700.

Salduba, Pescadería 6, ✉ 20003, ☎ (943) 42 56 27 CY p

Casa Urbano, 31 de Agosto 17, ✉ 20003, ☎ (943) 42 04 34 – AE E VISA. CY y
cerrado domingo, miércoles noche, 2ª quincena de junio y Navidades – **Comida** carta 3450 a 4300.

Bodegón Alejandro, Fermín Calbetón 4, ✉ 20003, ☎ (943) 42 71 58 – AE VISA. CY u
cerrado domingo noche, lunes y diciembre – **Comida** carta aprox. 2900.

al Este :

Pellizar, paseo Zubiaurre 70 (barrio Inchaurrondo), ✉ 20015, ☎ (943) 28 12 11, *Fax (943) 28 16 55* – AE E VISA. B h
cerrado 10 diciembre-10 enero – **Comida** *(cerrado domingo)* 1500 – 550 – **46 hab** 6500/10000.

Arzak, alto de Miracruz 21, ✉ 20015, ☎ (943) 27 84 65, *Fax (943) 27 27 53* – AE E VISA JCB. B a
cerrado domingo noche, lunes, 14 junio-1 julio y del 2 al 25 de noviembre – **Comida** 8900 y carta 8650 a 9900
Espec. Contraste de patata con marisco y cecina crujiente. Ocho verduras con pescado del día a la marinera. Canutillos de membrillo y queso con helado de naranja y nuez.

Mirador de Ulía, subida al Monte Ulía - 5 km, ✉ 20013, ☎ (943) 27 27 07, *Fax (943) 27 27 07,* ciudad y bahía – B

al Sur :

Amara Plaza, pl. Pío XII-7, ✉ 20010, ☎ (943) 46 46 00, *Fax (943) 47 25 48* – 25/400 B r
160 hab, 3 suites.

Anoeta, ciudad deportiva de Anoeta, ✉ 20014, ☎ (943) 45 14 99, *Fax (943) 45 20 36,* – 25/100. AE E VISA. B d
Comida 2000 - ***Xanti*** : **Comida** carta 2750 a 4500 – 850 – **26 hab** 10900/13900.

al Oeste :

Aránzazu Donostia, Vitoria-Gasteiz 1, ✉ 20009, ☎ (943) 21 90 77, *Fax (943) 21 86 95* – 25/400. AE E VISA. A b
Comida 3500 – 1200 – **176 hab** 12000/17500, 4 suites.

Costa Vasca, av. Pío Baroja 15, ✉ 20008, ☎ (943) 21 10 11, *Fax (943) 21 24 28,* – 25/350. AE E VISA JCB. A m
Comida 3000 – 1200 – **196 hab** 12000/18000, 7 suites.

Mercure Monte Igueldo, paseo del Faro 134 - 5 km, ✉ 20008, ☎ (943) 21 02 11, Telex 38096, *Fax (943) 21 50 28,* mar, bahía y ciudad, « Magnífica situación dominando la bahía », – , rest, – 25/200. AE E VISA. A a
Comida 2300 – 1150 – **125 hab** 10500/17500 – PA 4700.

San Sebastián, av. Zumalakarregi 20, ✉ 20008, ☎ (943) 21 44 00, *Fax (943) 21 72 99,* – – 25/150. AE E VISA. A r
Comida 1700 – 1200 – **90 hab** 10300/15500, 2 suites.

La Galería sin rest, av. Infanta Cristina 1, ✉ 20008, ☎ (943) 21 60 77, *Fax (943) 21 12 98* – A n
23 hab.

Ezeiza, av. de Satrustegi 13, ✉ 20008, ☎ (943) 21 43 11, *Fax (943) 21 47 68* – AE E VISA. A v
Comida *(cerrado domingo noche y lunes en invierno)* carta aprox. 3200 – 700 – **30 hab** 10000/13000.

Codina sin rest. con cafetería, av. Zumalakarregi 21, ✉ 20008, ☎ (943) 21 22 00, *Fax (943) 21 25 23* – – 25/60 A e
77 hab.

Nicol's sin rest, paseo de Gudamendi 21 - 5 km, ✉ 20008, ☎ (943) 21 57 99, *Fax (943) 21 17 24,* « Amplio césped » – A
23 hab.

Akelaŕe, paseo del Padre Orcolaga 56 - barrio de Igueldo : 7,5 km, ✉ 20008, ☎ (943) 21 20 52, *Fax (943) 21 92 68,* mar – AE E VISA. A
cerrado domingo noche, lunes (salvo festivos o vísperas), febrero y del 1 al 15 de octubre – **Comida** 8000 y carta 6100 a 7500
Espec. Xangurro frío con gelatina de setas, levístico y salsa de calabacín. Filetes de chicharro con puré de garbanzos y aceite de pimienta verde. Torre de chocolate con nuez moscada salsa de jengibre y helado de plátano.

XXX **Chomin** con hab, av. Infanta Beatriz 16, ✉ 20008, ☎ (943) 21 07 05, *Fax (943) 21 14 01*, 🍴 - TV. AE ① E VISA. ✖ — A n
Comida *(cerrado domingo noche, lunes y Navidades)* carta aprox. 3700 - ☕ 500 - **8 hab** 7200/9000.

XX **Rekondo,** paseo de Igueldo 57, ✉ 20008, ☎ (943) 21 29 07, *Fax (943) 21 95 64*, 🍴 - ▤ P. AE ① E VISA. ✖ — A f
cerrado miércoles, del 8 al 21 de junio y 3 semanas en noviembre - **Comida** carta 3775 a 5350.

XX **San Martín,** plazoleta del Funicular 5, ✉ 20008, ☎ (943) 21 40 84, ≤, 🍴 - AE ① E VISA. ✖ — A c
cerrado domingo noche y del 1 al 21 de febrero - **Comida** carta 3400 a 4500.

X **Oihandar,** av. Zumalakarregi 25, ✉ 20008, ☎ (943) 21 12 66 - ▤. AE ① E VISA. ✖ — A e
Comida carta 2550 a 3550.

Ver también : **Lasarte** *por ② : 9 km*
Oyarzun *por ① : 13 km.*

SAN SEBASTIÁN DE LA GOMERA *Santa Cruz de Tenerife - ver Canarias (Gomera).*

SAN SEBASTIÁN DE LOS REYES *28700 Madrid* 444 K 19 - *53 794 h. alt. 678.*
Madrid 17.

XXX **Izamar,** av. Matapiñonera 6 - polígono industrial ☎ (91) 654 38 93, 🍴 - ▤ P. AE E VISA. ✖
cerrado domingo noche y lunes - **Comida** - pescados y mariscos - carta aprox. 5500.

XX **Pablo,** antigua carret. N I ☎ (91) 652 65 65, *Fax (91) 663 69 00*, 🍴 - ▤ P. AE ① E VISA. ✖
cerrado del 10 al 23 de agosto - **Comida** carta 3450 a 3950.

XX **Vicente,** Lanzarote 26 (polígono Norte) - N : 2 km ☎ (91) 663 95 32, *Fax (91) 651 31 71* - ▤. AE ① E VISA. ✖
cerrado domingo noche y 15 días en agosto - **Comida** carta aprox. 4500.

XX Mesón Tejas Verdes, antigua carret. N I ☎ (91) 652 73 07, 🍴, « Decoración castellana », 🍴 - ▤ P.

en la autovía N I *NE : 6,5 km - ✉ 28700 San Sebastián de los Reyes :*

XX **Garcías,** ☎ (91) 657 02 62, *Fax (91) 657 02 62* - ▤ P. AE ① E VISA
Comida carta 3250 a 4800.

en la carretera de Algete *NE : 7 km - ✉ 28700 San Sebastián de los Reyes :*

X **El Molino,** ☎ (91) 653 59 83, « Decoración castellana » - ▤ P. AE ① E VISA
Comida - asados - carta 3650 a 5100.

SAN VICENTE DE TORANZO *39699 Cantabria* 442 C 18 - *alt. 168.*
Madrid 354 - Bilbao/Bilbo 124 - Burgos 115 - Santander 40.

🏠 **Posada del Pas,** carret. N 623 ☎ (942) 59 44 11, *Fax (942) 59 43 86*, ⛱, 🎾 - ▤ rest, TV ☎ 🚗 P. AE ① E VISA. ✖
Comida 1500 - ☕ 500 - **32 hab** 6900/10000 - PA 3000.

SAN VICENTE DEL HORTS o **SANT VICENÇ DELS HORTS** *08620 Barcelona* 443 H 36 - *20 715 h. alt. 22.*
Madrid 612 - Barcelona 20 - Tarragona 92.

en la carretera de Sant Boi *SE : 1,5 km - ✉ 08620 Sant Vicenç dels Horts :*

X **Las Palmeras,** ☎ (93) 656 13 16, *Fax (93) 676 80 47* - ▤ P. AE E VISA. ✖
Comida carta 3100 a 4600.

SAN VICENTE DEL MAR *Pontevedra - ver El Grove.*

SAN VICENTE DEL RASPEIG *03690 Alicante* 445 Q 28 - *30 119 h. alt. 110.*
Madrid 422 - Alcoy/Alcoi 49 - Alicante/Alacant 9 - Benidorm 48.

X **La Paixareta,** Torres Quevedo 10 ☎ (96) 566 58 39 - ▤. AE E VISA. ✖
cerrado domingo noche - **Comida** carta 2900 a 3900.

SAN VICENTE DE LA BARQUERA *39540 Cantabria* 442 B 16 – *4 349 h. – Playa.*

Ver : *Emplazamiento★.*

Alred. : *Carretera de Unquera ≤★.*

av. Generalísimo 6 ☎ (942) 71 07 97.

Madrid 421 – Gijón 131 – Oviedo 141 – Santander 64.

Miramar, La Barquera - N : 1 km ☎ (942) 71 03 63, *Fax (942) 71 00 75*, ≤ – TV ☎ P. AE E VISA.
mayo-octubre – **Comida** (ver rest. ***Miramar***) – 600 – **21 hab** 7400/9000.

Luzón sin rest, av. Miramar 1 ☎ (942) 71 00 50, *Fax (942) 71 00 50*, ≤ – ☎. VISA.
400 – **36 hab** 4500/7200.

Noray sin rest, paseo de La Barquera ☎ (942) 71 21 41, *Fax (942) 71 24 32*, ≤ – TV ☎ P. AE E VISA.
450 – **20 hab** 5000/7600.

Maruja, av. Generalísimo ☎ (942) 71 00 77 – AE E VISA.
Comida carta 3400 a 4900.

Miramar con hab, La Barquera - N : 1 km ☎ (942) 71 00 75, *Fax (942) 71 00 75*, ≤ playa, mar y montaña, – rest, TV ☎ P. AE E VISA.
marzo-15 diciembre – **Comida** carta 3100 a 5850 – 600 – **15 hab** 6200/7500.

Boga-Boga con hab, pl. José Antonio 9 ☎ (942) 71 01 35, *Fax (942) 71 01 51*, – TV. AE E VISA.
Comida *(cerrado martes de octubre a mayo)* carta 2500 a 4300 – 425 – **18 hab** 5675/7799.

SAN VICENTE DE LA SONSIERRA *26338 La Rioja* 442 E 21 – *1 105 h. alt. 528.*

Madrid 334 – Bilbao/Bilbo 107 – Burgos 103 – Logroño 35 – Vitoria/Gasteiz 44.

Toni, Zumalacárregui 27 ☎ (941) 33 40 01 – . AE VISA.
cerrado domingo noche (salvo agosto), 2ª quincena de junio y 2ª quincena de septiembre – **Comida** carta 2700 a 3950.

SAN XULIÁN DE SALES *La Coruña – ver San Julián de Sales.*

SANGENJO o **SANXENXO** *36960 Pontevedra* 441 E 3 – *14 659 h. – Playa.*

playa de la Panadeira ☎ (986) 72 02 85 (temp).

Madrid 622 – Orense/Ourense 123 – Pontevedra 18 – Santiago de Compostela 75.

Sanxenxo, av. playa de Silgar 3 ☎ (986) 69 11 11, *Fax (986) 72 37 79*, ≤, , – TV ☎ – 25/35. AE E VISA.
marzo-noviembre – **Comida** 3000 – 750 – **47 hab** 12500/15500.

Rotilio, av. del Puerto 7 ☎ (986) 72 02 00, *Fax (986) 72 41 88*, ≤ – TV ☎. AE VISA.
cerrado 15 diciembre-15 enero – **Comida** (ver rest. ***La Taberna de Rotilio***) – 700 – **40 hab** 8000/14000.

Minso sin rest, av. do Porto 1 ☎ (986) 72 01 50, *Fax (986) 69 09 32*, ≤ – TV ☎. AE E VISA.
cerrado 15 diciembre-15 enero – 575 – **44 hab** 6900/12800.

Ton sin rest, El Castañal ☎ (986) 69 10 03, *Fax (986) 69 10 06* – TV ☎ P. VISA.
85 hab 7820/9200.

Faro Salazón sin rest, Sol 6 ☎ (986) 72 33 99, *Fax (986) 72 40 68* – ☎. VISA.
30 hab 11700.

Punta Vicaño sin rest, av. de Silgar 94 ☎ (986) 72 00 11, *Fax (986) 72 07 81*, – P. AE E VISA.
junio-septiembre – 425 – **30 hab** 4275/7250.

Cervantes 2 sin rest, Progreso 27 ☎ (986) 72 43 34, *Fax (986) 72 07 01* – ☎. VISA.
julio-septiembre – 350 – **20 hab** 4000/6600.

Casa Román, Carlos Casas 2 ☎ (986) 72 00 31, *Fax (986) 72 00 31* – , rest, TV ☎. AE E VISA.
Comida 1800 – 300 – **32 hab** 5000.

Cervantes, Progreso 29 ☎ (986) 72 07 00, *Fax (986) 72 07 01*, – ☎. AE E VISA JCB.
junio-15 octubre – **Comida** 2000 – 350 – **18 hab** 6600.

La Taberna de Rotilio, av. del Puerto ☎ (986) 72 02 00, *Fax (986) 72 41 88*, Vivero propio – ▤. AE ⓓ VISA. ✂
cerrado domingo noche y lunes (octubre-mayo) y 15 diciembre-15 enero – **Comida** carta aprox. 4800
Espec. Ensalada templada de pulpo y mollejas. Lubina en escama de patata con puré de verduras. Canutillos de chocolate rellenos de muselina de naranja con sorbete de fresa.

Mesón Don Camilo, Poetas Galegos 9 ☎ (986) 69 11 24 – ▤. AE ⓓ E VISA. ✂
cerrado miércoles y noviembre – **Comida** carta 1800 a 3200.

en la carretera C 550 *E : 3,5 km – ✉ 36960 Sangenjo :*

Áncora sin rest, La Granja-Dorrón ☎ (986) 74 10 74, *Fax (986) 74 13 90* – TV ☎ P. AE ⓓ E VISA. ✂
abril-octubre – **30 hab** ☕ 5600/7500.
Ver también : **Portonovo** *O : 1,5 km.*

SANGÜESA *31400 Navarra* 442 E 26 – *4447 h. alt. 404.*

Ver : *Iglesia de Santa María la Real★ (portada sur★★).*
Alfonso el Batallador 20 ☎ (948) 87 03 29 Fax (948) 87 03 29.
Madrid 408 – Huesca 128 – Pamplona/Iruñea 46 – Zaragoza 140.

Yamaguchy, carret. de Javier - E : 0,5 km ☎ (948) 87 01 27, *Fax (948) 87 07 00,* 🏊 – ▤ rest, ☎ 🚗 P. AE ⓓ E VISA JCB. ✂
Comida 2700 – ☕ 750 – **40 hab** 4300/7200.

SANLÚCAR DE BARRAMEDA *11540 Cádiz* 446 V 10 – *57044 h. – Playa.*

Ver : *Iglesia de Nuestra Señora de la O (portada★) – Iglesia de Santo Domingo★ (Bóvedas★).*
Calzada del Ejército ☎ (956) 36 61 10 Fax (956) 36 61 32.
Madrid 669 – Cádiz 45 – Jerez 23 – Sevilla 106.

Doñana, Orfeón Santa Cecilia ☎ (956) 36 50 00, *Fax (956) 36 71 41,* 🏊 – |≡| ▤ TV ☎ 🚗 – 🏛 25/350. AE ⓓ E VISA. ✂
Comida 2000 – ☕ 900 – **96 hab** 10000/12600 – PA 4900.

Tartaneros sin rest, Tartaneros 8 ☎ (956) 36 20 44, *Fax (956) 36 00 45,* « Antigua mansión señorial » – ▤ TV ☎. AE ⓓ E VISA. ✂
☕ 750 – **22 hab** 8000/10000.

Los Helechos sin rest, pl. Madre de Dios 9 ☎ (956) 36 13 49, *Fax (956) 36 96 50,* « Casa típica andaluza. Patio » – ▤ TV ☎ 🚗. AE ⓓ E VISA. ✂
☕ 500 – **56 hab** 5500/8000.

Posada de Palacio sin rest, Caballeros 11 (barrio alto) ☎ (956) 36 48 40, *Fax (956) 36 50 60,* « Casa antigua de estilo andaluz » – E VISA
cerrado enero y febrero – ☕ 800 – **13 hab** 5000/8000.

Mirador Doñana, Bajo de Guía ☎ (956) 36 42 05, *Fax (956) 36 51 61,* ≤, 🌂 – ▤. AE ⓓ E VISA. ✂
cerrado 15 enero-15 febrero – **Comida** - pescados y mariscos - carta 2800 a 4050.

Casa Bigote, Bajo de Guía ☎ (956) 36 26 96, *Fax (956) 36 87 21* – ▤. AE ⓓ E VISA. ✂
cerrado domingo – **Comida** - pescados y mariscos - carta 3100 a 4200.

El Veranillo, prolongación av. Cerro Falón ☎ (956) 36 27 19, 🌂 – ▤. E VISA. ✂
cerrado domingo noche – **Comida** carta 2100 a 3550.

SANLÚCAR LA MAYOR *41800 Sevilla* 446 T 11 – *9448 h. alt. 143.*

Madrid 569 – Huelva 72 – Sevilla 27.

Hacienda Benazuza 🐦, Virgen de las Nieves ☎ (95) 570 33 44, *Fax (95) 570 34 10,* ≤, « Instalado en una alquería árabe del siglo X », 🏊, 🌳, 🎾 – |≡| ▤ TV ☎ P – 🏛 25/400. AE ⓓ E VISA. ✂ rest
cerrado 15 julio-agosto – **Comida** 6500 - ***La Alquería :*** **Comida** carta 4700 a 8900 – ☕ 1500 – **26 hab** 34000/42000, 18 suites.

SANT AGUSTÍ DES VEDRÀ *Baleares – ver Baleares (Ibiza) : San Agustín.*

SANT ANDREU DE LLAVANERES *Barcelona – ver San Andrés de Llavaneras.*

SANT ANDREU DE LA BARCA *Barcelona – ver San Andrés de la Barca.*

SANT ANTONI DE CALONGE *Gerona – ver San Antonio de Calonge.*

SANT ANTONI DE PORTMANY *Baleares – ver Baleares (Ibiza) : San Antonio de Portmany.*

SANT BOI DE LLOBREGAT *Barcelona – ver San Baudilio de Llobregat.*

SANT CARLES DE LA RÀPITA *Tarragona – ver San Carlos de la Rápita.*

SANT CELONI *Barcelona – ver San Celoni.*

SANT CUGAT DEL VALLÈS *Barcelona – ver San Cugat del Vallés.*

SANT ELM *Gerona – ver San Feliú de Guixols.*

SANT ESTEVE D'EN BAS *Gerona – ver San Esteban de Bas.*

SANT FELIU DE GUÍXOLS *Gerona – ver San Feliú de Guixols.*

SANT FERRAN DE SES ROQUES *Baleares – ver Baleares (Formentera) : San Fernando.*

SANT FRUITÓS DE BAGES *Barcelona – ver San Fructoso de Bagés.*

SANT HILARI SACALM *Gerona – ver San Hilario Sacalm.*

SANT JOAN D'ALACANT *Alicante – ver San Juan de Alicante.*

SANT JOSEP DE SA TALAIA *Baleares – ver Baleares (Ibiza) : San José.*

SANT JULIÀ DE VILATORTA *Barcelona – ver San Julián de Villatorta.*

SANT JULIÀ DE LÓRIA *Andorra – ver Andorra (Principado de).*

SANT JUST DESVERN *Barcelona – ver Barcelona : Alrededores.*

SANT LLORENÇ DE MORUNYS *Lérida – ver San Lorenzo de Morunys.*

SANT LLUÍS *Baleares – ver Baleares (Menorca) : San Luis.*

SANT MARÇAL *Barcelona* 443 **G 37** – ✉ *08460 Montseny.*
Madrid 686 – Barcelona 86 – Gerona/Girona 60 – Vic 36.

Sant Marçal, ✆ (93) 847 30 43, *Fax (93) 847 30 43*, ← valle y montañas, « Decoración rústica » – TV ☎ P – 10/25. AE ⊙ E VISA. ✻
Comida 2250 – ☐ 1250 – **11 hab** 9200/11500.

SANT MARTÍ D'EMPÚRIES *Gerona – ver La Escala.*

SANT MARTÍ SARROCA *Barcelona – ver San Martín Sarroca.*

SANT MIQUEL DE BALANSAT *Baleares – ver Baleares (Ibiza) : San Miguel.*

SANT PERE PESCADOR *17470 Gerona* 443 **F 39** – *1 215 h. alt. 5.*
Madrid 750 – Figueras/Figueres 16 – Gerona/Girona 38.

Can Ceret, del Mar 1 ✆ (972) 55 04 33, *Fax (972) 55 04 33*, « Marco rústico en una antigua casa de pueblo » – TV ☎. AE E VISA. ✻
cerrado 12 noviembre-2 diciembre – **Comida** *(cerrado domingo noche y lunes)* 1950 – **10 hab** ☐ 7000/12000.

SANT PERE DE RIBES *Barcelona – ver San Pedro de Ribas.*

SANT POL DE MAR *Barcelona - ver San Pol de Mar.*

SANT QUIRZE DE BESORA *Barcelona - ver San Quirico de Besora.*

SANT QUIRZE DEL VALLÈS *Barcelona - ver San Quirico del Vallés.*

SANT SADURNÍ D'ANOIA *Barcelona - ver San Sadurní de Noya.*

SANTA ANA DE ABULI *Asturias - ver Oviedo.*

SANTA BÁRBARA *43570 Tarragona* 443 J 31 - *3 322 h. alt. 79.*

Madrid 515 - Castellón de la Plana/Castelló de la Plana 107 - Tarragona 98 - Tortosa 15.

Venta de la Punta, Major 207 (977) 71 89 63, *Fax (977) 71 81 37* - . AE E VISA.
Comida (ver rest. ***Venta de la Punta***) - 500 - **22 hab** 3500/7000.

Venta de la Punta, carret. de Madrid 2 (977) 71 90 95, *Fax (977) 71 81 37* - . AE E VISA.
cerrado domingo noche, una semana en enero y una semana en septiembre - **Comida** carta 1400 a 2750.

SANTA BRÍGIDA *Las Palmas - ver Canarias (Gran Canaria).*

SANTA COLOMA *Andorra - ver Andorra (Principado de).*

SANTA COLOMA DE FARNÉS o **SANTA COLOMA DE FARNERS** *17430 Gerona* 443 *G 38 - 8 111 h. alt. 104 - Balneario.*

Madrid 700 - Barcelona 87 - Gerona/Girona 30.

Balneario Termas Orión, Afueras - S : 2 km (972) 84 00 65, *Fax (972) 84 04 66*, « En un gran parque », - , rest, . E VISA.
cerrado 7 enero-21 febrero - **Comida** 2150 - 650 - **66 hab** 6490/10600 - PA 4200.

Can Gurt con hab, carret. de Sils 32 (972) 84 02 60, *Fax (972) 84 02 60* - rest, **17 hab.**

en la carretera de Sils *SE : 2 km - 17430 Santa Coloma de Farnés :*

Mas Solá, (972) 84 08 48, « Antigua masía. Decoración rústica regional », - . AE E VISA
cerrado lunes noche, martes (salvo julio-agosto) y febrero - **Comida** carta 3000 a 4100.

SANTA CRISTINA (Playa de) *Gerona - ver Lloret de Mar.*

SANTA CRISTINA DE ARO o **SANTA CRISTINA D'ARO** *17246 Gerona* 443 G 39 - *1 859 h.*

Costa Brava, La Masía (972) 83 71 50 Fax (972) 83 72 72.

pl. Mossèn Baldiri Reixac 1 (972) 83 70 10 Fax (972) 83 74 12.

Madrid 709 - Barcelona 96 - Gerona/Girona 31.

junto al golf *O : 2 km - 17246 Santa Cristina de Aro :*

Golf Costa Brava, (972) 83 51 51, *Fax (972) 83 75 88*, , , , , 18 - - 25/200. AE E VISA. rest
abril-3 noviembre - **Comida** 3500 - 1000 - **91 hab** 8500/16000.

en la carretera de Playa de Aro *E : 2 km - 17246 Santa Cristina de Aro :*

Mas Torrellas, (972) 83 75 26, *Fax (972) 83 75 27*, , « Antigua masía », , - . AE E VISA. hab
15 marzo-octubre - **Comida** 2000 - **17 hab** 8000/11500 - PA 4000.

en la carretera de Gerona *NO : 2 km - 17246 Santa Cristina de Aro :*

Les Panolles, (972) 83 70 11, *Fax (972) 83 72 54*, , « Masía típica decorada en estilo rústico » - . AE E VISA
cerrado miércoles noche en invierno - **Comida** carta 3800 a 4900.

SANTA CRUZ *15179 La Coruña* 441 B 4 – *Playa.*
Madrid 584 – La Coruña/A Coruña 4 – Ferrol 28 – Santiago de Compostela 82.

Sol Porto Cobo, Casares Quiroga 16 (981) 61 41 00, *Fax (981) 61 49 20*, bahía y La Coruña, – rest, – 25/150.
Comida 2500 – 800 – **58 hab** 8240/13900.

SANTA CRUZ *30162 Murcia* 445 R 26.
Madrid 403 – Murcia 9.

Hostería Palacete Rural La Seda, Vereda del Catalán - N : 1 km (968) 87 08 48, *Fax (968) 87 08 48*, « Imponente palacete con plantas en plena huerta » – .
cerrado domingo, festivos y agosto – **Comida** carta 3600 a 4800.

SANTA CRUZ DE BEZANA *39100 Cantabria* 442 B 18 – *5 280 h. alt. 45.*
Madrid 378 – Bilbao/Bilbo 102 – Santander 6 – Torrelavega 18.

Solar de Miracruz, Alto de Maoño - carret. N 611 - S : 1,5 km (942) 58 07 57, *Fax (942) 58 12 63*, « Decoración rústica » – .
cerrado domingo noche, lunes y 2ª quincena de enero – **Comida** carta 3800 a 5500.

SANTA CRUZ DE MUDELA *13730 Ciudad Real* 444 Q 19 – *4 775 h. alt. 716 – Balneario.*
Madrid 218 – Ciudad Real 77 – Jaén 118 – Valdepeñas 15.

en la autovía N IV *S : 4 km – 13730 Santa Cruz de Mudela :*

Las Canteras con hab, (926) 34 24 75, *Fax (926) 34 24 75* – .
Comida carta 2750 a 3200 – 300 – **21 hab** 2500/4900.

SANTA CRUZ DE TENERIFE *Santa Cruz de Tenerife – ver Canarias (Tenerife).*

SANTA CRUZ DE LA PALMA *Santa Cruz de Tenerife – ver Canarias (La Palma).*

SANTA CRUZ DE LA SERÓS *22792 Huesca* 443 E 27 – *137 h.*
Ver : *Pueblo★.*
Alred. : *Monasterio de San Juan de la Peña★★ (paraje★★, claustro★ : capiteles★★) S : 5 km.*
Madrid 480 – Huesca 85 – Jaca 14 – Pamplona/Iruñea 105.

en la carretera N 240 *N : 4,5 km – 22792 Santa Cruz de la Serós :*

Aragón, (974) 37 71 12, *Fax (974) 36 21 89*, – .
Comida 1500 – 500 – **21 hab** 4000/5500 – PA 3500.

SANTA ELENA *23213 Jaén* 446 Q 19 – *1 076 h. alt. 742.*
Madrid 255 – Córdoba 143 – Jaén 78.

El Mesón con hab, av. Andalucía 91 (953) 66 41 00, – .
Comida carta 2250 a 3250 – 475 – **22 hab** 3400/5600.

SANTA EUGENIA DE BERGA *08519 Barcelona* 443 G 36 – *1 591 h. alt. 538.*
Madrid 641 – Barcelona 70 – Gerona/Girona 83 – Vic 4.

L'Arumi H., carret. d'Arbúcies 1 (93) 889 53 32, *Fax (93) 889 55 73*, – .
Comida (ver rest. ***L'Arumi***) – 500 – **18 hab** 6000/7800.

L'Arumi, carret. d'Arbúcies 21 (93) 885 56 03 – .
cerrado domingo noche, lunes y julio – **Comida** carta 2500 a 4300.

SANTA EULALIA *03639 Alicante* 445 Q 27.
Madrid 367 – Albacete 120 – Alicante/Alacant 50 – Elda 11 – Murcia 94.

La Casona, acceso autovía (96) 547 51 44, « En un pinar. Decoración rústica » – .
cerrado lunes, del 15 al 31 de enero y Semana Santa – **Comida** carta 2200 a 4250.

SANTA EULALIA DEL RÍO o **SANTA EULÀRIA DES RIU** *Baleares – ver Baleares (Ibiza).*

SANTA FÉ *18320 Granada* 446 **U 18** - *11 645 h. alt. 580.*
Madrid 441 - Antequera 8 - Granada 11.

Colón, Buenavista ✆ (958) 44 09 89, *Fax (958) 51 05 52* - . AE VISA
Comida 1500 - 450 - **25 hab** 6200/9200.

SANTA GERTRUDIS DE FRUITERA *Baleares - ver Baleares (Ibiza).*

SANTA MARGARITA (Urbanización) *Gerona - ver Rosas.*

SANTA MARGARITA Y MONJÓS o SANTA MARGARIDA I ELS MONJÓS *08730 Barcelona* 443 **I 34 y 35** - *3 922 h. alt. 161.*
Madrid 571 - Barcelona 59 - Tarragona 43.

Hostal del Penedés, carret. N 340 ✆ (93) 898 00 61, *Fax (93) 818 60 32* - . AE VISA. rest
Comida 1500 - 650 - **32 hab** 4500/8000 - PA 3500.

SANTA MARÍA *Baleares - ver Baleares : (Mallorca).*

SANTA MARÍA DE GETXO *Vizcaya - ver Getxo.*

SANTA MARÍA DE HUERTA *42260 Soria* 442 **I 23** - *611 h. alt. 764.*
Ver : *Monasterio★★ (claustro de los Caballeros★, refectorio★★).*
Madrid 182 - Soria 84 - Zaragoza 131.

SANTA MARÍA DE MAVE *34492 Palencia* 442 **D 17.**
Madrid 323 - Burgos 79 - Santander 116.

Hostería El Convento, ✆ (979) 12 36 11, *Fax (979) 12 54 92,* « Antiguo convento » - . AE VISA.
Comida 1500 - 500 - **25 hab** 4500/7000.

SANTA MARIA DEL CAMÍ *Balares - ver Baleares (Mallorca) : Santa María.*

SANTA MARÍA DEL MAR *Asturias* 441 **B 11** - ✉ *33457 Naveces.*
Madrid 500 - Avilés 12 - Luarca 53 - Oviedo 50.

Aeromar, av. Fernández Trapa 89 - SO : 1 km, ✆ (98) 551 96 46, *Fax (98) 551 97 62,* - . AE VISA JCB.
Comida 3000 - 750 - **14 hab** 9600/12000.

Román con hab, paseo Marítimo 11 ✆ (98) 551 94 88, *Fax (98) 551 98 89,* ← - . AE VISA.
Comida carta 2250 a 4250 - 500 - **14 hab** 6000/7500.

SANTA MARTA DE TORMES *37900 Salamanca* 441 **S 13** - *6 932 h. alt. 778.*
pl. *Mayor 1 ✆ (923) 20 00 05.*
Madrid 187 - Ávila 81 - Plasencia 123 - Salamanca 4.

Regio, carret. N 501 - E : 1,5 km ✆ (923) 13 88 88, *Fax (923) 13 80 44,* , , , - - 25/600. AE VISA JCB.
Comida 3600 - ***Lazarillo de Tormes* : Comida** carta 3925 a 5975 - 950 - **121 hab** 9000/13500.

Meliá Horus, carret. N 501 - O : 1km ✆ (923) 20 11 00, *Fax (923) 20 11 12,* , , - - 25/600. AE VISA JCB.
Comida 2100 - 1000 - **82 hab** 12100/15000, 4 suites.

SANTA OLALLA *45530 Toledo* 444 **L 16** - *2 273 h. alt. 487.*
Madrid 81 - Talavera de la Reina 36 - Toledo 42.

Recio, antigua carret. N V ✆ (925) 79 72 09, *Fax (925) 79 72 10,* - rest,
40 hab.

SANTA PAU *17811 Gerona* 443 F 37 – *1 381 h.*
Madrid 690 – Figueras/Figueres 55 – Gerona/Girona 45.

Cal Sastre ⑤, placeta dels Balls 6 ✆ (972) 68 00 49, ←, – TV ☎. AE ⓓ E VISA. ✱
cerrado del 1 al 15 de julio y 22 diciembre-6 enero – **Comida** (ver rest. ***Cal Sastre***) – **10 hab** ⊒ 5000/7500.

Cal Sastre, placeta dels Balls 6 ✆ (972) 68 04 21 – AE ⓓ E VISA. ✱
cerrado lunes, del 1 al 20 de julio y 22 diciembre-6 enero – **Comida** - sólo almuerzo - carta 2500 a 3600.

por la carretera GE 524 *NO : 6 km – ✉ 17811 Santa Pau :*

Francesa, Pí 27 ✆ (972) 26 22 41, *Fax (972) 26 22 41,* – ▤. AE E VISA. ✱
cerrado domingo noche, lunes no festivos y 2ª quincena de agosto – **Comida** carta 2300 a 3900.

SANTA PERPÈTUA DE MOGODA *08130 Barcelona* 443 H 36 – *16 710 h. alt. 74.*
Madrid 632 – Barcelona 14 – Mataró 41 – Sabadell 6.

en Santiga *por la carretera de Sabadell B 140 - O : 3 km – ✉ 08130 Santiga :*

Castell de Santiga, pl. Santiga 6 ✆ (93) 560 71 53, *Fax (93) 574 24 20* – ▤ Ⓟ.

Neumáticos MICHELIN S.A., Sucursal CIM VALLÈS - polígono industrial Les Minetes, Nave 11, ✉ 08130 ✆ (93) 560 15 55, Fax (93) 560 17 52

SANTA POLA *03130 Alicante* 445 R 28 – *15 365 h. – Playa.*
ℹ *pl. de la Diputación 6 ✆ (96) 669 22 76.*
Madrid 423 – Alicante/Alacant 19 – Cartagena 91 – Murcia 75.

Polamar, Astilleros 12 ✆ (96) 541 32 00, *Fax (96) 541 31 83,* ←, – |‡| ▤ TV ☎. AE ⓓ E VISA. ✱
Comida *(cerrado domingo noche)* 2800 – ⊒ 1000 – **76 hab** 6900/11200.

Patilla, Elche 29 ✆ (96) 541 10 15, *Fax (96) 541 52 95* – |‡| ▤ TV ☎ Ⓟ. AE ⓓ VISA. ✱
Comida 1900 – ⊒ 600 – **72 hab** 5000/7300 – PA 3800.

Picola, Alicante 64 ✆ (96) 541 10 44, *Fax (96) 541 10 44* – ▤ rest,. AE E VISA. ✱ hab
Comida 1500 – ⊒ 550 – **20 hab** 4150/4675.

Miramar, av. Pérez Ojeda ✆ (96) 541 10 00, *Fax (96) 541 38 96,* ←, – ▤. AE ⓓ E VISA. ✱
Comida carta aprox. 4025.

Gaspar's, av. González Vicens 2 ✆ (96) 541 35 44 – ▤. AE ⓓ E VISA. ✱
cerrado domingo noche, lunes y 15 días en octubre – **Comida** carta 2500 a 3500.

en la playa del Varadero *E : 1,5 km – ✉ 03130 Santa Pola :*

Varadero, Santiago Bernabeu ✆ (96) 541 17 66, *Fax (96) 669 29 95,* ←, – ▤ Ⓟ. AE ⓓ E VISA. ✱
Comida carta 3500 a 4600.

en la carretera N 332 *N : 2,5 km – ✉ 03130 Santa Pola :*

El Faro, ✆ (96) 541 21 36, *Fax (96) 669 24 08,* – ▤ Ⓟ. AE ⓓ E VISA. ✱
Comida carta 3300 a 4500.

en la carretera de Elche *NO : 3 km – ✉ 03130 Santa Pola :*

María Picola, ✆ (96) 541 35 13, *Fax (96) 541 55 62,* – Ⓟ. AE ⓓ E VISA
cerrado lunes y octubre – **Comida** carta 3600 a 4500.

SANTA PONSA o **SANTA PONÇA** *Baleares – ver Baleares (Mallorca).*

SANTA ÚRSULA *Santa Cruz de Tenerife – ver Canarias (Tenerife).*

SANTANDER *39000* Ⓟ *Cantabria* 442 B 18 – *196 218 h. – Playa.*
Ver : *Museo Regional de Prehistoria y Arqueología★ (bastones de mando★)* BY **D** – *El Sardinero★★* BX. – 18 9 Pedreña, por ③ : 24 km ✆ (942) 50 00 01 Fax (942) 50 04 21.
de Santander por ③ : 7 km ✆ (942) 20 21 00 – Iberia : paseo de Pereda 18 ✉ 39004 ✆ (942) 22 97 00 BY *y Aviaco : aero puerto ✆ (942) 25 10 07.*
Cia. Trasmediterránea, paseo de Pereda 13 ✉ 39004 ✆ (942) 22 14 00 Telex 35834 Fax (942) 21 73 83.
ℹ *Jardines de Pereda ✉ 39003 ✆ (942) 21 61 20 Fax (942) 36 20 78 y Estación Marítima ✉ 39002 ✆ (942) 31 07 08* – **R.A.C.E.** *Santa Lucía 51 (entlo.) ✉ 39003 ✆ (942) 36 21 98 Fax (942) 36 16 88. – Madrid 393 ② – Bilbao/Bilbo 116 ③ – Burgos 154 ② – León 266 ① – Oviedo 203 ① – Valladolid 250 ①*

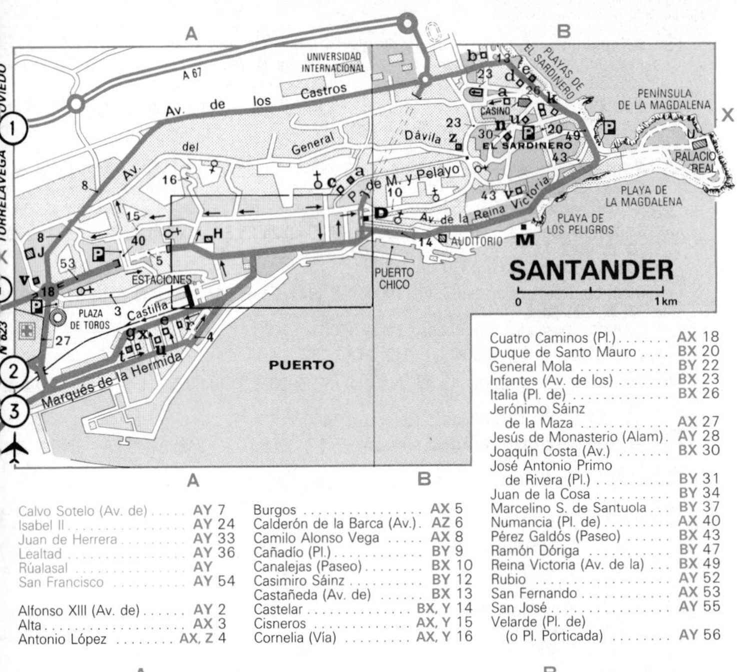

Cuatro Caminos (Pl.) .... AX 18
Duque de Santo Mauro .... BX 20
General Mola .... BY 22
Infantes (Av. de los) .... BX 23
Italia (Pl. de) .... BX 26
Jerónimo Sáinz de la Maza .... AX 27
Jesús de Monasterio (Alam). AY 28
Joaquín Costa (Av.) .... BX 30
José Antonio Primo de Rivera (Pl.) .... BY 31
Juan de la Cosa .... BY 34
Marcelino S. de Santuola ... BY 37
Numancia (Pl. de) .... AX 40
Pérez Galdós (Paseo) ...... BX 43
Ramón Dóriga .... BY 47
Reina Victoria (Av. de la) ... BX 49
Rubio .... AY 52
San Fernando .... AX 53
San José .... AY 55
Velarde (Pl. de) (o Pl. Porticada) .... AY 56

Calvo Sotelo (Av. de) ..... AY 7
Isabel II .... AY 24
Juan de Herrera .... AY 33
Lealtad .... AY 36
Rúalasal .... AY
San Francisco .... AY 54

Alfonso XIII (Av. de) ...... AY 2
Alta .... AX 3
Antonio López .... AX, Z 4

Burgos .... AX 5
Calderón de la Barca (Av.). AZ 6
Camilo Alonso Vega ..... AX 8
Cañadío (Pl.) .... BY 9
Canalejas (Paseo) .... BX 10
Casimiro Sáinz .... BY 12
Castañeda (Av. de) ...... BX 13
Castelar .... BX, Y 14
Cisneros .... AX, Y 15
Cornelia (Vía) .... AX, Y 16

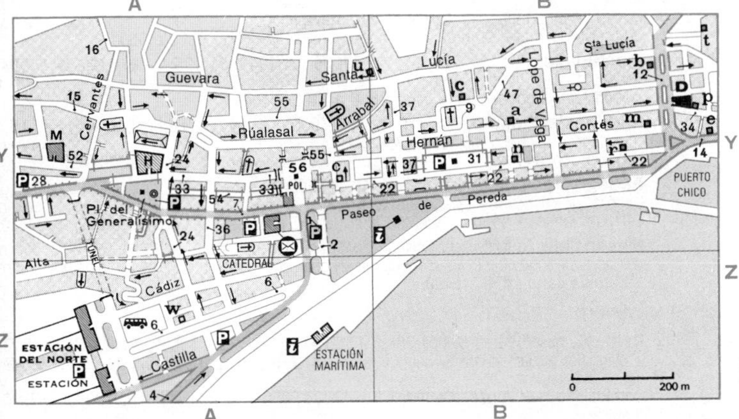

NH Ciudad de Santander, Menéndez Pelayo 13, ✉ 39006, ☎ (942) 22 79 65, *Fax (942) 21 73 03* – 🛗 ▤ TV ☎ 🚗 P – 25/220. AE ◐ E VISA JCB. ✂ AX c
Comida 1600 – ☕ 1100 – **60 hab** 13300/18600, 2 suites – PA 4300.

Central sin rest. con cafetería, General Mola 5, ✉ 39004, ☎ (942) 22 24 00, *Fax (942) 36 38 29*, « Decoración original en un ambiente acogedor » – 🛗 ▤ TV ☎ – 25/40. AE ◐ E VISA. ✂ AY c
40 hab ☕ 10150/15900, 1 suite.

México sin rest, Calderón de la Barca 3, ✉ 39002, ☎ (942) 21 24 50, *Fax (942) 22 92 38* – 🛗 TV ☎. E VISA. ✂ AZ w
☕ 600 – **32 hab** 6500/10000, 2 suites.

Piñamar, Ruiz de Alda 15, ✉ 39009, ☎ (942) 36 18 66, *Fax (942) 36 19 36* – ▤ TV ☎. E VISA. ✂ AX x
cerrado diciembre – **Comida** 2000 – ☕ 650 – **34 hab** 9200/13000 – PA 4600.

Alisas sin rest. con cafetería, Nicolás Salmerón 3, 39009, (942) 22 27 50 *Fax (942) 22 24 86* – – 25/120. AE E VISA. AX
750 – **70 hab** 8025/12840.

San Glorio 2 sin rest. con cafetería, Federico Vial 3, 39009, (942) 22 16 66 *Fax (942) 31 21 09* – . AE VISA. AX e
550 – **33 hab** 8300/8800.

Romano sin rest, Federico Vial 8, 39009, (942) 22 30 71, *Fax (942) 22 30 71* – . AE E VISA. AX u
450 – **25 hab** 5035/8000.

Zacarías, General Mola 41, 39003, (942) 21 23 33, *Fax (942) 22 69 53* – . AE E VISA BY
Comida carta 3700 a 4750.

Puerto, Hernán Cortés 63, 39003, (942) 21 93 93, *Fax (942) 21 56 55* – . AE E VISA. BY m
Comida - pescados y mariscos - carta 3500 a 5700.

Iris, Castelar 5, 39004, (942) 21 52 25 – BY e

Cañadío, Gómez Oreña 15 (pl. Cañadío), 39003, (942) 31 41 49 – . AE E VISA. BY c
cerrado domingo – **Comida** carta aprox. 3400.

Asador Lechazo Aranda, Tetuán 15, 39004, (942) 21 48 23 – . E VISA. BY t
Comida - cordero asado - carta aprox. 3300.

La Bombi, Casimiro Sáinz 15, 39003, (942) 21 30 28 – . AE E VISA BY b
Comida carta 3100 a 4450.

Mesón Segoviano, Menéndez Pelayo 49, 39006, (942) 31 10 10, ,
« Decoración castellana » – . AE E VISA. AX a
cerrado domingo – **Comida** carta 3800 a 4700.

Posada del Mar, Juan de la Cosa 3, 39004, (942) 21 56 56, « Decoración rústica » – . AE E VISA BY p
cerrado domingo y del 1 al 15 de octubre – **Comida** carta aprox. 4000.

Laury, av. Pedro San Martín 4 (Cuatro Caminos), 39010, (942) 33 01 09, *Fax (942) 34 63 85* – . AE E VISA JCB. AX v
cerrado domingo – **Comida** - pescados y mariscos - carta 3800 a 6500.

Machinero, Ruiz de Alda 16, 39009, (942) 31 49 21 – . AE E VISA. AX t
cerrado domingo – **Comida** carta 2650 a 3400.

Bodega del Riojano, Río de la Pila 5, 39003, (942) 21 67 50, *Fax (942) 57 52 54*, « Bodegón típico » – AE E VISA. ABY u
cerrado domingo noche y lunes (salvo en verano) – **Comida** carta 3100 a 4175.

Bodega Cigaleña, Daoiz y Velarde 19, 39003, (942) 21 30 62, « Museo del vino. Decoración rústica » – . AE E VISA. BY a
cerrado domingo, 15 junio-1 julio y 20 octubre-5 noviembre – **Comida** carta aprox. 4450.

Mesón Gele, Eduardo Benot 4, 39003, (942) 22 10 21 – . AE VISA. BY n
cerrado domingo noche, lunes mediodía, 2ª quincena de mayo y 2ª quincena de noviembre – **Comida** carta 2450 a 3400.

en El Sardinero – *39005 Santander :*

Real , paseo Pérez Galdós 28 (942) 27 25 50, Telex 39012, *Fax (942) 27 45 73*, « Magnífica situación con bahía », – – 25/200. AE E VISA. BX v
Comida 3400 - ***El Puntal*** **:** **Comida** carta 4200 a 6050 – 1500 – **114 hab** 29800/37200, 9 suites.

Hoyuela , av. de los Hoteles 7 (942) 28 26 28, *Fax (942) 28 00 40* – – 60/300. AE E VISA JCB. BX a
Comida 3250 – 1300 – **49 hab** 19000/26000, 6 suites – PA 6600.

Palacio del Mar, La Pereda 5, 39012, (942) 39 24 00, *Fax (942) 39 22 20* – – 25/450. AE E VISA. por av. de Castañeda BX
Neptuno **:** **Comida** carta 2950 a 5350 – 1250 – **21 hab** 20000/25000, 47 suites.

Santemar, Joaquín Costa 28 (942) 27 29 00, *Fax (942) 27 86 04*, , – – 25/700. AE E VISA. BX u
Comida 3000 - ***El Rincón de Mariano*** **:** **Comida** carta 3100 a 4200 – 1300 – **344 hab** 17200/21500, 6 suites.

Chiqui , av. Manuel García Lago 9 (942) 28 27 00, *Fax (942) 27 30 32*, playa y mar – , rest, – 25/700. AE E VISA. por av. de Castañeda BX
Comida carta aprox. 4300 – 1100 – **157 hab** 12600/17900, 4 suites.

Rhin, av. Reina Victoria 153 (942) 27 43 00, *Fax (942) 27 86 53*, playa y mar – 50/300. AE E VISA. BX k
Comida 2700 - ***La Cúpula*** : **Comida** carta 3750 a 5200 – 1100 – **89 hab** 12100/18700.

Sardinero, pl. de Italia 1 (942) 27 11 00, *Fax (942) 27 16 98*, – rest, – 25/150. AE E VISA. BX d
Comida 2300 – 1000 – **108 hab** 12700/17900 – PA 5000.

Don Carlos, Duque de Santo Mauro 20 (942) 28 00 66, *Fax (942) 28 11 77* – rest, . E VISA. rest BX k
Comida 1500 – 550 – **28 apartamentos** 18000/19000.

Las Brisas sin rest, La Braña 14 (942) 27 50 11, *Fax (942) 28 11 73* – . AE E VISA. BX b
600 – **13 hab** 10000/13000.

Carlos III sin rest, av. Reina Victoria 135 (942) 27 16 16, *Fax (942) 27 16 16* – . AE E VISA. BX k
15 marzo-11 noviembre – 390 – **20 hab** 6300/8200.

La Sardina, Dr. Fleming 3 (942) 27 10 35, *Fax (942) 57 52 54*, « Interior barco de pesca » – . AE E VISA. por av. de Castañeda BX
cerrado domingo noche y martes (salvo en verano) – **Comida** carta 3350 a 4900.

Del Muelle, Joaquín Costa 16 (942) 28 29 24, *Fax (942) 28 29 24* – . AE E VISA. *cerrado domingo noche y lunes salvo en verano* – **Comida** carta 3300 a 4100. BX n

Rhin, pl. de Italia 2 (942) 27 30 34, *Fax (942) 27 80 08*, mar y playa – . AE E VISA. BX e
Comida carta 3775 a 4700.

La Flor de Miranda, av. de Los Infantes 1 (942) 27 10 56 – . AE E VISA. BX z
Comida carta 2350 a 4050.

Ver también : **San Cibrián** *por av. de los Castros : 12 km* AX.

SANTES CREUS (Monasterio de) *43815 Tarragona* 443 H 34 – *alt. 340.*

Ver : *Monasterio*** (Gran claustro*** - Sala capitular** - Iglesia** : rosetón* - tumbas reales**, patio del Palacio Real*).*

Madrid 555 – Barcelona 95 – Lérida/Lleida 83 – Tarragona 32.

Grau con hab, Pere El Gran 3 (977) 63 83 11 – rest,. AE E VISA.
cerrado 15 diciembre-15 enero – **Comida** *(cerrado lunes)* carta 2025 a 3525 – 400 – **15 hab** 2600/4100.

SANTIAGO DE COMPOSTELA *15700 La Coruña* 441 D 4 – *105 851 h. alt. 264.*

Ver : *Plaza del Obradoiro o Plaza de España**** V – *Catedral*** (Fachada del Obradoiro***, Pórtico de la Gloria***, Museo de tapices**, Claustro*, Puerta de las Platerías**)* V – *Palacio Gelmírez(Salón sinodal*)* V **A** – *Hostal de los Reyes Católicos* : fachada** V – *Barrio antiguo*** VX *: Plaza de la Quintana** - Puerta del Perdón* - Monasterio de San Martín Pinario** V – *Colegiata de Santa María del Sar* (arcos geminados*)* Z – *Paseo de la Herradura *.*

Alred. : *Pazo de Oca* : parque** 25 km por ③.*

Santiago, por ② : 9 km (981) 88 84 06 Fax (981) 59 24 00.

de Santiago de Compostela, Labacolla por ② : 12 km (981) 54 75 00 – Iberia : Xeneral Pardiñas 36 15701 (981) 57 20 24 Z.

Vilar 43 15705 (981) 58 40 81 Fax (981) 56 51 78 – **R.A.C.E.** *Romero Donallo 1 (entreplanta) (981) 53 18 00 Fax (981) 53 18 06.*

Madrid 613 ② – La Coruña/A Coruña 72 ② – Ferrol 103 ② – Orense/Ourense 111 ③ – Vigo 84 ④

Plano página siguiente

Hostal de los Reyes Católicos, pr. do Obradoiro 1, 15705, (981) 58 22 00, Telex 86004, *Fax (981) 56 30 94*, « Lujosa instalación en un magnífico edificio del siglo XVI. Mobiliario de gran estilo » – – 25/300. AE E VISA JCB. V
Comida carta 4900 a 6900 – 1800 – **130 hab** 21200/26500, 6 suites.

Meliá Araguaney, Alfredo Brañas 5, 15701, (981) 59 59 00, Telex 86108, *Fax (981) 59 02 87*, – – 25/300. AE E VISA. Z c
Comida *(cerrado sábado y domingo)* 2500 – 1450 – **72 hab** 19000/24000, 1 suite.

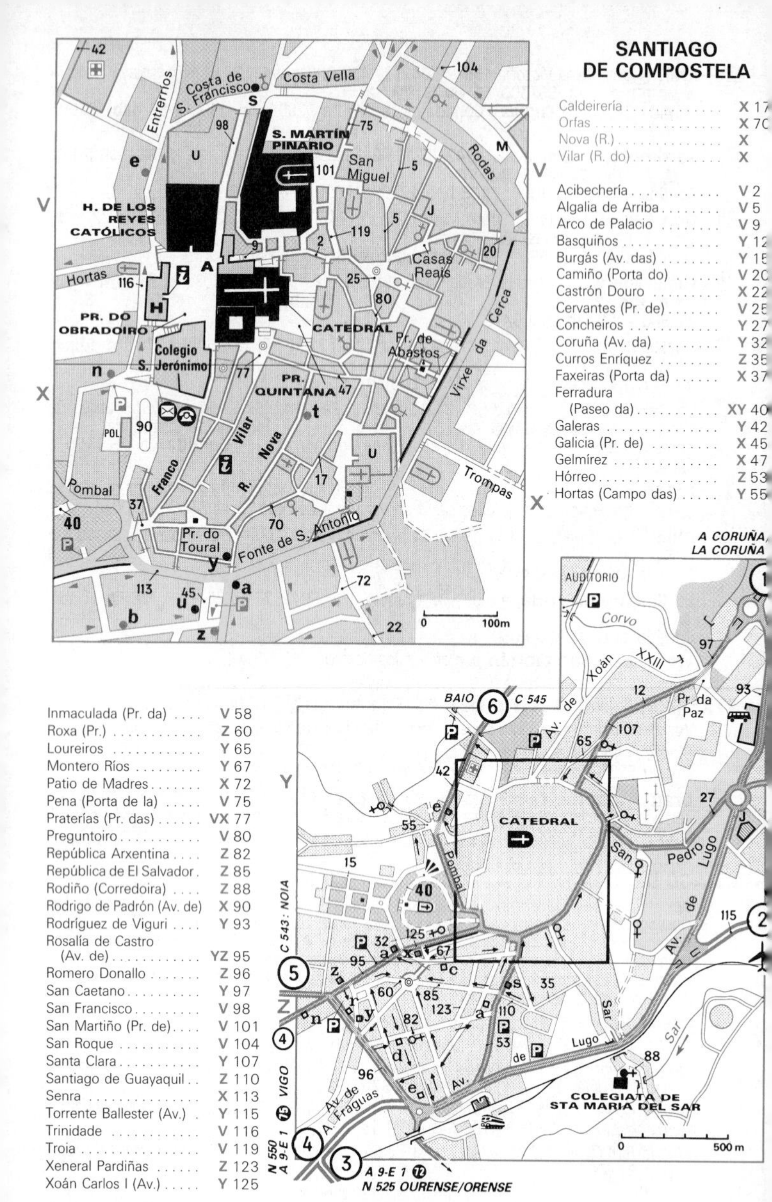

Peregrino, av. Rosalía de Castro, ✉ 15706, ✆ (981) 52 18 50, *Fax (981) 52 17 77*, ≤, climatizada, – |♦|, ▤ rest, TV ☎ P – 🏛 25/250. AE ⓞ E VISA JCB. ✂ rest Comida 4200 – ☕ 1400 – **142 hab** 14150/17800, 7 suites. Z n

Compostela sin rest. con cafetería, Hórreo 1, ✉ 15702, ✆ (981) 58 57 00, *Fax (981) 56 32 69* – |♦| TV ☎ – 🏛 25/200. AE ⓞ E VISA JCB. ✂ X a
☕ 900 – **98 hab** 9400/14400, 1 suite.

Gelmírez sin rest. con cafetería, Hórreo 92, ✉ 15702, ✆ (981) 56 11 00, *Fax (981) 56 32 69* – |♦| TV ☎ – 🏛 25/80. AE ⓞ E VISA. ✂ Z a
☕ 600 – **138 hab** 6800/9600.

Hogar San Francisco sin rest, Campillo de San Francisco 3, ✉ 15705, ☏ (981) 57 24 63, *Fax (981) 57 19 16*, « Instalado en el convento de San Francisco » – 25/50. AE E VISA. V s
650 – **71 hab** 7000/10000.

Universal sin rest, pr. de Galicia 2, ✉ 15706, ☏ (981) 58 58 00, *Fax (981) 58 57 90* – AE E VISA. X u
500 – **54 hab** 4900/7600.

México sin rest, República Arxentina 33-4°, ✉ 15706, ☏ (981) 59 80 00, *Fax (981) 59 80 16* – VISA. Z d
400 – **57 hab** 3500/5900.

Rey Fernando sin rest, Fernando III el Santo 30-6°, ✉ 15702, ☏ (981) 59 35 50, *Fax (981) 59 00 96* – AE E VISA. Z e
400 – **24 hab** 4550/6500.

Vilas, av. Romero Donallo 9-A, ✉ 15706, ☏ (981) 59 11 50, *Fax (981) 59 11 50* – AE E VISA JCB. Z r
Comida (ver rest. ***Anexo Vilas***) – 400 – **28 hab** 4000/6500.

Mapoula sin rest y sin, Entremurallas 10-3°, ✉ 15702, ☏ (981) 58 01 24, *Fax (981) 58 40 89* – VISA X y
12 hab 3225/4600.

Toñi Vicente, Rosalía de Castro 24, ✉ 15706, ☏ (981) 59 41 00, *Fax (981) 59 35 54* – AE E VISA. Y a
cerrado domingo, del 1 al 15 de enero y del 11 al 24 de agosto – **Comida** carta 3900 a 6000
Espec. Ensalada marinada de lubina. Ensalada de vieiras con hígado y puerro crujiente. Lomo de cordero a las finas hierbas.

Anexo Vilas, av. de Villagarcía 21, ✉ 15706, ☏ (981) 59 86 37, *Fax (981) 59 11 50* – AE E VISA JCB. Z y
cerrado lunes – **Comida** carta 3400 a 4800.

La Tacita d'Juan, Hórreo 31, ✉ 15702, ☏ (981) 56 20 41, *Fax (981) 56 04 18* –
cerrado domingo y del 1 al 15 de agosto – **Comida** carta 3450 a 5050. Z s

Don Gaiferos, Rua Nova 23, ✉ 15705, ☏ (981) 58 38 94 – AE E VISA. X t
cerrado domingo y 22 diciembre-1 enero – **Comida** carta 3850 a 5050.

Asador Castellano, Nova de Abaixo 2, ✉ 15705, ☏ (981) 59 03 57, *Fax (981) 59 44 89*, « Decoración castellana » – AE E VISA. YZ x
cerrado domingo noche – **Comida** carta 2600 a 5100.

Fornos, Hórreo 24, ✉ 15702, ☏ (981) 56 57 21, *Fax (981) 57 17 27* – AE E VISA. X z
cerrado domingo noche – **Comida** carta 3850 a 5100.

Carretas, Carretas 21, ✉ 15705, ☏ (981) 56 31 11, *Fax (981) 56 29 39* – AE E VISA JCB. V e
cerrado domingo noche – **Comida** carta 3300 a 5000.

San Clemente, San Clemente 6, ✉ 15705, ☏ (981) 58 08 82, *Fax (981) 56 29 39*, – AE E VISA JCB. X n
Comida carta aprox. 4500.

Don Quijote, Galeras 20, ✉ 15705, ☏ (981) 58 68 59, *Fax (981) 57 29 69* – AE E VISA. Y e
Comida carta 2550 a 5750.

Vilas, Rosalía de Castro 88, ✉ 15706, ☏ (981) 59 21 70, *Fax (981) 59 11 50* – AE E VISA. Z z
cerrado domingo – **Comida** carta 3000 a 5100.

Green, Montero Ríos 16, ✉ 15706, ☏ (981) 58 09 76 – AE E VISA. X b
cerrado domingo noche y del 1 al 15 de agosto – **Comida** carta 2935 a 3950.

en la carretera N 550 *por ① : 6 km – ✉ 15884 Sionlla :*

Castro, Formarís ☏ (981) 88 81 14, *Fax (981) 88 80 63*, ← – 25/400. AE E VISA.
Comida (ver rest. ***Castro***) – 700 – **60 hab** 7000/10500.

Castro, Formarís ☏ (981) 58 25 91, *Fax (981) 88 80 63* – AE E VISA.
cerrado domingo y Navidades – **Comida** carta 1750 a 3800.

en la carretera N 634 *por ② :*

Santiago Apóstol, cuesta de San Marcos 1 - 4 km, ✉ 15820 Labacolla, ☏ (981) 55 71 55, *Fax (981) 58 64 99*, ← – 25/200. AE E VISA. rest
Comida 1600 – 925 – **97 hab** 8650/10800, 1 suite.

Los Abetos sin rest, San Lázaro - carret. Arines 3 km, ✉ 15892 Arines, ✆ (981) 55 70 26, *Fax (981) 58 61 77*, ← - ▤ TV ☎ ⇔ P. AE E VISA. ✻
☕ 700 - **70 apartamentos** 8400/10500.

Sexto, San Marcos - 5 km, ✉ 15820 Labacolla, ✆ (981) 57 14 07, *Fax (981) 57 14 07*, Vivero propio - ▤ P.

en la carretera N 525 *por ③ : 3,5 km - ✉ 15893 Santa Lucía :*

Santa Lucía sin rest, ✆ (981) 54 92 83, *Fax (981) 54 93 00*, ← - |‡| ▤ TV ☎ P
105 hab.

en la carretera de La Estrada C 541 *por ③ - ✉ 15894 Montouto :*

Los Tilos sin rest. con cafetería, 3 km ✆ (981) 81 92 00, *Fax (981) 80 15 14*, ←, Fö, ✻, ✻ - |‡| TV ☎ - 25/500. AE ◑ VISA JCB. ✻
☕ 900 - **89 hab** 11000/14000, 4 suites.

Congreso, 4,5 km ✆ (981) 81 90 80, Telex 86585, *Fax (981) 81 91 24*, ✻ - |‡|, ▤ hab, TV ☎ ♿ P - 25/400. AE ◑ E VISA
Comida 2200 - ☕ 800 - **101 hab** 8100/12300.

Ver también : **Labacolla** *por ② : 11 km*
San Julián de Sales *por ③ : 9 km*
Ameneiro *por ④ : 9 km.*

SANTIAGO DE LA RIBERA *30720 Murcia 445 S 27 - Playa.*

Padre Juan ✆ (968) 57 17 04 Fax (968) 57 39 63.
Madrid 438 - Alicante/Alacant 76 - Cartagena 37 - Murcia 48.

Ribera, explanada de Barnuevo 12 ✆ (968) 57 02 00, ← - |‡|, ▤ rest, ☎
temp - **40 hab.**

SANTIAGO DEL MONTE *33459 Asturias 441 B 11.*

Madrid 487 - Gijón 37 - Oviedo 44.

Cristal Aeropuerto, carret. del aeropuerto 91 ✆ (98) 551 95 45, *Fax (98) 551 98 01* - |‡| ▤ TV ☎ ⇔ P - 25/300
51 hab.

SANTIGA *Barcelona - ver Santa Perpètua de Mogoda.*

SANTILLANA DEL MAR *39330 Cantabria 442 B 17 - 3 839 h. alt. 82.*

Ver : *Pueblo pintoresco★★ : Colegiata★ (interior : cuatro Apóstoles★, retablo★, claustro★ : capiteles★★).*
Alred. : *Cueva prehistórica★★ de Altamira (techo★★★) SO : 2 km.*
pl. Mayor ✆ (942) 81 82 51.
Madrid 393 - Bilbao/Bilbo 130 - Oviedo 171 - Santander 30.

Parador de Santillana del Mar , pl. Ramón Pelayo 8 ✆ (942) 81 80 00, *Fax (942) 81 83 91*, « Antigua casa señorial », ✻ - |‡| TV ☎ ⇔ P - 25/200. AE E VISA. ✻
Comida 3200 - ☕ 1200 - **54 hab** 14000/17500, 2 suites.

Altamira , Cantón 1 ✆ (942) 81 80 25, *Fax (942) 84 01 36*, « Casa señorial del siglo XVII » - ▤ rest, TV ☎. AE ◑ E VISA. ✻
Comida 1675 - ☕ 650 - **32 hab** 6700/10750 - PA 3400.

Los Infantes, av. Le Dorat 1 ✆ (942) 81 81 00, *Fax (942) 84 01 03*, « Fachada del siglo XVIII » - TV ☎ P. AE ◑ E VISA. ✻
marzo-noviembre - **Comida** 1600 - ☕ 700 - **49 hab** 10000/14000.

Santillana, El Cruce ✆ (942) 81 80 11, *Fax (942) 84 01 03* - ▤ rest, TV ☎. AE E VISA. ✻ rest
marzo-noviembre - **Comida** 1500 - ☕ 700 - **38 hab** 10000/14000.

Siglo XVIII sin rest, Revolgo 38 ✆ (942) 84 02 10, *Fax (942) 84 02 11*, ✻ - TV ☎ P. AE ◑ E VISA. ✻
marzo-12 diciembre - ☕ 450 - **16 hab** 6500/10000.

Cuevas sin rest, av. Antonio Sandi 4 ✆ (942) 81 83 84, *Fax (942) 81 83 89* - TV ☎ P. AE E VISA. ✻
☕ 400 - **40 hab** 7500/9000.

Los Ángeles , Campo de Revolgo 19 ✆ (942) 81 81 40, *Fax (942) 84 01 77* - TV ☎. E VISA. ✻
marzo-noviembre - **Comida** 1400 - ☕ 400 - **25 hab** 7000/9500.

Los Hidalgos sin rest, Campo de Revolgo (942) 81 81 01, *Fax (942) 84 01 70* – AE E VISA.
marzo-noviembre – 400 – **35 hab** 5900/7900.

San Marcos, av. Antonio Sandi (942) 84 01 88, *Fax (942) 81 81 85* – AE E VISA.
cerrado 11 diciembre-febrero – **Comida** 1400 – 450 – **19 hab** 8000/9000.

Salldemar sin rest, av. Marcelino Sanz de Sautuola (942) 84 01 80, *Fax (942) 81 80 23* –
temp – **15 hab.**

Los Blasones, pl. de la Gándara 8 (942) 81 80 70, *Fax (942) 84 02 07* – AE E VISA.
cerrado enero-15 marzo y del 10 al 31 de diciembre – **Comida** carta 3050 a 4000.

en la carretera de Suances *N : 1 km – 39330 Santillana del Mar :*

Colegiata, Los Hornos 20 (942) 84 02 16, *Fax (942) 84 02 17*, « En una ladera con ≤ », – – 25/300
27 hab.

en la carretera de Puente de San Miguel *SE : 2,3 km – 39330 Santillana del Mar :*

Zabala, barrio Vispieres (942) 83 84 00, *Fax (942) 83 83 30* – AE E VISA.
Comida 1750 – 500 – **27 hab** 8000/10000.

Halten Sie beim Betreten des Hotels oder des Restaurants den Führer in der Hand.
Sie zeigen damit, daß Sie aufgrund dieser Empfehlung gekommen sind.

SANTO DOMINGO DE LA CALZADA *26250 La Rioja* 442 E 21 – *5 308 h. alt. 639.*

Ver : *Catedral★ (retablo mayor★).*
Madrid 310 – Burgos 67 – Logroño 47 – Vitoria/Gasteiz 65.

Parador de Santo Domingo de la Calzada, pl. del Santo 3 (941) 34 03 00, *Fax (941) 34 03 25*, « Antiguo hospital de peregrinos », – – 25/120. AE E VISA JCB.
Comida 3500 – 1300 – **59 hab** 14000/17500, 2 suites.

El Corregidor, Mayor 14 (941) 34 21 28, *Fax (941) 34 21 15* – – 25/300
32 hab.

El Rincón de Emilio, pl. Bonifacio Gil 7 (941) 34 09 90, *Fax (941) 34 09 90* – E VISA.
cerrado martes noche y febrero – **Comida** carta 2550 a 3400.

Mesón El Peregrino, av. de Calahorra 19 (941) 34 02 02, « Decoración rústica »

SANTO DOMINGO DE SILOS (Monasterio de) *09610 Burgos* 442 G 19 – *328 h. alt. 1 003.*

Ver : *Monasterio★★ (claustro★★★).*
Madrid 203 – Burgos 58 – Soria 99.

Tres Coronas de Silos, pl. Mayor 6 (947) 39 00 47, *Fax (947) 39 00 65*, « Conjunto castellano » – AE E VISA. rest
Comida 2500 – 950 – **16 hab** 6500/10200.

Cruces, pl. Mayor 2 (947) 39 00 64,
13 hab.

SANTO TOMÉ DEL PUERTO *40590 Segovia* 442 I 19 – *370 h. alt. 1 129.*

Madrid 100 – Aranda de Duero 61 – Segovia 54.

Mirasierra, antigua carret. N I (921) 55 71 05, *Fax (921) 55 71 05*, – AE E VISA. rest
Comida 1700 – 750 – **16 hab** 5000/7500 – PA 3400.

SANTOMERA *30140 Murcia* 445 R 26 – *8 488 h. alt. 28.*

Madrid 402 – Alicante/Alacant 68 – Cartagena 74 – Murcia 14.

Santos sin rest, Almazara 11 (968) 86 52 11, *Fax (968) 86 52 11* – AE VISA.
250 – **14 hab** 4800/6300.

SANTOÑA *39740 Cantabria* 442 **B 19** – *10 929 h. – Playa.*
Madrid 441 – Bilbao/Bilbo 81 – Santander 48.

Castilla, Manzanedo 29 (942) 66 22 61, *Fax (942) 66 24 51* – rest.
cerrado enero – **Comida** 1700 – 500 – **42 hab** 6000/8500 – PA 3800.

La Marisma 2, Manzanedo 19 (942) 66 06 06 –
cerrado lunes (invierno) y noviembre – **Comida** - pescados y mariscos - carta aprox. 5000

en la playa de Berria *NO : 3 km – 39740 Santoña :*

Juan de la Cosa , (942) 66 12 38, *Fax (942) 66 16 32*, – 25/300.
cerrado enero – **Comida** carta 3500 a 4000 – 1100 – **29 hab** 9500/11500, 3 suites, 18 apartamentos.

SANTPEDOR *08251 Barcelona* 443 **G 35** – *4 579 h. alt. 320.*
Madrid 638 – Barcelona 69 – Manresa 6 – Vic 54.

Ramón, Camí de Juncadella (93) 832 08 50, *Fax (93) 827 22 41*, –
cerrado domingo noche – **Comida** carta 4200 a 6500.

SANTUARIO – *ver el nombre propio del santuario.*

SANTURCE o **SANTURTZI** *48980 Vizcaya* 442 **B 20** – *50 124 h.*
Madrid 411 – Bilbao/Bilbo 15 – Santander 97.

San Jorge, Antonio Alzaga 51 (94) 483 93 93, *Fax (94) 483 93 75* – rest, – 25/90. rest
Comida 1400 – 700 – **30 hab** 7000/9300 – PA 3500.

Currito, av. Murrieta 21 (94) 483 32 14, *Fax (94) 483 35 29*, –
cerrado domingo noche – **Comida** carta 4450 a 5500.

Kai-Alde, Capitán Mendizábal 7 (94) 461 00 34, –
cerrado lunes noche – **Comida** carta 2650 a 5100.

SANXENXO *Pontevedra – ver Sangenjo.*

El SARDINERO *Cantabria – ver Santander.*

SARDÓN DE DUERO *47340 Valladolid* 442 **H 16** – *679 h.*
Madrid 208 – Aranda de Duero 66 – Valladolid 26.

Sardón, carret. N 122 (983) 68 03 07, *Fax (983) 68 03 07* – rest.
Comida 1500 – 300 – **12 hab** 2500/4500 – PA 3300.

SARRIA *Álava – ver Murguía.*

SARRIA *27600 Lugo* 441 **D 7** – *12 437 h. alt. 420.*
Madrid 491 – Lugo 32 – Orense/Ourense 81 – Ponferrada 109.

NH Alfonso IX , Peregrino 29 (982) 53 00 05, *Fax (982) 53 12 61* – – 25/400. rest
Comida 900 – 650 – **60 hab** 5400/6500.

Villa de Sarria, Benigno Quiroga 49 (982) 53 19 38, *Fax (982) 53 25 05* – rest,
Comida *(cerrado domingo, lunes mediodía y 15 septiembre-1 octubre)* 2000 – 500 – **23 hab** 4000/6500.

SARRIÓN *44460 Teruel* 443 **L 27** – *1 021 h. alt. 991.*
Madrid 338 – Castellón de la Plana/Castelló de la Plana 118 – Teruel 37 – Valencia 109.

El Asturiano, carret. N 234 (978) 78 10 00, *Fax (978) 78 10 32* –
Comida 1200 – 325 – **15 hab** 3000/4700 – PA 2725.

Atalaya, carret. N 234 (978) 78 04 59 –
15 hab.

El SAUZAL *Santa Cruz de Tenerife – ver Canarias (Tenerife).*

SEGORBE *12400 Castellón* 445 M 28 – *7435 h. alt. 358.*

Ver : *Museo (colección de retablos★).*

Madrid 395 – Castellón/Castelló 57 – Sagunto/Sagunt 34 – Teruel 83 – Valencia 57.

SEGOVIA *40000* P 442 J 17 – *57617 h. alt. 1005.*

Ver : *Emplazamiento★★ - Acueducto romano★★★* BY – *Ciudad vieja★★ : Catedral★★* AY *(claustro★, tapices★) – Plaza de San Martín★ (iglesia de San Martín★)* BY **78** – *Iglesia de San Esteban (torre★)* AX – *Alcázar★* AX - *Iglesia de San Millán★* BY – *Monasterio de El Parral★* AX.

Alred. : *La Granja de San Ildefonso (Palacio★ : Museo de Tapices★★ - Jardines★★ : surtidores★★) SE : 11 km por ③ – Palacio de Riofrío★ S : 11 km por ⑤.*

pl. Mayor 10 ✉ 40001 ☎ (921) 46 03 34 Fax (921) 46 03 04 y pl. del Azoguejo 1 ✉ 40001 ☎ (921) 44 03 02 Fax (921) 44 12 61 – **R.A.C.E.** *paseo Ezequiel González 24-1º E ✉ 40002 ☎ (921) 44 36 26 Fax (921) 44 36 26.*

Madrid 87 ④ – Ávila 67 ⑤ – Burgos 198 ② – Valladolid 110 ①

Plano página siguiente

Parador de Segovia, carret. CL 601, ✉ 40003, ☎ (921) 44 37 37, Telex 47913, *Fax (921) 43 73 62,* ≤ Segovia y sierra de Guadarrama, – 25/300. AE VISA JCB. AZ v
Comida 3700 – 1300 – **113 hab** 14800/18500 – PA 7395.

Los Arcos, paseo de Ezequiel González 26, ✉ 40002, ☎ (921) 43 74 62, *Fax (921) 42 81 61* – – 25/225. AE VISA. rest BY t
Comida (ver rest. ***La Cocina de Segovia***) – 1150 – **59 hab** 10000/14500.

Infanta Isabel sin rest, Isabel la Católica 1, ✉ 40001, ☎ (921) 46 13 00, *Fax (921) 46 22 17* – – 25. AE VISA JCB. BY a
900 – **29 hab** 9000/11900.

Acueducto, av. del Padre Claret 10, ✉ 40001, ☎ (921) 42 48 00, *Fax (921) 42 84 46* – – 25/200. AE VISA. BY v
Comida 2645 – 840 – **78 hab** 7100/10600.

Los Linajes sin rest. con cafetería, Doctor Velasco 9, ✉ 40003, ☎ (921) 46 04 75, *Fax (921) 46 04 79* – – 25/200. AE VISA JCB AX p
775 – **55 hab** 7500/10900.

Las Sirenas sin rest y sin, Juan Bravo 30, ✉ 40001, ☎ (921) 46 26 63, *Fax (921) 46 26 57* – . AE VISA JCB. BY f
39 hab 6000/8500.

Corregidor sin rest, carret. de Ávila 1, ✉ 40002, ☎ (921) 42 57 61, *Fax (921) 44 24 36* – – 25/70. AE VISA. BY a
550 – **54 hab** 5510/6800.

Ruta de Castilla, carret. de Soria 25, ✉ 40003, ☎ (921) 44 10 88, *Fax (921) 44 10 09* – . VISA. AZ a
Comida 1500 – 595 – **34 hab** 5900/7950.

Don Jaime sin rest, Ochoa Ondátegui 8, ✉ 40001, ☎ (921) 44 47 87 – . VISA JCB. BY b
375 – **16 hab** 3000/5350.

La Cocina de Segovia, paseo de Ezequiel González 26, ✉ 40002, ☎ (921) 43 74 62, *Fax (921) 42 81 61* – . AE VISA. BY t
Comida carta 3050 a 4850.

Mesón de Cándido, pl. Azoguejo 5, ✉ 40001, ☎ (921) 42 59 11, *Fax (921) 42 96 33,* « Casa del siglo XV. Decoración castellana » – . AE VISA JCB. BY s
Comida carta 3300 a 4300.

José María, Cronista Lecea 11, ✉ 40001, ☎ (921) 46 11 11, *Fax (921) 46 02 73* – . AE VISA JCB BY u
Comida carta 3000 a 4200.

Duque, Cervantes 12, ✉ 40001, ☎ (921) 46 24 87, *Fax (921) 46 24 82,* « Decoración castellana » – . AE VISA JCB. BY e
Comida carta 3250 a 5150.

Maracaibo, paseo de Ezequiel González 25, ✉ 40002, ☎ (921) 46 15 45 – . AE VISA JCB. BY t
Comida carta 3250 a 5100.

La Concepción, pl. Mayor 15, ✉ 40001, ☎ (921) 46 09 30 – ABY z
Comida carta aprox. 4550.

El Bernardino, Cervantes 2, ✉ 40001, ☎ (921) 46 24 77, *Fax (921) 46 24 74* – . AE VISA JCB. BY e
Comida carta 2750 a 3650.

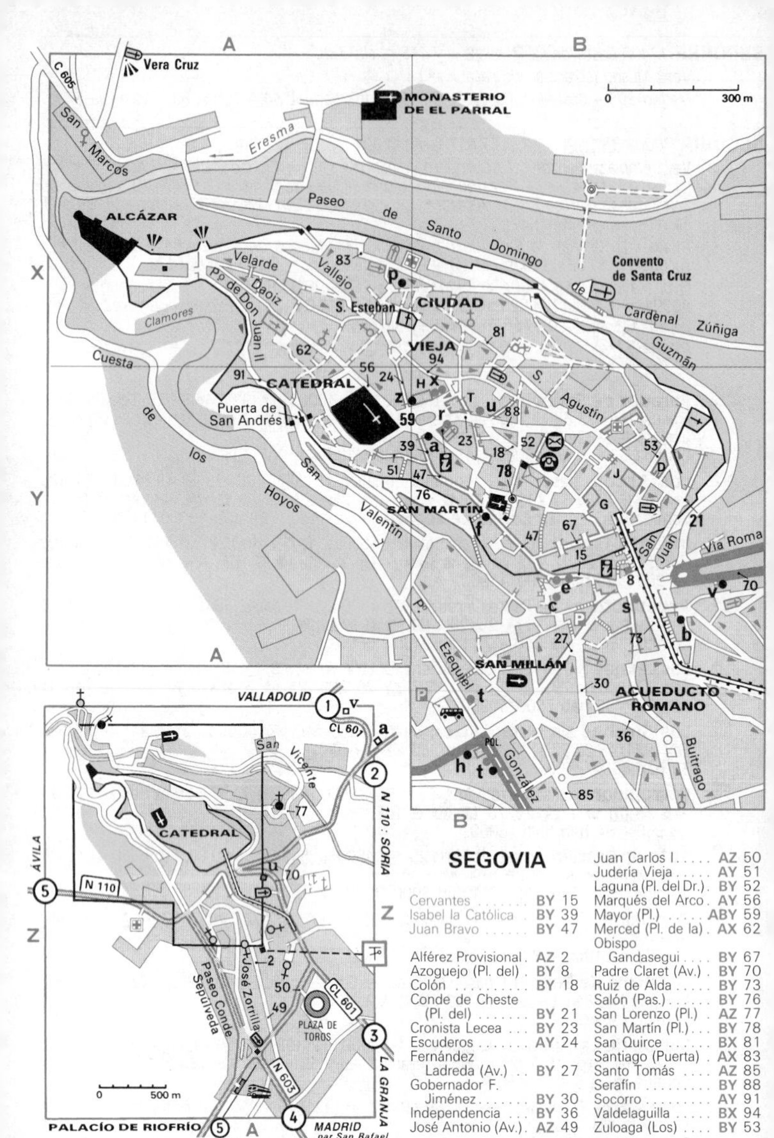

X **Mesón Mayor,** pl. Mayor 3, ✉ 40001, ☎ (921) 46 09 15, *Fax (921) 46 08 95,* – ▤. AE VISA. BY x
Comida carta 3100 a 4300.

X **Solaire,** Santa Engracia 3, ✉ 40001, ☎ (921) 43 55 25 – ▤. AE ⓓ VISA. BY c
Comida carta 2950 a 3250.

X **Mesón de los Gascones,** av. del Padre Claret 14, ✉ 40001, ☎ (921) 42 10 95 – ▤. AE E VISA JCB AZ u
cerrado lunes noche – **Comida** carta 2850 a 4250.

La Taurina, pl. Mayor 8, ✉ 40001, ☎ (921) 46 09 02, *Fax (921) 46 08 97,* « Decoración castellana » – AE ⓓ E VISA. ✻ BY x
Comida carta aprox. 3450.

Villena, pl. Mayor 6, ✉ 40001, ☎ (921) 46 00 77, – ▤. AE ⓓ E VISA. ✻ BY r
cerrado domingo noche y lunes – **Comida** - cocina vasco-navarra - carta 3500 a 4500.

en la carretera N 110 *por ② – ✉ 40196 La Lastrilla :*

Puerta de Segovia, 2,8 km ☎ (921) 43 71 61, *Fax (921) 43 79 63,* – ▤ TV ☎ P – 25/1000. AE ⓓ E VISA. ✻
Comida 2910 – 875 – **205 hab** 6920/11335.

Avenida del Sotillo, 3 km ☎ (921) 44 54 14, *Fax (921) 435 669* – ▤ TV ☎ P. AE E VISA. ✻ rest
Comida 1200 – 500 – **29 hab** 4500/6200.

Venta Magullo, 2,5 km ☎ (921) 43 50 11, *Fax (921) 44 07 63,* – ▤ TV ☎ P. AE ⓓ E VISA. ✻
Comida 1250 – 270 – **65 hab** 4800/6750.

SEGUR DE CALAFELL *43882 Tarragona 443 I 34 – Playa.*

carret. Barcelona 81 ☎ (977) 16 15 11 Fax (977) 16 15 11.
Madrid 577 – Barcelona 62 – Tarragona 33.

Victoria, carret. Barcelona 98 ☎ (977) 16 20 02, *Fax (977) 16 20 08,* climatizada, – , ▤ rest, TV ☎ . E VISA. ✻ rest
Comida 1800 – 650 – **32 hab** 6000/10100.

Mediterràni, pl. Mediterràni ☎ (977) 16 23 27 – ▤. AE E VISA. ✻
cerrado domingo noche, lunes (salvo festivos y vísperas), y 18 diciembre-15 enero – **Comida** carta 3300 a 4400.

SELLÉS o CELLERS *25631 Lérida 443 F 32 – alt. 325.*

Madrid 551 – Lérida/Lleida 82.

Terradets, carret. C 147 ☎ (973) 65 11 20, *Fax (973) 65 13 04,* ≤, – ▤ TV ☎ P – 25/100. AE ⓓ E VISA. ✻
Comida 2225 – **59 hab** 4675/6850.

La SÉNIA *Tarragona – ver La Cenia.*

SEO DE URGEL o La SEU D'URGELL *25700 Lérida 443 E 34 – 11 195 h. alt. 700.*

Ver : *Catedral de Santa María★★ (Claustro★ : Iglesia de Sant Miquel★ - Museo diocesano★ : Beatus★★, papirus★, retablo de la Abella de la Conca★).*
av. Valls d'Andorra 33 ☎ (973) 35 15 11.
Madrid 602 – Andorra la Vieja/Andorra la Vella 20 – Barcelona 200 – Lérida/Lleida 133.

Parador de Seo de Urgel, Santo Domingo 6 ☎ (973) 35 20 00, *Fax (973) 35 23 09,* – ▤ TV ☎ – 25/60. AE ⓓ E VISA JCB. ✻
Comida 3500 – 1300 – **78 hab** 12000/15000, 1 suite – PA 7055.

Nice, av. Pau Claris 4 ☎ (973) 35 21 00, *Fax (973) 35 12 21* – ▤ TV ☎ – 25/100. AE ⓓ E VISA
Comida *(cerrado domingo y enero)* 1600 – 800 – **51 hab** 5250/7000, 5 suites.

Avenida, av. Pau Claris 24 ☎ (973) 35 01 04, *Fax (973) 35 35 45* – TV ☎. AE ⓓ E VISA. ✻
Comida *(cerrado domingo)* 1200 – 650 – **47 hab** 4100/6950 – PA 3050.

Duc d'Urgell sin rest. con cafetería, Josep de Zulueta 43 ☎ (973) 35 21 95, *Fax (973) 35 21 95* – TV P. E VISA. ✻
500 – **36 hab** 4500/6500.

Mesón Teo, av. Pau Claris 38 ☎ (973) 35 10 29 – ▤.

en Castellciutat *SO : 1 km – ✉ 25710 Castellciutat :*

El Castell , carret. N 260, ✉ apartado 53 Seo de Urgel, ☎ (973) 36 05 12, *Fax (973) 35 15 74,* ≤ valle, Seo de Urgel y montañas, « rodeada de césped » – ▤ TV ☎ P – 25/75. AE ⓓ E VISA. ✻ rest
cerrado 7 enero-7 febrero – **Comida** 7000 y carta 5100 a 7250 – 1600 – **37 hab** 12000/16500, 1 suite
Espec. Rollito crujiente de cigalas y verduritas. Cabrito de Castellbó asado con hierbas de bosque. Colmena de caramelo rellena con queso fresco y miel de romero.

La Glorieta ⑤, Afueras ☎ (973) 35 10 45, *Fax (973) 35 42 61*, ≤ valle y montañas, ⛱ – |$| TV ☎ P. AE ⓓ E VISA. ⚘
Comida 1700 – ☕ 700 – **28 hab** 3500/7000 – PA 3400.

La Seu con hab, carret. N 260 ☎ (973) 35 24 00, *Fax (973) 35 34 10* – ≡ TV ☎ P. E VISA. ⚘
Comida *(cerrado del 1 al 20 de julio)* carta 2100 a 3500 – ☕ 500 – **18 hab** 6000/8500.

SEPÚLVEDA *40300 Segovia* 442 **I 18** – *1 378 h. alt. 1 014.*

Ver : *Emplazamiento★.*

Madrid 123 – Aranda de Duero 52 – Segovia 59 – Valladolid 107.

Cristóbal, Conde Sepúlveda 9 ☎ (921) 54 01 00, *Fax (921) 54 01 00*, « Decoración castellana » – ≡. AE ⓓ E VISA. ⚘
cerrado martes, del 1 al 15 de septiembre y del 15 al 30 de diciembre – **Comida** carta 2250 a 4150.

Casa Paulino, Barbacana 2 ☎ (921) 54 00 16 – ≡. AE ⓓ E VISA. ⚘
cerrado lunes (salvo agosto), 2ª quincena de junio y 2ª quincena de noviembre – **Comida** carta 2330 a 4250.

SERRADUY *22483 Huesca* 443 **F 31** – *alt. 917.*

Alred. : *Roda de Isábena : enclave★ montañoso - Catedral : sepulcro de San Ramón★ (SO : 6 km).*

Madrid 508 – Huesca 118 – Lérida/Lleida 100.

Casa Peix ⑤, ☎ (974) 54 44 30, *Fax (974) 54 44 60*, ⛱ – P. AE VISA
Semana Santa-1 noviembre – **Comida** 1350 – ☕ 400 – **26 hab** 3000/5000 – PA 2500.

SETCASAS o **SETCASES** *17869 Gerona* 443 **E 36** – *150 h. alt. 1 279 – Deportes de invierno en Vallter : ≴7.*

Madrid 710 – Barcelona 138 – Gerona/Girona 91.

La Coma ⑤, ☎ (972) 13 60 74, *Fax (972) 13 60 73*, ≤, Fa, ⛱, 🌳 – TV ☎ P. VISA. ⚘
Comida 1800 – ☕ 700 – **20 hab** 3120/6240 – PA 3630.

SETENIL *11692 Cádiz* 446 **V 14** – *2 973 h. alt. 572.*

Madrid 543 – Antequera 86 – Arcos de la Frontera 81 – Ronda 19.

El Almendral, S : 1 km ☎ (956) 13 40 29, *Fax (956) 13 44 44*, ⛱ – TV ☎ P. AE ⓓ E VISA. ⚘
Comida 1575 – ☕ 315 – **28 hab** 3450/6150.

La SEU D'URGELL *Lérida – ver Seo de Urgel.*

SEVA *08553 Barcelona* 443 **G 36** – *1 758 h. alt. 663.*

Madrid 665 – Barcelona 60 – Manresa 48 – Vic 15.

al Sur : *5,5 km*

El Montanyà ⑤, av. Montseny - urb. El Montanyà ☎ (93) 884 06 06, *Fax (93) 884 05 58*, ≤ sierras del Montseny y del Cadí, Fa, ⛱, ⛱, ✂, 18 – |$| ≡ TV ☎ P – 🏛 25/500. AE ⓓ VISA. ⚘
Comida 3600 – **120 hab** ☕ 13400/15700, 8 suites, 30 apartamentos.

SEVILLA

41000 P 446 T 11 y 12 - 704 857 h. alt. 12.

Madrid 550 ①- La Corruña/A Coruña 950 ⑤ - Lisboa 417 ⑤ - Málaga 217 ② - Valencia 682 ①.

OFICINAS DE TURISMO

av. de la Constitución 21 B ✉ 41004, ✆ (95) 422 14 04, Fax (95) 422 97 53 y paseo de Las Delicias 9, ✉ 41012, ✆ (95) 423 44 65.

R.A.C.E. (R.A.C. de Andalucía) av. Eduardo Dato 22, ✉ 41018, ✆ (95) 463 13 50, Fax (95) 465 96 04.

INFORMACIONES PRÁCTICAS

18 Pineda FS ✆ 461 14 00
9 Las Minas (Aznalcázar) SO : 25 km por ④ ✆ (95) 575 08 06.

de Sevilla-San Pablo por ① : 14 km ✆ (95) 444 90 00 - Iberia : Almirante Lobo 2, ✉ 41001, ✆ (95) 422 89 01 BX.

Santa Justa ✆ (95) 453 86 86.

CURIOSIDADES

Ver : *La Giralda*★★★ (✻ ★★) BX - *Catedral*★★★ (*retablo Capilla Mayor*★★★, *Capilla Real*★★) BX -Reales Alcázares★★★ BXY (*Cuarto del Almirante : retablo de la Virgen de los Mareantes*★ ; *Palacio de Pedro el Cruel*★★★ : *cúpula*★★ *del Salón de Embajadores* ; *Palacio de Carlos V : tapices*★★ ; *Jardines*★) - *Barrio de Santa Cruz*★★ BCX (*Hospital de los Venerables*★) - *Museo de Belias Artes*★★ (*sala V*★★★, *sala X*★★) AV - *Casa de Pilatos*★★ (*azulejos*★★, *escalera*★ : *cúpula*★) CX - *Parque de Maria Luisa*★★ FR (*Plaza de España*★ FR **112** - *Museo Arqueológico* FR **M²** : *Tesoro de Carambolo*★) - *Hospital de la Caridad*★ BY - *Convento de Santa Paula*★ CV (*portada*★ *iglesia*) - *Iglesia del Salvador*★ BX (*retablos barrocos*★) - *Capilla de San José*★ BX - *Ayuntamiento (fachada oriental*★) BX

Alfonso XIII, San Fernando 2, ✉ 41004, ☎ (95) 422 28 50, Telex 72725, *Fax (95) 421 60 33*, « Majestuoso edificio de estilo andaluz », – ▣ 25/500. AE VISA JCB. BY c
Comida carta aprox. 5500 – 2500 – **127 hab** 49500/61600, 19 suites.

Príncipe de Asturias, Isla de La Cartuja, ✉ 41092, ☎ (95) 446 22 22, *Fax (95) 446 04 28*, – 25/900. AE VISA. FP n
Comida 4000 – **288 hab** 24000/30000, 7 suites.

Tryp Colón, Canalejas 1, ✉ 41001, ☎ (95) 422 29 00, Telex 72726, *Fax (95) 422 09 38*, – 25/240. AE VISA. AX s
Comida (ver rest. ***El Burladero***) – 1700 – **204 hab** 33600/42000, 14 suites.

Occidental Porta Coeli, av. Eduardo Dato 49, ✉ 41018, ☎ (95) 453 35 00, Telex 72913, *Fax (95) 453 23 42*, – 25/600. AE VISA JCB. FR a
Comida (ver rest. ***Florencia***) – 1500 – **241 hab** 15000/20000, 3 suites.

Meliá Lebreros, Luis Morales 2, ✉ 41005, ☎ (95) 457 94 00, *Fax (95) 458 27 26*, – 25/600. AE VISA. FR v
Comida (ver rest. ***La Dehesa***) – 1500 – **431 hab** 15800/19200, 6 suites.

Meliá Sevilla, Doctor Pedro de Castro 1, ✉ 41004, ☎ (95) 442 15 11, *Fax (95) 442 16 08*, – 25/1000. AE VISA JCB. FR n
cerrado julio y agosto – **Comida** 3500 – 1500 – **361 hab** 25200/28300, 5 suites – PA 7225.

Meliá Confort Macarena, San Juan de Ribera 2, ✉ 41009, ☎ (95) 437 58 00, *Fax (95) 438 18 03*, – 25/700. AE VISA JCB. FR e
Comida carta 2650 a 4300 – 1500 – **317 hab** 12700/15700, 10 suites.

Occidental Sevilla sin rest. con cafetería, av. Kansas City, ✉ 41018, ☎ (95) 458 20 00, *Fax (95) 458 46 15*, – 25/320. AE VISA JCB. FR s
1500 – **228 hab** 23000/29000, 14 suites.

Inglaterra, pl. Nueva 7, ✉ 41001, ☎ (95) 422 49 70, *Fax (95) 456 13 36* – 25/200. AE VISA JCB. rest AX r
Comida 3000 – 1200 – **109 hab** 13600/17000, 4 suites – PA 6000.

Los Seises, Segovias 6, ✉ 41004, ☎ (95) 422 94 95, *Fax (95) 422 43 34*, « Instalado en el tercer patio del Palacio Arzobispal », – 25/100. AE VISA. BX f
Comida carta 4900 a 6600 – 1700 – **43 hab** 21000/25000.

Al-Andalus Palace, av. de la Palmera, ✉ 41012, ☎ (95) 423 06 00, *Fax (95) 423 02 00*, – 25/1100. AE VISA. FS e
Comida 2000 - ***El Patio*** **: Comida** carta aprox. 3900 – 1500 – **327 hab** 14800/18500, 1 suite.

Ciudad de Sevilla, av. Manuel Siurot 25, ✉ 41013, ☎ (95) 423 05 05, *Fax (95) 423 85 39*, – 25/300. AE VISA JCB. FS r
Comida 2800 – 1500 – **90 hab** 13200/18800, 3 suites.

Pasarela sin rest, av. de la Borbolla 11, ✉ 41004, ☎ (95) 441 55 11, *Fax (95) 442 07 27* – 25. AE VISA. FR n
1100 – **77 hab** 12000/20000, 5 suites.

G.H. Lar, pl. Carmen Benítez 3, ✉ 41003, ☎ (95) 441 03 61, *Fax (95) 441 04 52* – 25/300. AE VISA. CX f
Comida 2600 – 1000 – **129 hab** 12000/17000, 8 suites.

Husa Sevilla, Pagés del Corro 90, ✉ 41010, ☎ (95) 434 24 12, *Fax (95) 434 27 07* – 25/220. AE VISA JCB. AY a
Comida 2000 – 1150 – **114 hab** 15600/19500, 14 suites.

NH Plaza de Armas, av. Marqués de Paradas, ✉ 41001, ☎ (95) 490 19 92, *Fax (95) 490 12 32*, – 25/250. AE VISA. AV c
Comida 3500 – 1400 – **260 hab** 27000, 2 suites.

Sevilla Congresos, Alcalde Luis Uruñuela, ✉ 41020, ☎ (95) 425 90 00, *Fax (95) 425 95 00*, – 25/270. AE VISA. rest
Comida carta aprox. 4325 – **202 hab** 10000/12500, 1 suite. GP a

Bécquer sin rest. con cafetería, Reyes Católicos 4, ✉ 41001, ☎ (95) 422 89 00, *Fax (95) 421 44 00* – 25/45. AE VISA. AX v
1100 – **120 hab** 9000/13000.

Emperador Trajano, José Laguillo 8, ✉ 41003, ☎ (95) 441 11 11, *Fax (95) 453 57 02* – 25/150. AE VISA JCB. CV a
Comida 1900 – 1000 – **77 hab** 13000/16600 – PA 4000.

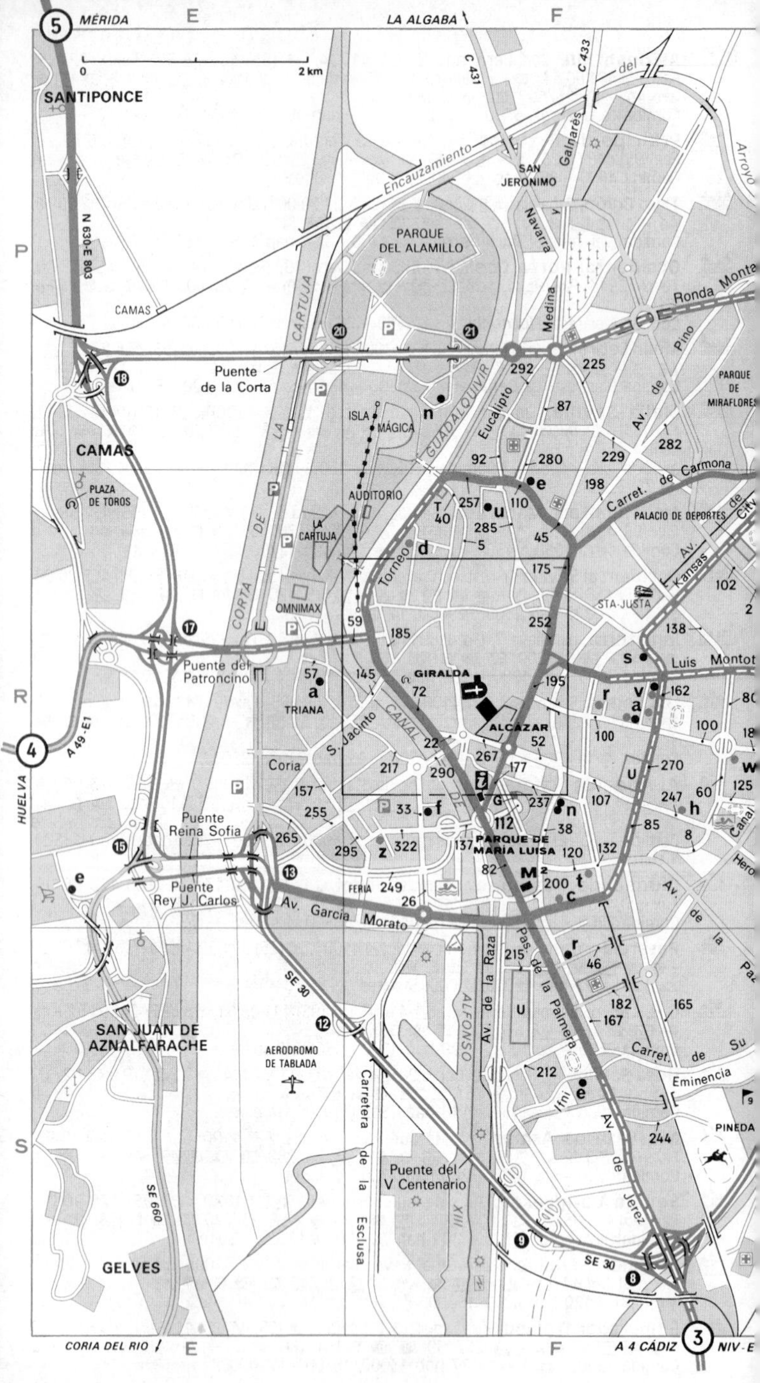

MÉRIDA
LA ALGABA
CORIA DEL RIO
A 4 CÁDIZ
NIV-E
HUELVA
SANTIPONCE
CAMAS
PLAZA DE TOROS
SAN JUAN DE AZNALFARACHE
GELVES
Puente de la Corta
Puente del Patroncino
Puente Reina Sofia
Puente Rey J. Carlos
Puente del V Centenario
PARQUE DEL ALAMILLO
ISLA MÁGICA
AUDITORIO
LA CARTUJA
OMNIMAX
TRIANA
GIRALDA
ALCÁZAR
PARQUE DE MARÍA LUISA
AERODROMO DE TABLADA
SAN JERONIMO
PARQUE DE MIRAFLORES
PALACIO DE DEPORTES
STA-JUSTA
PINEDA
FERIA
Encauzamiento del
CORTA DE LA CARTUJA
GUADALQUIVIR
CANAL DE ALFONSO XIII
Carretera de la Esclusa
Av. García Morato
Av. de la Raza
Pas. de la Palmera
Av. de Jerez
Carret. de Carmona
Carret. de Su Eminencia
Ronda Monte
Luis Montoto
Av. Kansas City
Av. de Pino
Av. de la Paz
Torneo
Eucalipto
Navarra
Medina
Galnarés
S. Jacinto
Coria
Ifni
Arroyo
SE 30
SE 660
N 630-E 803
A 49-E1
C 431
C 433

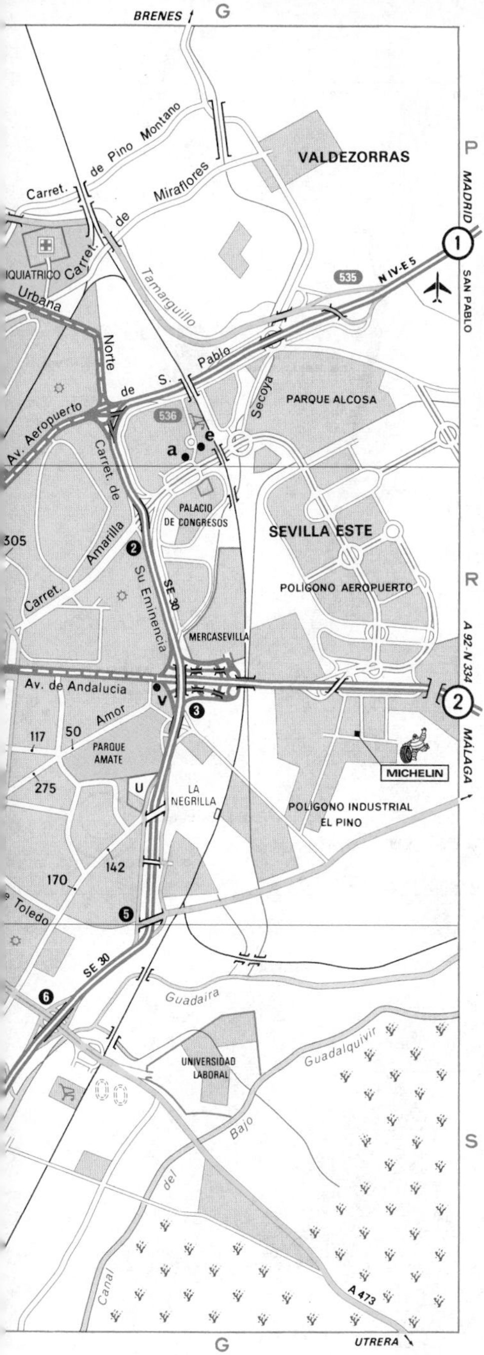

SEVILLA

Ada	FR 2
Alameda de Hércules	FR 5
Alcalde Juan Fernández	FR 8
Almirante Lobo	FR 22
Antonio Bienvenida	FR 26
Asunción	FR 33
Borbolla	FR 38
Calatrava	FR 40
Capuchinos (Ronda)	FR 45
Cardenal Ilundain	FS 46
Carlos Marx	GR 50
Carlos V (Av.)	FR 52
Castilla	ER 57
Chapina (Puente)	FR 59
Ciudad Jardín (Av.)	FR 60
Cristóbal Colón (Paseo)	FR 72
Cruz del Campo (Av.)	FR 80
Delicias (Paseo de las)	FR 82
Diego Martínez Barrio	FR 85
Doctor Fedriani	FP 87
Don Fabrique	FP 92
Eduardo Dato (Av.)	FR 100
Éfeso	FR 102
Enramadilla	FR 107
Eritaña (Av.)	FR 110
España (Pl. de)	FR 112
Federico Mayo Gayarre	GR 117
Felipe II	FR 120
Francisco Buendía	FR 125
General Merry	FR 132
Generalísimo (Puente del)	FR 137
Greco (El Av.)	FR 138
Ingeniero la Cierva	GR 142
Isabel II (Puente)	FR 145
López de Gomara	ER 157
Luis Morales	FR 162
Manuel Fal Conde	FS 165
Manuel Siurot (Av.)	FS 167
Maqueda	GR 170
María Auxiliadora	FR 175
María Luisa (Av.)	FR 177
Marqués de Luca de Tena	FS 182
Marqués de Paradas	FR 185
Marqués de Pickman	FR 187
Menéndez Pelayo	FR 195
Miraflores (Av.)	FR 198
Muñoz León	FR 200
Padre García Tejero (Av.)	FS 212
Páez de Rivera	FS 215
Pagés del Corro	FR 217
Pedro Gual Villalbi (Av.)	FP 225
Pío XII (Ronda)	FP 229
Portugal (Av.)	FR 237
Quintillo (Camino)	FS 244
Ramón y Cajal (Av.)	FR 247
Ramón de Carranza (Av.)	FR 249
Recaredo	FR 252
República Argentina (Av.)	EFR 255
Resolana	FR 257
Rubén Darío	ER 265
San Fernando	FR 267
San Francisco Javier (Av.)	FR 270
San Juan de la Cruz (Av.)	GR 275
San Juan de Ribera	FP 280
San Juan de la Salle	FP 282
San Luis	FR 285
San Telmo (Puente de)	FR 290
Sánchez Pizjuán (Av.)	FP 292
Santa Fé	EFR 295
Tesalónica	GR 305
Virgen de Luján	FR 322

En esta guía,
un mismo símbolo
en rojo o en ***negro***
una misma palabra
en fino o en ***grueso,***
no significan lo mismo.

Lea atentamente los detalles de la introducción.

SEVILLA

Francos	BX	
Sierpes	BVX	
Tetuán	BX	
Alemanes	BX	12
Alfaro (Pl.)	CXY	15
Almirante Apodaca	CV	20
Almirante Lobo	BY	22
Álvarez Quintero	BX	23
Amparo	BV	25
Aposentadores	BV	28
Argote de Molina	BX	30
Armas (Pl. de)	AX	31
Banderas (Patio de)	BXY	35
Capitán Vigueras	CY	42
Cardenal Spínola	AV	47
Castelar	AX	55
Chapina (Puente)	AX	59
Cruces	CX	75
Doña Elvira	BX	95
Doña Guiomar	AX	97
Escuelas Pías	CV	114
Farmaceútico E. Murillo Herrera	AY	115
Feria	BV	123
Francisco Carrión Mejías	CV	126
Fray Ceferino González	BX	127
García de Vinuesa	BX	130
General Polavieja	BX	135
Jesús de la Vera Cruz	AV	147
José María Martínez Sánchez Arjona	AY	150
Julio César	AX	152
Luis Montoto	CX	160
Marcelino Champagnat	AY	172
Martín Villa	BV	190
Mateos Gago	BX	192
Murillo	AV	202
Museo (Pl.)	AV	205
Navarros	CVX	207
O'Donnell	BV	210
Pascual de Gayangos	AV	220
Pastor y Landero	AX	222
Pedro del Toro	AV	227
Ponce de León (Pl.)	CV	234
Puente y Pellón	BV	239
Puerta de Jerez	BY	242
República Argentina (Av.)	AY	255
Reyes Católicos	AX	260
San Gregorio	BY	272
San Juan de la Palma	BV	277
San Pedro (Pl.)	BV	286
San Sebastián (Pl.)	CY	287
Santa María La Blanca	CX	297
Santander	BY	300
Saturno	CV	302
Triunfo (Pl.)	BX	307
Velázquez	BV	310
Venerables (Pl.)	BX	312
Viriato	BV	329

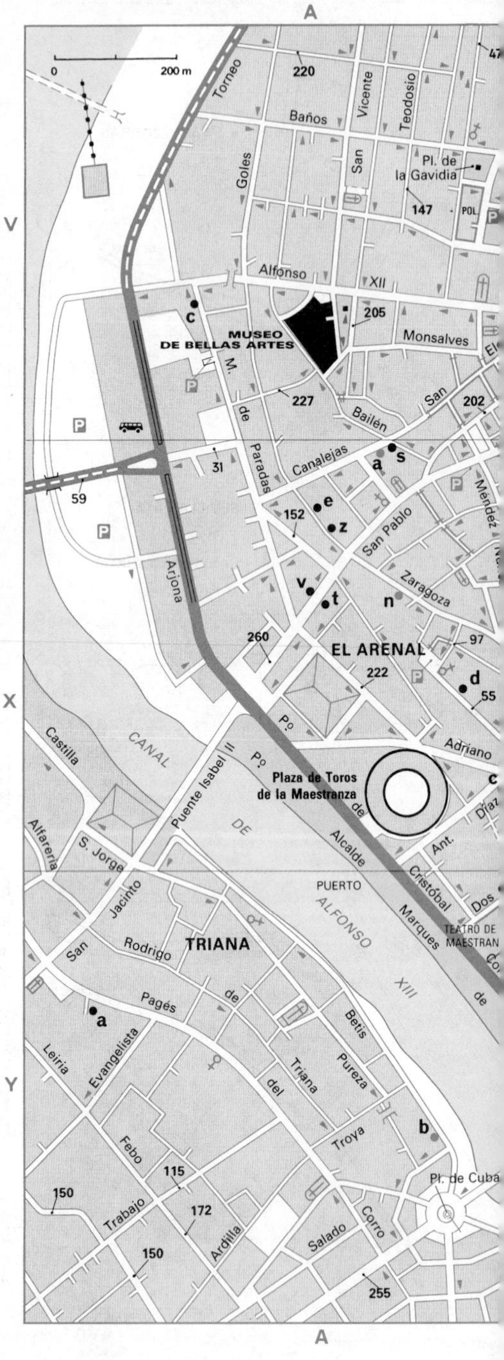

Nuestras guías de hoteles, nuestras guías turísticas y nuestros mapas de carreteras son complementarios. Utilícelos conjuntamente.

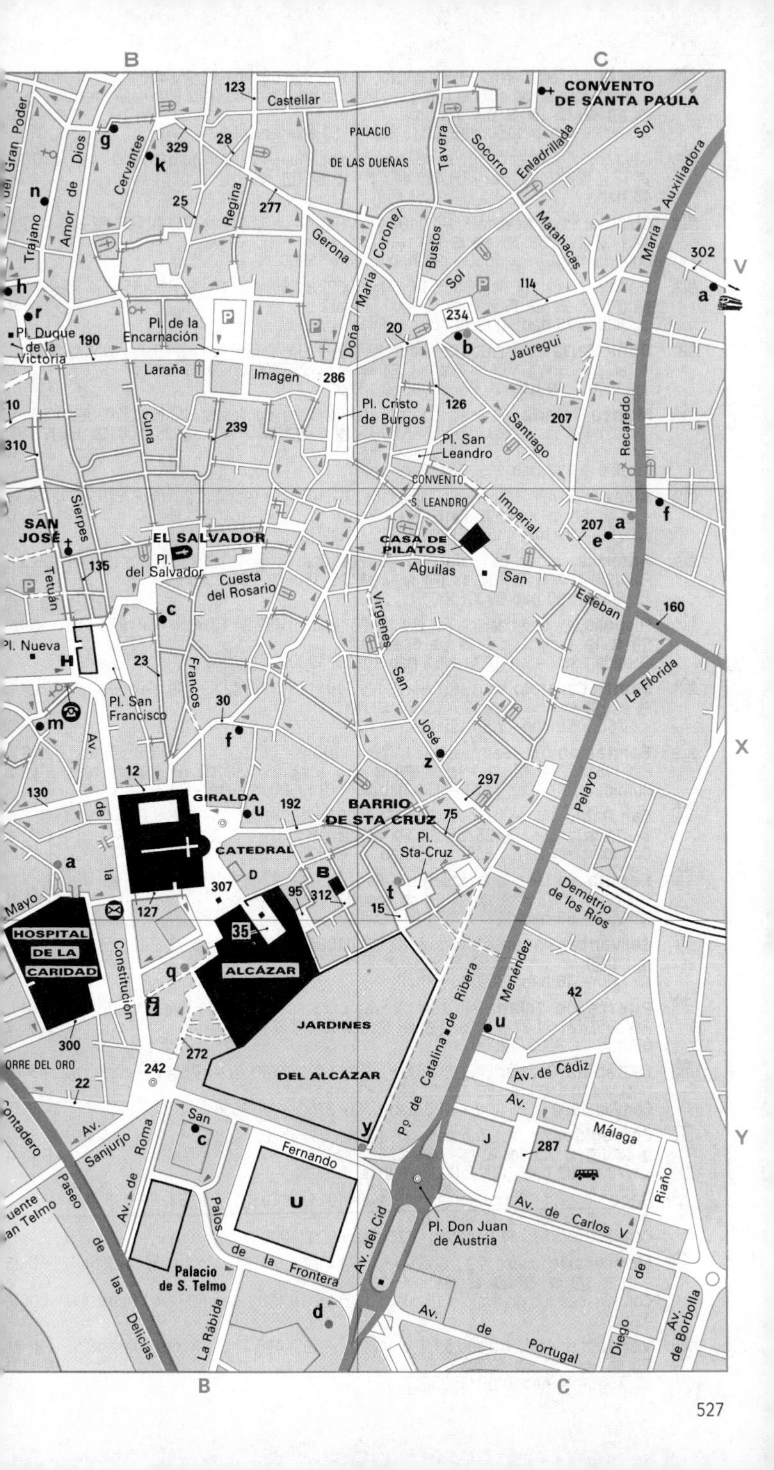
B
C
CONVENTO DE SANTA PAULA
Castellar
PALACIO DE LAS DUEÑAS
Gerona
Doña María Coronel
Bustos
Tavera
Socorro
Enladrillada
Sol
Matahacas
María Auxiliadora
Regina
Cervantes
Amor de Dios
Trajano
Pl. de la Encarnación
Pl. Duque de la Victoria
Laraña
Imagen
Pl. Cristo de Burgos
Pl. San Leandro
CONVENTO S. LEANDRO
Jáuregui
Santiago
Recaredo
Imperial
CASA DE PILATOS
Aguílas
San Esteban
La Florida
Cuna
Sierpes
SAN JOSÉ
EL SALVADOR
Pl. del Salvador
Cuesta del Rosario
Tetuán
Pl. Nueva
Pl. San Francisco
Francos
Virgenes
San José
Pelayo
GIRALDA
BARRIO DE STA CRUZ
Pl. Sta-Cruz
CATEDRAL
Demetrio de los Ríos
Av. de la Constitución
Mayo
HOSPITAL DE LA CARIDAD
ALCÁZAR
JARDINES DEL ALCÁZAR
Po de Catalina de Ribera
Menéndez
ORRE DEL ORO
Av. de Cádiz
Av. Málaga
Contadero
Av. Sanjurjo
Av. de Roma
San Fernando
Paseo de las Delicias
Fuente San Telmo
Palacio de S. Telmo
Palos de la Frontera
La Rábida
Av. del Cid
Pl. Don Juan de Austria
Av. de Carlos V
Riaño
Av. de Portugal
Diego de Riaño
Av. de Borbolla
V
X
Y

San Gil sin rest, Parras 28, ✉ 41002, ☏ (95) 490 68 11, *Fax (95) 490 69 39*, « Instalado parcialmente en un edificio típico sevillano de principios de siglo. Patio ajardinado », – AE VISA JCB. FR u
900 – **4 hab** 11300/13200, 5 suites, 30 apartamentos.

Álvarez Quintero sin rest. con cafetería, Álvarez Quintero 9, ✉ 41004, ☏ (95) 422 12 98, *Fax (95) 456 41 41* – BX c
43 hab.

Giralda, Sierra Nevada 3, ✉ 41003, ☏ (95) 441 66 61, *Fax (95) 441 93 52* – – 25/250. AE E VISA JCB. CX e
Comida 1800 – 1000 – **98 hab** 12700/15900.

Derby sin rest, pl. del Duque 13, ✉ 41002, ☏ (95) 456 10 88, *Fax (95) 421 33 91* – AE E VISA. BV r
800 – **75 hab** 9000/10000.

Doña María sin rest, Don Remondo 19, ✉ 41004, ☏ (95) 422 49 90, *Fax (95) 421 95 46*, « Terraza con y » – – 25/40. AE E VISA. BX u
1500 – **59 hab** 17000/26000, 2 suites.

Monte Triana sin rest. con cafetería, Clara de Jesús Montero 24, ✉ 41010, ☏ (95) 434 31 11, *Fax (95) 434 33 28* – – 25/100. AE E VISA. ER a
800 – **117 hab** 10500/13000.

Alcázar sin rest, Menéndez Pelayo 10, ✉ 41004, ☏ (95) 441 20 11, *Fax (95) 442 16 59* – AE E VISA. CY u
750 – **93 hab** 13500/17000.

América sin rest. con cafetería, Jesús del Gran Poder 2, ✉ 41002, ☏ (95) 422 09 51, *Fax (95) 421 06 26* – – 25/150. AE E VISA. BV h
800 – **100 hab** 9000/10000.

Hispalis, av. de Andalucía 52, ✉ 41006, ☏ (95) 452 94 33, *Fax (95) 467 53 13* – – 25/50. AE E VISA. GR v
Comida 2500 – 1000 – **67 hab** 10700/12600, 1 suite.

Monte Carmelo sin rest, Turia 7, ✉ 41011, ☏ (95) 427 90 00, *Fax (95) 427 10 04* – – 25/35. AE E VISA FR f
750 – **68 hab** 7700/12000.

Fernando III, San José 21, ✉ 41004, ☏ (95) 421 77 08, Telex 72491, *Fax (95) 422 02 46*, – – 25/250. AE VISA. rest CX z
Comida 2300 – 1100 – **156 hab** 10000/12500, 1 suite – PA 5700.

San Pablo, av. de la Innovación, ✉ 41020, ☏ (95) 425 23 25, *Fax (95) 425 31 00* – – 25/35. AE E VISA. GP e
Comida carta aprox. 2800 – **25 hab** 8500/10500, 77 suites.

Regina sin rest. con cafetería, San Vicente 97, ✉ 41002, ☏ (95) 490 75 75, *Fax (95) 490 75 62* – AE E VISA. FR d
950 – **68 hab** 11770/19260, 4 suites.

Cervantes sin rest, Cervantes 10, ✉ 41003, ☏ (95) 490 05 52, *Fax (95) 490 05 36* – AE E VISA. BV k
600 – **46 hab** 8000/11000.

Puerta de Triana sin rest, Reyes Católicos 5, ✉ 41001, ☏ (95) 421 54 04, *Fax (95) 421 54 01* – AE E VISA JCB. AX t
65 hab 8000/12000.

La Rábida, Castelar 24, ✉ 41001, ☏ (95) 422 09 60, Telex 73062, *Fax (95) 422 43 75* – hab, AE E VISA. rest AX d
Comida 1950 – 400 – **100 hab** 5700/8750 – PA 3650.

Corregidor sin rest, Morgado 17, ✉ 41003, ☏ (95) 438 51 11, *Fax (95) 438 42 38* – AE E VISA JCB BV g
700 – **82 hab** 7000/10000, 1 suite.

Baco sin , pl. Ponce de León 15, ✉ 41003, ☏ (95) 456 50 50, *Fax (95) 456 36 54* – AE E VISA JCB CV b
Comida (ver rest. ***El Bacalao***) – **25 hab** 6000/8000.

Montecarlo (anexo), Gravina 51, ✉ 41001, ☏ (95) 421 75 03, *Fax (95) 421 68 25* – AE E VISA. AX e
Comida *(cerrado domingo y 15 enero-15 febrero)* 1900 – 600 – **47 hab** 7000/10000, 4 suites.

Venecia sin rest, Trajano 31, ✉ 41002, ☏ (95) 438 11 61, *Fax (95) 490 19 55* – AE E VISA BV n
750 – **24 hab** 7000/13000.

Reyes Católicos sin rest y sin, Gravina 57, ✉ 41001, ☎ (95) 421 12 00, *Fax (95) 421 63 12* – AE VISA. AX z
27 hab 7000/10000.

Europa sin rest y sin, Jimios 5, ✉ 41001, ☎ (95) 421 43 05, *Fax (95) 421 00 16* – AE E VISA BX m
16 hab 7000/9000.

Egaña Oriza, San Fernando 41, ✉ 41004, ☎ (95) 422 72 54, *Fax (95) 421 04 29,* « Jardín de invierno » – AE E VISA JCB. BY y
cerrado sábado mediodía, domingo y agosto – **Comida** carta 5200 a 6650
Espec. Pulpo en ensalada con láminas de patata al pimentón. Lomo de merluza con almejas en salsa verde. Redondillas de venado estofado con verduras (noviembre-febrero).

Florencia, av. Eduardo Dato 49, ✉ 41018, ☎ (95) 453 35 00, Telex 72913, *Fax (95) 453 23 42,* « Decoración elegante » – AE E VISA JCB. FR a
cerrado agosto – **Comida** carta 4600 a 6100.

Taberna del Alabardero con hab, Zaragoza 20, ✉ 41001, ☎ (95) 456 06 37, *Fax (95) 456 36 66,* « Antigua casa palacio » – AE E VISA JCB. AX n
cerrado agosto – **Comida** carta 4400 a 6100 – **7 hab** 19000/23000
Espec. Pimientos de piquillo con cola de toro. Urta sobre compota de tomate aromatizada al cilantro. Delicias de solomillo ibérico con foie a la pimienta verde.

El Burladero, Canalejas 1, ✉ 41001, ☎ (95) 422 29 00, Telex 72726, *Fax (95) 422 09 38,* « Decoración evocando la tauromaquia » – AE E VISA. AX a
cerrado agosto – **Comida** carta 4500 a 5700.

La Dehesa, Luis Morales 2, ✉ 41005, ☎ (95) 457 94 00, *Fax (95) 458 23 09,* « Decoración típica andaluza » – AE E VISA. FR v
Comida - carnes a la brasa - carta aprox. 3900.

Marea Grande, Diego Angulo Íñiguez, ✉ 41018, ☎ (95) 453 80 00, *Fax (95) 453 80 00* – AE E VISA. FR r
cerrado domingo y agosto – **Comida** - pescados y mariscos - carta 3775 a 5075.

Al-Mutamid, Alfonso XI-1, ✉ 41005, ☎ (95) 492 55 04, *Fax (95) 492 25 02,* – AE E VISA JCB. FR w
cerrado domingo – **Comida** carta 3650 a 4850.

La Albahaca, pl. Santa Cruz 12, ✉ 41004, ☎ (95) 422 07 14, *Fax (95) 456 12 04,* « Instalado en una antigua casa señorial » – AE E VISA JCB. CX t
cerrado domingo – **Comida** carta 4100 a 5300.

Rincón de Curro, Virgen de Luján 45, ✉ 41011, ☎ (95) 445 02 38, *Fax (95) 445 02 38* – AE E VISA. FR z
cerrado domingo noche y agosto – **Comida** carta 2600 a 4500.

Rincón de Casana, Santo Domingo de la Calzada 13, ✉ 41018, ☎ (95) 453 17 10, *Fax (95) 453 78 37,* « Decoración regional » – AE E VISA. FR a
cerrado domingo en agosto – **Comida** carta 3400 a 5000.

La Isla, Arfe 25, ✉ 41001, ☎ (95) 421 26 31, *Fax (95) 456 22 19* – AE E VISA. BX a
cerrado lunes y agosto – **Comida** carta 4800 a 5900.

Ox's, Betis 61, ✉ 41010, ☎ (95) 427 95 85, *Fax (95) 427 84 65* – AE E VISA JCB. AY b
cerrado domingo noche y lunes – **Comida** - cocina vasca - carta 4200 a 5100.

La Dorada, av. Ramón y Cajal - edificio Viapol, ✉ 41005, ☎ (95) 492 10 66, *Fax (95) 465 05 28* – AE E VISA FR h
cerrado domingo noche (septiembre-junio), domingo resto del año y 15 días en agosto – **Comida** - pescados y mariscos - carta aprox. 5500.

Horacio, Antonia Díaz 9, ✉ 41001, ☎ (95) 422 53 85, *Fax (95) 421 79 27* – AE E VISA JCB. AX c
cerrado domingo en agosto – **Comida** carta 2975 a 4400.

El Espigón, Bogotá 1, ✉ 41013, ☎ (95) 462 68 51, *Fax (95) 423 53 40* – AE E VISA. FR c
cerrado domingo – **Comida** carta 3250 a 4200.

El Espigón II, Felipe II-28, ✉ 41013, ☎ (95) 423 49 24, *Fax (95) 423 53 40* – AE E VISA. FR t
cerrado domingo y lunes – **Comida** carta 3300 a 4200.

El Bacalao, pl. Ponce de León 15, ✉ 41003, ☎ (95) 421 66 70, *Fax (95) 422 49 12* – AE VISA. CV b
Comida - espec. en bacalaos - carta 3100 a 4300.

Becerrita, Recaredo 9, ✉ 41003, ☎ (95) 441 20 57, *Fax (95) 453 37 27* – ▤. AE ⓓ E VISA JCB. ✂ CX a
cerrado domingo noche y del 15 al 31 de agosto – **Comida** carta 3300 a 4050.

Los Alcázares, Miguel de Mañara 10, ✉ 41004, ☎ (95) 421 31 03, *Fax (95) 456 18 29*, «Decoración regional» – ▤. E VISA. ✂ BY q
cerrado domingo – **Comida** carta aprox. 3500.

Eslava, Eslava 3, ✉ 41002, ☎ (95) 490 65 68 – ▤. AE ⓓ E VISA. ✂ FR d
cerrado domingo y agosto – **Comida** carta 3025 a 4025.

en San Juan de Aznalfarache ER y ES – ✉ *41920 San Juan de Aznalfarache* :

Alcora sin rest. con cafetería, carret. de Tomares ☎ (95) 476 94 00, *Fax (95) 476 94 98*, ≤, «Patio con plantas», ⅃ – ▤ TV ☎ ♿ P – 25/1200. AE ⓓ E VISA. ✂ ERS e
1500 – **331 hab** 20000/25000, 70 suites.

en Bellavista *por ③ : 5,5 km* – ✉ *41014 Sevilla* :

Doña Carmela, av. de Jerez 14 ☎ (95) 469 29 03, *Fax (95) 469 34 37* – ▤ TV ☎. AE ⓓ E VISA. ✂ rest
Comida 1500 – **30 hab** 5100/7000.

Ver también : **Castilleja de la Cuesta** *por ④ : 5 km*
Guillena *por ⑤ : 21 km*
Benacazón *por ④ : 23 km*
Sanlúcar la Mayor *por ④ : 27 km.*

Neumáticos MICHELIN S.A., Sucursal polígono industrial El Pino - carretera de Málaga km 5,5, ✉ 41016 GR ☎ 902 23 88 35, Fax 902 23 90 62

Die Preise — Einzelheiten über die in diesem Führer angegebenen Preise finden Sie in der Einleitung.

SIERRA BLANCA *Málaga – ver Ojén.*

SIERRA NEVADA *18196 Granada* 446 **U 19** – *alt. 2 080 – Deportes de invierno* 2 17.
Madrid 461 – Granada 32.

Meliá Sierra Nevada, pl. Pradollano ☎ (958) 48 04 00, Telex 78507, *Fax (958) 48 04 58*, ≤ – ▤ TV ☎ – 25/250. AE ⓓ E VISA JCB. ✂
diciembre-abril – **Comida** - sólo cena - 2700 – 1300 – **217 hab** 12600/18900, 4 suites.

Ziryab, pl. de Andalucía ☎ (958) 48 05 12, *Fax (958) 48 14 15*, ≤ – ▤ TV ☎. AE ⓓ E VISA. ✂
Comida - sólo buffet - 2400 – **147 hab** 13100/17300.

Meliá Rumaykiyya, Dehesa San Jerónimo Par 511 ☎ (958) 48 14 00, *Fax (958) 48 00 32*, ≤, «Decoración elegante» – ▤ TV ☎. AE ⓓ E VISA JCB. ✂
diciembre-abril – **Comida** 2150 – 1190 – **48 hab** 9000/16000 – PA 5000.

Kenia Nevada, pl. Pradollano ☎ (958) 48 09 11, *Fax (958) 48 08 07*, ≤, «Conjunto de estilo alpino» – ▤ TV ☎ – 25/90. AE ⓓ E VISA. ✂
Comida - sólo buffet - 3000 – 1200 – **66 hab** 10000/18000, 1 suite.

Tryp El Lodge, Balcón de Pradollano ☎ (958) 48 06 00, *Fax (958) 48 05 06*, ≤, «Chalet de estilo finlandés» – ▤ TV ☎
temp – **20 hab.**

Meliá Sol y Nieve, pl. Pradollano ☎ (958) 48 03 00, Telex 78507, *Fax (958) 48 08 54*, ≤ – ▤ TV ☎
186 hab.

Tryp Casa Alpina (Maribel), Balcón de Pradollano ☎ (958) 48 06 00, *Fax (958) 48 05 06*, ≤ – ▤ TV ☎
temp – **Comida** (en el Hotel Tryp El Lodge) – **23 hab.**

Nevasur, Virgen de las Nieves 17 ☎ (958) 48 03 50, *Fax (958) 48 03 65*, ≤ Sierra Nevada y valle, climatizada – ▤ TV ☎. AE E VISA. ✂
Comida - sólo cena buffet - 2500 – 900 – **65 hab** 16000.

Ruta del Veleta Sierra Nevada, edificio Bulgaria ☎ (958) 48 12 01, *Fax (958) 48 62 93* – ▤. AE ⓓ E VISA JCB. ✂
noviembre-abril – **Comida** carta 3400 a 5850.

Casablanca, pl. Pradollano ☎ (958) 48 11 05
AE ⓓ E VISA. ✂
diciembre-5 mayo – **Comida** *(cerrado lunes no festivos)* carta 3000 a 3650.

en la carretera de Granada *NO : 9 km - ✉ 18196 Sierra Nevada :*

Don José, ✆ (958) 34 04 00, *Fax (958) (908) 15 94 58,* ≤ - TV ☎ P. AE ① E VISA. ✗
Comida 1000 - ***Los Jamones*** : **Comida** carta aprox. 2400 - ☕ 250 - **26 hab** 5000/8000.

SIERRA DE CAZORLA *Jaén - ver Cazorla.*

SIERRA DE URBIÓN ★★ *Soria* 442 **F y G 21** - *alt. 2 228.*
Ver : *Laguna Negra de Urbión★★ (carretera★★) - Laguna Negra de Neila★★ (carretera★★).*
Hoteles y restaurantes ver : **Soria.**

SIETE AGUAS *46392 Valencia* 445 **N 27** - *993 h. alt. 700.*
Madrid 298 - Albacete 122 - Requena 19 - Valencia 50.

junto a la autovía N III *SE : 5,5 km - ✉ 46360 Buñol :*

Venta l'Home, salida 294 ✆ (96) 250 35 15, 🏘, « Decoración rústica en una casa de postas del siglo XVII », 🏊 - P. AE ① E VISA
Comida - carnes - carta aprox. 4100.

SIGÜENZA *19250 Guadalajara* 444 **I 22** - *5 426 h. alt. 1 070.*
Ver : *Catedral★★ (Interior : puerta capilla de la Anunciación★, conjunto escultórico del crucero★★, techo de la sacristía★, cúpula de la capilla de las Reliquias★, púlpitos presbiterio★, crucifijo capilla girola★ - Capilla del Doncel : sepulcro del Doncel★★).*
ℹ *paseo de la Alameda (Ermita del Humilladero)* ✆ *(949) 39 32 51 Fax (949) 39 32 51.*
Madrid 129 - Guadalajara 73 - Soria 96 - Zaragoza 191.

Parador de Sigüenza 🐎, ✆ (949) 39 01 00, *Fax (949) 39 13 64,* « Instalado en un castillo medieval », 🏋 - |‡| ▤ TV ☎ P - 🎤 25/120. AE ① E VISA JCB. ✗
Comida 3700 - ☕ 1300 - **77 hab** 12000/15000, 4 suites.

El Doncel, paseo de la Alameda 3 ✆ (949) 39 00 01, *Fax (949) 39 00 80* - ▤ rest, TV ☎. ① VISA. ✗
Comida 1250 - ☕ 600 - **17 hab** 4000/6600 - PA 2900.

El Motor, av. Juan Carlos I-2 ✆ (949) 39 08 27, *Fax (949) 39 00 07* - ▤ rest, TV ☎ 🚗 P. AE ① E VISA. ✗
Comida 1500 - ☕ 350 - **18 hab** 5000/7000.

Calle Mayor, Mayor 21 ✆ (949) 39 17 48 - ▤. AE ① E VISA. ✗
cerrado domingo noche y lunes (salvo en verano) - **Comida** carta 2500 a 3500.

El Motor, Calvo Sotelo 12 ✆ (949) 39 00 88, *Fax (949) 39 00 07* - ▤. AE ① E VISA. ✗
cerrado lunes - **Comida** carta 3400 a 4300.

en Alcuneza *NE : 6 km - ✉ 19264 Alcuneza :*

El Molino de Alcuneza 🐎, ✆ (949) 39 15 01, *Fax (949) 39 15 08,* « Antiguo molino de ambiente rústico acogedor » - TV ☎ P. AE ① E VISA. ✗
Comida 3000 - ☕ 650 - **11 hab** 7000/10000 - PA 5000.

SILLEDA *36540 Pontevedra* 441 **D 5** - *9 619 h. alt. 463.*
Madrid 574 - Chantada 50 - Lugo 84 - Orense/Ourense 73 - Pontevedra 63 - Santiago de Compostela 37.

Ramos sin rest, San Isidro 24 ✆ (986) 58 12 12, *Fax (986) 58 02 83* - |‡| TV ☎ 🚗
33 hab, 2 apartamentos.

Ricardo, San Isidro 15 ✆ (986) 58 08 77 - AE VISA. ✗
Comida carta 2100 a 3600.

SILS *17410 Gerona* 443 **G 38** - *2 376 h. alt. 75.*
Madrid 689 - Barcelona 76 - Gerona/Girona 30.

Hostal de la Granota, carret. N II - E : 1,5 km ✆ (972) 85 30 44, *Fax (972) 85 31 85,* 🏘, « Ambiente típico catalán. Antigua casa de postas » - P. AE E VISA. ✗
cerrado miércoles y 10 julio-10 agosto - **Comida** carta 2700 a 3700.

Se procura um hotel tranquilo,
consulte primeiro os mapas da introdução
ou localize no texto os hotéis assinalados com o símbolo 🐎 ou 🐎.

SIMANCAS *47130 Valladolid* 442 H 15 – *2 031 h. alt. 725.*

Entrepinos, carret. de Pesqueruela km 1,5 (983) 59 05 11 Fax (983) 59 07 65.

Madrid 197 – Ávila 117 – Salamanca 103 – Segovia 125 – Valladolid 11 – Zamora 85.

en la carretera del pinar *SE : 4 km – 47130 Simancas :*

XXX **El Bohío,** (983) 59 00 55, *Fax (983) 48 02 63,* , « Lindando con un pinar al borde del Duero » – . AE VISA.
cerrado lunes y martes – **Comida** carta 3250 a 3800.

SIRESA *22790 Huesca* 443 **D 27.**

Ver : *Iglesia★ (retablos★).*

Madrid 483 – Huesca 100 – Jaca 50 – Pamplona/Iruñea 120.

Castillo d'Acher, La Virgen (974) 37 53 13 – . VISA. rest
Comida 1250 – 500 – **16 hab** 3000/6000.

SÍSAMO *15106 La Coruña* 441 **C 3.**

Madrid 640 – Carballo 3 – La Coruña/A Coruña 43 – Santiago de Compostela 46.

Pazo do Souto, (981) 75 60 65, *Fax (981) 75 61 91,* « Antiguo pazo » – . AE VISA.
cerrado del 1 al 15 de noviembre – **Comida** *(cerrado lunes)* 1750 – 600 – **10 hab** 7000/10000 – PA 4100.

SISAN *Pontevedra – ver Cambados.*

SITGES *08870 Barcelona* 443 **I 35** – *13 096 h.* – *Playa.*

Ver : *Vila Vella★★ – Museo del Cau Ferrat★★* BZ *– Museo Maricel de Mar★* BZ *– Casa Llopis★* AY.

Terramar, (93) 894 05 80 Fax (93) 894 70 51 AZ.

Sinia Morera 1 (93) 894 42 51 (93) Fax 894 43 05.

Madrid 597 ① – Barcelona 43 ② – Lérida/Lleida 135 ① – Tarragona 53 ③

Plano página siguiente

Tryp San Sebastián Playa sin rest. con cafetería, Port Alegre 53 (93) 894 86 76, *Fax (93) 894 04 30,* « Bonita decoración », – – 25/120. AE VISA. BX e
1000 – **48 hab** 13250/18000, 3 suites.

Calípolis, passeig Marítim (93) 894 15 00, *Fax (93) 894 07 64,* – – 25/300. AE VISA JCB. rest AZ a
Comida 2250 – 1200 – **161 hab** 16800/18500, 9 suites – PA 4600.

Aparthotel Mediterráneo, av. Sofía 3 (93) 894 51 34, *Fax (93) 894 51 34,* , – – 25/100. AE VISA. rest BX v
Comida *(cerrado lunes)* 1300 – 1100 – **84 apartamentos** 17500/21500.

Terramar , passeig Marítim 80 (93) 894 00 50, *Fax (93) 894 56 04,* , , , , , – – 25/300. AE VISA JCB. AX a
mayo-octubre – **Comida** 1900 – **203 hab** 10450/16950, 6 suites.

Sitges Park H., Jesús 16 (93) 894 02 50, *Fax (93) 894 08 39,* – – 25/90. AE VISA. BY z
cerrado 3 noviembre-5 febrero – **Comida** 1850 – 750 – **85 hab** 6350/11200.

Subur Marítim , passeig Marítim (93) 894 15 50, *Fax (93) 894 04 27,* , « Césped con » – . AE VISA. rest AX n
Comida 2500 – **45 hab** 15065/20200, 1 suite – PA 5200.

Capri y Veracruz, av. Sofía 13 (93) 811 02 67, *Fax (93) 894 51 88,* – hab, . AE VISA. rest BX r
Comida *(cerrado de noviembre a Semana Santa)* 2000 – **57 hab** 7300/10800.

Subur sin rest. con cafetería, passeig de la Ribera (93) 894 00 66, *Fax (93) 894 69 86,* – . AE VISA AZ c
950 – **96 hab** 6300/11000.

Galeón, Sant Francesc 44 (93) 894 06 12, *Fax (93) 894 63 35,* – . VISA. AY u
mayo-octubre – **Comida** 1545 – 730 – **69 hab** 6485/9500 – PA 3245.

La Santa María, passeig de la Ribera 52 (93) 894 09 99, *Fax (93) 894 78 71,* – , hab, . AE VISA AZ f
cerrado 15 diciembre-15 febrero – **Comida** carta aprox. 3800 – 1200 – **60 hab** 7600/9500.

SITGES

Cap de la Vila (Pl.)	BY
Jesús	BY
Major	BZ
Parellades	AZ
Sant Francesc	AY

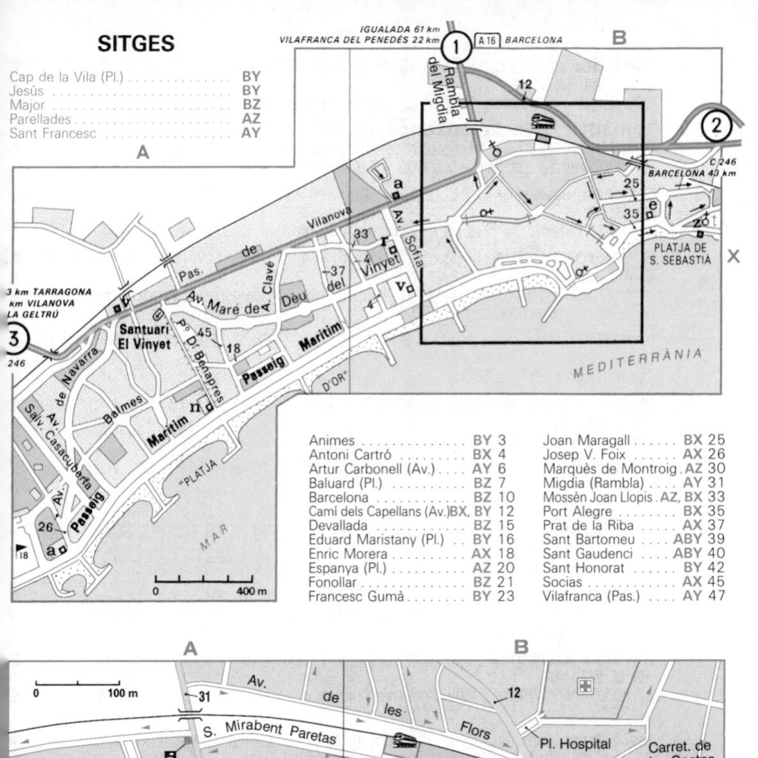

Animes	BY 3
Antoni Cartró	BX 4
Artur Carbonell (Av.)	AY 6
Baluard (Pl.)	BZ 7
Barcelona	BZ 10
Camí dels Capellans (Av.)	BX, BY 12
Devallada	BZ 15
Eduard Maristany (Pl.)	BY 16
Enric Morera	AX 18
Espanya (Pl.)	AZ 20
Fonollar	BZ 21
Francesc Gumà	BY 23
Joan Maragall	BX 25
Josep V. Foix	AX 26
Marquès de Montroig	AZ 30
Migdia (Rambla)	AY 31
Mossèn Joan Llopis	AZ, BX 33
Port Alegre	BX 35
Prat de la Riba	AX 37
Sant Bartomeu	ABY 39
Sant Gaudenci	ABY 40
Sant Honorat	BY 42
Socias	AX 45
Vilafranca (Pas.)	AY 47

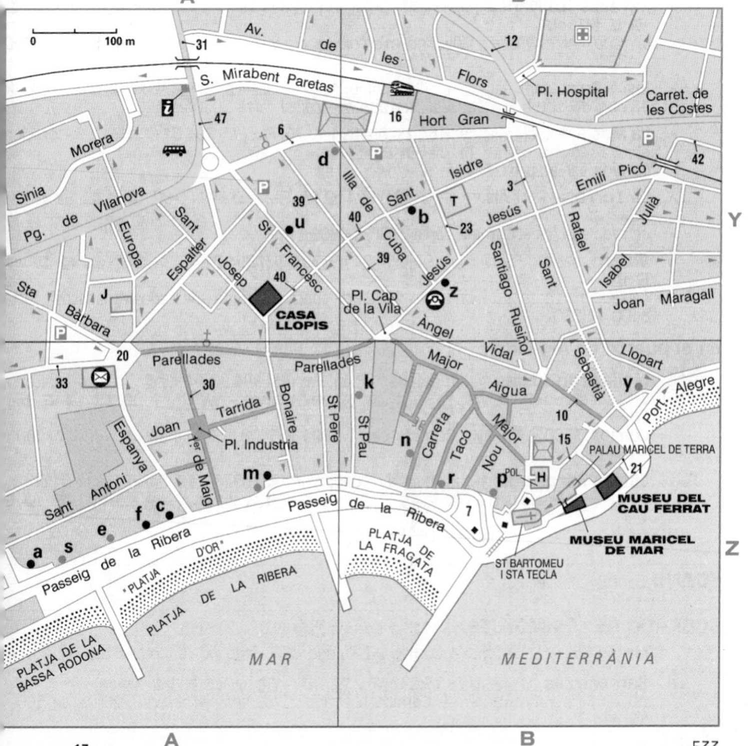

Platjador, passeig de la Ribera 35 (93) 894 50 54, *Fax (93) 894 63 35,* – . AZ m
abril-octubre – **Comida** 1545 – 730 – **59 hab** 6025/10655 – PA 3245.

Romàntic y la Renaixença sin rest, Sant Isidre 33 (93) 894 83 75, *Fax (93) 894 81 67,* « Patio-jardín con arbolado » – . BY b
cerrado enero y febrero – 800 – **69 hab** 8300/11400.

El Greco, passeig de la Ribera 70 (93) 894 29 06, *Fax (93) 894 29 06,* – . AZ s
cerrado martes y 15 días en noviembre – **Comida** carta 3250 a 5900.

El Velero, passeig de la Ribera 38 (93) 894 20 51, *Fax (93) 894 15 14* – . AZ m
cerrado domingo noche en invierno, lunes (salvo festivos en verano) y del 1 al 15 de noviembre – **Comida** carta 3650 a 4500.

Fragata, passeig de la Ribera 1 (93) 894 10 86, *Fax (93) 894 00 31,* – . BZ p
Comida carta 2975 a 5105.

Maricel, passeig de la Ribera 6 (93) 894 20 54, *Fax (93) 894 38 96,* – . BZ r
Comida carta 3875 a 5275.

Sirius, passeig Vilanova 46 (93) 894 14 83, *Fax (93) 894 14 83,* , Vivero – . BX a
cerrado enero – **Comida** carta 3050 a 5700.

Mare Nostrum, passeig de la Ribera 60 (93) 894 33 93, *Fax (93) 894 33 93,* – . AZ e
cerrado miércoles y 15 diciembre-enero – **Comida** carta 3425 a 4425.

Oliver's, Isla de Cuba 39 (93) 894 35 16 – . AY d
cerrado lunes y 15 diciembre-15 enero – **Comida** - sólo cena salvo sábado, domingo y festivos - carta 2475 a 3950.

Rafecas "La Nansa", de la Carreta 24 (93) 894 19 27, *Fax (93) 894 73 31* – . BZ n
cerrado martes noche en invierno, miércoles (salvo festivos) y enero – **Comida** carta 3400 a 4800.

Els 4 Gats, Sant Pau 13 (93) 894 19 15 – . BZ k
15 abril-15 octubre – **Comida** *(cerrado miércoles)* carta 3050 a 4400.

La Masía, passeig Vilanova 164 (93) 894 10 76, *Fax (93) 894 61 60,* , « Decoración rústica regional » – . AX v
Comida carta aprox. 3100.

La Torreta, Port Alegre 17 (93) 894 52 53, *Fax (93) 894 00 80,* – . BZ y
cerrado martes – **Comida** carta 3550 a 5800.

Vivero, passeig Balmins (93) 894 21 49, *Fax (93) 894 21 49,* – . BX z
cerrado martes (enero-abril) y del 1 al 21 de enero – **Comida** - pescados y mariscos - carta 3100 a 5550.

en el puerto de Aiguadolç *por ② : 1,5 km – 08870 Sitges :*

Meliá Gran Sitges , (93) 811 08 11, *Fax (93) 894 90 34,* , Teatro-auditorio, « Césped con », – – 25/1400.
Comida 3500 - ***Noray*** : **Comida** carta 3700 a 5400 – **294 hab** 18000/22000, 13 suites.

Estela Barcelona , av. port d'Aiguadolç (93) 894 79 18, *Fax (93) 811 04 89,* , « Frente al puerto deportivo », – – 25/300.
Comida 3500 – **48 hab** 13500/19900, 9 suites.

SOANO *Cantabria – ver Isla.*

SOBRADO DE LOS MONJES *15312 La Coruña* 441 C 5 – *2 739 h.*

Madrid 552 – La Coruña/A Coruña 64 – Lugo 46 – Santiago de Compostela 61.

San Marcus, (981) 78 75 27, – .
cerrado diciembre-febrero – **Comida** *(cerrado 22 diciembre-febrero)* 2200 – 500 – **12 hab** 3500/6000.

La SOLANA *13240 Ciudad Real* 444 **P 20** – *13 892 h. alt. 770.*

Madrid 188 – Alcázar de San Juan 78 – Ciudad Real 67 – Manzanares 15.

San Jorge, carret. de Manzanares ☏ (926) 63 34 02, *Fax (926) 63 34 02* – ▤ TV 🚗 P. VISA. ✗
cerrado enero – **Comida** 1400 – ☕ 300 – **21 hab** 4000/7000 – PA 3100.

SOLARES *39710 Cantabria* 442 **B 18** – *5 723 h. alt. 70.*

Madrid 387 – Bilbao/Bilbo 85 – Burgos 152 – Santander 16.

Don Pablo, General Mola 6 ☏ (942) 52 21 20, *Fax (942) 52 20 00,* « Casa señorial del siglo XVI » – TV ☎ P – 🎤 25/300. E VISA. ✗
Comida 1500 – ☕ 500 – **27 hab** 8000/10000.

Casa Enrique con hab, paseo de la Estación 20 ☏ (942) 52 00 73, *Fax (942) 52 07 72* – ▤ rest, TV ☎ P. AE ⓓ E VISA JCB. ✗
cerrado 20 septiembre-10 octubre – **Comida** *(cerrado domingo noche)* carta aprox. 3200 – ☕ 400 – **16 hab** 4500/7000.

SOLDEU *Andorra – ver Andorra (Principado de).*

SOLIVELLA *43412 Tarragona* 443 **H 33** – *710 h.*

Alred. : *Monasterio de Vallbona de los Monges*** (iglesia**, claustro*).*

Madrid 525 – Lérida/Lleida 66 – Tarragona 51.

Cal Travé, carret. d'Andorra 56 ☏ (977) 89 21 65, « Decoración típica » – ▤. ⓓ E VISA JCB. ✗
cerrado miércoles y del 1 al 20 de octubre – **Comida** - carnes a la brasa - carta 2500 a 4000.

SOLOSANCHO *05130 Ávila* 444 **K 15** – *1 156 h. alt. 1 119.*

Madrid 136 – Arenas de San Pedro 52 – Ávila 23 – Béjar 91 – Peñaranda de Bracamonte 78.

en Villaviciosa *SE : 2,5 km* – ✉ *05130 Solosancho* :

Sancho de Estrada 🌿, ☏ (920) 29 10 82, *Fax (920) 29 10 82,* « Castillo medieval » – TV ☎ P. AE ⓓ E VISA. ✗
Comida 2500 – ☕ 650 – **12 hab** 6450/9775.

SOLSONA *25280 Lérida* 443 **G 34** – *6 601 h. alt. 664.*

Ver : *Museo Diocesano y Comarcal** (pinturas** románicas y góticas, frescos de Sant Quirze de Pedret***, frescos de Sant Pau de Caserres*, Cena de Santa Constanza*) – Catedral* (Virgen del Claustro*).*

carret. Basella 1 ☏ (973) 48 23 10 Fax (973) 48 25 14.

Madrid 577 – Lérida/Lleida 108 – Manresa 52.

Crisami, carret. de Manresa 52 ☏ (973) 48 04 13, *Fax (973) 48 13 14* – ▤ rest, TV ☎ 🚗 P
21 hab.

La Cabana d'en Geli, carret. de Sant Llorenç de Morunys ☏ (973) 48 29 57, *Fax (973) 48 04 71,* ☂, « Masía típica » – ▤ P. AE ⓓ E VISA JCB. ✗
cerrado martes noche y miércoles (salvo festivos o vísperas), una semana en junio y tres semanas en noviembre – **Comida** carta 2900 a 3900.

en la carretera de Manresa *E : 1 km* – ✉ *25280 Solsona* :

Gran Sol, ☏ (973) 48 10 00, *Fax (973) 48 10 00* – ▤ P. AE ⓓ E VISA
cerrado lunes y enero – **Comida** carta 2700 a 3800.

SÓLLER *Baleares – ver Baleares (Mallorca).*

SOMIÓ *Asturias – ver Gijón.*

SON BOU *Baleares – ver Baleares (Menorca) : Alayor.*

SON SERVERA *Baleares – ver Baleares (Mallorca).*

SON VIDA *Baleares – ver Baleares (Mallorca) : Palma.*

SORBAS *04270 Almería* 446 U 23 – *2 707 h. alt. 409.*
Ver : *Emplazamiento★.*
Madrid 552 – Almería 59 – Granada 174 – Murcia 167.

SORIA *42000* P 442 G 22 – *35 540 h. alt. 1 050.*
Ver : *Iglesia de Santo Domingo★ (portada★★)* A – *Catedral de San Pedro (claustro★)* B – *San Juan de Duero (claustro★)* B.
pl. Ramón y Cajal ✉ 42003 ☎ (975) 21 20 52 Fax (975) 21 20 52.
Madrid 225 ③ – Burgos 142 ④ – Calatayud 92 ② – Guadalajara 169 ③ – Logroño 106 ① – Pamplona/Iruñea 167 ②

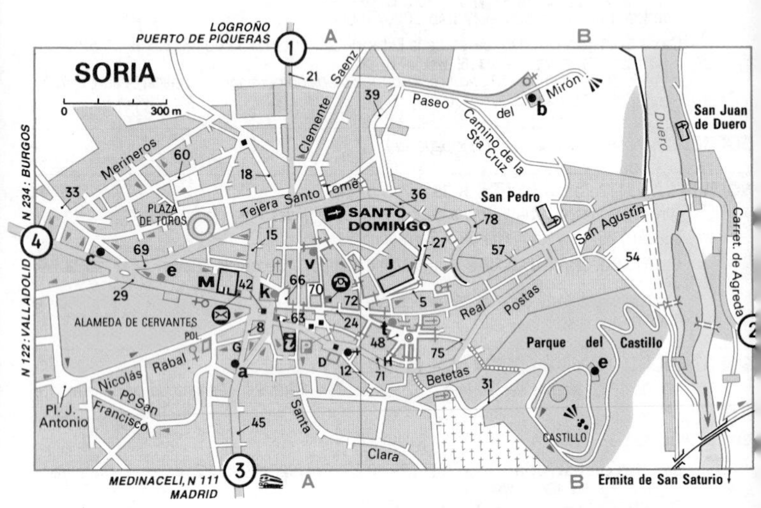

Parador de Soria , parque del Castillo, ✉ 42005, ☎ (975) 24 08 00, *Fax (975) 24 08 03,* ≤ valle del Duero y montañas – rest, TV ☎ P – 25/140. AE ⓓ E VISA JCB. — B e
Comida 3500 – ☕ 1300 – **34 hab** 12000/15000 – PA 7055.

Alfonso VIII, Alfonso VIII-10, ✉ 42003, ☎ (975) 22 62 11, *Fax (975) 21 36 65* – rest, TV ☎ – 25/150. AE ⓓ E VISA. — A a
Comida 1700 – ☕ 900 – **102 hab** 5500/8900 – PA 4300.

Mesón Leonor , paseo del Mirón, ✉ 42005, ☎ (975) 22 02 50, *Fax (975) 22 99 53,* ≤ – TV ☎ P – 25/100. AE ⓓ E VISA. rest — B b
Comida 1950 – ☕ 575 – **32 hab** 6250/9500.

Viena sin rest, García Solier 1, ✉ 42001, ☎ (975) 22 21 09, *Fax (975) 22 21 09* – TV ☎. E VISA — A c
☕ 350 – **24 hab** 2250/5500.

Maroto, paseo del Espolón 20, ✉ 42001, ☎ (975) 22 40 86 – . AE ⓓ E VISA JCB. — A e
cerrado 15 días en febrero – **Comida** carta aprox. 4300.

Santo Domingo II, Aduana Vieja 15, ✉ 42002, ☎ (975) 21 17 17 – — A v

Mesón Castellano, pl. Mayor 2, ✉ 42002, ☎ (975) 21 30 45 – . AE ⓓ E VISA. — B t
Comida carta 2500 a 4400.

Fogón del Salvador, pl. del Salvador 1, ✉ 42001, ☎ (975) 23 01 94, *Fax (975) 23 24 09* – . AE ⓓ E VISA. — A k
Comida - espec. en carnes a la brasa y asados - carta 3100 a 4200.

en la carretera N 122 *por ② : 6 km – ✉ 42004 Soria :*

Green Cadosa, ✆ (975) 21 31 43, *Fax (975) 21 31 43,* – rest, – 25/275. AE VISA JCB. rest
Comida 1250 – 500 – **64 hab** 5800/9800.

SORPE *25587 Lérida 443 **E 33** – alt. 1 113.*
Madrid 627 – Lérida/Lleida 174 – Seo de Urgel/La Seu d'urgell 90.

en la carretera del puerto de la Bonaigua *O : 4,5 km – ✉ 25587 Sorpe :*

Els Avets , ✆ (973) 62 63 55, *Fax (973) 62 63 38,* ←, , climatizada – . E VISA.
Navidades, Semana Santa y 15 junio-15 septiembre – **Comida** 2200 – 900 – **28 hab** 6050/12100 – PA 4650.

SORT *25560 Lérida 443 **E 33** – 1 511 h. alt. 720.*
av. Comtes de Pallars 21 ✆ (973) 62 10 02 Fax (973) 62 10 02.
Madrid 593 – Lérida/Lleida 136.

Pessets, carret. de Seo de Urgel ✆ (973) 62 00 00, *Fax (973) 62 08 19,* ←, , , – – 30/200. E VISA. rest
cerrado noviembre – **Comida** 1900 – 710 – **80 hab** 5000/8000 – PA 4000.

Fogony, av. Generalitat 45 ✆ (973) 62 12 25, – . AE E VISA.
cerrado lunes (salvo Navidades, Semana Santa y agosto) y del 7 al 22 de enero – **Comida** carta 2950 a 5400.

SOS DEL REY CATÓLICO *50680 Zaragoza 443 **E 26** – 974 h. alt. 652.*
Ver : *Iglesia de San Esteban★ (cripta★, coro★).*
Alred. : *Uncastillo (iglesia de Santa María : portada Sur★, sillería★, claustro★) SE : 22 km.*
Madrid 423 – Huesca 109 – Pamplona/Iruñea 59 – Zaragoza 122.

Parador de Sos del Rey Católico , ✆ (948) 88 80 11, *Fax (948) 88 81 00,* ←, « Conjunto de estilo aragonés » – – 25/45. AE E VISA JCB.
Comida 3500 – 1300 – **63 hab** 12000/15000, 2 suites.

SOTO DE CANGAS *33559 Asturias 441 **B 14** – 155 h. alt. 84.*
Madrid 439 – Oviedo 73 – Santander 134.

La Balsa sin rest, carret. de Covadonga ✆ (98) 594 00 56, *Fax (98) 594 00 56* – . AE E VISA.
600 – **14 hab** 4000/8000.

SOTO DE LUIÑA *33156 Asturias 441 **B 11**.*
Madrid 520 – Avilés 37 – Gijón 60 – Luarca 30 – Oviedo 68.

al Noroeste : *1,5 km*

Cabo Vidio , acceso carret. N 632 ✆ (98) 559 61 12, – . E VISA.
cerrado diciembre y enero – **Comida** 2000 – 300 – **12 hab** 3500/7000.

SOTO DEL REAL *28791 Madrid 444 **J 18** – 2 697 h. alt. 921.*
Madrid 47 – El Escorial 47 – Guadalajara 92.

Suite H. Prado Real, El Prado - urb. Prado Real ✆ (91) 847 86 98, *Fax (91) 847 84 32,* , – – 25/90. AE E VISA.
Comida 2600 – 700 – **49 hab** 10000/13000 – PA 5900.

La Cabaña, pl. Chozas de la Sierra - urb. La Ermita ✆ (91) 847 78 82, – . E VISA.
cerrado martes en invierno – **Comida** carta 3500 a 4000.

SOTOGRANDE *11310 Cádiz 446 **X 14** – Playa.*
18 9 Sotogrande, paseo del Parque ✆ (956) 79 50 50 Fax (956) 79 50 29 – 18 9 Valderrama, urb. Sotogrande SO : 4 km ✆ (956) 79 57 75 Fax (956) 79 60 28.
Madrid 666 – Algeciras 27 – Cádiz 148 – Málaga 111.

en el puerto deportivo *NE : 3 km – ✉ 11310 Sotogrande :*

Club Marítimo sin rest, ✉ apartado 3, ☎ (956) 79 02 00, *Fax (956) 79 03 77*, ≤, « Patio con plantas » – ▮ ▤ TV ☎ – 25. AE ⓓ E VISA
1150 – **25 hab** 19000/24500, 12 suites.

Vicente, local A-8 ☎ (956) 79 02 12, – AE ⓓ E VISA
cerrado lunes – **Comida** carta 2900 a 3750.

SOTOSALBOS *40170 Segovia* 442 **I 18** – *94 h. alt. 1 161.*
Madrid 106 – Aranda de Duero 98 – Segovia 19.

De Buen Amor sin rest, Eras 7 ☎ (921) 40 30 20, *Fax (921) 40 30 22*, « Antigua casa de labranza » – TV ☎ – 25. AE ⓓ E VISA. ✂
500 – **12 hab** 8500/12000.

A. Manrique, carret. N 110 ☎ (921) 40 30 66, « Decoración castellana » – ▤ P. VISA. ✂
cerrado lunes – **Comida** carta 2550 a 3175.

SOTOSERRANO *37657 Salamanca* 441 **K 11** – *673 h. alt. 522.*
Madrid 311 – Béjar 36 – Ciudad Rodrigo 61 – Salamanca 106.

Mirador, carret. de Coria ☎ (923) 42 21 55, ≤ – ▤ P. AE ⓓ VISA. ✂
cerrado septiembre – **Comida** 1300 – 350 – **14 hab** 2500/4500 – PA 2700.

SUANCES *39340 Cantabria* 442 **B 17** – *5 842 h.* – *Playa.*
Madrid 394 – Bilbao/Bilbo 131 – Oviedo 182 – Santander 31.

Posada del Mar sin rest, Cuba de Arriba 2 ☎ (942) 81 12 33, *Fax (942) 81 12 53* – TV ☎. ⓓ E VISA
300 – **11 hab** 4300/7300.

en la zona de la playa :

Suances, Ceballos 45 ☎ (942) 84 42 22, *Fax (942) 84 42 11*, ≤, – ▮ TV ☎ P. AE E VISA. ✂
Comida 2000 – 500 – **34 hab** 12000.

Cuevas III, Ceballos 53 ☎ (942) 84 43 43, *Fax (942) 84 44 45* – ▮, ▤ rest, TV ☎ P. E VISA. ✂ rest
Comida 2000 – **54 hab** 9660/13800 – PA 4000.

Vivero II, Ceballos 75-A ☎ (942) 81 13 02, *Fax (942) 81 13 02* – ▮ TV ☎ P. AE ⓓ E VISA. ✂ rest
abril-octubre – **Comida** 1300 – **44 hab** 5500/11000.

Sito, av. de la Marina Española 3 ☎ (942) 81 04 16 – ▤. AE E VISA. ✂
cerrado lunes (salvo julio-septiembre) – **Comida** carta 3150 a 4000.

en la zona del faro :

Albatros, Madrid 18 B - carret. de Tagle ☎ (942) 84 41 40, *Fax (942) 84 41 12*, ≤, – ▮ TV ☎ P. ⓓ E VISA. ✂ rest
marzo-noviembre – **Comida** 2000 – 650 – **42 hab** 10000/11000.

Apart. El Caserío, av. Acacio Gutiérrez 157 ☎ (942) 81 05 75, *Fax (942) 81 05 76*, ≤, – ▤ TV ☎. AE ⓓ E VISA. ✂
Comida (ver rest. ***El Caserío***) – 800 – **19 apartamentos** 17500.

El Castillo sin rest, av. Acacio Gutiérrez 142 ☎ (942) 81 03 83, *Fax (942) 81 03 74*, ≤, « Reproducción de un pequeño castillo » – TV ☎. ⓓ E VISA
600 – **11 hab** 9000/10000.

El Caserío con hab, av. Acacio Gutiérrez 159 ☎ (942) 81 05 75, *Fax (942) 81 05 76*, – ▤ rest, TV ☎ P. AE ⓓ E VISA. ✂
cerrado 15 diciembre-15 enero – **Comida** carta 2950 a 4400 – 800 – **9 hab** 10500.

SÚRIA *08260 Barcelona* 443 **G 35** – *6 524 h. alt. 280.*
Madrid 596 – Barcelona 80 – Lérida/Lleida 127 – Manresa 15.

Guilá "Can Pau" con hab, Salvador Vancell 19 ☎ (93) 869 53 28, *Fax (93) 869 65 35* – ▤ rest. VISA
Comida carta 2375 a 3900 – 550 – **36 hab** 3250/4250.

TABARCA (Isla de) *03138 Alicante* 445 R 28 – *Playa.*

Accesos desde : Alicante, Santa Pola y Torrevieja.

Casa del Gobernador sin rest, Arzola (96) 511 42 60, *Fax (96) 511 42 60,* – E VISA.
cerrado 15 enero-15 febrero – **14 hab** 6000/8000.

La Almadraba, Virgen del Carmen 3 (96) 597 05 87, – AE E VISA JCB.
cerrado 7 enero-7 febrero – **Comida** carta 3100 a 3900.

TACORONTE *Santa Cruz de Tenerife – ver Canarias (Tenerife).*

TAFALLA *31300 Navarra* 442 E 24 – *10 249 h. alt. 426.*

Alred. : *Ujué★ E : 19 km.*
Madrid 365 – Logroño 86 – Pamplona/Iruñea 38 – Zaragoza 135.

Tubal, pl. de Navarra 4-1º (948) 70 12 96, *Fax (948) 70 00 50,* « Bonito patio estilo jardín de invierno » – . AE E VISA.
cerrado domingo noche, lunes y 21 agosto-4 septiembre – **Comida** carta 4500 a 5450
Espec. Lasagna de chipirones. Mero al horno en salsa de zanahorias con verduras crujientes. Risotto de pato azulón.

TAFIRA ALTA *Las Palmas – ver Canarias (Gran Canaria).*

TALAVERA DE LA REINA *45600 Toledo* 444 M 15 – *69 136 h. alt. 371.*

Ronda del Cañillo (Torreón) (925) 82 63 22.
Madrid 120 – Ávila 121 – Cáceres 187 – Córdoba 435 – Mérida 227.

Beatriz, av. de Madrid 1 (925) 80 76 00, Telex 47941, *Fax (925) 81 58 08* – – 25/1000. AE E VISA.
Comida 2350 - ***Anticuario*** *(cerrado domingo noche)* **Comida** carta 2800 a 4700 – 630 – **161 hab** 6350/9000.

Perales, av. Pío XII-3 (925) 80 39 00, *Fax (925) 80 39 00* – . E VISA.
Comida 1100 – 375 – **65 hab** 4550/7100.

Talavera sin rest, av. Gregorio Ruiz 1 (925) 80 02 00, *Fax (925) 82 66 06* – . AE VISA
410 – **75 hab** 3800/6000.

TAMARITE DE LITERA *22550 Huesca* 443 G 31 – *3 988 h. alt. 360.*

Madrid 506 – Huesca 96 – Lérida/Lleida 36.

Casa Toro, av. Florences Gili (974) 42 03 52 – . AE E VISA
cerrado domingo noche, lunes y del 1 al 15 de noviembre – **Comida** carta 2250 a 4600.

TAMARIU *17212 Gerona* 443 G 39 – *Playa.*

Madrid 731 – Gerona/Girona 47 – Palafrugell 10 – Palamós 21.

Hostalillo, Bellavista 22 (972) 62 02 28, *Fax (972) 62 01 84,* « Terrazas con cala » – , rest, . AE E VISA. rest
abril-octubre – **Comida** 2100 – **70 hab** 10200/16000.

Tamariu, passeig del Mar 3 (972) 62 00 31, – . E VISA.
15 mayo-septiembre – **Comida** 2300 – 600 – **54 hab** 4300/8000 – PA 4000.

TAPIA DE CASARIEGO *33740 Asturias* 441 B 9 – *4 282 h.* – *Playa.*

pl. Constitución (98) 547 29 68 (temp).
Madrid 578 – La Coruña/A Coruña 184 – Lugo 99 – Oviedo 143.

San Antón sin rest. con cafetería, pl. San Blas 2 (98) 562 80 00, *Fax (98) 562 84 37* – . AE E VISA.
15 junio-15 septiembre – 425 – **18 hab** 5000/8000.

Puente de los Santos sin rest, Primo de Rivera 31 (98) 562 81 55, *Fax (98) 562 84 37* – . AE E VISA.
425 – **32 hab** 4000/7500.

Palermo, Bonifacio Amago 13 (98) 562 83 70, *Fax (98) 562 83 70* – E VISA.
cerrado domingo noche salvo julio-agosto y octubre o noviembre – **Comida** carta 2300 a 4600.

TARAMUNDI *33775 Asturias* **441** **B 8** – *1015 h.*
Madrid 571 – Lugo 65 – Oviedo 195.

La Rectoral, La Villa (98) 564 67 67, *Fax (98) 564 67 77*, valle y montañas, « Rústico regional del siglo XVII », – – 25. AE E VISA.
Comida *(cerrado miércoles)* 2250 – 975 – **18 hab** 12000/15000.

TARANCÓN *16400 Cuenca* **444** **L 20 y 21** – *10 891 h. alt. 806.*
Madrid 81 – Cuenca 82 – Valencia 267.

Mesón del Cantarero, antigua carret. N III (969) 32 05 33, *Fax (969) 32 42 12*, – . AE E VISA JCB.
cerrado domingo noche y lunes noche – **Comida** carta 2960 a 3800.

Stop, antigua carret. N III (969) 32 01 00, *Fax (969) 32 06 42* – .

Celia, Juan Carlos I-14 (969) 32 00 84 – . E VISA.
Comida carta 2925 a 3675.

TARANES *33557 Asturias* **441** **C 14**.
Madrid 437 – Gijón 116 – León 186 – Oviedo 111.

en la carretera AS 261 *E : 3 km – 33557 Taranes :*

La Casona de Mestas, (98) 584 30 55, *Fax (98) 584 30 92*, « En un paraje montañoso » – . AE E VISA.
cerrado 20 enero-1 marzo – **Comida** 1500 – 600 – **14 hab** 5400/7700 – PA 4000.

TARAZONA *50500 Zaragoza* **443** **G 24** – *10 638 h. alt. 480.*
Ver : *Catedral (capilla★).*
Alred. : *Monasterio de Veruela★★ (iglesia abacial★★, claustro★ : sala capitular★).*
Iglesias 5 (976) 64 00 74 Fax (976) 64 00 74.
Madrid 294 – Pamplona/Iruñea 107 – Soria 68 – Zaragoza 88.

Ituri-Asso, Virgen del Río 3 (976) 64 31 96, *Fax (976) 64 04 66* – – 25/300. AE E VISA.
Comida *(cerrado domingo noche salvo vísperas de festivos)* 1200 – 700 – **17 hab** 6000/10200.

Brujas de Bécquer, carret. de Zaragoza - SE : 1 km (976) 64 04 04, *Fax (976) 64 01 98* – – 25/500. AE E VISA. rest
Comida 1000 – 450 – **56 hab** 4000/6350 – PA 2450.

El Galeón, av. La Paz 1 (976) 64 29 65, *Fax (976) 64 29 65* – . AE E VISA.
Comida carta 2000 a 3500.

TARIFA *11380 Cádiz* **446** **X 13** – *15 528 h.* – *Playa.*
Ver : *Castillo de Guzmán el Bueno ★.*
para Tánger : Cia Transtour - Touráfrica, estación Marítima (956) 68 47 51.
paseo de la Alameda (956) 68 09 93 Fax (956) 68 04 31.
Madrid 715 – Algeciras 22 – Cádiz 99.

en la carretera de Cádiz – *11380 Tarifa :*

Balcón de España, La Peña 2 - NO : 8 km, apartado 57, (956) 68 09 63, *Fax (956) 68 04 72*, , « Jardín con arbolado y », – . AE E VISA. rest
abril-23 octubre – **Comida** 3150 – 700 – **38 hab** 8800/11500 – PA 6100.

La Codorniz, NO : 6,5 km (956) 68 47 44, *Fax (956) 68 41 01*, , , – rest, . AE E VISA.
Comida 1500 – 435 – **35 hab** 6720/9900 – PA 3375.

San José del Valle, cruce de Bolonia - NO : 15 km (956) 68 70 92, *Fax (956) 68 71 22* – . E VISA.
Comida 1200 – 300 – **17 hab** 5000/10500.

en la carretera de Málaga *NE : 11 km – 11380 Tarifa :*

Mesón de Sancho, apartado 25, (956) 68 49 00, *Fax (956) 68 47 21*, – . AE E VISA. rest
Comida carta 3150 a 4150 – 590 – **40 hab** 6100/7800.

TARRAGONA *43000* **P** **443** **I 33** – *112 801 h. alt. 49 – Playa.*

Ver : *Tarragona romana★★ : Passeig Arqueològic★★* DZ , *Museu Nacional Arqueològic de Tarragona★★* DZ **M** – *Museu de la Romanidad★* DZ **M1** – *Anfiteatro★★* DZ – *Museu i Necròpolis Paleocristiana★* AY – *Ciudad medieval : Catedral★★ (Museo Diocesano★★, claustro★★, retablo de Santa Tecla★★★)* DZ.

Otras curiosidades : *El Serrallo★* AY.

Alred. : *Acueducto romano★★ 4 km por ④ – Mausoleo de Centcelles★ NO : 5 km por ③ – Torre de los Escipiones★ 5 km por ① – Villa romana de Els Munts★ : emplazamiento★★, termas★ 12 km por ①.*

Excurs. : *Arco de Berà★ 20 km por ① (Roda de Berà).*

18 Costa Dorada, E : 8 km ✆ (977) 65 33 61 Fax (977) 65 30 28 – Iberia : rambla Nova 116 ✉ 43001 ✆ (977) 75 37 90 AZ.

Cía. Trasmediterránea, Nou de Sant Oleguer 16 ✉ 43004 ✆ (977) 22 55 06 Telex 56613 Fax (977) 22 49 51 BY.

Fortuny 4 ✉ 43001 ✆ (977) 23 34 15 Fax (977) 24 47 02 y Major 39 ✉ 43003 ✆ (977) 24 52 03 Fax (977) 24 55 07 – **R.A.C.E.** *rambla Nova 114 ✉ 43001 ✆ (977) 21 19 62 Fax (977) 24 26 32.*

Madrid 555 ④ – Barcelona 109 ④ – Castellón de la Plana/Castelló de la Plana 184 ③ – Lérida/Lleida 97 ④

TARRAGONA

Calle	Plano	Nº
Cuixa (Camí de la)	BY	13
Generalitat (Pl. de la)	AY	15
Independència (Pg. de la)	AY	16
Mallorca	AY	21
President F. Macià (Av.)	AY	36
President Lluís Companys (Av.)	AY	37
Rafael Canasova (Pg. Marítim de)	BY	38
Rovira i Virgili	BY	44
Trafalgar	AY	54

Imperial Tarraco, passeig de les Palmeres, ✉ 43003, ✆ (977) 23 30 40, *Fax (977) 21 65 66*, ≤, 🏊, 🎾 – 🛗 ▤ TV ☎ P – 🏛 25/500. AE ① E VISA. ✂ DZ d
Comida 3000 – ☕ 1000 – **155 hab** 13800/17800, 15 suites – PA 6000.

Urbis sin rest. con cafetería salvo domingo, Reding 20 bis, ✉ 43001, ✆ (977) 24 01 16, *Fax (977) 24 36 54* – 🛗 ▤ TV ☎ 🚗 – 🏛 25. AE ① E VISA. ✂ CZ x
☕ 1000 – **44 hab** 6450/11250.

Astari sin rest, Via Augusta 95, ✉ 43003, ✆ (977) 23 69 00, *Fax (977) 23 69 11*, ≤, 🏊 – 🛗 ▤ TV ☎ 🚗. AE ① E VISA. ✂ BY t
☕ 850 – **47 hab** 7200/8900.

TARRAGONA

Nova (Rambla) . . . . CDZ
Sant Agustí . . . . DZ
Unió . . . . CZ

Àngels (Pl.) . . . . DZ 2
Baixada de Misericòrdia . . . . DZ 3
Baixada de Toro . . . . DZ 5
Baixada Roser . . . . DZ 8
Cavallers . . . . DZ 9
Civadería . . . . DZ 10
Coques (Les) . . . . DZ 12
Enginyer Cabestany . . . . . . CZ 14
López Peláez . . . . CZ 19
Mare de Déu del Claustre . . . . DZ 22
Pau Casals (Av.) . . . . CZ 27
Plà de la Seu . . . . DZ 29
Plà de Palau . . . . DZ 32
Portalet . . . . DZ 34
Ramon i Cajal (Av.) . . . . . . CZ 40
Roser (Portal del) . . . . DZ 43
Sant Antoni (Portal de) . . . . DZ 46
Sant Hermenegild . . . . DZ 49
Sant Joan (Pl.) . . . . DZ 52

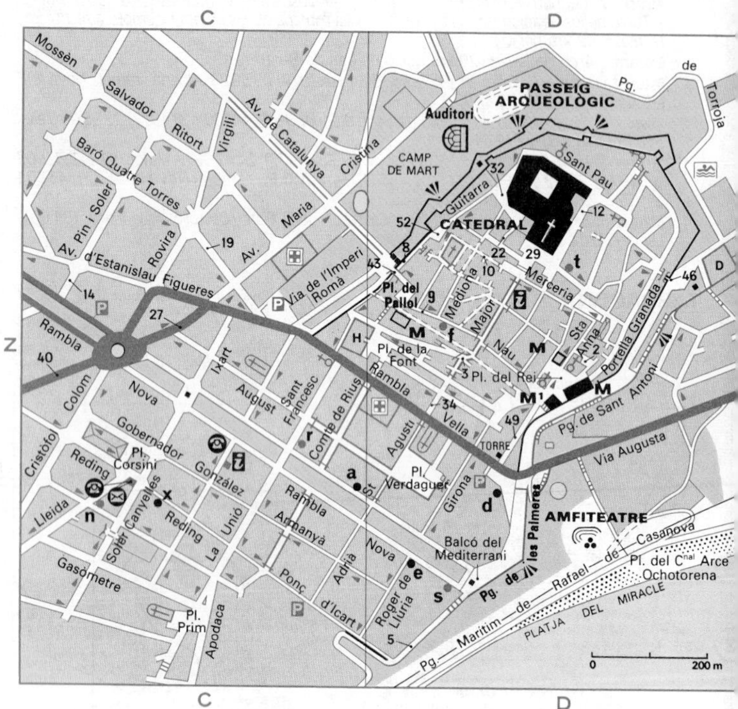

Lauria sin rest, Rambla Nova 20, ✉ 43004, ☎ (977) 23 67 12, *Fax (977) 23 67 00*, – |♦| ▤ TV ☎ – 25/40. AE ⓓ E VISA — DZ e
☕ 700 – **72 hab** 5000/10000.

España sin rest, Rambla Nova 49, ✉ 43003, ☎ (977) 23 27 07 – |♦| TV — CZ a
40 hab.

Merlot, Cavallers 6, ✉ 43003, ☎ (977) 22 06 52, *Fax (977) 22 81 53*, – ▤. AE E VISA — DZ f
cerrado domingo noche y lunes (15 septiembre-15 junio), domingo y lunes mediodía resto del año – **Comida** carta 3350 a 4750.

Estació Marítima, Moll de Costa Tinglado 4 (puerto), ✉ 43004, ☎ (977) 23 21 00, ←, – ▤ — AY n

Les Coques, Baixada Nova del Patriarca 2 bis, ✉ 43003, ☎ (977) 22 83 00, *Fax (977) 22 83 00* – ▤. AE ⓓ E VISA. — DZ t
cerrado domingo noche, festivos, una semana en febrero y tres semanas en julio – **Comida** carta 3625 a 4650.

La Rambla, Rambla Nova 10, ✉ 43004, ☎ (977) 23 87 29, – ▤. AE ⓓ E VISA. — DZ s
Comida carta 2500 a 3920.

Mindos, Sant Francesc 22, ✉ 43003, ☎ (977) 24 31 11 – ▤. E VISA. — CZ r
cerrado del 2 al 22 de agosto – **Comida** *(cerrado por la noche de domingo a miércoles)* carta 3050 a 4150.

Cal Martí, Sant Pere 12, ✉ 43004, ☎ (977) 21 23 84 – ▤. E VISA. — AY h
cerrado domingo noche, lunes y septiembre – **Comida** carta 2750 a 4050.

en la carretera de Barcelona *por ① - ✉ 43007 Tarragona :*

Nuria, Via Augusta 217 - 1,8 km ☎ (977) 23 50 11, *Fax (977) 24 41 36,* - . AE E VISA.
Semana Santa-octubre - **Comida** *(cerrado lunes mediodía salvo Semana Santa-julio y domingo noche resto del año)* 1750 - **60 hab** 4700/8000 - PA 3500.

Sant Jordi sin rest, 2 km ☎ (977) 20 75 15, *Fax (977) 20 76 32,* - . VISA
cerrado 21 diciembre-19 enero - 550 - **39 hab** 4500/7500.

Sol Ric, Via Augusta 227 - 1,9 km ☎ (977) 23 20 32, *Fax (977) 23 68 29,* , « Decoración rústica catalana. Terraza con arbolado » - . AE E VISA.
cerrado domingo noche, lunes y 22 diciembre-22 enero - **Comida** carta 2075 a 3700.

Jaime I, 4 km ☎ (977) 20 80 03, - . AE E VISA
Comida carta aprox. 2350.

en la carretera N 240 *por ④ : 2 km - ✉ 43007 Tarragona :*

Can Sala *(Les Fonts),* ☎ (977) 22 85 75, *Fax (977) 23 59 22,* , « Decoración rústica. Terraza con arbolado » - . AE E VISA.
Comida carta 2800 a 4100.

TARRASA o **TERRASSA** *08220 Barcelona* **443** **H 36** - *157 442 h. alt. 277.*

Ver : *Conjunto Monumental de Iglesias de Sant Pere★★ : Sant Miquel★, Santa María★ (retablo de los Santos Abdón y Senén★★) – Iglesia de Sant Pere (retablo de piedra★) – Masía Freixa★ – Museo de la Ciencia y la Técnica de Cataluña★.*

Raval de Montserrat 14 ✉ 08221 ☎ (93) 733 21 61 Fax (93) 788 60 30.

Madrid 613 – Barcelona 28 – Lérida/Lleida 156 – Manresa 41.

Don Cándido, Rambleta Pare Alegre 98, ✉ 08224, ☎ (93) 733 33 00, *Fax (93) 733 08 49,* , Servicios terapéuticos, - - 25/250. AE E VISA. rest
Comida 1550 - 1500 - **103 hab** 13600/17000 - PA 4300.

Burrull-Hostal del Fum, carret. de Moncada 19, ✉ 08221, ☎ (93) 788 83 37, *Fax (93) 788 57 79* - . AE E VISA.
cerrado domingo noche, lunes y agosto - **Comida** carta 3150 a 5450.

Casa Toni, carret. de Castellar 124, ✉ 08222, ☎ (93) 786 47 08, « Museo del vino » - . AE E VISA.
cerrado sábado, domingo noche, Semana Santa y quince días en agosto - **Comida** carta 2925 a 4125.

TÀRREGA *25300 Lérida* **443** **H 33** - *11 344 h. alt. 373.*

Madrid 503 – Balaguer 25 – Barcelona 112 – Lérida/Lleida 44 – Tarragona 74.

Pintor Marsà, av. Catalunya 112 ☎ (973) 50 15 16, *Fax (973) 31 03 86,* - - 25. VISA
Comida *(cerrado lunes)* 2500 - 700 - **24 hab** 4000/7500.

El TARTER - *ver Andorra (Principado de Andorra) : Soldeu.*

TAÜLL *25528 Lérida* **443** **E 32** - *alt. 1 630 – Deportes de invierno.*

Ver : *Iglesia de Sant Climent★★ – Iglesia de Santa María★.*

Madrid 567 – Lérida/Lleida 150 – Viella/Vielha 57.

en Plá de la Ermita *E : 2 km - ✉ 25528 Taüll :*

Boí Taüll Resort , ☎ (973) 69 60 00, *Fax (973) 69 60 33,* , , -
92 hab.

TAVERNES DE LA VALLDIGNA *46760 Valencia* **445** **O 29** - *16 062 h. alt. 7 – Playa a 4 km.*

Madrid 393 – Alicante/Alacant 129 – Gandía 16 – Valencia 57.

en la carretera N 332 *NE : 3 km - ✉ 46760 Tavernes de la Valldigna :*

Las 5 Hermanas II, ☎ (96) 283 70 07, campos de naranjos - . AE E VISA.
cerrado lunes y noviembre - **Comida** carta 1650 a 3700.

TEGUESTE *Santa Cruz de Tenerife* - *ver Canarias (Tenerife).*

TELDE *Las Palmas - ver Canarias (Gran Canaria).*

TEMBLEQUE *45780 Toledo* 444 M 19 - *2 141 h.*
Ver : *Plaza Mayor★.*
Madrid 92 - Aranjuez 46 - Ciudad Real 105 - Toledo 55.

TENERIFE *Santa Cruz de Tenerife - ver Canarias.*

TEROR *Las Palmas - ver Canarias (Gran Canaria).*

TERRASSA *Barcelona - ver Tarrasa.*

TERRENO *Baleares - ver Baleares (Mallorca) : Palma.*

TERUEL *44000* P 443 K 26 - *31 068 h. alt. 916.*
Ver : *Emplazamiento★ - Museo Provincial★* Y , *Torres mudéjares★* YZ - *Catedral (techo artesonado★)* Y.
Tomás Nougués 1 ✉ 44001 ☏ (978) 60 22 79 - **R.A.C.E.** *av. de Aragón 10 bajo ✉ 44002 ☏ (978) 60 34 95 Fax (978) 60 34 96.*
Madrid 301 ② - Albacete 245 ② - Cuenca 152 ② - Lérida/Lleida 334 ② - Valencia 146 ② - Zaragoza 184 ②

TERUEL

Carlos Castel (Pl.) o Pl. del Torico .... YZ 5
Joaquín Costa .... Y 14
Ramón y Cajal .... Z 22

Abadía .... Z 2
Amantes .... Y 3
Amantes (Pl. de los) 4
Bretón (Pl.) .... Z 6
Catedral (Plaza de la).... Y 7
Comte Fortea .... Z 8
Chantria .... Y 8
Cristo Ray (Plaza de) .... Y 10
Dámaso Torán (Ronda de) .... Y 12
Fray Anselmo Polanco ... Y 13
Miguel Ibáñez .... Y 16
Óvalo (Paseo) .... Z 18
Pérez Prado (Pl. de) ..... Y 19
Pizarro .... Z 20
Rubio .... Y 23
Salvador .... Z 24
San Francisco .... Z 25
San Juan (Pl.) .... Z 27
San Martín .... Y 28
San Miguel .... Y 29
Temprado .... Y 30
Venerable F. de Aranda (Pl.) .... Y 35
Yagüe de Salas .... Y 37

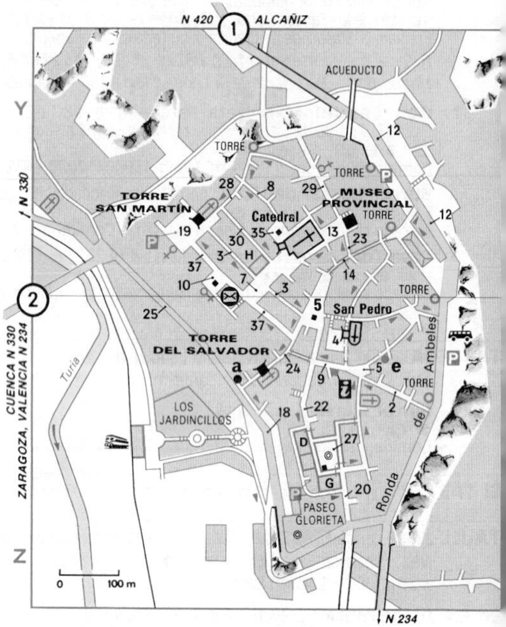

*Para recorrer Europa emplee los **Mapas Michelin « Principales Carreteras »** escala 1/1 000 000.*

Reina Cristina, paseo del Óvalo 1, ✉ 44001, ☏ (978) 60 68 60, *Fax (978) 60 53 63* - |♦|, ▤ rest, TV ☎ - 🏛 25/350. AE ⓓ E VISA. ✂ rest — Z a
Comida 3100 - ▭ 1430 - **81 hab** 13475/16885.

Civera, av. de Sagunto 37, ✉ 44002, ☏ (978) 60 23 00, *Fax (978) 60 23 00* - |♦| TV ☎ P - 🏛 25/150. AE ⓓ E VISA JCB — por N 234
Comida 2100 - ▭ 770 - **73 hab** 10725/13420.

Oriente sin rest, av. de Sagunto 7, ✉ 44002, ☏ (978) 60 15 50, *Fax (978) 60 10 64* - TV ☎. VISA. ✂ — por N 234
▭ 500 - **30 hab** 4425/6450.

La Menta, Bartolomé Esteban 10, ✉ 44001, ☏ (978) 60 75 32 - ▤. AE ⓓ E VISA. ✂ — Z e
cerrado domingo, del 7 al 22 de enero y del 7 al 22 de julio - **Comida** carta 2450 a 4000.

en la carretera N 234 *NO : 2 km*

 **Parador de Teruel,** ✉ 44080 apartado 67 Teruel, ☎ (978) 60 18 00, *Fax (978) 60 86 12,* ⛱, ⛵, 🎾 – 🛗, ▤ rest, 📺 ☎ 🅟 – 🏛 25/200. AE ⓓ E VISA. ✂
Comida 3500 – ☕ 1300 – **54 hab** 10800/13500, 6 suites.

El TIEMBLO *05270 Ávila* 442 **K 16** – *3 795 h. alt. 680.*

Alred. : *Embalse de Burguillo★ NO : 7 km – Pantano de San Juan ≤★ E : 17 km.*

Madrid 83 – Ávila 50.

Toros de Guisando, av. de Madrid ☎ (91) 862 70 82, *Fax (91) 862 71 92,* ≤ – 🛗 ▤ 📺 ☎ 🚗 🅟. VISA. ✂
Comida 2700 – ☕ 400 – **24 hab** 7000/9000.

TINEO *33870 Asturias* 441 **B 10** – *14 857 h. alt. 673.*

Ver : ✳★★.

Madrid 523 – León 185 – Lugo 184 – Oviedo 68 – Ponferrada 135.

en El Crucero *NE : 3,5 km – ✉ 33877 El Crucero :*

Casa Lula sin ☕, carret. C 630 ☎ (98) 580 16 00 – 📺 ☎ 🅟. AE E VISA. ✂
Comida (ver rest. ***Casa Lula***) – **11 hab** 3000/6000.

XX **Casa Emburria,** carret. C 630 ☎ (98) 580 01 92, *Fax (98) 580 00 12* – 🅟. AE ⓓ E VISA. ✂
cerrado lunes y octubre – **Comida** carta 2800 a 4100.

X **Casa Lula,** carret. C 630 ☎ (98) 580 02 38 – 🅟. AE E VISA. ✂
Comida carta 1800 a 3100.

TITULCIA *28359 Madrid* 444 **L 19** – *872 h. alt. 509.*

Madrid 31 – Aranjuez 21 – Ávila 159.

X **El Rincón de Luis,** Grande 31 ☎ (91) 801 01 75 – ▤. AE ⓓ E VISA. ✂
cerrado lunes y 2ª quincena de agosto – **Comida** - sólo almuerzo salvo sábado - carta 2950 a 3950.

La TOJA (Isla de) o **TOXA (Illa da)** *36991 Pontevedra* 441 **E 3** – *Balneario – Playa.*

Ver : *Paraje★★ – Carretera★ de La Toja a Canelas.*

La Toja, ☎ (986) 73 08 18.

Madrid 637 – Pontevedra 33 – Santiago de Compostela 73.

G.H. La Toja 🔇, ☎ (986) 73 00 25, *Fax (986) 73 12 01,* ≤, Servicios terapéuticos, « Suntuoso edificio en un singular paraje verde con ≤ ría de Arosa », 🏋, ⛱ climatizada, ⛵, 🎾, 9 – 🛗 📺 ☎ 🅟 – 🏛 25/500. AE ⓓ E VISA. ✂
Comida 5500 – ☕ 1650 – **173 hab** 21750/27000, 25 suites – PA 10000.

Louxo 🔇, ☎ (986) 73 02 00, *Fax (986) 73 27 91,* ≤, « Magnífica situación en un singular paraje verde con ≤ ría de Arosa », ⛱, ⛵, 🎾, 9 – 🛗 📺 ☎ ♿ 🅟 – 🏛 25/200
112 hab, 3 suites.

XX **Los Hornos,** ☎ (986) 73 10 32, ≤ ría de Arosa, ≤ – 🅟. AE VISA. ✂
cerrado domingo noche, lunes y enero – **Comida** carta 3500 a 4500.

TOLEDO *45000* P 444 **M 17** – *63 561 h. alt. 529.*

Ver : *Emplazamiento★★★ - El Toledo Antiguo★★★ – Catedral★★★* BY *(Retablo de la Capilla Mayor★★, sillería del coro★★★, artesonado mudéjar de la sala capitular★, Sacristía : obras de El Greco★ –, Tesoro : custodia★★) - Iglesia de Santo Tomé : El Entierro del Conde de Orgaz★★★* AY *- Casa y Museo de El Greco★* AY **M1** *– Sinagoga del Tránsito★★ (decoración mudéjar★★)* AYZ *– Iglesia de Santa María la Blanca★ : capiteles★* AY *– Monasterio de San Juan de los Reyes★ (iglesia : decoración escultórica★)* AY *– Iglesia de San Román : museo de los concilios y de la cultura visigoda★* BY *– Museo de Santa Cruz★★ (fachada★, colección de pintura de los s. XVI y XVII★, obras de El Greco★, obras de primitivos★ –, retablo de la Asunción de El Greco★, patio plateresco★, escalera de Covarrubias★)* CXY.

Otras curiosidades : *Hospital de Tavera★ : palacio★ - Iglesia : El bautismo de Cristo de El Greco★* BX.

Puerta Bisagra ✉ 45003 ☎ (925) 22 08 43 Fax (925) 25 26 48 – **R.A.C.E.** *Colombia 10 ✉ 45004 ☎ (925) 21 16 37 Fax (925) 21 56 54.*

Madrid 70 ① – Ávila 137 ⑥ – Ciudad Real 120 ③ – Talavera de la Reina 78 ⑥

TOLEDO

*Si desea pernoctar
en un Parador
o en un hotel
muy tranquilo, aislado,
avise por teléfono,
sobre todo en temporada.*

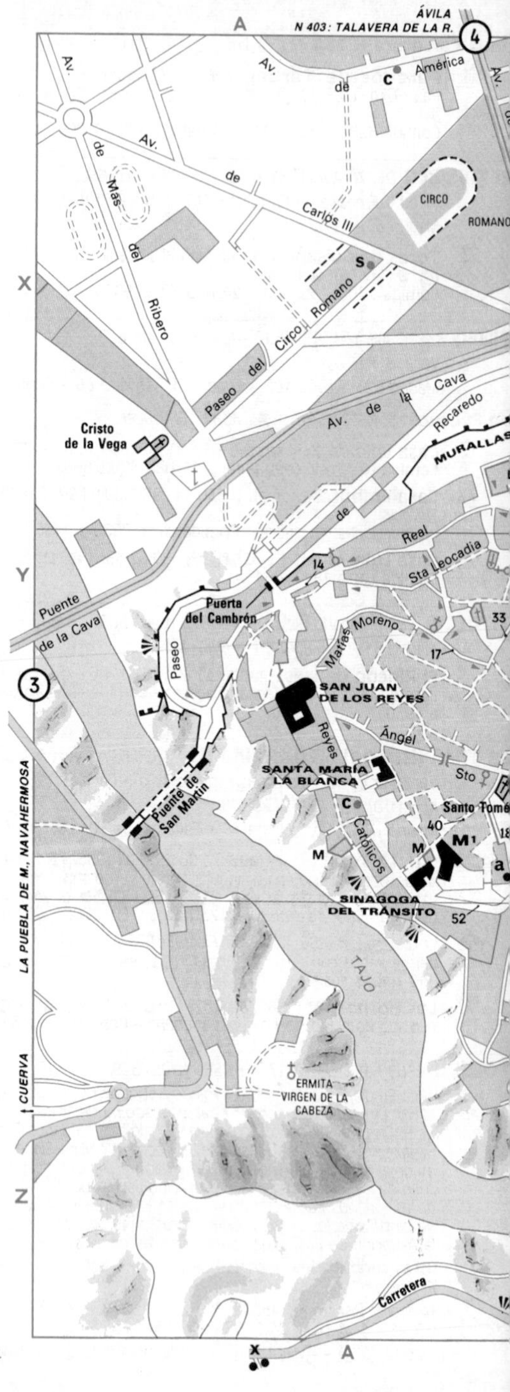

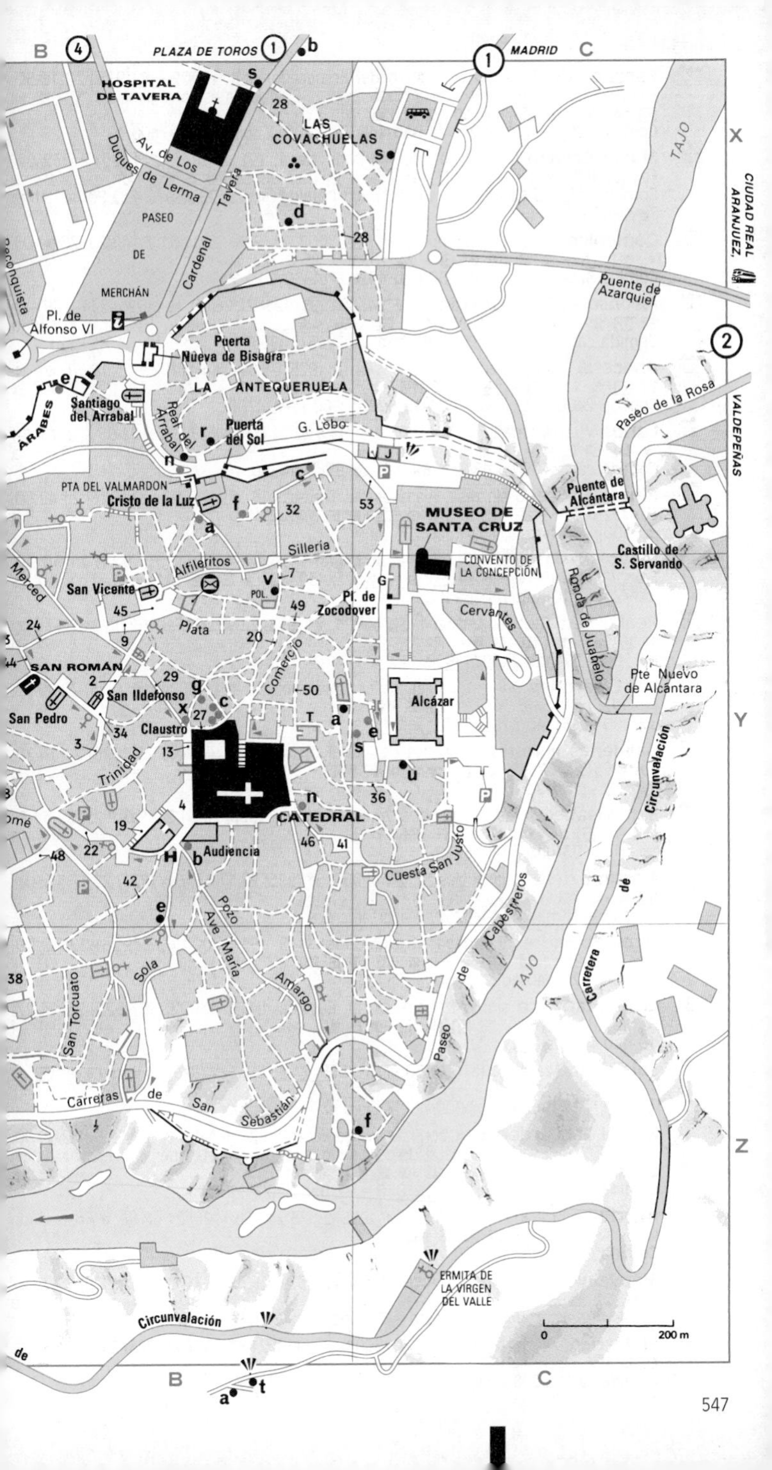
PLAZA DE TOROS
MADRID
HOSPITAL DE TAVERA
LAS COVACHUELAS
Av. de Los Duques de Lerma
PASEO DE MERCHÁN
Cardenal Tavera
Pl. de Alfonso VI
Puerta Nueva de Bisagra
LA ANTEQUERUELA
Santiago del Arrabal
Real del Arrabal
Puerta del Sol
G. Lobo
PTA DEL VALMARDON
Cristo de la Luz
MUSEO DE SANTA CRUZ
CONVENTO DE LA CONCEPCIÓN
Silleria
Alfileritos
San Vicente
Pl. de Zocodover
Cervantes
Merced
Plata
Comercio
SAN ROMÁN
San Ildefonso
San Pedro
Claustro
Alcázar
Trinidad
CATEDRAL
Audiencia
Cuesta San Justo
Pozo Amargo
Ave María
Sola
San Torcuato
Carreras de San Sebastián
Paseo de Cabestreros
TAJO
Puente de Azarquiel
Paseo de la Rosa
Puente de Alcántara
Castillo de S. Servando
Ronda de Juanelo
Pte Nuevo de Alcántara
Carretera de Circunvalación
CIUDAD REAL ARANJUEZ
VALDEPEÑAS
ERMITA DE LA VIRGEN DEL VALLE
Circunvalación
200 m

Parador de Toledo, cerro del Emperador, 45002, (925) 22 18 50, *Fax (925) 22 51 66*, río Tajo y ciudad, « Edificio de estilo regional », - 25/100. BZ t
Comida 3700 - 1300 - **74 hab** 14800/18500, 2 suites - PA 7400.

María Cristina, Marqués de Mendigorría 1, 45003, (925) 21 32 02, *Fax (925) 21 26 50* - - 25/200. BX s
Comida 1975 - ***El Ábside*** *(cerrado domingo)* **Comida** carta 3175 a 3975 - 800 - **73 hab** 7800/11800.

Doménico, cerro del Emperador, 45002, (925) 28 01 01, *Fax (925) 28 01 03*, - - 25/150. rest BZ a
Comida 3000 - 1100 - **50 hab** 10200/14800 - PA 7100.

Alfonso VI, General Moscardó 2, 45001, (925) 22 26 00, *Fax (925) 21 44 58* - - 25/300. CY u
Comida carta 3090 a 4830 - **85 hab** 9995/14900.

Abacería, Pontezuelas 8, 45004, (925) 25 00 00, *Fax (925) 25 18 68*, - - 50. AZ x
Comida 2400 - 750 - **40 hab** 6900/9900 - PA 4700.

Carlos V, Trastamara 1, 45001, (925) 22 21 00, *Fax (925) 22 21 05* - BY a
Comida carta 3090 a 4830 - **69 hab** 9585/14280.

Pintor El Greco sin rest, Alamillos del Tránsito 13, 45002, (925) 21 42 50, *Fax (925) 21 58 19* - AY a
800 - **33 hab** 10400/13000.

Mayoral sin rest, av. Castilla-La Mancha 3, 45003, (925) 21 60 00, *Fax (925) 21 69 54* - - 25/130. CX s
725 - **110 hab** 7600/11500.

Real sin rest, Real del Arrabal 4, 45003, (925) 22 93 00, *Fax (925) 22 87 67* - BX n
700 - **57 hab** 7400/11000.

Los Cigarrales sin rest, carret. de circunvalación 32, 45004, (925) 22 00 53, *Fax (925) 21 55 46*, - AZ x
480 - **36 hab** 3785/5980.

Gavilanes II sin rest, Marqués de Mendigorría 14, 45003, (925) 21 16 28, *Fax (925) 22 41 06* - BX b
350 - **15 hab** 4475/5600.

Santa Isabel sin rest, Santa Isabel 24, 45002, (925) 25 31 20, *Fax (925) 25 31 36* - BY e
410 - **23 hab** 3675/5720.

Martín sin rest, Covachuelas 12, 45003, (925) 22 17 33, *Fax (925) 22 17 33* - BX d
350 - **17 hab** 4500/6750, 2 apartamentos.

Imperio sin rest. con cafetería, Cadenas 5, 45001, (925) 22 76 50, *Fax (925) 25 31 83* - BY v
500 - **21 hab** 4000/5800.

El Diamantista sin rest y sin , pl. Retama 4, 45002, (925) 25 14 27, *Fax (925) 21 05 86* - BCZ f
16 hab 4300/6000.

Sol sin rest, Azacanes 15, 45003, (925) 21 36 50, *Fax (925) 21 61 59* - BX r
500 - **24 hab** 4500/5900.

Hostal del Cardenal con hab, paseo Recaredo 24, 45003, (925) 22 49 00, *Fax (925) 22 29 91*, « Instalado en la antigua residencia del cardenal Lorenzana. Jardín con arbolado » - rest BX e
Comida carta 2100 a 3700 - 850 - **27 hab** 7200/11800.

Adolfo, La Granada 6, 45001, (925) 22 73 21, *Fax (925) 21 62 63*, « Artesonado siglo XIV-XV » - BY g
Comida carta 3550 a 5050.

Marcial y Pablo, Núñez de Arce 11, 45003, (925) 22 07 00, *Fax (925) 21 15 77* - BX c
cerrado domingo noche y agosto - **Comida** carta 3275 a 4675.

El Pórtico, av. de América 1, 45004, (925) 21 43 15, *Fax (925) 21 43 15* - AX c
Comida carta 3300 a 4600.

XX **Rincón de Eloy,** Juan Labrador 10, ✉ 45001, ☏ (925) 22 93 99, *Fax (925) 22 93 99* – ▤. AE ⓓ E VISA. ✂ BY s
cerrado domingo noche – **Comida** carta 3025 a 4300.

XX **Venta de Aires,** Circo Romano 35, ✉ 45004, ☏ (925) 22 05 45, *Fax (925) 22 45 09,* ⛱, « Amplia terraza con arbolado » – ▤. AE ⓓ E VISA JCB. ✂ AX s
Comida carta 3250 a 4200.

XX **La Lumbre,** Real del Arrabal 3, ✉ 45003, ☏ (925) 22 03 73 – ▤. AE ⓓ E VISA JCB. ✂ BX n
cerrado domingo y julio – **Comida** - asados - carta 3400 a 4100.

XX **La Perdiz,** Reyes Católicos 7, ✉ 45002, ☏ (925) 21 58 07, *Fax (925) 21 58 07* – ▤. AE ⓓ E VISA JCB. ✂ AY c
cerrado domingo noche y lunes – **Comida** carta 3700 a 4700.

XX **El Cobertizo,** Hombre de Palo 9, ✉ 45001, ☏ (925) 22 38 09 – ▤. AE ⓓ E VISA. ✂
cerrado domingo noche – **Comida** carta 2925 a 4050. BY c

X **Mesón Aurelio,** Sinagoga 1, ✉ 45001, ☏ (925) 22 13 92, *Fax (925) 25 34 61* – ▤. AE ⓓ E VISA JCB. ✂ BY c
cerrado miércoles y julio – **Comida** carta 3500 a 5300.

X **Aurelio,** pl. del Ayuntamiento 4, ✉ 45001, ☏ (925) 22 77 16, *Fax (925) 25 34 61,* « Decoración típica » – ▤. AE ⓓ E VISA JCB. ✂ BY b
cerrado martes y agosto – **Comida** carta 3400 a 5300.

X **Casa Aurelio,** Sinagoga 6, ✉ 45001, ☏ (925) 22 20 97, *Fax (925) 25 34 61,* « Decoración típica regional » – ▤. AE ⓓ E VISA JCB. ✂ BY c
cerrado lunes y agosto – **Comida** carta 3400 a 5300.

X **Hierbabuena,** Cristo de la Luz 9, ✉ 45003, ☏ (925) 22 34 63, *Fax (925) 22 39 24* – ▤. AE ⓓ E VISA. ✂ BX a
cerrado domingo noche, lunes y agosto – **Comida** carta 3380 a 4450.

X **La Parrilla,** Horno de los Bizcochos 8, ✉ 45001, ☏ (925) 21 22 45 – ▤. AE ⓓ E VISA
Comida carta 2225 a 3250. CY e

X **Los Cuatro Tiempos,** Sixto Ramón Parro 5, ✉ 45001, ☏ (925) 22 37 82 – ▤. AE ⓓ E VISA. ✂ BY n
cerrado miércoles y 22 junio-4 julio – **Comida** carta 2500 a 4050.

X **La Catedral,** Nuncio Viejo 1, ✉ 45002, ☏ (925) 22 42 44, *Fax (925) 21 62 63* – ▤. AE ⓓ E VISA JCB. ✂ BY x
Comida carta 2400 a 3600.

X **Hierbabuena,** callejón de San José 17, ✉ 45003, ☏ (925) 22 39 24, *Fax (925) 22 39 24* – ▤. AE ⓓ E VISA. ✂ BX f
cerrado domingo – **Comida** carta 3380 a 4450.

en la carretera de Madrid *por ① : 5 km – ✉ 45080 Toledo :*

X **Los Gavilanes** con hab, ✉ apartado 400, ☏ (925) 22 46 22, *Fax (925) 22 41 06,* ⛱ – ▤ TV ☎ P. E VISA. ✂ rest
Comida *(cerrado 15 diciembre-15 enero)* carta 1800 a 2850 – ☕ 350 – **12 hab** 4000/5000.

en la carretera de Cuerva *SO : 3,5 km – ✉ 45080 Toledo :*

🏠 **La Almazara** 🐦 sin rest, ✉ apartado 6, ☏ (925) 22 38 66, *Fax (925) 25 05 62,* ≤, « Antigua casa de campo rodeada de una finca » – P. AE ⓓ E VISA. ✂
marzo-10 diciembre – ☕ 450 – **21 hab** 3400/6000.

en la carretera de Ávila *por ④ : 2,7 km – ✉ 45005 Toledo :*

🏨 **Beatriz** 🐦, ☏ (925) 22 22 11, *Fax (925) 21 58 65,* ≤, ⛱, 🏊, 🎾 – 🛗 ▤ TV ☎ 🚗 P – 🧑‍🏫 25/2000. AE ⓓ E VISA JCB. ✂
Comida 3700 - ***Anticuario*** **: Comida** carta 3200 a 4800 – ☕ 1150 – **295 hab** 10850/15500.

TOLOSA *20400 Guipúzcoa* 442 **C 23** – *18 085 h. alt. 77.*
Madrid 444 – Pamplona/Iruñea 64 – San Sebastián/Donostia 27 – Vitoria/Gasteiz 89.

XX **Fronton,** San Francisco 4-1º ☏ (943) 65 29 41, *Fax (943) 65 29 41,* ⛱ – 🛗 ▤. AE ⓓ E VISA
cerrado domingo noche, lunes noche y 24 diciembre-4 enero – **Comida** carta 2450 a 3775.

XX **Sausta,** Belate Pasalekua 7-8 ☏ (943) 65 54 53
▤. AE ⓓ E VISA. ✂
cerrado domingo noche y lunes – **Comida** carta 2900 a 3900.

Urrutitxo con hab, Kondeko Aldapa 7 (943) 67 38 22, *Fax (943) 67 34 28* – . AE E VISA. rest
cerrado 22 diciembre-7 enero – **Comida** *(cerrado domingo)* - sólo cena - carta 2200 a 4050 – 650 – **10 hab** 5000/8500.

Hernialde, Martín José Iraola 10 (943) 67 56 54
. AE VISA.
cerrado lunes noche, 15 días en Navidades y agosto – **Comida** carta aprox. 3600.

Casa Nicolás, av. Zumalakarregi 6 (943) 65 47 59 – . AE E VISA JCB.
cerrado domingo y festivos – **Comida** carta 2400 a 3800.

en Ibarra *E : 1,5 km – 20400 Tolosa :*

Eluska, Euskal Herria 12 (943) 67 13 74 – . AE E VISA JCB.
cerrado lunes noche, martes noche y 20 octubre-10 noviembre – **Comida** carta 4150 a 5600.

TOLOX *29109 Málaga* 446 V 15 – *2 931 h. – Balneario.*
Madrid 600 – Antequera 81 – Málaga 54 – Marbella 46 – Ronda 53.

Balneario , (95) 248 70 91, – .
julio-16 octubre – **Comida** 1350 – 350 – **53 hab** 2500/3600 – PA 2700.

TOMELLOSO *13700 Ciudad Real* 444 O 20 – *27 936 h. alt. 662.*
Madrid 179 – Alcázar de San Juan 31 – Ciudad Real 96 – Valdepeñas 67.

Ramomar, Concordia 17 (926) 50 59 94, *Fax (926) 50 53 65,* – – 25/400. AE E VISA.
Comida 1200 – 500 – **42 hab** 6000/8000 – PA 2900.

Paloma sin rest, Campo 10 (926) 51 33 00, *Fax (926) 51 33 08* –
40 hab.

TOMIÑO *36740 Pontevedra* 441 G 3 – *10 130 h.*
Madrid 616 – Orense/Ourense 117 – Pontevedra 60 – Vigo 41.

en la carretera C 550 *S : 2,5 km – 36740 Tomiño :*

O'Miñoteiro, Vilar de Matos - Forcadela (986) 62 24 33 – . AE VISA.
Comida carta 1700 a 2400.

TONA *08551 Barcelona* 443 G 36 – *5 505 h. alt. 600.*
Alred. : *Sierra de Montseny★ : Carretera★ de Tona a San Celoni por Montseny.*
Madrid 627 – Barcelona 56 – Manresa 42.

Aloha, carret. de Manresa 6 (93) 887 02 77, *Fax (93) 887 07 11,* – , rest, – 25/130. AE E VISA.
cerrado 25 diciembre-1 enero – **Comida** *(cerrado domingo noche)* 1500 – 650 – **36 hab** 3700/7000 – PA 3650.

4 Carreteras, carret. N 152 - km 58 (93) 887 04 00, *Fax (93) 887 04 00* – rest, . AE VISA.
Comida 1500 – 600 – **21 hab** 4500/8000.

La Ferrería, antigua carret. de Vic (93) 887 00 92, *Fax (93) 772 16 64,* , « Masia del siglo XIV. Decoración rústica » – . E VISA.
cerrado domingo noche, lunes y del 1 al 15 de septiembre – **Comida** carta 3025 a 3875.

TORÀ *25750 Lérida* 443 G 34 – *1 130 h. alt. 448.*
Madrid 542 – Barcelona 110 – Lérida/Lleida 83 – Manresa 49.

Hostal Jaumet con hab, carret. C 1412 (973) 47 30 77, *Fax (973) 47 30 77* – . E VISA.
Comida *(cerrado del 21 al 30 de enero y del 18 al 27 de noviembre)* carta 2600 a 3100 – 550 – **19 hab** 6000/8000.

TORDESILLAS *47100 Valladolid* 442 H 14 y 15 – *7 637 h. alt. 702.*
Ver : *Convento de Santa Clara★ (artesonado★★, patio★).*
Madrid 179 – Ávila 109 – León 142 – Salamanca 85 – Segovia 118 – Valladolid 30 – Zamora 67.

Parador de Tordesillas ⑤, carret. de Salamanca - SO : 2 km ✆ (983) 77 00 51, *Fax (983) 77 10 13*, « En un pinar », ⛱, - |‡| ▤ TV ☎ ⇔ P - 25/100. AE ⓓ E VISA JCB. ✂
Comida 3500 - ▭ 1200 - **71 hab** 12000/15000 - PA 7055.

Doña Carmen, carret. de Salamanca ✆ (983) 77 01 12, *Fax (983) 77 19 54*, ← - ▤ TV ☎ P. AE ⓓ E VISA. ✂
Comida 2200 - ▭ 500 - **15 hab** 5000/8000 - PA 4900.

Los Toreros, av. de Valladolid 26 ✆ (983) 77 19 00, *Fax (983) 77 19 54* - ▤ rest, TV ☎ P - 25/60. AE ⓓ E VISA. ✂ rest
Comida 1600 - ▭ 400 - **27 hab** 3500/6000 - PA 3500.

Los Duques, av. de Valladolid 34 ✆ (983) 77 19 92 - ▤. AE ⓓ E VISA. ✂
cerrado lunes - **Comida** carta 3000 a 4800.

Mesón Valderrey, antigua carret. N VI ✆ (983) 77 11 72, *Fax (983) 77 11 72*, « Decoración castellana » - ▤. AE E VISA. ✂
Comida carta 2600 a 3500.

en la autovía N 620 *E : 5 km* - ✉ *47080 Tordesillas :*

El Montico, ✉ apartado 12, ✆ (983) 79 50 00, *Fax (983) 79 50 08*, , « En un pinar », , ⛱, , - TV ☎ ⇔ P - 25/500. AE ⓓ E VISA. ✂ rest
Comida 2750 - ▭ 900 - **51 hab** 7500/11000, 4 suites - PA 5440.

TORLA *22376 Huesca* 443 E 29 - *363 h. alt. 1 113.*

Ver : *Paisaje★★.*

Alred. : *Parque Nacional de Ordesa y Monte Perdido★★★ NE : 8 km.*

Madrid 482 - Huesca 92 - Jaca 54.

Edelweiss, av. de Ordesa 1 ✆ (974) 48 61 73, *Fax (974) 48 63 72*, ←, - |‡| TV ☎ P. AE ⓓ E VISA. ✂
15 marzo-10 diciembre - **Comida** 1500 - ▭ 1000 - **57 hab** 3900/6600.

Villa de Torla ⑤, pl. Nueva 1 ✆ (974) 48 61 56, *Fax (974) 48 63 65*, ←, ⛱ - |‡|, ▤ rest, TV ☎ ⇔. E VISA. ✂
Comida 1650 - ▭ 575 - **38 hab** 4500/6500 - PA 3200.

Bujaruelo, av. de Ordesa ✆ (974) 48 61 74, *Fax (974) 48 63 30*, ← - TV ☎ P. AE ⓓ E VISA. ✂
cerrado 7 enero-15 marzo - **Comida** 1700 - ▭ 540 - **27 hab** 4200/6300 - PA 3000.

Bella Vista sin rest, av. de Ordesa 6 ✆ (974) 48 62 07, *Fax (974) 48 61 53*, ← - P. E VISA. ✂
abril-septiembre - ▭ 500 - **15 hab** 3800/6000.

en la carretera del Parque de Ordesa *N : 1,5 km* - ✉ *22376 Torla :*

Ordesa, ✆ (974) 48 61 25, *Fax (974) 48 63 81*, ← alta montaña, ⛱, , - |‡| TV ☎ P. ⓓ E VISA. ✂ rest
Semana Santa-9 enero - **Comida** 1600 - ▭ 500 - **69 hab** 4500/6500 - PA 3145.

TORO *49800 Zamora* 441 H 13 - *9 649 h. alt. 745.*

Ver : *Colegiata★ (portada occidental★★ - Interior : cúpula★, cuadro de la Virgen de la Mosca★).*

Madrid 210 - Salamanca 66 - Valladolid 63 - Zamora 33.

Juan II ⑤, paseo del Espolón 1 ✆ (980) 69 03 00, *Fax (980) 69 23 76*, ⛱ - |‡|, ▤ rest, TV ☎. AE ⓓ E VISA
Comida 1500 - ▭ 600 - **42 hab** 5000/8000 - PA 3060.

TORÓ (Playa de) *Asturias - ver Llanes.*

TORQUEMADA *34230 Palencia* 442 F 17 - *1 305 h. alt. 740.*

Madrid 253 - Burgos 63 - Palencia 26 - Valladolid 61.

en la carretera N 620 *E : 6,5 km* - ✉ *34230 Torquemada :*

Las Lagunas, ✆ (979) 80 04 06, *Fax (979) 80 01 11* - |‡| ▤ TV ⇔ P
40 hab.

TORRE BARONA *Barcelona - ver Castelldefels.*

TORRE DEL MAR *29740 Málaga* 446 **V 17** – *Playa.*
av. de Andalucía 119 ☎ (95) 254 11 04.
Madrid 570 – Almería 190 – Granada 141 – Málaga 31.

Las Yucas sin rest, av. de Andalucía ☎ (95) 254 09 01, *Fax (95) 254 22 72* – TV ☎. E VISA
350 – **36 hab** 5000/7500.

Mediterráneo sin rest y sin ☕, av. de Andalucía 65 ☎ (95) 254 08 48
18 hab.

Carmen, av. de Andalucía 94 ☎ (95) 254 04 35, Cena espectáculo los sábados – VISA.
Comida carta 1750 a 3000.

El Jardín, paseo Marítimo de Levante 5 ☎ (95) 254 48 31, – AE E VISA
cerrado martes y del 1 al 30 de noviembre – **Comida** carta 2000 a 3000.

TORRE DE LA REINA *Sevilla – ver Guillena.*

TORREBAJA *46143 Valencia* 445 **L 26** – *455 h. alt. 760.*
Madrid 276 – Cuenca 113 – Teruel 37 – Valencia 140.

Emilio, carret. N 330 ☎ (978) 78 30 04, *Fax (978) 78 30 19* – rest, TV ☎ P. E VISA.
Comida *(cerrado domingo noche y lunes noche)* 1400 – 550 – **20 hab** 3500/5500 – PA 2800.

TORRECABALLEROS *40160 Segovia* 442 **J 17** – *296 h. alt. 1 152.*
Madrid 97 – Segovia 10.

Burgos sin rest, carret. N 110 ☎ (921) 40 12 18 – TV ☎ P
26 hab.

La Portada de Mediodía, San Nicolás de Bari 31 ☎ (921) 40 10 11 *Fax (921) 40 10 88,* – AE E VISA.
cerrado lunes salvo en verano – **Comida** carta 3500 a 5600.

Posada de Javier, carret. N 110 ☎ (921) 40 11 36, « Decoración rústica »
Comida - sólo cena salvo viernes, sábado y agosto -.

El Rancho de la Aldegüela, carret. N 110 ☎ (921) 40 10 60, *Fax (921) 40 10 60,* Granja escuela, « Conjunto rústico con agradable terraza y arboleda » – AE VISA.
cerrado noches de lunes a jueves – **Comida** carta 2800 a 4000.

TORRECILLA EN CAMEROS *26100 La Rioja* 442 **F 22** – *467 h. alt. 774.*
Madrid 306 – Burgos 174 – Logroño 29 – Soria 78 – Vitoria/Gasteiz 116.

Sagasta sin rest, San Juan 4 ☎ (941) 46 02 92, *Fax (941) 46 02 92,* « Decoración castellana » – TV ☎. E VISA.
450 – **17 hab** 4400/7550.

TORREDELCAMPO *23640 Jaén* 446 **S 18** – *11 144 h.*
Madrid 343 – Córdoba 99 – Granada 106 – Jaén 10.

Torrezaf, carret. de Córdoba 90 ☎ (953) 56 71 00, *Fax (953) 41 00 86* – TV ☎ – 25/100. AE VISA.
Comida 1200 – 350 – **52 hab** 4300/5200 – PA 2700.

TORREDEMBARRA *43830 Tarragona* 443 **I 34** – *6 218 h.* – *Playa.*
av. Pompeu Fabra 3 ☎ (977) 64 03 31 Fax (977) 64 38 35.
Madrid 566 – Barcelona 94 – Lérida/Lleida 110 – Tarragona 12.

Le Brussels, Antoni Roig 56 ☎ (977) 64 05 10,
temp.

en la zona de la playa :

Morros, Pérez Galdós 15 ☎ (977) 64 02 25, *Fax (977) 64 18 64* – TV ☎. AE E VISA
Comida (ver rest. ***Morros***) – 800 – **79 hab** 5500/8500.

Costa Fina, av. Montserrat 33 ☎ (977) 64 00 75, *Fax (977) 64 35 59* – rest, TV ☎. E VISA.
abril-octubre – **Comida** 1600 – 700 – **48 hab** 4400/8000 – PA 3400.

XXX **Morros,** pl. Narcis Monturiol ☎ (977) 64 00 61, *Fax (977) 64 18 64*, ≤, 余, « Terraza » – ▤ Ⓟ. AE ⓞ E VISA
cerrado domingo noche y lunes (salvo abril-septiembre), enero y 2ª quincena de noviembre – **Comida** carta 3550 a 6250.

X **La Quilla,** puerto deportivo ☎ (977) 64 50 91, ≤, 余 – ▤. E VISA. ✂
cerrado lunes (salvo verano) y noviembre – **Comida** - pescados y mariscos - carta 2950 a 5075.

X **Can Cues,** Tamarit 14 ☎ (977) 64 05 73 – ▤. AE ⓞ E VISA. ✂
Comida carta 2500 a 4500.

TORREDONJIMENO *23650 Jaén* 446 S 18 – *13 003 h. alt. 589.*
Madrid 343 – Andújar 40 – Córdoba 91 – Granada 115 – Jaén 19.

X Regina, pl. de la Constitución 13 ☎ (953) 57 10 02 – ▤.

TORREGUADIARO *11312 Cádiz* 446 X 14 – *Playa.*
La Cañada, O : 3 km ☎ (956) 79 41 00 Fax (956) 79 42 41.
Madrid 650 – Algeciras 29 – Cádiz 153 – Málaga 104.

Patricia sin rest, carret. N 340 ☎ (956) 61 53 00, *Fax (956) 61 58 50*, ≤ – TV ☎ Ⓟ. AE ⓞ VISA
cerrado 15 diciembre-15 enero – ☕ 525 – **30 hab** 4500/7250.

TORREJÓN DE ARDOZ *28850 Madrid* 444 K 19 – *82 807 h. alt. 585.*
Madrid 22.

Aida, av. de la Constitución 167 ☎ (91) 677 65 53, *Fax (91) 675 15 54* – |\$| ▤ TV ☎ 🚗 – 🏛 25/300. AE ⓞ E VISA. ✂
Comida 2200 – ☕ 1100 – **68 hab** 9000/11900 – PA 4900.

Torre Hogar, av. de la Constitucion 96 ☎ (91) 677 59 75, *Fax (91) 656 85 25* – |\$| ▤ TV ☎ 🚗 – 🏛 25/120. AE ⓞ E VISA. ✂
Comida *(cerrado domingo y agosto)* 2300 – ☕ 1000 – **82 hab** 11300/13000 – PA 4480.

Torrejón, av. de la Constitución 173 ☎ (91) 675 26 44, *Fax (91) 677 34 44* – |\$| ▤ TV ☎ Ⓟ – 🏛 25/350. AE ⓞ E VISA. ✂
Comida 1800 - ***Grill Don José*** **: Comida** carta aprox. 3900 – ☕ 500 – **64 hab** 5500/7500.

Don Sancho sin rest, Cristo 2-2º ☎ (91) 675 26 15, *Fax (91) 675 25 64* – |\$| ▤ TV ☎ 🚗. AE VISA. ✂
☕ 300 – **16 hab** 7000/9000.

Henares, av. de la Constitución 128 ☎ (91) 677 59 95, *Fax (91) 677 03 82* – |\$| ▤ TV ☎ Ⓟ. AE ⓞ E VISA. ✂
Comida 1000 – ☕ 450 – **32 hab** 5500/7000.

XXX **La Casa Grande** con hab, Madrid 2 ☎ (91) 675 39 00, *Fax (91) 675 06 91*, 余, « Instalado en una Casa de Labor del siglo XVI. Museo de Iconos. Lagar » – ▤ TV ☎ Ⓟ – 🏛 25/100. AE ⓞ E VISA. ✂
cerrado agosto – **Comida** carta 2700 a 5050 – **8 hab** ☕ 14000/19000.

XX Vaquerín, ronda del Poniente 2 ☎ (91) 675 66 20 – ▤.

X Colón, Canto 1 ☎ (91) 675 64 15 – ▤.

TORRELAGUNA *28180 Madrid* 444 J 19 – *2 575 h. alt. 744.*
Madrid 58 – Guadalajara 47 – Segovia 108.

X **Nuevo Pontón,** San Francisco 3 ☎ (91) 843 00 03 – ▤ Ⓟ. VISA. ✂
cerrado lunes noche – **Comida** carta 2000 a 3200.

TORRELAVEGA *39300 Cantabria* 442 B 17 – *59 520 h. alt. 23.*
Ruiz Tagle 6 ☎ (942) 89 29 82.
Madrid 384 – Bilbao/Bilbo 121 – Oviedo 178 – Santander 27.

Torrelavega, av. Julio Hauzeur 12 ☎ (942) 80 31 20, *Fax (942) 80 27 00* – |\$| ▤ TV ☎ – 🏛 25/450. AE ⓞ E VISA. ✂
Comida *(cerrado domingo salvo en verano)* 1600 – ☕ 1000 – **116 hab** 12500/17000 – PA 4300.

Marqués de Santillana sin rest. con cafetería, Marqués de Santillana 8 ☎ (942) 89 29 34, *Fax (942) 89 29 34* – |\$| TV ☎ 🚗. AE ⓞ E VISA JCB
38 hab ☕ 9000/12000.

Saja sin rest. con cafetería, Alcalde del Río 22 ✆ (942) 89 27 50, *Fax (942) 89 24 51* – 🛗 TV ☎ 🚗 – 🎤 25/200. ⓓ E VISA
☕ 400 – **45 hab** 6900/9900.

Villa de Santillana, Julián Ceballos 11 ✆ (942) 88 30 73 – ▤. AE ⓓ E VISA. ✂
cerrado lunes (salvo festivos) y 15 junio-15 julio – **Comida** carta 2525 a 3225.

TORRELODONES *28250 Madrid* 444 **K 18** – *7 173 h. alt. 845.*
Madrid 27 – El Escorial 22 – Segovia 60.

en La Colonia *NO : 2,5 km – ✉ 28250 Torrelodones :*

La Rosaleda, paseo de Vergara 7 ✆ (91) 859 11 25, ☂ – ▤. AE ⓓ VISA. ✂
Comida carta 3450 a 4400.

Wenn Sie ein ruhiges Hotel suchen,
benutzen Sie zuerst die Karte in der Einleitung
oder wählen Sie im Text ein Hotel mit dem Zeichen ✧ bzw. ✧

TORREMOLINOS *29620 Málaga* 446 **W 16** – *35 309 h.* – *Playa.*
ℹ *pl. de las Comunidades Autónomas ✆ (95) 237 19 09 Fax (95) 237 95 51* – **R.A.C.E.** *pl. de la Costa del Sol (edificio Entreplazas Ofc. 194) ✆ (95) 238 77 42.*
Madrid 569 ① – Algeciras 124 ② – Málaga 14 ①

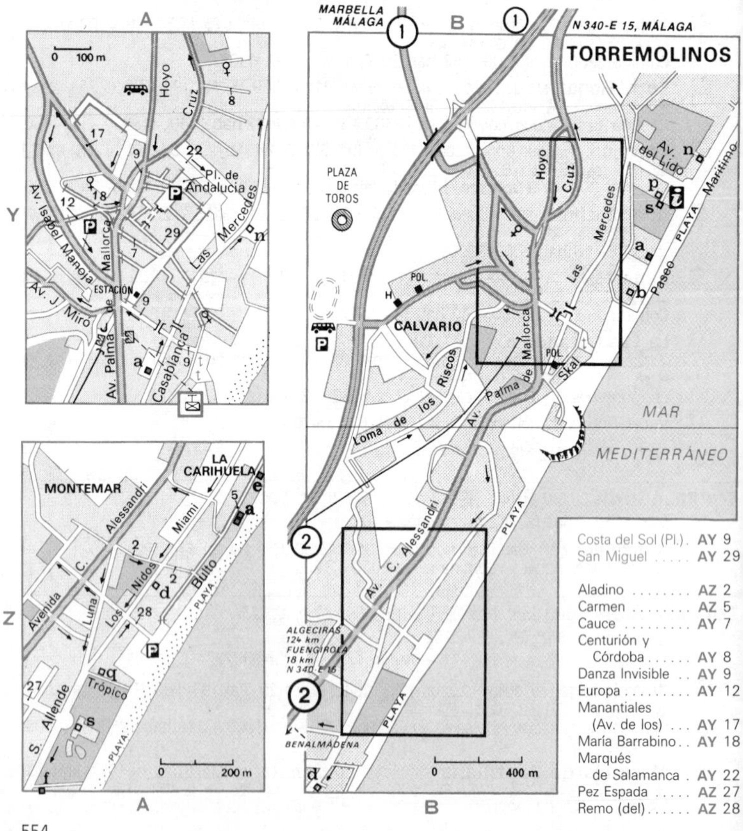

Costa del Sol (Pl.)	AY 9
San Miguel	AY 29
Aladino	AZ 2
Carmen	AZ 5
Cauce	AY 7
Centurión y Córdoba	AY 8
Danza Invisible	AY 9
Europa	AY 12
Manantiales (Av. de los)	AY 17
María Barrabino	AY 18
Marqués de Salamanca	AY 22
Pez Espada	AZ 27
Remo (del)	AZ 28

Meliá Costa del Sol, paseo Marítimo 11 (95) 238 66 77, *Fax (95) 238 64 17*, <, Servicios de talasoterapia, - - 25/250. BY b
Comida 2700 - 1100 - **522 hab** 13200/16500, 18 suites - PA 5100.

Sol Don Pablo, paseo Marítimo (95) 238 38 88, Telex 77252, *Fax (95) 238 37 83*, <, climatizada, , - - 25/200. BY s
Comida - sólo buffet - 2800 - 1350 - **443 hab** 14200/17800.

Sol Don Pedro, av. del Lido (95) 238 68 44, *Fax (95) 238 69 35*, , - - 25/40. BY p
Comida - sólo buffet - 1600 - 700 - **295 hab** 8350/13000.

Isabel sin rest, paseo Marítimo 97 (95) 238 17 44, *Fax (95) 238 11 98*, <, - BY n
marzo-noviembre - **40 hab** 8710/13420.

Fénix, Las Mercedes 24 (95) 237 52 68, *Fax (95) 238 71 83*, - AY N
Comida - sólo buffet - 2400 - 730 - **85 hab** 7020/12920.

Cetus, paseo Marítimo (95) 237 41 18, *Fax (95) 238 24 55*, <, - BY a
cerrado domingo - **Comida** carta 3600 a 4400.

Doña Francisquita, Casablanca 27 (95) 237 61 62, *Fax (95) 237 61 63*, - AY a
cerrado domingo - **Comida** carta aprox. 3350.

al Suroeste : *barrios de La Carihuela y Montemar - 29620 Torremolinos :*

Pez Espada, Salvador Allende 11 (95) 238 03 00, *Fax (95) 237 28 01*, <, , , , , - - 25/250. AZ s
Comida 2900 - 1600 - **192 hab** 11300/15800, 13 suites - PA 6200.

Sol Élite Aloha Puerto, Salvador Allende 45 (95) 238 70 66, *Fax (95) 238 57 01*, <, climatizada, - - 25/500. BZ d
Comida - sólo cena - 1750 - 700 - **372 hab** 5400/9000.

Tropicana, Trópico 6 (95) 238 66 00, *Fax (95) 238 05 68*, <, - - 25. AZ q
Comida 2700 - 1200 - **84 hab** 12500/17500.

El Tiburón sin rest, Los Nidos 7 (95) 238 13 11, *Fax (95) 238 13 20*, - . AZ d
cerrado 15 enero-15 febrero - 400 - **40 hab** 4400/5600.

La Jábega, Mar 17 (95) 238 63 75, *Fax (95) 237 08 16*, <, - . AZ e
Comida - pescados y mariscos - carta 1950 a 3850.

El Roqueo, Carmen 35 (95) 238 49 46, <, AZ a
cerrado martes y noviembre - **Comida** carta 3000 a 3450.

Casa Guaquín, Carmen 37 (95) 238 45 30, <, - . AZ a
cerrado jueves y Navidades - **Comida** - pescados y mariscos - carta 2600 a 3600.

La Barca, Salvador Allende 27 (95) 238 47 65, *Fax (95) 237 08 16*, - . AZ f
Comida carta 1950 a 3850.

en la carretera de Málaga *por ① - 29620 Torremolinos :*

Parador de Málaga del Golf, junto al golf - 5 km, 29080 apartado 324 Málaga, (95) 238 12 55, *Fax (95) 238 89 63*, <, , « Junto al campo de golf », , , - - 25/70.
Comida 3500 - 1300 - **56 hab** 14000/17500, 4 suites.

Frutos, urb. Los Álamos - 3 km (95) 238 14 50, *Fax (95) 237 13 77*, - .
cerrado domingo noche en invierno - **Comida** carta 3450 a 4950.

Gli alberghi o ristoranti ameni sono indicati nella guida con un simbolo rosso.
Contribuite a mantenere la guida aggiornata segnalandoci gli alberghi e ristoranti dove avete soggiornato piacevolmente.

TORRENT *17123 Gerona* 443 G 39 – *219 h.*
Madrid 744 – Barcelona 133 – Gerona/Girona 36 – Palafrugell 4.

Mas de Torrent, (972) 30 32 92, *Fax (972) 30 32 93*, ≤, « Masía del siglo XVIII », – – 25/40. AE E VISA JCB. rest
Comida carta 4900 a 5900 – 2000 – **30 hab** 22000/35000.

TORRENTE o **TORRENT** *46900 Valencia* 445 N 28 – *56 191 h. alt. 63.*
Madrid 345 – Alicante/Alacant 182 – Castellón de la Plana/Castelló de la Plana 86 – Valencia 11.

en El Vedat *SO : 4,5 km – 46900 Torrente :*

Lido, Juan Ramón Jiménez 5 (96) 155 15 00, *Fax (96) 155 12 02*, ≤, – – 25/500. AE E VISA. rest
Comida 2200 – **60 hab** 10145/15175.

TORREVIEJA *03180 Alicante* 445 S 27 – *25 891 h. – Playa.*
Villamartín, SO : 7,5 km (96) 676 51 60 Fax (96) 676 51 58.
pl. Capdepón (96) 570 34 33 Fax (96) 571 59 36.
Madrid 435 – Alicante/Alacant 50 – Cartagena 60 – Murcia 45.

Cano sin rest, Zoa 53 (96) 670 09 58, *Fax (96) 571 87 31* – . E VISA.
450 – **28 hab** 4200/6000.

Miramar, paseo Vista Alegre (96) 571 34 15, *Fax (96) 571 34 15*, ≤, – AE E VISA.
Comida *(cerrado martes (octubre-abril) y del 2 al 26 de noviembre)* carta 2550 a 4100.

Telmo, Torrevejenses Ausentes 5 (96) 571 54 74 – .

Río Nalón, Clemente Gosálvez 22 (96) 571 19 08 – . AE E VISA.
cerrado domingo noche, lunes (salvo julio-15 septiembre) y febrero – **Comida** carta 2800 a 3800.

al Suroeste *por la carretera de Cartagena :*

Montepiedra, Rosalía de Castro - Dehesa de Campoamor - 11 km, 03192 Dehesa de Campoamor, (96) 532 03 00, *Fax (96) 532 06 34*, « rodeada de césped y plantas », – rest, . AE E VISA.
Comida 2300 – 625 – **64 hab** 10350/11750 – PA 4180.

Motel Las Barcas sin rest, 4,5 km, 03180 Torrevieja, (96) 571 00 81, *Fax (96) 571 00 81*, ≤ – . E VISA.
450 – **30 hab** 6000.

Palmera Beach, urb. Las Mil Palmeras - 13 km, 03190 Pilar de la Horadada, (96) 532 13 65, – . VISA.
cerrado del 10 al 28 de diciembre – **Comida** carta 2900 a 3850.

Asturias, 5,5 km, 03180 Torrevieja, (96) 532 80 44, *Fax (96) 532 80 44*, – . AE E VISA JCB.
Comida carta 1950 a 3000.

Las Villas, Dehesa de Campoamor - 11 km, 03192 Dehesa de Campoamor, (96) 532 00 05, – . AE E VISA.
Comida carta 2500 a 3300.

Don Sandy, 9,5 km, 03180 Torrevieja, (96) 532 12 17, – . AE E VISA.
cerrado 15 noviembre-15 diciembre – **Comida** carta 2650 a 4000.

TORRIJOS *45500 Toledo* 444 **M 17** – *9 522 h. alt. 529.*
Madrid 87 – Ávila 113 – Toledo 29.

Castilla, carret. de Toledo ☎ (925) 76 18 00, *Fax (925) 77 00 00,* – 25/250. AE E VISA.
Comida 1700 – 300 – **61 hab** 4500/6000.

El Mesón, carret. de Toledo ☎ (925) 76 04 00, *Fax (925) 76 08 56* – rest, – 25/400
44 hab.

Tinín, Puente 62 ☎ (925) 76 11 65 – AE E VISA.
cerrado miércoles y 15 agosto-2 septiembre – **Comida** carta 2400 a 3200.

Pour voyager rapidement, utilisez les ***cartes Michelin "Grandes Routes":***
970 Europe, 976 République Tchèque-République Slovaque, 980 Grèce, 984 Allemagne, 985 Scandinavie-Finlande, 986 Grande-Bretagne-Irlande, 987 Allemagne-Autriche-Benelux, 988 Italie, 989 France, 990 Espagne-Portugal, 991 Yougoslavie.

When in a hurry use the ***Michelin Main Road Maps:***
970 Europe, 976 Czech Republic-Slovak Republic, 980 Greece, 984 Germany, 985 Scandinavia-Finland, 986 Great Britain and Ireland, 987 Germany-Austria-Benelux, 988 Italy, 989 France, 990 Spain-Portugal *and* ***991 Yugoslavia.***

TORROELLA DE MONTGRÍ *17257 Gerona* 443 **F 39** – *6 723 h. alt. 20.*
Ver : *Castillo ★★.*
Empordá, S : 1,5 km ☎ (972) 76 04 50 Fax (972) 75 71 00.
av. Lluís Companys 51 ☎ (972) 75 83 00.
Madrid 740 – Barcelona 127 – Gerona/Girona 31.

Coll sin rest, carret. de Estartit ☎ (972) 75 81 99, *Fax (972) 75 85 12,* –
24 hab.

en la playa de La Gola *SE : 7,5 km – ✉ 17257 Torroella de Montgrí :*

Picasso, carret. de Pals y desvío a la izquierda ☎ (972) 75 75 72, *Fax (972) 76 11 00,* – rest, . AE E VISA
cerrado enero y febrero – **Comida** *(cerrado miércoles)* 1650 – **20 hab** 3000/5500.

TORTOSA *43500 Tarragona* 443 **J 31** – *29 717 h. alt. 10.*
Ver : *Catedral★★* BY – *Palacio Episcopal★ : capilla gótica★* BY – *Reales Colegios de Tortosa★ (Colegio Sant Lluís★ patio★★)* CY – *Llotja de Mar★* BZ – *Iglesia de Sant Domingo (Arxiu d'Història Comarcal de les Terres de l'Ebre★)* CY.
pl. del Bimil.lenari por ② ☎ (977) 51 08 22.
Madrid 486 ① – Castellón de la Plana/Castelló de la Plana 123 ③ – Lérida/Lleida 129 ① – Tarragona 83 ③ – Zaragoza 204 ①

Planos páginas siguientes

Parador de Tortosa , Castillo de la Zuda ☎ (977) 44 44 50, *Fax (977) 44 44 58,* – – 25/150. AE E VISA JCB. CY
Comida 3500 – 1300 – **79 hab** 12000/15000, 3 suites.

Corona Plaça, pl. Corona de Aragón ☎ (977) 58 04 33, *Fax (977) 58 04 28,* – – 25/200. AE E VISA. AV b
Comida 1500 – 800 – **72 hab** 6500/8000, 30 apartamentos – PA 3800.

Tortosa Parc sin rest. con cafetería por la noche, Comte de Bañuelos 10 ☎ (977) 44 61 12, *Fax (977) 44 61 12* – . AE E VISA BZ a
500 – **84 hab** 2500/4400.

Rosa, Marqués de Bellet 13 ☎ (977) 44 20 01 – . AE E VISA. BZ e
cerrado lunes, martes mediodía, del 1 al 9 de julio y 11 septiembre-1 octubre – **Comida** carta 2100 a 3000.

El Parc, av. Generalitat ☎ (977) 44 48 66, *Fax (977) 51 11 19,* « En un parque » – . AE E VISA JCB. BZ v
Comida carta 2300 a 4275.

TORTOSA

Agustí Querol (Pl.) . . . . . . BY 3
Alacant . . . . AY 4
Alfara de Carles . . . . ABY 6
Alfons XII (Pl.) . . . . BZ 7
Ángel (Pl. de l') . . . . BY 8
Bisbe Aznar . . . . BY 9
Cabrera Grignon (Pl. de) . BZ 12
Canonge Macip . . . . ABZ 13
Capellans (Costa dels) . . . BY 15
Capellans (Carreró dels) CY 17
Castell (Costa) . . . . CY 18
Ciutat . . . . BY 20
Comte Banyuelos . . . . . . BZ 21
Constitució (Pl.) . . . . BY 23
Cruera . . . . BY 27
Emili Sanz (Pl.) . . . . BZ 29
Escorxadors (Pl. dels) . . . BY 30
Espanya (Pl. d') . . . . BZ 32
Felip Neri . . . . CY 33
Francesc Pizarro . . . . AY 34
Hernán Cortés . . . . AY 35
Historiador Cristòfol
Despuig . . . . BZ 36
Immaculada Concepció . CV 37
Jerusalem (Trav.) . . . . CV 38
Joan Moreira Ramos
(Pas.) . . . . BZ 39
Joan Sebastián Elcano . . AY 40
Joaquim Bau Nolla (Pl.) . . AY 42
Jordi Besuldo i Terol . . . . AV 44
Major de Remolins . . . . . CV 45
Major de Sant Jaume . . . CV 47
Marqués de Bellet . . . . . . BZ 49
Mas de Barberans . . . . . . AZ 50
Mercaders . . . . BYZ 52
Mercè . . . . CY 54
Metge Vilà . . . . BZ 56
Naprons . . . . BZ 57
Paiolet (Pl.) . . . . BY 59
Pau (Pl. de la) . . . . BZ 61
Pere Alberni . . . . BY 62
Pintor Gimeno . . . . BY 64
Providència . . . . CY 65
Puríssima . . . . CY 67
Ramon Berenguer IV . . . BCZ 68
Ronda (Pas.) . . . . CY 70
Rosa . . . . BY 71
Sant Blai (Pda de) . . . . . . BZ 73
Sant Domènec . . . . CY 74
Sant Francesc . . . . CYZ 75
Sant Francesc (Pda de) . . BY 76
Sant Jaume (Pl. de) . . . . BCY 78
Sant Jaume (Ratila de) . . BY 80
Sant Joan Bta.
de la Salle . . . . CZ 81
Santa Teresa . . . . BZ 83
Tamarit i Gil . . . . AV 85
Teodor González
Cabanes . . . . BZ 86

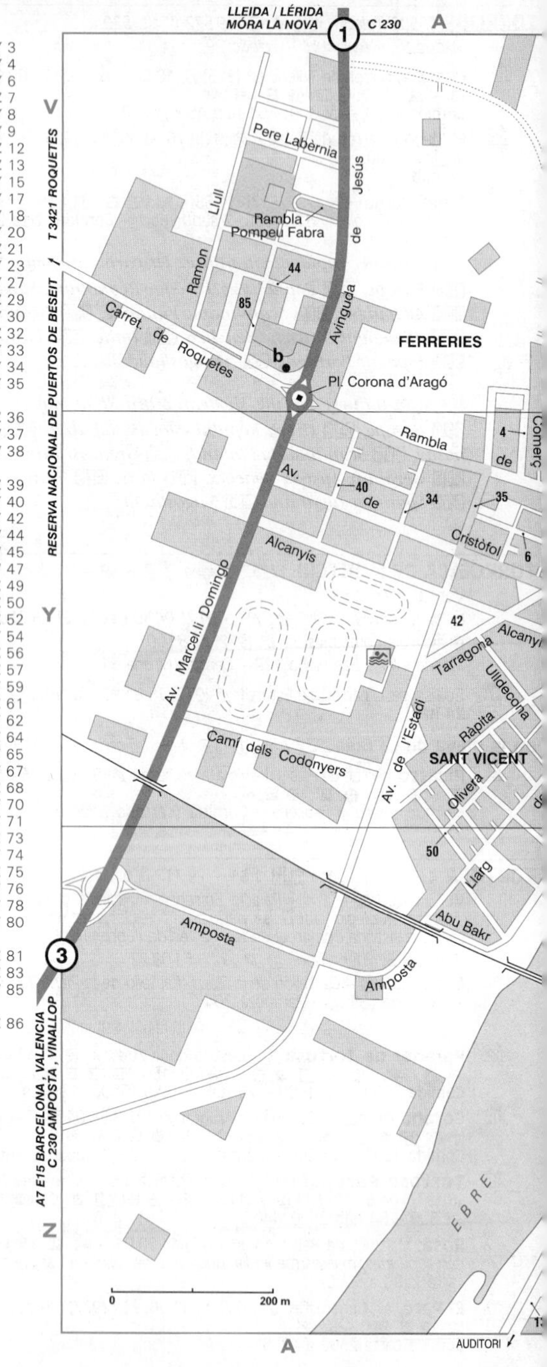

B
BENIFALLET
T 3010
C
Portal de Remolins
Pasqual Roca
Pedrell
Trav. del Mur
REMOLINS
V
Sol
Felip
38
45
Jaume
Tió
Noe
de
Benifallet
37
Rambla
Rasquera
SANT JAUME
47
EBRE
JARDINS DEL PRÍNCEP
Trav. del Migdia
Escorxador Municipal
78
70
Castell de la Suda
Anna
80
18
REIALS COL.LEGIS
30
Sta
17
Catalunya
62
15
CATEDRAL
St Domingo
18
PALAU EPISCOPAL
33
65
6
Castelló
Colom
74
Callau
FORT DEL BONET
Y
27
Vicent
l'Ebre
54
Vall
Pl.Mossèn Sol
71
del
Pedrell
20
Pl. Pius XII
Pont de l'Estat
Nou
59
Montcada
9
Sant
de
Felip
67
Convent Sta Clara
3
64
23
FORT DE LA VICTÒRIA
75
8
52
76
Generalitat
52
de
73
Passeig
61
83
56
St
la
H
57
FORT DEL CARME
32
Av.
Blai
29
Simpàtica
12
36
Lleida
de
86
Miguel
86
Argentina
68
Carret.
Av.
68
P
7
de
Z
LLOTJA DE MAR
Ronda
Genovesos
81
EIXAMPLE ANTIC
de
de
36
Reus
Cervantes
Av.
P
Carret.
Seminari
Av.
49
PARC MUNICIPAL TEODOR GONZÁLEZ
de
e
Ronda
V
la
39
EIXAMPLE
a
21
dels
Vicenç Garcia
Poeta
13
Generalitat
Rosselló
Rosselló
Docs
B
2
C 237 L'ALDEA , PARQUE NATURAL DEL EBRO
A7 E15 BARCELONA , VALENCIA
C

TOSAS (Puerto de) o **TOSES (Port de)** *17536 Gerona* 443 E 36 – *148 h. alt. 1 800.*
Ver : ≤★.
Madrid 679 – Gerona/Girona 131 – Puigcerdá 26.

La Collada, carret. N 152 - alt. 1 800 ℘ (972) 89 21 00, *Fax (972) 89 20 47,* ≤ valle y montañas, climatizada – ☎ Ⓟ. E VISA. ✂
Comida *(cerrado jueves y del 1 al 20 de noviembre)* 1800 – ☕ 550 – **30 hab** 4500/8500.

TOSSA DE MAR *17320 Gerona* 443 G 38 – *3 406 h. – Playa.*
Ver : *Localidad veraniega★, Vila Vella★, Museo Municipal★.*
Alred. : *Recorrido en cornisa★★ de Tossa de Mar a LLoret de Mar 11 km por ②.*
ℹ *av. Pelegrí 25 - edificio Terminal* ℘ *(972) 34 01 08 Fax (972) 34 07 12.*
Madrid 707 ③ – Barcelona 79 ③ – Gerona/Girona 39 ①

TOSSA DE MAR

Costa Brava (Av. de la) .... AY 2
La Guàrdia .... AZ 6
Portal .... BZ 16
Pou de la Vila .... ABZ 17
Socors .... ABZ 24

Estolt .... AZ 4
Ferran Agulló (Av.) .... AY 5
La Palma (Av. de) .... BY 10
Mar (Passeig del) .... BZ 12
María Auxiliadora .... AYZ 13
Pelegrí (Av. del) .... AZ 15
Puerto Rico (Av. de) .... AY 18
Sant Antoni .... AZ 19
Sant Josep .... AZ 20

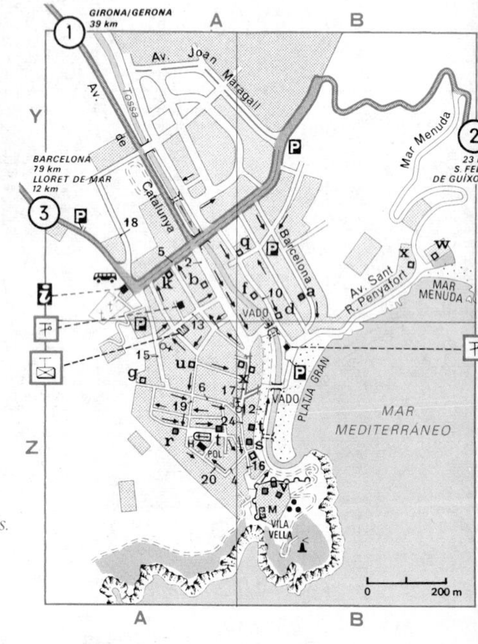

Para el buen uso de los planos de ciudades, consulte los signos convencionales.

Pour un bon usage des plans de villes, voir les signes conventionnels.

For maximum information from town plans, consult the conventional signs key.

G.H. Reymar , platja de Mar Menuda ℘ (972) 34 03 12, *Fax (972) 34 15 04,* ≤, , , , ✂ – ☎ – 🏊 25/175. AE ⓓ E VISA JCB. ✂ rest BY x
mayo-octubre – **Comida** 4200 – ☕ 1550 – **156 hab** 11000/25400, 10 apartamentos.

Mar Menuda , platja de Mar Menuda ℘ (972) 34 10 00, *Fax (972) 34 00 87,* ≤, , « Terraza con arbolado », , ✂ – ☎ Ⓟ. AE ⓓ E VISA. ✂ rest BY w
marzo-7 enero – **Comida** *(21 marzo-septiembre)* carta 3000 a 5200 – ☕ 1300 – **50 hab** 6200/10500.

Florida, av. de la Palma 12 ℘ (972) 34 03 08, *Fax (972) 34 09 53* – TV ☎ Ⓟ. AE ⓓ E VISA. ✂ BY d
14 marzo-9 diciembre – **Comida** 2100 – ☕ 750 – **50 hab** 6560/11100 – PA 3650.

Sant March sin rest, av. del Pelegrí 2 ℘ (972) 34 00 78, *Fax (972) 34 25 34,* – Ⓟ. AE E VISA AZ u
mayo-septiembre – ☕ 450 – **29 hab** 4800/8800.

Neptuno , La Guàrdia 52 ℘ (972) 34 01 43, *Fax (972) 34 19 33,* , – , rest,. ⓓ E VISA. ✂ rest AZ g
abril-octubre – **Comida** 850 – **124 hab** ☕ 4500/8000 – PA 1600.

Avenida, av. de la Palma 5 ℘ (972) 34 07 56, *Fax (972) 34 22 70* – TV ☎. AE E VISA. ✂ rest BY f
Semana Santa-octubre – **Comida** 1800 – ☕ 600 – **50 hab** 4000/8000 – PA 3300.

Capri sin rest, passeig del Mar ✆ (972) 34 03 58, *Fax (972) 34 15 52* – AE E VISA BZ s
marzo-octubre – **22 hab** 6000/9000.

Corisco sin rest, Pou de la Vila 8 ✆ (972) 34 01 74, Telex 56317, *Fax (972) 34 07 12*, – . E VISA BZ x
abril-octubre – 825 – **28 hab** 5500/9600.

Simeón sin rest, Dr. Trueta 1 ✆ (972) 34 00 79, *Fax (972) 34 14 98* – . VISA. BZ x
15 abril-15 octubre – 600 – **38 hab** 6000/6500.

Mar Bella sin rest, av. Costa Brava 21 ✆ (972) 34 13 63, *Fax (972) 34 13 63* – AE E VISA AY b
mayo-septiembre – 500 – **36 hab** 3750/7500.

Canaima sin rest, av. de la Palma 24 ✆ (972) 34 09 95, *Fax (972) 34 26 26* BY q
junio-agosto – 500 – **17 hab** 5200.

Horta Rosel sin rest, Pola 29 ✆ (972) 34 04 32 – AY k
junio-septiembre – 400 – **29 hab** 3500/4500.

Es Molí, Tarull 5 ✆ (972) 34 14 14, , « Bajo los porches de un patio ajardinado » – . AE E VISA JCB AZ r
cerrado martes (15 septiembre-15 junio) y diciembre-febrero – **Comida** carta 2950 a 4975.

Castell Vell, pl. Roig i Soler 2 ✆ (972) 34 10 30, , « Conjunto de estilo regional en el recinto de la antigua ciudad amurallada » – AE E VISA. BZ v
Semana Santa-octubre – **Comida** *(cerrado lunes)* carta 3940 a 5650.

Taverna de l'abat Ramon, Pintor Vilallonga 1 ✆ (972) 34 07 08, – . AE E VISA. BZ v
Semana Santa-septiembre – **Comida** carta aprox. 3900.

Can Tonet, pl. de l'Església 2 ✆ (972) 34 05 11, – . AE E VISA. AZ t
cerrado lunes (marzo-mayo) y 16 noviembre-febrero – **Comida** carta 2375 a 3615.

Tursia, Barcelona 3 - edificio Sa Carbonera ✆ (972) 34 15 00, – AE E VISA BY a
mayo-octubre – **Comida** carta 2450 a 4100.

Bahía, passeig del Mar 19 ✆ (972) 34 03 22, *Fax (972) 34 03 22*, – . AE E VISA. BZ s
Comida carta 1875 a 3300.

Santa Marta, Francesc Aromir 2 ✆ (972) 34 04 72, *Fax (972) 34 27 57*, , « Dentro del recinto amurallado » – . AE E VISA BZ v
16 marzo-15 octubre – **Comida** carta 2500 a 3425.

Victoria, passeig del Mar 23 ✆ (972) 34 01 66, *Fax (972) 34 01 66*, – . AE E VISA JCB BZ t
febrero-noviembre – **Comida** carta 2200 a 4845.

TOTANA *30850 Murcia* 445 S 25 – *20 288 h. alt. 232.*
Madrid 440 – Cartagena 63 – Lorca 20 – Murcia 45.

Plaza sin rest, pl. Constitución 5 ✆ (968) 42 31 12, *Fax (968) 42 25 30* – . AE E VISA.
350 – **12 hab** 4300/6500.

Mariquita II, Cánovas del Castillo 12 ✆ (968) 42 44 05 – .

TOX *33793 Asturias* 441 B 10.
Madrid 558 – Avilés 75 – Luarca 11 – Gijón 98 – Lugo 132 – Oviedo 106.

Villa Borinquen sin rest, ✆ (98) 564 82 20, *Fax (98) 564 82 22*, – . E VISA.
cerrado enero – 800 – **11 hab** 9500/10000.

TOXA (Illa da) *Pontevedra – ver La Toja (Isla de).*

TRAGACETE *16150 Cuenca* 444 K 24 – *345 h. alt. 1 283.*
Alred. : *Nacimiento del río Cuervo★ (cascadas★) N : 12 km.*
Madrid 235 – Cuenca 71 – Teruel 89.

Hospedería Real del Júcar , Muñoz Grandes 7 ✆ (969) 28 92 05, *Fax (969) 28 92 04* –
25 hab.

Serranía , Fernando Royuela 2 ✆ (969) 28 90 19 –
cerrado 25 diciembre-febrero – **Comida** 1700 – 400 – **24 hab** 3000/5000.

Júcar , Fernando Royuela 1 ✆ (969) 28 91 47, *Fax (969) 28 90 18* – rest. E VISA.
cerrado diciembre – **Comida** 1500 – 500 – **18 hab** 4500/6500.

TRASVÍA *Santander – ver Comillas.*

TREDÓS *Lérida – ver Salardú.*

TREMP *25620 Lérida* 443 **F 32** *– 6 514 h. alt. 432.*
Ver : *Iglesia de Santa María (Santa María de Valldeflors★).*
Alred. : *Pantano de Sant Antoni★ E : carretera a Coll de Nargó (collado de Bòixols★★).*
Excurs. : *N : Vall Fosca★ – NE : Desfiladero de Collegats★★ (roca de l'Argenteria★).*
pl. de la Creu 1 (973) 65 00 09 Fax (973) 65 20 36.
Madrid 546 – Huesca 156 – Lérida/Lleida 93.

Siglo XX, pl. de la Creu 8 (973) 65 00 00, *Fax (973) 65 26 12,* – . E VISA. rest
Comida 1200 – 500 – **50 hab** 3600/5500 – PA 3050.

Alegret, pl. de la Creu 30 (973) 65 01 00, *Fax (973) 65 17 28* – . E VISA
Comida 1200 – 350 – **25 hab** 2600/4500 – PA 2500.

TRES CANTOS *28760 Madrid* 444 **K 18** *– 22 301 h. alt. 802.*
Madrid 26.

Holiday Inn Express Madrid-Tres Cantos sin rest. con cafetería por la noche, parque empresarial Euronova (91) 803 99 00, *Fax (91) 803 59 99* – – 20/45. AE VISA JCB.
61 hab 10500.

Latores, av. de Viñuelas 17 (2ª fase) (91) 803 95 73, *Fax (91) 804 08 45,* – . AE VISA.
cerrado domingo y del 15 al 31 de agosto – **Comida** carta 1800 a 3100.

Trastevere, av. de Viñuelas 45 (2ª fase) (91) 804 18 89 –
Comida - cocina italiana.

TREVÉLEZ *18417 Granada* 446 **U 20** *– 823 h. alt. 1 476.*
Madrid 507 – Almería 130 – Granada 91 – Málaga 154.

en la carretera de Juviles *S : 4 km – 18416 Busquístar :*

Alcazaba de Busquístar , (958) 85 86 87, *Fax (958) 85 86 93,* , , « Conjunto de estilo alpujarreño », – rest, – 25/200. AE E VISA.
Comida 1500 – 400 – **44 apartamentos** 14000.

TRIGUEROS *21620 Huelva* 446 **T 9** *– 7 016 h. alt. 78.*
Madrid 612 – Huelva 19 – Sevilla 84.

Los Arcos 2, carret. N 435 (959) 30 52 11,
. AE E VISA.
Comida carta 2700 a 3650.

TRINTXERPE *Guipúzcoa – ver Pasajes de San Pedro.*

TRUJILLO *10200 Cáceres* 444 **N 12** *– 8 919 h. alt. 564.*
Ver : *Pueblo histórico★★. Plaza Mayor★★ (palacio de los Duques de San Carlos★, palacio del Marqués de la Conquista : balcón de esquina★) – Iglesia de Santa María★ (retablo★).*
pl. Mayor (927) 32 26 77.
Madrid 254 – Cáceres 47 – Mérida 89 – Plasencia 80.

Parador de Trujillo , pl. de Santa Beatriz de Silva 1 (927) 32 13 50, *Fax (927) 32 13 66,* « Instalado en el antiguo convento de Santa Clara » – – 25/90. AE E VISA JCB.
Comida 3500 – 1200 – **46 hab** 12400/15500.

Las Cigüeñas, av. de Madrid (927) 32 12 50, *Fax (927) 32 13 00,* – – 25/300
78 hab.

Pizarro, pl. Mayor 13 (927) 32 02 55 – . AE E VISA.
Comida - cocina regional - carta aprox. 3600.

Mesón La Cadena con hab, pl. Mayor 8 (927) 32 14 63 – . AE E VISA.
Comida carta aprox. 3500 – 600 – **8 hab** 5500.

junto a la autovía N V *SO : 6 km – 10200 Trujillo :*

La Majada, salida 259 (927) 32 11 88, *Fax (927) 32 03 49,* – . AE E VISA.
Comida carta 3100 a 4800.

TUDELA *31500 Navarra* 442 **F 25** – *26 163 h. alt. 275.*

Ver : *Catedral★ (claustro★★, portada del Juicio Final★, interior – capilla de Nuestra Señora de la Esperanza★).*

pl. Vieja 1 ☎ (948) 82 15 39 Fax (948) 82 15 39.

Madrid 316 – Logroño 103 – Pamplona/Iruñea 84 – Soria 90 – Zaragoza 81.

Tudela, av. de Zaragoza 56 ☎ (948) 41 08 02, *Fax (948) 41 09 72* – 25/130. AE VISA
Comida *(cerrado domingo noche)* carta 2450 a 3900 – 800 – **51 hab** 6300/7800.

NH Delta, av. de Zaragoza 29 ☎ (948) 82 14 00, *Fax (948) 82 14 00* – 25/40. AE VISA. rest
Noi *(cerrado domingo)* **Comida** carta 2800 a 3900 – 800 – **43 hab** 6100/7500.

Santamaría, San Marcial 14 ☎ (948) 82 12 00, *Fax (948) 82 12 00* – 25/200. AE VISA. rest
Comida *(cerrado sábado, domingo, festivos y agosto)* 2300 – 600 – **52 hab** 5500/8000.

Nueva Parrilla, Carlos III el Noble 6 ☎ (948) 82 24 00, *Fax (948) 82 25 45* – VISA JCB.
Comida 1400 – 600 – **22 hab** 4000/6600 – PA 3320.

Morase con hab, paseo de Invierno 2 ☎ (948) 82 17 00, *Fax (948) 82 17 04* – AE VISA. rest
cerrado 23 diciembre-6 enero – **Comida** *(cerrado domingo noche)* carta 3800 a 4900 – 1050 – **7 hab** 7900/8900.

33, Pablo Sarasate ☎ (948) 82 76 06, *Fax (948) 41 10 08* – AE VISA JCB.
cerrado domingo y del 1 al 20 de agosto – **Comida** carta aprox. 4100.

Choko, pl. de los Fueros 5 ☎ (948) 82 10 19 – AE VISA.
cerrado lunes salvo festivos – **Comida** carta 2300 a 4200.

Iruña, Muro 11 ☎ (948) 82 10 00 – AE VISA
cerrado jueves – **Comida** carta 2250 a 3500.

Mesón Julián, Merced 9 ☎ (948) 82 20 28 – .

en la carretera N 232 *SE : 3 km – ✉ 31512 Fontellas :*

Beethoven, ☎ (948) 82 52 60, *Fax (948) 82 52 60* – AE VISA.
cerrado domingo y agosto – **Comida** carta 3370 a 4350.

TUDELA DE DUERO *47320 Valladolid* 442 **H 16** – *4 842 h. alt. 701.*

Madrid 188 – Aranda de Duero 77 – Segovia 107 – Valladolid 16.

Jaramiel sin rest, carret. N 122 - NO : 1 km ☎ (983) 52 20 12, *Fax (983) 52 02 67,* – VISA.
400 – **21 hab** 3500/6000.

TUY o **TUI** *36700 Pontevedra* 441 **F 4** – *15 346 h. alt. 44.*

Ver : *Emplazamiento★, Catedral★ (portada★).*

Puente Tripes - av. de Portugal ☎ (986) 60 17 89.

Madrid 604 – Orense/Ourense 105 – Pontevedra 48 – Porto 124 – Vigo 29.

Parador de Tuy , ☎ (986) 60 03 00, *Fax (986) 60 21 63,* « Reproducción de una casa señorial gallega », – AE VISA JCB.
Comida 3500 – 1300 – **29 hab** 12000/15000, 1 suite.

Colón Tuy, Colón 11 ☎ (986) 60 02 23, *Fax (986) 60 03 27,* – 25/100. AE VISA.
Comida *(cerrado domingo)* 1200 – 600 – **45 hab** 6200/10500.

O Cabalo Furado, pl. Generalísimo ☎ (986) 60 12 15, *Fax (986) 60 12 15* – AE VISA.
cerrado domingo de julio-octubre, domingo noche y lunes resto del año, del 15 al 30 de junio y 23 diciembre-7 enero – **Comida** carta 2450 a 3450.

ÚBEDA *23400 Jaén* 446 **R 19** – *31 962 h. alt. 757.*

Ver : *Barrio Antiguo★★ : plaza Vázquez de Molina★★* BZ *, iglesia de El Salvador★★ (sacristía★★, interior★)* BZ *– Iglesia de Santa María (capilla★, rejas★)* BZ *– Iglesia de San Pablo (capillas★)* BY.

av. Cristo Rey 2 ☎ (953) 75 08 97 Fax (953) 75 08 97.

Madrid 323 – Albacete 209 – Almería 227 – Granada 141 – Jaén 57 – Linares 27 – Lorca 277.

Plano página siguiente

Parador de Úbeda , pl. Vázquez Molina ☎ (953) 75 03 45, *Fax (953) 75 12 59,* « Instalado en un palacio del siglo XVI » – 25/90. AE VISA JCB. BZ C
Comida 3500 – 1200 – **31 hab** 14000/18000 – PA 6970.

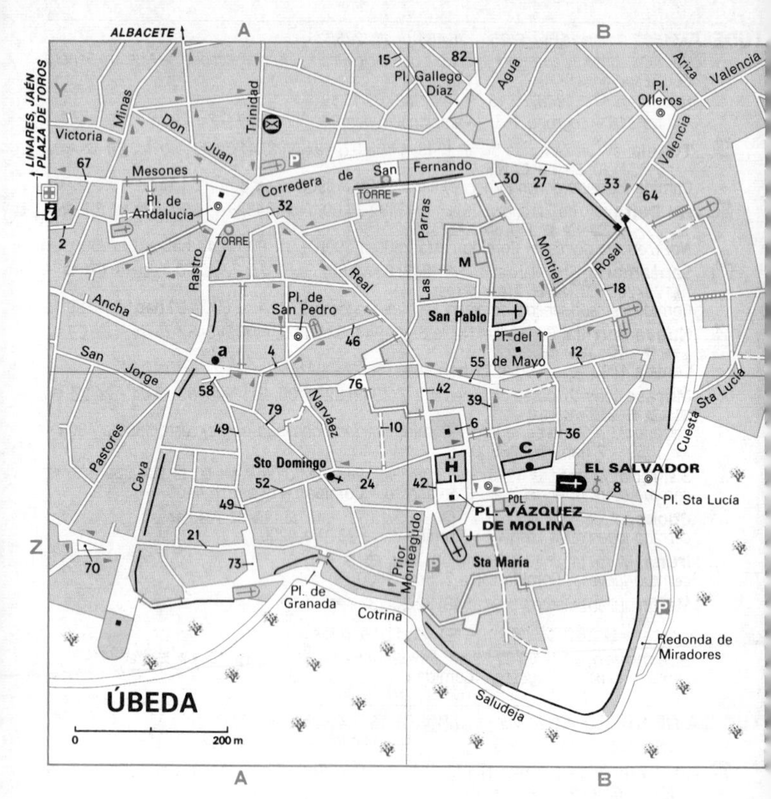

Corredera de S. Fernando . ABY
Mesones . . . . AY
Real . . . . AY

Alaminos . . . . AY 2
Antonio Medina . . . . AY 4
Ayuntamiento (Pl.) . . . . BZ 6
Baja del Salvador . . . . BZ 8
Baja Marqués . . . . AZ 10
Beltrán de la Cueva . . . . . BY 12
Campanario . . . . AY 15
Carmen . . . . BY 18
Condestable Dávalos . . . . . AZ 21
Corazón de Jesús . . . . AZ 24
Cruz de Hierro . . . . BY 27
Descalzas (Pl.) . . . . BY 30
Doctor Quesada . . . . AY 32
Fuente Seca . . . . BY 33
Horno Contador . . . . BZ 36
Juan González . . . . BZ 39
Juan Montilla . . . . BZ 42
Juan Pasquau . . . . AY 46
Jurado Gómez . . . . AZ 49
Luna y Sol . . . . AZ 52
María de Molina . . . . BYZ 55
Marqués (Pl. del) . . . . AZ 58
Merced (Cuesta de la) . . . . BY 64
Obispo Cobos . . . . AY 67
San Francisco (Pl.) . . . . AZ 70
San Lorenzo (Pl.) . . . . AZ 73
Santa Clara (Pl. de) . . . . . . AZ 76
Santo Domingo . . . . AZ 79
Trillo . . . . BY 82

Meliá Confort Ciudad de Úbeda, antigua carret. de circunvalación (953) 79 10 11, *Fax (953) 79 10 12*, – – 25/450. por Obispo Cobos AY
Comida 1900 – 850 – **62 hab** 9500/11900, 4 suites – PA 4400.

Palacio de la Rambla sin rest, pl. del Marqués 1 (953) 75 01 96, *Fax (953) 75 02 67*, « Antiguo palacete con mobiliario de época » – . . AY a
cerrado 15 julio-15 agosto – **8 hab** 10000/14000.

La Paz sin rest, Andalucía 1 (953) 75 21 40, *Fax (953) 75 08 48* – – 25/40. por Minas AY
450 – **46 hab** 4600/6800.

Dos Hermanas sin rest, Risquillo Bajo 1 (953) 75 21 24, *Fax (953) 79 13 15* – . . por Minas AY
500 – **30 hab** 3075/4915.

Victoria sin rest y sin , Alaminos 5 (953) 75 29 52 – . .
15 hab 2600/4600. por Alaminos AY

Cusco, parque de Vandelvira 8 (953) 75 34 13 – . . .
cerrado domingo noche – **Comida** carta 2750 a 3550. por Obispo Cobos AY

ULLASTRET *17133 Gerona* 443 **F 39** – *256 h. alt. 49.*
Madrid 731 – Gerona/Girona 23 – Figueras/Figueres 40 – Palafrugell 16.

Iberic, Valls 5 ☎ (972) 75 71 08 – ▤.

ULLDECONA *43550 Tarragona* 443 **K 31** – *5 032 h. alt. 134.*
Madrid 510 – Castellón de la Plana/Castelló de la Plana 88 – Tarragona 104 – Tortosa 30.

Bon Lloc con hab, carret. de Vinaroz ☎ (977) 72 02 09, – ▤ rest, TV P. E VISA.
cerrado del 15 al 30 de septiembre – **Comida** *(cerrado domingo noche y lunes)* carta 1600 a 2750 – ▭ 400 – **8 hab** 2500/4500 – PA 2600.

URDAX o URDAZUBI *31711 Navarra* 442 **C 25** – *459 h. alt. 95.*
Madrid 475 – Bayonne 26 – Pamplona/Iruñea 80.

La Koska, San Salvador 3 ☎ (948) 59 90 42, « Decoración rústica » – P. AE E VISA
Comida carta 2900 a 3900.

URQUIOLA o URKIOLA (Puerto de) *48211 Vizcaya* 442 **C 22** – *alt. 700.*
Madrid 386 – Bilbao/Bilbo 40 – San Sebastián/Donostia 79 – Vitoria/Gasteiz 31.

Bizkarra con hab, ☎ (94) 681 20 26, – P. AE E VISA.
cerrado 24 diciembre-9 enero – **Comida** *(cerrado lunes)* carta aprox. 3750 – ▭ 450 – **4 hab** 2000/2500.

USURBIL *20170 Guipúzcoa* 442 **C 23** – *alt. 27.*
Madrid 485 – Bilbao/Bilbo 97 – Pamplona/Iruñea 88 – San Sebastián/Donostia 8.

por la carretera de Bilbao *O : 3 km y desvío a la izquierda 0,5 km – ✉ 20170 Usurbil :*

Saltxipi, Txoko Alde 23 ☎ (943) 36 11 27, *Fax (943) 36 55 54,* « Decoración regional » – ▤ P. AE E VISA.
cerrado domingo noche, lunes, del 13 al 26 de abril y del 1 al 15 de noviembre – **Comida** carta 4400 a 6200.

UTEBO *50180 Zaragoza* 443 **G 27** – *7 766 h.*
Madrid 334 – Pamplona/Iruñea 157 – Zaragoza 13.

en la antigua carretera N 232 *O : 2 km – ✉ 50180 Utebo :*

El Águila, ☎ (976) 77 03 14, *Fax (976) 77 11 05* – ▤ TV ☎ P – 25/200. AE E VISA. rest
Comida 1300 – ▭ 450 – **50 hab** 4450/7200 – PA 3000.

en la carretera N 232 *SE : 2,5 km – ✉ 50180 Utebo :*

Las Ventas, ☎ (976) 77 04 82, *Fax (976) 77 04 82,* – ▤ TV ☎ P – 25/200. AE E VISA.
Comida *(cerrado domingo noche)* 1250 – ▭ 600 – **58 hab** 4600/7200.

UTIEL *46300 Valencia* 445 **N 26** – *11 392 h. alt. 720.*
Madrid 269 – Albacete 117 – Almansa 97 – Valencia 82.

El Carro, Héroes del Tollo 25 ☎ (96) 217 11 31 – ▤. AE E VISA.
cerrado domingo en verano, domingo noche y miércoles noche en invierno – **Comida** carta 3025 a 4275.

VACARISSES *08225 Barcelona* 443 **H 35** – *871 h. alt. 382.*
Madrid 595 – Barcelona 41 – Lérida/Lleida 130 – Manresa 22 – Tarrasa/Terrassa 10.

El Cingle, pl. Major ☎ (93) 835 96 42, *Fax (93) 835 96 42,* – ▤. AE E VISA
cerrado del 5 al 18 de agosto y del 27 al 31 de diciembre – **Comida** - sólo almuerzo de domingo a miércoles - carta 3200 a 5750.

VADILLOS *16892 Cuenca* 444 **K 23.**
Madrid 234 – Cuenca 70 – Teruel 164.

Caserío de Vadillos, av. San Martín de Porres ☎ (969) 31 32 39, *Fax (969) 31 32 01,* – TV P. E VISA.
Comida 1600 – ▭ 450 – **22 hab** 4700/6400 – PA 3100.

El Batán, carret. de Solán de Cabras - SE : 1 km ☎ (969) 31 31 42 – P.
junio-15 septiembre – **Comida** 1550 – ▭ 450 – **19 hab** 2000/4000 – PA 3000.

VADOCONDES *09491 Burgos* 442 **H19** – *493 h. alt. 831.*

Madrid 167 – Aranda de Duero 11 – Burgos 94 – Soria 101 – Valladolid 104.

Dos Escudos, carret. N 122 - SO : 1 km (947) 52 80 12 – rest, **17 hab.**

VALCARLOS *31660 Navarra* 442 **C 26** – *582 h. alt. 365.*

Madrid 464 – Pamplona/Iruñea 65 – St-Jean-Pied-de-Port 11.

Maitena con hab, Elizaldea (948) 79 02 10, *Fax (948) 79 02 10,* – rest,. VISA. rest

cerrado 10 enero-10 febrero – **Comida** carta 2500 a 3150 – 450 – **7 hab** 6000.

VALDELAGRANA *Cádiz – ver El Puerto de Santa María.*

VALDELATEJA *09145 Burgos* 442 **D 18** – *alt. 772.*

Madrid 293 – Bilbao/Bilbo 106 – Burgos 57 – Santander 95 – Vitoria/Gasteiz 128.

La Posada del Balneario , (947) 15 02 20, *Fax (947) 15 02 71,* « Bonito paraje junto al río Rudrón », – – 25/70. VISA.

cerrado 12 enero-12 febrero – **Comida** 1750 – 500 – **21 hab** 5800/8000 – PA 3800.

VALDEMORILLO *28210 Madrid* 444 **K 17** – *2 809 h.*

Madrid 45 – El Escorial 14 – Segovia 66 – Toledo 95.

Los Bravos, pl. de la Constitución 2 (91) 899 01 83, , « Decoración rústica » – . VISA.

cerrado lunes y del 10 al 28 de septiembre – **Comida** - sólo almuerzo salvo en verano - carta 3900 a 5800.

VALDEMORO *28340 Madrid* 444 **L 18** – *17 954 h.*

Madrid 27 – Aranjuez 21 – Toledo 53.

Rus sin rest y sin , Estrella de Elola 8 (91) 895 67 11, *Fax (91) 895 24 83* – **16 hab** 5000/7000.

Chirón, Alarcón 27 (91) 895 69 74, *Fax (91) 895 69 60* – . VISA.

Comida - sólo almuerzo salvo fines de semana - carta 3600 a 4300.

VALDEMOSA o **VALLDEMOSSA** *Baleares – ver Baleares (Mallorca).*

VALDEPEÑAS *13300 Ciudad Real* 444 **P 19** – *25 067 h. alt. 720.*

Alred. : *San Carlos del Valle★ (plaza Mayor★) NE : 22 km.*

Madrid 203 – Albacete 168 – Alcázar de San Juan 87 – Aranjuez 156 – Ciudad Real 62 – Córdoba 206 – Jaén 135 – Linares 96 – Toledo 153 – Úbeda 122.

en la autovía N IV – *13300 Valdepeñas :*

Sol Inn El Hidalgo, N : 7 km (926) 31 30 88, *Fax (926) 31 33 36,* « rodeada de césped », – – 25/150. VISA JCB. rest

Comida 2585 – 950 – **54 hab** 9500/11950 – PA 5100.

Vista Alegre, N : 3 km (926) 32 22 04, *Fax (926) 31 00 55* – . VISA

Comida carta aprox. 3600 – 350 – **17 hab** 4500/5500.

La Aguzadera, N : 4 km (926) 32 32 08, *Fax (926) 31 14 02,* , – . VISA.

cerrado domingo, lunes y martes – **Comida** - sólo almuerzo 15 septiembre-15 junio - carta 3100 a 3600.

VALDERROBRES *44580 Teruel* 443 **J 30** – *1 870 h.*

Madrid 421 – Lérida/Lleida 141 – Teruel 195 – Tortosa 56 – Zaragoza 141.

Querol, av. Hispanidad 14 (978) 85 01 92, *Fax (978) 85 01 92* – . VISA.

Comida *(cerrado domingo)* 1275 – 625 – **19 hab** 3500/5250 – PA 2700.

VALDEVIMBRE *24230 León* 441 **E 13** – *1 275 h. alt. 811.*

Madrid 332 – León 25 – Palencia 123 – Ponferrada 104 – Valladolid 133.

La Cueva del Cura, Cuesta de la Horca (987) 30 40 37, « Rest. típico en una cueva ».

VALENCIA

46000 **P** 445 **N 28** *y* **29** *- 777 427 h. alt. 13.*

Madrid 351 ④ - Albacete 183 ③ - Alicante/Alacant (por la costa) 174 ③ - Barcelona 361 ① - Bilbao/Bilbo 606 ① - Castellón de la Plana/Castelló de la Plana 75 ① - Málaga 651 ③ - Sevilla 682 ④ - Zaragoza 330 ①.

OFICINAS DE TURISMO

Pl. del Ayuntamiento 1, ✉ 46002. ☎ (96) 351 04 17, av. Cataluña 5, ✉ 46010, ☎ (96) 369 79 32, Paz 48, ✉ 46003, ☎ (96) 394 22 22 y Xàtiva 24 (Estación del Norte), ✉ 46007, ☎ (96) 352 85 73.

R.A.C.E. *(R.A.C. de Valencia) Av. Regne de València 64 ✉ 46005. ☎ (96) 374 94 05, Fax (96) 373 71 06.*

INFORMACIONES PRÁCTICAS

9 *Manises por ④ : 12 km ☎ (96) 152 38 04.*
18 *Club Escorpión NO : 19 km por carretera de Liria ☎ (96) 160 12 11.*
18 *El Saler (Parador Luis Vives) por ② : 15 km ☎ (96) 161 11 86.*

de Valencia-Manises por ④ : 9,5 km ☎ (96) 370 95 00 - Iberia : Paz 14, ✉ 46003, ☎ (96) 352 75 52 EFY.

para Baleares : Cia. Trasmediterránea, Estación Maritima, ✉ 46024, ☎ (96) 367 65 12, Fax (96) 367 06 44 CV.

CURIOSIDADES

Ver : *La Ciudad Vieja★ : Catedral★ (El Miguelete★)* EX, *Palacio de la Generalidad★ (artesonado★ del Salón dorado)* EX **D** ; *Lonja★ (sala de la contratación★★, artesonado★ de la Sala del Consulado del Mar)* DY.

Otras curiosidades : *Museo de Cerármica★★ (Palacio del Marqués de Dos Aguas★)* EY **M¹** *- Museo San Pio V★ (primitivos valencianos★★)* FX *- Colegio del Patriarca o del Corpus Christi★ (triptico de la Pasión★)* EY **N** *- Torres de Serranos★* EX.

Meliá Valencia Palace, paseo de la Alameda 32, ✉ 46023, ☎ (96) 337 50 37, *Fax (96) 337 55 32*, ←, 🏋, 🏊 - 🛗 ▤ TV ☎ ♿ 🚗 - 🏛 25/800. AE ⓓ E VISA JCB. ✂ BU t
Comida carta 3500 a 4500 - ☕ 1500 - **183 hab** 25145/32960, 16 suites.

Meliá Rey Don Jaime, av. Baleares 2, ✉ 46023, ☎ (96) 337 50 30, *Fax (96) 337 15 72*, 🏊 - 🛗 ▤ TV ☎ 🅿 - 🏛 25/250. AE ⓓ E VISA. ✂ BU r
Comida 4000 - ☕ 1425 - **312 hab** 17430/21900, 2 suites - PA 7900.

Astoria Palace, pl. Rodrigo Botet 5, ✉ 46002, ☎ (96) 352 67 37, Telex 62733, *Fax (96) 352 80 78* - 🛗 ▤ TV ☎ ♿ - 🏛 25/500. AE ⓓ E VISA JCB. ✂ EY p
***Vinatea* : Comida** carta 4250 a 5750 - ☕ 1500 - **196 hab** 20500/25700, 7 suites.

Turia, Profesor Beltrán Baguena 2, ✉ 46009, ☎ (96) 347 00 00, *Fax (96) 347 32 44* - 🛗 ▤ TV ☎ 🚗 - 🏛 25/300. E VISA. ✂ AU r
Comida 3000 - ☕ 600 - **160 hab** 10000/14500, 10 suites - PA 6000.

Acteón Plaza, Islas Canarias 102, ✉ 46023, ☎ (96) 331 07 07, *Fax (96) 330 22 30*, 🏋 - 🛗 ▤ TV ☎ 🚗 - 🏛 25/400. AE E VISA. ✂ BUV a
Comida 2250 - ☕ 1400 - **182 hab** 18400/23000, 5 suites.

Mercure Conqueridor, Cervantes 9, ✉ 46007, ☎ (96) 352 29 10, *Fax (96) 352 28 83* - 🛗 ▤ TV ☎ 🚗 - 🏛 25/80. AE ⓓ E VISA. ✂ DZ b
Comida 2700 - ☕ 1400 - **55 hab** 13900/21800, 4 suites - PA 5600.

Dimar sin rest. con cafetería, Gran Vía Marqués del Turia 80, ✉ 46005, ☎ (96) 395 10 30, *Fax (96) 395 19 26* - 🛗 ▤ TV ☎ - 🏛 25/50. AE ⓓ E VISA JCB FZ q
☕ 1300 - **103 hab** 13200/21800, 1 suite.

Reina Victoria, Barcas 4, ✉ 46002, ☎ (96) 352 04 87, Telex 64755, *Fax (96) 352 04 87* - 🛗 ▤ TV ☎ - 🏛 25/75. AE ⓓ E VISA. ✂ EY s
Comida 3000 - ☕ 1200 - **94 hab** 12500/20000, 3 suites - PA 6120.

NH Center, Ricardo Micó 1, ✉ 46009, ☎ (96) 347 50 00, *Fax (96) 347 62 52*, 🏊 climatizada - 🛗 ▤ TV ☎ ♿ 🚗 - 🏛 25/400. AE ⓓ E VISA JCB. ✂ AU r
Comida 2500 - ☕ 1200 - **193 hab** 12000/14000, 3 suites - PA 6000.

NH Ciudad de Valencia, av. del Puerto 214, ✉ 46023, ☎ (96) 330 75 00, *Fax (96) 330 98 64* - 🛗 ▤ TV ☎ 🚗 - 🏛 30/80. AE ⓓ E VISA JCB. ✂ BU d
Comida 2800 - ☕ 1000 - **147 hab** 11500/13000, 2 suites.

NH Abashiri, av. Ausias March 59, ✉ 46013, ☎ (96) 373 28 52, *Fax (96) 373 49 66* - 🛗 ▤ TV ☎ 🚗 - 🏛 30/250. AE ⓓ VISA JCB. ✂ BV e
Comida 3800 - ☕ 1000 - **105 hab** 9500/11500.

NH Villacarlos sin rest, av. del Puerto 60, ✉ 46023, ☎ (96) 337 50 25, *Fax (96) 337 50 74* - 🛗 ▤ TV ☎ 🚗. AE ⓓ E VISA JCB. ✂ BU e
☕ 1000 - **51 hab** 11500.

Cónsul del Mar, av. del Puerto 39, ✉ 46021, ☎ (96) 362 54 32, *Fax (96) 362 16 25*, « Antigua casa señorial » - 🛗 ▤ TV ☎ 🅿. AE ⓓ VISA BU e
Comida 1250 - ☕ 800 - **45 hab** 16000 - PA 3300.

Ad-Hoc, Boix 4, ✉ 46003, ☎ (96) 391 91 40, *Fax (96) 391 36 67*, « Bonito edificio del siglo XIX » - 🛗 ▤ TV ☎. AE ⓓ E VISA FX a
Comida (ver rest. ***Chust Godoy***) - ☕ 815 - **28 hab** 11650/16400.

Renasa sin rest. con cafetería, av. de Cataluña 5, ✉ 46010, ☎ (96) 369 24 50, *Fax (96) 393 18 24* - 🛗 ▤ TV ☎ - 🏛 25/75. AE ⓓ E VISA BU x
69 hab ☕ 7000/11500, 4 suites.

Expo H., av. Pío XII-4, ✉ 46009, ☎ (96) 347 09 09, Telex 63212, *Fax (96) 348 31 81*, 🏊 - 🛗 ▤ TV ☎ - 🏛 25/500. AE ⓓ E VISA JCB. ✂ AU e
Comida 3000 - ☕ 950 - **400 hab** 13200/16500.

Serrano, General Urrutia 48, ✉ 46013, ☎ (96) 334 78 00, *Fax (96) 334 78 01*, 🚫 - 🛗 ▤ TV ☎ 🚗 🅿 - 🏛 25/300. AE ⓓ E VISA. ✂ BV s
Comida carta aprox. 3000 - ☕ 950 - **105 hab** 10400/12500.

Llar sin rest, Colón 46, ✉ 46004, ☎ (96) 352 84 60, *Fax (96) 351 90 00* - 🛗 ▤ TV ☎ - 🏛 25/30. AE ⓓ E VISA FZ u
☕ 900 - **50 hab** 10000/12500.

Mediterráneo sin rest, Barón de Cárcer 45, ✉ 46001, ☎ (96) 351 01 42, *Fax (96) 351 01 42* - 🛗 ▤ TV ☎. AE ⓓ E VISA JCB DY a
☕ 700 - **34 hab** 7500/11200.

Sorolla sin rest y sin ☕, Convento de Santa Clara 5, ✉ 46002, ☎ (96) 352 33 92, *Fax (96) 352 14 65* - 🛗 ▤ TV ☎. AE ⓓ E VISA EZ z
50 hab 6500/11300.

Chambelán, Chile 4, ✉ 46021, ☎ (96) 393 37 74, *Fax (96) 393 37 72* - ▤. AE ⓓ E VISA. ✂ BU b
cerrado domingo, Semana Santa y agosto - **Comida** carta 3550 a 5100.

Eladio, Chiva 40, ✉ 46018, ☎ (96) 384 22 44, *Fax (96) 384 22 44* - ▤. AE ⓓ E VISA. ✂ AU a
cerrado domingo y agosto - **Comida** carta 2950 a 4650.

VALENCIA

Alcade Reig	BV	3
Ángel Guimerà	AU	4
Burjassot (Av. de)	AU	6
Campanar (Av.)	AU	7
Cataluña (Av. de)	BU	9
Cavanilles	BU	10
Constitución (Av. de la)	BU	12
Doctor Peset Alexandre (Av.)	BU	13
Fernando el Católico (G. Vía)	AU	15
Filipinas	BV	16
Gaspar Aguilar (Av. de)	AV	18
General Avilés (Av.)	AU	19
Giorgeta (Av.)	AV	21
Guadalaviar	BU	22
Ingeniero Manuel Soto (Av.)	CV	24
José Soto Mico	AV	25
Liano de la Zaidia	BU	27
Maestro Rodrigo (Av.)	AU	28
Manuel de Falla (Av.)	AU	30
Menéndez Pidal (Av.)	AU	31
Moreras (Camino)	CV	33
Pérez Galdós (Av. de)	AU	34
Peris y Valero (Av. de)	BV	36
Primado Reig (Av. del)	BU	37
San José de Calasanz	AU	39
San Vincente Mártir (Av.)	AV	40
Tirso de Molina (Av.)	AU	42
9 de Octubre	AU	43

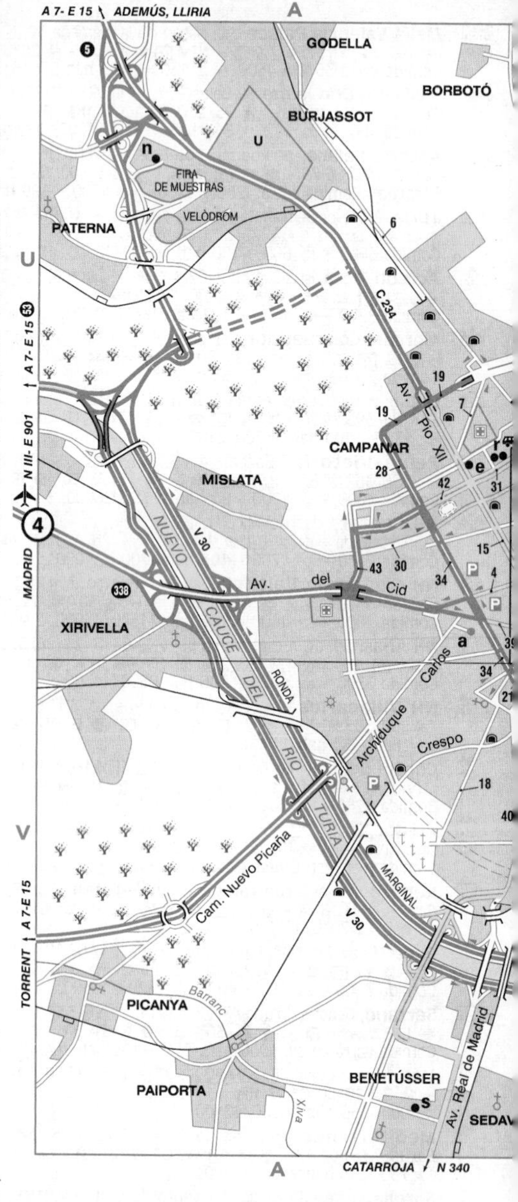

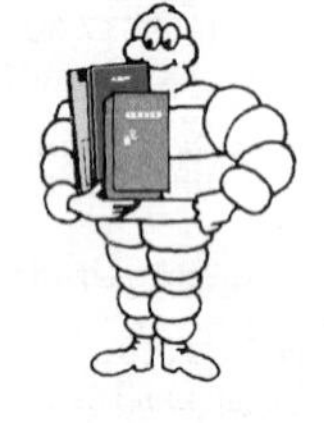

*Un Consejo **Michelin** :*

*Para que sus viajes sean un éxito, prepárelos de antemano. Los **mapas** y las **guías Michelin** le proporcionan todas las indicaciones útiles sobre : itinerarios, visitas de curiosidades, alojamiento, precios, etc...*

XXX ✿ **Óscar Torrijos,** Dr. Sumsi 4, ✉ 46005, ✆ (96) 373 29 49 – ▤. AE ⓓ E VISA. ✂
cerrado domingo salvo festivos o vísperas y 15 agosto-15 septiembre – **Comida** 4500 carta 4600 a 5900
Espec. Ravioli de rabo de buey y foie con crujiente de manchego y salsa de trufas (octubre-abril). Ensalada templada de vieiras y setas (octubre-abril). Crêpes rellenas de arroz con leche caramelizadas y fruta confitada.

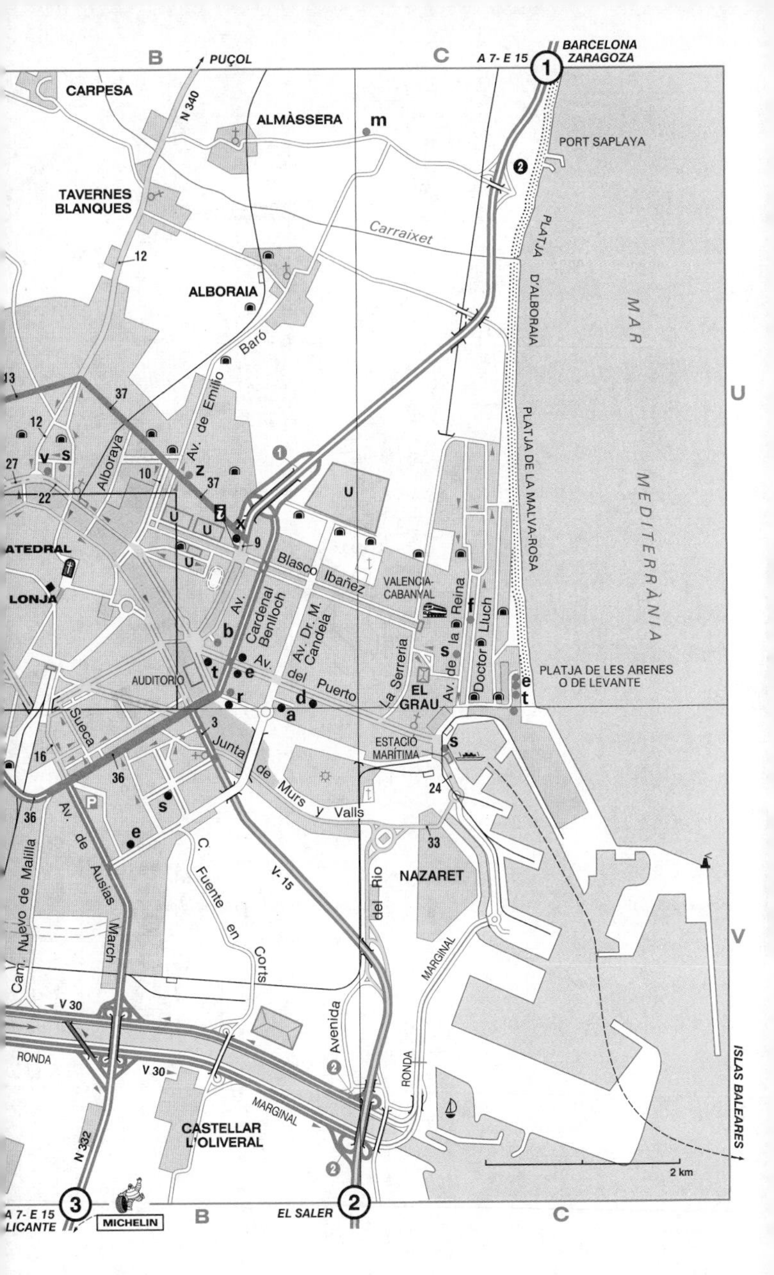

Rías Gallegas, Cirilo Amorós 4, ✉ 46004, ✆ (96) 352 51 11, *Fax (96) 351 99 10* – ▤ EZ r

cerrado domingo y 2ª y 3ª semanas de agosto – **Comida** 4650 y carta 4350 a 6400

Espec. Lamprea estilo Arbo (enero-marzo). Lacón con grelos (noviembre-abril). Pulpo a la gallega.

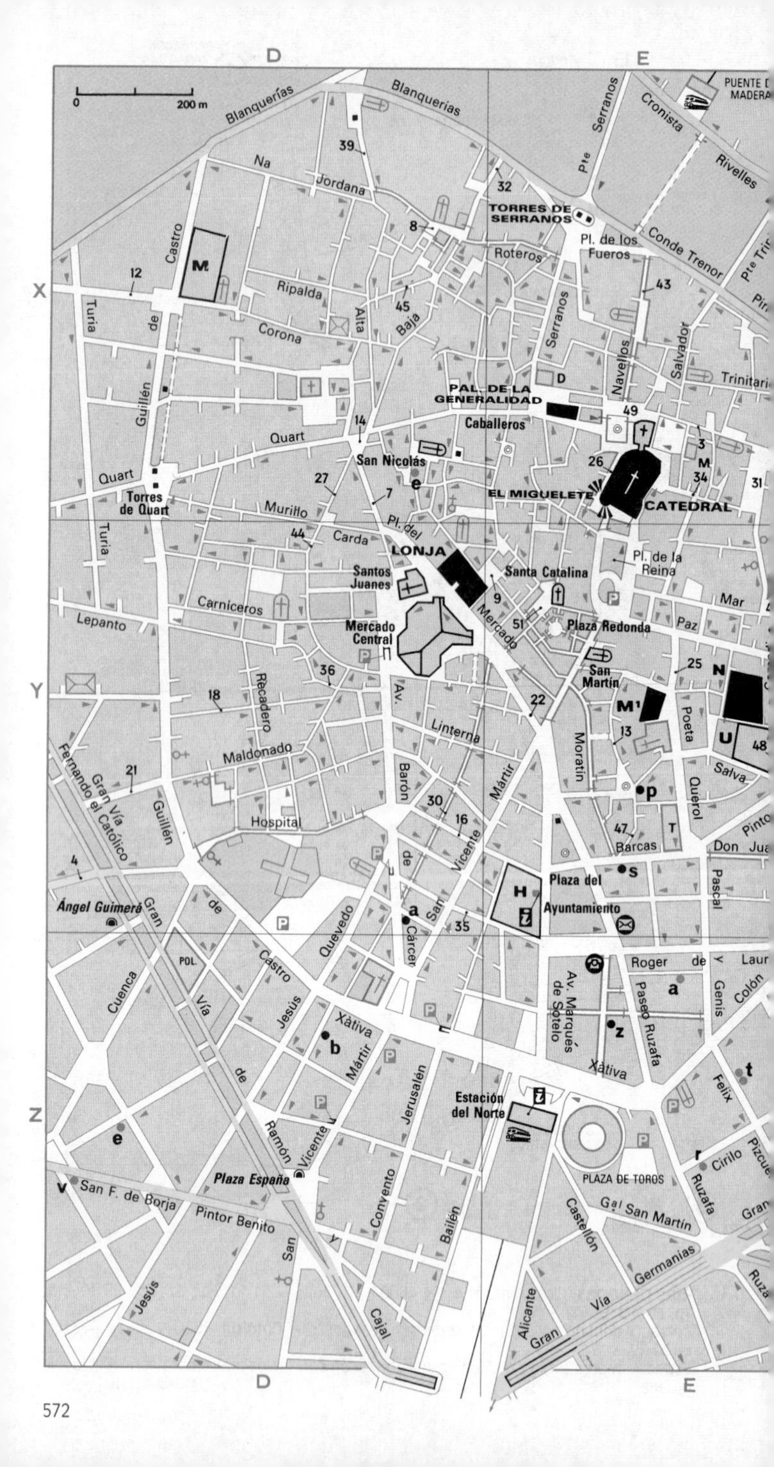

D
E
0
200 m
Blanquerías
Blanquerías
PUENTE DE MADERA
Serranos
Cronista
Rivelles
Na
Jordana
39
32
TORRES DE SERRANOS
Pl. de los Fueros
Conde Trenor
Castro
M
8
Roteros
12
X
Ripalda
45
Baja
Alta
43
Turia
de
Corona
Serranos
Navellos
Salvador
Trinitarios
D
Guillén
PAL. DE LA GENERALIDAD
49
Caballeros
14
Quart
San Nicolás
3
M
26
34
31
Quart
27
e
Torres de Quart
7
EL MIGUELETE
CATEDRAL
Murillo
Pl. del
44
Carda
Turia
LONJA
Pl. de la Reina
Santos Juanes
Santa Catalina
9
Mar
Carniceros
Lepanto
Mercado Central
51
Plaza Redonda
Paz
Mercado
Y
36
25
N
San Martín
18
Av.
22
Recadero
M¹
Linterna
13
Poeta
U
48
Maldonado
Moratín
Salva
Gran
Fernando el Católico
21
Vía
Barón
Mártir
Querol
30
p
Guillén
16
Hospital
47
Pinto
Barcas
Don Juan
4
de
Vicente
S
H
Plaza del
Pascual
Ángel Guimerá
Gran
de
a
San
Ayuntamiento
35
Cárcel
Quevedo
POL.
Castro
Roger de Lauria
Cuenca
Vía
Av. Marqués de Sotelo
Genis
Colón
a
Jesús
Paseo Ruzafa
Xàtiva
b
Mártir
z
Xàtiva
de
Jerusalén
t
Feliz
Estación del Norte
Z
e
Ramón
Vicente
Convento
r
Cirilo
Pizcueta
Plaza España
PLAZA DE TOROS
Ruzafa
v
San F. de Borja
Pintor Benito
Bailén
Gal San Martín
Gran
Castellón
San
Germanías
Ruzafa
Jesús
Cajal
Vía
Alicante
Gran
D
E

VALENCIA

XXX **Albacar,** Sorní 35, ✉ 46004, ☎ (96) 395 10 05 – ▤. AE ⓓ E VISA. ✻ FY s
cerrado sábado mediodía, domingo, Semana Santa y agosto – **Comida** carta aprox. 5000.

XX **La Sucursal,** av. Navarro Reverter 16, ✉ 46004, ☎ (96) 374 66 65, *Fax (96) 374 66 65* – ▤. AE ⓓ E VISA. ✻ FY n
cerrado domingo y del 15 al 30 de agosto – **Comida** carta 3300 a 4200.

XX **El Ángel Azul,** Conde de Altea 33, ✉ 46005, ☎ (96) 374 56 56, *Fax (96) 374 56 56* – ▤. ⓓ E VISA. ✻ FZ e
cerrado domingo, lunes mediodía y 15 agosto-8 septiembre – **Comida** carta 3250 a 4500.

XX **Kailuze,** Gregorio Mayáns 5, ✉ 46005, ☎ (96) 374 39 99 – ▤. AE VISA. ✻ FZ d
cerrado sábado mediodía, domingo, festivos, Semana Santa y agosto – **Comida** - cocina vasco-navarra - carta 3700 a 4850.

XX **El Gastrónomo,** av. Primado Reig 149, ✉ 46020, ☎ (96) 369 70 36 – ▤. E VISA. ✻ BU z
cerrado domingo, lunes noche, Semana Santa y agosto – **Comida** carta 3450 a 4850.

XX **Joaquín Schmidt,** Visitación 7 ☎ (96) 340 17 10, *Fax (96) 340 17 10*, 🏠, « En una antigua casa con patio » – ▤. ⓓ E VISA. ✻ BU v
cerrado domingo, lunes mediodía y del 12 al 23 de abril – **Comida** carta 3775 a 5850.

XX **El Gourmet,** Taquígrafo Martí 3, ✉ 46005, ☎ (96) 395 25 09 – ▤. AE ⓓ E VISA. ✻ FZ b
cerrado domingo, Semana Santa y agosto – **Comida** carta 2800 a 3900.

XX **El Timonel,** Félix Pizcueta 13, ✉ 46004, ☎ (96) 352 63 00, *Fax (96) 351 17 32* – ▤. AE ⓓ E VISA. ✻ EZ t
cerrado lunes – **Comida** carta 3600 a 5000.

XX **Civera,** Lérida 11, ✉ 46009, ☎ (96) 347 59 17, *Fax (96) 348 46 38* – ▤. AE ⓓ E VISA. ✻ BU s
cerrado domingo noche, lunes y agosto – **Comida** - pescados y mariscos - carta aprox. 6100.

XX **Rio Sil Civera,** Mosén Femades 10, ✉ 46002, ☎ (96) 352 97 64, *Fax (96) 351 38 31*, 🏠 – ▤. AE ⓓ E VISA. ✻ EZ a
cerrado 15 junio-15 julio – **Comida** - pescados y mariscos - carta 4950 a 7200.

XX **El Cabanyal,** Reina 128, ✉ 46011, ☎ (96) 356 15 03 – ▤. AE ⓓ E VISA. ✻ CU f
cerrado domingo y 15 agosto-15 septiembre – **Comida** carta 4000 a 4750.

XX **El Asador de Aranda,** Félix Pizcueta 9, ✉ 46004, ☎ (96) 352 97 91, *Fax (96) 352 97 91* – ▤. AE ⓓ E VISA. ✻ EZ t
cerrado domingo noche – **Comida** - cordero asado - carta aprox. 3950.

XX **Don Manuel,** paseo Alameda 5, ✉ 46010, ☎ (96) 361 53 96, 🏠 – ▤. E VISA. ✻ FX e
cerrado domingo y 15 agosto-15 septiembre – **Comida** carta 2925 a 3250.

XX **Chust Godoy,** Boix 6, ✉ 46003, ☎ (96) 391 38 15, *Fax (96) 391 36 67* – ▤. AE E VISA. ✻ FX a
cerrado sábado mediodía y domingo – **Comida** carta aprox. 4800.

XX **José Mari,** Estación Marítima 1º, ✉ 46024, ☎ (96) 367 20 15, ≤ – ▤. AE ⓓ E VISA. ✻ CV s
cerrado domingo y agosto – **Comida** - cocina vasca - carta 3000 a 4500.

X **Alghero,** Burriana 52, ✉ 46005, ☎ (96) 333 35 79 – ▤. AE E VISA. ✻ FZ m
cerrado sábado mediodía, domingo y Semana Santa – **Comida** carta 3150 a 3700.

X **Montes,** pl. Obispo Amigó 5, ✉ 46007, ☎ (96) 385 50 25 – ▤. AE ⓓ E VISA DZ v
cerrado domingo noche, lunes y agosto – **Comida** carta 2850 a 3475.

X **Mey Mey,** Historiador Diago 19, ✉ 46007, ☎ (96) 384 07 47 – ▤. AE E VISA. ✻ DZ e
cerrado Semana Santa y tres últimas semanas de agosto – **Comida** - rest. chino - carta 2280 a 2870.

X **Panel,** Isabel la Católica 22, ✉ 46004, ☎ (96) 351 34 85 – ▤. AE ⓓ E VISA. ✻ FZ c
cerrado domingo noche, lunes, Semana Santa y agosto – **Comida** carta aprox. 3500.

X **El Plat,** Císcar 3, ✉ 46005, ☎ (96) 374 12 54 – ▤. AE E VISA JCB FZ w
cerrado domingo noche y lunes (salvo festivos) y Semana Santa – **Comida** carta 3150 a 4250.

X **La Sal,** Conde de Altea 40, ✉ 46005, ☎ (96) 395 20 11 – ▤. AE ⓓ E VISA. ✻ FZ r
cerrado domingo y agosto – **Comida** carta aprox. 4200.

X **Eguzki,** av. Baleares 1, ✉ 46023, ☎ (96) 337 50 33 – ▤. E VISA. ✻ BU r
cerrado domingo y agosto – **Comida** - cocina vasca - carta 3000 a 4500.

X **La Semeuse,** Joaquín Costa 61, ✉ 46005, ☎ (96) 395 90 54 – ▤. AE VISA. ✻ FZ f
cerrado sábado mediodía, domingo, Semana Santa y 10 días en agosto – **Comida** - cocina francesa - carta 2700 a 4200.

Palace Fesol, Hernán Cortés 7, ✉ 46004, ☎ (96) 352 93 23, *Fax (96) 352 93 23,* « Decoración regional » – ▤. AE ◑ E VISA. ✂ FZ s
cerrado sábado y domingo en verano – **Comida** carta aprox. 3700.

Bazterretxe, Maestro Gozalbo 25, ✉ 46005, ☎ (96) 395 18 94 – ▤. AE VISA. ✂ FZ a
cerrado domingo noche y agosto – **Comida** - cocina vasca - carta 2200 a 3350.

El Romeral, Gran Vía Marqués del Turia 62, ✉ 46005, ☎ (96) 395 15 17 – ▤. AE ◑ E VISA. ✂ FZ z
cerrado lunes y 25 julio-25 agosto – **Comida** carta 2950 a 3950.

Kayuko, Periodista Badía 6, ✉ 46010, ☎ (96) 362 88 88 – ▤. AE ◑ E VISA. ✂ FX b
cerrado lunes y 15 días en agosto – **Comida** - pescados y mariscos - carta 2500 a 4600.

Gure-Etxea, Almirante Cadarso 6, ✉ 46005, ☎ (96) 395 30 09 – ▤. AE VISA. ✂ FZ k
cerrado domingo y agosto – **Comida** - cocina vasca - carta 2630 a 3380.

San Nicolás, pl. Horno de San Nicolás 8, ✉ 46001, ☎ (96) 391 59 84, *Fax (96) 391 59 84* – ▤. AE E VISA. ✂ DX e
cerrado domingo noche, lunes y 15 agosto-15 septiembre – **Comida** carta 3150 a 4450.

Olabarrieta, La Barraca 35, ✉ 46011, ☎ (96) 367 07 79 – ▤. VISA. ✂ CU s
cerrado domingo y del 15 al 31 de agosto – **Comida** carta aprox. 3500.

Alameda 5, paseo de la Alameda 5, ✉ 46010, ☎ (96) 369 58 88, 🏠 – ▤. AE ◑ E VISA. ✂ FX t
cerrado sábado mediodía, domingo, Semana Santa y agosto – **Comida** carta aprox. 4100.

en la playa de Levante (Les Arenes) CUV – ✉ *46011 Valencia :*

La Rosa, av. de Neptuno 70 ☎ (96) 371 20 76, *Fax (96) 371 25 65,* ≤ mar, 🏠 – ▤. AE E VISA. ✂ CU e
Comida *(cerrado noches en invierno y 15 agosto-15 septiembre)* - arroces, pescados y mariscos, sólo almuerzo en invierno - carta aprox. 5000.

L'Estimat, av. de Neptuno 16 ☎ (96) 371 10 18, *Fax (96) 372 73 85,* ≤, 🏠 – AE E VISA. ✂
cerrado domingo noche, lunes noche, martes y 15 agosto-15 septiembre – **Comida** carta 3050 a 4200. CU t

La Pepica, av. de Neptuno 6 ☎ (96) 371 03 66, *Fax (96) 371 42 00,* ≤, 🏠 – AE ◑ E VISA. ✂ CU t
cerrado domingo noche, festivos noche y del 16 al 30 de noviembre – **Comida** carta 3050 a 4750.

Chicote con hab, av. de Neptuno 34 ☎ (96) 371 61 51, ≤, 🏠 – ▤ rest,. AE ◑ E VISA. ✂ hab CU e
cerrado del 1 al 15 de septiembre – **Comida** *(cerrado lunes)* carta 1950 a 3700 – ☕ 375 – **19 hab** 3000/5000.

en la Feria de Muestras *por la carretera C 234 - NO : 8,5 km* – ✉ *46035 Valencia :*

Feria, av. de las Ferias 2 ☎ (96) 364 44 11, *Fax (96) 364 54 83* – |♦| ▤ 📺 ☎ 🚗 – 🏛 25/200. AE ◑ E VISA. ✂ rest AU n
Comida 2800 – **136 suites** ☕ 16000/27500.

en Almàssera *NE : 9 km* – ✉ *46132 Almàssera :*

Lluna de València, Camí del Mar 56 ☎ (96) 185 10 86, *Fax (96) 185 10 06,* « Antigua alquería » – ▤ 🅟. AE ◑ E VISA. ✂ CU m
cerrado sábado mediodía, domingo y Semana Santa – **Comida** carta 3000 a 3250.

en Benetússer *S : 6 km* – ✉ *46910 Benetússer :*

Benetússer, av. de Paiporta 54 ☎ (96) 375 11 44, *Fax (96) 376 00 11* – |♦| ▤ 📺 ☎ 🚗 – 🏛 25/50. E VISA. ✂ AV s
Comida 1750 – ☕ 600 – **63 hab** 4950/8900.

Ver también : **Manises** *por ④ : 9,5 km*
El Saler *por ② : 8 km*
Puzol *por ① : 25 km.*

Neumáticos MICHELIN S.A., Sucursal carret. Valencia - Alicante km 5,4 - MASANASA por José Soto Mico, ✉ 46470 AV ☎ 902 23 88 35, Fax 902 23 90 62

VALENCIA DE ANEU o VALÈNCIA D'ÀNEU *25587 Lérida* 443 E 33 – *alt. 1 075.*

Madrid 626 – Lérida/Lleida 170 – Seo de Urgel/La Seu d'Urgell 86.

La Morera 🐦, ☎ (973) 62 61 24, *Fax (973) 62 61 07,* ≤, 🏊 – |♦| 📺 ☎ 🅟. AE E VISA. ✂
cerrado del 5 al 20 de junio y noviembre – **Comida** 1900 – ☕ 750 – **27 hab** 4500/6500 – PA 3750.

VALENCIA DE DON JUAN *24200 León* 441 F 13 - *3 920 h. alt. 765.*
Madrid 285 - León 38 - Palencia 98 - Ponferrada 116 - Valladolid 105.

Villegas, Palacio 10 ☎ (987) 75 01 61, – TV
Comida 1500 - ☐ 500 - **5 hab** 5000/8000.

La VALL DE BIANYA *17858 Gerona* 443 F 37 - *1 025 h.*
Madrid 706 - Figueras/Figueres 48 - Gerona/Girona 74 - Vic 74.

en la carretera de Olot *SE : 2,5 km - ✉ 17858 La Vall de Bianya :*

Cala Nàsia, ☎ (972) 29 02 00 - P. AE E VISA.
cerrado lunes, 20 julio-10 agosto y 25 diciembre-1 enero - **Comida** carta 1850 a 2700.

en la carretera de Camprodón *N : 3 km - ✉ 17858 La Vall de Bianya :*

Ca l'Enric, ☎ (972) 29 00 15 - P. AE E VISA.
cerrado domindo noche, lunes y 24 diciembre-7 enero - **Comida** carta 3375 a 4950.

VALL DE UXÓ o **La VALL D'UIXÓ** *12600 Castellón* 445 M 29 - *27 387 h. alt. 122.*
Madrid 389 - Castellón de la Plana/Castelló de la Plana 26 - Teruel 118 - Valencia 39.

en las grutas de San José *O : 2 km - ✉ 12600 Vall de Uxó :*

La Gruta, ☎ (964) 66 00 08, *Fax (964) 66 08 61,* « En una gruta » - AE E VISA.
cerrado lunes salvo julio-agosto - **Comida** carta aprox. 3400.

VALLADOLID *47000* P 442 H 15 - *345 891 h. alt. 694.*
Ver : *Valladolid isabelino★ : Museo Nacional de Escultura Policromada★★★ en el colegio de San Gregorio (portada ★★, patio★★, capilla★)* CX *- Iglesia de San Pablo (fachada★★)* CX.
Otras curiosidades : *Catedral★* CY *Iglesia de las Angustias (Virgen de los siete cuchillos★)* CY **L**.

de Valladolid 14 km por ⑥ ☎ (983) 41 54 00 - Iberia : Gamazo 17 ✉ 47004 ☎ (983) 56 01 62 BYZ.

pl. de Zorrilla 3 ✉ 47001 ☎ (983) 35 18 01 y Correos ✉ 47001 ☎ (983) 37 20 85 Fax (983) 35 47 31 - **R.A.C.E.** *Miguel Íscar 6 ✉ 47004 ☎ (983) 39 20 99 Fax (983) 39 68 95.*

Madrid 188 ④ - Burgos 125 ① - León 139 ⑥ - Salamanca 115 ⑤ - Zaragoza 420 ①

Planos páginas siguientes

Olid Meliá, pl. San Miguel 10, ✉ 47003, ☎ (983) 35 72 00, *Fax (983) 33 68 28* - TV - 25/270. AE E VISA. — BX a
Comida 3000 - ☐ 1290 - **204 hab** 9100/16000, 7 suites - PA 7290.

Felipe IV, Gamazo 16, ✉ 47004, ☎ (983) 30 70 00, *Fax (983) 30 86 87* - TV - 25/500. AE E VISA. rest — BZ d
Comida 1700 - ☐ 1150 - **129 hab** 9450/14965, 2 suites - PA 4550.

NH Ciudad de Valladolid, av. Ramón Pradera 10, ✉ 47009, ☎ (983) 35 11 11, *Fax (983) 33 50 50* - TV - 25/500. AE E VISA JCB. — AX a
Comida 2500 - ☐ 1200 - **80 hab** 10400/14000.

Meliá Parque, Joaquín García Morato 17 bis, ✉ 47007, ☎ (983) 22 00 00, *Fax (983) 47 50 29* - TV - 25/450. AE E VISA. — BZ a
Comida 2025 - ☐ 1200 - **178 hab** 8675/14000.

Lasa sin rest, Acera de Recoletos 21, ✉ 47004, ☎ (983) 39 02 55, *Fax (983) 30 25 61* - TV - 25/60. AE E VISA. — BZ t
☐ 450 - **62 hab** 5500/9500.

Mozart sin rest. con cafetería, Menéndez Pelayo 7, ✉ 47001, ☎ (983) 29 77 77, *Fax (983) 29 21 90* - TV - 25/50. AE E VISA. — BY q
☐ 725 - **42 hab** 7500/12800.

Tryp Sofía-Parquesol, Hernando de Acuña 35, ✉ 47014, ☎ (983) 37 28 93, *Fax (983) 37 70 27* - TV. AE E VISA — por Doctor Villacián AZ
Comida 1500 - ☐ 950 - **58 apartamentos** 8900.

Roma, Héroes del Alcázar de Toledo 8, ✉ 47001, ☎ (983) 35 46 66, *Fax (983) 35 54 61* - TV. E VISA. — BY f
Comida 1750 - ☐ 350 - **38 hab** 5670/8610 - PA 3500.

Imperial, Peso 4, ✉ 47001, ☎ (983) 33 03 00, *Fax (983) 33 08 13* - rest, TV. AE E VISA JCB — BY e
Comida 2000 - ☐ 500 - **81 hab** 6800/8500 - PA 4000.

Feria, av. Ramón Pradera (Feria de Muestras), ✉ 47009, ☎ (983) 33 32 44, *Fax (983) 33 33 00*, – ▤ TV ☎ – 25/400. AE VISA. AX
Comida 1700 - ***El Horno*** **: Comida** carta 2225 a 3475 – 250 – **34 hab** 4400/6750.

El Nogal, Conde Ansurez 10, ✉ 47003, ☎ (983) 34 02 33, *Fax (983) 35 49 65* – ▤ TV ☎. AE E VISA. BY s
Comida *(cerrado domingo noche)* 1575 – 275 – **14 hab** 4600/7000 – PA 2700.

París sin rest, Especería 2, ✉ 47001, ☎ (983) 37 06 25, *Fax (983) 35 83 01* – TV ☎. AE E VISA. BY u
300 – **36 hab** 5600/7600.

Cervantes, Rastro 6, ✉ 47001, ☎ (983) 30 61 38, *Fax (983) 30 85 53* – ▤. AE E VISA JCB BY r
cerrado domingo y agosto – **Comida** carta 4350 a 6650.

Mesón La Fragua, paseo de Zorrilla 10, ✉ 47006, ☎ (983) 33 87 85, *Fax (983) 34 27 38*, « Decoración castellana » – ▤. AE E VISA. BY y
cerrado domingo noche y agosto – **Comida** carta 3900 a 4800.

La Rosada, Tres Amigos 1, ✉ 47006, ☎ (983) 22 01 64 – ▤. AE E VISA JCB. AZ a
Comida carta 3000 a 4500.

Santi, Correos 1, ✉ 47001, ☎ (983) 33 93 55, *Fax (983) 35 00 31*, , « En un edificio renacentista con bonito patio » – ▤. AE E VISA. BY v
cerrado domingo y 2ª quincena de agosto – **Comida** carta 2800 a 4400.

La Parrilla de San Lorenzo, Pedro Niño 1, ✉ 47001, ☎ (983) 33 50 88, *Fax (983) 33 50 88*, « Instalado en los sótanos de un antiguo monasterio » – ▤. AE E VISA JCB. BY a
Comida carta 3350 a 3950.

El Figón de Recoletos, Acera de Recoletos 3, ✉ 47004, ☎ (983) 39 60 43, *Fax (983) 39 60 43*, « Decoración castellana » – ▤. E VISA. BY x
cerrado domingo noche y 21 julio-11 agosto – **Comida** - cordero asado - carta 2700 a 4150.

Miguel Ángel, Mantilla 1, ✉ 47001, ☎ (983) 20 46 15 – ▤. E VISA. BY m
cerrado domingo en verano, domingo noche resto del año y 15 agosto-1 septiembre – **Comida** carta 3800 a 4750.

Ponte Vecchio, Adolfo Miaja de la Muela 14, ✉ 47014, ☎ (983) 37 02 00 – ▤. AE E VISA. por Doctor Villacián AZ
cerrado lunes y 1ª quincena de agosto – **Comida** - cocina italiana - carta 2300 a 3200.

La Perla de Castilla, av. Ramón Pradera 15, ✉ 47009, ☎ (983) 37 18 28, *Fax (983) 37 39 07* – ▤. AE E VISA JCB. AX f
cerrado domingo noche y Semana Santa – **Comida** carta 3100 a 4400.

Don Bacalao, pl. Santa Brígida 5, ✉ 47003, ☎ (983) 34 39 37, *Fax (983) 35 49 96* – ▤. AE E VISA. BX e
Comida carta 3300 a 4100.

La Parrilla de Santiago, Atrio de Santiago 7, ✉ 47001, ☎ (983) 37 67 76 – ▤. AE E VISA. BY z
cerrado lunes – **Comida** - carnes a la brasa - carta 2500 a 4000.

La Goya, puente Colgante 79, ✉ 47014, ☎ (983) 35 57 24, *Fax (983) 35 57 24*, , « Patio castellano » – P. E VISA AZ b
cerrado domingo noche, lunes y agosto – **Comida** carta 2700 a 4400.

Mesón Panero, Marina Escobar 1, ✉ 47001, ☎ (983) 30 70 19, *Fax (983) 30 16 73*, « Decoración castellana » – ▤. AE E VISA. BY m
cerrado domingo en julio-agosto y domingo noche resto del año – **Comida** carta 3250 a 5450.

Mesón Germán, Renedo 13, ✉ 47005, ☎ (983) 29 03 09 – ▤. AE E VISA. CY a
cerrado domingo noche – **Comida** carta 3125 a 3850.

La Abadía, Guadamacileros 5, ✉ 47003, ☎ (983) 33 02 99, *Fax (983) 37 73 26*, « Decoración castellano-medieval » – ▤. AE E VISA. BY t
cerrado lunes – **Comida** carta 2450 a 3500.

Portobello, Marina Escobar 5, ✉ 47001, ☎ (983) 30 95 31 – ▤. AE E VISA. BY n
Comida - pescados y mariscos - carta 3550 a 4600.

La Pedriza, Colmenares 10, ✉ 47004, ☎ (983) 39 79 51 – ▤. E VISA. BY c
cerrado lunes noche y 10 agosto-3 septiembre – **Comida** - cordero asado - carta aprox. 4200.

VALLADOLID

Duque de la Victoria .... BY 17
Fuente Dorada (Pl. de) ... BY 20
Miguel Iscar .... BY 29
Santiago .... BY 41
Teresa Gil .... BY

Arco de Ladrillo
(Paseo del) .... BZ 2
Arzobispo Gandásegui ... CY 3
Bailarín
Vicente Escudero ..... CY 5
Bajada de la Libertad .... BCY 6
Cadenas de
San Gregorio .... CX 8
Cánovas del Castillo .... BCY 9
Cardenal Mendoza ...... CY 10
Chancillería .... CX 13
Claudio Moyano .... BY 14
Doctrinos .... BY 16
España (Pl. de) .... BY 18
Gondomar .... CX 21
Industrias .... CY 24
Maldonado .... CY 25
Marqués del Duero ..... CXY 26
Pasión .... BY 30
Portillo de Balboa .... CX 32
San Agustín .... BXY 35
San Ildefonso .... BY 36
San Pablo (Pl. de) .... BX 37
Santa Cruz (Pl. de) ...... CY 40
Santuario .... CY 42
Sanz y Forés .... CXY 45
Zorrilla (Paseo de) ...... ABZ 47

Para circular en ciudad,
utilice los planos
de la Guía Michelin:
vías de penetración
y circunvalación,
cruces y plazas
importantes,
nuevas calles,
aparcamientos,
calles peatonales...
un sinfín de
datos puestos
al día cada año.

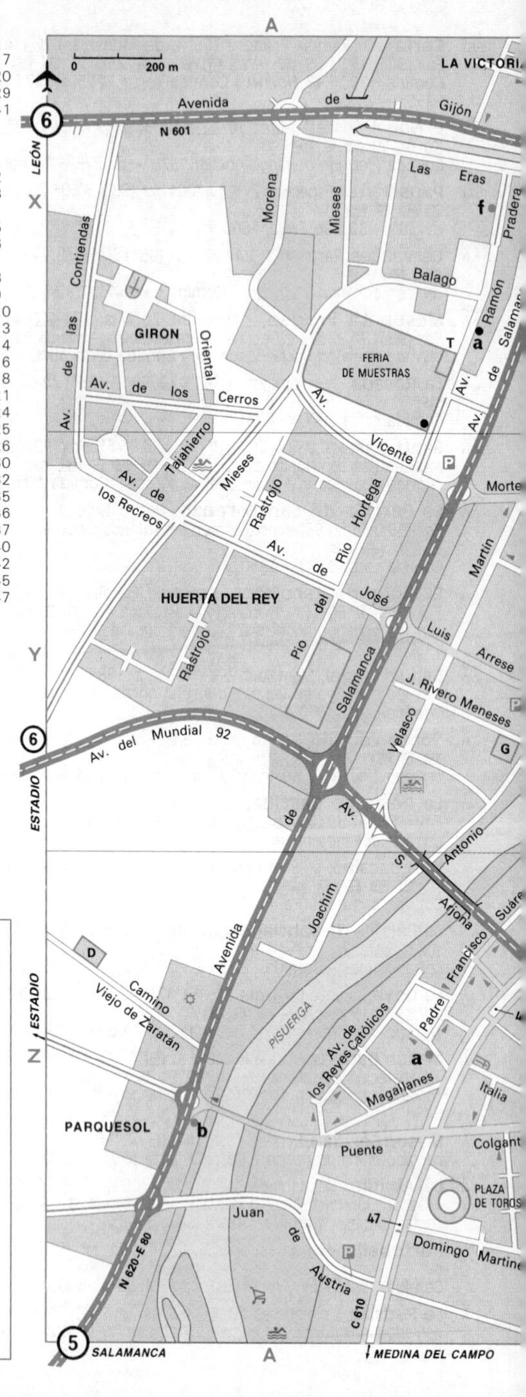

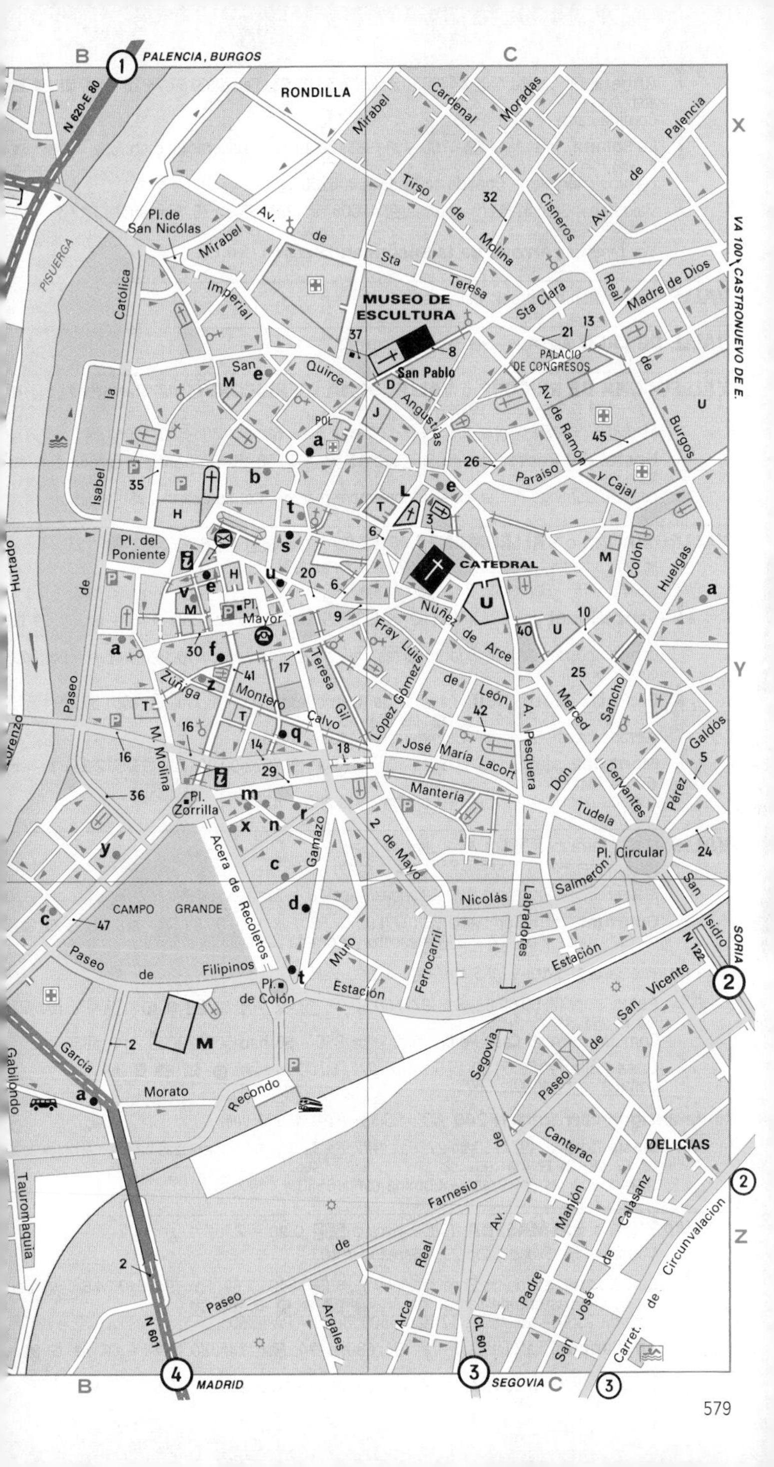

PALENCIA, BURGOS
N 620-E 80
RONDILLA
PISUERGA
Pl. de San Nicólas
Mirabel
Av. de Sta Teresa
Imperial
Católica
la
Isabel
Cardenal
Moradas
Tirso de Molina
Cisneros
Av. de Palencia
Real
Madre de Dios
Sta Clara
VA 100 CASTRONUEVO DE E.
MUSEO DE ESCULTURA
San Pablo
PALACIO DE CONGRESOS
San Quirce
Angustias
Av. de Ramón y Cajal
Paraiso
Burgos
POL
Pl. del Poniente
Pl. Mayor
CATEDRAL
Colón
Huelgas
Núñez de Arce
Fray Luis de León
López Gómez
Teresa Gil
Calvo
Montero
Zúñiga
Merced
Sancho
Galdós
Pérez
José María Lacort
A. Pesquera
Mantería
Don Tudela
Cervantes
Pl. Circular
Salmerón
San Isidro
M. Molina
Pl. Zorrilla
Paseo de Hurtado
Gamazo
2 de Mayo
Acera de Recoletos
Nicolás
Labradores
Ferrocarril
Muro
Estación
CAMPO GRANDE
Paseo de Filipinos
Pl. de Colón
N 122
SORIA
Paseo de San Vicente
Segovia
García Morato
Recondo
Gabilondo
Canterac
DELICIAS
Tauromaquia
Paseo de Farnesio
Av. Real
Manjón
Calasanz
Padre José
Carret. de Circunvalacion
Argales
Arca
San
N 601
CL 601
MADRID
SEGOVIA
B
C
X
Y
Z

Ángela, Dr. Cazalla 1, ✉ 47003, ☎ (983) 35 06 23, *Fax (983) 37 73 26* – ▤. AE ⓘ E VISA. ✂ BY b
Comida carta 3100 a 4300.

La Solana, Solanilla 9, ✉ 47003, ☎ (983) 29 49 72, « Decoración castellana » – ▤. ⓘ E VISA. ✂ CY e
cerrado miércoles – **Comida** carta 3800 a 6200.

Valderrey, Gregorio Fernández 1, ✉ 47006, ☎ (983) 33 92 75, *Fax (983) 33 17 31* – ▤ BZ c

Ver también : **Arroyo de la Encomienda** *por ⑤ : 10 km.*

VALLE – *ver el nombre propio del valle.*

VALLE DE LAGO *Asturias – ver Pola de Somiedo.*

VALLFOGONA DE RIUCORP o **VALLFOGONA DE RIUCORB** *43427 Tarragona* 443 H 33 – *101 h. alt. 698 – Balneario.*
Madrid 523 – Barcelona 106 – Lérida/Lleida 64 – Tàrrega 20 – Tarragona 74.

Hostal del Rector, av. del Riu Corb 13 ☎ (977) 88 13 48, « Antiguo café » – ▤. E VISA. ✂
cerrado domingo noche, lunes y noviembre-marzo – **Comida** carta 2050 a 2950.

VALLROMANAS o **VALLROMANES** *08188 Barcelona* 443 **H 36** – *654 h. alt. 153.*
Vallromanes, Afueras ☎ (93) 572 90 64 Fax (93) 572 93 30.
Madrid 643 – Barcelona 22 – Tarragona 123.

Sant Miquel, pl. de l'Església 12 ☎ (93) 572 90 29, *Fax (93) 572 96 43* – ▤. AE ⓘ E VISA
cerrado noches de domingo a martes, miércoles y 17 agosto-10 septiembre – **Comida** carta 3500 a 4900.

El Petit Mont Bell, carret. de Granollers - O : 1 km ☎ (93) 572 94 54, *Fax (93) 572 93 61,* ≤ – ▤ P. AE VISA. ✂
cerrado lunes y agosto – **Comida** carta 4300 a 5400.

Mont Bell, carret. de Granollers - O : 1 km ☎ (93) 572 90 96, *Fax (93) 572 93 61* – ▤ P. AE VISA. ✂
cerrado domingo y agosto – **Comida** carta aprox. 4250.

VALLS *43800 Tarragona* 443 **I 33** – *20 124 h. alt. 215.*
pl. del Blat 1 ☎ (977) 60 10 50 Fax (977) 61 28 72.
Madrid 535 – Barcelona 100 – Lérida/Lleida 78 – Tarragona 19.

Gourmet, carret. de Lleida ☎ (977) 60 61 58, *Fax (977) 60 61 58* – ▤. AE ⓘ E VISA
cerrado lunes y del 17 al 31 de agosto – **Comida** carta 2125 a 3975.

en la carretera N 240 *S : 1,5 km – ✉ 43800 Valls :*

Félix, ☎ (977) 60 60 82, *Fax (977) 60 50 07,* ⛱, ✂ – |♦| ▤ TV ☎ P – 🔔 25/100. AE ⓘ E VISA. ✂
Comida (ver rest. ***Casa Félix***) 1500 – ☐ 850 – **56 hab** 5000/9000 – PA 3850.

Casa Félix, ☎ (977) 60 13 50, *Fax (977) 60 00 14* – ▤ P. AE ⓘ E VISA. ✂
Comida carta 3000 a 3675.

en la antigua carretera N 240 *NO : 1,8 km – ✉ 43800 Valls :*

Masía Bou, ☎ (977) 60 04 27, *Fax (977) 61 32 94,* 🌳, « Terrazas bajo los árboles » – ▤ P. AE ⓘ E VISA JCB. ✂
cerrado martes en verano – **Comida** carta 3550 a 4100.

VALMASEDA o **BALMASEDA** *48800 Vizcaya* 442 **C 20** – *7 307 h. alt. 147.*
Madrid 411 – Bilbao/Bilbo 29 – Santander 107.

San Roque, av. de las Encartaciones 1 ☎ (94) 610 22 68, *Fax (94) 610 24 64,* « En el antiguo monasterio de Santa Clara » – |♦| TV ☎ P. E VISA. ✂
Comida 2500 – ☐ 750 – **17 hab** 5500/8000 – PA 5750.

Abellaneda, La Cuesta 21 ☎ (94) 680 16 74, *Fax (94) 680 16 74* – AE ⓘ E VISA. ✂
Comida - sólo almuerzo salvo viernes y sábado - carta aprox. 3750.

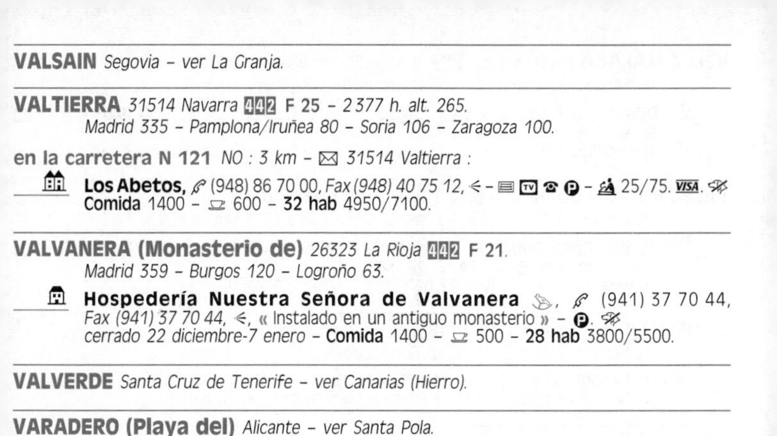

VALSAIN *Segovia – ver La Granja.*

VALTIERRA *31514 Navarra* 442 **F 25** – *2 377 h. alt. 265.*
Madrid 335 – Pamplona/Iruñea 80 – Soria 106 – Zaragoza 100.

en la carretera N 121 *NO : 3 km – ✉ 31514 Valtierra :*

Los Abetos, ☎ (948) 86 70 00, *Fax (948) 40 75 12,* ≤ – ▤ TV ☎ P – 25/75. VISA. ✂
Comida 1400 – ☕ 600 – **32 hab** 4950/7100.

VALVANERA (Monasterio de) *26323 La Rioja* 442 **F 21.**
Madrid 359 – Burgos 120 – Logroño 63.

Hospedería Nuestra Señora de Valvanera ⛰, ☎ (941) 37 70 44, *Fax (941) 37 70 44,* ≤, « Instalado en un antiguo monasterio » – P. ✂
cerrado 22 diciembre-7 enero – **Comida** 1400 – ☕ 500 – **28 hab** 3800/5500.

VALVERDE *Santa Cruz de Tenerife – ver Canarias (Hierro).*

VARADERO (Playa del) *Alicante – ver Santa Pola.*

El VEDAT *Valencia – ver Torrente.*

VEGA *39694 Cantabria* 442 **C 18.**
Madrid 380 – Bilbao/Bilbo 107 – Burgos 143 – Santander 39.

en la carretera S 561 *N : 3,5 km – ✉ 39694 Vega :*

XX La Presa, ☎ (942) 59 33 43, *Fax (942) 59 33 43,* 🏞, « Decoración rústica » – P.

VEGA DE SAN MATEO *Las Palmas – ver Canarias (Gran Canaria).*

VEGA DE VALCARCE *24520 León* 441 **E 9** – *1 141 h.*
Madrid 422 – León 143 – Lugo 85 – Ponferrada 36.

en La Portela de Valcarce *SE : 3 km – ✉ 24524 La Portela de Valcarce :*

Valcarce sin ☕, carret. N VI ☎ (987) 54 31 80, *Fax (987) 54 31 00* – ▤ rest, TV P. AE ⓓ E VISA. ✂
Comida 1450 – **42 hab** 3500/6500.

VEGA DEL CODORNO *16150 Cuenca* 444 **K 24** – *271 h. alt. 1 450.*
Madrid 253 – Cuenca 71 – Teruel 114.

Río Cuervo ⛰, barrio de la Cueva ☎ (969) 28 32 40, *Fax (969) 28 32 40* – |‡| ☎ P
20 hab.

VEGUELLINA DE ÓRBIGO *24350 León* 441 **E 12.**
Madrid 314 – Benavente 57 – León 32 – Ponferrada 79.

X La Herrería con hab, Pío de Cela 27 ☎ (987) 37 63 35, *Fax (987) 37 64 27,* 🏞, 🏊 de pago, 🎾 – ▤ TV ☎ P
13 hab.

VEJER DE LA FRONTERA *11150 Cádiz* 446 **X 12** – *12 773 h. alt. 193.*
Ver : ≤★ *del valle de Barbate.*
Madrid 667 – Algeciras 82 – Cádiz 50.

Convento de San Francisco, La Plazuela ☎ (956) 45 10 01, *Fax (956) 45 10 04,* « Antiguo convento » – |‡| TV ☎. AE ⓓ E VISA. ✂
El Refectorio *(cerrado martes mediodía)* **Comida** carta 2205 a 3900 – ☕ 525 – **25 hab** 7950/10120.

VELATE (Puerto de) *Navarra* 442 **C 25** – *alt. 847 – ✉ 31797 Arraitz.*
Madrid 432 – Bayonne 85 – Pamplona/Iruñea 33.

en la antigua carretera N 121-A *S : 2 km – ✉ 31797 Arraitz :*

X **Venta de Ulzama** con hab, ☎ (948) 30 51 38, *Fax (948) 30 51 38,* ≤ – TV ☎ 🚗 P. AE ⓓ E VISA. ✂
cerrado noviembre – **Comida** carta 2650 a 3600 – ☕ 550 – **15 hab** 5000/6500.

VÉLEZ MÁLAGA *29700 Málaga* 446 **V 17** - *52 150 h. alt. 67.*
Madrid 530 - Almería 180 - Granada 100 - Málaga 36.

Dila sin rest y sin, av. Vivar Téllez 3 (95) 250 39 00, *Fax (95) 250 39 08* - VISA.
18 hab 5350/8560.

VÉLEZ RUBIO *04820 Almería* 446 **T 23** - *6 037 h. alt. 838.*
Madrid 495 - Almería 168 - Granada 175 - Lorca 47 - Murcia 109.

Jardín Casa Pepa, av. de Andalucía 6 (950) 41 01 06, *Fax (950) 41 01 06* - rest, AE E VISA.
Comida 1100 - 350 - **42 hab** 2000/3800 - PA 2350.

La VELILLA *40173 Segovia* 442 **I 18.**
Madrid 130 - Aranda de Duero 80 - Segovia 50.

La Farola, (921) 50 99 23, - AE E VISA.
cerrado lunes y del 7 al 31 de enero - **Comida** carta 2500 a 4500.

VELILLA (Playa de) *Granada - ver Almuñécar.*

VENDRELL o **El VENDRELL** *43700 Tarragona* 443 **I 34** - *15 456 h.*
Dr Robert 33 (977) 66 02 92 Fax (977) 66 59 24.
Madrid 570 - Barcelona 75 - Lérida/Lleida 113 - Tarragona 27.

Pí, Rambla 2 (977) 66 00 02, « Estilo 1900 » - E VISA.
cerrado domingo noche salvo verano y del 16 al 31 de octubre - **Comida** carta 2395 a 4175.

El Molí de Cal Tof, av. de Santa Oliva 2 (977) 66 26 51, « Decoración rústica » - AE E VISA.
cerrado lunes en verano, domingo noche y lunes en invierno (salvo festivos y vísperas) - **Comida** carta 3125 a 4050.

en la playa de San Salvador *S : 3,5 km - 43880 San Salvador :*

Europe San Salvador, Llobregat 11 (977) 68 40 41, *Fax (977) 68 27 70*, - rest, AE VISA. rest
abril-octubre - **Comida** 2100 - 900 - **155 hab** 11000/14000.

L'Ermita, carret. Sant Salvador (977) 68 07 10, *Fax (977) 68 17 05*, - AE E VISA.
15 mayo-septiembre - **Comida** 1300 - 350 - **52 hab** 4000/7000 - PA 2950.

en la carretera N 340 *SO : 6,5 km - 43700 Vendrell :*

La Tenalla, (977) 68 34 34, *Fax (977) 68 34 34*, - AE E VISA.
cerrado lunes noche, martes y 16 octubre-15 noviembre - **Comida** carta 2410 a 4175.

VENTAS DE ARRAIZ o **VENTAS DE ARRAITZ** *31797 Navarra* 442 **C 25** - *alt. 588.*
Madrid 427 - Bayonne 90 - Pamplona/Iruñea 28.

Juan Simón con hab, carret. N 121-A (948) 30 50 52, « Decoración rústica » - E VISA. rest
cerrado 15 septiembre-12 octubre - **Comida** *(cerrado miércoles en verano, festivos noche en invierno)* carta 2200 a 3350 - 400 - **9 hab** 3500/5000.

VERA *04620 Almería* 446 **U 24** - *5 931 h. alt. 102.*
pl. Mayor 1 (950) 39 12 14 Fax (950) 39 12 14.
Madrid 512 - Almería 95 - Murcia 126.

Terraza Carmona, Manuel Giménez 1 (950) 39 07 60, *Fax (950) 39 13 14* - AE E VISA.
Comida (ver rest. ***Terraza Carmona***) - 450 - **38 hab** 5900/8900.

Terraza Carmona, Manuel Giménez 1 (950) 39 07 60, *Fax (950) 39 13 14* - AE E VISA.
cerrado lunes y del 1 al 15 de septiembre - **Comida** carta 3300 a 3850.

en la carretera de Garrucha *SE : 2 km - 04620 Vera :*

Vera Hotel, (950) 39 03 82, *Fax (950) 39 03 61*, - AE E VISA.
Comida 1600 - 400 - **20 hab** 4000/6500.

VERA DE BIDASOA o **BERA** *31780 Navarra* **442** C 24 - *3 471 h. alt. 56.*

Madrid 470 - Pamplona/Iruñea 75 - San Sebastián/Donostia 35.

X **Euskalduna** con hab, Eztegara 2 ☎ (948) 63 03 92 - TV P. E VISA. ⊁
cerrado octubre - **Comida** *(cerrado miércoles)* carta 1600 a 3350 - ☕ 400 - **5 hab** 6000.

VERGARA o **BERGARA** *20570 Guipúzcoa* **442** C 22 - *15 121 h. alt. 155.*

Madrid 399 - Bilbao/Bilbo 54 - San Sebastián/Donostia 62 - Vitoria/Gasteiz 44.

Ormazabal sin rest, Barrenkale 11 ☎ (943) 76 36 50, *Fax (943) 76 36 50,* « Casa antigua con mobiliario de época » - TV ☎. VISA
☕ 500 - **14 hab** 6500/8000.

Ariznoa sin rest, Telesforo de Aranzadi 3 ☎ (943) 76 18 46, *Fax (943) 76 18 48* - |‡| TV ☎. VISA
☕ 450 - **26 hab** 5000/6000.

XXX **Lasa,** Zubiaurre 35 ☎ (943) 76 10 55, *Fax (943) 76 20 29,* 🏠, « Antiguo palacete señorial » - |‡| ▤ P. AE ⓓ E VISA. ⊁
cerrado domingo noche y del 1 al 8 de enero - **Comida** carta 4450 a 5550
Espec. Surtidos de ahumados caseros. Hongos a la papillote. Ciervo braseado con manzana glaseada, puré de castañas y jalea de grosellas.

XX Zumelaga, San Antonio 5 ☎ (943) 76 20 21 - ▤.

VERÍN *32600 Orense* **441** G 7 - *11 018 h. alt. 612 - Balneario.*

Alred. : *Castillo de Monterrey (※★ - Iglesia : portada★) O : 6 km.*

Madrid 430 - Orense/Ourense 69 - Vila Real 90.

Villa de Verín, Monte Mayor 14 ☎ (988) 41 19 81, *Fax (988) 41 17 70* - |‡| TV ☎ 🚗. AE VISA. ⊁
Comida 1400 - ☕ 325 - **25 hab** 4500/7500 - PA 3100.

San Luis, av. de Castilla ☎ (988) 41 09 00 - TV. VISA. ⊁ rest
cerrado 15 diciembre-15 enero - **Comida** *(cerrado sábado)* 1200 - ☕ 400 - **13 hab** 4000 - PA 3000.

junto al castillo *NO : 4 km - ✉ 32600 Verín :*

Parador de Verín 🐎, ☎ (988) 41 00 75, *Fax (988) 41 20 17,* ≤ castillo y valle, « Edificio de estilo regional », 🏊, 🌳 - TV ☎ 🚗 P. AE ⓓ E VISA. ⊁
Comida 3200 - ☕ 1200 - **23 hab** 10800/13500 - PA 6460.

en la carretera N 525 *NO : 4,5 km - ✉ 32611 Albarellos de Monterrei :*

Gallego, ✉ 32680 apartado 82 Verín, ☎ (988) 41 82 02, *Fax (988) 41 82 02,* ≤, 🏊 - |‡|, ▤ rest, TV ☎ 🚗 P. AE ⓓ E VISA
Comida carta 2900 a 3900 - ☕ 750 - **35 hab** 5560/8650.

VIANA *31230 Navarra* **442** E 22 - *3 276 h. alt. 470.*

Madrid 341 - Logroño 10 - Pamplona/Iruñea 82.

XX **Borgia,** Serapio Urra ☎ (948) 64 57 81 - AE ⓓ E VISA. ⊁
cerrado domingo y agosto - **Comida** 5000 y carta 4300 a 6400
Espec. Arroz cocido con agua de jazmín, orejón de albaricoque y berza con sopa de tomate. Bacalao asado con puré de jengibre. Fresones calientes con gelatina de vino tinto (primavera).

VIAVÉLEZ *33750 Asturias* **441** B 9.

Madrid 600 - Lugo 109 - Oviedo 128 - Vivero/Viveiro 80.

X **Taberna Viavélez,** puerto ☎ (98) 547 80 95, *Fax (98) 547 83 39,* 🏠 - ▤. E VISA. ⊁
cerrado miércoles (salvo verano) y 15 enero-1 marzo - **Comida** carta 3350 a 4700.

VIC *08500 Barcelona* **443** G 36 - *29 113 h. alt. 494.*

Ver : *Museo episcopal★★★* BY - *Catedral★ (pinturas★, retablo★★)* BCY - *Plaça Major★* BY.

🅘 *pl. Major 1 ☎ (93) 886 20 91 Fax (93) 889 26 37.*

Madrid 637 ④ - Barcelona 66 ④ - Gerona/Girona 79 ③ - Manresa 52 ④

VIC

Adoberies . . . . CY 3
Aluders . . . . CY 4
Argenters . . . . BY 6
Bisbat (Rambla del) . . . . . BY 8
Bisbe Casadevall . . . . CY 9
Bisbe Oliba (Pl. del) . . . . . BY 12
Canyelles . . . . BY 14
Catedral (Pl. de la) . . . . . . BY 17
Davallades
(Rambla de les) . . . . . . BY 18
Dues Soles . . . . CY 20
Escales . . . . BY 22
Estret de Sant Cristòfol . . BY 24
Estudiant de Vic . . . . BZ 25
Font de Sant Pere . . . . . . CZ 27
Jaume Balmes (Pl. de) . . BY 29
Josep Maria Periscas
(Pl. de) . . . . CZ 30
Josep Tarradellas
(Rambla de) . . . . BZ 32
Manuel Carrasco i
Formigera . . . . CZ 34
Mare de Déu de la Guia . CZ 35
Mare de Déu de les Neus . BY 36
Mastrot (Pl.) . . . . BV 38
Miquel S. Salarich i
Torrents . . . . AY 40
Misericòrdia . . . . CY 41
Montcada (Rambla dels) . CY 42
Montserrat . . . . CY 43
Mossèn Llorenç Vilacís . . CV 45
Narcís Verdaguer i Callís . BZ 46
Pare Gallisà . . . . AV 47
Passeig (Rambla del) . . . . CY 48
Pietat (Pl. de la) . . . . CY 49
Pont . . . . BY 51
Puig dels Jueus . . . . CV 52
Queralt (Pont de) . . . . BY 54
Rafael Subirachs i Ricart . CZ 55
Ramon Sala i Saçala . . . . CV 57
Remei (Pont) . . . . AZ 58
Sant Antoni M. Claret . . . BY 60
Sant Domènec
(Rambla de) . . . . BY 61
Sant Felip (Pl. de) . . . . . . BY 63
Sant Miquel Arcángel . . . BY 64
Sant Miquel dels Sants . . BY 66
Sant Sadurní . . . . BY 67
Sant Sebastiá . . . . CVY 69
Santa Clara (Pl. de) . . . . . BY 71
Santa Joaquima
de Vedruna . . . . CY 72
Santa Maria . . . . BY 74
Sants Màrtirs (Pl. dels) . . CY 75

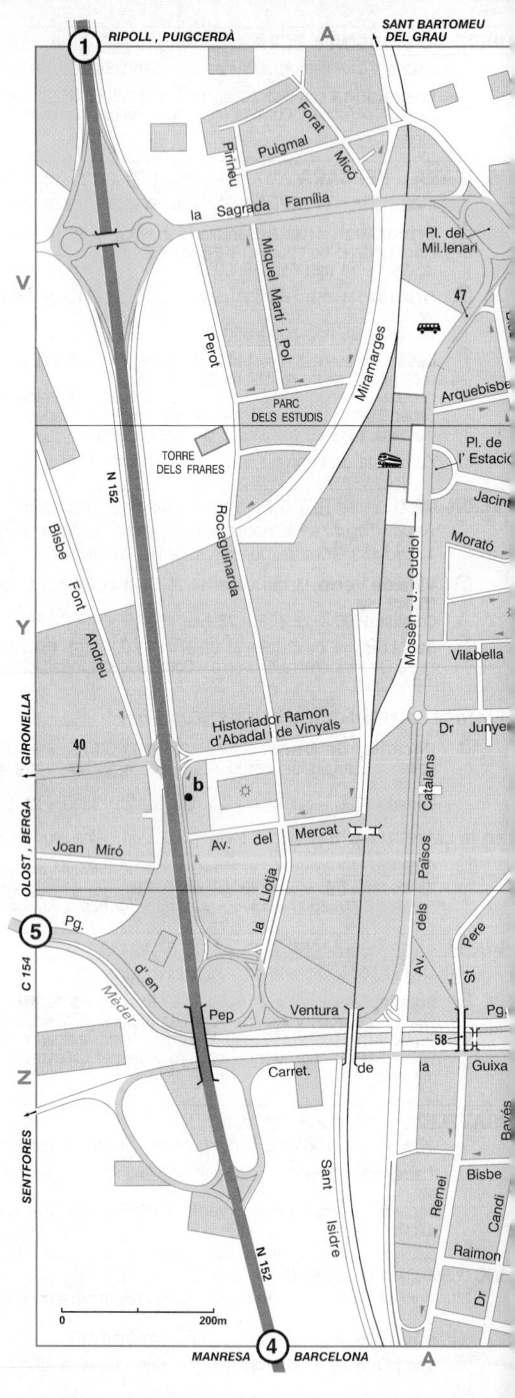

Avise immediatamente al hotelero si Vd no puede ocupar la habitación que ha reservado.

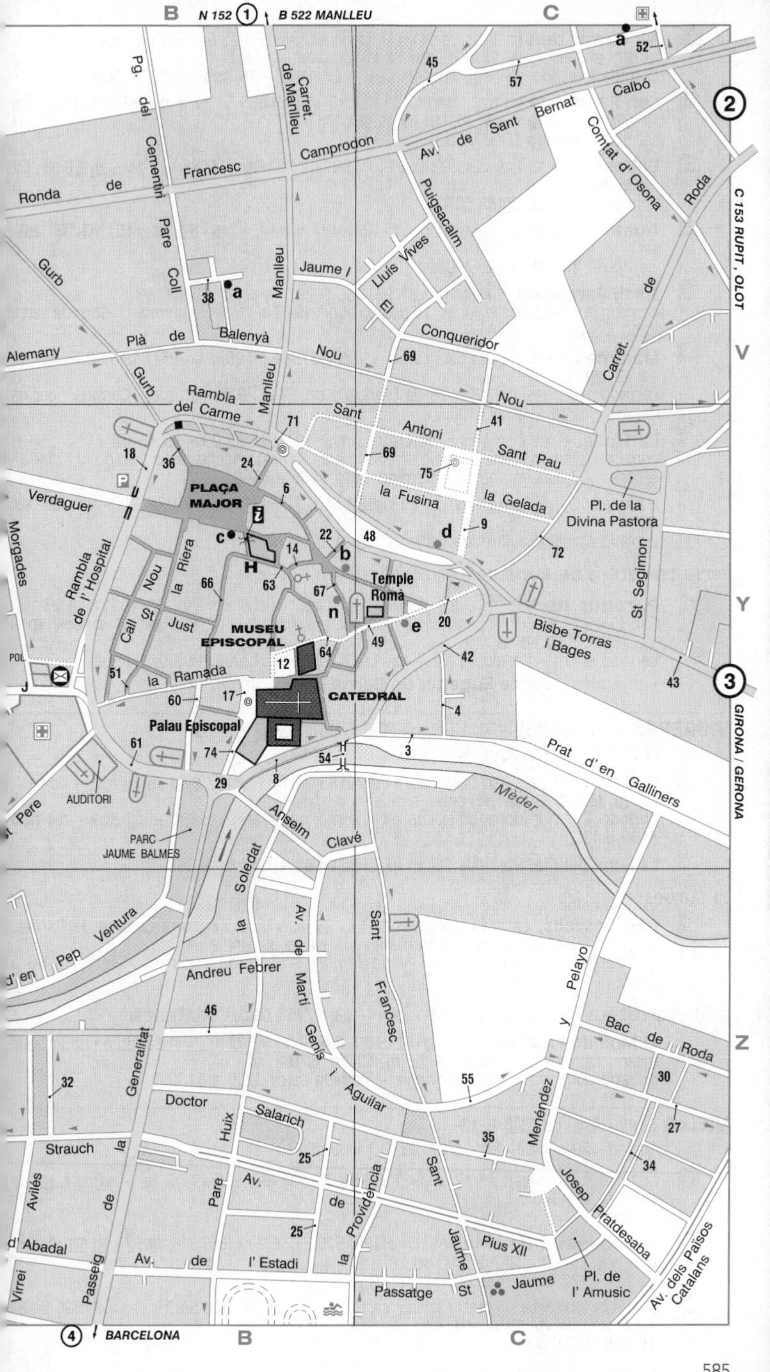
N 152
B 522 MANLLEU
C 153 RUPIT, OLOT
GIRONA / GERONA
BARCELONA
Ronda de Francesc Camprodon
Av. de Sant Bernat Calbó
Comtat d' Osona
Carret. de Roda
Pg. del Cementiri
Carret. de Manlleu
Puigsacalm
Lluís Vives
Jaume I El Conqueridor
Pare Coll
Gurb
Plà de Balenyà
Alemany
Nou
Rambla del Carme
Sant Antoni
Sant Pau
la Fusina
la Gelada
Pl. de la Divina Pastora
PLAÇA MAJOR
Verdaguer
Morgades
Rambla de l' Hospital
la Riera
Call
St Just
la Ramada
MUSEU EPISCOPAL
Temple Romà
CATEDRAL
Palau Episcopal
St Segimon
Bisbe Torras i Bages
Prat d' en Galliners
Mèder
AUDITORI
PARC JAUME BALMES
Anselm Clavé
la Soledat
Pep Ventura
Av. de Martí Genís i Aguilar
Sant Francesc
Andreu Febrer
Menéndez y Pelayo
Bac de Roda
Generalitat
Doctor Strauch
Salarich
Pare Huix
Av. de la Providència
Sant Jaume
Pius XII
Josep Pratdesaba
Pl. de l' Amusic
Av. dels Països Catalans
Avilés
Passeig de la
d' Abadal
Av. de l' Estadi
Virrei
Passatge St Jaume

NH Ciutat de Vic, passatge Can Mastrot (93) 889 25 51, *Fax (93) 889 14 47* – 25/120. rest BV a
Comida *(cerrado domingo noche)* 2000 – 1100 – **36 hab** 10000/12000.

Can Pamplona sin rest, carret. N 152 - 10 (93) 883 31 12, *Fax (93) 885 20 92* – 25. AY b
900 – **33 hab** 5000/7500.

Balmes sin rest, Francesc Pla 6 (93) 889 12 72, *Fax (93) 889 29 15* – CV a
600 – **33 hab** 5000/6000.

Ausa sin rest, pl. Major 3 (93) 885 53 11 – BY c
700 – **26 hab** 5000/7000.

Jordi Parramon, Cardona 7 (93) 886 38 15 – BY b
cerrado domingo noche, lunes, 15 días en abril y del 1 al 16 de septiembre – **Comida** carta 4250 a 5050.

Mamma Meva, rambla del Passeig 61 (93) 886 39 98, *Fax (93) 889 03 25* – CY d
cerrado miércoles, del 16 al 26 de febrero y del 13 al 29 de octubre – **Comida** - cocina italiana - carta 1920 a 3105.

La Taula, pl. de Don Miquel de Clariana 4 (93) 886 32 29 – CY e
cerrado domingo, lunes de junio a septiembre, domingo noche resto del año, 21 días en febrero y 7 días en agosto – **Comida** carta 3350 a 3900.

Basset, Sant Sadurní 4 (93) 889 02 12, *Fax (93) 889 28 70* – BY n
cerrado domingo – **Comida** carta 2700 a 4500.

en la carretera de Roda de Ter *por ② : 15 km*

Parador de Vic , 08500 apartado oficial de Vic, (93) 812 23 23, *Fax (93) 812 23 68,* pantano de Sau y montañas, – 25/100.
cerrado enero – **Comida** 3200 – 1300 – **35 hab** 12000/15000, 1 suite.

Ver también : **Santa Eugenia de Berga** *por ③ : 4 km.*

VIDRERAS o VIDRERES *17411 Gerona* 443 G 38 – *3 780 h. alt. 93.*

Madrid 687 – Barcelona 74 – Gerona/Girona 24.

Can Pou con hab, Pau Casals 15 (972) 85 00 14, *Fax (972) 85 05 76,* – rest, hab
Comida *(cerrado domingo noche en invierno)* carta aprox. 3300 – 500 – **14 hab** 3100/5400.

La Font del Plà, Marinada 28 (972) 85 04 91 – .

al Suroeste : *2 km*

Can Castells, entrada por carret. N II, apartado 77 Santa Coloma de Farnés, (972) 85 03 69, « Decoración rústica » –
cerrado lunes noche, martes y noviembre – **Comida** - carnes - carta 1650 a 2900.

en la carretera de Llagostera *NE : 5 km – 17455 Caldes de Malavella :*

El Molí de la Selva, (972) 47 15 00, *Fax (972) 22 03 93,* « Instalado en un antiguo molino. Decoración rústica » –
cerrado domingo noche en invierno – **Comida** carta 3200 a 4100.

VIELLA *33429 Asturias* 441 B 12.

Madrid 459 – Avilés 29 – Gijón 25 – Oviedo 10.

Los Fresnos, carret. AS-17 (98) 526 59 26, *Fax (98) 526 49 79,* – rest, – 25/100
68 hab.

La Cabaña sin rest, carret. AS-17 (98) 526 53 36, *Fax (98) 526 41 57* – – 25/300.
600 – **22 hab** 6900/8900.

Maruja Nozana sin rest y sin , carret. AS-17 (98) 526 55 21, *Fax (98) 526 54 84* –
16 hab 6000/8000.

VIELLA o **VIELHA** *25530 Lérida* 443 **D 32** – *3 220 h. alt. 971* – *Deportes de invierno.*

Ver : *Iglesia (Cristo de Mig Arán*★*).*

Alred. : *N : Valle de Arán*★★. – *Sarriulera 10* *(973) 64 01 10 Fax (973) 64 05 37.*

Madrid 595 – Lérida/Lleida 163 – St-Gaudens 70.

Fonfreda sin rest, passeig de la Llibertat 18 (973) 64 04 86, *Fax (973) 64 24 42* – AE E VISA.
26 hab 7800/11800.

Eth Solan sin rest, av. Baile Calbetó Barra 14 (973) 64 02 04, *Fax (973) 64 03 17,* – AE E VISA.
cerrado junio y noviembre – **39 hab** 7250/12500.

Viella, carret. de Gausach (973) 64 02 75, *Fax (973) 64 09 34* – E VISA.
cerrado 15 octubre-1 diciembre – **Comida** 1500 – **108 hab** 6800/10800 – PA 3150.

Arán, av. Castiero 5 (973) 64 00 50, *Fax (973) 64 00 53* – AE E VISA.
Comida 1500 – **51 hab** 6400/10800 – PA 3100.

Apart. Serrano, San Nicolás 2 (973) 64 01 50, *Fax (973) 64 01 52* – AE E VISA.
cerrado 24 septiembre-22 diciembre – **Comida** 1300 – 500 – **9 apartamentos** 16000 – PA 2800.

Orla sin rest. con cafetería, av. Castiero 3 (973) 64 22 60, *Fax (973) 64 19 94* – E VISA.
500 – **22 hab** 7000/10000.

Delavall, Pas d'Arró 38 (973) 64 02 00, *Fax (973) 64 00 13,* – AE E VISA. rest
cerrado mayo – **Comida** *(cerrado sábado y domingo)* 1250 – **28 hab** 3500/7000 – PA 2550.

Pirene sin rest, carret. del Túnel (973) 64 00 75, *Fax (973) 64 22 95,* Viella, valle y montañas – AE E VISA.
650 – **32 hab** 6000/8500.

Eth Pomèr sin rest, carret. de Gausach (973) 64 28 88, *Fax (973) 64 14 80* – VISA.
33 hab 7075/16350.

Urogallo, av. Castiero 7 (973) 64 00 00, *Fax (973) 64 21 61* – E VISA. hab
cerrado noviembre-22 diciembre – **Comida** 1500 – **37 hab** 6700/11300.

Ribaeta, Sarriulera 5 (973) 64 20 36, *Fax (973) 64 01 21* – **27 hab.**

D'Òc sin rest, Castèth 13 (973) 64 15 97 – E VISA
400 – **15 hab** 4800/6000.

Baricauba y Riu Nere, Mayor 4 (973) 64 01 50, *Fax (973) 64 01 52* – AE E VISA.
cerrado 24 septiembre-22 diciembre – **Comida** (en el ***Apart. Serrano***) – **48 hab** 5700/10000.

La Bonaigua sin rest, Castèth 9 bis (973) 64 01 44, *Fax (973) 64 01 44* – VISA.
600 – **23 hab** 5100/7700.

Antonio, carret. del Túnel (973) 64 08 87 – AE E VISA
cerrado lunes, del 1 al 10 de julio y del 10 al 24 de diciembre – **Comida** carta 2600 a 4500.

Era Lucana, av. Alcalde Calbetó 1 (973) 64 17 98 – E VISA JCB.
cerrado lunes salvo festivos y del 12 al 22 de junio – **Comida** carta 2900 a 3750.

Gustavo-María José (Era Mola), Marrec 14 (973) 64 24 19, « Decoración rústica » – VISA
diciembre-abril y 12 julio-15 septiembre – **Comida** - sólo cena en invierno salvo fines de semana - carta 2750 a 3400.

Nicolás, Castèth 10 (973) 64 18 20 – VISA.
cerrado miércoles y del 1 al 15 de julio – **Comida** carta 3075 a 3500.

Deth Gorman, Met Día 8 (973) 64 04 45 – E VISA.
cerrado martes y 2ª quincena de junio – **Comida** carta 2800 a 3450.

en Betrén *por la carretera de Salardú - E : 1 km* – *25539 Betrén :*

Tuca , (973) 64 07 00, *Fax (973) 64 07 54,* , climatizada – 25/160. AE E VISA.
cerrado 15 octubre-15 diciembre – **Comida** - sólo cena en invierno - 2650 – 900 – **117 hab** 8000/14000, 1 suite.

La Borda de Betrén, Mayor (973) 64 00 32, « Decoración rústica » – AE E VISA
Comida carta 2900 a 3900.

en Escunhau *por la carretera de Salardú - E : 3 km - 25539 Escunhau :*

Es Pletieus, carret. C 142 (973) 64 07 90, *Fax (973) 64 10 04,* - . *cerrado mayo y noviembre* - **Comida** (ver rest. ***Es Pletieus***) - **18 hab** 4500/8000.

Casa Estampa, Sortaus 9 (973) 64 00 48, *Fax (973) 64 00 48,* - . Comida carta aprox. 3240 - 575 - **26 hab** 4100/6500.

Es Pletieus, carret. C 142 (973) 64 04 85, *Fax (973) 64 10 04,* - . *cerrado mayo y noviembre* - **Comida** carta 3100 a 4200.

Casa Turnay, San Sebastián (973) 64 02 92, « Decoración rústica » - *21 diciembre-21 marzo, 21 junio-21 septiembre y fines de semana en otoño* - **Comida** carta 2650 a 3600.

en la carretera N 230 *S : 2,5 km - 25530 Viella :*

Parador de Viella, (973) 64 01 00, *Fax (973) 64 11 00,* valle y montañas, - - 25/50. rest Comida 3500 - 1300 - **135 hab** 12000/15000.

en Garós *por la carretera de Salardú - E : 5 km - 25539 Garós :*

Et Restillé, pl. Carrera 2 (973) 64 15 39, « Decoración rústica » *temp* - **Comida** - sólo cena en invierno -.

en Pont d'Arrós *NO : 6 km - 25537 Pont d'Arrós :*

Peña, carret. N 230 (973) 64 08 86, *Fax (973) 64 23 29,* , - rest, . *cerrado noviembre* - **Comida** 1600 - 600 - **24 hab** 4800/7500 - PA 3200.

Cal Manel, carret. N 230 (973) 64 11 68 - . *cerrado lunes, 24 junio-11 julio y del 2 al 18 de noviembre* - **Comida** carta 1800 a 2900.

VIGO *36200 Pontevedra* 441 **F 3** - *278 050 h. alt. 31.*

Ver : *Emplazamiento*★ - *El Castro* ★★ AZ.

Alred. : *Ría de Vigo*★★ - *Mirador de la Madroa*★★ ★★ *por carret. del aeropuerto : 6 km* BZ.

Vigo, por ② : 11 km (986) 48 66 45 Fax (986) 48 66 43.

de Vigo por N 550 : 9 km BZ *(986) 26 82 00 - Iberia : Marqués de Valladares 13 (986) 22 70 05* AY *- Aviaco : aeropuerto 48 76 25.*

(986) 22 35 97.

Cia. Trasmediterránea, Luis Taboada 6 36201 (986) 43 03 11 Fax (986) 43 14 30.

Estación Marítima de Trasatlánticos 36202 (986) 43 05 77 Fax (986) 43 05 77.

Madrid 600 ② - La Coruña/A Coruña 156 ① - Orense/Ourense 101 ② - Pontevedra 27 ① - Porto 157 ②

Plano página siguiente

Los Galeones, av. de Madrid 21, 36204, (986) 48 04 05, *Fax (986) 48 06 66* - - 25/270. BZ a Comida 3300 - 1300 - **76 hab** 12500/16800, 4 suites - PA 6715.

Bahía de Vigo, av. Cánovas del Castillo 24, 36202, (986) 22 67 00, Telex 83014, *Fax (986) 43 74 87,* - - 25/400 AY n **108 hab**, 2 suites.

Ciudad de Vigo, Concepción Arenal 5, 36201, (986) 22 78 20, Telex 83307, *Fax (986) 43 98 71* - - 25/220. BY z Comida 2500 - 1100 - **99 hab** 12700/15900, 2 suites.

Coia, Sanxenxo 1, 36209, (986) 20 18 20, Telex 83462, *Fax (986) 20 95 06* - - 25/600. por ③ Comida 2200 - 900 - **111 hab** 9800/13350, 15 suites - PA 5100.

Tres Luces, Cuba 19, 36204, (986) 48 02 50, *Fax (986) 48 33 27* - - 25/150. BZ e Comida 2350 - 825 - **70 hab** 8200/11600, 2 suites - PA 4700.

Vigo Real, av. de la Florida, 36210, (986) 29 66 00, *Fax (986) 29 18 00* - - 25/220. por ③ Comida 3150 - 1000 - **122 hab** 12800/16000, 1 suite - PA 6000.

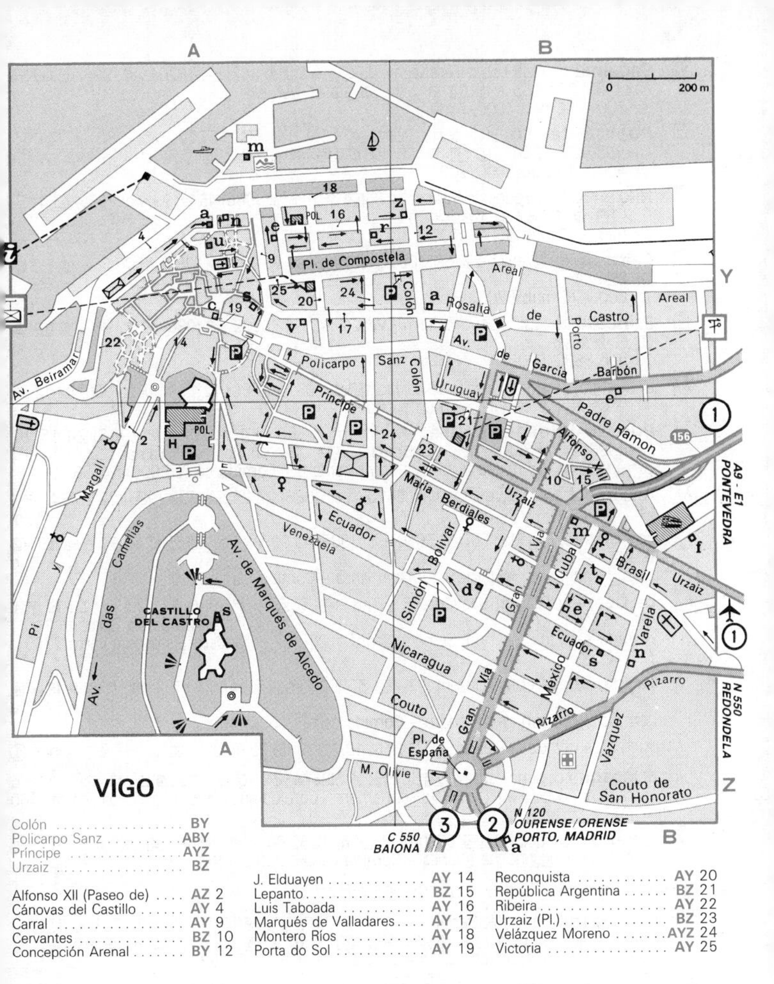

Lisboa, Gran Vía 1, ✉ 36204, ☎ (986) 41 72 55, Telex 83736, *Fax (986) 48 26 48* – TV ☎ – 25/120. AE ① E VISA. rest — BZ m
Comida 1250 – 750 – **99 hab** 8000/9500 – PA 3250.

Ipanema, Vázquez Varela 31, ✉ 36204, ☎ (986) 47 13 44, Telex 83671, *Fax (986) 48 20 80* – TV ☎ – 25/60. AE ① E VISA. — BZ n
Comida 1500 – 750 – **54 hab** 7000/11000, 6 suites – PA 3000.

México sin rest. con cafetería, Vía del Norte 10, ✉ 36204, ☎ (986) 43 16 66, *Fax (986) 43 55 53*, ← – TV ☎ – 25/60. AE ① E VISA. — BZ f
112 hab 7500/12000.

América sin rest, Pablo Morillo 6, ✉ 36201, ☎ (986) 43 89 22, *Fax (986) 43 70 56* – TV ☎. ① VISA. — AY r
500 – **45 hab** 7100/8900.

Compostela sin rest. con cafetería, García Olloqui 5, ✉ 36201, ☎ (986) 22 82 27, *Fax (986) 22 59 04* – TV ☎. AE ① E VISA. — AY e
650 – **30 hab** 6700/9100.

Galicia sin rest. con cafetería, Colón 11, ✉ 36201, ☎ (986) 43 40 22, *Fax (986) 22 32 28* – TV ☎ – 25/60. AE ① E VISA. — BY a
500 – **53 hab** 6200/9000.

Canaima sin rest. con cafetería, av. de García Barbón 42, ✉ 36201, ☎ (986) 43 09 34, *Fax (986) 22 13 85* – AE E VISA. BYZ c
500 – **56 hab** 4000/7000.

Puerta del Sol sin rest, Porta do Sol 14, ✉ 36202, ☎ (986) 22 71 53, *Fax (986) 22 23 64* – AE E VISA. AY c
400 – **16 hab** 5000/7000.

Nilo sin rest, Marqués de Valladares 8, ✉ 36201, ☎ (986) 43 28 99, *Fax (986) 43 44 74* – AE E VISA. AY v
600 – **52 hab** 5000/8000.

Celta sin rest, México 22, ✉ 36204, ☎ (986) 41 46 99, *Fax (986) 48 06 56* – AE VISA. BZ t
600 – **45 hab** 5700/7300.

Princesa sin rest. y sin ☕, Fermín Penzol 14, ✉ 36202, ☎ (986) 43 37 00 – AE E VISA. AY s
16 hab 3800/5800.

El Castillo, paseo de Rosalía de Castro, ✉ 36203, ☎ (986) 42 11 11, *Fax (986) 42 12 99*, ría de Vigo y ciudad, « En un parque » – AZ s

Puesto Piloto Alcabre, av. Atlántida 98, ✉ 36208, ☎ (986) 24 15 24, *Fax (986) 24 03 85*, – AE E VISA JCB. por av. Beiramar : 5 km AY
cerrado domingo noche y 15 días en noviembre – **Comida** carta 3000 a 4550.

Ancoradoiro, As Avenidas, ✉ 36202, ☎ (986) 22 26 34, *Fax (986) 22 26 34*, – AY m

Las Bridas, Ecuador 56, ✉ 36203, ☎ (986) 43 00 37, *Fax (986) 43 13 91* – AE E VISA. BZ d
cerrado domingo, festivos y Semana Santa – **Comida** carta 3100 a 4000.

La Oca, Purificación Saavedra 8 - Teis, ✉ 36207, ☎ (986) 37 12 55 – AE E VISA. por av. de García Barbón BY
cerrado sábado, domingo, Semana Santa y 20 días en agosto – **Comida** carta 2765 a 3550.

La Espuela, Teófilo Llorente 2, ✉ 36202, ☎ (986) 43 73 07 – AE E VISA. AY a
cerrado 15 diciembre-15 enero – **Comida** carta 2000 a 4000.

José Luis, av. de la Florida 34, ✉ 36210, ☎ (986) 29 95 22 – por ③

El Mosquito, pl. da Pedra 4, ✉ 36202, ☎ (986) 43 35 70 – AE E VISA. AY u
cerrado domingo y 20 agosto-10 septiembre – **Comida** - pescados y mariscos - carta 3400 a 5400.

Laxeiro, Ecuador 80, ✉ 36204, ☎ (986) 42 52 04 – AE E VISA. BZ s
cerrado domingo noche y lunes – **Comida** carta 2800 a 3400.

en la playa de Samil *por av. Beiramar : 6,5 km* AY

G.H. Samil, av. de Samil 15, ✉ *36208*, ☎ *(986) 24 00 00, Telex 83263, Fax (986) 24 19 00*, – 25/600. AE E VISA.
Comida 2950 – **135 hab** 14400/18000, 2 suites – PA 5900.

en la playa de La Barca *por av. Beiramar : 7,5 km* AY – ✉ *36330 Corujo :*

Timón Playa, ☎ (986) 49 08 15, *Fax (986) 49 11 26*, AE VISA.
cerrado domingo y 23 diciembre-18 enero – **Comida** carta 3200 a 4200.

Ver también : **Chapela** *por av. de García Barbón : 7 km* BY
Canido *por av. Beiramar : 10 km* AY.

La VILA JOIOSA *Alicante – ver Villajoyosa.*

VILABOA *36141 Pontevedra* **441** **E 4** – *5 785 h. alt. 50.*
Madrid 618 – Pontevedra 9 – Vigo 27.

El Edén sin rest. con cafetería, carret. N 550 ☎ (986) 70 83 22, *Fax (986) 70 88 77*, – VISA.
600 – **73 hab** 6000/8000.

en Paredes *SE : 2 km* – ✉ *36141 Vilaboa :*

Las Islas sin rest, ☎ (986) 70 88 92, *Fax (986) 70 84 84*, – E VISA.
500 – **26 hab** 3000/5200.

VILADRAU *17406 Gerona* 443 G **37** - *883 h. alt. 821.*
pl. Mayor 4 local B (93) 884 80 35 Fax (93) 884 80 35 (temp).
Madrid 647 - Barcelona 76 - Gerona/Girona 61.

Xalet La Coromina, carret. de Vic (93) 884 92 64, *Fax (93) 884 81 60,* « Antigua casa señorial », - . rest
cerrado del 8 al 31 de enero - **Comida** 1750 - 900 - **8 hab** 7500/9345.

De la Gloria, Torreventosa 12 (93) 884 90 34, *Fax (93) 884 94 65,* - - 25/200. .
cerrado 22 diciembre-7 enero - **Comida** 2000 - 850 - **23 hab** 5500/8000.

VILAFRAMIL *Lugo - ver Villaframil.*

VILAFRANCA DEL PENEDÈS *Barcelona - ver Villafranca del Panadés.*

VILAGRASSA *25330 Lérida* 443 H **33** - *392 h. alt. 355.*
Madrid 510 - Barcelona 119 - Lérida/Lleida 41 - Tarragona 78.

Del Carme, antigua carret. N II (973) 31 10 00, *Fax (973) 31 07 77,* , , - , rest, - 25/300.
Comida 1500 - 650 - **40 hab** 3500/6500.

Cataluña, Mayor 2 (973) 31 14 65 - . .
cerrado domingo noche y lunes salvo festivos - **Comida** - carnes a la brasa - carta 2550 a 4275.

VILALONGA *Pontevedra - ver Villalonga.*

VILANOVA DEL VALLÈS *Barcelona - ver Granollers.*

VILANOVA I LA GELTRÚ *Barcelona - ver Villanueva y Geltrú.*

VILAVELLA *Orense - ver Villavieja.*

VILLA DEL PRADO *28630 Madrid* 444 L **17** - *3 290 h. alt. 510.*
Madrid 61 - Ávila 80 - Toledo 78.

El Extremeño, av. del Generalísimo 18 (91) 862 24 28, - rest, .
Comida 1200 - **16 hab** 2500/5000 - PA 2400.

VILLABALTER *24191 León* 441 E **13**.
Madrid 348 - León 6 - Ponferrada 109 - Palencia 134 - Oviedo 113.

La Tahona de Ambrosia, carret. C 623 - NE : 1,5 km (987) 23 08 18, *Fax (987) 27 05 04,* , « Decoración rústica » - . .
cerrado lunes - **Comida** carta aprox. 3000.

VILLABONA *20150 Guipúzcoa* 442 C **23** - *5 295 h. alt. 61.*
Madrid 451 - Pamplona/Iruñea 71 - San Sebastián/Donostia 20 - Vitoria/Gasteiz 96.

en Amasa *E : 1 km - 20150 Villabona :*

Arantzabi, (943) 69 12 55, , , « Típico caserío vasco » - .
cerrado domingo noche, lunes y 15 diciembre-15 enero - **Comida** - sólo almuerzo de octubre a junio salvo viernes y sábado - carta 2700 a 4500.

VILLACAÑAS *45860 Toledo* 444 N **19** - *8 711 h. alt. 668.*
Madrid 109 - Alcázar de San Juan 35 - Aranjuez 48 - Toledo 72.

Quico, av. de La Mancha 34 (925) 16 04 50 - rest,
Comida 1500 - 350 - **23 hab** 1950/3200.

VILLACARRILLO *23300 Jaén* 446 R **20** - *10 925 h. alt. 785.*
Madrid 349 - Albacete 172 - Úbeda 32.

Las Villas, carret. N 322 (953) 44 01 25, *Fax (953) 44 01 25* - .
.
Comida 1000 - 400 - **37 hab** 3150/5300 - PA 2400.

VILLACASTÍN *40150 Segovia* 442 J 16 – *1 600 h. alt. 1 100.*
Madrid 79 – Ávila 29 – Segovia 36 – Valladolid 105.

en la autopista A 6 *SE : 4,5 km – ✉ 40150 Villacastín :*

XX **Las Chimeneas,** ✉ apartado 11, ☎ (921) 19 86 40, *Fax (921) 19 81 69* – ▤ Ⓟ. AE E VISA. ✻
Comida carta 2265 a 3785.

VILLADANGOS DEL PÁRAMO *24392 León* 441 E 12 – *1 019 h. alt. 894.*
Madrid 331 – León 18 – Ponferrada 87.

Avenida III, carret. N 120 - NE : 1,5 km ☎ (987) 39 03 11, *Fax (987) 39 03 12,* – |♦| TV ☎ ⇔ Ⓟ – 25/75. AE E VISA. ✻
Comida (ver rest. ***Avenida II***) – ☕ 500 – **28 hab** 3800/6800.

X **Avenida II** con hab, carret. N 120 - NE : 1,5 km ☎ (987) 39 00 81, *Fax (987) 39 03 11* – ▤ rest, TV ☎ ⇔ Ⓟ. AE E VISA. ✻
Comida carta 1500 a 2850 – ☕ 500 – **10 hab** 3800/6800.

VILLADIEGO *09120 Burgos* 442 E 17 – *2 125 h. alt. 842.*
Madrid 282 – Burgos 39 – Palencia 84 – Santander 150.

El Condestable, av. Reyes Católicos 2 ☎ (947) 36 17 32, *Fax (947) 36 17 02* – ☎ Ⓟ. VISA. ✻
cerrado del 15 al 30 de septiembre – **Comida** 2100 – ☕ 650 – **24 hab** 5000/6500 – PA 4600.

VILLAFRAMIL o VILAFRAMIL *27797 Lugo* 441 B 8.
Madrid 604 – La Coruña/A Coruña 14 – Lugo 98 – Ribadeo 5 – Oviedo 150.

XX **La Villa,** carret. N 634 ☎ (982) 12 30 01 – Ⓟ. AE ⓓ E VISA. ✻
cerrado martes (salvo julio-agosto) y 15 días en noviembre – **Comida** carta 1500 a 3600.

VILLAFRANCA DEL BIERZO *24500 León* 441 E 9 – *4 136 h. alt. 511.*
Madrid 403 – León 130 – Lugo 101 – Ponferrada 21.

Parador de Villafranca del Bierzo, av. de Calvo Sotelo ☎ (987) 54 01 75, *Fax (987) 54 00 10* – ▤ rest, TV ☎ Ⓟ – 25/40. AE ⓓ E VISA JCB. ✻
cerrado 20 diciembre-enero – **Comida** 3200 – ☕ 1200 – **40 hab** 10000/13500.

San Francisco sin rest, pl. Mayor 6 ☎ (987) 54 04 65, *Fax (987) 54 05 44* – TV ☎. E VISA. ✻
☕ 520 – **20 hab** 5310/7510.

Casa Méndez, pl. de la Concepción ☎ (987) 54 24 08 – ▤ rest,. VISA. ✻
Comida 1300 – ☕ 400 – **12 hab** 2700/4500 – PA 2500.

VILLAFRANCA DEL PANADÉS o VILAFRANCA DEL PENEDÈS *08720 Barcelona* 443 H 35 – *28 018 h. alt. 218.*
Cort 14 ☎ (93) 892 03 58 Fax (93) 818 14 79.
Madrid 572 – Barcelona 54 – Tarragona 54.

Domo, Francesc Macià 2 ☎ (93) 817 24 26, *Fax (93) 817 08 53* – |♦| ▤ TV ☎ ♿ ⇔ – 25/200
44 hab.

Pedro III el Grande, pl. del Penedès 2 ☎ (93) 890 31 00, *Fax (93) 890 39 21* – |♦| ▤ TV ☎ Ⓟ. AE ⓓ E VISA. ✻ rest
Comida *(cerrado domingo)* 1500 – ☕ 750 – **52 hab** 5000/8500 – PA 3000.

XX Airolo, rambla de Nostra Senyora 10 ☎ (93) 892 17 98, *Fax (93) 892 25 31* – ▤.

XX **Cal Ton,** Casal 8 ☎ (93) 890 37 41 – ▤. AE ⓓ E VISA. ✻
cerrado domingo noche y lunes – **Comida** carta 3250 a 5150.

X **Casa Joan,** pl. de l'Estació 8 ☎ (93) 890 31 71 – ▤. AE E VISA. ✻
cerrado domingo, Semana Santa, del 16 al 31 de agosto y Navidades – **Comida** - sólo almuerzo salvo sábado - carta 3125 a 4550.

por la carretera N 340 *SO : 2,5 km – ✉ 08720 Villafranca del Panadés :*

Alfa Penedès, ☎ (93) 817 20 26, *Fax (93) 817 22 45* – |♦| ▤ TV ☎ ♿ Ⓟ – 25/200. AE ⓓ E VISA. ✻ rest
Gran Mercat : **Comida** carta 2100 a 3850 – ☕ 990 – **58 hab** 9660/12675, 1 suite.

VILLAGARCÍA DE AROSA o **VILAGARCÍA DE AROUSA** *36600 Pontevedra* 441 E 3 – *31 760 h. – Playa.*

Alred. : *Mirador de Lobeira★ S : 4 km.*

Juan Carlos I-37 ☎ (986) 51 01 44.

Madrid 632 – Orense/Ourense 133 – Pontevedra 25 – Santiago de Compostela 42.

San Luis sin rest, av. de la Marina 16 ☎ (986) 50 73 18, *Fax (986) 50 73 18* – TV ☎ **27 hab.**

León XIII sin rest, av. de la Marina 12 ☎ (986) 50 63 83 – ☎ **21 hab.**

Paco Feixó con hab, av. Rosalía de Castro 81 ☎ (986) 51 26 91, *Fax (986) 50 80 70*, ← – TV ☎. AE ① E VISA
Comida *(cerrado domingo noche, lunes en invierno y octubre)* carta 4300 a 6300 – **14 hab** ☕ 5500/10000.

VILLAGONZALO-PEDERNALES *09195 Burgos* 442 F 18 – *456 h. alt. 900.*

Madrid 231 – Aranda de Duero 76 – Burgos 8 – Palencia 81.

Rey Arturo, autovía N 620 - salida 6 ó 7 ☎ (947) 27 33 99, *Fax (947) 27 33 88*, ← – TV ☎ P. AE ① E VISA. rest
Comida 3000 – ☕ 550 – **52 hab** 5300/8400.

VILLAJOYOSA o **La VILA JOIOSA** *03570 Alicante* 445 Q 29 – *23 160 h.*

Costera del Mar ☎ (96) 685 13 71 Fax (96) 589 13 01.

Madrid 450 – Alicante/Alacant 32 – Gandía 79.

El Brasero, av. del Puerto 32 ☎ (96) 589 03 33, – AE ① E VISA
cerrado martes y 30 noviembre-30 enero – **Comida** carta 2800 a 3900.

por la carretera de Alicante *SO : 3 km – ✉ 03570 Villajoyosa :*

Montíboli , ☎ (96) 589 02 50, *Fax (96) 589 38 57*, ←, – TV ☎ P – 25/65. AE ① E VISA. rest
Emperador : **Comida** carta 4850 a 6150 - ***Minarete*** *(sólo almuerzo, cerrado lunes, y octubre-marzo)* **Comida** carta aprox. 3700 – **49 hab** ☕ 14900/25700, 4 suites.

Eurotennis, ☎ (96) 589 12 50, *Fax (96) 589 11 94*, ←, – TV ☎ P – 50/200. AE ① E VISA. rest
Comida 1800 – ☕ 1200 – **98 hab** 10000/14000.

VILLALBA *27800 Lugo* 441 C 6 – *15 643 h. alt. 492.*

Madrid 540 – La Coruña/A Coruña 87 – Lugo 36.

Parador de Villalba, Valeriano Valdesuso ☎ (982) 51 00 11, *Fax (982) 51 00 90*, « Instalado en la torre de un castillo medieval » – TV ☎ P. AE ① E VISA.
Comida 3500 – ☕ 1300 – **6 hab** 14000/17500 – PA 8300.

Villamartín, av. Tierra Llana ☎ (982) 51 12 15, *Fax (982) 51 11 35*, – rest, TV ☎ P – 25/200. AE ① E VISA.
Comida 1800 – ☕ 500 – **60 hab** 6000/7500 – PA 3485.

VILLALBA DE LA SIERRA *16140 Cuenca* 444 L 23 – *535 h. alt. 950.*

Alred. : *E : Ventano del Diablo (← garganta del Júcar★).*

Madrid 183 – Cuenca 21.

El Tablazo , camino de la Noria ☎ (969) 28 14 88, *Fax (969) 28 14 88*, , Pesca deportiva, « Integrado en plena naturaleza junto al río Júcar » – TV ☎ P. VISA. rest
cerrado enero – **Comida** 1600 – ☕ 450 – **28 hab** 4100/6900 – PA 3600.

Mesón Nelia, carret. de Cuenca ☎ (969) 28 10 21, *Fax (969) 28 10 78* – P. AE E VISA.
cerrado miércoles (salvo julio-agosto) y 7 enero-7 febrero – **Comida** carta 2100 a 3575.

VILLALONGA o **VILALONGA** *36990 Pontevedra* 441 E 3.

Madrid 629 – Pontevedra 23 – Santiago de Compostela 66.

Pazo El Revel sin rest, camino de la Iglesia ☎ (986) 74 30 00, *Fax (986) 74 33 90*, « Pazo del siglo XVII con jardín », – ☎ P. E VISA.
junio-septiembre – **22 hab** ☕ 7250/11700.

en la carretera de Sangenjo *SE : 3km – ✉ 36990 Villalonga :*

Nuevo Astur, Gondar 38 ☎ (986) 74 30 06, *Fax (986) 74 43 92*, – rest, TV ☎ P. VISA.
Comida 2995 – ☕ 800 – **143 hab** 8560/10165 – PA 5955.

VILLALONGA *46720 Valencia* 445 **P 29** – *3 564 h.*
Madrid 427 – Alicante/Alacant 112 – Gandía 11 – Valencia 79.

Tarsan, Partida Reprimala - O : 2 km ☎ (96) 280 50 79, ≤, – ▤ P. AE ⓓ E VISA.
Comida - sólo almuerzo de octubre a junio - carta 2450 a 3500.

VILLALONQUÉJAR *Burgos – ver Burgos.*

VILLAMAYOR *33583 Asturias* 441 **B 14**
Madrid 508 – Avilés 74 – Gijón 70 – Oviedo 52 – Ribadesella 29.

por la carretera de Cereceda *NE : 5 km – ✉ 33583 Villamayor :*

Palacio de Cutre, La Goleta ☎ (98) 570 80 72, *Fax (98) 570 80 19,* « Antigua casa señorial decorada en estilo rústico, en un pintoresco paraje con ≤ valles y montañas », – TV ☎ P. AE ⓓ E VISA JCB.
cerrado 16 febrero-6 marzo – **Comida** *(cerrado lunes noche y martes)* 3500 – ☐ 950 – **12 hab** 10950/14850 – PA 6800.

VILLAMAYOR *37185 Salamanca* 441 **J 12** – *1 175 h. alt. 782.*
Madrid 212 – Ávila 103 – Ciudad Rodrigo 96 – Salamanca 3 – Zamora 62.

La Caserna, Larga ☎ (923) 28 95 03, *Fax (923) 28 95 03,* , « Interior castellano con patio » – ▤. AE ⓓ E VISA.
cerrado domingo noche – **Comida** carta 2900 a 3600.

VILLAMAYOR DEL RÍO *09259 Burgos* 442 **E 20.**
Madrid 294 – Burgos 51 – Logroño 63 – Vitoria/Gasteiz 80.

León, carret. N 120 ☎ (947) 58 02 37, *Fax (947) 58 02 37* – ▤ P. AE ⓓ E VISA.
cerrado domingo noche, lunes y del 1 al 15 de julio – **Comida** carta 2400 a 2850.

VILLANÚA *22870 Huesca* 443 **D 28** – *268 h. alt. 953.*
Madrid 496 – Huesca 106 – Jaca 15.

Faus Hütte sin rest, carret. N 330 ☎ (974) 37 81 36, *Fax (974) 37 81 98,* ≤ – TV . AE ⓓ VISA
10 hab ☐ 5900/9700.

Reno, carret. N 330 ☎ (974) 37 80 66, *Fax (974) 37 81 30* – TV ☎ P. AE ⓓ E VISA.
cerrado mayo y noviembre – **Comida** *(cerrado domingo noche y lunes)* 1700 – ☐ 500 – **15 hab** 3500/7000 – PA 3900.

VILLANUEVA DE ARGAÑO *09132 Burgos* 442 **E 18** – *124 h. alt. 838.*
Madrid 264 – Burgos 21 – Palencia 78 – Valladolid 115.

Las Postas de Argaño con hab, av. Rodríguez de Valcarce ☎ (947) 45 01 56, *Fax (947) 45 01 66,* – ▤ rest, TV ☎ P. E VISA.
cerrado febrero – **Comida** *(cerrado domingo noche)* carta 1950 a 3200 – ☐ 650 – **11 hab** 4000/5000.

VILLANUEVA DE CÓRDOBA *14440 Córdoba* 446 **R 16** – *9 534 h. alt. 724.*
Madrid 340 – Ciudad Real 143 – Córdoba 67.

Demetrius sin rest y sin ☐, av. de Cardeña ☎ (957) 12 02 94 – VISA.
23 hab 1800/3400.

VILLANUEVA DE GÁLLEGO *50830 Zaragoza* 443 **G 27** – *2 460 h. alt. 243.*
Madrid 333 – Huesca 57 – Lérida/Lleida 156 – Pamplona/Iruñea 179 – Zaragoza 14.

La Val d'Onsella, Pilar Lorengar 1 ☎ (976) 18 03 88, *Fax (976) 18 61 13* – ▤ P. AE ⓓ VISA.
cerrado domingo noche, lunes y Semana Santa – **Comida** carta aprox. 4000.

VILLANUEVA DE LOS INFANTES *13320 Ciudad Real* 444 **P 21** – *5 664 h. alt. 840.*
Madrid 219 – Albacete 126 – Ciudad Real 100 – Valdepeñas 35.

Hospedería Real El Buscón de Quevedo, Frailes 1 ☎ (926) 36 17 88, *Fax (926) 36 17 97,* « Instalado en un convento del siglo XII » – ▤ TV ☎ P – 25/100. AE ⓓ E VISA.
Comida *(cerrado lunes)* 1975 – ☐ 495 – **24 hab** 4925/6975.

VILLANUEVA Y GELTRÚ o **VILANOVA I LA GELTRÚ** *08800 Barcelona* 443 I 35 – *45 883 h. – Playa.*

Ver : *Museo romántico-Casa Papiol★ – Biblioteca-Museo Balaguer★, Museo del Ferrocarril★.*

Parc de Ribes Roges (93) 815 45 17 Fax (93) 815 26 93.

Madrid 589 – Barcelona 50 – Lérida/Lleida 132 – Tarragona 46.

en la zona de la playa :

César, Isaac Peral 4 (93) 815 11 25, *Fax (93) 815 67 19,* « Terraza con arbolado » – hab, – 25/120. AE E VISA
Comida 2500 - ***La Fitorra*** *(cerrado domingo noche, lunes salvo julio-agosto)* **Comida** carta 3200 a 4400 – 1000 – **28 hab** 8860/11560, 2 suites.

Ceferino, passeig Ribes Roges 2 (93) 815 17 19, *Fax (93) 815 89 31,* – . AE E VISA.
Comida 1800 – 600 – **30 hab** 7500/9000 – PA 3500.

Solvi 70, passeig Ribes Roges 1 (93) 815 12 45, *Fax (93) 815 70 02,* – . E VISA.
cerrado 15 octubre-15 noviembre – **Comida** 1500 – 550 – **30 hab** 4500/8500 – PA 3200.

Ricard sin rest, passeig Marítim 88 (93) 815 71 00, *Fax (93) 815 99 57* – . AE E VISA
cerrado 15 diciembre-15 enero – 550 – **12 hab** 8500.

Peixerot, passeig Marítim 56 (93) 815 06 25, *Fax (93) 815 04 50,* – . AE E VISA.
cerrado domingo noche salvo verano – **Comida** - pescados y mariscos - carta 3000 a 4575.

Pere Peral, Isaac Peral 15 (93) 815 29 96, *Fax (93) 815 26 02,* « Terraza bajo los pinos » – E VISA
cerrado lunes y del 2 al 30 de noviembre – **Comida** carta 3100 a 4800.

La Botiga, passeig Marítim 75 (93) 815 60 78, – – **Comida** - pescados y mariscos.

Chez Bernard, Ramón Llull 4 (93) 815 56 04,
Comida - cocina francesa -.

Avi Pep, Llibertat 128 (93) 815 17 36 – .

en Racó de Santa Llúcia *O : 2,5 km – 08800 Villanueva y Geltrú :*

La Cucanya, (93) 815 19 34, *Fax (93) 815 43 54,* – . AE E VISA.
Comida - cocina italiana - carta 3125 a 3625.

VILLARCAYO *09550 Burgos* 442 D 19 – *4 121 h. alt. 615.*

Santa Marina 10 (947) 13 04 42 Fax (947) 13 04 42.

Madrid 321 – Bilbao/Bilbo 81 – Burgos 78 – Santander 100.

Plati, Nuño Rasura 20 (947) 13 10 15, –
27 hab.

Mini-Hostal sin rest. con sólo en verano, Dr. Albiñana 70 (947) 13 15 40 – .
300 – **17 hab** 4000/5000.

en Horna *S : 1 km – 09554 Horna :*

Doña Jimena, (947) 13 05 63, *Fax (947) 13 05 70* – . E VISA.
Comida (ver rest ***Mesón El Cid***) – **21 hab** 6500/10500, 1 suite.

Mesón El Cid, (947) 13 11 71, *Fax (947) 13 05 70* – . E VISA.
cerrado noviembre – **Comida** carta 3950 a 4850.

VILLARLUENGO *44559 Teruel* 443 K 28 – *245 h. alt. 1 119.*

Madrid 370 – Teruel 94.

en la carretera de Ejulve *NO : 7 km – 44559 Villarluengo :*

La Trucha , Las Fábricas (974) 77 30 08, Telex 62614, *Fax (974) 77 31 00,* , – . AE E VISA
Comida 3100 – 825 – **56 hab** 9150/11440.

VILLARREAL DE ÁLAVA o **LEGUTIANO** *01170 Álava* 442 D 22 – *1 214 h. alt. 975.*

Madrid 370 – Bilbao/Bilbo 51 – Vitoria/Gasteiz 15.

El Crucero, Kurutxalde (carret. N 240) (945) 45 50 33
E VISA.
cerrado del 10 al 23 de agosto – **Comida** carta 1950 a 2850.

VILLARROBLEDO *02600 Albacete* **444 O 22** – *20 396 h. alt. 724.*
Madrid 183 – Albacete 84 – Alcázar de San Juan 82.

Castillo sin rest, av. Reyes Católicos 20 (967) 14 33 11, *Fax (967) 14 33 11* – . *VISA*.
300 – **28 hab** 3500/6000.

en la carretera N 310 *SO : 6 km –* *02600 Villarrobledo :*

Gran Sol, (967) 14 02 45, *Fax (967) 14 02 94* – – **33 hab.**

VILLARRODIS *La Coruña – ver Arteijo.*

VILLASANA DE MENA *09580 Burgos* **442 C 20** – *alt. 312.*
Madrid 358 – Bilbao/Bilbo 44 – Burgos 115 – Santander 101.

Cadagua, Ángel Nuño 26 (947) 12 61 25, *Fax (947) 12 61 26*, – .
VISA.
Comida 1600 – 500 – **27 hab** 4000/6000 – PA 3100.

VILLASOBROSO *36879 Pontevedra* **441 F 4.**
Madrid 560 – Orense/Ourense 66 – Pontevedra 40 – Vigo 34.

O'Rianxo, carret. N 120 (986) 65 44 34 – . *VISA*.
cerrado lunes noche – **Comida** carta 1500 a 2500.

VILLATOBAS *45310 Toledo* **444 M 20** – *2 451 h. alt. 723.*
Madrid 80 – Albacete 169 – Cuenca 129 – Toledo 71.

Seller con hab, carret. N 301 - NO : 1,7 km (925) 15 20 67, *Fax (925) 15 24 30* – – **17 hab.**

VILLAVERDE DE PONTONES *39793 Cantabria* **442 B 18.**
Madrid 387 – Bilbao/Bilbo 86 – Burgos 153 – Santander 14.

Cenador de Amós, pl. del Sol (942) 50 82 43, *Fax (942) 50 82 43*, « Antigua casona señorial » – . *VISA*.
cerrado domingo noche, lunes (salvo 15 julio-agosto), del 7 al 31 de enero y del 1 al 10 de octubre – **Comida** carta 3375 a 4875
Espec. Salteado de carabineros con galleta de arroz tostado. Alubias blancas estofadas con morcilla de liebre. Nuestra tartita crujiente tiramisú.

VILLAVICIOSA *Ávila – ver Solosancho.*

VILLAVICIOSA *33300 Asturias* **441 B 13** – *15 093 h. alt. 4.*
Alred. : *Iglesia y Monasterio de San Salvador de Valdediós* * *SO : 7 km.*
Madrid 493 – Gijón 30 – Oviedo 41.

Casa España sin rest, pl. Carlos I-3 (98) 589 20 30, *Fax (98) 589 26 82* – . *VISA*.
600 – **12 hab** 8000.

Carlos I sin rest, pl. Carlos I-4 (98) 589 01 21, *Fax (98) 589 00 51* – . *VISA*.
420 – **14 hab** 8000.

Avenida sin rest, Carmen 10 (98) 589 15 09, *Fax (98) 589 15 09* – . *VISA*.
500 – **9 hab** 5500/8000.
Ver también : **Amandi** *S : 1,5 km.*

VILLAVIEJA o VILAVELLA *32590 Orense* **441 F 8.**
Madrid 377 – Benavente 120 – Orense/Ourense 122 – Ponferrada 129.

Porta Galega, carret. N 525 (988) 42 55 93, *Fax (988) 42 56 08* – – **38 hab.**

VILLAVIEJA DEL LOZOYA *28739 Madrid* **444 I 18** – *157 h. alt. 1 066.*
Madrid 86 – Guadalajara 92 – Segovia 85.

Hospedería El Arco con hab, El Arco 6 (91) 868 09 11, *Fax (91) 868 13 20*, « Arco mudéjar original » – . *VISA*. rest
15 junio-15 septiembre y fines de semana resto del año (salvo 24 diciembre-6 enero) – **Comida** carta 3100 a 4400 – 700 – **8 hab** 5000/7000.

VILLENA *03400 Alicante* 445 Q 27 – *31 141 h. alt. 503.*
Ver : *Museo Arqueológico (tesoro de Villena★★).*
Madrid 361 – Albacete 110 – Alicante/Alacant 58 – Valencia 122.

VILLOLDO *34131 Palencia* 442 F 16 – *558 h. alt. 790.*
Madrid 253 – Burgos 96 – Palencia 27.
Estrella del Bajo Carrión con hab, antigua carret. C 615 (979) 82 70 05, *Fax (979) 82 72 69* – . E VISA.
Comida *(cerrado lunes en invierno)* carta aprox. 3800 – 450 – **20 hab** 4000/6000 – PA 3400.

VILVIESTRE DEL PINAR *09690 Burgos* 442 G 20 – *764 h. alt. 1 139.*
Madrid 213 – Aranda de Duero 93 – Burgos 78 – Logroño 106 – Soria 75.
Mesón El Molino, N : 2,5 km (947) 39 06 76 – .
Comida carta 2100 a 3700,.

VINAROZ o **VINARÒS** *12500 Castellón* 445 K 31 – *19 902 h. – Playa.*
pl. Jovellar (964) 64 91 16 Fax (964) 64 91 16.
Madrid 498 – Castellón de la Plana/Castelló de la Plana 76 – Tarragona 109 – Tortosa 48.
Teruel, av. de Madrid 32 (964) 40 04 24 – . VISA.
Comida *(cerrado del 1 al 15 de septiembre)* 1300 – 400 – **20 hab** 4400/6000.
Miramar, paseo Marítimo 12 (964) 45 14 00, ← – . E VISA.
Comida 1600 – 500 – **17 hab** 3800/5800 – PA 3700.
El Pino sin rest y sin , San Pascual 47 (964) 45 05 53 –
7 hab 2500/4000.
El Langostino de Oro, San Francisco 31 (964) 45 12 04, *Fax (964) 45 17 93* – . AE E VISA
Comida - pescados y mariscos - carta 3450 a 4000.
La Cuina, paseo Blasco Ibáñez 12 (964) 45 47 36 – AE E VISA.
cerrado domingo noche (en invierno) y Navidades – **Comida** carta 2800 a 4700.
La Isla, San Pedro 5 (964) 45 23 58, ← – . AE E VISA JCB.
cerrado lunes, del 8 al 22 de enero y del 14 al 28 de octubre – **Comida** carta 2600 a 4100.
Voramar, av. Colón 34 (964) 45 00 37 – . E VISA.
Comida carta 2600 a 3400.

en la carretera N 340 *S : 2 km – 12500 Vinaroz :*
Roca, (964) 40 13 12, *Fax (964) 40 08 16*, , – rest, . E VISA. rest
Comida 1200 – 450 – **36 hab** 3700/5300 – PA 2600.

VINYOLES *Barcelona – ver Masias de Voltregá.*

VIRGEN DE LA VEGA *Teruel – ver Alcalá de la Selva.*

VIRGEN DEL CAMINO *24198 León* 441 E 13.
Madrid 333 – Burgos 198 – León 6 – Palencia 134.
Las Redes, av. Astorga 40 (987) 30 01 64 – . AE E VISA.
cerrado domingo noche y 1ª quincena de julio – **Comida** - pescados y mariscos - carta aprox. 3800.

EL VISO DEL ALCOR *41520 Sevilla* 446 T 12 – *15 107 h. alt. 143.*
Madrid 524 – Córdoba 117 – Granada 252 – Sevilla 31.
Picasso, av. del Trabajo 11 (95) 574 09 00, *Fax (95) 594 63 67* – . AE E VISA.
Comida 1500 – 500 – **44 hab** 9000/12000 – PA 3500.

Les hôtels ou restaurants agréables
sont indiqués dans le Guide par un signe rouge.
Aidez-nous en nous signalant les maisons où,
par expérience, vous savez qu'il fait bon vivre.
Votre **Guide Michelin** sera encore meilleur.

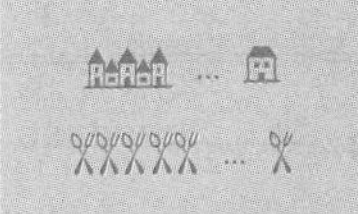

VITORIA o **GASTEIZ** *01000* **P** *Álava* **442** **D 21 y 22** – *209 704 h. alt. 524.*

Ver : *Museo de Arqueología (estela del jinete★)* BY **M1** – *Museo del Naipe "Fournier"★* BY **M4** *Museo de Armería★* AZ **M3.**

Alred. : *Gaceo★ (iglesia : frescos góticos★) 21 km por ②.*

✈ *de Vitoria, por ④ : 8 km ☎ (945) 16 35 00 – Iberia : av. Gasteiz 84 ✉ 01012 ☎ (945) 16 36 37* AY.

parque de la Florida ✉ 01008 ☎ (945) 13 13 21 Fax (945) 13 02 93 – **R.A.C.V.N.** *pl. San Martín 4 ✉ 01009 ☎ (945) 22 86 00 Fax (945) 22 32 07.*

Madrid 352 ③ – Bilbao/Bilbo 64 ④ – Burgos 111 ③ – Logroño 93 ③ – Pamplona/Iruñea 93 ② – San Sebastián/Donostia 115 ② – Zaragoza 260 ③

GASTEIZ VITORIA

Dato .... BZ
Gasteiz (Av. de) .... AYZ
Independencia .... BZ 27
Postas .... BZ

Angulema .... BZ 2
Becerro de Bengoa .... AZ 5
Cadena y Eleta .... AZ 8
Diputación .... AZ 12
Escuelas .... BY 15
España (Pl. de) .... BZ 18
Herrería .... AY 24
Machete (Pl. del) .... BZ 30
Madre Vedruna .... AZ 33

Nueva Fuera .... BY 34
Ortiz de Zárate .... BZ 36
Pascual de Andagoya (Pl. de) .... AY 39
Portal del Rey .... BZ 42
Prado .... AZ 45
San Francisco .... BZ 48
Santa María (Cantón de) .... BY 51
Virgen Blanca (Pl. de la) .... BZ 55

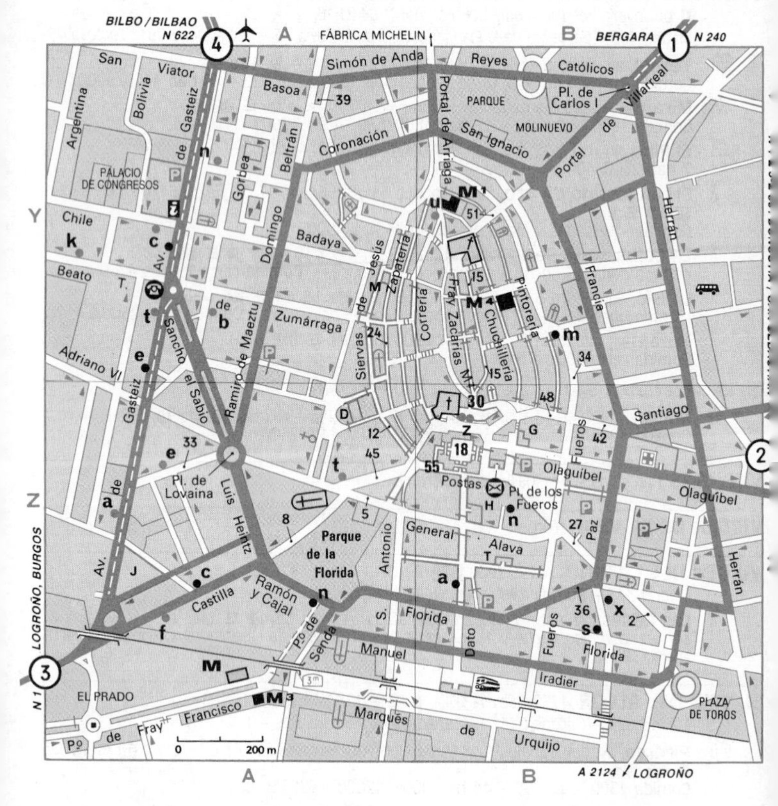

Gasteiz, av. Gasteiz 45, ✉ 01009, ☎ (945) 22 81 00, *Fax (945) 22 62 58* – 25/250. AY e
Comida *(cerrado domingo y 10 agosto-10 septiembre)* 2100 – 1300 – **146 hab** 11675/17000, 4 suites.

Ciudad de Vitoria, Portal de Castilla 8, ✉ 01008, ☎ (945) 14 11 00, *Fax (945) 14 36 16,* – 25/500. AZ c
Comida 2000 – 1200 – **148 hab** 14250/16250, 1 suite – PA 5200.

NH Canciller Ayala, Ramón y Cajal 5, ✉ 01007, ☎ (945) 13 00 00, *Fax (945) 13 35 05* – 25/250. AE VISA. AZ n
Comida 2300 - ***Quejana*** **: Comida** carta 2600 a 3850 – 1300 – **174 hab** 12000/13600, 10 suites – PA 5000.

General Álava sin rest. con cafetería, av. Gasteiz 79, ✉ 01009, ☎ (945) 22 22 00, *Fax (945) 24 83 95* – 25/150. AE E VISA. AY c
1100 – **113 hab** 8500/14400, 1 suite.

Dato sin rest y sin, Dato 28, ✉ 01005, ☎ (945) 14 72 30, *Fax (945) 23 23 20,* « Ambiente acogedor » – AE E VISA BZ a
14 hab 3725/4800.

Páramo sin rest, General Álava 11 (pasaje), ✉ 01005, ☎ (945) 14 02 40, *Fax (945) 14 04 92* – AE E VISA BZ n
cerrado 23 diciembre-7 enero – **40 hab** 4500/7000.

Achuri sin rest, Rioja 11, ✉ 01005, ☎ (945) 25 58 00, *Fax (945) 26 40 74* – AE E VISA. BZ x
475 – **40 hab** 3900/6300.

Desiderio sin rest, Colegio de San Prudencio 2, ✉ 01001, ☎ (945) 25 17 00, *Fax (945) 25 17 22* – AE VISA. BY m
cerrado 23 diciembre-2 enero – 500 – **21 hab** 3500/5600.

Iradier sin rest y sin, Florida 49, ✉ 01005, ☎ (945) 27 90 66, *Fax (945) 14 53 29* – AE E VISA. BZ s
19 hab 4500/7000.

Ikea, Portal de Castilla 27, ✉ 01007, ☎ (945) 14 47 47, *Fax (945) 23 35 07,* « Instalado en una villa » – AE E VISA. AZ f
cerrado domingo noche, lunes y 20 días en agosto – **Comida** carta 5150 a 6350.

El Portalón, Correría 151, ✉ 01001, ☎ (945) 14 27 55, *Fax (945) 14 42 01,* « Posada del siglo XV » – AE VISA. BY u
cerrado domingo, Semana Santa y 10 agosto-3 septiembre – **Comida** carta 4500 a 5950.

Dos Hermanas, Madre Vedruna 10, ✉ 01008, ☎ (945) 13 29 34, *Fax (945) 13 16 43* – AE E VISA. AZ e
cerrado domingo y miércoles noche – **Comida** carta 3700 a 4800.

Zaldiarán, av. Gasteiz 21, ✉ 01008, ☎ (945) 13 48 22, *Fax (945) 13 45 95* – AE E VISA. AZ a
cerrado domingo y martes noche – **Comida** carta 4350 a 5600.

Andere, Gorbea 8, ✉ 01008, ☎ (945) 24 54 05, *Fax (945) 22 88 44,* – AY b

Teide, av. Gasteiz 61, ✉ 01008, ☎ (945) 22 10 23, *Fax (945) 24 21 49* – AE E VISA. AY t
cerrado martes, Semana Santa y del 16 al 31 de agosto – **Comida** carta 3000 a 4200.

Olárizu, Beato Tomás de Zumárraga 54, ✉ 01009, ☎ (945) 24 77 52, *Fax (945) 22 88 46* – AE E VISA. AY k
cerrado lunes, Semana Santa y 15 días en agosto – **Comida** carta 4275 a 5375.

Conde de Álava, Cruz Blanca 8, ✉ 01012, ☎ (945) 22 50 40, *Fax (945) 22 71 76* – AE E VISA. AY n
cerrado domingo noche, lunes y del 10 al 30 de agosto – **Comida** carta 2700 a 3750.

Eli Rekondo, Prado 28, ✉ 01005, ☎ (945) 28 25 84 – AE E VISA. AZ t
cerrado domingo y Semana Santa – **Comida** carta 3225 a 4250.

Arkupe, Mateo Moraza 13, ✉ 01001, ☎ (945) 23 00 80, *Fax (945) 14 54 67* – AE E VISA. BZ x
Comida carta 3000 a 3900.

Mesa, Chile 1, ✉ 01009, ☎ (945) 22 84 94 – VISA AY c
cerrado miércoles y 10 agosto-10 septiembre – **Comida** carta 2800 a 3600.

Zabala, Mateo Moraza 9, ✉ 01001, ☎ (945) 23 00 09 – AE E VISA. BZ z
cerrado domingo y 13 agosto-14 septiembre – **Comida** carta 2385 a 3625.

en Armentia *por ③ : 3 km – ✉ 01195 Armentia :*

El Caserón con hab, camino del Monte 49 ☎ (945) 23 00 48, *Fax (945) 23 00 04,* – rest, E VISA.
cerrado domingo, lunes noche y 2ª quincena de agosto – **Comida** carta 3300 a 6200 – 700 – **4 hab** 9000/11000, 1 suite.

Ver también : **Argómaniz** *por ② : 15 km.*

Es VIVÉ *Baleares – ver Baleares (Ibiza) : Ibiza.*

VIVERO o **VIVEIRO** *27850 Lugo* 441 B 7 – *14 877 h.*

av. de Ramón Canosa ℘ (982) 56 08 79.

Madrid 602 – La Coruña/A Coruña 119 – Ferrol 88 – Lugo 98.

Orfeo sin rest, J. García Navia Castrillón 2 ℘ (982) 56 21 01, *Fax (982) 56 04 53*, ≤ – TV ☎. AE ⓘ E VISA. ✻
☕ 500 – **32 hab** 4500/7000.

en la playa de Area *por la carretera C 642 - N : 4 km – ✉ 27850 Vivero :*

Ego ⛰, ℘ (982) 56 09 87, *Fax (982) 56 17 62*, ≤ – TV ☎ P. AE E VISA. ✻
Comida (ver rest. ***Nito***) – ☕ 600 – **29 hab** 8000/12000.

Nito, ℘ (982) 56 09 87, *Fax (982) 56 17 62*, ≤ ría y playa – P. AE E VISA. ✻
Comida carta aprox. 4500.

XÀBIA *Alicante – ver Jávea.*

XARA (La) *Alicante – ver La Jara.*

XARES *32365 Orense* 441 F 9.

Madrid 455 – Benavente 184 – Orense/Ourense 160 – Ponferrada 107 – Verin 91.

El Ciervo ⛰, ℘ (988) 29 48 78, *Fax (988) 29 45 23*, ⛱, ✂ – ▤ rest, TV ☎ P. AE ⓘ VISA. ✻
Comida 1400 – ☕ 600 – **20 hab** 5350/8560 – PA 3400.

XÀTIVA *Valencia – ver Játiva.*

XUBIA *La Coruña – ver Jubia.*

YAIZA *Las Palmas – ver Canarias (Lanzarote).*

Los YÉBENES *45470 Toledo* 444 N 18 – *6 720 h.*

Madrid 113 – Toledo 43.

Montes de Toledo ⛰, carret. N 401 - NE : 1,6 km ℘ (925) 32 10 99, *Fax (925) 34 81 83*, ≤ olivares y sierra de las Alberquillas – ▤ rest, TV ☎ P. AE ⓘ E VISA. ✻ rest
Comida 1200 – ☕ 500 – **39 hab** 5000/8000.

Apelio con hab, Real Arriba 1 ℘ (925) 32 00 05, *Fax (925) 32 04 19* – ▤ rest,. AE ⓘ E VISA
cerrado 10 días en agosto – **Comida** carta 1850 a 3850 – ☕ 200 – **13 hab** 1800/3600.

YÉQUEDA *22193 Huesca* 443 F 28.

Madrid 398 – Huesca 6 – Sabiñánigo 48.

Fetra, carret. N 330 ℘ (974) 27 11 08, *Fax (974) 27 12 23*, ≤ – ▤ TV ☎ P. E VISA
Comida 1500 – ☕ 700 – **21 hab** 3000/5500 – PA 3700.

YESA *31410 Navarra* 442 E 26 – *296 h. alt. 492.*

Madrid 419 – Jaca 64 – Pamplona/Iruñea 47.

El Jabalí, carret. de Jaca ℘ (948) 88 40 86, *Fax (948) 88 40 42*, ≤, ⛱ – P. E VISA. ✻
marzo-noviembre – **Comida** 1500 – ☕ 450 – **21 hab** 3500/5500.

Arangoiti, Don Rene Petit 17 ℘ (948) 88 41 22 – ▤.

YURRE o **IGORRE** *48140 Vizcaya* 442 C 21 – *3 872 h. alt. 90.*

Madrid 390 – Bilbao/Bilbo 23 – Vitoria/Gasteiz 44.

Arantza, carret. Bilbao-Vitoria-km 22 ℘ (94) 673 63 28, *Fax (94) 631 90 85* – ▤ rest, TV ☎ P. AE ⓘ E VISA JCB. ✻
cerrado 21 diciembre-4 enero – **Comida** 1400 – ☕ 600 – **34 hab** 6000/8500 – PA 2800.

YUSO (Monasterio de) *La Rioja – ver San Millán de la Cogolla.*

ZAFRA *06300 Badajoz* 444 Q 10 – *14 065 h. alt. 509.*

Ver : *Las Plazas★.*

pl. de España 30 ☎ (924) 55 10 36.

Madrid 401 – Badajoz 76 – Mérida 58 – Sevilla 147.

Parador de Zafra, pl. Corazón de María 7 ☎ (924) 55 45 40, *Fax (924) 55 10 18,* « Instalado en un castillo del siglo XV. Patio de estilo renacentista », – AE E VISA JCB.
Comida 3500 – 1200 – **45 hab** 12000/15000 – PA 6970.

Huerta Honda, López Asme 32 ☎ (924) 55 41 00, *Fax (924) 55 25 04* – – 25/200. VISA.
Barbacana : **Comida** carta 3800 a 4000 – 800 – **40 hab** 15000/20000.

Josefina, López Asme 1 ☎ (924) 55 17 01 – . E VISA.
cerrado domingo noche, lunes noche y 2ª quincena de agosto – **Comida** carta 2700 a 3600.

ZAGRILLA *Córdoba – ver Priego de Córdoba.*

ZAHARA DE LA SIERRA *11688 Cádiz* 446 V 13 – *1 586 h. alt. 511.*

Madrid 548 – Cádiz 116 – Ronda 34.

Marqués de Zahara, San Juan 3 ☎ (956) 12 30 61, *Fax (956) 12 30 61* – E VISA.
Comida 1500 – 450 – **10 hab** 3750/5650 – PA 3150.

ZAHARA DE LOS ATUNES *11393 Cádiz* 446 X 12 – *1 591 h. – Playa.*

Madrid 687 – Algeciras 62 – Cádiz 70 – Sevilla 179.

Pozo del Duque, carret. Atlanterra 32 ☎ (956) 43 90 97, *Fax (956) 43 94 00,* – . E VISA. rest
Comida 1800 – **35 hab** 8600/10800.

Gran Sol, Dr. Sánchez Rodríguez ☎ (956) 43 93 01, *Fax (956) 43 91 97,* – . AE E VISA. rest
Comida 1800 – 600 – **28 hab** 8000/9500 – PA 4000.

en la carretera de Atlanterra :

Sol Atlanterra, SE : 4 km, ✉ 11380 apartado 11 Tarifa, ☎ (956) 43 90 00, *Fax (956) 43 90 51,* – – 25/280. AE E VISA JCB.
abril-octubre – **Comida** - sólo buffet - 2140 – **281 hab** 13100/20200.

Antonio, SE : 1 km, ✉ 11393 Zahara de los Atunes, ☎ (956) 43 91 41, *Fax (956) 43 91 35,* – . AE E VISA JCB.
cerrado noviembre – **Comida** 2000 – **30 hab** 8000/11500.

ZALDIVIA o **ZALDIBIA** *20247 Guipúzcoa* 442 C 23 – *1 518 h. alt. 164.*

Madrid 428 – Pamplona/Iruñea 73 – San Sebastián/Donostia 45 – Vitoria/Gasteiz 71.

Arrese, pl. Iztueta ☎ (943) 88 17 14, – VISA.
cerrado lunes y 24 agosto-6 septiembre – **Comida** carta aprox. 3700.

ZALLA *48860 Vizcaya* 442 C 20 – *7 253 h.*

Madrid 380 – Bilbao/Bilbo 23 – Burgos 132 – Santander 92.

Asador Zalla, Juan F. Estefanía y Prieto 5 ☎ (94) 667 06 15 – . AE E VISA.
cerrado domingo, lunes noche y agosto – **Comida** carta 2500 a 3800.

ZAMORA *49000* P 441 H 12 – *68 202 h. alt. 650.*

Ver : *Catedral★ (cimborrio★, sillería★★)* A - *Museo Catedralicio (tapices flamencos★★)* – *Iglesias románicas★ (La Magdalena, Santa María la Nueva, San Juan, Santa María de la Orta, Santo Tomé, Santiago del Burgo)* AB.

Alred. : *Arcenillas (Iglesia : Tablas de Fernando Gallego★) SE : 7 km - Iglesia visigoda de San Pedro de la Nave★ NO : 19 km por ④.*

Santa Clara 20 ✉ 49014 ☎ (980) 53 18 45 Fax (980) 53 38 13 – **R.A.C.E.** *av. Requejo 34 ✉ 49003 ☎ (980) 51 59 72 Fax (980) 51 59 72.*

Madrid 246 ③ – Benavente 66 ① – Orense/Ourense 266 ① – Salamanca 62 ③ – Tordesillas 67 ②

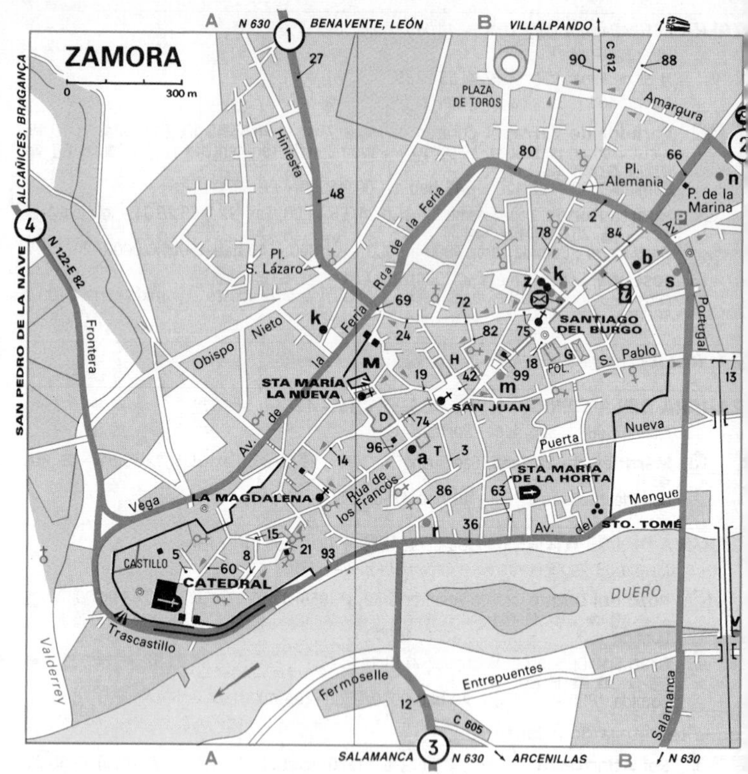

Feria . . . . B 24
Mayor (Pl.) . . . . B 42
Riego . . . . B 72
Santiago . . . . B 75
San Torcuato . . . . B 78
Santa Clara . . . . B 84

Alfonso IX . . . . B 2
Alfonso XII . . . . B 3
Antonio del Águila (Pl.) . . . . A 5
Arias Gonzalo . . . . A 8
Cabañales . . . . B 12
Candelaria Ruiz del Árbol . . . . . . B 13
Carniceros . . . . A 14
Ciento (Pl. de los) . . . . . . A 15
Constitución . . . . B 18
Damas . . . . B 19
Fray Diego de Deza (Pl.) . . . A 21
Galicia (Av. de) . . . . A 27
Ignacio Gazapo . . . . B 36
Morana (Cuesta de la) . . . . A 48
Notarios . . . . A 60
Plata . . . . B 63
Príncipe de Asturias (Av.) . . B 66
Puebla (Pl. de la) . . . . . . B 69
Sacramento . . . . B 74
San Torcuato (Ronda de) . . B 80
San Vicente . . . . B 82
Santa Lucía (Pl.) . . . . . . B 86
Tres Cruces (Av. de las) . . . . . . B 88
Víctor Gallego . . . . B 90
Vigo (Av. de) . . . . A 93
Viriato (Pl. de) . . . . B 96
Zorrilla (Pl. de) . . . . B 99

Parador de Zamora, pl. de Viriato 5, ✉ 49001, ☎ (980) 51 44 97, *Fax (980) 53 00 63*, « Instalado en un palacio renacentista », – 25/80. AE VISA. rest — B a
Comida 3500 – 1200 – **47 hab** 13600/17000, 5 suites – PA 6560.

II Infantas sin rest, Cortinas de San Miguel 3, ✉ 49015, ☎ (980) 53 28 75, *Fax (980) 53 35 48* – – 25/50. AE VISA. — B b
575 – **68 hab** 7200/10550.

Sayagués, pl. Puentica 2, ✉ 49005, ☎ (980) 52 55 11, *Fax (980) 51 34 51* – AE VISA. rest — A k
Comida 1600 – 550 – **52 hab** 6000/10500, 4 suites.

Luz y Sol sin rest y sin , Benavente 2-3º, ✉ 49014, ☎ (980) 53 31 52, *Fax (980) 53 31 52* – VISA. — B z
29 hab 3000/4300.

Chiqui sin rest y sin , Benavente 2-2º, ✉ 49014, ☎ (980) 53 14 80 – — B z
10 hab 3000/4500.

París, av. de Portugal 14, ✉ 49015, ☎ (980) 51 43 25, *Fax (980) 53 25 81* – AE VISA — B s
Comida carta 2600 a 3650.

XXX **Sancho 2,** parque de la Marina Española, ✉ 49014, ☎ (980) 52 60 54, *Fax (980) 52 54 52,* - ▤. AE ⓓ E VISA. B n
Comida carta aprox. 4300.

XX **Serafín,** pl. Maestro Haedo 10, ✉ 49003, ☎ (980) 53 14 22, *Fax (980) 52 49 56,* - ▤. AE ⓓ E VISA JCB. B m
Comida carta 3075 a 4100.

XX **Valderrey,** Benavente 9, ✉ 49014, ☎ (980) 53 02 40
▤. AE ⓓ E VISA JCB. B k
Comida carta 2650 a 3800.

XX **La Posada,** Benavente 2, ✉ 49014, ☎ (980) 51 64 74 - ▤. AE ⓓ E VISA. B k
cerrado domingo noche y del 1 al 15 de julio - **Comida** carta 2300 a 4000.

X **El Cordón,** pl. Santa Lucía 4, ✉ 49002, ☎ (980) 53 42 20, « Decoración castellana » - ▤. AE ⓓ E VISA JCB. B r
cerrado domingo y julio - **Comida** carta 2325 a 2925.

X **Las Aceñas,** Aceñas de Pinilla, ✉ 49028, ☎ (980) 53 38 78, , « Antiguo molino » - ▤ Ⓟ. AE ⓓ E VISA B v
Comida carta 1800 a 2950.

en la carretera N 630 *por ① : 2,5 km - ✉ 49024 Zamora :*

Rey Don Sancho, ☎ (980) 52 34 00, *Fax (980) 51 97 60* - |‡|, ▤ rest, TV ☎ Ⓟ - 25/350. AE ⓓ E VISA.
Comida 1350 - 465 - **84 hab** 3850/6525, 2 suites - PA 3165.

ZAMUDIO *48170 Vizcaya* 442 **C 21** - *3 501 h.*

Madrid 396 - Bilbao/Bilbo 9 - San Sebastián/Donostia 103.

X Asador Fuentene, carret. N 637 - barrio San Martín 1 ☎ (94) 452 23 79 - Ⓟ
Comida - sólo almuerzo salvo viernes y sábado -.

ZARAGOZA *50000* P 443 **H 27** - *622 371 h. alt. 200.*

Ver : *La Seo★★ (retablo del altar mayor★, cúpula★ mudéjar de la parroquieta, Museo capitular★, Museo de tapices★★* Y *- La Lonja★* Y *- Basílica de Nuestra Señora del Pilar★ (retablo del altar mayor★, Museo pilarista★)* Y *- Aljafería★ : artesonado de la sala del trono★* AU.

9 9 Zaragoza, por ⑤ : 12 km ☎ (976) 34 28 00 - 18 La Peñaza, por ⑤ : 15 km ☎ (976) 34 28 00 Fax (976) 34 28 00.

de Zaragoza, por ⑥ : 9 km ☎ (976) 71 23 00 - Iberia : Bilbao 11 ✉ 50004 ☎ (976) 32 62 62 Z.

gta. Pio XII-Torreón de la Zuda ✉ 50003 ☎ (976) 39 35 37 Fax (976) 39 35 37 y pl. del Pilar ✉ 50003 ☎ (976) 20 12 91 Fax (976) 20 06 35 - **R.A.C.E.** *San Juan de la Cruz 2 ✉ 50006 ☎ (976) 35 79 72 Fax (976) 35 89 51.*

Madrid 322 ⑤ - Barcelona 307 ② - Bilbao/Bilbo 305 ⑥ - Lérida/Lleida 150 ② - Valencia 330 ④

Planos páginas siguientes

Boston, av. de Las Torres 28, ✉ 50008, ☎ (976) 59 91 92, *Fax (976) 59 04 46,* - |‡| ▤ TV ☎ & - 25/700. AE ⓓ E VISA. BV e
Comida 3500 - 1350 - **297 hab** 12800/17000, 16 suites - PA 8350.

Palafox, Casa Jiménez, ✉ 50004, ☎ (976) 23 77 00, *Fax (976) 23 47 05,* , - |‡| ▤ TV ☎ - 25/600. AE ⓓ E VISA. Z k
Comida 2800 - 1300 - **180 hab** 14400/18000, 4 suites.

NH Gran Hotel, Joaquín Costa 5, ✉ 50001, ☎ (976) 22 19 01, *Fax (976) 23 67 13,* - |‡| ▤ TV ☎ - 25/450. AE ⓓ E VISA. BU d
Comida (ver rest. ***La Ontina***) - 1200 - **114 hab** 14000, 20 suites.

Meliá Zaragoza Corona, av. César Augusto 13, ✉ 50004, ☎ (976) 43 01 00, *Fax (976) 44 07 34,* - |‡| ▤ TV ☎ - 25/300. AE ⓓ E VISA JCB. Z z
***El Bearn* : Comida** carta 3650 a 4250 - 1300 - **237 hab** 13900/17400, 8 suites.

Goya, Cinco de Marzo 5, ✉ 50004, ☎ (976) 22 93 31, *Fax (976) 23 21 54* - |‡| ▤ TV ☎ - 25/300. AE ⓓ E VISA. Z a
Comida 2300 - 950 - **148 hab** 9800/14000.

Don Yo, Juan Bruil 4 y 6, ✉ 50001, ☎ (976) 22 67 41, *Fax (976) 21 99 56* - |‡| ▤ TV ☎ - 25/100. AE ⓓ E VISA. rest BU n
Comida 2650 - ***Doña Taberna* : Comida** carta 2800 a 3400 - 850 - **177 hab** 8700/12500, 4 suites.

ZARAGOZA

Calle	Plano	N.º
Alcalde Gómez Laguna (Av.)	AV	2
América (Av. de)	BV	5
Alonso V	BU	6
Aragón (Pl.)	BU	7
Autonomía (Av.)	AT	8
Batalla de Lepanto	BV	9
Capitán Oroquieta	BV	12
Clavé (Av. de)	AU	16
Colón (Paseo de)	BV	19
Constitución (Pas. de la)	BU	22
Damas (Paseo de las)	BV	24
Fernando el Católico (Paseo de)	AV	26
Francia (Av. de)	AT	27
Franco y López	AUV	28
Jaime Ferrán	BT	30
José Galiay	BV	31
José García Sánchez	AUV	32
Juan Pablo Bonet	BV	36
Lapuyade	BV	37
Luis Aula	BV	39
Mariano Barbasán	AV	46
Marqués de la Cadena	BT	47
Mina (Paseo de la)	BU	50
Paraíso (Pl.)	BUV	51
Pintor Marín Bagüés	BV	52
Privilegio de la Unión	BV	53
Puente del Pilar (Av. de)	BU	56
Rodrigo Rebolledo	BV	57
San Fernando (Vía de)	BV	60
San Juan Bosco (Av.)	AV	61
San Juan de la Cruz	AV	62
Silvestre Pérez	BU	64
Sobrarbe	BT	66
Tomás Higuera	BV	68
Vado (Camino del)	BU	69
Yolanda de Bar	BV	70

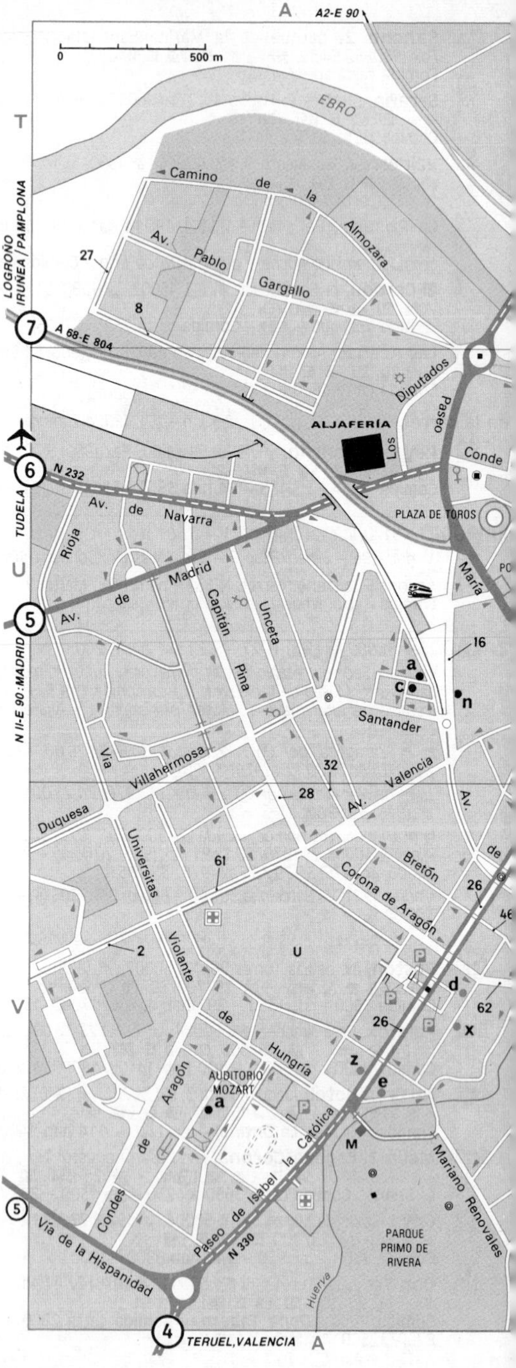

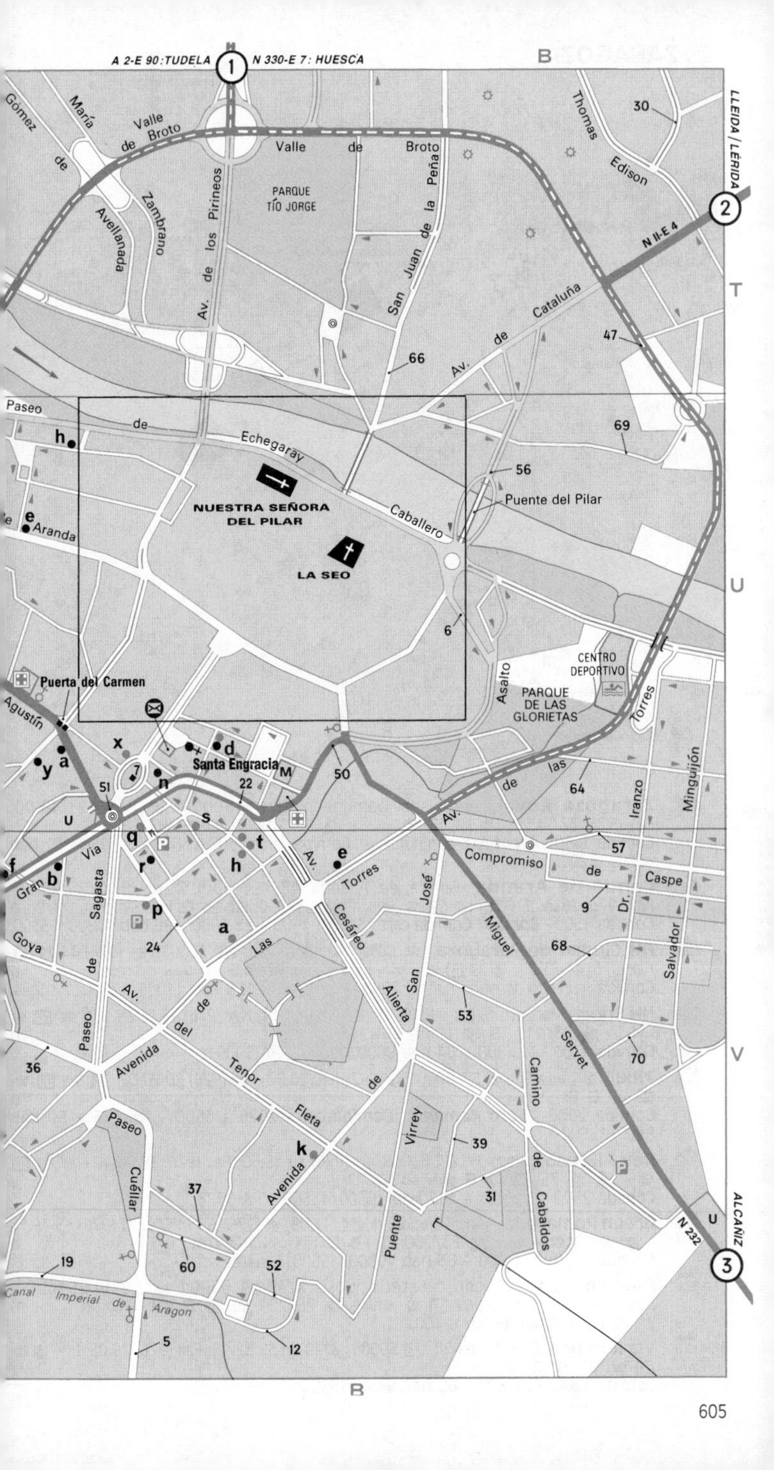
A 2-E 90: TUDELA
N 330-E 7: HUESCA
LLEIDA / LÉRIDA
N II-E 4
ALCAÑIZ
N 232
PARQUE TÍO JORGE
NUESTRA SEÑORA DEL PILAR
LA SEO
Puerta del Carmen
Santa Engracia
Puente del Pilar
CENTRO DEPORTIVO
PARQUE DE LAS GLORIETAS
Paseo de Echegaray Caballero
Av. de Cataluña
Valle de Broto
Av. de los Pirineos
San Juan de la Peña
Thomas Edison
Gómez de Avellaneda
María Zambrano
Aranda
Agustín
Gran Vía
Paseo de Sagasta
Goya
Av. de Las Torres
Av. Cesáreo Alierta
San José
Miguel Servet
Compromiso de Caspe
Dr. Iranzo
Minguijón
Salvador
Asalto
Av. de las Torres
Avenida del Tenor Fleta
Avenida de San José
Puente Virrey
Camino de Cabaldos
Paseo Cuéllar
Canal Imperial de Aragon

ZARAGOZA

Alfonso I ... YZ
Alonso V ... Z 6
Conde de Aranda ... YZ
Coso ... Z
Don Jaime I ... YZ
Independencia (Av.) ... Z
San Vicente de Paul ... YZ
Candalija ... Z 10
Capitán Portolés ... Z 13
César Augusto (Av.) ... Y 15
Cinco de Marzo ... Z 18
Magdalena ... Z 42
Manifestación ... Y 43
Sancho y Gil ... Z 58
San Pedro Nolasco (Pl. de) ... Z 63
Teniente Coronel Valenzuela ... Z 67

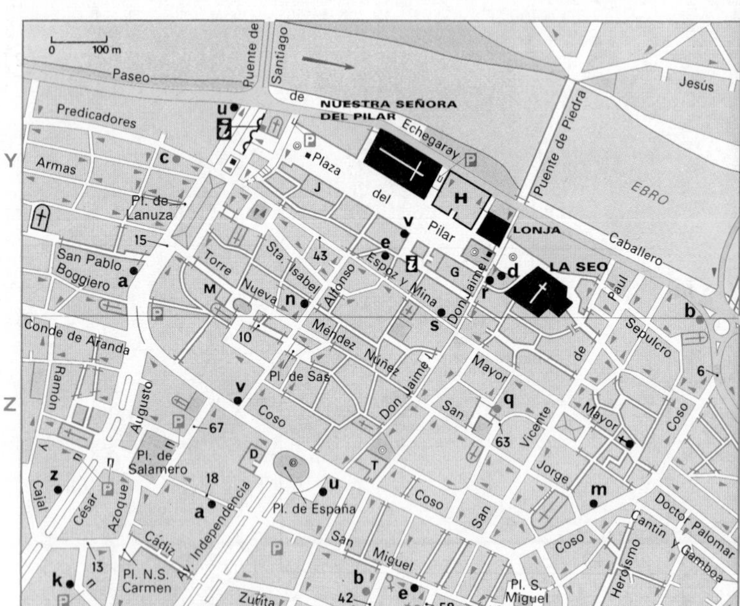

🏨	**Zaragoza Royal,** Arzobispo Doménech 4, ✉ 50006, ✆ (976) 21 46 00, *Fax (976) 22 03 59* – 🛗 ≡ TV ☎ 🚗 – 🏛 25/200. AE ⓓ E VISA. ✗ BV b Comida 1450 - ***Ascot*** *(cerrado domingo)* **Comida** carta 2500 a 3800 – ☕ 950 – **92 hab** 8500/13200.
🏨	**Conde de Aranda,** Conde de Aranda 48, ✉ 50003, ✆ (976) 28 45 00, *Fax (976) 28 27 17* – 🛗 ≡ TV ☎ 🚗 – 🏛 25/300. AE ⓓ E VISA. ✗ rest BU e Comida 1500 - ***Borsao*** : **Comida** carta 3100 a 4500 – ☕ 1000 – **86 hab** 10800/13500.
🏨	**NH Ciudad de Zaragoza,** av. César Augusto 125, ✉ 50003, ✆ (976) 44 21 00, *Fax (976) 44 33 61* – 🛗 ≡ TV ☎ 🚗 – 🏛 25/200. AE ⓓ E VISA JCB. ✗ rest Y u **Comida** *(cerrado domingo noche)* 2000 – ☕ 1100 – **123 hab** 11000/12500, 2 suites.
🏨	**NH Sport,** Moncayo 5, ✉ 50010, ✆ (976) 31 11 14, *Fax (976) 33 06 89* – 🛗 ≡ TV ☎ 🚗 – 🏛 25/110. AE ⓓ E VISA JCB AU c **Comida** 1700 – ☕ 900 – **64 hab** 9000/10000 – PA 3900.
🏨	**Tibur,** pl. de La Seo 2, ✉ 50001, ✆ (976) 20 20 00, *Fax (976) 20 20 02* – 🛗 ≡ TV ☎. AE ⓓ E VISA. ✗ Y d **Comida** 2000 - ***Foro Romano*** : **Comida** carta 2025 a 3500 – ☕ 875 – **50 hab** 9500/12500.
🏨	**Rey Alfonso I,** Coso 17, ✉ 50003, ✆ (976) 39 48 50, *Fax (976) 39 96 40* – 🛗 ≡ TV ☎ – 🏛 25/75. AE ⓓ E VISA. ✗ Z v **Comida** 2500 – ☕ 825 – **117 hab** 10300/13500 – PA 5825.
🏨	**Green Romareda,** Asín y Palacios 11, ✉ 50009, ✆ (976) 35 11 00, *Fax (976) 35 19 50* – 🛗 ≡ TV ☎ 🚗 – 🏛 25/200. AE ⓓ E VISA JCB. ✗ rest AV a **Comida** 1650 – ☕ 900 – **85 hab** 10800/15000, 5 suites.
🏨	**Ramiro I** sin rest. con cafetería, Coso 123, ✉ 50001, ✆ (976) 29 82 00, *Fax (976) 39 89 52* – 🛗 ≡ TV ☎ 🚗 – 🏛 25/200. AE ⓓ E VISA JCB. ✗ Z m ☕ 875 – **104 hab** 8600/12100.
🏨	**Vía Romana,** Don Jaime I-54, ✉ 50001, ✆ (976) 39 82 15, *Fax (976) 29 05 11* – 🛗 ≡ TV ☎. AE ⓓ E VISA. ✗ Y r **Comida** 1200 – ☕ 800 – **66 hab** 9450/13500.

Conquistador sin rest, Hernán Cortés 21, ✉ 50005, ☎ (976) 21 49 88, *Fax (976) 23 80 21* – . AE VISA JCB. BU y
560 – **44 hab** 6500/11000.

NH Orús, Escoriaza y Fabro 45, ✉ 50010, ☎ (976) 53 66 00, *Fax (976) 53 61 63* – – 25/140. AE VISA JCB AU a
cerrado agosto y 21 diciembre-1 enero – **Comida** 1700 – 900 – **53 hab** 9000/10000 – PA 3900.

Cesaraugusta sin rest, av. Anselmo Clavé 45, ✉ 50004, ☎ (976) 28 27 27, *Fax (976) 28 28 28* – . AE VISA JCB AU n
1000 – **54 hab** 7000/9500.

París sin rest. con cafetería, Pedro María Ric 14, ✉ 50008, ☎ (976) 23 65 37, *Fax (976) 22 53 97* – – 25/150. AE VISA JCB. BV r
750 – **62 hab** 9250/14000.

Sauce sin rest, Espoz y Mina 33, ✉ 50003, ☎ (976) 39 01 00, *Fax (976) 39 85 97* – . AE VISA. YZ s
650 – **37 hab** 5300/7900.

El Príncipe, Santiago 12, ✉ 50003, ☎ (976) 29 41 01, *Fax (976) 29 90 47* – – 25/200. AE VISA. Y e
Comida 1995 – 800 – **45 hab** 8000/10000.

Gran Vía sin rest, Gran Vía 38, ✉ 50005, ☎ (976) 22 92 13, *Fax (976) 22 07 07* – . AE VISA JCB. BV f
600 – **43 hab** 6300/8500, 1 suite.

Las Torres sin rest, pl. del Pilar 11, ✉ 50003, ☎ (976) 39 42 50, *Fax (976) 39 42 54* – . VISA Y v
400 – **54 hab** 4000/6500.

Conde Blanco sin rest. con cafetería, Predicadores 84, ✉ 50003, ☎ (976) 44 14 11, *Fax (976) 28 03 39* – . AE VISA. BU h
485 – **87 hab** 5515/7385.

Avenida sin rest, av. César Augusto 55, ✉ 50003, ☎ (976) 43 93 00, *Fax (976) 43 93 64* – . AE VISA Y a
400 – **81 hab** 5000/7500.

Río Arga sin rest, Contamina 20, ✉ 50003, ☎ (976) 39 90 65, *Fax (976) 39 90 92* – . AE VISA. Y n
390 – **31 hab** 5600/8000.

Los Molinos sin rest, San Miguel 28, ✉ 50001, ☎ (976) 22 49 80, *Fax (976) 21 10 32* – . AE VISA Z e
42 hab 5200/7500.

Maza sin rest, pl. de España 7, ✉ 50001, ☎ (976) 22 93 55, *Fax (976) 21 39 01* – . AE VISA Z u
500 – **55 hab** 6500/8000.

Paraíso sin rest y sin , paseo Pamplona 23-3º, ✉ 50004, ☎ (976) 21 76 08, *Fax (976) 21 76 07* – . VISA. BU a
39 hab 3990/4990.

La Mar, pl. Aragón 12, ✉ 50004, ☎ (976) 21 22 64, *Fax (976) 21 22 64*, « Decoración clásica elegante » – . AE VISA. BU x
cerrado domingo y agosto – **Comida** carta 4600 a 5400.

La Ontina, Joaquín Costa 5, ✉ 50001, ☎ (976) 21 45 75, *Fax (976) 23 67 13* – . AE VISA JCB BU d
cerrado domingo noche – **Comida** carta 4450 a 5150.

Goyesco, Manuel Lasala 44, ✉ 50006, ☎ (976) 35 68 70, *Fax (976) 35 68 70* – . AE VISA. AV e
cerrado domingo y del 3 al 25 de agosto – **Comida** carta 3400 a 4225.

Risko-Mar, Francisco Vitoria 16, ✉ 50008, ☎ (976) 22 50 53, *Fax (976) 22 63 49* – . AE VISA. BV h
cerrado domingo noche y agosto – **Comida** carta 3500 a 5000.

Gurrea, San Ignacio de Loyola 14, ✉ 50008, ☎ (976) 23 31 61, *Fax (976) 23 71 44* – . AE VISA JCB. BUV q
cerrado domingo (julio-agosto) y domingo noche resto del año – **Comida** carta aprox. 4100.

La Bastilla, Coso 177, ✉ 50001, ☎ (976) 29 84 49, *Fax (976) 29 10 81*, « Decoración regional » – . AE VISA YZ b
cerrado domingo y Semana Santa – **Comida** carta 3100 a 4200.

El Chalet, Santa Teresa 25, ✉ 50006, ☎ (976) 56 91 04, , « Villa con terraza » – . AE VISA. AV x
cerrado domingo (junio-15 octubre), lunes (15 octubre-mayo) y 15 días en SemanaSanta – **Comida** carta 3450 a 4650.

XX **El Asador de Aranda,** Arquitecto Magdalena 6, ✉ 50001, ℘ (976) 22 64 17 Fax (976) 22 64 17 – ▤. AE ⓓ E VISA. ✂ Z b
cerrado domingo noche y agosto – Comida carta aprox. 3950.

XX **Txalupa,** paseo Fernando el Católico 62, ✉ 50009, ℘ (976) 56 61 70 – ▤. AE E VISA ✂ AV z
cerrado domingo noche, Semana Santa y 15 días en agosto – **Comida** carta 2850 a 3850.

XX **El Flambé,** José Pellicer 7, ✉ 50007, ℘ (976) 27 87 31 – ▤. AE ⓓ E VISA. ✂ BV k
cerrado domingo noche – **Comida** carta 2650 a 3450.

XX **Antonio,** pl. San Pedro Nolasco 5, ✉ 50001, ℘ (976) 39 74 74 – ▤. AE ⓓ E VISA JCB. ✂ Z c
cerrado domingo noche – **Comida** carta 3100 a 4200.

XX **La Matilde,** Predicadores 7, ✉ 50003, ℘ (976) 43 34 43 – ▤. AE ⓓ E VISA. ✂ Y c
cerrado domingo, festivos, Semana Santa, agosto y Navidades – Comida carta 3600 a 4200.

XX **Aldaba,** Santa Teresa 26, ✉ 50006, ℘ (976) 35 63 79, *Fax (976) 35 63 79* – ▤. AE ⓓ E VISA JCB. ✂ AV c
cerrado domingo noche – **Comida** carta 3300 a 4300.

XX **Churrasco,** Francisco Vitoria 19, ✉ 50008, ℘ (976) 22 91 60, *Fax (976) 22 63 49* – ▤ AE ⓓ E VISA. ✂ BV
cerrado domingo y festivos en agosto – **Comida** carta 3100 a 4500.

XX **Guetaria,** Madre Vedruna 9, ✉ 50008, ℘ (976) 21 53 16, *Fax (976) 23 70 28*, Asador vasco – ▤. AE ⓓ VISA. ✂ BUV s
Comida carta 3150 a 3600.

X **Alberto,** Pedro María Ric 35, ✉ 50008, ℘ (976) 23 65 03 – ▤ 🚗. AE ⓓ E VISA. ✂ BV a
cerrado domingo – **Comida** carta 2800 a 3750.

X **Don Pascual,** paseo de Las Damas-residencial Paraíso (interior), ✉ 50008, ℘ (976) 21 87 14 – ▤. AE ⓓ VISA BV p
cerrado domingo y Semana Santa – Comida carta 2600 a 3450.

X **El Mangrullo,** Francisco Vitoria 19, ✉ 50008, ℘ (976) 21 49 29, *Fax (976) 23 70 95* – ▤. AE ⓓ E VISA. ✂ BV
Comida - carnes, rest. argentino - carta 2775 a 3275.

en la carretera N II *por ⑤ : 8 km – ✉ 50012 Zaragoza :*

XX **Venta de los Caballos,** ℘ (976) 33 23 00, *Fax (976) 33 23 00* – ▤ P. AE ⓓ E VISA. ✂
cerrado domingo noche, lunes y 15 días en agosto – **Comida** carta 2750 a 4200.

en la carretera N 232 *por ⑥ : 4,5 km – ✉ 50011 Zaragoza :*

XX **El Cachirulo,** ℘ (976) 46 01 46, *Fax (976) 46 01 52*, « Conjunto típico aragonés » – ▤ P. AE ⓓ E VISA. ✂
cerrado domingo noche y del 1 al 17 de agosto – **Comida** carta 3050 a 4550.

en la carretera del aeropuerto *por ⑥ : 8 km – ✉ 50011 Zaragoza :*

XXX **Gayarre,** ℘ (976) 34 43 86, *Fax (976) 31 16 86*, « En una villa con jardín » – ▤ P. AE ⓓ E VISA. ✂
cerrado domingo noche y lunes – Comida carta aprox. 3900.
Ver también : **Alfajarín** *por ② : 23 km.*

ZARAUZ o **ZARAUTZ** *20800 Guipúzcoa* 442 **C 23** – *18 154 h. – Playa.*

Alred. : *Carretera en cornisa★★ de Zarauz a Guetaria – Carretera de Orio ≤★.*

⛳ *Zarauz, E : 1 km ℘ (943) 83 01 45 Fax (943) 13 15 68.*

ℹ *Nafarroa ℘ (943) 83 09 90 Fax (943) 83 56 28.*

Madrid 482 – Bilbao/Bilbo 85 – Pamplona/Iruñea 103 – San Sebastián/Donostia 22.

🏨 **Zarauz,** Nafarroa 26 ℘ (943) 83 02 00, *Fax (943) 83 01 93* – |♦|, ▤ rest, TV ☎ P. AE ⓓ E VISA. ✂ rest
cerrado 20 diciembre-6 enero – **Comida** 1700 – ☕ 875 – **82 hab** 10700/13600 – PA 3630.

🏨 **Alameda,** Gipuzkoa ℘ (943) 83 01 43, *Fax (943) 13 24 74*, 🌳 – |♦|, ▤ rest, TV ☎ 🚗 – 🏛 25/70. AE ⓓ E VISA. ✂
cerrado 23 diciembre-8 enero – **Comida** 1925 – ☕ 730 – **39 hab** 9990/12300 – PA 3890.

⌂ **Txiki Polit,** pl. de la Musika ℘ (943) 83 53 57 – |♦|, ▤ rest, TV. E VISA. ✂ rest
Comida 950 – ☕ 275 – **31 hab** 4000/6800.

XXX **Karlos Arguiñano** con hab, Mendilauta 13 ℘ (943) 13 00 00, *Fax (943) 13 34 50*, ≤ mar – ▤ TV ☎. AE ⓓ E VISA. ✂
Comida *(cerrado noches de lunes a jueves en invierno, domingo noche y miércoles resto del año, 10 días en junio, 10 días en octubre y 15 días en Navidades)* carta 5500 a 7400 – ☕ 1500 – **12 hab** 20500/27000.

XXX Aiten Etxe, carret. de Guetaria 3 ☎ (943) 83 18 25, *Fax (943) 13 18 39,* ≤ mar y población – ▤ Ⓟ.

XXX **Otzarreta,** Santa Klara 5 ☎ (943) 13 12 43, *Fax (943) 83 26 80,* « Decoración rústica elegante » – ▤ 🚗. AE ⓓ E VISA. ⛔
cerrado domingo noche y lunes – **Comida** carta 4300 a 6400.

XX Gure Txokoa, Gipuzkoa 22 ☎ (943) 83 59 59 – ▤.

en el alto de Meagas *O : 4 km – ✉ 20800 Zarauz :*

X **Azkue,** ☎ (943) 83 05 54, *Fax (943) 13 05 00,* 🏡 – Ⓟ. AE E VISA
cerrado martes y diciembre – **Comida** carta 2700 a 3100.

ZARZALEJO *28293 Madrid* 444 K 17 – *864 h. alt. 1 104.*
Madrid 58 – Ávila 59 – Segovia 69.

al Este : *2,7 km*

X **Duque,** av. de la Estación 65 ☎ (91) 899 23 60, 🏡 – ▤ Ⓟ. VISA. ⛔
cerrado miércoles y 2ª quincena de septiembre – **Comida** carta 2700 a 3250.

ZESTOA *Guipúzcoa – ver Cestona.*

ZIERBENA *Vizcaya – ver Ciérvana.*

ZIORDIA *Navarra – ver Ciordia.*

ZORNOTZA *Vizcaya – ver Amorebieta.*

ZUERA *50800 Zaragoza* 443 G 27 – *5 206 h. alt. 279.*
Madrid 349 – Huesca 46 – Zaragoza 26.

🏠 **Las Galias,** carret. N 330 - E : 1 km ☎ (976) 68 02 24, *Fax (976) 68 00 26,* 🏊, 🎾 – ▤ TV ☎ Ⓟ – 🏛 25/60. AE ⓓ E VISA. ⛔ rest
Comida 1900 – ☕ 500 – **25 hab** 6000/7500.

ZUHEROS *14870 Córdoba* 446 T 17 – *942 h. alt. 622.*
Madrid 389 – Antequera 82 – Córdoba 81 – Granada 103 – Jaén 65.

🏠 **Zuhayra,** Mirador 10 ☎ (957) 69 46 93, *Fax (957) 69 47 02,* ≤ – 🛗 ▤ ☎. AE ⓓ E VISA. ⛔
Comida 1500 – **18 hab** ☕ 4500/6500 – PA 3000.

ZUMÁRRAGA *20700 Guipúzcoa* 442 C 23 – *10 899 h. alt. 354.*
Madrid 410 – Bilbao/Bilbo 65 – San Sebastián/Donostia 57 – Vitoria/Gasteiz 55.

🏨 **Etxe-Berri** 🔇, barrio de Etxe Berri - N : 1 km ☎ (943) 72 02 68, *Fax (943) 72 44 94,* « Decoración elegante » – 🛗, ▤ rest, TV ☎ Ⓟ – 🏛 25/100. AE ⓓ E VISA JCB
Comida *(cerrado domingo noche)* carta aprox. 4900 – ☕ 650 – **38 hab** 6000/8000.

Portugal

Les étoiles

As estrelas
Las estrellas
Les étoiles
Le stelle
Die Sterne
The stars

"Bib Gourmand"

Refeição 2800/3500

Refeições cuidadas a preços moderados
Buenas comidas a precios moderados
Repas soignés à prix modérés
Pasti accurati a prezzi contenuti
Sorgfältig zubereitete, preiswerte Mahlzeiten
Good food at moderate prices

Atractivos
Atractivo y tranquilidad
L'agrément
Amenità e tranquillità
Annehmlichkeit
Peaceful atmosphere and setting

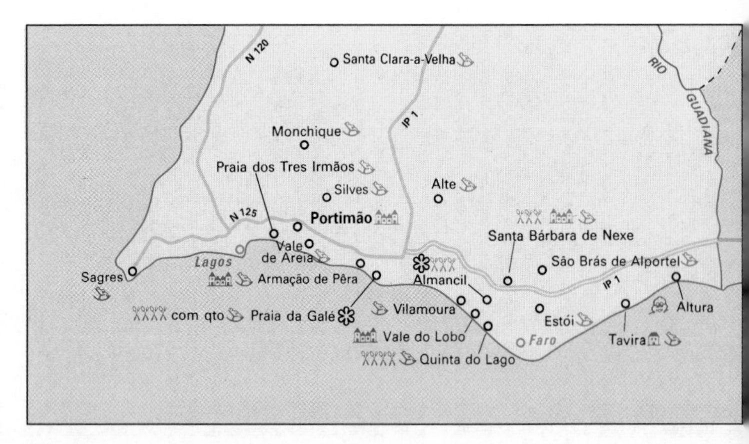

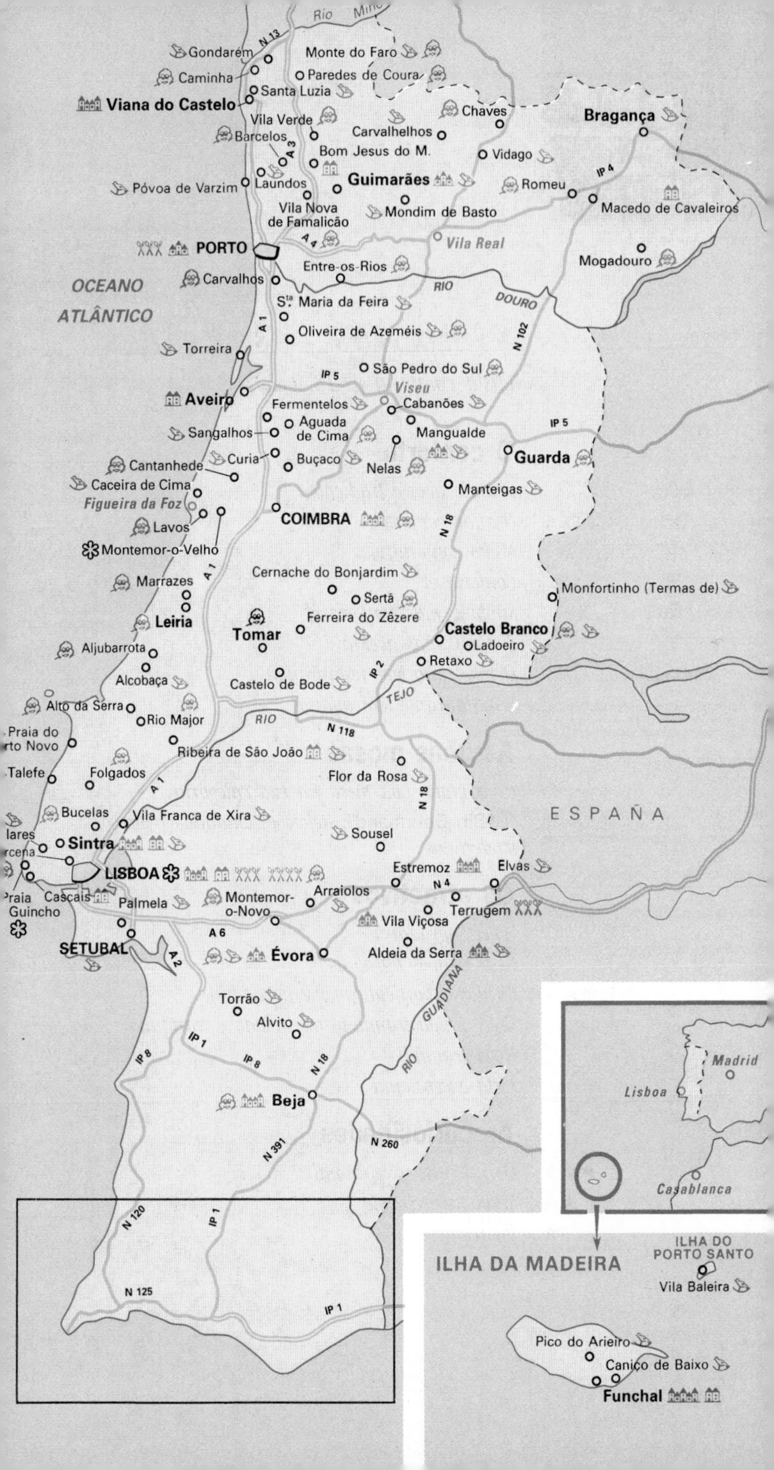

Rio Minho
Gondarém
Monte do Faro
Caminha
Paredes de Coura
Santa Luzia
Viana do Castelo
Chaves
Bragança
Vila Verde
Carvalhelhos
Barcelos
Bom Jesus do M.
Vidago
Guimarães
Romeu
Póvoa de Varzim
Laundos
Macedo de Cavaleiros
Vila Nova de Famalicão
Mondim de Basto
Vila Real
PORTO
Mogadouro
Entre-os-Rios
OCEANO ATLÂNTICO
Carvalhos
RIO DOURO
Sta Maria da Feira
Oliveira de Azeméis
Torreira
São Pedro do Sul
Viseu
Aveiro
Fermentelos
Cabanões
Sangalhos
Aguada de Cima
Mangualde
Curia
Buçaco
Nelas
Guarda
Cantanhede
Caceira de Cima
Manteigas
Figueira da Foz
Lavos
COIMBRA
Montemor-o-Velho
Cernache do Bonjardim
Marrazes
Sertã
Monfortinho (Termas de)
Leiria
Tomar
Ferreira do Zêzere
Castelo Branco
Aljubarrota
Ladoeiro
Retaxo
Alcobaça
Castelo de Bode
RIO TEJO
Alto da Serra
Rio Major
Praia do Porto Novo
Ribeira de São João
Flor da Rosa
Talefe
Folgados
ESPAÑA
Bucelas
Vila Franca de Xira
Sousel
Sintra
LISBOA
Estremoz
Elvas
Cascais
Arraiolos
Praia Guincho
Palmela
Montemor-o-Novo
Terrugem
Vila Viçosa
SETUBAL
Évora
Aldeia da Serra
Torrão
Alvito
RIO GUADIANA
Beja
Madrid
Lisboa
Casablanca
ILHA DA MADEIRA
ILHA DO PORTO SANTO
Vila Baleira
Pico do Arieiro
Caniço de Baixo
Funchal
N 13
A 3
A 4
IP 4
A 1
N 102
IP 5
N 18
IP 2
N 118
N 4
A 6
A 2
IP 1
IP 8
N 260
N 391
N 120
N 125

Símbolos essenciais

(lista completa p. 13 a 22)

O conforto

🏨🏨🏨🏨🏨	XXXXX	*Grande luxo e tradição*
🏨🏨🏨🏨	XXXX	*Grande conforto*
🏨🏨🏨	XXX	*Muito confortável*
🏨🏨	XX	*Confortável*
🏨	X	*Simples, mas confortável*
🏠		*Simples, mas aceitável*
sem rest		*O hotel não tem restaurante*
	com qto	*O restaurante tem quartos*

As boas mesas

✿	*Uma muito boa mesa na sua categoria*
Refeição	*O* **"Bib Gourmand":** *Refeições cuidadas a preços moderados*

Os atractivos

🏨🏨🏨🏨🏨 ... 🏨	*Hotéis agradáveis*
XXXXX ... X	*Restaurantes agradáveis*
« Parque »	*Elemento particularmente agradável*
🐴	*Hotel muito tranquilo ou isolado e tranquilo*
🐴	*Hotel tranquilo*
← mar	*Vista excepcional*

As curiosidades

★★★	*De interesse excepcional*
★★	*Muito interessante*
★	*Interessante*

Os vinhos
Los vinos
Les vins
I vini
Weine
Wines

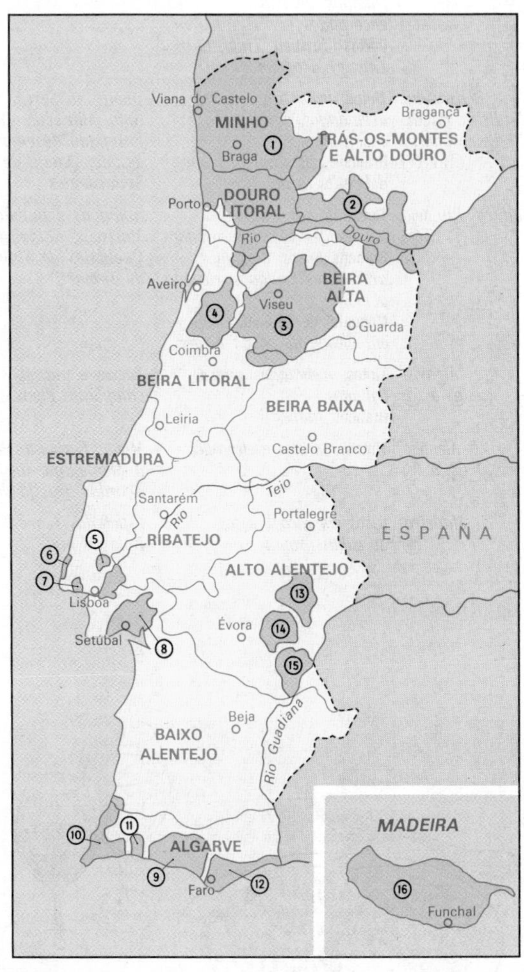

①	*Vinhos Verdes*	⑨ *a* ⑫	*Lagoa, Lagos, Portimão, Tavira*
②, ③	*Porto e Douro, Dão*	⑬ *a* ⑮	*Borba, Redondo, Reguengos*
④	*Bairrada*	⑯	*Madeira*
⑤ *a* ⑧	*Bucelas, Colares, Carcavelos, Setúbal*		

Vinhos e especialidades regionais

Portugal possui uma tradição vitivinícola muito antiga. A diversidade das regiões vinícolas tem determinado a necessidade de regulamentar os seus vinhos com Denominações de Origem, indicadas no mapa correspondente.

Regiões e localização no mapa	**Características dos vinhos**	**Especialidades regionais**
Minho, Douro Litoral, Trás-Os-Montes, Alto Douro ① *e* ②	**Tintos** *encorpados, novos, ácidos* **Brancos** *aromáticos, suaves, frutados, delicados, encorpados* **Portos** *(Branco, Tinto, Ruby, Tawny) ricos em álcool*	*Caldo verde, Lampreia, Salmão, Bacalhau, Presunto, Cozido, Feijoada, Tripas*
Beira Alta, Beira Baixa, Beira Litoral ③ *e* ④	**Tintos** *aromáticos, suaves, aveludados, equilibrados, encorpados* **Brancos** *cristalinos, frutados, delicados, aromáticos*	*Queijo da Serra, Papos de Anjo, Mariscos, Caldeiradas, Ensopado de enguias, Leitão assado, Queijo de Tomar, Aguardentes*
Estremadura, Ribatejo ⑤ *a* ⑧	**Tintos** *de cor rubí, persistentes, secos, encorpados* **Brancos** *novos, delicados, aromáticos, frutados, elevada acidêz* **Moscatel de Setúbal,** *rico em álcool, de pouca acidêz*	*Amêijoas à bulhão pato, Mariscos, Caldeiradas, Queijadas de Sintra, Fatias de Tomar*
Algarve ⑨ *a* ⑫	**Tintos** *aveludados, suaves, frutados* **Brancos** *suaves*	*Peixes e mariscos na cataplana, Figos, Amêndoas*
Alentejo ⑬ *a* ⑮	**Tintos** *robustos e elegantes*	*Migas, Sericaia, Porco à Alentejana, Gaspacho, Açordas, Queijo de Serpa*
Madeira ⑯	*Ricos em álcool, secos, de subtil aroma*	*Espetadas (carne, peixe), Bolo de mel*

Vinos y especialidades regionales

Portugal posee una tradición vinícola muy antigua. La diversidad de las regiones vinícolas ha determinado la necesidad de regular sus vinos con Denominaciones de Origen (Denominações de Origem), indicadas en el mapa correspondiente.

Regiones y localização en el mapa	Características de los vinos	Especialidades regionales
Minho, Douro Litoral, Trás-Os-Montes, Alto Douro ① *y* ②	**Tintos** *con cuerpo, jóvenes, ácidos* **Blancos** *aromáticos, suaves, afrutados, delicados, con cuerpo* **Oportos** *(Blanco, Tinto, Ruby, Tawny) ricos en alcohol*	*Caldo verde (Sopa de berza), Lamprea, Salmón, Bacalao, Jamón, Cocido, Feijoada (Fabada), Callos*
Beira Alta, Beira Baixa, Beira Litoral ③ *y* ④	**Tintos** *aromáticos, suaves, aterciopelados, equilibrados, con cuerpo* **Blancos** *cristalinos, afrutados, delicados, aromáticos*	*Queso de Serra, Papos de Anjo (Repostería), Mariscos, Calderetas, Guiso de pan y anguilas, Cochinillo asado, Queso de Tomar, Aguardientes*
Estremadura, Ribatejo ⑤ *al* ⑧	**Tintos** *de color rubí, persistentes, secos, con cuerpo* **Blancos** *jóvenes, delicados, aromáticos, afrutados, elevada acidez* **Moscatel de Setúbal,** *rico en alcohol, bajo en acidez*	*Almejas al ajo, Mariscos, Calderetas, Queijadas (Tarta de queso) de Sintra, Torrijas de Tomar*
Algarve ⑨ *al* ⑫	**Tintos** *aterciopelados, suaves* **Blancos** *suaves*	*Pescados y mariscos « na cataplana », Higos, Almendras*
Alentejo ⑬ *al* ⑮	**Tintos** *robustos y elegantes*	*Migas, Sericaia (Repostería), Cerdo a la Alentejana, Gaspacho (Sopa fría de tomate y cebolla), Açordas (Sopa de pan y ajo), Queso de Serpa*
Madeira ⑯	*Ricos en alcohol, secos, de sutil aroma*	*Brochetas (carne, pescado), Pastel de miel*

Vins et spécialités régionales

La tradition viticole portugaise remonte aux temps les plus anciens. La diversité des régions rendit nécessaire la réglementation de ses vins. Les Appelations d'Origine (Denominações de Origem), sont indiquées sur la carte.

Régions et localisation sur la carte	Caractéristiques des vins	Spécialités régionales
Minho, Douro Litoral, Trás-Os-Montes, Alto Douro ① *et* ②	**Rouges** *corsés, jeunes, acidulés* **Blancs** *aromatiques, doux, fruités, délicats, corsés* **Portos** *(Blanc, Rouge, Ruby, Tawny) riches en alcool*	*Caldo verde (Soupe aux choux), Lamproie, Saumon, Morue, Jambon, Pôt-au-feu, Feijoada (Cassoulet au lard), Tripes*
Beira Alta, Beira Baixa, Beira Litoral ③ *et* ④	**Rouges** *aromatiques, doux, veloutés, équilibrés, corsés* **Blancs** *cristalins, fruités, délicats, aromatiques*	*Fromage de Serra, Papos de Anjo (Gâteau), Fruits de mer, Bouillabaisse, Ensopado de enguias (Bouillabaisse d'anguilles), Cochon de lait rôti, Fromage de Tomar, Eaux de vie*
Estremadura, Ribatejo ⑤ *à* ⑧	**Rouges** *de couleur rubis, amples, secs, corsés* **Blancs** *jeunes, délicats, aromatiques, fruités, acidulés* **Moscatel de Setúbal,** *riche en alcool, faible acidité*	*Palourdes à l'ail, Fruits de mer, Bouillabaisse, Queijadas de Sintra (Gâteau au fromage), Fatias de Tomar (Pain perdu)*
Algarve ⑨ *à* ⑫	**Rouges** *veloutés, légers, fruités* **Blancs** *doux*	*Poissons et fruits de mer « na cataplana », Figues, Amandes*
Alentejo ⑬ *à* ⑮	**Rouges** *robustes et élégants*	*Migas (Pain et lardons frits), Sericaia (Gâteau), Porc à l'Alentejana, Gaspacho (Soupe froide à la tomate et oignons), Açordas (Soupe au pain et ail), Fromage de Serpa*
Madeira ⑯	*Riches en alcool, secs, arôme délicat*	*Brochettes (viande, poissons), Gâteau au miel*

Vini e specialità regionali

Il Portogallo possiede una tradizione vinicola molto antica. La diversità delle regioni ha reso necessaria la regolamentazione dei vini attraverso Denominazioni d'Origine (Denominações de Origem), indicate sulla carta corrispondente.

Regioni e localizzazione sulla carta	Caratteristiche dei vini	Specialità regionali
Minho, Douro Litoral, Trás-Os-Montes, Alto Douro ① *e* ②	**Rossi** *corposi, giovani, aciduli* **Bianchi** *aromatici, dolci, fruttati, delicati, corposi* **Porto** *(Bianco, Rosso Ruby, Tawny) ricchi in alcool*	*Caldo verde (Zuppa di cavolo), Lampreda, Salmone, Merluzzo, Prosciutto, Bollito, Feijoada (Stufato di lardo), Trippa*
Beira Alta, Beira Baixa, Beira Litoral ③ *e* ④	**Rossi** *aromatici, dolci, vellutati, equilibrati, corposi* **Bianchi** *cristallini, fruttati, delicati, aromatici*	*Formaggio di Serra, Papos de Anjo (Torta), Frutti di mare, Zuppa di pesce, Ensopado de enguias (Zuppa di anguilla), Maialino da latte arrosto, Formaggio di Tomar, Acquavite*
Estremadura, Ribatejo ⑤ *a* ⑧	**Rossi** *rubino, ampi, secchi, corposi* **Bianchi** *giovani, delicati, aromatici, fruttati, aciduli* **Moscatel de Setúbal,** *ricco in alcool, di bassa acidità*	*Vongole all'aglio, Frutti di mare, Zuppa di pesce, Queijadas de Sintra (Torta al formaggio), Fatias de Tomar (Frittella di pane)*
Algarve ⑨ *a* ⑫	**Rossi** *vellutati, leggeri, fruttati* **Bianchi** *dolci*	*Pesci e frutti di mare « na cataplana », Fichi, Mandorle*
Alentejo ⑬ *a* ⑮	**Rossi** *robusti ed eleganti*	*Migas (Pane e pancetta fritta), Sericaia (Torta), Maiale a l'Alentejana, Gaspacho (Zuppa fredda di pomodoro e cipolle), Açordas (Zuppa di pane ed aglio), Formaggio di Serpa*
Madeira ⑯	*Ricchi in alcool, secchi, aroma delicato*	*Spiedini (carne, pesce), Dolce al miele*

Weine und regionale Spezialitäten

Portugal besitzt eine sehr alte Weinbautradition. Die Vielzahl der Regionen, in denen Wein angebaut wird, macht eine Reglementierung der verschiedenen Weine durch geprüfte und und gesetzlich geschützte Herkunftsbezeichnungen (Denominaçoes de Origem) erforderlich.

Regionen und Lage auf der Karte	Charakteristik der Weine	Regionale Spezialitäten
Minho, Douro Litoral, Trás-Os-Montes, Alto Douro ① und ②	*Vollmundige, junge, säuerliche* **Rotweine** *Aromatische, liebliche, fruchtige, delikate, vollmundige* **Weißweine** **Portweine** *(Weiß, Rot, Ruby, Tawny), mit hohem Alkoholgehalt*	*Caldo verde (Krautsuppe), Neunauge, Lachs, Stockfisch, Schinken, Rindfleischeintopf, Feijoada (Bohneneintopf), Kutteln*
Beira Alta, Beira Baixa, Beira Litoral ③ und ④	*Aromatische, liebliche, volle und milde, ausgeglichene, körperreiche* **Rotweine** *Kristallklare, fruchtige, delikate, aromatische* **Weißweine**	*Käse von Serra, Papos de Anjo (Kuchen), Meeresfrüchte, Fischsuppe, Ensopado de enguias (Fischsuppe mit Aal), Gebratenes Spanferkel, Käse von Tomar, Schnaps*
Estremadura, Ribatejo ⑤ bis ⑧	**Rotweine** *von rubinroter Farbe, reich, trocken, vollmundig* *Junge, delikate, aromatische, fruchtige, säuerliche* **Weißweine** **Muskatwein von Setúbal,** *mit hohem Alkohol- und geringem Säuregehalt*	*Venusmuscheln mit Knoblauch, Meeresfrüchte, Fischsuppe, Queijadas (Käsekuchen) von Sintra, Fatias (in Eiermilch ausgebackenes Brot) von Tomar*
Algarve ⑨ bis ⑫	*Volle und milde, leichte, fruchtige* **Rotweine** *Liebliche* **Weißweine**	*Fische und Meeresfrüchte « na cataplana », Feigen, Mandeln*
Alentejo ⑬ bis ⑮	*Kräftige und elegante* **Rotweine**	*Migas (Brot und frischer Speck), Sericaia (Kuchen), Schweinefleisch nach der Art von Alentejo, Gaspacho (Kalte Tomaten und Zwiebelsuppe), Açordas (Knoblauch-Brot-Suppe), Käse von Serpa*
Madeira ⑯	*Weine mit hohem Alkoholgehalt, trocken, mit delikatem Aroma*	*Spieße (Fleisch, Fisch), Honigkuchen*

Wines and regional specialities

Portugal has a very old wine producing tradition. The diversity of the wine growing regions made it necessary to regulate those wines by the Appellation d'Origine (Denominações de Origem) indicated on the corresponding map.

Regions and location on the map	Wine's characteristics	Regional Specialities
Minho, Douro Litoral, Trás-Os-Montes, Alto Douro ① *and* ②	**Reds** *full bodied, young, acidic* **Whites** *aromatic, sweet, fruity, delicate, full bodied* **Port** *(White, Red, Ruby, Tawny), strong in alcohol*	*Caldo verde (Cabbage soup), Lamprey, Salmon, Codfish, Ham, Stew, Feijoada (Pork and bean stew), Tripes*
Beira Alta, Beira Baixa, Beira Litoral ③ *and* ④	**Reds** *aromatic, sweet, velvety, well balanced, full bodied* **Whites** *crystal-clear, fruity, delicate, aromatic*	*Serra Cheese, Papos de Anjo (Cake), Seafood, Fishsoup, Ensopado de enguias (Eel stew), Roast pork, Tomar Cheese, Aguardentes (distilled grape skins and pips)*
Estremadura, Ribatejo ⑤ *to* ⑧	*Ruby coloured* **reds,** *big, dry, full bodied* **Young whites** *delicate, aromatic, fruity, acidic* **Moscatel from Setúbal,** *strong in alcohol, slightly acidic*	*Clams with garlic, Seafood, Fish soup, Queijadas (Cheesecake) from Sintra, Fatias (Sweet bread) from Tomar*
Algarve ⑨ *to* ⑫	*Velvety* **reds,** *light, fruity* *Sweet* **whites**	*Fish and Seafood « na cataplana », Figs, Almonds*
Alentejo ⑬ *to* ⑮	*Robust elegant* **reds**	*Migas (Fried breadcrumbs), Sericaia (Cake), Alentejana pork style, Gaspacho (Cold tomato and onion soup), Açordas (Bread and garlic soup), Serpa Cheese*
Madeira ⑯	*Strong in alcohol, dry with a delicate aroma*	*Kebab (Meat, Fish), Honey cake*

LÉXICO — NA ESTRADA	LÉXICO — EN LA CARRETERA	LEXIQUE — SUR LA ROUTE	LESSICO — LUNGO LA STRADA	LEXIKON — AUF DER STRASSE	LEXICON — ON THE ROAD
acender as luzes	encender las luces	allumer les lanternes	accendere le luci	Licht einschalten	switch on lights
à direita	a la derecha	à droite	a destra	nach rechts	to the right
à esquerda	a la izquierda	à gauche	a sinistra	nach links	to the left
atenção ! perigo !	¡ atención, peligro !	attention ! danger !	attenzione ! pericolo !	Achtung ! Gefahr !	caution ! danger !
auto-estrada	autopista	autoroute	autostrada	Autobahn	motorway
bifurcação	bifurcación	bifurcation	bivio	Gabelung	road fork
cruzamento perigoso	cruce peligroso	croisement dangereux	incrocio pericoloso	gefährliche Kreuzung	dangerous crossing
curva perigosa	curva peligrosa	virage dangereux	curva pericolosa	gefährliche Kurve	dangerous bend
dê passagem	ceda el paso	cédez le passage	dare la precedenza	Vorfahrt achten	yield right of way
descida perigosa	bajada peligrosa	descente dangereuse	discesa pericolosa	gefährliches Gefälle	dangerous descent
esperem	esperen	attendez	attèndete	warten	wait, halt
estacionamento proibido	prohibido aparcar	stationnement interdit	divieto di sosta	Parkverbot	no parking
estrada	carretera	route	strada	Straße	road
estrada escarpada	carretera en cornisa	route en corniche	strada panoramica	Höhenstraße	coastal road
estrada interrompida	carretera cortada	route coupée	strada interrotta	gesperrte Straße	road closed
estrada em mau estado	carretera en mal estado	route en mauvais état	strada in cattivo stato	Straße in schlechtem Zustand	road in poor condition
estrada nacional	carretera nacional	route nationale	strada statale	Staatsstraße	Primary road
gelo	hielo	verglas	ghiaccio	Glatteis	ice (on roads)
lentamente	despacio	lentement	adagio	langsam	slowly
neve	nieve	neige	neve	Schnee	snow
nevoeiro	niebla	brouillard	nebbia	Nebel	fog
obras	obras	travaux (routiers)	lavori in corso	Straßenbauarbeiten	road works

paragem obrigatória	parada obligatoria	arrêt obligatoire	fermata obbligatoria	Halt !	compulsory stop
passagem de gado	paso de ganado	passage de troupeaux	passaggio di mandrie	Viehtrieb	cattle crossing
passagem de nível sem guarda	paso a nivel sin barreras	passage à niveau non gardé	passaggio a livello incustodito	unbewachter Bahnübergang	unattended level crossing
piso escorregadio	calzada resbaladiza	chaussée glissante	fondo sdrucciolevole	Rutschgefahr	slippery road
peões	peatones	piétons	pedoni	Fußgänger	pedestrians
perigo !	¡ peligro !	danger !	pericolo !	Gefahr !	danger !
perigoso atravessar	travesía peligrosa	traversée dangereuse	attraversamento pericoloso	gefährliche Durchfahrt	dangerous crossing
ponte estreita	puente estrecho	pont étroit	ponte stretto	enge Brücke	narrow bridge
portagem	peaje	péage	pedaggio	Gebühr	toll
proibido	prohibido	interdit	vietato	verboten	prohibited
proibido ultrapassar	prohibido el adelantamiento	défense de doubler	divieto di sorpasso	Überholverbot	no overtaking
pronto socorro	puesto de socorro	poste de secours	pronto soccorso	Unfall-Hilfsposten	first aid station
prudência	precaución	prudence	prudenza	Vorsicht	caution
queda de pedras	desprendimientos	chute de pierres	caduta sassi	Steinschlag	falling rocks
rebanhos	cañada	troupeaux	greggi	Viehherde	cattle
saída de camiões	salida de camiones	sortie de camions	uscita camion	LKW-Ausfahrt	lorry exit
sentido proibido	dirección prohibida	sens interdit	senso vietato	Einfahrt verboten	no entry
sentido único	dirección única	sens unique	senso unico	Einbahnstraße	one way

PALAVRAS DE USO CORRENTE | PALABRAS DE USO CORRIENTE | MOTS USUELS | PAROLE D'USO CORRENTE | ALLGEMEINER WORTSCHATZ | COMMON WORDS

abadía	abadía	abbaye	abbazia	Abtei	abbey
aberto	abierto	ouvert	aperto	offen	open
abismo	abismo	gouffre	abisso	Abgrund, Tiefe	gulf, abyss
abóbada	bóveda	voûte	volta	Gewölbe, Wölbung	vault, arch
Abril	abril	avril	aprile	April	April
adega	bodega	chais, cave	cantina	Keller	cellar

agência de viagens	agencia de viajes	bureau de voyages	agenzia viaggi	Reisebüro	travel bureau
Agosto	agosto	août	agosto	August	August
água potável	agua potable	eau potable	acqua potabile	Trinkwasser	drinking water
albergue	albergue	auberge	albergo	Gasthof	inn
aldeia	pueblo	village	villaggio	Dorf	village
alfândega	aduana	douane	dogana	Zoll	customs
almoço	almuerzo	déjeuner	colazione	Mittagessen	lunch
andar	piso	étage	piano (di casa)	Etage	floor
antigo	antiguo	ancien	antico	alt	ancient
aqueduto	acueducto	aqueduc	acquedotto	Aquadukt	aqueduct
arquitectura	arquitectura	architecture	architettura	Baukunst	architecture
arredores	alrededores	environs	dintorni	Umgebung	surroundings
artificial	artificial	artificiel	artificiale	Kunstlicht	artificial
árvore	árbol	arbre	albero	Baum	tree
avenida	avenida	avenue	viale, corso	Boulevard, breite Straße	avenue
bagagem	equipaje	bagages	bagagli	Gepäck	luggage
baía	bahía	baie	baia	Bucht	bay
bairro	barrio	quartier	quartiere	Stadtteil	quarter, district
baixo-relevo	bajorrelieve	bas-relief	bassorilievo	Flachrelief	low relief
balaustrada	balaustrada	balustrade	balaustrata	Balustrade, Geländer	balustrade
barco	barco	bateau	battello	Schiff	boat
barragem	embalse	barrage	sbarramento	Talsperre	dam
beco	callejón sin salida	impasse	vicolo cieco	Sackgasse	no through road
beira-mar	orilla del mar	bord de mer	riva, litorale	Ufer, Küste	shore, strand
biblioteca	biblioteca	bibliothèque	biblioteca	Bibliothek	library
bilhete postal	tarjeta postal	carte postale	cartolina	Postkarte	postcard
bosque	bosque	bois	bosco	Wäldchen	wood
botânica	botánico	botanique	botanico	botanich	botanical
cabeleireiro	peluquería	coiffeur	parrucchiere	Friseur	hairdresser, barber
caça	caza	chasse	caccia	Jagd	hunting, shooting
cadeiras de coro	sillería del coro	stalles	stalli	Chorgestühl	choir stalls
caixa	caja	caisse	cassa	Kasse	cash-desk
cama	cama	lit	letto	Bett	bed

campanário	campanario	clocher	campanile	Glockenturm	belfry, steeple
campo	campo	campagne	campagna	auf dem Lande	country, countryside
capela	capilla	chapelle	cappella	Kapelle	chapel
capitel	capitel	chapiteau	capitello	Kapitell	capital (of column)
casa	casa	maison	casa	Haus	house
casa de jantar	comedor	salle à manger	sala da pranzo	Speisesaal	dining room
cascata	cascada	cascade	cascata	Wasserfall	waterfall
castelo	castillo	château	castello	Schloß	castle
casula	casulla	chasuble	pianeta	Meßgewand	chasuble
catedral	catedral	cathédrale	duomo	Dom. Münster	cathedral
centro urbano	centro urbano	centre ville	centro città	Stadtzentrum	town centre
chave	llave	clé	chiave	Schlüssel	key
cidade	ciudad	ville	città	Stadt	town
cinzeiro	cenicero	cendrier	portacenere	Aschenbecher	ashtray
claustro	claustro	cloître	chiostro	Kreuzgang	cloisters
climatizada (piscina)	climatizada (piscina)	chauffée (piscine)	riscaldata (piscina)	geheizt (Freibad)	heated (swimming pool)
climatizado	climatizado	climatisé	con aria condizionata	Klimatisiert	air conditioned
colecção	colección	collection	collezione	Sammlung	collection
colher	cuchara	cuillère	cucchiaio	Löffel	spoon
colina	colina	colline	colle, collina	Hügel	hill
confluência	confluencia	confluent	confluenza	Zusammenfluß	confluence
conforto	confort	confort	confort	Komfort	comfort
conta	cuenta	note	conto	Rechnung	bill
convento	convento	couvent	convento	Kloster	convent
copo	vaso	verre	bicchiere	Glas	glass
correios	correos	bureau de poste	ufficio postale	Postamt	post offlce
cozinha	cocina	cuisine	cucina	Kochkunst	kitchen
criado, empregado	camarero	garçon, serveur	cameriere	Ober, Kellner	waiter
crucifixo, cruz	crucifijo, cruz	crucifix, croix	crocifisso, croce	Kruzifix, Kreuz	crucifix, cross
cúpulo	cúpula	coupole, dôme	cupola	Kuppel	dome, cupola
curiosidade	curiosidad	curiosité	curiosità	Sehenswürdigkeit	sight
decoração	decoración	décoration	decorazione	Schmuck, Ausstattung	decoration

dentista	dentista	dentiste	dentista	Zahnarzt	dentist
descida	bajada, descenso	descente	discesa	Gefälle	downward slope
desporto	deporte	sport	sport	Sport	sport
Dezembro	diciembre	décembre	dicembre	Dezember	December
Domingo	domingo	dimanche	domenica	Sorntag	Sunday
edifício	edificio	édifice	edificio	Bauwerk	building
encosta	ladera	versant	versante	Abhang	hillside
engomagem	planchado	repassage	stiratura	bügeln	pressing, ironing
envelopes	sobres	enveloppes	buste	Briefumschläge	envelopes
episcopal	episcopal	épiscopal	vescovile	bischöflich	episcopal
equestre	ecuestre	équestre	equestre	reiten	equestrian
escada	escalera	escalier	scala	Treppe	stairs
escultura	escultura	sculpture	scultura	Schnitzwerk	carving
esquadra de polícia	comisaría	commissariat de police	commissariato di polizia	Polizeistation	police headquarters
estação	estación	gare	stazione	Bahnhof	station
estância balnear	estación balnearia	station balnéaire	stazione balneare	Seebad	seaside resort
estátua	estatua	statue	statua	Standbild	statue
estilo	estilo	style	stile	Stil	style
estuário	estuario	estuaire	estuario	Mündung	estuary
faca	cuchillo	couteau	coltello	Messer	knife
fachada	fachada	façade	facciata	Vorderseite	façade
faiança	loza	faïence	maiolica	Fayence	china
falésia	acantilado	falaise	scogliera	Klippe, Steilküste	cliff, c'face
farmácia	farmacia	pharmacie	farmacia	Apotheke	chemist
fechado	cerrado	fermé	chiuso	geschlossen	closed
2ª feira	lunes	lundi	lunedì	Montag	Monday
3ª feira	martes	mardi	martedì	Dienstag	Tuesday
4ª feira	miércoles	mercredi	mercoledì	Mittwoch	Wednesday
5ª feira	jueves	jeudi	giovedì	Donnerstag	Thursday
6ª feira	viernes	vendredi	venerdì	Freitag	Friday

ferro forjado	hierro forjado	fer forgé	ferro battuto	Schmiedeeisen	wrought iron
Fevereiro	febrero	février	febbraio	Februar	February
floresta	bosque	forêt	foresta	Wald	forest
florido	florido	fleuri	fiorito	blühend	in bloom
folclore	folclore	folklore	folclore	folklore	folklore
fonte, nascente	fuente	source	sorgente	Quelle	source, stream
fortificação	fortificación	fortification	fortificazione	Befestigung	fortification
fortaleza	fortaleza	forteresse, château fort	fortezza	Festung, Burg	fortress, fortified castle
fósforos	cerillas	allumettes	fiammiferi	Zündhölzer	matches
foz	desembocadura	embouchure	foce	Mündung	mouth
fronteira	frontera	frontière	frontiera	Grenze	frontier
garagem	garaje	garage	garage	Garage	garage
garfo	tenedor	fourchette	forchetta	Gabel	fork
garganta	garganta	gorge	gola	Schlucht	gorge
gasolina	gasolina	essence	benzina	Benzin	petrol
gorjeta	propina	pourboire	mancia	Trinkgeld	tip
gracioso	encantador	charmant	delizioso	reizend	charming
igreja	iglesia	église	chiesa	Kirche	church
ilha	isla	île	isola, isolotto	Insel	island
imagem	imagen	image	immagine	Bild	picture
informações	informaciones	renseignements	informazioni	Auskünfte	information
instalação	instalación	installation	installazione	Einrichtung	arrangement
interior	interior	intérieur	interno	Inneres	interior
Inverno	invierno	hiver	inverno	Winter	winter
Janeiro	enero	janvier	gennaio	Januar	January
janela	ventana	fenêtre	finestra	Fenster	window
jantar	cena	dîner	cena	Abendessen	dinner
jardim	jardín	jardin	giardino	Garten	garden
jornal	diario	journal	giornale	Zeitung	newspaper
Julho	julio	juillet	luglio	Juli	July
Junho	junio	juin	giugno	Juni	June

lago, lagoa	lago, laguna	lac, lagune	lago, laguna	See, Lagune	lake, lagoon
lavagem de roupa	lavado	blanchissage	lavanderia	Wäscherei	laundry
local	paraje	site	posizione	Lage	site
localidade	localidad	localité	località	Ortschaft	locality
loiça de barro, olaría	alfarería	poterie	stoviglie	Tongeschirr	pottery
luxuoso	lujoso	luxueux	sfarzoso	prachtvoll	luxurious
Maio	mayo	mai	maggio	Mai	May
mansão	mansión	manoir	maniero	Gutshaus	country house
mar	mar	mer	mare	Meer	sea
Março	marzo	mars	marzo	März	March
marfim	marfil	ivoire	avorio	Elfenbein	ivory
margem	ribera	rive, bord	riva, banchina	Ufer	shore (of lake), bank (of river)
mármore	mármol	marbre	marmo	Marmor	marble
médico	médico	médecin	medico	Arzt	doctor
medieval	medieval	médiéval	medioevale	mittelalterlich	mediaeval
miradouro	mirador	belvédère	belvedere	Aussichtspunkt	belvedere
mobiliário	mobiliario	ameublement	arredamento	Einrichtung	furniture
moinho	molino	moulin	mulino	Mühle	mill
montanha	montaña	montagne	montagna	Berg	mountain
mosteiro	monasterio	monastère	monastero	Kloster	monastery
muralha	muralla	muraille	muraglia	Mauer	walls
museu	museo	musée	museo	Museum	museum
Natal	Navidad	Noël	Natale	Weihnachten	Christmas
nave	nave	nef	navata	Kirchenschiff	nave
Novembro	noviembre	novembre	novembre	November	November
obra de arte	obra de arte	œuvre d'art	opera d'arte	Kunstwerk	work of art
oceano	océano	océan	oceano	Ozean	ocean
oliveira	olivo	olivier	ulivo	Olivenbaum	olive-tree
órgão	órgano	orgue	organo	Orgel	organ
orla	linde	lisière	confine	Waldrand	forest boundary
ourivesaria	orfebrería	orfèvrerie	oreficeria	Goldschmiedekunst	goldsmith's work
Outono	otoño	automne	autunno	Herbst	autumn

Outubro	octubre	octobre	ottobre	Oktober	October
ovelha	oveja	brebis	pecora	Schaf	ewe
pagar	pagar	payer	pagare	bezahlen	to pay
paisagem	paisaje	paysage	paesaggio	Landschaft	landscape
palácio, paço	palacio	palais	palazzo	Palast	palace
palmar	palmeral	palmeraie	palmeto	Palmenhain	palm grove
papel de carta	papel de carta	papier à lettre	carta da lettera	Briefpapier	writing paper
paragem	parada	arrêt	fermata	Haltestelle	stopping place
parque	parque	parc	parco	Park	park
parque de estacionamento	aparcamiento	parc à voitures	parcheggio	Parkplatz	car park
partida	salida	départ	partenza	Abfahrt	departure
Páscoa	Pascua	Pâques	Pasqua	Ostern	Easter
passageiros	pasajeros	passagers	passeggeri	Fahrgäste	passengers
passeio	paseo	promenade	passeggiata	Spaziergang, Promenade	walk, promenade
pelourinho	picote	pilori	gogna	Pranger	pillory
percurso	recorrido	parcours	percorso	Strecke	course
perspectiva	perspectiva	perspective	prospettiva	Perspektive	perspective
pesca, pescador	pesca, pescador	pêche, pêcheur	pesca, pescatore	Fischfang, Fischer	fishing, fisherman
pia baptismal	pila de bautismo	fonts baptismaux	fonte battisimale	Taufbecken	font
pinhal	pinar, pineda	pinède	pineta	Pinienhain	pine wood
pinheiro	pino	pin	pino	Kiefer	pine-tree
planície	llanura	plaine	pianura	Ebene	plain
poço	pozo	puits	pozzo	Brunnen	well
polícia	policía	gendarme	poliziotto	Polizist	policeman
ponte	puente	pont	ponte	Brücke	bridge
porcelana	porcelana	porcelaine	porcellana	Porzellan	porcelain
portal	portal	portail	portale	Tor	doorway
porteiro	conserje	concierge	portiere	Portier	porter
porto	puerto	port	porto	Hafen	harbour, port
povoação	burgo	bourg	borgo	kleiner Ort, Flecken	market town
praça de touros	plaza de toros	arènes	arena	Stierkampfarena	bull ring
praia	playa	plage	spiaggia	Strand	beach

prato	plato	assiette	piatto	Teller	plate
Primavera	primavera	printemps	primavera	Frühling	spring (season)
proibido fumar	prohibido fumar	défense de fumer	vietato fumare	Rauchen verboten	no smoking
promontório	promontorio	promontoire	promontorio	Vorgebirge	promontory
púlpito	púlpito	chaire	pulpito	Kanzel	pulpit
quadro, pintura	cuadro, pintura	tableau, peinture	quadro, pittura	Gemälde, Malerei	painting
quarto	habitación	chambre	camera	Zimmer	room
quinzena	quincena	quinzaine	quindicina	2 wochen	fortnight
recepção	recepción	réception	ricevimento	Empfang	reception
recife	arrecife	récif	scoglio	Klippe	reef
registado	certificado	recommandé (objet)	raccomandato	Einschreiben	registered
relógio	reloj	horloge	orologio	Uhr	clock
relvado	césped	pelouse	prato	Rasen	lawn
renda	encaje	dentelle	pizzo	Spitze	lace
retábulo	retablo	retable	pala d'altare	Altaraufsatz	altarpiece, retable
retrato	retrato	portrait	ritratto	Bildnis	portrait
rio	río	fleuve	fiume	Fluß	river
rochoso	rocoso	rocheux	roccioso	felsig	rocky
rua	calle	rue	via	Straße	street
ruinas	ruinas	ruines	ruderi	Ruinen	ruins
rústico	rústico	rustique	rustico	ländlich	rustic, rural
Sábado	sábado	samedi	sabato	Samstag	Saturday
sacristia	sacristía	sacristie	sagrestia	Sakristei	sacristy
saída de socorro	salida de socorro	sortie de secours	uscita di sicurezza	Notausgang	emergency exit
sala capitular	sala capitular	salle capitulaire	sala capitolare	Kapitelsaal	chapterhouse
salão, sala	salón	salon	salone	Salon	drawing room, sitting room
santuário	santuario	sanctuaire	santuario	Heiligtum	shrine
século	siglo	siècle	secolo	Jahrhundert	century
selo	sello	timbre-poste	francobollo	Briefmarke	stamp
sepúlcro, túmulo	sepulcro, tumba	sépulcre, tombeau	sepolcro, tomba	Grabmal	tomb
serviço incluido	servicio incluido	service compris	servizio compreso	Bedienung inbegriffen	service included
serra	sierra	chaîne de montagnes	catena montuosa	Gebirgskette	mountain range

Setembro	septiembre	septembre	settembre	September	September
sob pena de multa	bajo pena de multa	sous peine d'amende	passibile di contravvenzione	bei Geldstrafe	under penalty of fine
solar	casa solariega	manoir	maniero	Herrenhans	manor
tabacaria	estanco	bureau de tabac	tabaccaio	Tabakladen	tobacconist
talha	tallas en madera	bois sculpté	sculture lignee	Holzschnitzerei	wood carving
tapeçarias	tapices	tapisseries	tappezzerie, arazzi	Wandteppiche	tapestries
tecto	techo	plafond	soffitto	Zimmerdecke	ceiling
telhado	tejado	toit	tetto	Dach	roof
termas	balneario	établissement thermal	stabilimento termale	Kurhaus	health resort
terraço	terraza	terrasse	terrazza	Terrasse	terrace
tesouro	tesoro	trésor	tesoro	Schatz	treasure, treasury
toilette, casa de banho	servicios	toilettes	gabinetti	Toiletten	toilets
tríptico	tríptico	triptyque	trittico	Triptychon	triptych
túmulo	tumba	tombe	tomba	Grab	tomb
vale	valle	val, vallée	valle, vallata	Tal	valley
ver	ver	voir	vedere	sehen	see
Verão	verano	été	estate	Sommer	summer
vila	pueblo	village	villaggio	Dorf	village
vinhedos, vinhas	viñedos	vignes, vignoble	vigne, vigneto	Reben, Weinberg	vines, vineyard
vista	vista	vue	vista	Aussicht	view
vitral	vidriera	verrière, vitrail	vetrata	Kirchenfenster	stained glass windows
vivenda	morada	demeure	dimora	Wohnsitz	residence

COMIDAS E BEBIDAS	COMIDA Y BEBIDAS	NOURRITURE ET BOISSONS	CIBI E BEVANDE	SPEISEN UND GETRÄNKE	FOOD AND DRINK
açúcar	azúcar	sucre	zucchero	Zucker	sugar
água gaseificada	agua con gas	eau gazeuse	acqua gasata	Sprudel	soda water
água mineral	agua mineral	eau minérale	acqua minerale	Mineralwasser	mineral water
alcachofra	alcachofa	artichaut	carciofo	Artischocke	artichoke
alho	ajo	ail	aglio	Knoblauch	garlic

ameixas	ciruelas	prunes	prugne	Pflaumen	plums
amêndoas	almendras	amandes	mandorle	Mandeln	almonds
anchovas	anchoas	anchois	acciughe	Sardellen	anchovies
arroz	arroz	riz	riso	Reis	rice
assado	asado	rôti	arrosto	gebraten	roast
atum	atún	thon	tonno	Thunfish	tunny
aves, criação	ave	volaille	pollame	Geflügel	poultry
azeite	aceite de oliva	huile d'olive	olio d'oliva	Olivenöl	olive oil
azeitonas	aceitunas	olives	olive	Oliven	olives
bacalhau fresco	bacalao	morue fraîche, cabillaud	merluzzo	Kabeljau, Dorsch	cod
bacalhau salgado	bacalao en salazón	morue salée	baccalà, stoccafisso	Stockfisch	dried cod
banana	plátano	banane	banana	Banane	banana
bebidas	bebidas	boissons	bevande	Getränke	drinks
beringela	berenjena	aubergine	melanzana	Aubergine	aubergine
besugo, dourada	besugo, dorada	daurade	orata	Goldbrassen	sea bream
batatas	patatas	pommes de terre	patate	Kartoffeln	potatoes
bolachas	galletas	gâteaux secs	biscotti secchi	Gebäck	biscuits
bolos	pasteles	pâtisseries	dolci, particceria	Süßigkeiten	pastries
cabrito	cabrito	chevreau	capretto	Zicklein	kid
café com leite	café con leche	café au lait	caffelatte	Milchkaffee	coffee with milk
café simples	café solo	café nature	caffè nero	schwarzer Kaffee	black coffee
caldo	caldo	bouillon	brodo	Fleischbrühe	clear soup
camarões	gambas	crevettes roses	gamberetti	Granat	shrimps
camarões grandes	gambas	crevettes (bouquets)	gamberetti	Garnelen	prawns
carne	carne	viande	carne	Fleisch	meat
carne de vitela	ternera	veau	vitello	Kalbfleisch	veal
carneiro	cordero	mouton	montone	Hammelfleisch	mutton
carnes frias	fiambres	viandes froides	carni fredde	kaltes Fleisch	cold meat
castanhas	castañas	châtaignes	castagne	Kastanien	chestnuts
cebola	cebolla	oignon	cipolla	Zwiebel	onion
cerejas	cerezas	cerises	ciliegie	Kirschen	cherries
cerveja	cerveza	bière	birra	Bier	beer
charcutaria	charcutería, fiambres	charcuterie	salumi	Aufschnitt	pork-butchers' meat

cherne	mero	mérou	cernia	Zackenbarsch	brill
chouriço	chorizo	saucisses au piment	salsicce piccanti	Pfefferwurst	spiced sausages
cidra	sidra	cidre	sidro	Apfelwein	cider
cogumelos	setas	champignons	funghi	Pilze	mushrooms
cordeiro	cordero lechal	agneau de lait	agnello	Lammfleisch	lamb
costeleta	costilla, chuleta	côtelette	costoletta	Kotelett	chop, cutlet
couve	col	chou	cavolo	Kohl, Kraut	cabbage
enguia	anguila	anguille	anguilla	Aal	eel
entrada	entremeses	hors-d'œuvre	antipasti	Vorspeise	hors d'œuvre
espargos	espárragos	asperges	asparagi	Spargel	asparagus
espinafres	espinacas	épinards	spinaci	Spinat	spinach
ervilhas	guisantes	petits pois	piselli	junge Erbsen	garden peas
faisão	faisán	faisan	fagiano	Fasan	pheasant
feijão verde	judías verdes	haricots verts	fagiolini	grüne Bohnen	French beans
fígado	hígado	foie	fegato	Leber	liver
figos	higos	figues	fichi	Feigen	figs
frango	pollo	poulet	pollo	Hähnchen	chicken
fricassé	pepitoria	fricassée	fricassea	Frikassee	fricassée
fruta	frutas	fruits	frutta	Früchte	fruit
fruta em calda	frutas en almíbar	fruits au sirop	frutta sciroppata	Früchte in Sirup	fruit in syrup
gamba	gamba	crevette géante	gamberone	große Garnele	prawns
gelado	helado	glace	gelato	Speiseeis	ice cream
grão	garbanzos	pois chiches	ceci	Kichererbsen	chick peas
grelhado	a la parrilla	à la broche, grillé	allo spiedo	am Spieß, gegrillt	grilled
lagosta	langosta	langouste	aragosta	Languste	crawfish
lagostins	cigalas	langoustines	scampi	Meerkrebse, Langustinen	crayfish
lavagante	bogavante	homard	astice	Hummer	lobster
legumes	legumbres	légumes	verdura	Gemüse	vegetables
laranja	naranja	orange	arancia	Orange	orange
leitão assado	cochinillo, tostón	cochon de lait grillé	maialino grigliato, porchetta	Spanferkelbraten	roast suckling pig

lentilhas	lentejas	lentilles	lenticchie	Linsen	lentils
limão	limón	citron	limone	Zitrone	lemon
língua	lengua	langue	lingua	Zunge	tongue
linguado	lenguado	sole	sogliola	Seezunge	sole
lombo de porco	lomo	échine	lombata, lombo	Rückenstück	loin, chine
lombo de vaca	filete, solomillo	filet	filetto	Filetsteak	fillet
lota	rape	lotte	rana pescatrice, coda di rospo	Seeteufel	monkfish, angler fish
lulas, chocos	calamares	calmars	calamari	Tintenfische	squid
maçã	manzana	pomme	mela	Apfel	apple
manteiga	mantequilla	beurre	burro	Butter	butter
mariscos	mariscos	fruits de mer	frutti di mare	Meeresfrüchte	seafood
mel	miel	miel	miele	Honig	honey
melancia	sandía	pastèque	cocomero	Wassermelone	water melon
mexilhões	mejillones	moules	cozze	Muscheln	mussels
miolos, mioleira	sesos	cervelle	cervella	Hirn	brains
molho	salsa	sauce	salsa	Sauce	sauce
morangos	fresas	fraises	fragole	Erdbeeren	strawberries
nata	nata	crème fraîche	panna	Sahne	cream
omelete	tortilla	omelette	frittata	Omelett	omelette
ostras	ostras	huîtres	ostriche	Austern	oysters
ovo cozido	huevo duro	œuf dur	uovo sodo	hartes Ei	hard boiled egg
ovo quente	huevo pasado por agua	œuf à la coque	uovo à la coque	weiches Ei	soft boiled egg
ovos estrelados	huevos al plato	œufs au plat	uova fritte	Spiegeleier	fried eggs
pão	pan	pain	pane	Brot	bread
pato	pato	canard	anitra	Ente	duck
peixe	pescado	poisson	pesce	Fisch	fish
pepino	pepino, pepinillo	concombre, cornichon	cetriolo, cetriolino	Gurke, Essiggürkchen	cucumber, gherkin
pêra	pera	poire	pera	Birne	pear
perú	pavo	dindon	tacchino	Truthahn	turkey

pescada	merluza	colin, merlan	nasello	Kohlfisch, Weißling	hake
pêssego	melocotón	pêche	pesca	Pfirsich	peach
pimenta	pimienta	poivre	pepe	Pfeffer	pepper
pimento	pimiento	poivron	peperone	Pfefferschote	pimento
pombo, borracho	paloma, pichón	palombe, pigeon	piccione	Taube	pigeon
porco	cerdo	porc	maiale	Schweinefleisch	pork
pregado, rodovalho	rodaballo	turbot	rombo	Steinbutt	turbot
presunto, fiambre	jamón (serrano, cocido)	jambon (cru ou cuit)	prosciutto (crudo o cotto)	Schinken (roh, gekocht)	ham (raw or cooked)
queijo	queso	fromage	formaggio	Käse	cheese
raia	raya	raie	razza	Rochen	skate
rins	riñones	rognons	rognoni	Nieren	kidneys
robalo	lubina	bar	spigola	Barsch	bass
sal	sal	sel	sale	Salz	salt
salada	ensalada	salade	insalata	Salat	green salad
salmão	salmón	saumon	salmone	Lachs	salmon
salpicão	salchichón	saucisson	salame	Hartwurst, Salami	salami, sausage
salsichas	salchichas	saucisses	salsicce	Würstchen	sausages
sopa	potaje, sopa	potage, soupe	minestra, zuppa	Suppe	soup
sobremesa	postre	dessert	dessert	Nachspeise	dessert
sumo de frutas	zumo de frutas	jus de fruits	succo di frutta	Fruchtsaft	fruit juice
torta, tarte	tarta	tarte, grand gâteau	torta	Torte, Kuchen	tart, pie
truta	trucha	truite	trota	Forelle	trout
uva	uva	raisin	uva	Traube	grapes
vaca	vaca	bœuf	manzo	Rindfleisch	beef
vinagre	vinagre	vinaigre	aceto	Essig	vinegar
vinho branco doce	vino blanco dulce	vin blanc doux	vino bianco amabile	süßer Weißwein	sweet white wine
vinho branco seco	vino blanco seco	vin blanc sec	vino bianco secco	herber Weißwein	dry white wine
vinho « rosé »	vino rosado	vin rosé	vino rosato	Roséwein	rosé wine
vinho de marca	vino de marca	grand vin	vino pregiato	Prädikatswein	fine wine
vinho tinto	vino tinto	vin rouge	vino rosso	Rotwein	red wine

MAPAS E GUIAS MICHELIN
MICHELIN MAPS AND GUIDES
CARTES ET GUIDES MICHELIN

MICHELIN - COMPANHIA LUSO PNEU, LDA
Edifício MICHELIN - Quinta do Marchante
Prior Velho
2685 SACAVÉM

Tél. : (01) 941 13 09 - Fax : (01) 941 12 90

Cidades
Poblaciones
Villes
Città
Städte
Towns

ABRANTES *2200 Santarém* **440** **N 5** – *19 410 h. alt. 188.*

Ver : *Sítio★.*

Largo 1º de Maio ☎ (041) 225 55.

Lisboa 142 – Santarém 61.

De Turismo, Largo de Santo António ☎ (041) 212 61, *Fax (041) 252 18,* ← Abrantes e vale do Tejo, – 25/35. AE VISA.
Refeição 2900 – **41 qto** 11000/13600 – PA 5800.

AGUADA DE CIMA *Aveiro – ver Águeda.*

ÁGUEDA *3750 Aveiro* **440** **K 4** – *6 726 h.*

Largo Dr. João Elisio Sucena ☎ (034) 60 14 12.

Lisboa 250 – Aveiro 22 – Coimbra 42 – Porto 85.

em Borralha *pela estrada N I - SE : 2 km – ✉ 3750 Águeda :*

Palácio Águeda, Quinta da Borralha ☎ (034) 60 19 77, *Fax (034) 60 19 78,* « Instalado no antigo palácio do Conde da Borralha. Jardins », – 25/150. AE VISA.
Refeição 2750 – **41 qto** 15000/18000, 7 suites.

em Aguada de Cima *SE : 9,5 km – ✉ 3750 Águeda :*

Adega do Fidalgo, Almas da Areosa ☎ (034) 66 62 26, *Fax (034) 66 72 26,* « Rest. típico » – AE VISA.
Refeição - grelhados - lista 2900 a 3600.

ALBERGARIA-A-VELHA *3850 Aveiro* **440** **J 4** – *4 031 h. alt. 126.*

Lisboa 259 – Aveiro 19 – Coimbra 57.

na estrada N 1 *S : 4 km – ✉ 3750 Serém-Águeda :*

Pousada de Santo António, ☎ (034) 52 32 30, *Fax (034) 52 31 92,* ← vale do Vouga e montanha, – AE VISA.
Refeição lista aprox. 3650 – **12 qto** 13500/15600, 1 suite.

ALBUFEIRA *8200 Faro* **440** **U 5** – *4 324 h. – Praia.*

Ver : *Sítio★.*

Rua 5 de Outubro ☎ (089) 51 21 44 Fax (089) 58 52 79 e Estrada de Sta. Eulália ☎ (089) 54 20 47.

Lisboa 326 – Faro 38 – Lagos 52.

Alísios, Av. Infante Dom Henrique ☎ (089) 58 92 84, Telex 56410, *Fax (089) 58 92 88,* ←, – AE VISA.
fechado janeiro – **Refeição** - só jantar - 3950 – **100 qto** 18000/30000.

Cerro Alagoa, Cerro da Alagoa ☎ (089) 580 21 00, Telex 58290, *Fax (089) 580 21 99,* – 25/150. AE VISA.
Refeição 3000 – **242 qto** 19850/26460, 15 suites – PA 6000.

Brisa Sol, Cerro da Alagoa ☎ (089) 58 94 18, Telex 58283, *Fax (089) 58 82 54,* – 25/260
Refeição (só jantar) – **94 qto**, 71 apartamentos.

O Cabaz da Praia, Praça Miguel Bombarda 7 ☎ (089) 51 21 37, – AE VISA.
fechado 5ª feira e janeiro – **Refeição** lista 3800 a 6000.

em Areias de São João *E : 2,5 km – ✉ 8200 Albufeira :*

Ondamar, ☎ (089) 58 67 74, *Fax (089) 58 86 16,* – 25/50. AE VISA.
Refeição 2500 – **16 qto** 19700/27500, 76 apartamentos – PA 5000.

Três Palmeiras, Av. Infante D. Henrique 51 ☎ (089) 51 54 23, *Fax (089) 51 54 23* – .

em Montechoro *NE : 3,5 km – ✉ 8200 Albufeira :*

Montechoro, Av. Francisco Sà Carneiro ☎ (089) 58 94 24, Telex 56288, *Fax (089) 58 99 47,* ←, – 25/1200. AE VISA JCB.
Refeição 3500 - ***Grill das Amendoeiras*** *(só jantar)* **Refeição** lista 3000 a 5100 – **322 qto** 22600/27300, 40 suites – PA 6000.

na Praia da Galé *O : 6,5 km – ✉ 8200 Albufeira :*

Vila Galé Praia, ✆ (089) 59 10 50, *Fax (089) 59 14 36,* ⛱, ✂ – |‡| ▤ TV ☎ P. AE ⊙ E VISA. ✂
Refeição - só jantar salvo verão - 3200 – **40 qto** ⊐ 19800/26100.

Vila Joya ⊗ com qto, ✆ (089) 59 17 95, *Fax (089) 59 12 01,* ⛱, « Belo jardim e ⛱ climatizada numa elegante vila com ← mar » – ☎. AE ⊙ E VISA. ✂
fechado 15 novembro-20 dezembro e 7 janeiro-1 fevereiro – **Refeição** - aconselha-mos reservar ao jantar - 9800 e lista 7900 a 10100 – **15 qto** ⊐ 54000/80000, 2 suites
Espec. Rodovalho com puré de batata, caviar e molho de champagne. Filete de vitela com fatias da cabeça em molho de trufa. Parfait de fígado de pato com uvas.

na Praia da Falésia *E : 10 km – ✉ 8200 Albufeira :*

Sheraton Algarve ⊗, ✆ (089) 50 19 99, Telex 58524, *Fax (089) 50 19 50,* ← mar e campo de golfe, ⛱, « No alto de uma falésia rodeado de zonas verdes », Fб, ⛱, ⛱, ⛱, ⛱, ✂, ⛳ – |‡| ▤ TV ☎ ♿ P – 🔺 25/230. AE ⊙ E VISA JCB. ✂
***Além-Mar* :** **Refeição** lista 4800 a 6900 – **203 qto** ⊐ 49000/54000, 12 suites.

Falésia H. ⊗, Pinhal, ✉ apartado 785, ✆ (089) 50 12 37, Telex 58204, *Fax (089) 50 12 70,* ←, ⛱, ⛱, ⛱, ✂ – |‡| ▤ TV ☎ P – 🔺 25/300. AE ⊙ E VISA. ✂
Refeição 2900 – **169 qto** ⊐ 17200/22000.

ALCABIDECHE *Lisboa* 440 **P 1** – *25 178 h.* – ✉ *2765 Estoril.*
Lisboa 36 – Cascais 4 – Sintra 12.

Pingo, Rua Conde Barão 1016 ✆ (01) 469 01 37 – ▤. AE ⊙ E VISA. ✂
Refeição lista 2500 a 4500.

em Alcoitão *E : 1,3 km – ✉ 2765 Estoril :*

Recta de Alcoitão, Estrada N 9 ✆ (01) 469 03 98 – ▤. AE ⊙ E VISA JCB
fechado 3ª feira – **Refeição** lista 3950 a 6100.

na estrada de Sintra *NE : 2 km – ✉ 2765 Estoril :*

Atlantis Sintra-Estoril, junto ao autódromo ✆ (01) 469 07 20, Telex 16891, *Fax (01) 469 07 40,* ←, Fб, ⛱, ⛱, ✂ – |‡| ▤ TV ☎ P – 🔺 25/200. AE ⊙ E VISA. ✂
Refeição 4000 – **187 qto** ⊐ 20950/26200.

ALCOBAÇA *2460 Leiria* 440 **N 3** – *11 093 h. alt. 42.*
Ver : *Mosteiro de Santa Maria★★ : igreja★★ (túmulo de D. Inês de Castro★★, túmulo de D. Pedro★★), edifícios da abadia★★ (sala capitular★★, sala dos monges★★).*
ℹ *Praça 25 de Abril ✆ (062) 423 77.*
Lisboa 110 – Leiria 32 – Santarém 60.

Santa Maria sem rest, Rua Dr. Francisco Zagalo 20 ✆ (062) 59 73 95, *Fax (062) 59 67 15* – |‡| TV 🚗. AE E VISA
30 qto ⊐ 9500/12000.

O Telheiro, Rua da Levadinha - Quinta do Telheiro - S : 1 km ✆ (062) 59 60 29, ⛱ – ▤ P. AE E VISA. ✂
fechado sábado e do 1 ao 15 de setembro – **Refeição** lista aprox. 3900.

pela estrada da Nazaré *NO : 3,5 km – ✉ 2460 Alcobaça :*

Termas da Piedade ⊗, ✆ (062) 420 65, *Fax (062) 59 69 71,* ⛱, ✂ – |‡| ▤ TV ☎ P – 🔺 25/250. AE ⊙ E VISA. ✂
Refeição 2500 – **60 qto** ⊐ 7500/13000, 3 suites.

em Aljubarrota *NE : 6,5 km – ✉ 2460 Alcobaça :*

Casa da Padeira sem rest, Estrada N 8 ✆ (062) 50 82 72, *Fax (062) 50 82 72,* « Situado no campo com ← », ⛱ – P. AE E VISA
8 qto ⊐ 10000/13000.

Casa da Sofía, Rua Misericórdia 8 ✆ (062) 50 86 45
▤. AE E VISA. ✂
fechado 2ª feira – **Refeição** lista 2850 a 3150.

ALCOCHETE *2890 Setúbal* 440 P 3.
Lisboa 59 – Évora 101 – Santarém 81 – Setúbal 29.

Al Foz, Av. D. Manuel I ℘ (01) 234 11 79, *Fax (01) 234 11 90* – 25/50. AE E VISA.
Refeição (ver rest. ***Al Foz***) – **32 qto** 12350/14600.

Al Foz, Av. D. Manuel I ℘ (01) 234 19 37, *Fax (01) 234 21 32,* <, – . AE E VISA.
Refeição lista 3000 a 3750.

ALCOITÃO *Lisboa – ver Alcabideche.*

ALDEIA DA SERRA *Évora – ver Redondo.*

ALFERRAREDE *2200 Santarém* 440 N 5.
Lisboa 145 – Abrantes 2 – Santarém 79.

Cascata, Rua D-1º ℘ (041) 210 11, *Fax (041) 210 11* – . E VISA.
fechado 2ª feira – **Refeição** lista 1950 a 3100.

ALIJÓ *5070 Vila Real* 440 I 7 – *2 829 h.*
Lisboa 411 – Bragança 115 – Vila Real 44 – Viseu 117.

Pousada do Barão de Forrester, ℘ (059) 95 92 15, *Fax (059) 95 93 04,* , , – . AE E VISA.
Refeição lista aprox. 3650 – **21 qto** 18200/20300.

Ribadouro sem rest, Av. Dr. Francisco Sá Carneiro 16 ℘ (059) 95 94 52, *Fax (059) 95 99 37* – . E VISA
fechado do 1 ao 15 de maio – **12 qto** 5000/7000.

ALJEZUR *8670 Faro* 440 U 3 – *5 059 h.*
Lisboa 249 – Faro 110.

no Vale da Telha *SO : 7,5 km – ✉ 8670 Aljezur :*

Vale da Telha sem rest, ℘ (082) 981 80, *Fax (082) 981 76,* , – . AE E VISA.
15 março-outubro – **26 qto** 6500/8600.

ALJUBARROTA *Leiria – ver Alcobaça.*

ALMAÇA *Viseu* 440 K 5 – *alt. 100 – ✉ 3450 Mortágua.*
Lisboa 235 – Coimbra 35 – Viseu 55.

na estrada N IP3 *NE : 2 km – ✉ 3450 Mortágua :*

Vila Nancy, ℘ (031) 92 01 13, *Fax (031) 92 01 13* – rest, . AE E VISA.
Refeição 1300 – **38 qto** 3500/8000.

ALMANCIL *8135 Faro* 440 U 5 – *5 945 h.*
Ver : *Igreja de S. Lourenço★ (azulejos★★).*
9 9 Vale do Lobo, SO : 6 km ℘ (089) 39 44 44 – 18 Quinta do Lago, ℘ (089) 39 47 82.
Lisboa 306 – Faro 12 – Huelva 115 – Lagos 68.

Pequeno Mundo, Pereiras - O : 1,5 km ℘ (089) 39 98 66, *Fax (089) 39 98 67,* , « Antiga quinta » – . AE E VISA.
fechado 2ª feira e 15 novembro-dezembro – **Refeição** lista 5050 a 5900.

O Tradicional, Estrada da Fonte Santa ℘ (089) 39 90 93, *Fax (089) 59 15 86* – . AE E VISA JCB
fechado domingo e 23 novembro-25 dezembro – **Refeição** - só jantar - lista 5090 a 7400.

Golfer's Inn, Rua 25 de Abril 35 ℘ (089) 30 27 55, – . AE E VISA JCB.
Refeição - só jantar - lista 3400 a 4300.

Dom Gonçalves, Rua Duarte Pacheco 39 ℘ (089) 39 53 41, – . AE E VISA
fechado domingo e janeiro – **Refeição** lista 2050 a 3300.

Bistro des Z'Arts, Rua do Calvário 69 ℘ (089) 39 51 14, *Fax (089) 39 51 14,* , Bistro francês – . AE E VISA.
Refeição - só jantar - lista 3100 a 3850.

ao Suloeste :

XXX **Ermitage,** 3 km ☎ (089) 39 43 29, *Fax (089) 39 43 29*, « Bela decoração. Terraço com plantas » – ▤ Ⓟ. AE E VISA.
fechado 2ª feira, do 1 ao 24 de dezembro e do 12 ao 28 de janeiro – **Refeição** - só jantar - lista aprox. 7600
Espec. Terrina de fígado de ganso com molho de amoras. Sopa de peixe de Livorno. Tamboril e camarões com molho de caril e pernod.

XXX **São Gabriel,** Estrada de Vale do Lobo a Quinta do Lago - 4 km ☎ (089) 39 45 21, *Fax (089) 39 64 08*, « Vila com terraço » – Ⓟ. AE E VISA.
fechado 2ª feira, dezembro e janeiro – **Refeição** - só jantar - 6500 e lista 4700 a 8400
Espec. Ravioli de marisco. Lombinho de vaca con trufas e polenta. Creme de Limão crocante con frutos silvestres.

em Vale do Lobo *SO : 6 km – ✉ 8135 Almancil :*

Dona Filipa, ☎ (089) 39 41 41, Telex 56848, *Fax (089) 39 42 88*, ≤ pinhal, campo de golfe e mar, climatizada, – ▤ TV ☎ Ⓟ – 25/110. AE E VISA. rest
Primavera : **Refeição** lista aprox. 4400 - ***Dom Duarte*** *(só jantar buffet)* **Refeição** 4800 – **141 qto** ⊏ 37000/45000, 6 suites.

X **O Favo,** ☎ (089) 39 46 53, *Fax (089) 39 46 53*, – ▤. AE E VISA.
fechado 23 novembro-24 dezembro – **Refeição** lista 2760 a 5580.

na Quinta do Lago *S : 8,5 km – ✉ 8135 Almancil :*

Quinta do Lago, ☎ (089) 39 66 66, Telex 57118, *Fax (089) 39 63 93*, ≤ o Atlântico e ria Formosa, climatizada, – ▤ TV ☎ Ⓟ – 25/200. AE E VISA.
Ca d'Oro *(Cozinha italiana, só jantar, fechado 3ª feira)* **Refeição** lista 6200 a 9100 - ***Navegadores :*** **Refeição** lista 5000 a 6600 – **132 qto** ⊏ 45500/56500, 9 suites.

XXXX **Casa Velha,** ☎ (089) 39 49 83, *Fax (089) 59 15 86*, « Antiga quinta com bela esplanada » – ▤ Ⓟ. AE E VISA JCB
fechado domingo, 4 janeiro-4 fevereiro e do 1 ao 25 de dezembro – **Refeição** - cozinha francesa, só jantar - lista 6968 a 8325.

ALMEIDA *6350 Guarda* 440 J 9 – *1 487 h.*

Lisboa 410 – Ciudad Rodrigo 43 – Guarda 49.

Pousada Senhora das Neves, ☎ (071) 542 90, *Fax (071) 543 20*, ≤ – ▤ TV ☎ Ⓟ. AE E VISA.
Refeição lista aprox. 3650 – **21 qto** ⊏ 15500/17600.

ALMEIRIM *2080 Santarém* 440 O 4.

Lisboa 88 – Santarém 7 – Setúbal 116.

O Novo Príncipe sem rest, Timor 1 ☎ (043) 524 38, *Fax (043) 513 23* – ▤ TV ☎ Ⓟ – 25. AE E VISA.
40 qto ⊏ 5400/8000.

X **Aquárius,** Rua António Sérgio 4-C ☎ (043) 51 444 – ▤. AE E VISA.
fechado 2ª feira e agosto – **Refeição** lista aprox. 4100.

ALMOUROL (Castelo de) *Santarém* 440 N 4.

Ver : *Castelo★★ (sítio★★, ≤★).*
Hotéis e restaurantes ver : **Abrantes** *E : 18 km.*

ALTE *Faro* 440 U 5 – ✉ *8100 Loulé.*

Lisboa 314 – Albufeira 27 – Faro 46 – Lagos 63.

Alte H., Montinho - NE : 1 km ☎ (089) 685 23, *Fax (089) 686 46*, ≤, – ▤ TV ☎ Ⓟ – 25/150. AE E VISA.
Refeição 3000 – **24 qto** ⊏ 10000/12720, 2 suites.

ALTO DA SERRA *Santarém – ver Rio Maior.*

ALTURA *Faro* 440 U 7 – ✉ *8950 Castro Marim – Praia.*
Lisboa 352 – Ayamonte 6,5 – Faro 47.

Azul Praia sem rest, Sítio da Alagoa - S : 1 km ✆ (081) 95 68 71, *Fax (081) 95 68 87* – AE E VISA.
27 qto 10000/12600.

O Infante, Estrada N 125 - E : 1 km ✆ (081) 95 68 17 – AE E VISA.
fechado 4ª feira e março – **Refeição** lista aprox. 2900.

A Chaminé, Sítio da Alagoa - S : 1 km ✆ (081) 95 01 00, *Fax (081) 95 01 02* – AE E VISA.
fechado 3ª feira e do 5 ao 10 de novembro – **Refeição** lista 2280 a 3650.

Fernando, Sítio da Alagoa - S : 1 km ✆ (081) 95 64 55, – AE E VISA.
fechado 2ª feira e do 15 ao 30 de janeiro – **Refeição** lista 2870 a 3550.

ALVITO *7920 Beja* 440 R 6 – *1 403 h.*
Lisboa 161 – Beja 39 – Grândola 73.

Pousada Castelo de Alvito, Largo do Castelo ✆ (084) 483 43, *Fax (084) 483 83,* « Antigo castelo. Belo jardim con » – – 25. AE E VISA.
Refeição 3650 – **20 qto** 26500/29600.

AMARANTE *4600 Porto* 440 I 5 – *10 738 h. alt. 100.*
Ver : *Local★, Igreja do convento de S. Gonçalo (órgão★) – Igreja de S. Pedro (tecto★).*
Arred. : *Travanca : Igreja (capitéis★) NO : 18 km por N 15, Estrada de Amarante a Vila Real ★, Picão de Marão★★.*
Rua Cândido dos Reis ✆ (055) 43 22 59.
Lisboa 372 – Porto 64 – Vila Real 49.

Navarras, Rua António Carneiro ✆ (055) 43 10 36, *Fax (055) 43 29 91,* – – 25/150. AE E VISA.
Refeição lista aprox. 4200 – 1000 – **61 qto** 9500/12000.

Albergaria Dona Margaritta sem rest, Rua Cândido dos Reis 53 ✆ (055) 43 21 10, *Fax (055) 43 79 77,* –
22 qto 6000/9000.

Zé da Calçada com qto, Rua 31 de Janeiro ✆ (055) 42 20 23, , « Decoração rústica e agrádavel terraço » –
Refeição lista aprox. 6000 – **7 qto** 7000/8500.

na estrada N 15 *SE : 19,5 km – ✉ 4600 Amarante :*

Pousada de S. Gonçalo Serra do Marão - alt. 885 ✆ (055) 46 11 23, *Fax (055) 46 13 53,* Serra do Marão – rest, AE E VISA.
Refeição lista aprox. 3800 – **15 qto** 13500/15600.

APÚLIA *Braga – ver Fão.*

ARCOS DE VALDEVEZ *4970 Viana do Castelo* 440 G 4.
Av. Marginal ✆ (058) 660 01 Fax (058) 660 01.
Lisboa 416 – Braga 36 – Viana do Castelo 45.

Costa do Vez, Estrada de Monção ✆ (058) 52 12 26, *Fax (058) 52 11 57* –
Refeição (ver rest. Grill Costa do Vez) – **15 qto.**

Grill Costa do Vez, Estrada de Monção ✆ (058) 661 22 – – **Refeição** - grelhados -.

AREIAS DE PORCHES *Faro – ver Armação de Pêra.*

AREIAS DE SÃO JOÃO *Faro – ver Albufeira.*

ARGANIL *3300 Coimbra* 440 L 5 – *3 163 h. alt. 115.*
Av. das Forças Armadas - Edifício do Museu Regional de Arqueologia ✆ (035) 248 23 Fax (035) 248 23.
Lisboa 260 – Coimbra 60 – Viseu 80.

De Arganil sem rest, Av. das Forças Armadas ✆ (035) 259 59, *Fax (035) 251 23* – – 25/150. AE E VISA.
34 qto 6500/8500.

Canário sem rest, Rua Oliveira Matos ✆ (035) 224 57, *Fax (035) 253 68* – AE E VISA.
24 qto 6500/8500.

ARMAÇÃO DE PÊRA *8365 Faro* 440 U 4 – *2 894 h. – Praia.*

Ver : *passeio de barco*★★ : *grutas marinhas*★★.

Av. Marginal ✆ *(082) 31 21 45.*

Lisboa 315 – Faro 47 – Lagos 41.

Náutico, Vale do Olival ✆ (082) 310 60 00, *Fax (082) 310 60 60*, – 25/140. AE VISA.
Refeição 3200 – **211 qto** 19850/26500.

Garbe, Av. Marginal ✆ (082) 31 51 87, Telex 58590, *Fax (082) 31 50 87*, ≤, climatizada –
152 qto.

Algar sem rest, Av. Beira Mar ✆ (082) 31 47 32, Telex 58715, *Fax (082) 31 47 33*, ≤ – AE E VISA.
1000 – **47 apartamentos** 21000.

Santola, Largo da Fortaleza ✆ (082) 31 23 32, *Fax (082) 31 36 51*, ≤, – AE E VISA JCB.
Refeição lista 2600 a 3650.

ao Oeste :

Vila Vita Parc, Alporchinhos - 2 km ✆ (082) 31 53 10, *Fax (082) 31 53 33*, ≤, Serviços de terapêutica, « Conjunto em bela harmonia rodeado de jardins junto ao mar », – 25/500. AE E VISA.
Aladin Grill *(só jantar)* **Refeição** lista aprox. 8500 - ***Atlântico*** *(só jantar)* **Refeição** lista aprox. 7500 - ***Bela Vita*** *(só jantar salvo novembro-março)* **Refeição** lista aprox. 7800 – **151 qto** 49000/62100, 19 suites, 24 apartamentos.

Vilalara, Praia das Gaivotas - 2,5 km ✆ (082) 310 70 00, Telex 57460, *Fax (082) 31 49 56*, ≤, « Situado num complexo de luxo rodeado de magníficos jardins floridos » – AE E VISA.
Refeição lista 5100 a 6900.

em Areias de Porches *NO : 4 km –* ✉ *8400 Lagoa :*

Albergaria D. Manuel, ✆ (082) 31 38 03, *Fax (082) 31 32 66*, – AE E VISA.
fechado dezembro e janeiro – **Refeição** *(fechado 3ª feira)* 1950 – **43 qto** 8200/12000.

ARRAIOLOS *7040 Évora* 440 P 6 – *3 479 h.*

Lisboa 125 – Badajoz 102 – Évora 22 – Portalegre 103 – Setubal 94.

Pousada de Nossa Senhora da Assunção, Quinta dos Loios - N : 1 km ✆ (066) 413 40, *Fax (066) 412 80*, « Antigo convento dos Loios decorado num estilo alentejano em pleno campo », – 25/120. AE E VISA.
Refeição 3650 – **30 qto** 26500/29600, 2 suites.

AVEIRO *3800* P 440 K 4 – *39 079 h.*

Ver : *Bairro dos canais*★ *(canal Central, canal de São Roque)* Y – *Antigo Convento de Jesus*★ : *igreja*★ *(capela-mor*★★*, túmulo da princesa Santa Joana*★*), Museu*★ *(retrato da princesa Santa Joana*★*)* Z.

Arred. : *Ria de Aveiro*★.

✆ *(034) 244 85.*

Rua João Mendonça 8 ✆ *(034) 236 80 Fax (034) 283 26* – **A.C.P.** *Av. Dr. Lourenço Peixinho 89 - D* ✆ *(034) 225 71 Fax (034) 252 20.*

Lisboa 252 ③ – Coimbra 56 ③ – Porto 70 ② – Vila Real 170 ② – Viseu 96 ②

Plano página seguinte

Imperial, Rua Dr. Nascimento Leitão, ✉ 3810, ✆ (034) 221 41, *Fax (034) 241 48* – 25/250. AE E VISA JCB. rest Z u
Refeição 2500 – **103 qto** 10500/13500, 4 suites.

Afonso V, Rua Dr. Manuel das Neves 65, ✉ 3810, ✆ (034) 251 91, *Fax (034) 38 11 11* – 25/450. AE E VISA Z b
Refeição (ver rest. ***A Cozinha do Rei***) – **76 qto** 9950/12950, 4 suites.

As Américas sem rest, Rua Eng. Von Hafe 20 ✆ (034) 38 46 40, *Fax (034) 38 42 58* – 25/150. AE E VISA. Y k
68 qto 11000/14000, 2 suites.

Paloma Blanca sem rest, Rua Luís Gomes de Carvalho 23 ✆ (034) 38 19 92, *Fax (034) 38 18 44* – AE E VISA JCB. X d
50 qto 10650/14200.

AVEIRO

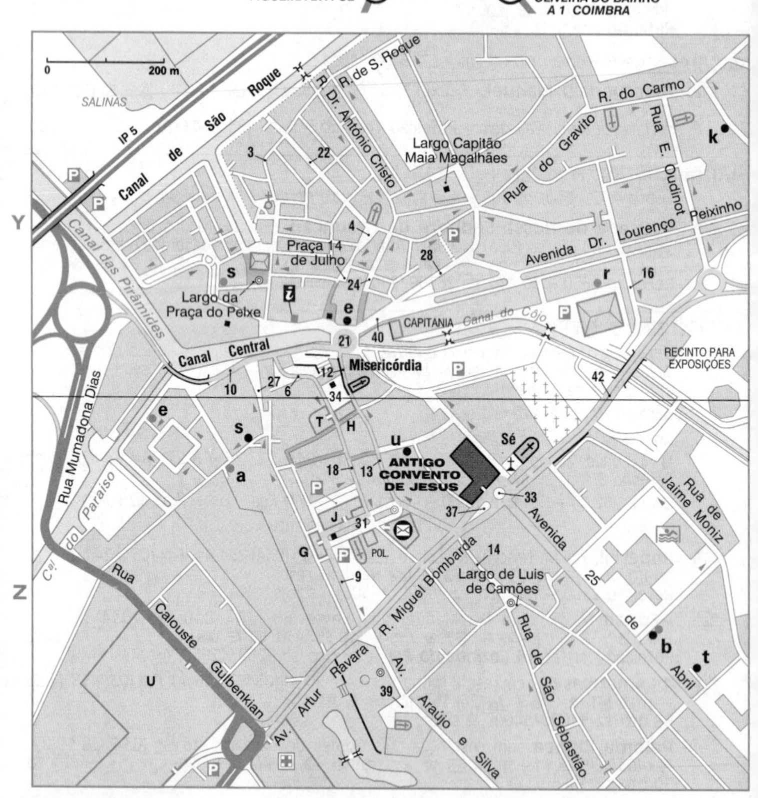

0
200 m
SALINAS
IP 5
Canal de São Roque
R. de S. Roque
R. Dr. António Cristo
Largo Capitão Maia Magalhães
R. do Carmo
Rua do Gravito
Rua E. Oudinot
Avenida Dr. Lourenço Peixinho
Canal das Pirâmides
Praça 14 de Julho
Largo da Praça do Peixe
CAPITANIA
Canal do Côjo
Canal Central
Misericórdia
RECINTO PARA EXPOSIÇÕES
Rua Mumadona Dias
Cal do Paraíso
ANTIGO CONVENTO DE JESUS
Sé
Rua de Jaime Moniz
Avenida 25 de Abril
POL.
R. Miguel Bombarda
Largo de Luis de Camões
Rua de São Sebastião
Rua Calouste Gulbenkian
Av. Artur Ravara
Av. Araújo e Silva
Y
Z

Jardim Afonso V , Praceta D. Afonso V, ✉ 3810, ☎ (034) 265 42, *Fax (034) 241 33* – . 25/70. AE E VISA Z t
Refeição (ver rest. ***A Cozinha do Rei***) – **48 qto** 8950/12950.

Arcada sem rest, Rua Viana do Castelo 4 ☎ (034) 230 01, *Fax (034) 218 86* – . AE E VISA Y e
43 qto 7800/9600, 6 suites.

Do Alboi sem rest, Rua da Arrochela 6 ☎ (034) 251 21, *Fax (034) 220 63* – . E VISA Z s
22 qto 5900/8000.

A Cozinha do Rei, Rua Dr. Manuel das Neves 66 ☎ (034) 268 02, *Fax (034) 288 20* – . E VISA. Z b
Refeição lista 2150 a 3200.

Salpoente, Rua Canal São Roque 83 ☎ (034) 38 26 74, *Fax (034) 252 10*, « Antigo armazém de sal » – . E VISA. X b
fechado domingo e do 16 ao 23 de novembro – **Refeição** lista 2200 a 3100.

Centenário, Praça do Mercado 9 ☎ (034) 227 98, – . E VISA. Y r
fechado 3ª feira – **Refeição** lista aprox. 3150.

Alexandre 2, Rua Cais do Alboi 14 ☎ (034) 204 94 – Z e
Refeição - grelhados -.

Alho Porro, Rua da Arrochela 23 ☎ (034) 202 85 – . AE E VISA Z a
Refeição lista 2080 a 4480.

O Moliceiro, Largo do Rossio 6 ☎ (034) 208 58 – E VISA. Y s
fechado 5ª feira, do 15 ao 30 de junho e do 15 ao 31 de outubro – **Refeição** lista 2100 a 3100.

em Cacia *por ① : 7 km – ✉ 3800 Aveiro :*

João Padeiro, Rua da República ☎ (034) 91 13 26, *Fax (034) 91 27 51*, « Elegante decoração » – . AE E VISA.
Refeição lista aprox. 4000 – **27 qto** 5600/8800.

pela estrada de Cantanhede N 335 *por ③ : 8 km – ✉ 3810 Costa do Valado :*

João Capela , Quinta do Picado (saída pela Rua Dr. Mario Sacramento) ☎ (034) 94 14 50, *Fax (034) 94 15 97*, , – . AE E VISA JCB.
Refeição 2000 – **30 qto** 5000/6500.

AZAMBUJA *2050 Lisboa* 440 Q 3.
Lisboa 51 – Évora 134 – Santarém 28.

Gaibéu, Antigo Campo da Feira - E.N.3 ☎ (063) 416 41, *Fax (063) 417 47* – – 25/150. VISA.
Refeição 3000 – **40 qto** 7500/8500.

AZOIA *Lisboa – ver Colares.*

AZURARA *Porto – ver Vila do Conde.*

BARCELOS *4750 Braga* 440 H 4 – *9 689 h. alt. 39.*
Ver : *Interior★ da Igreja Matriz, Igreja de Nossa Senhora do Terço★, (azulejos★).*
Torre da Porta Nova ☎ (053) 81 18 82 Fax (053) 82 21 88.
Lisboa 366 – Braga 18 – Porto 48.

Dom Nuno sem rest, Av. D. Nuno Álvares Pereira 141 ☎ (053) 81 28 10, *Fax (053) 81 63 36* – . E VISA.
27 qto 5500/7500.

Solar da Estação, Largo da Estação 1 ☎ (053) 81 17 41 –
9 qto.

Pérola, Av. D. Nuno Álvares Pereira 50 ☎ (053) 82 13 63, *Fax (053) 81 63 12* – . AE E VISA.
Refeição lista aprox. 2500.

BATALHA *2440 Leiria* 440 N 3 – *3 209 h. alt. 71.*
Ver : *Mosteiro★★★ : Claustro Real★★★, igreja★★ (vitrais★, capela do Fundador★), Sala do Capítulo★★ (abóbada★★★, vitral★), Capelas imperfeitas★★ (portal★★) – Lavabo dos Monges★, Claustro de D. Afonso V★.*
Praça Mouzinho de Albuquerque ☎ (044) 961 80.
Lisboa 120 – Coimbra 82 – Leiria 11.

Pousada do Mestre Afonso Domingues, (044) 962 60, *Fax (044) 962 47* – AE E VISA.
Refeição 3650 – **19 qto** 18200/20300, 2 suites.

Batalha sem rest, Largo da Igreja (044) 76 75 00, *Fax (044) 76 74 67* – AE E VISA JCB
22 qto 7000/9000.

Casa do Outeiro sem rest, Largo Carvalho do Outeiro 4 (044) 968 06, *Fax (044) 968 06*, –
8 qto 7000/8000.

na estrada N 1 *SO : 1,7 km – 2440 Batalha :*

São Jorge, Casal da Amieira (044) 962 10, *Fax (044) 963 13*, – – 25/90. E VISA.
Refeição *(fechado 3ª feira)* 1800 – **47 qto** 7000/8500, 10 apartamentos – PA 3600.

BEJA *7800* P R 6 – *19 212 h. alt. 277.*

Ver : *Antigo Convento da Conceição*★*, Castelo (torre de menagem*★*).*

Rua Capitão João Francisco de Sousa 25 (084) 236 93.

Lisboa 194 – Évora 78 – Faro 186 – Huelva 177 – Santarém 182 – Setúbal 143 – Sevilla 223.

Pousada de São Francisco, Largo D. Nuno Álvares Pereira (084) 32 84 41, *Fax (084) 32 91 43*, « Instalado num convento do século XIII. Capela », – – 25/400. AE E VISA.
Refeição 3650 – **34 qto** 26500/29600, 1 suite.

Melius, Av. Fialho de Almeida (084) 32 18 22, *Fax (084) 32 18 25*, – – 25/100. AE E VISA.
Refeição (ver rest. ***Melius***) – **54 qto** 8000/10000, 6 suites.

Cristina sem rest, Rua da Mértola 71 (084) 32 30 35, *Fax (084) 32 98 74* – AE E VISA.
31 qto 6750/8500.

Santa Bárbara sem rest, Rua da Mértola 56 (084) 32 20 28, *Fax (084) 32 12 31* – AE E VISA.
26 qto 5000/7500.

Melius, Av. Fialho de Almeida 68 (084) 32 98 69, *Fax (084) 32 18 25* – AE E VISA.
fechado domingo noite e 2ª feira – **Refeição** lista 2000 a 3100.

Os infantes, Rua dos Infantes 14 (084) 227 89
AE E VISA.
Refeição lista 2170 a 3170.

BELMONTE *6250 Castelo Branco* K 7.

Ver : *Castelo (*★*)- Torre romana de Centum Cellas*★ *N : 4 km.*

Praça da República 18 (075) 91 14 88.

Lisboa 338 – Castelo Branco 82 – Guarda 20.

na estrada N 18 *NO : 3 km – 6250 Belmonte :*

Belsol, (075) 91 22 06, *Fax (075) 91 23 15*, – – 25/300. E VISA.
Refeição 2000 – **55 qto** 5500/8000.

BOAVISTA *2410 Leiria* M 3.

Lisboa 136 – Coimbra 64 – Fátima 52 – Leiria 7.

Morgatões, Estrada N I - N : 1,5 km (044) 911 02, *Fax (044) 915 74* –
fechado 2ª feira e julho – **Refeição** lista aprox. 2500.

BOLEIROS *Santarém – ver Fátima.*

BOM JESUS DO MONTE *Braga – ver Braga.*

BORRALHA *Aveiro – ver Águeda.*

BOTICAS *5460 Vila Real* 440 G 7 - *852 h. alt. 490 - Termas.*
Lisboa 471 - Vila Real 62.

em Carvalhelhos *O : 8 km - ✉ 5460 Boticas :*

Estalagem de Carvalhelhos, ☎ (076) 421 16, *Fax (076) 421 74,* « Num quadro de verdura », - TV ☎ P. E VISA.
Refeição 2200 - **20 qto** 6000/7500.

BOURO *Braga* 440 H 5 - ✉ *4720 Amares.*
Lisboa 370 - Braga 35 - Guimarães 43 - Porto 85.

Pousada de Santa Maria do Bouro, ☎ (053) 37 19 70, *Fax (053) 37 19 76,* « Antigo convento beneditino », - TV ☎ P - 25/150. AE E VISA.
Refeição 3600 - **30 qto** 20500/23500, 2 suites.

BRAGA *4700* P 440 H 4 - *86 316 h. alt. 190.*
Ver : *Sé Catedral★* B : *estátua da Senhora do Leite★, interior★ (abóbada★, altar flamejante★, caixas de órgãos★) - Tesouro★, capela da Glória★ (túmulo★) - Capela dos Coimbras (esculturas★)* B **B.**
Arred. : *Santuário de Bom Jesus do Monte★★ (perpectiva★) 6 km por ① - Capela de São Fructuoso de Montélios★ 3,5 km por ⑥ -Monte Sameiro★ (✻★★) 9 km por ①.*
Excurs. : *NE : Cávado (Vale superior do)★ 171 km por ①.*
Av. da Liberdade 1 ☎ (053) 225 50 – **A.C.P.** *Av. Conde D. Henrique 72 ☎ (053) 21 70 51 Fax (053) 61 67 00.*
Lisboa 368 ③ - Bragança 223 ⑤ - Pontevedra 122 ① - Porto 54 ③ - Vigo 103 ⑤

Plano página seguinte

Turismo, Praceta João XXI ☎ (053) 61 22 00, *Fax (053) 61 22 11,* - TV ☎ - 25/300. AE E VISA. B e
Refeição lista aprox. 5800 - **110 qto** 10500/13700, 22 suites.

Estação, Largo da Estação 13 ☎ (053) 21 83 81, *Fax (053) 768 10* - TV ☎. AE E VISA. B k
Petrópolis *(fechado domingo noite e 2ª feira)* **Refeição** lista 3000 a 4500 - 750 - 52 qto 7900.

D. Sofia sem rest, Largo S. João do Souto 131 ☎ (053) 231 60, *Fax (053) 61 12 45* - TV ☎ - 25/60. E VISA. B f
34 qto 9000/12000.

Albergaria Senhora-a-Branca sem rest, Largo da Senhora-a-Branca 58 ☎ (053) 299 38, *Fax (053) 299 37* - TV ☎. AE E VISA. A c
20 qto 7000/9000.

Dom Vilas sem rest, Rua Conselheiro Lobato 434 ☎ (053) 61 68 18, *Fax (053) 61 68 19* - TV ☎. AE E VISA B s
32 qto 6750/8900.

Carandá sem rest, Av. da Liberdade 96 ☎ (053) 61 45 00, *Fax (053) 61 45 50* - TV ☎. AE E VISA. B n
100 qto 6900/9100.

São Marcos sem rest, Rua de São Marcos 80 ☎ (053) 771 77, *Fax (053) 771 77* - TV ☎. E VISA. B u
13 qto 7000/8000.

Ibis Braga sem rest, Rua do Carmo 13 ☎ (053) 61 08 60, *Fax (053) 61 08 63* - TV ☎ - 25/50. AE E VISA. A e
750 - **70 qto** 7800.

Centro Avenida sem rest, Av. Central 27 ☎ (053) 27 57 22, *Fax (053) 61 63 63* - TV ☎. E VISA. A d
48 qto 6000/7800.

Pópulo, Praça Conde de Agrolongo 116 ☎ (053) 21 51 47, - A t

Brito's, Praça Mouzinho de Alburquerque 49-A ☎ (053) 61 75 76 - . AE E VISA. A a
fechado 4ª feira e do 1 ao 15 de setembro - **Refeição** lista 2850 a 4000.

Inácio, Campo das Hortas 4 ☎ (053) 61 32 35, « Rest. típico » - . AE E VISA. B b
fechado 3ª feira - **Refeição** lista aprox. 3200.

Cruz Sobral, Campo das Hortas 7-8 ☎ (053) 61 66 48 - . AE E VISA. B b
fechado domingo noite, 2ª feira e do 11 ao 24 de maio - **Refeição** lista aprox. 3550.

O Alexandre, Campo das Hortas 10 ☎ (053) 61 40 03 - . AE E VISA. B b
fechado domingo noite e do 1 ao 15 de setembro - **Refeição** lista 3100 a 4200.

BRAGA

Capelistas (R. dos) . . . . A 7
Dom Diogo de Sousa (Rua) . . . . AB 16
Franc. Sanches (Rua) . . . . . B 22
São Marcos (Rua) . . . . AB 28
Souto (Rua do) . . . . AB 33

Abade Loureira (Rua) . . . . . A 3
Biscainhos (Rua dos) . . . . . A 4
Caetano Brandão (Rua) . . . B 6
Carmo (Rua do) . . . . A 9
Central (Avenida) . . . . A 10
Chãos (Rua dos) . . . . A 12
Conde de Agrolongo (Praça) . A 13
Dom Afonso Henriques (Rua) . B 15

Dom Gonç. Pereira (Rua) . . B 18
Dom Paio Mendes (Rua) . . B 19
Dr. Gonçalo Sampaio (Rua) . B 21
General Norton de Matos (Av.) . A 24
Nespereira (Avenida) . . . . . A 25
São João do Souto (Praça) . B 27
São Martinho (Rua de) . . . . A 30
São Tiago (Largo de) . . . . . B 31

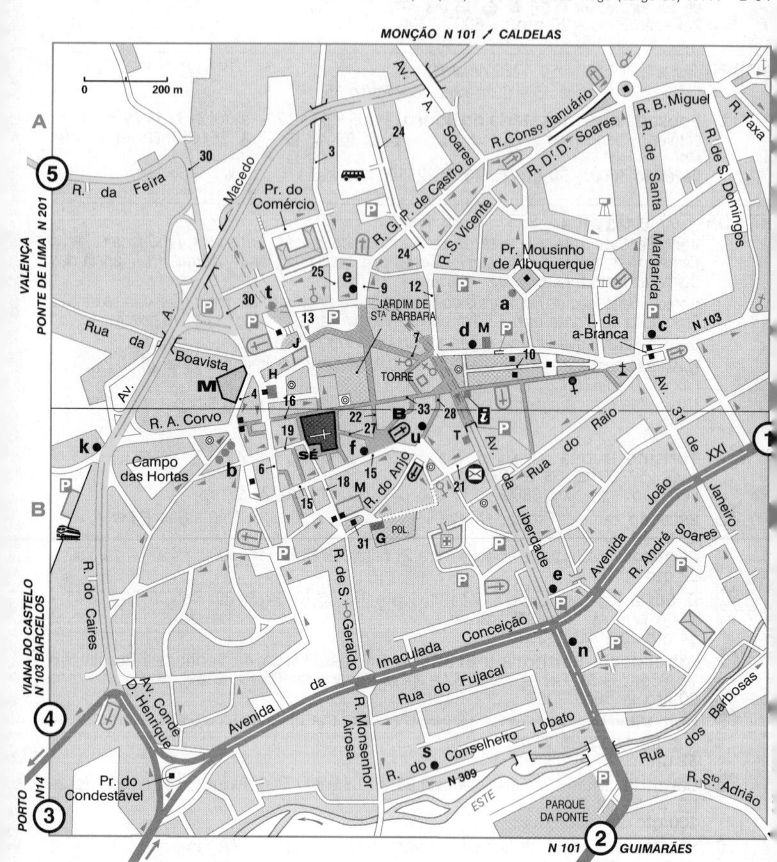

no Bom Jesus do Monte *por ① : 6 km* – ✉ *4710 Braga :*

Elevador , ✆ (053) 67 66 11, *Fax (053) 67 66 79*, ≤ vale e Braga – rest, TV ☎ P. AE ⊙ E VISA
Refeição lista aprox. 4100 – **22 qto** 12800/13300.

Parque sem rest, ✆ (053) 67 65 48, *Fax (053) 67 66 79* – TV ☎ P. AE ⊙ E VISA
45 qto 12800/15300, 4 suites.

Castelo do Bom Jesus , ✆ (053) 67 65 66, *Fax (053) 67 76 91*, ≤ vale e Braga, « Belo palacete do século XVIII rodeado de jardins », – TV ☎ P. AE ⊙ E VISA.
Refeição *(fechado 2ª feira)* - só jantar - 2400 – **13 qto** 11000/12000.

Aparthotel Mãe d'Água , Lugar da Mãe d'Água ✆ (053) 67 65 81, *Fax (053) 67 67 64* – TV ☎ P
30 apartamentos.

no Sameiro *por Avenida 31 de Janeiro : 9 km* – ✉ *4710 Braga :*

Sameiro, ✆ (053) 67 51 14, « Ao lado do Santuário » – P.

na estrada N 14 *por ③ : 2,5 km – ✉ 4700 Braga :*

Comfort Inn, Ferreiros ☎ (053) 67 38 65, *Fax (053) 67 38 72* – 25/50. AE O E VISA.
Refeição 2150 – **72 qto** 9500/11000 – PA 4300.

BRAGANÇA *5300* P 440 G 9 – *15 624 h. alt. 660.*

Ver : *Cidadela medieval★.*

Av. Cidade de Zamora ☎ (073) 38 12 73 Fax (073) 272 52 – **A.C.P.** *Av. Sá Carneiro, edifício Montezinho 81, loja A-K ☎ (073) 250 70 Fax (073) 250 71.*

Lisboa 521 – Ciudad Rodrigo 221 – Guarda 206 – Orense/Ourense 189 – Vila Real 140 – Zamora 114.

Pousada de São Bartolomeu, Estrada de Turismo - SE : 0,5 km ☎ (073) 33 14 93, *Fax (073) 234 53,* cidade, castelo e arredores, climatizada – AE O E VISA.
Refeição 3650 – **27 qto** 18200/20300, 1 suite.

Classis sem rest, Av. João da Cruz 102 ☎ (073) 33 16 31, *Fax (073) 234 58* – AE O E VISA.
20 qto 7000/9000.

São Roque sem rest, Rua Miguel Torga ☎ (073) 38 14 81, – **36 qto.**

Santa Isabel sem rest, Rua Alexandre Herculano 67 ☎ (073) 33 14 27, *Fax (073) 269 37* – – **14 qto.**

Solar Bragançano, Praça da Sé 34-1° ☎ (073) 238 75, « Edifício do século XVIII » – AE O E VISA JCB.
Refeição lista 2250 a 5100.

Lá em Casa, Marquês de Pombal 7 ☎ (073) 221 11 – .

O Silva, Rua H-2 (Bairro da Estação) ☎ (073) 275 56 – .

na estrada de Chaves N 103 *O : 1,7 km – ✉ 5300 Bragança :*

Nordeste Shalom sem rest, Av. Abade de Baçal 39 ☎ (073) 33 16 67, *Fax (073) 33 16 28* – AE O E VISA.
30 qto 5800/7200.

ao Suleste : *2 km*

Santa Apolónia sem rest, Av. Sá Carneiro ☎ (073) 31 20 73 –
13 qto.

BUARCOS *Coimbra – ver Figueira da Foz.*

BUÇACO *Aveiro* 440 K 4 – *alt. 545 – ✉ 3050 Mealhada.*

Ver : *Mata★★ : Cruz Alta ★★, Via Sacra★, Obelisco ★.*

Rua Emidio Navarro ☎ (031) 93 91 33 Fax (031) 93 91 33. – Lisboa 233 – Aveiro 47 – Coimbra 31 – Porto 109.

Palace H. do Buçaco, Floresta do Buçaco - alt. 380 ☎ (031) 93 01 01, *Fax (031) 93 16 09,* « Luxuosas instalações num imponente palácio de estilo manuelino no centro de uma magnífica floresta », – 25/100. AE O E VISA JCB. rest
Refeição lista 4100 a 6000 – **64 qto** 29000/33000.

BUCELAS *Lisboa* 440 P 2 – *5 097 h. alt. 100 – ✉ 2670 Loures.*

Lisboa 24 – Santarém 62 – Sintra 40.

Barrete Saloio, Rua Luís de Camões 28 ☎ (01) 969 40 04, « Decoração regional » – E VISA.
fechado 3ª feira e agosto – **Refeição** lista 2350 a 3600.

BUDENS *8650 Faro* 440 U 3 – *1 709 h.*

Lisboa 305 – Faro 97 – Lagos 15.

na Praia da Salema *S : 4 km – ✉ 8650 Vila do Bispo :*

Salema sem rest, Rua 28 de Janeiro ☎ (082) 653 28, *Fax (082) 653 29,* – AE E VISA.
março-outubro – **32 qto** 11000/12900.

Estalagem Infante do Mar, ☎ (082) 69 01 00, *Fax (082) 69 01 09,* mar, – AE O E VISA.
março-outubro – **Refeição** 2000 – **30 qto** 10300/12000 – PA 4000.

CABANÕES *Viseu - ver Viseu.*

CACEIRA DE CIMA *Coimbra - ver Figueira da Foz.*

CACIA *Aveiro - ver Aveiro.*

CALDAS DA FELGUEIRA *Viseu 440 K 6 - 2 204 h. alt. 200 - ✉ 3525 Canas de Senhorim - Termas.*
Lisboa 284 - Coimbra 82 - Viseu 40.

Grande Hotel, ☎ (032) 94 90 99, Telex 52677, *Fax (032) 94 94 87*, - rest, - 25/50. AE E VISA.
Refeição 2750 - **80 qto** 11800/16700, 7 apartamentos.

CALDAS DA RAINHA *2500 Leiria 440 N 2 - 21 070 h. alt. 50 - Termas.*
Ver : *Grande Parque das Termas★, Igreja de N. S. do Pópulo (tríptico★).*
Praça 25 de Abril (Câmara Municipal) ☎ (062) 83 10 03 Fax (062) 84 23 20 e Praça da República ☎ (062) 83 10 07 Fax (062) 345 11.
Lisboa 92 - Leiria 59 - Nazaré 29.

Caldas Internacional H., Rua Dr. Figueirôa Rego 45 ☎ (062) 83 23 07, *Fax (062) 84 44 82*, - - 25/180. AE E VISA JCB.
Refeição 2600 - **80 qto** 7800/11000, 3 suites - PA 5200.

Malhoa, Rua António Sérgio 31 ☎ (062) 84 21 80, Telex 44258, *Fax (062) 84 26 21*, - . AE E VISA.
Refeição lista aprox. 4300 - **113 qto** 7400/10200.

Dona Leonor sem rest, Hemiciclo João Paulo II-9 ☎ (062) 84 21 71, *Fax (062) 84 21 72* - - 25/50. AE E VISA JCB.
30 qto 5500/7500.

Europeia sem rest, Centro Comercial Rua das Montras ☎ (062) 347 92, *Fax (062) 83 15 09* - . AE E VISA.
500 - **52 qto** 6500/8000.

CALDAS DE MONCHIQUE *Faro - ver Monchique.*

CALDAS DE VIZELA *4815 Braga 440 H 5 - 2 234 h. alt. 150 - Termas.*
Rua Dr. Alfredo Pinto ☎ (053) 48 12 68.
Lisboa 358 - Braga 33 - Porto 40.

Sul Americano, Rua Dr. Abílio Torres 855 ☎ (053) 460 03 60, *Fax (053) 460 03 61* -
64 qto.

CALDELAS *Braga 440 G 4 - 1 120 h. alt. 150 - ✉ 4720 Amares - Termas.*
Av. Afonso Manuel Azevedo ☎ (053) 36 11 24.
Lisboa 385 - Braga 17 - Porto 67.

Grande H. da Bela Vista, ☎ (053) 36 15 02, *Fax (053) 36 11 36*, « Amplo terraço com árvores e ≤ », , , - . AE E VISA.
maio-outubro - **Refeição** 3000 - **70 qto** 11000/18000.

De Paços, Av. Afonso Manuel ☎ (053) 36 11 01, *Fax (053) 36 11 01* - .
maio-15 outubro - **Refeição** 2000 - **50 qto** 4000/6000 - PA 4000.

Universal, Av. Afonso Manuel ☎ (053) 36 12 36, *Fax (053) 36 12 45* - . AE E VISA. qto
Refeição lista aprox. 5050 - **22 qto** 4200/7500.

Nascimento, Lugar do Pereiro ☎ (053) 36 11 27 - . rest
maio-setembro - **Refeição** 2000 - **22 qto** 2500/4000.

CAMINHA *4910 Viana do Castelo 440 G 3 - 1 870 h.*
Ver : *Igreja Matriz (tecto★).*
Rua Ricardo Joaquim de Sousa ☎ (058) 92 19 52 Fax (058) 92 19 52.
Lisboa 411 - Porto 93 - Vigo 60.

Porta do Sol, Av. Marginal ☎ (058) 72 23 40, *Fax (058) 72 23 47*, ≤ foz do Minho e monte de Santa Tecla, , , , - - 25/200. AE E VISA.
Refeição lista aprox. 3150 - **84 qto** 12750/15750, 4 suites.

O Barão, Rua Barão de São Roque 33 (058) 72 11 30 – .
fechado 2ª feira noite, 3ª feira e 15 janeiro-15 fevereiro – **Refeição** lista 2100 a 3450.

Solar do Pescado, Rua Visconde Sousa Rego 85 (058) 92 27 94 – .
fechado 2ª feira (9 outubro-maio) e novembro – **Refeição** - peixes e mariscos - lista 2950 a 4100.

em Seixas NE : 2,5 km – 4910 Caminha :

São Pedro, (058) 72 74 86, Fax (058) 72 74 75, – .
Refeição (fechado outubro-junho) 1800 – **34 qto** 7000/8500.

em Lanhelas NE : 5 km – 4910 Caminha :

A Adega com qto. e sem, Lugar da Aldeia (058) 72 73 55, Telex 60700, Fax (058) 72 73 55, – rest,. .
fechado janeiro – **Refeição** (fechado 3ª feira) lista 3600 a 4300 – **4 qto** 6000.

CAMPO MAIOR 7370 Portalegre 440 O 8 – 6 940 h.

Lisboa 244 – Badajoz 16 – Évora 105 – Portalegre 50.

Santa Beatriz, Av. Combatentes da Grande Guerra (068) 690 10 40, Fax (068) 68 81 09, – .
Refeição 2500 – **37 qto** 7000/9500.

CANAS DE SENHORIM Viseu – ver Nelas.

CANIÇADA Braga – ver Vieira do Minho.

CANIÇO Madeira – ver Madeira (Arquipélago da).

CANIÇO DE BAIXO Madeira – ver Madeira (Arquipélago da) : Caniço.

CANTANHEDE 3060 Coimbra 440 K 4 – 6 330 h.

Arred. : *Varziela : retábulo★ NE : 4 km.*

Lisboa 222 – Aveiro 42 – Coimbra 23 – Porto 112.

Marquês de Marialva, Largo do Romal (031) 42 00 10, Fax (031) 42 91 83,
fechado domingo noite e feriados noite
Refeição lista aprox. 3500.

Gandarez com snack-bar, Rua Dr. Jaime Cortesão 6 (031) 42 01 44 – .
fechado domingo noite – **Refeição** lista 3150 a 3950.

CARAMULO 3475 Viseu 440 K 5 – 1 546 h. alt. 800.

Ver : *Museu de Caramulo★ (Exposição de automóveis★).*

Arred. : *Caramulinho★★ (miradouro) SO : 4 km – Pinoucas★ : NO : 3 km.*

Estrada Principal do Caramulo (032) 86 14 37.

Lisboa 280 – Coimbra 78 – Viseu 38.

Pousada de São Jerónimo, (032) 86 12 91, Fax (032) 86 16 40, vale e Serra da Estrela, « Jardim », – .
Refeição 3650 – **12 qto** 13500/15600.

na estrada N 230 E : 1,5 km – 3475 Caramulo :

Quality H., Av. Dr. Abel Lacerda (032) 86 01 00, Fax (032) 86 12 00, vale e Serra da Estrela, « Actividades de lazer e desportivas », – 25/180. .
Refeição 3500 – **83 qto** 15000/18000, 4 suites – PA 7000.

CARCAVELOS Lisboa 440 P 1 – 12 717 h. – 2775 Parede – Praia.

Lisboa 21 – Sintra 15.

na praia :

Praia-Mar, Rua do Gurué 16 (01) 457 31 31, Telex 42283, Fax (01) 457 31 30, mar, – – 25/170. .
Refeição 2900 – **153 qto** 16000/18000, 5 suites – PA 5200.

A Pastorinha, Av. Marginal (01) 457 18 92, Fax (01) 458 05 32, – . .
fechado 3ª feira – **Refeição** - peixes e mariscos - lista 4300 a 7400.

CARVALHAL *Viseu* 440 J 6 - ✉ *3600 Castro Daire - Termas.*
Lisboa 331 - Aveiro 114 - Viseu 30 - Vila Real 76.

Montemuro ⛰, nas Termas ☎ (032) 311 54, *Fax (032) 311 12,* ≤ - |‡| ▤ TV ☎ ♿ Ⓟ - 🏨 25/300. AE E VISA. ✗
Refeição 1800 - **77 qto** ☐ 6000/8000, 3 suites.

CARVALHELHOS *Vila Real - ver Boticas.*

CARVALHOS *4415 Porto* 440 I 4.
Lisboa 310 - Amarante 72 - Braga 62 - Porto 8.

Mario Luso, Largo França Borges 308 ☎ (02) 784 21 11, *Fax (02) 783 28 45* - ▤. AE ⓓ E VISA. ✗
fechado domingo noite, 2ª feira e do 1 ao 17 de setembro - **Refeição** lista 3000 a 3700.

CASCAIS *2750 Lisboa* 440 P 1 - *29 882 h. - Praia.*
Arred. : *Estrada de Cascais a Praia do Guincho★ - SO : Boca do Inferno★ (precipício★)* AY *- Praia do Guincho★ por* ③ : *9 km.*
18 *Quinta da Marinha, O : 3 km* ☎ *(01) 486 98 81 Fax (01) 486 90 32.*
i *Alameda Combatentes da Grande Guerra 25* ☎ *(01) 486 82 04.*
Lisboa 30 ② *- Setúbal 72* ② *- Sintra 16* ④

Plano página seguinte

Estoril Sol, Parque Palmela ☎ (01) 483 90 00, *Fax (01) 483 22 80,* ≤ baía e Cascais, Fб, 🏊 - |‡| ▤ TV ☎ ♿ 🚗 Ⓟ - 🏨 25/550. AE ⓓ E VISA JCB. ✗ BX h
Refeição 4750 - ***Grill*** : **Refeição** lista 4600 a 7050 - **293 qto** ☐ 33000/36000, 17 suites.

Albatroz, Rua Frederico Arouca 100 ☎ (01) 483 28 21, *Fax (01) 484 48 27,* ≤ baía e Cascais, 🏊 - |‡| ▤ TV ☎ ♿ - 🏨 25. AE ⓓ E VISA JCB. ✗ AZ e
Refeição lista 4780 a 7700 - **37 qto** ☐ 35000/42000, 3 suites.

Village Cascais, Rua Frei Nicolau de Oliveira - Parque da Gandarinha ☎ (01) 483 70 44, Telex 60712, *Fax (01) 483 73 19,* ≤, 🌳, 🏊 - |‡| ▤ TV ☎ Ⓟ - 🏨 25/80. AE ⓓ E VISA JCB. ✗ AY a
Refeição lista aprox. 6800 - **163 qto** ☐ 24000/28200, 70 suites.

Cidadela, Av. 25 de Abril ☎ (01) 482 76 00, *Fax (01) 486 72 26,* ≤, 🏊 - |‡| ▤ TV ☎ Ⓟ - 🏨 25/100. AE ⓓ E VISA JCB. ✗ AZ c
Refeição 3600 - **110 qto** ☐ 20000/28000, 4 suites, 14 apartamentos.

Atlantic Gardens, Av. Manuel Julio Carvalho e Costa 115 ☎ (01) 483 37 37, *Fax (01) 483 52 26,* ≤, Fб, 🏊, 🏊, 🌳, 🎾 - |‡| ▤ TV ☎ ♿ Ⓟ - 🏨 15/300. AE ⓓ E VISA JCB. ✗ perto da Praça de Touros AY
Refeição 3200 - ☐ 1300 - **142 qto** 21800/24400, 7 suites - PA 6200.

Baia, Av. Marginal ☎ (01) 483 10 33, *Fax (01) 483 10 95,* ≤, 🌳, 🏊 - |‡| ▤ TV ☎ ♿ Ⓟ - 🏨 25/180. AE ⓓ E VISA. ✗ AZ u
Refeição 3000 - **105 qto** ☐ 17500/21000, 8 suites - PA 5750.

Casa da Pérgola sem rest, Av. Valbom 13 ☎ (01) 484 00 40, *Fax (01) 483 47 91,* « Moradia senhorial », 🌳 - ▤. ✗ AZ y
15 março-15 novembro - **10 qto** ☐ 15500/18000.

Nau, Rua Dra. Iracy Doyle 14 ☎ (01) 483 28 61, Telex 42289, *Fax (01) 483 28 66* - |‡| ▤ TV ☎ 🚗. AE ⓓ E VISA. ✗ AZ r
Refeição 2600 - **59 qto** ☐ 18000/22000.

Albergaria Valbom sem rest, Av. Valbom 14 ☎ (01) 486 58 01, *Fax (01) 486 58 05* - |‡| ▤ ☎ 🚗. AE ⓓ VISA. ✗ AZ y
40 qto ☐ 9500/12500.

Visconde da Luz, Jardim Visconde da Luz ☎ (01) 486 68 48, *Fax (01) 486 85 08,* 🌳 - ▤. AE ⓓ E VISA JCB. ✗ AZ d
fechado 3ª feira - **Refeição** - peixes e mariscos - lista 5580 a 8080.

Reijos, Rua Frederico Arouca 35 ☎ (01) 483 03 11, *Fax (01) 482 19 60,* 🌳 - ▤. AE ⓓ E VISA JCB. ✗ AZ s
fechado domingo e 20 dezembro-19 janeiro - **Refeição** lista 3100 a 4500.

Pimentão, Rua das Flores 16 ☎ (01) 484 09 94, *Fax (01) 482 26 28* - ▤. AE ⓓ E VISA JCB. ✗ AZ f
Refeição - peixes e mariscos - lista 3500 a 6500.

Casa Velha, Av. Valbom 1 ☎ (01) 483 25 86, *Fax (01) 486 67 51,* 🌳, « Decoração rústica » - ▤. AE ⓓ E VISA. ✗ AZ y
fechado 4ª feira - **Refeição** lista 2350 a 3850.

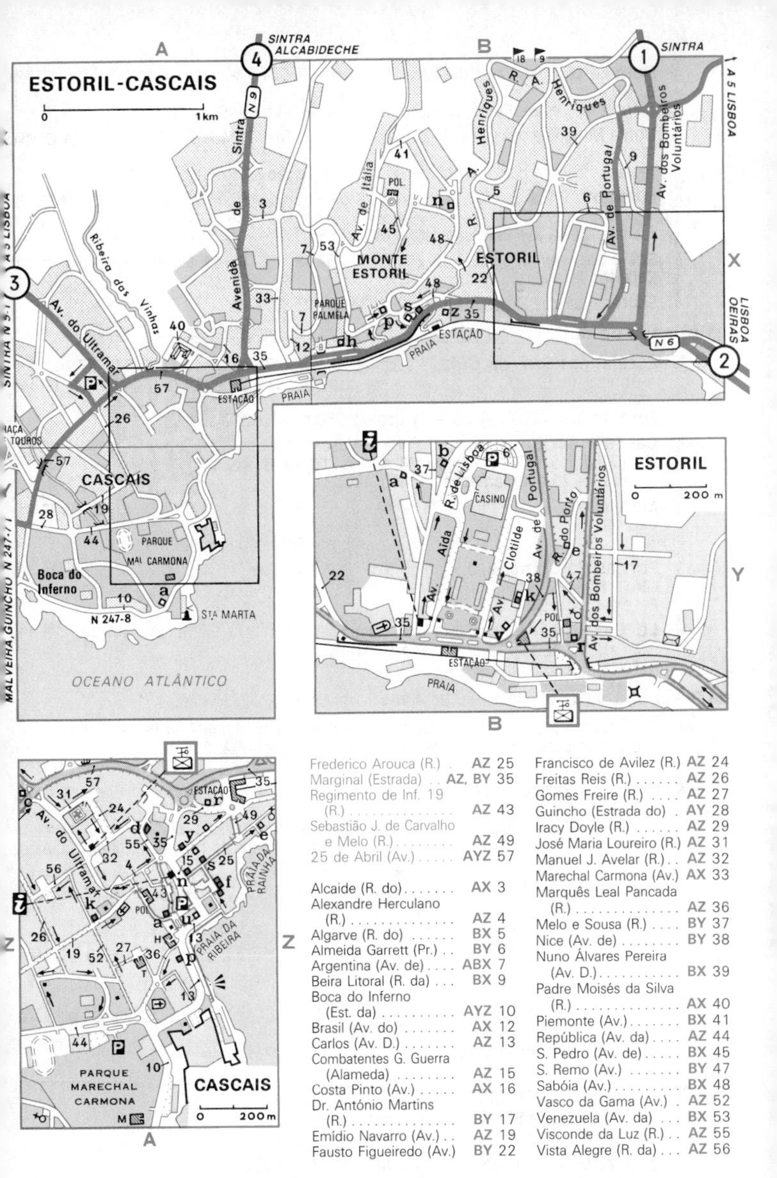

Frederico Arouca (R.)	AZ	25
Marginal (Estrada)	AZ, BY	35
Regimento de Inf. 19 (R.)	AZ	43
Sebastião J. de Carvalho e Melo (R.)	AZ	49
25 de Abril (Av.)	AYZ	57
Alcaide (R. do)	AX	3
Alexandre Herculano (R.)	AZ	4
Algarve (R. do)	BX	5
Almeida Garrett (Pr.)	BY	6
Argentina (Av. de)	ABX	7
Beira Litoral (R. da)	BX	9
Boca do Inferno (Est. da)	AYZ	10
Brasil (Av. do)	AX	12
Carlos (Av. D.)	AZ	13
Combatentes G. Guerra (Alameda)	AZ	15
Costa Pinto (Av.)	AX	16
Dr. António Martins (R.)	BY	17
Emídio Navarro (Av.)	AZ	19
Fausto Figueiredo (Av.)	BY	22
Francisco de Avilez (R.)	AZ	24
Freitas Reis (R.)	AZ	26
Gomes Freire (R.)	AZ	27
Guincho (Estrada do)	AY	28
Iracy Doyle (R.)	AZ	29
José Maria Loureiro (R.)	AZ	31
Manuel J. Avelar (R.)	AZ	32
Marechal Carmona (Av.)	AX	33
Marquês Leal Pancada (R.)	AZ	36
Melo e Sousa (R.)	BY	37
Nice (Av. de)	BY	38
Nuno Álvares Pereira (Av. D.)	BX	39
Padre Moisés da Silva (R.)	AX	40
Piemonte (Av.)	BX	41
República (Av. da)	AZ	44
S. Pedro (Av. de)	BX	45
S. Remo (Av.)	BY	47
Sabóia (Av.)	BX	48
Vasco da Gama (Av.)	AZ	52
Venezuela (Av. da)	BX	53
Visconde da Luz (R.)	AZ	55
Vista Alegre (R. da)	AZ	56

XX **O Pipas,** Rua das Flores 18 ✆ (01) 486 45 01, *Fax (01) 484 07 80* – ▤. AE ⓓ E VISA JCB. ✂ — AZ f
Refeição - peixes e mariscos - lista 4000 a 6000.

X **Novomar,** Beco Torto 1 ✆ (01) 484 42 96, *Fax (01) 482 10 54,* ☂ – ▤. AE ⓓ E VISA. ✂ — AZ a
fechado 4ª feira – **Refeição** lista 3200 a 5050.

X **Os Morgados,** Praça de Touros ✆ (01) 486 87 51, *Fax (01) 486 87 51,* « Nos pórticos da Praça de Touros » – ▤. AE ⓓ E VISA JCB. ✂ — por AY
fechado 2ª feira e dezembro – **Refeição** lista 2400 a 6100.

X **Dom Leitão,** Av. Vasco da Gama 36 ☎ (01) 486 54 87, *Fax (01) 484 21 09* – ▤. AE ⓓ E VISA. ✻ AZ k
fechado 4ª feira – **Refeição** - espec. em carnes - lista 3400 a 3750.

X **Beira Mar,** Rua das Flores 6 ☎ (01) 483 01 52, *Fax (01) 483 52 73* – ▤. AE ⓓ E VISA. ✻ AZ f
fechado 3ª feira e 2ª semana de agosto – **Refeição** lista 4800 a 7800.

X **Luzmar,** Av. Marginal 48 ☎ (01) 484 57 04, *Fax (01) 486 85 08,* 🏖 – ▤. AE ⓓ E VISA JCB. ✻ AZ n
fechado 2ª feira – **Refeição** lista 3480 a 6180.

X **Sol e Mar,** Av. D. Carlos I-48 ☎ (01) 484 02 58, ≤ – AE ⓓ E VISA. ✻ AZ p
Refeição lista aprox. 3880.

X Sagres, Rua das Flores 10-A ☎ (01) 483 08 30, 🏖 – ▤ AZ f

na estrada do Guincho *por Av. 25 de Abril* AYZ – ✉ *2750 Cascais* :

Estalagem Sra. da Guia, 3,5 km ☎ (01) 486 92 39, *Fax (01) 486 92 27,* ≤, 🏖, « Bonita decoração », 🏊, 🌳 – ▤ qto, TV ☎ P – 🏛 25/80. AE ⓓ E VISA JCB. ✻
Refeição lista 4200 a 4700 – **41 qto** ☕ 25000/27000, 2 suites.

Cascais Atrium sem rest, Edifício Cascais Atrium - 2,5 km ☎ (01) 483 00 11, *Fax (01) 483 52 70,* 🏊 – |⇕| ▤ TV ☎ 🚗. AE ⓓ E VISA. ✻
☕ 1000 – **25 apartamentos** 16600/18600.

XX **Monte-Mar,** 5 km ☎ (01) 486 92 70, *Fax (01) 486 93 56,* ≤, 🏖 – ▤ P. AE ⓓ E VISA JCB. ✻
fechado 2ª feira e do 1 ao 15 de novembro – **Refeição** lista 4200 a 9400.

XX **Furnas do Guincho,** 3,5 km ☎ (01) 486 92 43, *Fax (01) 486 90 70,* ≤, 🏖 – P. AE ⓓ E VISA JCB. ✻
Refeição lista 3450 a 4950.

X **Le Café Fernando,** Edifício Cascais Atrium - 2,5 km ☎ (01) 483 00 11, *Fax (01) 483 52 70,* 🏖 – ▤. AE VISA. ✻
Refeição lista 2500 a 3200.

na Praia do Guincho *por Av. 25 de Abril : 9 km* AYZ – ✉ *2750 Cascais* :

Do Guincho 🐎, ☎ (01) 487 04 91, Telex 43138, *Fax (01) 487 04 31,* ≤, « Antiga fortaleza num promontório rochoso » – |⇕| ▤ TV ☎ P – 🏛 25/200
31 qto.

XX ✿ **Porto de Santa Maria,** ☎ (01) 487 02 40, *Fax (01) 485 09 49,* ≤ – ▤ P. AE ⓓ E VISA JCB
fechado 2ª feira – **Refeição** - peixes e mariscos - lista 8850 a 12000
Espec. Peixe assado em sal ou no pão. Misto de mariscos ao natural ou grelhado. Arroz de marisco.

X **Panorama,** ☎ (01) 487 00 62, *Fax (01) 485 09 49,* ≤, 🏖 – ▤ P. AE ⓓ E VISA JCB. ✻
fechado 3ª feira – **Refeição** - peixes e mariscos - lista 5400 a 8100.

X **Mestre Zé,** ☎ (01) 487 02 75, *Fax (01) 485 16 33,* ≤, 🏖 – ▤ P. AE VISA. ✻
Refeição lista 4000 a 5600.

X **O Faroleiro,** ☎ (01) 487 02 25, *Fax (01) 487 02 25,* ≤ – ▤ P. AE ⓓ E VISA JCB. ✻
Refeição lista 3850 a 5900.

CASTELO BRANCO *6000* P 440 M 7 – *30 624 h. alt. 375.*

Ver : *Jardim do Antigo Paço Episcopal★.*

🚗 ☎ *(072) 222 83.*

ℹ *Alameda da Liberdade ☎ (072) 210 02 Fax (072) 33 03 24.*

Lisboa 256 ③ – Cáceres 137 ② – Coimbra 155 ① – Portalegre 82 ③ – Santarém 176 ③

Plano página seguinte

Rainha D. Amélia, Rua de Santiago 15 ☎ (072) 32 63 15, *Fax (072) 32 63 90* – |⇕| ▤ TV ☎ ♿ 🚗 – 🏛 25/350. AE E VISA. ✻ b
Refeição 2350 – **64 qto** ☕ 10300/13100.

Meliá Confort Colina do Castelo 🐎, Rua da Piscina ☎ (072) 32 98 56, *Fax (072) 32 97 59,* ≤ campo e serra, 🏋, 🏊, 🎾 – |⇕| ▤ TV ☎ ♿ 🚗 P – 🏛 25/400. AE ⓓ E VISA. ✻ e
Refeição 2550 – ☕ 850 – **97 qto** 11000/13000, 6 suites.

CASTELO BRANCO

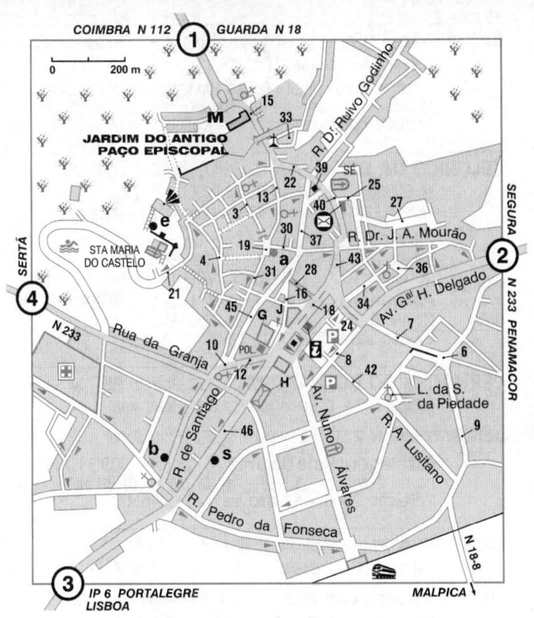

🏠 **Arraiana** sem rest, Av. 1º de Maio 18 ☏ (072) 216 34, *Fax (072) 33 18 84* – ▤ 📺 ☎. AE E VISA — s
31 qto ☕ 4500/7500.

XX **Praça Velha,** Largo Luís de Camões 17 ☏ (072) 32 86 40, *Fax (072) 32 86 20*, « Decoração rústica » – ▤ Ⓟ. AE ⊙ E VISA. ✂ — a
fechado 2ª feira – Refeição lista 2100 a 3500.
Ver também : **Retaxo** *por ③ : 10 km.*

CASTELO DE BODE *Santarém – ver Tomar.*

CASTELO DE VIDE *7320 Portalegre* 440 N 7 – *2 663 h. alt. 575 – Termas.*
Ver : *Castelo* ⩽★ – *Judiaria*★.
Arred. : *Capela de Na. Sra. de Penha* ⩽★ *S : 5 km – Estrada*★ *escarpada de Castelo de Vide a Portalegre por Carreiras S : 17 km.*
ℹ *Rua Bartolomeu Álvares da Santa 81* ☏ *(045) 913 61 Fax (045) 918 27.*
Lisboa 213 – Cáceres 126 – Portalegre 22.

🏠 **Garcia d'Orta,** Estrada de São Vicente ☏ (045) 911 00, *Fax (045) 912 00*, ⩽, ⛱ – |‡| ▤ 📺 ☎ ♿ Ⓟ – 🏛 25/80. AE ⊙ E VISA
Refeição (ver rest. ***A Castanha***) – ☕ 1500 – **52 qto** 16500/18000, 1 suite.

🏠 **Sol e Serra,** Estrada de São Vicente ☏ (045) 913 01, *Fax (045) 913 73*, ⛱ – |‡| ▤ 📺 ☎ Ⓟ – 🏛 25/120. AE ⊙ E VISA. ✂
Refeição 2600 – **50 qto** ☕ 9300/12500 – PA 5200.

🏠 **Casa do Parque** 🐦, Av. da Aramenha 37 ☏ (045) 912 50, *Fax (045) 912 28* – ▤. VISA. ✂
Refeição *(fechado 3ª feira)* 2000 – **26 qto** ☕ 5500/8500.

🏠 **Isabelinha** sem rest, Paço Novo ☏ (045) 918 96 – ▤ 📺 ☎
11 qto ☕ 5000/7000.

XXX **A Castanha,** Estrada de São Vicente ☏ (045) 911 00, *Fax (045) 912 00*, ⩽ – ▤ Ⓟ. AE ⊙ E VISA. ✂
Refeição lista 4100 a 6850.

X D. Pedro V, Praça D. Pedro V-10 ☏ (045) 912 36, *Fax (045) 912 36* – ▤.

CAXIAS *Lisboa* 440 P 2 - *4 907 h.* - ✉ *2780 Oeiras - Praia.*
Lisboa 13 - Cascais 17.

XXX **Mónaco,** Rua Direita 9 (Estrada Marginal) ℘ (01) 443 23 39, *Fax (01) 443 12 17*, ≤, 🏖, Música ao jantar - ▤ **P**. ⓞ VISA. ✂
fechado domingo e agosto - **Refeição** lista 4200 a 5500.

CELORICO DA BEIRA *6360 Guarda* 440 K 7 - *2 750 h.*
ℹ *Estrada N 17* ℘ *(071) 721 09.*
Lisboa 337 - Coimbra 138 - Guarda 27 - Viseu 54.

Mira Serra, Estrada N 17 ℘ (071) 726 04, Telex 53192, *Fax (071) 74 13 82*, ≤ - |♦| ▤ TV ☎ 🚗 **P** - 🎤 25/100. AE ⓞ E VISA. ✂ rest
Refeição 3000 - **42 qto** ☕ 7000/11000.

Parque sem rest, Rua Andrade Corvo 48 ℘ (071) 721 97, *Fax (071) 737 98* - TV ☎ **P**. AE ⓞ E VISA
27 qto ☕ 4000/6000.

CERNACHE DO BONJARDIM *Castelo Branco* 440 M 5 - *3 627 h.* - ✉ *6100 Sertã.*
Lisboa 187 - Castelo Branco 81 - Santarém 110.

pela estrada N 238 *SO : 10 km* - ✉ *6100 Sertã :*

Estalagem Vale da Ursa ⛰, ℘ (074) 909 81, *Fax (074) 909 82*, ≤, 🏖, « Na margem do rio Zêzere », 🏊, 🎾 - |♦| ▤ TV ☎ **P**. E VISA. ✂ rest
Refeição 2800 - **17 qto** ☕ 12000/16500.

CHAMUSCA *2140 Santarém* 440 N 4 - *3 497 h.*
Lisboa 121 - Castelo Branco 136 - Leiria 79 - Portalegre 118 - Santarém 31.

no cruzamento das estradas N 118 e N 243 *NE : 3,5 km* - ✉ *2140 Chamusca :*

X **Paragem da Ponte,** Ponte da Chamusca ℘ (049) 76 04 06 - ▤ **P**. AE E VISA. ✂
Refeição lista aprox. 4200.

CHAVES *5400 Vila Real* 440 G 7 - *13 759 h. alt. 350 - Termas.*
Ver : *Igreja da Misericórdia★ - Museu da Região Flaviense★.*
Excurs. : *O : Vale Alto do rio Cávado★ : estrada de Chaves a Braga pelas barragens do Alto Rabagão★), da Paradela★ (local★), da Caniçada (≤★) - e ≤★★ do Vale e Serra do Gerês - Montalegre (local★).*
⛳ *Vidago, SO : 20 km* ℘ *(076) 996 62 Fax (076) 996 62.*
ℹ *Terreiro de Cavalaria* ℘ *(076) 33 30 29 Fax (076) 214 19.*
Lisboa 475 - Orense/Ourense 99 - Vila Real 66.

Forte de S. Francisco ⛰, Alto da Pedisqueira ℘ (076) 33 37 00, *Fax (076) 33 37 01*, 🏖, « Fortaleza do século XVII », 🏊, 🎾 - |♦| ▤ TV ☎ ♿ **P** - 🎤 25/200. AE ⓞ E VISA. ✂
Refeição 4500 - **56 qto** ☕ 20400/21600, 2 suites.

Aquae Flaviae, Praça do Brasil ℘ (076) 330 90 00, Telex 25078, *Fax (076) 330 90 10*, ≤, 🏊, 🎾 - |♦| ▤ TV ☎ 🚗 **P** - 🎤 25/1000
Refeição O Rodízio *(Carnes)* - **159 qto**, 7 suites.

Trajano, Travessa Cândido dos Reis ℘ (076) 33 24 15, *Fax (076) 270 02* - |♦|, ▤ rest, TV ☎. AE ⓞ E VISA. ✂
Refeição 1500 - ***O Nosso Restaurante*** : **Refeição** lista 2100 a 3300 - **39 qto** ☕ 5500/6500.

Brites sem rest, Av. Duarte Pacheco (Estrada de Espanha) ℘ (076) 33 27 77, *Fax (076) 33 22 21* - ▤ TV ☎ **P**. AE E VISA. ✂
28 qto ☕ 6000/8000.

São Neutel sem rest, Estrada de Outeiro Seco (junto ao Estadio Municipal) ℘ (076) 33 36 32, *Fax (076) 33 36 20* - ▤ TV ☎ 🚗 **P**. AE E
45 qto ☕ 5000/7000.

Jardim das Caldas, Alameda do Tabolado 5 ℘ (076) 33 11 89 - ▤ rest, TV ☎. AE E VISA. ✂
Chave d'Ouro 2 : **Refeição** lista aprox. 3000 - **27 qto** ☕ 5000/7000.

XX **Carvalho,** Alameda do Tabolado ℘ (076) 217 27
▤. AE E VISA. ✂
fechado 5ª feira - **Refeição** lista 2100 a 3550.

XX **A Talha,** Bairro da Trindade ℘ (076) 34 21 91, 🏖 - ▤.
E VISA. ✂
fechado sábado - **Refeição** lista aprox. 2700.

COIMBRA *3000* P 440 L 4 – *89 639 h. alt. 75.*

Ver : *Sítio*★ – *Sé Velha*★★ *(retábulo*★*, Capela do Sacramento*★*)* Z – *Museu Nacional Machado de Castro*★★ *(cavaleiro medieval*★*)* Z **M1** – *Velha Universidade*★★ *(balcão* <★*) : capela*★ *(caixa de órgão*★★*), biblioteca*★★ Z – *Mosteiro de Santa Cruz*★ *: igreja*★ *(púlpito*★*), claustro do Silêncio*★*, coro (cadeiral*★*)* Y **L** – *Mosteiro de Celas (púlpito*★*)* V – *Mosteiro de Santa Clara a Nova (túmulo*★*)* X.

Arred. : *Miradouro do Vale do Inferno*★ *4 km por* ③ – *Ruinas de Conimbriga*★ *(Casa de Cantaber*★*, casa dos Repuxos*★★ *: mosaicos*★★*) 17 km por* ③.

(039) 349 98.

Largo da Portagem (039) 238 86 Fax (039) 255 76 Largo D. Dinis (039) 325 91 Fax (039) 70 24 96 e Praça da República (039) 332 02 Fax (039) 70 24 96 – **A.C.P.** *Rua da Sofia 173 e 175 (039) 268 13 Fax (039) 350 03.*

Lisboa 200 ③ – *Cáceres 292* ② – *Porto 118* ① – *Salamanca 324* ②

COIMBRA

Antero de Quental (Rua)	V 4
António Augusto Gonçalves (Rua)	X 6
Augusta (Rua)	V 7
Aveiro (Rua de)	V 9
Combatentes da Gde Guerra (Rua)	X 12
Dom Afonso Henriques (Av.)	V 13
Dr Augusto Rocha (Rua)	V 15
Dr B. de Albuquerque (Rua)	V 16
Dr Júlio Henriques (Alameda)	X 21
Dr L. de Almeida Azevedo (Rua)	V 22
Dr Marnoco e Sousa (Av.)	X 24
Figueira da Foz (Rua)	V 28
Guerra Junqueiro (Rua)	V 30
Jardim (Arcos do)	X 33
João das Regras (Av.)	X 34
República (Praça da)	V 39
Santa Teresa (Rua de)	X 40

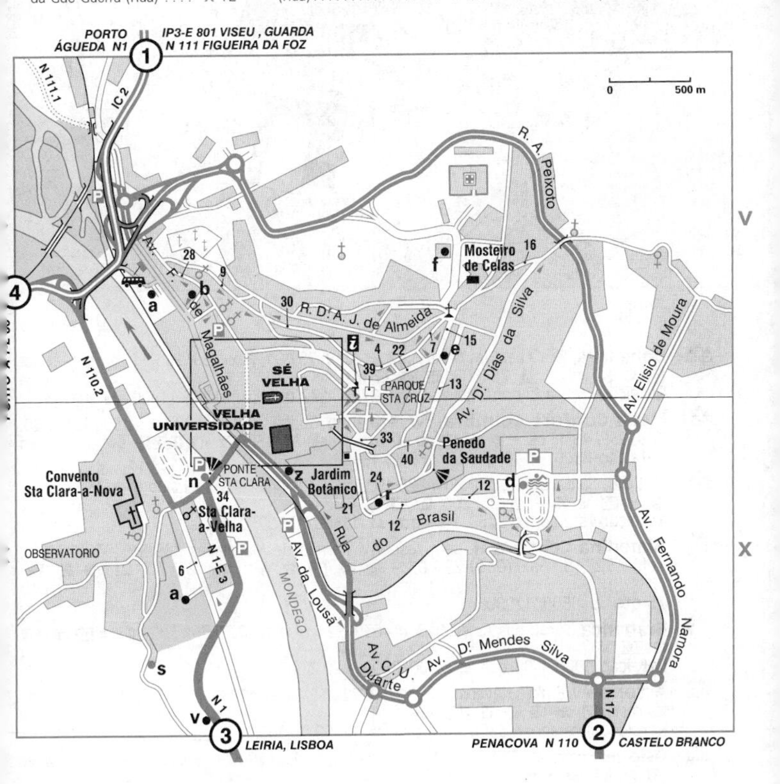

Quinta das Lágrimas, Santa Clara (039) 44 16 15, *Fax (039) 44 16 95*, « Palácio do século XVIII com parque florestal », – 25/100. X a
Refeição 4000 – **35 qto** 22000/27000, 4 suites – PA 8000.

Tivoli Coimbra, Rua João Machado 4 (039) 269 34, *Fax (039) 268 27*, – 25/120. V b
Refeição lista 3800 a 4600 – **55 qto** 15500/18000, 5 suites.

COIMBRA

Comércio (Praça do) . . . . . . Z
Fernão de Magalhães (Avenida) Y
Ferreira Borges (Rua) . . . . . . Z 27
Sofia (Rua da) . . . . Y
Visconde da Luz (Rua) . . . . . Y 43

Ameias (Largo das) . . . . Z 3
Antero de Quental (Rua) . . . Y 4
Borges Carmeiro (Rua de) . . . . Z 10
Dr João Jacinto (Rua do) . . . . Y 18
Dr José Falcão (Rua) . . . . . . Z 19

Fernandes Tomás (Rua de) . Z 25
Guilherme Moreira (Rua) . . . Z 31
Portagem (Largo da) . . . . . . Z 36
Quebra-Costas (Escadas de) . . . . Z 37
Sobre-Ripas (Rua de) . . . . . . Z 42
8 de Maio (Praça) . . . . Y 45

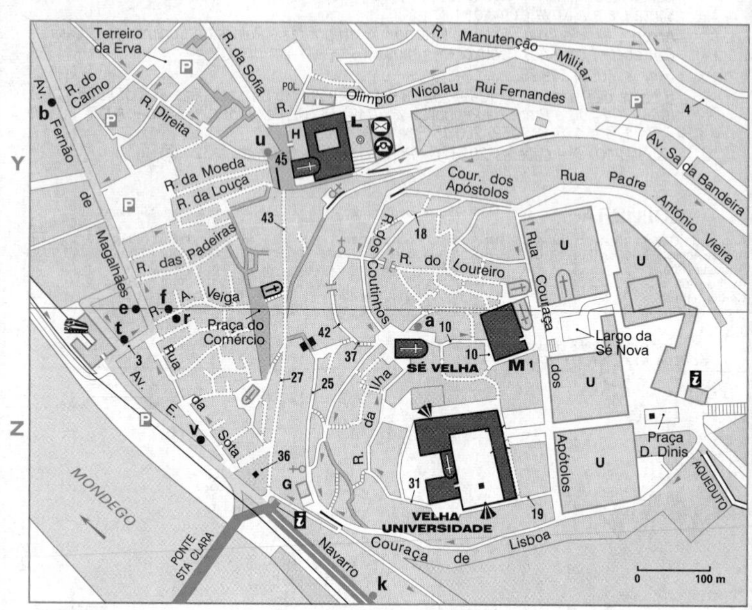

Dona Inês, Rua Abel Dias Urbano 12 ☎ (039) 257 91, *Fax (039) 256 11*, ←, ✂ – |♦| ▤ TV ☎ ♿ ⇔ – 🎓 25/300. AE ◑ E VISA. ✱ V a
Refeição *(fechado domingo meio-dia)* 2700 – **72 qto** ⊡ 10400/11900, 12 suites.

Meliá Confort Coimbra, Av. Armando Gonçalves-Lote 20 ☎ (039) 48 45 00, *Fax (039) 48 43 00* – |♦| ▤ TV ☎ ♿ ⇔ – 🎓 25/150. AE ◑ E VISA. ✱ V f
Refeição 2800 – **140 qto** ⊡ 16000/18000 – PA 6000.

D. Luís, Santa Clara ☎ (039) 44 25 10, *Fax (039) 44 51 96*, ← cidade e rio Mondego – |♦| ▤ TV ☎ P – 🎓 25/200. AE ◑ E VISA. ✱ X v
Refeição lista aprox. 2750 – **98 qto** ⊡ 11500/13500, 2 suites.

Almedina Coimbra H. sem rest, Av. Fernão de Magalhães 199 ☎ (039) 291 61, Telex 52118, *Fax (039) 299 06* – |♦| ▤ TV ☎ ♿ – 🎓 25/70. AE ◑ E VISA. ✱ Y b
75 qto ⊡ 9500/12000.

Bragança, Largo das Ameias 10 ☎ (039) 221 71, *Fax (039) 361 35* – |♦| ▤ TV ☎. ◑ E VISA. ✱ Z t
Refeição 1900 – **83 qto** ⊡ 7500/9500 – PA 3800.

Astória, Av. Emídio Navarro 21 ☎ (039) 220 55, Telex 42859, *Fax (039) 220 57*, ← – |♦|, ▤ rest, TV ☎. AE ◑ E VISA JCB Z v
Refeição lista aprox. 3800 – **64 qto** ⊡ 12200/15300.

Oslo sem rest, Av. Fernão de Magalhães 25 ☎ (039) 290 71, *Fax (039) 206 14* – |♦| ▤ TV ☎. AE ◑ E VISA JCB. ✱ YZ e
33 qto ⊡ 6000/9000.

Ibis Coimbra, Av. Emídio Navarro ☎ (039) 49 15 59, *Fax (039) 49 17 73* – |♦| ▤ TV ☎ ♿ ⇔ – 🎓 25/120. AE ◑ E VISA X z
Refeição 2400 – ⊡ 800 – **110 qto** 7800.

Botânico sem rest, Rua Combatentes da Grande Guerra (Ao cimo)-Bairro São José 11 ☎ (039) 71 48 24, *Fax (039) 40 51 24* – |♦| ▤ TV ☎. E VISA. ✱ X r
24 qto ⊡ 5500/6900.

Alentejana sem rest, Rua Dr. António Henriques Seco 1 ☎ (039) 259 03, *Fax (039) 40 51 24* – ▤ ☎. E VISA. ✻ — V e
15 qto ☕ 4000/5500.

Moderna sem rest, Rua Adelino Veiga 49-2º ☎ (039) 254 13, *Fax (039) 254 13* – ▤ TV ☎. ✻ — Z r
18 qto ☕ 5000/7400.

Domus sem rest, Rua Adelino Veiga 62 ☎ (039) 285 84, *Fax (039) 388 18* – TV ☎. E VISA. ✻ — YZ f
☕ 300 – **20 qto** 5000/7100.

Piscinas, Rua D. Manuel-2º ☎ (039) 71 70 13, *Fax (039) 71 41 64* – ▤ — X d

Dom Pedro, Av. Emídio Navarro 58 ☎ (039) 291 08, *Fax (039) 246 11* – ▤. AE ⓓ E VISA. ✻ — Z k
Refeição lista aprox. 4500.

Trovador, Largo da Sé Velha 17 ☎ (039) 254 75 – E VISA. ✻ — Z a
fechado domingo – **Refeição** lista aprox. 4200.

Real das Canas, Vila Méndes 7 ☎ (039) 81 48 77, *Fax (039) 524 25,* ≤ – ▤. AE ⓓ E VISA — X s
fechado 4ª feira – **Refeição** lista 2050 a 2700.

O Alfredo, Av. João das Regras 32 ☎ (039) 44 15 22, *Fax (039) 44 15 00* – ▤. E VISA. ✻ — X n
Refeição lista 2450 a 3550.

Carmina de Matos, Praça 8 de Maio 2 ☎ (039) 235 10 – ▤ — Y u

COLARES *Lisboa* 440 P 1 – *6 921 h. alt. 50* – ✉ *2710 Sintra.*
Arred. : *Azenhas do Mar★ (sítio★) NO : 7 km.*
ℹ *Alameda Coronel Linhares de Lima (Várzea de Colares) ☎ (01) 929 26 38.*
Lisboa 36 – Sintra 8.

Estalagem de Colares, Estrada N 247 ☎ (01) 928 29 42, *Fax (01) 928 29 83* – ▤ TV ☎ P. ⓓ E VISA
Refeição 3000 – **13 qto** ☕ 14000/16000 – PA 6000.

Quinta do Conde 🐦 sem rest, Quinta do Conde 32 ☎ (01) 929 16 52, *Fax (01) 929 16 02,* ≤ – ☎. ✻
fechado janeiro – **11 qto** ☕ 13000.

em Azoia *estrada do Cabo da Roca - SO : 10 km* – ✉ *2710 Sintra :*

Aldeia da Roca 🐦, ☎ (01) 928 00 01, *Fax (01) 928 01 63,* 🏊, 🎾 – ▤ TV ☎ P – 🪑 25/45. AE ⓓ E VISA. ✻
Refeição (ver rest. ***Da Aldeia***) – **7 qto** ☕ 13500/16000, 7 suites.

Da Aldeia, ☎ (01) 928 00 01, *Fax (01) 928 01 63,* ☂ – ▤. AE ⓓ E VISA. ✻
fechado 4ª feira – **Refeição** lista 3600 a 5250.

Refúgio da Roca, ☎ (01) 929 08 98, *Fax (01) 929 17 52,* « Decoração rústica. Rest. típico » – ▤. AE ⓓ E VISA. ✻
fechado 3ª feira – **Refeição** lista 4050 a 5900.

CONDEIXA-A-NOVA *3150 Coimbra* 440 L 4 – *2 759 h.*
Lisboa 192 – Coimbra 15 – Figueira da Foz 34 – Leiria 62.

Pousada de Santa Cristina 🐦, ☎ (039) 94 40 25, *Fax (039) 94 30 97,* ≤, « Relvado con 🏊 », 🎾 – |‡| ▤ TV ☎ P – 🪑 25/50. AE ⓓ E VISA. ✻
Refeição 3650 – **45 qto** ☕ 18200/20300.

CONSTÂNCIA *2250 Santarém* 440 N 4 – *4 160 h. alt. 74.*
Lisboa 131 – Castelo Branco 124 – Leiria 70.

Casa João Chagas 🐦 sem rest, Rua João Chagas ☎ (049) 994 03, *Fax (049) 994 58* – ▤ TV ☎. AE E VISA. ✻
7 qto ☕ 7000/8000.

COSTA DA CAPARICA *Setúbal* 440 Q 2 – *9 796 h.* – ✉ *2825 Monte da Caparica – Praia.*
ℹ *Av. da República 18 ☎ (01) 290 00 71 Fax (01) 290 02 10.*
Lisboa 21 – Setúbal 51.

Costa da Caparica, Av. General Humberto Delgado 47 ☎ (01) 291 03 10, *Fax (01) 291 06 87,* ≤, 🏊 – |‡| ▤ TV ☎ ♿ 🚗 P – 🪑 25/400. AE ⓓ E VISA. ✻
Refeição lista aprox. 5450 – **340 qto** ☕ 21500/27500, 13 suites.

Praia do Sol sem rest, Rua dos Pescadores 12 ☎ (01) 290 00 12, *Fax (01) 290 25 41* – TV ☎. AE ⊕ E VISA.
53 qto 6750/8500.

Maniés, Av. General Humberto Delgado 7-E ☎ (01) 290 33 98, – AE ⊕ E VISA JCB.
fechado 2ª feira no inverno – **Refeição** lista 1850 a 3700.

em São João da Caparica *N : 2,5 km – ✉ 2825 Monte da Caparica :*

Centyonze, Estrada N 10-1,111 ☎ (01) 290 39 68, – E VISA.
fechado domingo noite, 2ª feira e do 15 ao 30 de setembro – **Refeição** lista 2050 a 3500.

COVA DA IRIA *Santarém – ver Fátima.*

COVILHÃ *6200 Castelo Branco 440 L 7 – 30 224 h. alt. 675 – Desportos de inverno na Serra da Estrela : 3.*

Arred. : *Estrada★★ da Covilhã a Seia (≤★, Torre ★★ 49 km – Estrada★★ da Covilhã a Gouveia (vale glaciário de Zêzere★★ (≤★), Poço do Inferno★ : cascata★, (≤★) por Manteigas : 65 km – Unhais da Serra (sítio★) SO : 21 km.*

Av. Frei Heitor Pinto ☎ (075) 310 15 60 Fax (075) 310 15 69.

Lisboa 301 – Castelo Branco 62 – Guarda 45.

ao Suleste :

Turismo da Covilhã, Acesso à Estrada N 18 - 3,5 km ☎ (075) 32 45 45, *Fax (075) 32 46 30,* ≤ – TV ☎ 25/60. AE ⊕ E VISA. rest
Refeição 2000 - ***Piornos*** **: Refeição** lista 2350 a 3750 – **55 qto** 8000/12000, 5 suites.

Santa Eufêmia sem rest, Sítio da Palmatória - 2 km ☎ (075) 31 33 08, *Fax (075) 31 41 84,* ≤ – TV.
77 qto 5500/8000.

na estrada das Penhas da Saúde *NO : 5 km – ✉ 6200 Covilhã :*

Estalagem Varanda dos Carquejais ☎ (075) 310 11 20, *Fax (075) 310 11 24,* ≤ montanhas e vale, – TV ☎ – 25/50. VISA.
Refeição lista aprox. 2900 – **50 qto** 12000/15000.

CRATO *7430 Portalegre 440 O 7 – 2 123 h.*

Ver : *Mosteiro de Flor da Rosa★ : igreja★ (N : 2km).*

Lisboa 206 – Badajoz 84 – Estremoz 61 – Portalegre 20.

em Flor da Rosa *N : 2 km – ✉ 7430 Crato :*

Pousada Flor da Rosa ☎ (045) 99 72 10, *Fax (045) 99 72 12,* ≤, « Num mosteiro do século XIV », – TV ☎. AE ⊕ E VISA.
Refeição 3650 – **24 qto** 26500/29600.

CURIA *Aveiro 440 K 4 – 2 704 h. alt. 40 – ✉ 3780 Anadia – Termas.*

Largo da Rotunda ☎ (031) 51 22 48 Fax (031) 51 29 66.

Lisboa 229 – Coimbra 27 – Porto 93.

Das Termas ☎ (031) 51 21 85, *Fax (031) 51 58 38,* « Num parque com árvores », – TV ☎ – 25/100. AE ⊕ E VISA.
Refeição 3000 – **57 qto** 12000/17500 – PA 5500.

Grande H. da Curia ☎ (031) 51 57 20, *Fax (031) 51 53 17,* « Instalado num singular edifício de fins do século XIX », – TV ☎ – 25/200. AE ⊕ E VISA.
Refeição 3500 – **81 qto** 15500/18000, 3 suites.

Do Parque sem rest, ☎ (031) 51 20 31 – . AE ⊕ E VISA
junho-setembro – **22 qto** 4000/5500.

DOMINGUISO *Castelo Branco 440 L 7 – 1 137 h. – ✉ 6205 Tortosendo.*

Lisboa 304 – Castelo Branco 65 – Covilhã 10 – Guarda 55.

Fonte Velha sem rest, Rua Pinhos Mansos ☎ (075) 95 97 77, *Fax (075) 95 97 77* – TV ☎.
16 qto 5000/7000.

ELVAS *7350 Portalegre* 440 P 8 – *13 187 h. alt. 300.*

Ver : *Muralhas*** – Aqueduto da Amoreira* – Largo de Santa Clara* (pelourinho*) – Igreja de N. S. da Consolação* (azulejos*).*

Praça da República (068) 62 22 36 Fax (068) 62 90 60.

Lisboa 222 – Portalegre 55.

Pousada de Santa Luzia, Av. de Badajoz (Estrada N 4) (068) 62 21 94, *Fax (068) 62 21 27,* – . AE E VISA.
Refeição 3650 – **25 qto** 18200/20300.

D. Luís sem rest, Av. de Badajoz (Estrada N 4) (068) 62 27 56, *Fax (068) 62 07 33* – – 25/50. AE E VISA
90 qto 10500/11500.

Flor do Jardim, Jardim Municipal (Estrada N 4) (068) 62 31 74, – . AE E VISA.
Refeição lista aprox. 3410.

pela estrada de Portalegre – *7350 Elvas :*

Estalagem Quinta de Santo António, NO : 3,5 km e desvio a esquerda pela estrada de Barbacena 4,5 km (068) 62 84 06, *Fax (068) 62 50 50,* , « Antiga quinta com capela e amplo jardim », – – 25/120. AE E VISA.
Refeição 3000 – **29 qto** 14500/17000, 1 suite – PA 6000.

Luso-Espanhola sem rest, Rui de Melo - N : 2 km (068) 62 30 92 – . AE E VISA.
14 qto 5000/7000.

na estrada N 4 – *7350 Elvas :*

Varchotel, Varche - O : 5,5 km (068) 62 16 21, *Fax (068) 62 15 96,* – . AE E VISA JCB.
Refeição 2300 – **43 qto** 6500/9500.

Albergaria Elxadai Parque, Varche - O : 5 km (068) 62 13 97, *Fax (068) 62 19 21,* Elvas, Badajoz e Olivença, – . AE E VISA.
Refeição (ver rest. ***Guadicaia***) – **28 qto** 8250/10250.

Albergaria Jardim com qto, Sítio das Pias - E : 3km (068) 62 10 50, *Fax (068) 62 10 51,* – . AE E VISA.
Refeição lista 3380 a 4410 – **11 qto** 6500/8500.

Guadicaia, Varche - O : 5 km (068) 62 13 76, *Fax (068) 62 96 72,* , , – . AE E VISA.
Refeição lista aprox. 3800.

Dom Quixote, O : 3 km (068) 62 20 14, – . AE E VISA.
Refeição lista aprox. 4200.

ENTRE-OS-RIOS *4575 Porto* 440 I 5 – *alt. 50 – Termas.*

Lisboa 331 – Porto 49 – Vila Real 96.

Miradouro, Estrada N 108 (055) 61 34 22, *Fax (055) 61 42 14,* , – . E VISA.
fechado 2ª feira e do 15 ao 31 de dezembro – **Refeição** - lampreia - lista aprox. 3000.

ENTRONCAMENTO *2330 Santarém* 440 N 4 – *13 925 h.*

Praça da República (049) 71 92 29 Fax (049) 71 86 15.

Lisboa 127 – Castelo Branco 132 – Leiria 55 – Portalegre 114 – Santarém 45.

Gameiro sem rest, Rua Abílio César Afonso (frente à Estação dos Caminhos de Ferro) (049) 668 34, *Fax (049) 71 87 08* – . AE E VISA.
34 qto 5000/7600.

ERICEIRA *2655 Lisboa* 440 P 1 – *4 604 h. – Praia.*

Ver : *Pitoresco porto piscatório*.*

Largo de Santa Marta (061) 629 20. – Lisboa 51 – Sintra 24.

Vilazul, Calçada da Baleia 10 (061) 868 00 00, *Fax (061) 629 27* – . AE E VISA.
O Poço : **Refeição** lista 2500 a 4700 – **21 qto** 9100/13000.

Pedro o Pescador, Rua Dr. Eduardo Burnay 22 (061) 86 40 32, *Fax (061) 623 21* – . AE E VISA. rest
Refeição 1650 – **25 qto** 7500/10000.

O Barco, Capitão João Lopes (061) 627 59, – . AE E VISA
fechado 5ª feira no inverno, 4ª feira no verão, novembro e dezembro – **Refeição** lista 3000 a 5000.

na estrada N 247 *N : 2 km – ✉ 2655 Ericeira :*

X **Cesar,** ☎ (061) 629 26, *Fax (061) 621 33,* ≤, Viveiro próprio – P. AE ⓓ VISA. ✂
fechado 3ª feira e maio – **Refeição** - mariscos - lista 3450 a 4000.

ESPINHO *4500 Aveiro 440 I 4 – 33 414 h. – Praia.*

Oporto, ☎ (02) 72 20 08.
Ângulo das Ruas 6 e 23 ☎ (02) 72 09 11 Fax (02) 731 10 53.
Lisboa 308 – Aveiro 54 – Porto 16.

Praiagolfe H., Rua 6 ☎ (02) 731 33 85, Telex 23727, *Fax (02) 731 33 97,* ≤, Fb, – |‡| ≡ TV ☎ ♿ – 25/300. AE ⓓ E VISA. ✂
Refeição 2950 – **133 qto** ☐ 17000/19000, 6 suites.

Aparthotel Solverde sem rest, Rua 21-77 ☎ (02) 731 31 44, *Fax (02) 731 31 53,* ≤ – |‡| TV ☎. AE ⓓ E VISA. ✂
☐ 1000 – **83 apartamentos** 15000.

Néry sem rest, Avenida 8-826 ☎ (02) 72 73 64, *Fax (02) 72 85 96,* ≤ – |‡| ≡ TV ☎. AE ⓓ E VISA. ✂
43 qto ☐ 8000/10000.

XX A Cabana com snack-bar, Avenida 8 - Rotunda da Praia Seca ☎ (02) 72 19 66, *Fax (02) 72 13 22,* ≤, – ≡ P.

X **Aquário,** Rua 4-540 ☎ (02) 72 03 77, *Fax (02) 72 87 62,* – ≡. AE ⓓ E VISA JCB. ✂
Refeição lista 2600 a 5150.

ESPOSENDE *4740 Braga 440 H 3 – 2 789 h. – Praia.*

Av. Arantes de Oliveira ☎ (053) 970 00 00 Fax (053) 96 13 54.
Lisboa 367 – Braga 33 – Porto 49 – Viana do Castelo 21.

Suave Mar ⛰, Av. Eng. Arantes e Oliveira ☎ (053) 96 54 45, *Fax (053) 96 52 49,* ≤, – |‡| ≡ TV ☎ P. AE ⓓ E VISA. ✂
Refeição 2800 – **84 qto** ☐ 9000/14000.

Nélia, Av. Valentin Ribeiro ☎ (053) 96 55 28, *Fax (053) 96 48 20,* – |‡| ≡ TV ☎. AE ⓓ E VISA JCB. ✂
Refeição 2500 – **42 qto** ☐ 7000/10000 – PA 4000.

Estalagem Zende, Estrada N 13 ☎ (053) 96 46 64, *Fax (053) 96 50 18* – ≡ TV ☎ P – 25/60
Refeição Martins – **25 qto.**

Acropole sem rest, Praça D. Sebastião ☎ (053) 96 19 41, *Fax (053) 96 42 38* – |‡| TV ☎. E VISA. ✂
30 qto ☐ 5500/8000.

ESTEFÂNIA *Lisboa – ver Sintra.*

ESTÓI *Faro – ver Faro.*

ESTORIL *2765 Lisboa 440 P 1 – 25 230 h. – Praia.*

Ver : *Estância balnear*★.
Estoril, ☎ (01) 468 01 76 BX.
Arcadas do Parque ☎ (01) 466 38 13 Fax (01) 467 22 80.
Lisboa 28 ② – Sintra 13 ①

Ver plano de Cascais

Palácio, Rua do Parque ☎ (01) 468 04 00, *Fax (01) 468 48 67,* ≤, – |‡| ≡ TV ☎ P – 25/400. AE ⓓ E VISA JCB. ✂ BY k
Refeição (ver rest. ***Four Seasons***) – **131 qto** ☐ 38000/42000, 31 suites.

Amazonia Lennox Estoril ⛰, Rua Eng. Álvaro Pedro de Sousa 5 ☎ (01) 468 04 24, *Fax (01) 467 08 59,* , « Terraços floridos », climatizada – ≡ TV ☎ P. AE ⓓ E VISA. ✂ BY a
Refeição 3800 – **30 qto** ☐ 14600/17000, 2 suites, 2 apartamentos.

Inglaterra, Rua do Porto 1 ☎ (01) 468 44 61, *Fax (01) 468 21 08,* ≤, – |‡| ≡ TV ☎ – 25/80 BY e
50 qto, 2 suites.

Vila Galé Estoril, Av. Marginal (01) 468 18 11, *Fax (01) 468 18 15,* - 25/140. BY v
Refeição 3200 - **126 qto** 28100/32200.

Paris, Av. Marginal 7034 (01) 467 03 22, *Fax (01) 467 11 71,* - 25/130. BY r
Refeição 2600 - **97 qto** 16300/18600.

Alvorada sem rest, Rua de Lisboa 3 (01) 468 00 70, *Fax (01) 468 72 50* - BY b
54 qto 7500/15500.

Four Seasons, Rua do Parque (01) 468 04 00, *Fax (01) 468 48 67* - BY k
Refeição lista 4550 a 7250.

no Monte Estoril - BX - 2765 *Estoril* :

Aparthotel Clube Mimosa, Av. do Lago 4 (01) 467 00 37, Telex 44308, *Fax (01) 467 03 74,* - 25/100. BX n
Refeição 2600 - **58 apartamentos** 22700 - PA 5200.

Aparthotel Estoril Eden, Av. Sabóia 209 (01) 467 05 73, *Fax (01) 467 08 48,* - 25/180. BX s
Refeição 3200 - 1200 - **162 apartamentos** 22000/26500 - PA 6400.

Atlântico, Av. Marginal 8023 (01) 468 02 70, Telex 18125, *Fax (01) 468 36 19,* - 25/180. BX z
Refeição 4000 - **175 qto** 10000/15000 - PA 6000.

English-Bar, Av. Marginal (01) 468 04 13, *Fax (01) 468 12 54,* « Decoração inglesa » - BX s
fechado domingo e do 3 ao 17 de agosto - **Refeição** lista 4500 a 6700.

em São João do Estoril *por ② : 2 km* - *2765 Estoril* :

A Choupana, Av. Marginal 5579 (01) 468 30 99, *Fax (01) 467 43 44,*
Refeição lista 5100 a 6500.

ESTREMOZ *7100 Évora* 440 P 7 - *7 869 h. alt. 425.*

Ver : *A Vila Velha★ - Sala de Audiência de D. Dinis (colunata gótica★).*
Arred. : *Évoramonte : Sítio★, castelo★ (★) SO : 18 km.*
Rossio Marquês de Pombal (068) 33 20 71 Fax (068) 244 89.
Lisboa 179 - Badajoz 62 - Évora 46.

Pousada da Rainha Santa Isabel, Largo D. Diniz - Castelo de Estremoz (068) 33 20 75, *Fax (068) 33 20 79,* « Luxuosa pousada instalada num belo castelo medieval », - 25.
Refeição 3650 - **32 qto** 26500/29600, 1 suite.

D. Dinis sem rest, Rua 31 de Janeiro 46 (068) 33 27 17, *Fax (068) 226 10* -
1500 - **8 qto** 10000/12500.

Águias d'Ouro, Rossio Marquês de Pombal 27 (068) 33 33 26 -
fechado 2ª feira - **Refeição** lista 2600 a 4850.

na estrada N 4 *O : 2,5 km* - *7100 Estremoz* :

Imperador, Fonte do Imperador (068) 33 20 83, *Fax (068) 33 27 20* -
***Bife na Pedra* :** **Refeição** lista aprox. 3100 - ***O Gato* :** **Refeição** lista aprox. 3100 - **65 qto** 8000/11000, 3 suites.

ÉVORA *7000* P 440 Q 6 - *37 965 h. alt. 301.*

Ver : *Sé★★* BY : *interior★ (cúpula★, cadeiral★,) Museu de Arte sacra★ (Virgem do Paraíso★★), Claustro★ - Museu de Évora★* BY **M1** *(Baixo-relevo★, Anunciação★) - Templo romano★* BY *- Convento dos Lóios★* BY : *Igreja★, Edifícios conventuais (portal★) - Largo da Porta de Moura (fonte★)* BCZ *- Igreja de São Francisco (interior★, capela dos Ossos★)* BZ *- Fortificações★ - Antiga universidade dos Jesuítas (claustro★)* CY.
Arred. : *Convento de São Bento de Castris (claustro★) 3 km por N 114-4.*
Praça do Giraldo 73 (066) 226 71 e Rua de Aviz 90 (066) 74 25 34 Fax (066) 252 38 - **A.C.P.** *Rua Alcarcova de Baixo 7 (066) 275 33 Fax (066) 296 96.*
Lisboa 153 ⑤ - Badajoz 102 ② - Portalegre 105 ② - Setúbal 102 ⑤

ÉVORA

Giraldo (Praça do) . . . . BZ
João de Deus (Rua) . . . . AY 16
República (Rua da) . . . . BZ
5 de Outubro (Rua) . . . . BYZ

Álvaro Velho (Largo) . . . . BZ 3
Aviz (Rua de) . . . . BY 4
Bombeiros Voluntários
de Évora (Av.) . . . . CZ 6
Caraça (Trav. da) . . . . BZ 7
Cenáculo (Rua do) . . . . BY 9
Combatentes
da Grande Guerra (Av. dos) . . BZ 10
Conde de Vila-Flor
(Largo) . . . . BY 12
Diogo Cão (Rua) . . . . BZ 13
Freiria de Baixo (Rua da) . . . . . . BY 15
José Elias Garcia (Rua) . . . . AY 18
Lagar dos Dizimos
(Rua do) . . . . BZ 19
Luís de Camões (Largo) . . . . AY 21
Marquês de Marialva
(Largo) . . . . BY 22
Menino Jesus (R. do) . . . . BY 24
Misericórdia (Largo) . . . . BZ 25
Penedos (Largo dos) . . . . AY 28
Santa Clara (R. de) . . . . AZ 30
São Manços (Rua de) . . . . BZ 31
Senhor da Pobreza (Largo) . . . . CZ 33
Torta (Trav.) . . . . AZ 34
Vasco da Gama (Rua) . . . . BY 36
1º de Maio (Praça) . . . . BZ 37

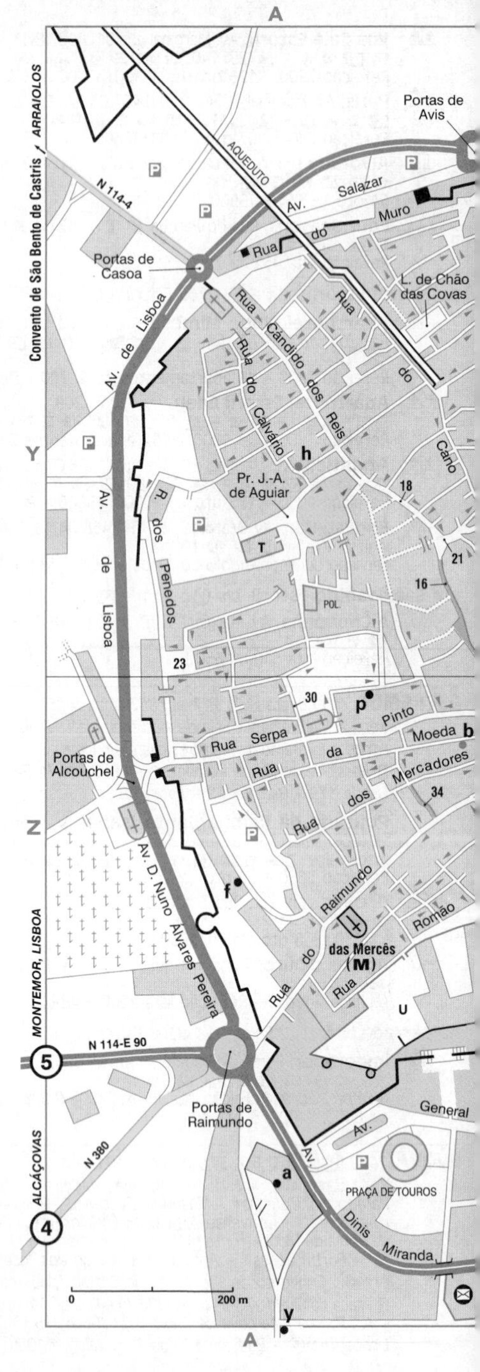

Este guia não é uma lista de todos os hotéis e restaurantes, nem sequer de todos os bons hotéis e restaurantes de Espanha e Portugal.

Como procuramos servir todos os turistas, vemo-nos obrigados a indicar estabelecimentos de todas as categorias e a citar apenas alguns de cada uma delas.

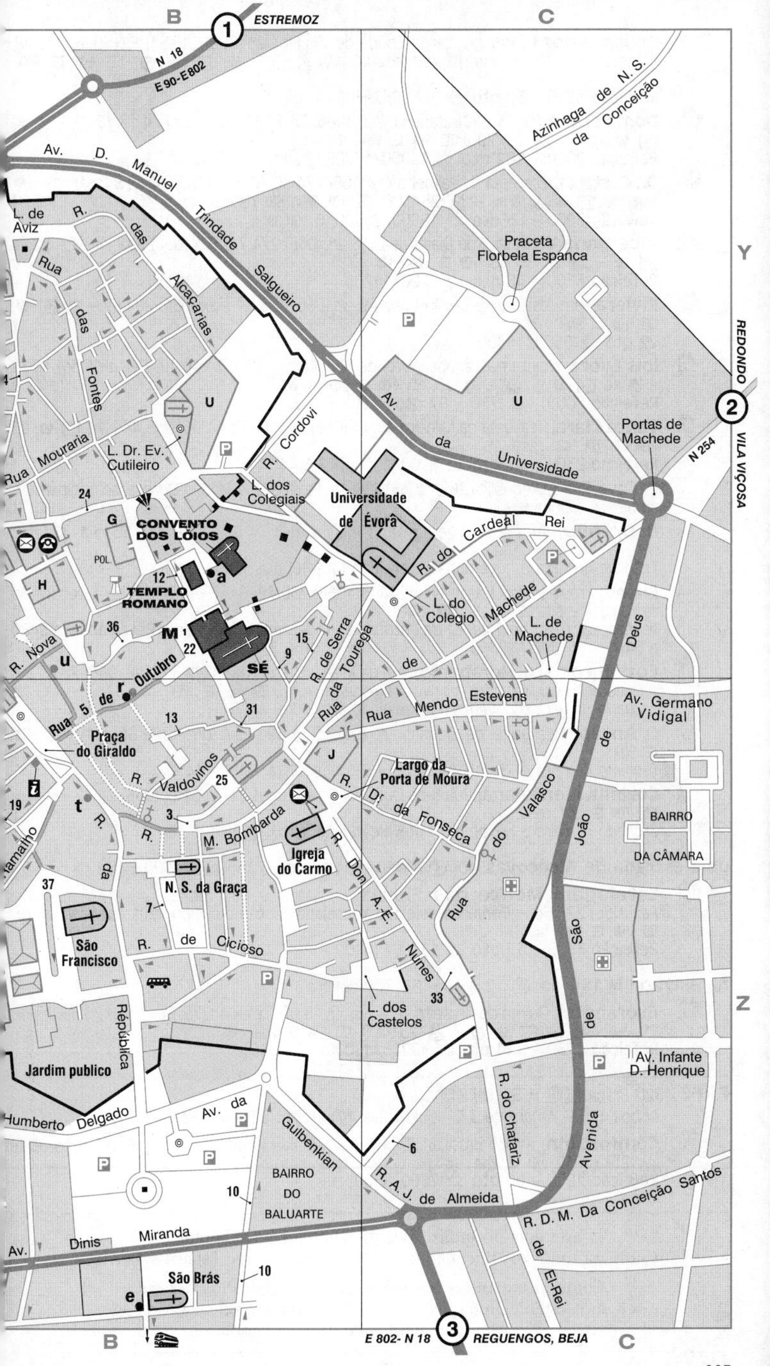

B
C
1
ESTREMOZ
N 18
E 90-E 802
Azinhaga de N. S. da Conceição
Av. D. Manuel Trindade Salgueiro
L. de Aviz
R. das Alcaçarias
Rua das Fontes
Praceta Florbela Espanca
Y
REDONDO
2
VILA VIÇOSA
N 254
U
U
Portas de Machede
Av. da Universidade
R. Cordovi
Rua Mouraria
L. Dr. Ev. Cutileiro
L. dos Colegiais
Universidade de Évora
24
G
CONVENTO DOS LÓIOS
R. do Cardeal Rei
POL.
H
12
a
TEMPLO ROMANO
L. do Colegio
Machede
L. de Machede
36
M 1
22
15
9
SÉ
R. de Serra
Rua da Tourega
de
Deus
R. Nova
u
r
5 de Outubro
Rua
Rua Mendo Estevens
Av. Germano Vidigal
31
13
Praça do Giraldo
J
Largo da Porta de Moura
R. Valdovinos
25
R. Dr. da Fonseca
do Valasco
João
19
t
R.
3
M. Bombarda
Igreja do Carmo
R. Don A. E. Nunes
BAIRRO DA CÂMARA
da
N. S. da Graça
37
7
Rua
São
São Francisco
R. de Cicioso
33
L. dos Castelos
Z
República
de
Jardim publico
R. do Chafariz
Av. Infante D. Henrique
Humberto Delgado
Av. da
Gulbenkian
6
Avenida
R. A. J. de Almeida
BAIRRO DO BALUARTE
10
R. D. M. Da Conceição Santos
Av. Dinis Miranda
de El-Rei
São Brás
10
e
B
E 802- N 18
3
REGUENGOS, BEJA
C

Pousada dos Lóios, Largo Conde de Vila Flor (066) 240 51, *Fax (066) 272 48*, « Instalada num convento do século XVI ». BY a
Refeição 3650 - **30 qto** 26500/29600, 2 suites.

Dom Fernando, Av. Dr. Barahona 2 (066) 74 17 17, *Fax (066) 74 17 16*, - 25/200. BZ e
Refeição 2800 - **102 qto** 13000/17000, 2 suites - PA 5200.

Da Cartuxa, Travessa da Palmeira 4 (066) 74 30 30, *Fax (066) 74 42 84*, - 25/300. rest AZ f
Refeição 3000 - **85 qto** 18000/20000, 6 suites.

Albergaria Vitória, Rua Diana de Lis 5 (066) 271 74, *Fax (066) 209 74*, - 25/55. AZ y
Refeição 3200 - **48 qto** 9200/11700.

Riviera sem rest, Rua 5 de Outubro 49 (066) 233 04, *Fax (066) 204 67* - BZ r
22 qto 9500/14000.

Ibis Évora, Quinta da Tapada - Urb. da Muralha (066) 74 46 20, *Fax (066) 74 46 32* - 25. AZ a
Refeição 2000 - 750 - **87 qto** 8300.

Santa Clara, Travessa da Milheira 19 (066) 241 41, *Fax (066) 265 44* - rest AZ p
Refeição 2300 - **43 qto** 8000/10100 - PA 4600.

La Cave, Rua da República 26 (066) 239 11, *Fax (066) 239 11*, « Decoração original num ambiente rústico » - BZ t

O Gremio, Alcárcova de Cima 10 (066) 74 29 31 - BY u
fechado 4ª feira e novembro - **Refeição** lista 4600 a 5500.

Fialho, Travessa das Mascarenhas 14 (066) 230 79, *Fax (066) 74 48 73*, « Decoração regional » - AY h
fechado 2ª feira, do 1 ao 22 de outubro e 24 dezembro-2 janeiro - **Refeição** lista 3480 a 5460.

Cozinha de Sto. Humberto, Rua da Moeda 39 (066) 242 51, *Fax (066) 74 23 67*, « Decoração original com motivos regionais » - AZ b
fechado 5ª feira e novembro - **Refeição** lista 3000 a 3700.

O Antão, Rua João de Deus 5 (066) 264 59, *Fax (066) 270 36* - BY f
fechado 4ª feira e 22 junho-6 julho - **Refeição** lista 1900 a 3450.

Cozinha Alentejana, Rua 5 de Outubro 51 (066) 227 72, *Fax (066) 74 47 16* - BZ r
fechado 4ª feira e novembro - **Refeição** lista aprox. 3295.

pela estrada de Alcáçovas *por ④ e desvío particular : 6 km - 7000 Évora :*

Estalagem Monte das Flores, Monte das Flores (066) 254 90, *Fax (066) 275 64*, « Conjunto de estilo alentejano em pleno campo », -
Refeição 3300 - **17 qto** 13300/14900 - PA 6600.

na estrada N 114 *por ⑤ : 2,5 km - 7000 Évora :*

Évorahotel, Quinta do Cruzeiro (066) 73 48 00, Telex 44279, *Fax (066) 73 48 06*, - - 25/450.
Refeição 2750 - **114 qto** 12200/15000 - PA 5300.

FAFE *4820 Braga* 440 H 5 - *11 713 h.*

Lisboa 375 - Amarante 37 - Guimarães 14 - Porto 67 - Vila Real 72.

Comfort Inn, Av. do Brasil (053) 59 52 22, *Fax (053) 59 52 29* - - 25/70.
Refeição 1950 - **60 qto** 7500/8500.

Esta guía no indica todos los hoteles y restaurantes, ni siquiera todos los buenos hoteles y restaurantes de España y Portugal.

Como intentamos prestar un servicio a todos los turistas, citamos establecimientos de todo tipo. Nuestra selección recoge solamente algunos de cada categoría.

FAIAL *Madeira - ver Madeira (Arquipélago da).*

FÃO *Braga* 440 H 3 - *2 185 h.* - ✉ *4740 Esposende - Praia.*
Lisboa 365 - Braga 35 - Porto 47.

na Praia de Ofir - ✉ *4740 Esposende :*

Sopete Ofir ⛱, Av. Raul Sousa Martins ☎ (053) 98 13 83, *Fax (053) 98 18 71*, ≤, ⛱, 🎾 - 🛗 ▤ 📺 ☎ 🅟 - 25/600. AE ⓞ E VISA JCB. ✈
Refeição 3000 - **191 qto** ☕ 14000/20000.

em Apúlia *pela estrada N 13 - S : 6,3 km -* ✉ *4740 Esposende :*

San Remo sem rest, Av. da Praia 45 ☎ (053) 98 15 85, *Fax (053) 98 15 86* - ☎. E VISA.
✈
29 qto ☕ 5500/7000.

FARO *8000* 🅟 440 U 6 - *33 664 h. - Praia.*
Ver : *Vila-a-dentro*★*-Miradouro de Santo António* ✻★ B.
Arred. : *Praia de Faro* ≤★ *9 km por* ① *- Olhão (campanário da igreja* ✻★*) 8 km por* ③.
18 18 9 9 9 *Vilamoura, 23 km por* ① ☎ *(089) 38 07 22* - 18 18 *Vale do Lobo, 20 km por* ① ☎ *(89) 39 39 39 Ext. 5612* - 18 18 *Quinta do Lago, 16 km por* ① ☎ *(089) 39 47 82* - 18 *Ria Formosa* ☎ *(089) 39 47 82.*
✈ *de Faro 7 km por* ① ☎ *(089) 80 08 00 - T.A.P., Rua D. Francisco Gomes 8* ☎ *(089) 80 02 00.*
🚗 ☎ *(089) 82 27 69.*
ℹ *Rua da Misericórdia 8* ☎ *(089) 80 36 04* - **A.C.P.** *Rua Francisco Barreto 26 A* ☎ *(089) 80 57 53 Fax (089) 80 21 32.*
Lisboa 309 ② *- Huelva 105* ③ *- Setúbal 258* ②

FARO

- Conselheiro Bivar (Rua) .... A 9
- D. F. Gomes (Pr. e Rua) .... A 12
- Ivens (Rua) .... A 20
- Santo António (Rua de) .... A 27
- 1º de Maio (Rua) .... A 31
- Alex. Herculano (Praça) .... A 3
- Ataide de Oliveira (Rua) .... B 4
- Bocage (Rua do) .... A 6
- Carmo (Largo de) .... A 7
- Cruz das Mestras (Rua) .... A 10
- Dr Teixeira Guedes (Rua) .... B 13
- Eça de Queirós .... B 15
- Ferreira de Almeida (Praça) .... A 16
- Filipe Alistão (Rua) .... A 18
- Francisco Barreto (Rua) .... A 19
- Lethes (Rua) .... A 21
- Moagem (Rua da) .... A 22
- Mouras Velhas (Largo das) .... A 23
- Pé da Cruz (Largo do) .... B 24
- S. Pedro (Largo de) .... A 25
- São Sebastião (Largo de) .... A 28

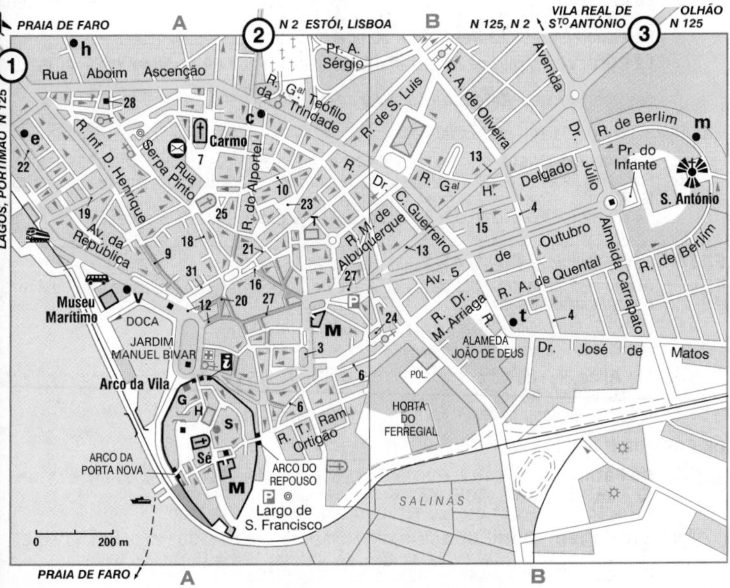

Eva, Av. da República 1 ☎ (089) 80 33 54, Telex 56254, *Fax (089) 80 23 04,* ⩽, ⛱ - |♦| ▤ TV ☎ - 🏛 25/300. AE ⓓ E VISA. ✂ A v
Refeição 3900 - ***Griséus*** **: Refeição** lista 3120 a 5500 – **135 qto** ☕ 19900/23100, 13 suites.

Dom Bernardo sem rest, Rua General Teófilo da Trindade 20 ☎ (089) 80 68 06, *Fax (089) 80 68 00* – |♦| ▤ TV ☎. AE ⓓ E VISA A c
43 qto ☕ 9300/11900.

Alnacir sem rest, Estrada da Senhora da Saúde 24 ☎ (089) 80 36 78, *Fax (089) 80 35 48* – |♦| ▤ TV ☎ - 🏛 25/70. AE ⓓ E VISA. ✂ A h
53 qto ☕ 8500/9800.

Afonso III sem rest, Rua Miguel Bombarda 64 ☎ (089) 80 35 42, *Fax (089) 80 51 85* – |♦| ▤ TV ☎. AE ⓓ E VISA. ✂ A e
40 qto ☕ 7570/10390.

York 🐦 sem rest, Rua de Berlim 39 ☎ (089) 82 39 73, ⩽ - TV ☎ B m
21 qto ☕ 7000/9000.

Alameda sem rest, Rua Dr. José de Matos 31 ☎ (089) 80 19 62 – ☎ B t
14 qto ☕ 6000/8000.

Cidade Velha, Rua Domingos Guieiro 19 ☎ (089) 271 45 – ▤. AE E VISA JCB. ✂ A s
fechado domingo e dezembro – **Refeição** lista 2960 a 3670.

na estrada N 125 *por ① : 2,5 km – ✉ 8000 Faro :*

Ibis Faro, Pontes de Marchil ☎ (089) 80 67 71, Telex 56168, *Fax (089) 80 69 30,* 🏖, ⛱ - |♦| ▤ TV ☎ ♿ P - 🏛 25/75. AE ⓓ E VISA JCB
Refeição 2500 – ☕ 800 – **81 qto** 9500.

na estrada do aeroporto *por ① : 4 km – ✉ 8000 Faro :*

Mónaco, ☎ (089) 81 81 06, *Fax (089) 81 89 23* – |♦| ▤ TV ☎ P – 🏛 25/150. AE ⓓ E VISA. ✂
Refeição 2500 – **61 qto** ☕ 12500/15000, 3 suites – PA 5000.

na Praia de Faro *por ① : 9 km – ✉ 8000 Faro :*

Camané, Av. Nascente ☎ (089) 81 75 39, *Fax (089) 81 72 36,* ⩽, 🏖 – ▤. AE E VISA. ✂
fechado 2ª feira e janeiro – **Refeição** - peixes e mariscos - lista 5150 a 7750.

em Santa Bárbara de Nexe *por ① : 12 km – ✉ 8000 Faro :*

La Réserve 🐦, Estrada de Esteval ☎ (089) 99 94 74, *Fax (089) 99 94 02,* ⩽, « Extenso e belo jardim com ⛱ », 🎾 – ▤ TV ☎ P. AE. ✂
Refeição (ver rest. ***La Réserve***) – **20 apartamentos** ☕ 30000/40000.

La Réserve, Estrada de Esteval ☎ (089) 99 92 34, *Fax (089) 99 94 02,* 🏖 – ▤ P. AE. ✂
fechado 3ª feira – **Refeição** - só jantar - lista 5400 a 7300.

em Estói *por ② : 11 km – ✉ 8000 Faro :*

Monte do Casal 🐦, Estrada de Moncarapacho - SE : 3 km ☎ (089) 915 03, *Fax (089) 913 41,* ⩽, 🏖, « Antiga casa de campo », ⛱ climatizada, 🌳 – ▤ qto, ☎ P. E VISA. ✂
14 fevereiro-22 novembro – **Refeição** 5850 – **9 qto** ☕ 39750, 5 suites.

FÁTIMA *2495 Santarém* 440 N 4 – *7 298 h. alt. 346.*

Arred. : *Parque natural das serras de Aire e de Candeeiros★ : SO Grutas de Mira de Aire★ o dos Moinhos Velhos.*

ℹ *Av. D. José Alves Correia da Silva ☎ (049) 53 11 39.*

Lisboa 135 – Leiria 26 – Santarém 64.

Tia Alice, Rua do Adro ☎ (049) 53 17 37, *Fax (049) 53 17 37,* « Decoração rústica » – ▤. AE E VISA. ✂
fechado domingo noite, 2ª feira e julho – **Refeição** lista 3650 a 4900.

na Cova da Iria *NO : 2 km – ✉ 2495 Fátima :*

De Fátima, João Paulo II ☎ (049) 53 33 51, *Fax (049) 53 26 91* – |♦| ▤ TV ☎ ♿ 🚗 P – 🏛 25/500. AE ⓓ E VISA. ✂
Refeição 3500 – **124 qto** ☕ 12150/14250, 9 suites – PA 7000.

Estalagem Dom Gonçalo, Rua Jacinta Marto 100 ☎ (049) 53 30 62, *Fax (049) 53 20 88* – |♦| ▤ TV ☎ P – 🏛 25/250. AE ⓓ E VISA. ✂ rest
Refeição lista 3200 a 4450 – **42 qto** ☕ 9900/12100.

Cinquentenário, Rua Francisco Marto 175 (049) 53 34 65, *Fax (049) 53 29 92* – 25/80. VISA.
Refeição 2600 – **132 qto** 8800/12100 – PA 5200.

Santa Maria, Rua de Santo António (049) 53 30 15, Telex 43108, *Fax (049) 53 21 97* – . AE E VISA.
Refeição 2750 – **59 qto** 8500/10000 – PA 5400.

São José, Av. D. José Alves Correia da Silva (049) 53 22 15, *Fax (049) 53 21 97* – 25/250. AE E VISA.
Refeição 2750 – **80 qto** 8500/10000 – PA 5400.

Regina, Rua Dr. Cónego Manuel Formigão (049) 53 23 03, *Fax (049) 53 26 63* – . AE VISA.
Refeição 3000 – **100 qto** 8000/11000.

Casa das Irmãs Dominicanas, Rua Francisco Marto 50 (049) 53 33 17, *Fax (049) 53 26 88* – 25/100.
Refeição 1800 – **103 qto** 5500/8000.

Estrela de Fátima, Rua Dr. Cónego Manuel Formigão (049) 53 11 50, *Fax (049) 53 21 60* – 25/150. AE E VISA.
Refeição 1950 – **57 qto** 8000/9000.

Santo António, Rua de São José 10 (049) 53 36 37, *Fax (049) 53 36 34* – , rest, . AE E VISA.
Refeição 1800 – **39 qto** 5000/6500.

Alecrim, Rua Francisco Marto 84 (049) 53 13 76, *Fax (049) 53 28 17* – . AE E VISA. rest
Refeição *(fechado janeiro-março)* 2000 – **53 qto** 6000/9000.

Casa Beato Nuno, Av. Beato Nuno 271 (049) 53 30 69 – , rest, – 25/200. E VISA.
Refeição 2100 – **135 qto** 5900/6900.

Cruz Alta sem rest, Rua Dr. Cónego Manuel Formigão (049) 53 14 81, *Fax (049) 53 21 60* – . AE E VISA.
22 qto 8000/9000.

Floresta, Estrada da Batalha (049) 53 14 66, *Fax (049) 53 31 38* – , rest, . AE VISA.
Refeição 1800 – **31 qto** 8000/12000.

São Paulo sem rest, Rua de São Paulo 10 (049) 53 15 72, *Fax (049) 53 32 57* –
58 qto.

Arcos de Fátima, Av. D. José Alves Correia da Silva 58 (049) 53 37 80, *Fax (049) 53 37 80* – . E VISA.
fechado 3ª feira (novembro-abril) – **Refeição** lista 2200 a 3200.

O Recinto, Av. D. José Alves Correia da Silva (Galerias do Parque) (049) 53 30 55, *Fax (049) 53 30 28,* – . AE E VISA.
Refeição lista 2350 a 3000.

em Boleiros *S : 5 km – 2495 Fátima :*

O Truão, Largo da Capela (049) 52 15 42, *Fax (049) 52 11 95*, Rest. típico, « Decoração rústica » – . AE E VISA JCB.
Refeição lista aprox. 3950.

FELGUEIRAS *4610 Porto* 440 H 5.

Lisboa 379 – Braga 38 – Porto 65 – Vila Real 57.

Horus sem rest, Av. Dr. Leonardo Coimbra (055) 31 24 00, *Fax (055) 31 23 22*, – – 25/100. AE E VISA.
46 qto 7800/10900, 12 apartamentos.

FERMENTELOS *3750 Aveiro* 440 K 4 – *2 183 h.*

Lisboa 244 – Aveiro 20 – Coimbra 42.

Ferpenta, Largo do Cruzeiro (034) 72 20 92, *Fax (034) 72 13 40* – . AE E VISA
Refeição 1350 – **42 qto** 4000/6000.

na margem do lago *NE : 1 km – 3750 Fermentelos :*

Estalagem da Pateira , Rua da Pateira 84 (034) 72 12 05, *Fax (034) 72 21 81*, , , – . E VISA.
Refeição 2500 – **66 qto** 8500/12000 – PA 5000.

FERNÃO FERRO *Setúbal* 440 Q 2 – ✉ *2840 Seixal.*
Lisboa 26 – Sesimbra 16 – Setúbal 34.

Orión, Estrada N 378 ☎ (01) 212 18 34, *Fax (01) 212 20 13,* ⛳, 🏊, 🎾 – 🛗 ▤ TV ☎ Ⓟ – 25/80
34 qto.

FERRAGUDO *8400 Faro* 440 U 4 – *1911 h. – Praia.*
Lisboa 288 – Faro 65 – Lagos 21 – Portimão 3.

em Vale de Areia *S : 2 km –* ✉ *8400 Ferragudo :*

Casabela H., Praia Grande ☎ (082) 46 15 80, Telex 57100, *Fax (082) 46 15 81,* ≤ Praia da Rocha e mar, 🏊 climatizada, 🎾 – 🛗 ▤ TV ☎ Ⓟ – 25/30.
Refeição - só jantar - 3300 – ☕ 2000 – **63 qto** 27000/30000.

FERREIRA DO ZÊZERE *2240 Santarém* 440 M 5 – *1974 h.*
Lisboa 166 – Castelo Branco 107 – Coimbra 61 – Leiria 66.

na margem do rio Zêzere *pela estrada N 348 - SE : 8 km –* ✉ *2240 Ferreira do Zêzere :*

Estalagem Lago Azul, ☎ (049) 36 14 45, *Fax (049) 36 16 64,* ≤, « Na margem do rio Zêzere », 🏊, 🎾 – 🛗 ▤ TV ☎ Ⓟ – 25/90
20 qto.

FIGUEIRA DA FOZ *3080 Coimbra* 440 L 3 – *25 929 h. – Praia.*
Ver : *Localidade★.*
☎ *(033) 28316.*
ℹ *Av. 25 de Abril* ☎ *(033) 221 26 Fax (033) 285 49* – **A.C.P.** *Av. Saraiva de Carvalho 40* ☎ *(033) 241 08 Fax (033) 293 18.*
Lisboa 181 ② – Coimbra 44 ②

Mercure Figueira da Foz, Av. 25 de Abril 22 ☎ (033) 221 46, *Fax (033) 224 20,* ≤ – 🛗 ▤ TV ☎ ♿. AE ⓓ E VISA. — A v
Refeição 3200 – **102 qto** ☕ 17000/19000.

Internacional sem rest, Rua da Liberdade 20 ☎ (033) 220 51, *Fax (033) 224 20* – 🛗 ▤ TV ☎ – 25/100 — A a
50 qto.

Wellington sem rest, Rua Dr. Calado 25 ☎ (033) 267 67, *Fax (033) 275 93* – AE E VISA A b
34 qto 8000/9000.

Bela Vista sem rest, Rua Joaquim Sotto Maior 6 ☎ (033) 224 64 – A g
18 qto 4500/6500.

em Buarcos A – ✉ *3080 Figueira da Foz :*

Atlântida Sol, Estrada do Cabo Mondego - NO : 4,5 km ☎ (033) 219 97, *Fax (033) 210 67,* – 25/400
138 qto, 8 suites.

Tamargueira, Estrada do Cabo Mondego - NO : 3 km ☎ (033) 325 14, *Fax (033) 337 59,* – AE E VISA. qto
Refeição 2000 – **86 qto** 10000/11000.

Teimoso com qto, Estrada do Cabo Mondego - NO : 5 km ☎ (033) 327 85, *Fax (033) 210 17,* – rest, AE E VISA.
Refeição lista aprox. 7100 – **14 qto** 8000.

em Caceira de Cima *NE : 5,5 km* – ✉ *3080 Figueira da Foz :*

Casa da Azenha Velha sem rest, Antiga Estrada de Coimbra ☎ (033) 250 41, *Fax (033) 297 04,* « Instalado num agradável âmbito rural », –
6 qto 9000/12000, 1 apartamento.

em Lavos *ao Sul por ① : 11 km* – ✉ *3080 Figueira da Foz :*

O Solar de Lavos, ☎ (033) 94 67 87, *Fax (033) 94 71 68,* – E VISA
Refeição lista 3000 a 3700.

FIGUEIRÓ DOS VINHOS *3260 Leiria* 440 **M 5** – *4 662 h. alt. 450.*

Arred. : *Percurso★ de Figueiró dos Vinhos a Pontão 16 km.*

Av. Padre Diogo de Vasconcelos ☎ (036) 521 78 Fax (036) 525 96.

Lisboa 205 – Coimbra 59 – Leiria 74.

Panorama, Rua Major Neutel de Abreu 24 ☎ (036) 521 15, *Fax (036) 528 87* – . E VISA.
fechado 3ª feira e do 1 ao 15 de setembro – **Refeição** lista 2000 a 3000.

FLOR DA ROSA *Portalegre – ver Crato.*

FOLGADOS *Lisboa – ver Sobral de Monte Agraço.*

FOZ DO ARELHO *2500 Leiria* 440 **N 2** – *1 086 h.*

Lisboa 101 – Leiria 62 – Nazaré 27.

Penedo Furado sem rest, Rua dos Camarções 3 ☎ (062) 97 96 10, *Fax (062) 97 98 32* – AE E VISA.
28 qto 7500/9000.

FOZ DO DOURO *Porto – ver Porto.*

FUNCHAL *Madeira – ver Madeira (Arquipélago da).*

FUNDÃO *6230 Castelo Branco* 440 **L 7** – *5 900 h.*

Av. da Liberdade ☎ (075) 527 70.

Lisboa 303 – Castelo Branco 44 – Coimbra 151 – Guarda 63.

Samasa, Rua Vasco da Gama ☎ (075) 712 99, *Fax (075) 718 09* – AE E VISA
Refeição (ver rest. ***Hermínia***) – **50 qto** 8000/11000.

Hermínia, Av. da Liberdade 123 ☎ (075) 525 37 – . AE E VISA.
Refeição lista aprox. 4000.

na estrada N 18 *N : 2,5 km* – ✉ *6230 Fundão :*

O Alambique, ☎ (075) 741 69, *Fax (075) 740 21,* – AE E VISA.
fechado do 22 ao 30 de junho e do 1 ao 7 de outubro – **Refeição** lista aprox. 3000 – **103 qto** 5500/9500.

GERÊS *4845 Braga* 440 *G 5 - alt. 400 - Termas.*
Excurs. : *Parque Nacional da Peneda-Gerês★★ : estrada de subida para Campo de Gerês★★ - Miradouro de Junceda★, represa de Vilarinho das Furnas★, Vestígios da via romana★.*
Av. Manuel Ferreira da Costa (053) 39 11 33 Fax (053) 39 12 82.
Lisboa 412 - Braga 44.

Universal e Termas, Av. Manuel Ferreira da Costa (053) 39 11 70, *Fax (053) 39 11 02*
80 qto.

GONDARÉM *Viana do Castelo - ver Vila Nova de Cerveira.*

GONDOMAR *4420 Porto* 440 *I 4.*
Lisboa 306 - Braga 52 - Porto 7 - Vila Real 86.

na estrada N 108 *S : 5 km - 4420 Gondomar :*

Estalagem Santiago, Aboínha (02) 454 00 34, *Fax (02) 450 36 75*
20 qto.

GOUVEIA *6290 Guarda* 440 *K 7 - 3 738 h. alt. 650.*
Arred. : *Estrada★★ de Gouveia a Covilhã (★, Poço do Inferno★ : cascata★, vale glaciário do Zêzere★★, ★) por Manteigas : 65 km.*
Lisboa 310 - Coimbra 111 - Guarda 59.

De Gouveia, Av. 1º de Maio (038) 49 10 10, *Fax (038) 413 70,* rest. 25. VISA.
O Foral : **Refeição** lista 1900 a 3600 - **31 qto** 8700/10700.

GOUVEIA *Lisboa* 440 *P 1 - 2710 Sintra.*
Lisboa 29 - Sintra 6.

A Lanterna, Estrada N 375 (01) 929 21 17.

GRANJA *Porto* 440 *I 4 - 4405 Valadares - Praia.*
Lisboa 317 - Amarante 79 - Braga 69 - Porto 17.

Solverde, Estrada N 109 (02) 731 31 62, *Fax (02) 731 32 00,* 25/500. VISA.
Refeição 4000 - **170 qto** 23000/26000, 4 suites.

GUARDA *6300* P 440 *K 8 - 17 481 h. alt. 1 000.*
Ver : *Sé★ (interior★).*
(071) 21 15 65.
Praça Luís de Camões (071) 22 22 51.
Lisboa 361 - Castelo Branco 107 - Ciudad Rodrigo 74 - Coimbra 161 - Viseu 85.

De Turismo, Praça do Município (071) 22 33 66, *Fax (071) 22 33 99,* rest, 25/300. VISA.
Refeição 3000 - **103 qto** 12000/14800, 2 suites - PA 6000.

O Telheiro, Estrada N 16 - E : 1,5 km (071) 21 13 56, *Fax (071) 22 17 27,* VISA.
Refeição lista aprox. 3750.

D'Oliveira, Rua do Encontro 1-1º (071) 21 44 46.

na estrada N 16 *NE : 7 km - 6300 Guarda :*

Pombeira, (071) 23 96 95, *Fax (071) 23 09 91* VISA JCB
fechado 2ª feira - **Refeição** lista 2100 a 3300.

GUARDEIRAS *Porto* 440 I 4 - ✉ *4470 Maia.*
Lisboa 326 - Amarante 76 - Braga 43 - Porto 12.

Estalagem Lidador com qto, Estrada N 13 ☏ (02) 944 91 09, *Fax (02) 941 53 44* - rest, TV ☎ P. AE O E VISA.
Refeição *(fechado 4ª feira)* lista 2750 a 5500 - **7 qto** 5000/7000.

GUIMARÃES *4800 Braga* 440 H 5 - *54 069 h. alt. 175.*
Ver : *Castelo★ - Paço dos Duques★ (tectos★, tapeçarias★) - Museu Alberto Sampaio★ (estátua jacente★, ourivesaria★, tríptico★, cruz processional★) - Praça de San Tiago★ - Igreja de São Francisco (azulejos★, sacristia★).*
Arred. : *Penha (※★) SE : 8 km - Trofa★ (SE : 7,5 km).*
Alameda de S. Dâmaso 83 ☏ (053) 41 24 50 Fax (053) 51 51 34.
Lisboa 364 - Braga 22 - Porto 49 - Viana do Castelo 70.

De Guimarães, Rua Eduardo de Almeida 189 ☏ (053) 51 58 88, *Fax (053) 51 62 34*, ≤, - TV ☎ P - 25/250. AE O E VISA JCB.
Refeição lista aprox. 4200 - **68 qto** 16000/18000, 4 suites.

Pousada de Nossa Senhora da Oliveira, Rua de Santa Maria ☏ (053) 51 41 57, *Fax (053) 51 42 04* - , rest, TV ☎ P. AE O E VISA.
Refeição 3650 - **9 qto** 17100/19200, 6 suites.

Fundador sem rest, Av. Afonso Henriques 740, ✉ 4810, ☏ (053) 51 37 81, *Fax (053) 51 37 86*, ≤ - TV ☎ - 25/100. AE O E VISA
63 qto 10000/12000.

Toural sem rest, Largo do Toural ☏ (053) 51 71 84, *Fax (053) 51 71 49* - TV ☎ P. AE O E VISA
30 qto 11000/13000.

Albergaria Palmeiras sem rest, Rua Gil Vicente (Centro Comercial das Palmeiras) ☏ (053) 41 03 24, *Fax (053) 41 72 61* - TV ☎ . AE O E VISA.
22 qto 9000/12000.

na estrada da Penha *E : 2,5 km* - ✉ *4800 Guimarães* :

Pousada de Santa Marinha , ☏ (053) 51 44 53, *Fax (053) 51 44 59*, ≤ Guimarães, « Instalada num antigo convento », - TV ☎ P. AE O E VISA.
Refeição 3650 - **49 qto** 21300/24400, 2 suites.

pela estrada N 101 *NO : 4 km* - ✉ *4810 Guimarães* :

Quinta de Castelães com qto, Lugar de Castelães ☏ (053) 55 70 02, *Fax (053) 55 70 11*, , « Decoração rústica numa antiga quinta » - TV ☎ P. AE O E VISA.
Refeição *(fechado domingo noite e 2ª feira)* lista 4200 a 4600 - **6 qto** 10000/12000.

LADOEIRO *Castelo Branco* 440 M 8 - *1 617 h.* - ✉ *6060 Idanha-a-Nova.*
Lisboa 269 - Cáceres 115 - Castelo Branco 26 - Coimbra 172 - Portalegre 107.

na estrada N 240 *E : 3,7 km* - ✉ *6060 Idanha-a-Nova* :

Idanhacaça , ☏ (077) 921 30, *Fax (077) 925 15*, ≤, , , - TV ☎ P - 25/150
44 qto, 6 suites.

LAGOA *8400 Faro* 440 U 4 - *3 483 h.* - *Praia.*
Arred. : *Carvoeiro : Algar Seco (sítio marinho★★) S : 6 km.*
Largo da Praia do Carvoeiro 2 ☏ (082) 35 77 28.
Lisboa 300 - Faro 54 - Lagos 26.

na Praia do Carvoeiro *S : 5 km* - ✉ *8400 Lagoa* :

Almansor, Estrada do Farol ☏ (082) 35 80 26, Telex 57194, *Fax (082) 35 87 70*, ≤, , « Relvado com e belos socalcos ajardinados », - TV ☎ P - 25/700. AE O E VISA.
Refeição 3600 - ***A Varanda*** *(só jantar)* **Refeição** lista 3600 a 4300 - **289 qto** 27700/31400, 4 suites.

Cristal , Vale Centianes ☏ (082) 35 86 01, Telex 58705, *Fax (082) 35 86 48*, ≤, , , , , - TV ☎ P. O E VISA.
Refeição - só jantar - 2500 - **120 qto** 23600/29400.

Centianes, Vale Centianes ☏ (082) 35 87 24, *Fax (082) 35 81 00*, - . AE O E VISA JCB
fechado domingo e 15 janeiro-15 fevereiro - **Refeição** - só jantar - lista 2260 a 5640.

XX **O Castelo,** Rua do Casino ℘ (082) 35 72 18, ≤, 🍴 – AE ⓓ E VISA. ✄
fechado 2ª feira (salvo julho-setembro) e janeiro – **Refeição** - só jantar - lista 3370 a 5250.

X **O Pátio,** Largo da Praia 6 ℘ (082) 35 62 46, *Fax (082) 35 62 47*, 🍴, « Decoração rústica » – ▤. AE E VISA. ✄
fechado dezembro-fevereiro – **Refeição** lista 3000 a 4520.

X **A Rede,** Estrada do Farol ℘ (082) 35 85 13, *Fax (082) 31 36 51*, 🍴 – ▤. ⓓ E VISA. ✄
fechado 5ª feira e novembro-fevereiro – **Refeição** - só jantar - lista aprox. 3050.

X **Togi,** Rua das Flores 12 - Algar Sêco ℘ (082) 35 85 17, 🍴, « Decoração regional » – ✄
fechado 15 novembro-fevereiro – **Refeição** - só jantar - lista 2700 a 3500.

LAGOS *8600 Faro* 440 U 3 – *11 746 h.* – *Praia.*

Ver : *Sítio* ≤★ – *Igreja de Santo António*★ *(decoração barroca*★*)* Z B.
Arred. : *Ponta da Piedade*★★ *(sítio*★★, ≤★*), Praia de Dona Ana*★ *S : 3 km* – *Barragem da Bravura*★ *15 km por* ②.
⛳18 *Campo de Palmares Meia Praia, por* ② ℘ *(082) 76 29 53.*
ℹ *Largo Marquês de Pombal* ℘ *(082) 76 30 31.*
Lisboa 290 ① – *Beja 167* ① – *Faro 82* ② – *Setúbal 239* ①

Plano página seguinte

🏨 **De Lagos,** Rua Nova da Aldeia ℘ (082) 76 99 67, Telex 57477, *Fax (082) 76 99 20*, 🍴, 🏋, ⛱ climatizada, ⛱, 🌳 – 🛗 ▤ TV ☎ 🚗 – 🏛 25/150. AE ⓓ E VISA. ✄ rest Y e
Lacóbriga *(só jantar)* **Refeição** 3000 - ***Cantinho Italiano*** **: Refeição** lista 2750 a 4050 - ***Pateo Velho*** *(só jantar)* **Refeição** lista 2950 a 4500 – **304 qto** ☕ 16320/22560, 11 suites.

🏨 **Marina Rio** sem rest, Av. dos Descobrimentos ℘ (082) 76 98 59, *Fax (082) 76 99 60*, ≤, ⛱ – 🛗 ▤ TV ☎. E VISA. ✄ Y a
36 qto ☕ 15500/16000.

🏨 **Montemar** sem rest, Rua da Torraltinha-Lote 33 ℘ (082) 76 20 85, Telex 57454, *Fax (082) 76 20 88* – 🛗 ▤ TV ☎ 🚗. AE ⓓ E VISA. ✄ Z a
65 qto ☕ 8500/12000.

🏨 **Sol a Sol** sem rest, Rua Lançarote de Freitas 22 ℘ (082) 76 12 90, *Fax (082) 76 19 55* – 🛗 TV ☎. ✄ Z b
15 qto ☕ 7500/9500.

🏨 **Lagosmar** sem rest, Rua Dr. Faria e Silva 13 ℘ (082) 76 37 22, *Fax (082) 76 73 24* – 🛗 TV ☎. AE. ✄ Y c
45 qto ☕ 8000/10000.

🏨 **Cidade Velha** sem rest, Rua Dr. Joaquim Tello 7 ℘ (082) 76 20 41, *Fax (082) 76 19 55* – 🛗 TV ☎. ✄ Z k
17 qto ☕ 7500/9500.

🏠 **Marazul** sem rest, Rua 25 de Abril 13 ℘ (082) 76 97 49, Telex 58760, *Fax (082) 76 99 60* – ☎. ✄ Y u
março-outubro – **18 qto** ☕ 8700/9000.

XX O Castelo, Rua 25 de Abril 47 ℘ (082) 76 09 57 – ▤ Y f

X **Dom Sebastião,** Rua 25 de Abril 20 ℘ (082) 76 27 95, *Fax (082) 76 99 60*, 🍴, « Decoração rústica » – ▤. AE ⓓ E VISA. ✄ Y r
fechado janeiro-fevereiro – **Refeição** lista 2200 a 3600.

X **No Pátio,** Rua Lançarote de Freitas 46 ℘ (082) 76 37 77, 🍴 – AE ⓓ E VISA. ✄
fechado domingo e 2ª feira (janeiro-maio), 2ª feira (junho-setembro), janeiro-fevereiro e novembro-14 dezembro – **Refeição** - só jantar - lista 3450 a 5250.

X **O Galeão,** Rua da Laranjeira 1 ℘ (082) 76 39 09 – ▤. AE ⓓ E VISA. ✄ Z x
fechado domingo e 25 novembro-27 dezembro – **Refeição** lista 2030 a 2890.

X **A Lagosteira,** Rua 1º de Maio 20 ℘ (082) 76 24 86, *Fax (082) 76 04 27* – ▤. ⓓ E VISA Y n
fechado sábado meio-dia, domingo meio-dia e 10 janeiro-10 fevereiro – **Refeição** lista 2190 a 4550.

na estrada da Meia Praia *por* ② – ✉ *8600 Lagos :*

🏨 **Marina São Roque,** 1,5 km ℘ (082) 77 02 20, *Fax (082) 77 02 29*, ≤, 🍴, ⛱ – 🛗 ▤ TV ☎. AE ⓓ E VISA. ✄
Refeição 2800 – **26 qto** ☕ 9800/15000.

X **Atlântico,** 3 km ℘ (082) 79 20 86, *Fax (082) 79 20 86*, 🍴 – E VISA
fechado 2ª feira (novembro-março) e 15 novembro-28 dezembro – **Refeição** lista 3300 a 4950.

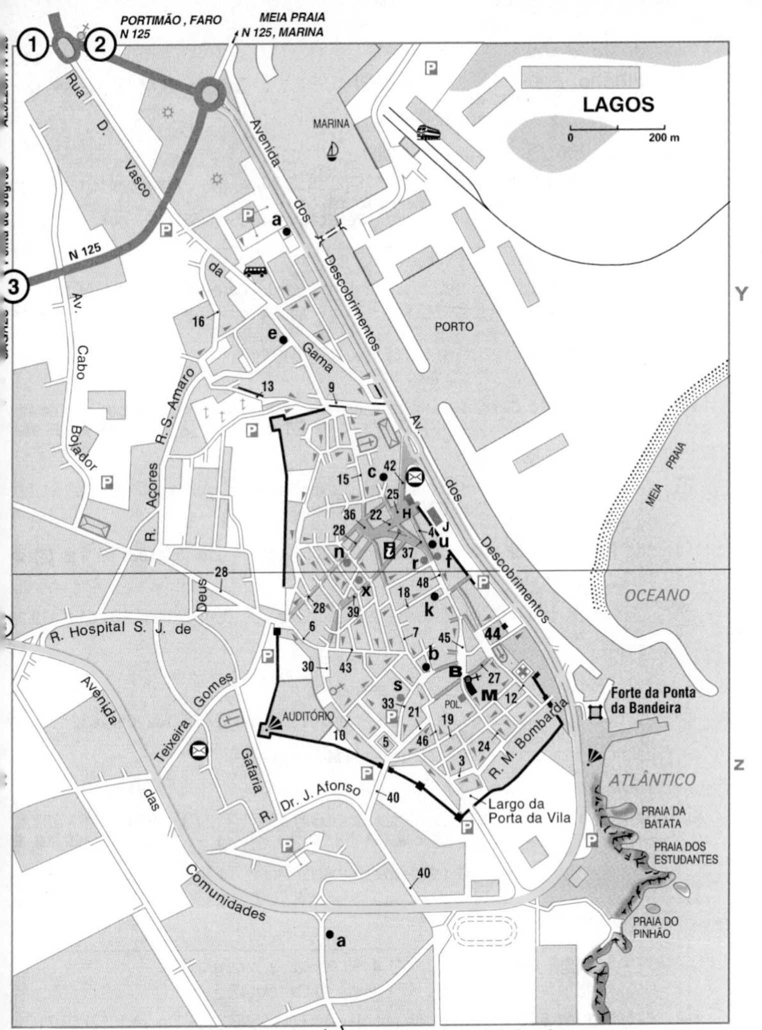

Afonso de Almeida (Rua) . . Y 4	Cardeal Netto (Rua) . . . . . . Z 10	Infante de Sagres (Rua) . . . YZ 28
Cândido dos Reis (Rua) . . . Z 7	Castelo dos Governadores . Z 12	João Bonança (Rua) . . . . . . Z 30
Garrett (Rua) . . . . Y 22	Cemitério (Rua do) . . . . Y 13	Lançarote de Freitas (Rua) . Z 33
Gil Eanes (Praça) . . . . Y 25	Conselheiro	Luís de Camões (Praça) . . . Y 36
Marquês de Pombal (Rua) . Y 37	J. Machado (Rua) . . . . . . Y 15	Marreiros Netto (Rua) . . . . YZ 39
Porta de Portugal (Rua da) . Y 42	Conv. da Sra da Glória (Rua) . Y 16	Ponta da Piedade (Estr. da) . Z 40
	Dr. Joaquim Tello (Rua) . . . Z 18	Prof. Luís de Azevedo (R.) . Z 43
Adro (Rua do) . . . . Z 3	Dr. Mendonça (Rua) . . . . . . Z 19	República (Praça da) . . . . . Z 44
Armas (Praça d') . . . . Z 5	Forno (Travessa do) . . . . . . Z 21	Silva Lopes (Rua) . . . . Z 45
Atalaia (Rua da) . . . . Z 6	Gen. Alberto Silveira (Rua) . Z 24	5 de Outubro (Rua) . . . . . . Z 46
Capelinha (Rua da) . . . . Y 9	Henrique C. da Silva (Rua) . Z 27	25 de Abril (Rua) . . . . Z 48

Um conselho da **Michelin** *:*

para ser bem sucedido nas suas viagens, prepare-as com antecedência.

Os ***mapas*** *e* ***guias Michelin*** *dão-lhe todas as indicações úteis sobre : itinerários, visitas aos pontos com interesse, alojamento, preços, etc...*

na Praia de Dona Ana *S : 2 km – ✉ 8600 Lagos :*

Golfinho, ☎ (082) 76 99 00, *Fax (082) 76 99 99,* ≤, ⛱, ☒ – |♦| ▤ TV ☎ 🚗 P – 🏛 25/400. AE ⓓ E VISA. ✂
Refeição 3500 – **262 qto** ☕ 23000/25000 – PA 7000.

na Praia da Luz *por ③ : 6,5 km – ✉ 8600 Lagos :*

Fortaleza da Luz, Rua da Igreja 3 ☎ (082) 78 99 26, ≤, ⛱, « Agradável terraço junto ao mar. Decoração rústica » – ▤. AE E VISA. ✂
fechado 15 novembro-15 dezembro – **Refeição** lista 2850 a 5800.

LAMEGO *5100 Viseu* 440 I 6 – *9 233 h. alt. 500.*

Ver : *Museu de Lamego★ (pinturas sobre madeira★) – Capela do Desterro (tecto★).*

Arred. : *Miradouro da Boa Vista★ N : 5 km – São João de Tarouca : Igreja S. Pedro★ SE : 15,5 km.*

Largo dos Bancos ☎ (054) 620 05 Fax (054) 640 14.

Lisboa 369 – Viseu 70 – Vila Real 40.

Albergaria do Cerrado sem rest, Estrada do Peso da Régua - Lugar do Cerrado ☎ (054) 631 64, *Fax (054) 654 64,* ≤ – |♦| ▤ TV ☎ 🚗 – 🏛 25/40. AE ⓓ E VISA. ✂
30 qto ☕ 14500/16900.

Solar do Espírito Santo sem rest, Alexandro Herculano 1 ☎ (054) 65 50 60, *Fax (054) 65 50 60* – |♦| ▤ TV ☎ 🚗
28 qto.

São Paulo sem rest, Av. 5 de Outubro ☎ (054) 631 14, *Fax (054) 623 04* – |♦| TV ☎ 🚗
34 qto ☕ 3500/6500.

Solar da Sé sem rest, Av. Visconde Guedes Teixeira ☎ (054) 620 60, *Fax (054) 659 28* – ▤ TV ☎
30 qto.

pela estrada N 2 *S : 1,5 km – ✉ 5100 Lamego :*

Parque 🐦, Santuário de Na. Sra. dos Remédios ☎ (054) 621 05, *Fax (054) 652 03* – TV P – 🏛 25/130. AE E VISA. ✂ rest
Refeição lista aprox. 4400 – **36 qto** ☕ 8500/10200.

pela estrada N 2 *NE : 2 km – ✉ 5100 Lamego :*

Lamego, Quinta da Vista Alegre ☎ (054) 65 61 71, *Fax (054) 65 61 80,* ≤, Ls, ⛱ climatizada, ☒, ✂ – |♦| ▤ TV ☎ ♿ 🚗 P – 🏛 25/400. AE ⓓ E VISA
Refeição lista aprox. 2900 – **86 qto** ☕ 10500/13000, 14 suites.

LANHELAS *Viana do Castelo – ver Caminha.*

LAUNDOS *Porto* 440 H 3 – *1 679 h. – ✉ 4490 Póvoa de Varzim.*

Lisboa 343 – Braga 35 – Porto 37 – Viana do Castelo 47.

Estalagem São Félix 🐦, Monte de São Félix - NE : 1,5 km ☎ (052) 60 71 76, *Fax (052) 60 74 44,* ≤ campo com o mar ao fundo, ⛱ – |♦| ▤ TV ☎ 🚗 P – 🏛 25/200. AE ⓓ E VISA. ✂
Refeição 2400 – **32 qto** ☕ 10000/12500, 1 suite – PA 4800.

LAVOS *Coimbra – ver Figueira da Foz.*

LEÇA DA PALMEIRA *Porto* 440 I 3 – *✉ 4450 Matosinhos – Praia.*

Lisboa 322 – Amarante 76 – Braga 55 – Porto 8.

ver plano de Porto aglomeração

O Chanquinhas, Rua de Santana 243 ☎ (02) 995 18 84, *Fax (02) 996 06 19,* ⛱ – ▤ P. AE ⓓ E VISA JCB. ✂ AU s
fechado domingo – **Refeição** lista 4000 a 5800.

Garrafão, Rua António Nobre 53 ☎ (02) 995 16 60, *Fax (02) 995 16 60,* ⛱ – ▤. AE ⓓ E VISA JCB. ✂ AU t
fechado domingo e 10 agosto-10 setembro – **Refeição** - peixes e mariscos - lista 4200 a 8900.

XX **Boa Nova,** Praia de Boa Nova - O : 1 km ☎ (02) 995 17 85, *Fax (02) 995 21 82,* ≤ mar - ▤ P. AE ⓓ E VISA. ✂ AU f
fechado domingo - **Refeição** lista 3050 a 5450.

XX **O Bem Arranjadinho,** Travessa do Matinho 2 ☎ (02) 995 21 06, *Fax (02) 996 13 89* - ▤. AE ⓓ E VISA. ✂ AU b
fechado domingo - **Refeição** lista 3100 a 5250.

X A Cozinha da Maria, Rua Fresca 187 ☎ (02) 995 55 35 - ▤ AU x

LEÇA DO BALIO *Porto* 440 I 4 - ✉ *4465 São Mamede de Infesta.*
Ver : *Igreja do Mosteiro★ : pia baptismal★.*
Lisboa 312 - Amarante 58 - Braga 48 - Porto 7.

na estrada N 13 *O : 2 km* - ✉ *4465 São Mamede de Infesta :*

Estalagem Via Norte, ☎ (02) 944 82 94, *Fax (02) 944 83 22,* 🏊 - |‡| ▤ TV ☎ P - 🏛 25/200. AE ⓓ E VISA. ✂
Refeição lista 2800 a 5100 - **47 qto** ☕ 13500/15500, 3 suites.

Per spostarvi più rapidamente utilizzate le ***carte Michelin "Grandi Strade" :***
nº 970 ***Europa,*** *nº* 976 ***Rep. Ceca-Slovacchia,*** *nº* 980 ***Grecia,***
nº 984 ***Germania,*** *nº* 985 ***Scandinavia-Finlanda,***
nº 986 ***Gran Bretagna-Irlanda,*** *nº* 987 ***Germania-Austria-Benelux,***
nº 988 ***Italia,*** *nº* 989 ***Francia,*** *nº* 990 ***Spagna-Portogallo,*** *nº* 991 ***Jugoslavia.***

LEIRIA *2400* P 440 M 3 - *29 808 h. alt. 50.*
Ver : *Castelo★ (sítio★)* BY.
ℹ *Jardim Luís de Camões* ☎ *(044) 82 37 73 Fax (044) 83 35 33* - **A.C.P.** *Rua do Municipio, Lote B/1, Loja C* ☎ *(044) 82 36 32 Fax (044) 81 22 22.*
Lisboa 129 ④ - Coimbra 71 ② - Portalegre 176 ③ - Santarém 83 ③

Planos páginas seguintes

Eurosol e Eurosol Jardim, Rua D. José Alves Correia da Silva ☎ (044) 81 22 01, Telex 42031, *Fax (044) 81 12 05,* ≤, 🏋, 🏊 - |‡| ▤ TV ☎ 🚗 P - 🏛 25/400. AE ⓓ E VISA JCB. ✂ BZ a
Refeição 3600 - ☕ 1100 - **134 qto** 8000/12500, 1 suite - PA 7200.

Dom João III, Av. D. João III ☎ (044) 81 25 00, *Fax (044) 81 22 35,* ≤ - |‡| ▤ TV ☎ 🚗 - 🏛 25/350. AE ⓓ E VISA. ✂ CY b
Refeição 2800 - **54 qto** ☕ 10000/12100, 10 suites - PA 5600.

S. Luís sem rest, Rua Henrique Sommer ☎ (044) 81 31 97, *Fax (044) 81 38 97* - |‡| ▤ TV ☎. AE ⓓ E VISA. ✂ CZ d
47 qto ☕ 7000/8500.

S. Francisco sem rest, Rua São Francisco 26-9º ☎ (044) 82 31 10, *Fax (044) 81 26 77,* ≤ - |‡| ▤ TV ☎. AE E VISA. ✂ CY e
18 qto ☕ 6500/8500.

Ramalhete sem rest, Rua Dr. Correia Mateus 30-2º ☎ (044) 81 28 02, *Fax (044) 81 50 99* - TV ☎. AE ⓓ E VISA JCB. ✂ BZ f
28 qto ☕ 5000/7000.

XX **O Marquês,** Edifício Nerlei-Arrabalde d'Aquém ☎ (044) 254 93, *Fax (044) 82 37 00* - ▤ P. E VISA. ✂ AX k
fechado domingo - **Refeição** lista 2300 a 4450.

em Marrazes *na estrada N 109 por ① : 1 km* - ✉ *2400 Leiria :*

XX **Tromba Rija,** Rua Professores Portelas 22 ☎ (044) 85 50 72, *Fax (044) 85 61 60,* « Rest. típico » - ▤ P. AE ⓓ E VISA
fechado domingo, 2ª feira meio-dia e do 10 ao 31 de agosto - **Refeição** lista aprox. 3800.

na estrada N I por ④ *4,5 km* - ✉ *2400 Leiria :*

XX **O Casarão,** Cruzamento de Azóia ☎ (044) 87 10 80, *Fax (044) 87 21 55* - ▤ P. AE ⓓ E VISA JCB. ✂
fechado 2ª feira - **Refeição** lista 3000 a 3500.

em Quintas do Sirol *E : 5,5 km* - ✉ *2410 Quintas do Sirol :*

X Ares de Provincia, Estrada de Caranguejeira ☎ (044) 80 10 90, Rest. típico - ▤ 🚗.

LEIRA

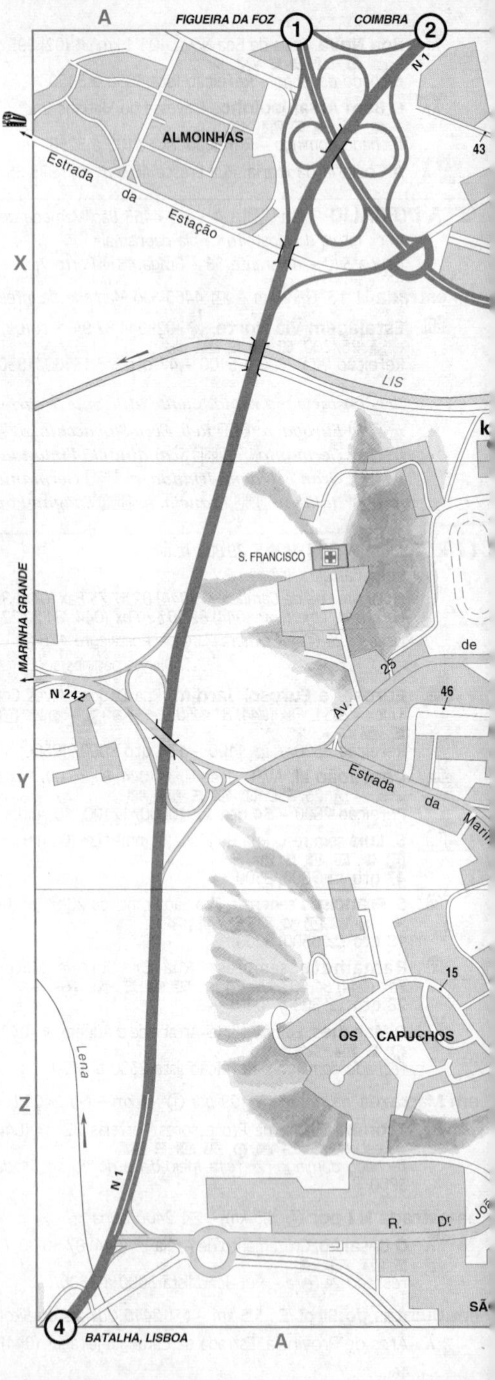

A
FIGUEIRA DA FOZ
COIMBRA
1
2
N 1
43
ALMOINHAS
Estrada da Estação
X
LIS
S. FRANCISCO
MARINHA GRANDE
N 242
Av. 25 de
46
Y
Estrada da Marin
15
OS CAPUCHOS
Lena
Z
N 1
R. D
4
BATALHA, LISBOA
A

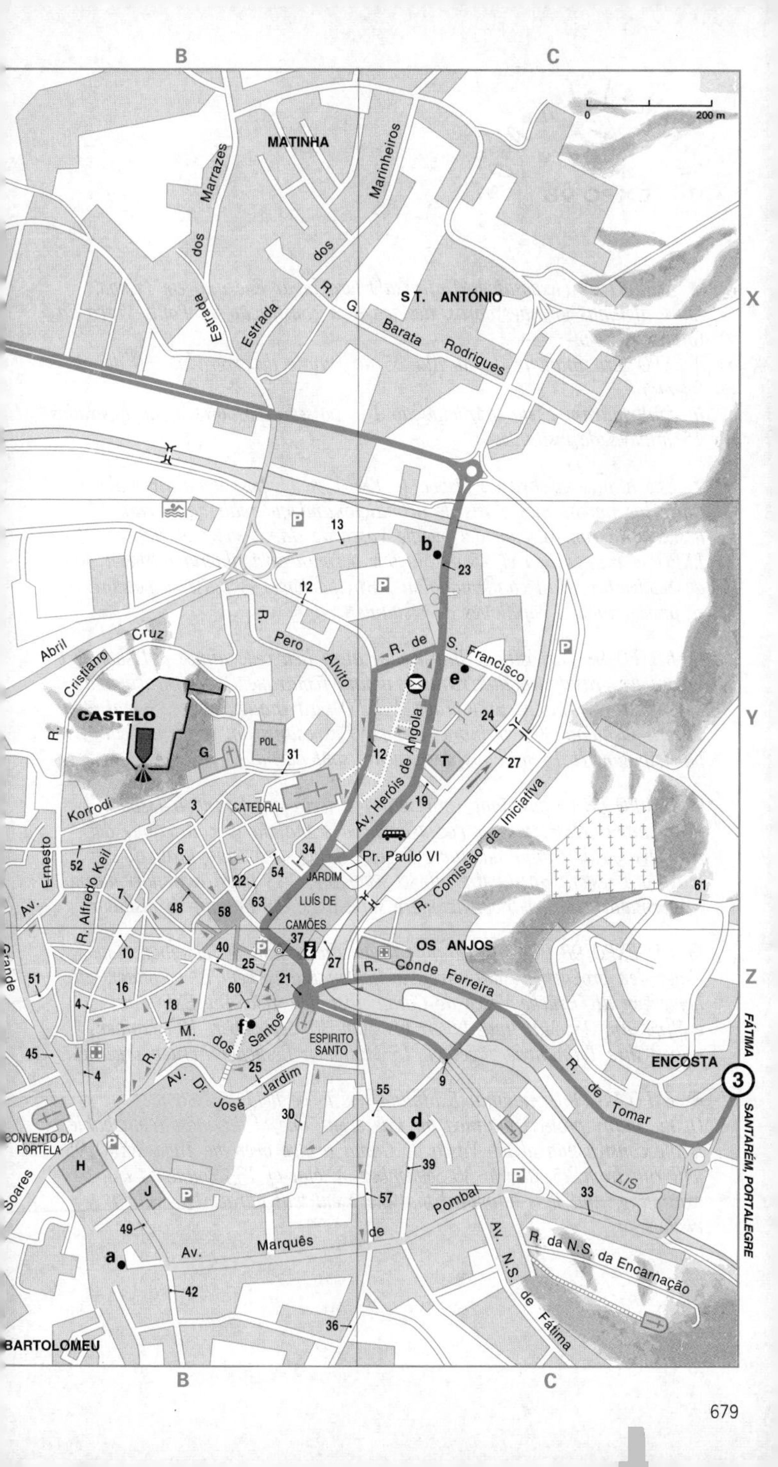
B
C
0
200 m
MATINHA
Estrada dos Marrazes
R. dos Marinheiros
Estrada
S T. ANTÓNIO
X
R. G. Barata Rodrigues
13
b
23
12
R. Pero Alvito
Abril
Cruz
R. Cristiano
R. de S. Francisco
e
CASTELO
POL.
G
31
12
24
T
27
Y
Av. Heróis de Angola
R. Comissão da Iniciativa
Korrodi
CATEDRAL
3
19
Av. Ernesto
52
6
34
Pr. Paulo VI
R. Alfredo Keil
22
54
JARDIM
LUÍS DE
CAMÕES
7
48
63
58
61
37
Grande
10
40
OS ANJOS
25
27
R. Conde Ferreira
Z
51
16
60
21
4
18
R. M. dos Santos
f
ESPIRITO
SANTO
FÁTIMA
45
4
25
9
ENCOSTA
3
R. de Tomar
SANTARÉM, PORTALEGRE
Av. Dr. José Jardim
55
30
d
CONVENTO DA
PORTELA
H
39
LIS
Soares
J
57
33
Pombal
49
Av. Marquês de
Av. N.S. de Fátima
R. da N.S. da Encarnação
a
42
36
BARTOLOMEU

● *A EXPO 98 (Exposaição Universal) terá lugar este ano em Lisboa. Entre algumas grandes obras, destaca-se a construção da Ponte Vasco da Gama no Tejo.*
A EXPO será inaugurada no dia 25 de Maio e decorrerá até 30 de Setembro.
Já confirmaram a sua participação 133 países expositores e são esperados 15 milhões de visitantes.

● *Este año se celebra en Lisboa la EXPO 98 (Exposición Universal). Entre las importantes obras de acondicionamiento realizadas, cabe destacar la construcción del puente Vasco de Gama sobre el río Tajo. La EXPO se inaugurará el 25 de Mayo y permanecerá abierta hasta el 30 de Septiembre. Han confirmado su participación 133 países expositores y se preven unos 15 millones de visitantes.*

● *L'EXPO 98 (Exposition Universelle) aura lieu cette année à Lisbonne. Parmi les grands travaux réalisés, il faut remarquer la construction du pont Vasco de Gama sur le Tage. L'EXPO sera inaugurée le 25 mai et durera jusqu'au 30 septembre. 133 pays exposants ont confirmé leur participation et 15 millions de visiteurs sont attendus.*

● *L'EXPO 98 (Esposizione Universale) si terrà quest'anno a Lisbona. Tra i lavori realizzati per l'occasione, va segnalata la costruzione del ponte Vasco de Gama sul fiume Tago. L'EXPO sarà inaugurata il 25 maggio e resterà aperta fino al 30 settembre. 133 paesi espositori hanno confermato la loro partecipazione e sono attesi 15 milioni di visitatori.*

● *Die EXPO 98 (Weltausstellung) findet dieses Jahr in Lissabon statt. Unter den großartigen dafür verwirklichten Bauwerken, ist besonders zu bemerken die Brücke Vasco de Gama über den Tejo. Die EXPO 98 eröffnet am 25. Mai und dauert bis zum 30. September. 133 Länder haben ihre Teilnahrne zugesagt, 15 Millionen Besucher werden erwartet.*

● *EXPO 98 (International Exhibition) is to be held in Lisbon. Of the many projects planned for this event, one of the most remarkable is the construction of the Vasco de Gama bridge over the Tage. EXPO 98 will run from 25 May to 30 September. A total of 133 countries will be exhibiting, and it is estimated that the event will attract 15 million visitors.*

LISBOA

1100 P 440 P 2 - *662 782 h. alt. 111.*

Madrid 658 ① - Bilbao/Bilbo 907 ① - Paris 1820 ① - Porto 314 ① - Sevilla 417 ②.

POSTOS DE TURISMO

Palácio Foz, Praça dos Restauradores, ✉ 1200, ☎ (01) 346 63 07, Fax (01) 346 87 72.

Aeroporto, ☎ (01) 849 36 89.

INFORMAÇÕES PRÁTICAS

BANCOS E CASAS DE CÂMBIO

Todos os bancos : *Abertos de 2ª a 6ª feira das 8,30 h. às 15 h. Encerram aos sábados, domingos e feriados.*
Para câmbio está aberta ao sábado a dependência do Banco Espírito Santo e Comercial de Lisboa (Rossio) : ☎ (01) 321 00 24.

TRANSPORTES

Taxi : *Dístico com a palavra « Táxi » iluminado sempre que está livre. Companhias de rádio-táxi, ☎ (01) 815 50 61 e (01) 793 27 56.*

Metro, carro eléctrico e autocarros : *Rede de metro, eléctricos e autocarros que ligam as diferentes zonas de Lisboa.*
Para o aeroporto existe uma linha de autocarros -aerobus- com terminal no Cais do Sodré.

Aeroporto e Companhias Aéreas :
Aeroporto de Lisboa, N : 8 km, ☎ (01) 841 35 00 CDU.
T.A.P., Praça Marquês de Pombal 3, ✉ 1200, ☎ (01) 386 40 80 e no aeroporto, ☎ (01) 841 50 00.

ESTAÇÕES DE COMBÓIOS

Santa Apolónia, ☎ (01) 888 40 25 MX.
Rossio, ☎ (01) 343 37 47/8 KX.
Cais do Sodré, ☎ (01) 347 01 81 (Lisboa-Cascais) JZ.

COMPANHIAS MARÍTIMAS

para a Madeira : E.N.M., Rua de São Julião 5 - 1º, ✉ 1100, ☎ (01) 887 01 21.

ACP *(Automóvel Club de Portugal)*

Rua Rosa Araújo 24, ✉ 1200, ☎ (01) 356 39 31, Fax (01) 357 47 32.

CAMPOS DE GOLF

18 *Lisbon Sports Club 20 km por ⑤, ☎ (01) 431 00 77*
18 *Club de Campo da Aroreira 15 km por ②, ☎ (01) 297 13 14 Aroeira, Monte da Caparica.*

ALUGUER DE VIATURAS

AVIS, ℘ (01) 346 11 71 - EUROPCAR, ℘ (01) 940 77 90 - HERTZ, ℘ 0800 20 12 31 - BUDGET, ℘ (01) 994 24 02.

CURIOSIDADES

PANORÂMICAS DE LISBOA

Ponte 25 de Abril★ por ② : ⩽ ★★ - Cristo Rei por ② : ⁂ ★★ - Castelo de São Jorge★★ : ⩽ ★★★ LX *- Miradouro de Santa Luzia★ : ⩽ ★★* LY C *- Elevador de Santa Justa★ : ⩽ ★* KY *- Miradouro de São Pedro de Alcântara★ : ⩽★★* JX A *- Miradouro do Alto de Santa Catarina★* JZ N *- Miradouro da Senhora do Monte : ⩽★★★* LV *- Largo das Portas do Sol★ : ⩽★★* LY

MUSEUS

Museu Nacional de Arte Antiga★★★ (políptico da Adoração de S. Vicente★★★, Tentação de Santo Antão★★★, Biombos japoneses★★, Doze Apóstolos★, Anunciação★, Capela★) EU **M⁷** *- Fundação Gulbenkian (Museu Calouste Gulbenkian★★★* FR, *Centro de Arte Moderna★* FR **M⁴**) *- Museu da Marinha★★ (modelos★★★ de embarcações)* AQ **M⁵** *- Museu Nacional dos Coches★★* AQ **M⁶** *- Museu Nacional do Azulejo (Convento da Madre de Deus)★★ : igreja★★, sala do capitulo★* DP **M⁹** *- Museu da Água da EPAL★* HT **M⁸** *- Museu Nacional do Traje★* BN **M¹⁴** *- Museu Nacional do Teatro★* BN **M¹⁵** *- Museu Militar (tectos★)* MY **M¹⁰** *- Museu de Artes Decorativas★ (Fundação Ricardo do Espírito Santo Silva)★★* LY **M³** *- Museu Arqueológico - Igreja do Carmo★* KY **M¹** *- Museu de Arte Sacra de São Roque★ (ornamentos sacerdotais★)* JKX **M²** *- Museu Nacional do Chiado★* KZ **M¹⁶** *- Museu da Música★* BN *- Museu Rafael Bordalo Pinheiro (cerámicas★)* CN **M¹²**.

IGREJAS E MOSTEIROS

Sé★★ (túmulos góticos★, grade★, tesouro★) LY *- Mosteiro dos Jerónimos★★★ (Igreja de Santa Maria★★★ : abóbada★★, claustro★★★ ; Museu Nacional de Arqueologia : tesouro★)* AQ *- Igreja de São Roque★ (capela de São João Baptista★★, interior★)* JX *- Igreja de São Vicente de Fora (azulejos★)* MX *- Igreja de Nossa Senhora de Fátima (vitrais★)* FR K *- Basílica da Estrela★ (jardim★)* EU L *- Igreja da Conceição Velha (fachada sul★)* LZ V *- Igreja de Santa Engrácia★* MX.

BAIRROS HISTÓRICOS

Belém★★ (Centro Cultural★) AQ *- A Baixa pombalina★★* JKXYZ *- Alfama★★* LY *- Chiado e Bairro Alto★* JKY.

LUGARES PITORESCOS

Praça do Comércio (ou Terreiro do Paço★★) KZ *- Torre de Belém★★★* AQ *- Palacio dos Marqueses de Fronteira★★ (azulejos★★)* ER *- Rossio★ (estação : fachada★ neo-manuelina)* KX *- Rua do Carmo e Rua Garrett★* KY *- Avenida da Liberdade★* JV *- Parque Eduardo VII★ (⩽★, Estufa fria★)* FS *- Jardim Zoológico★★* ER*- Aqueduto das Águas Livres★* ES *- Jardim Botánico★* JV*- Parque Florestal de Monsanto★ (⩽★)* APQ *- Campo de Santa Clara★* MX *- Escadinhas de Santo Estêvão★ (⩽★)* MY *- Palacio da Ajuda★* AQ *- Fundação Arpad Szenes-Vieira da Silva★* EFS *- Passeio no Tejo★ (⩽★★).*

COMPRAS

Bairros comerciais : *Baixa (Rua Augusta), Chiado (Rua Garrett).*

Antiguidades : *Rua D. Pedro V, Rua da Escola Politécnica, Feira da Ladra (3ª feira e sábado).*

Centro comercial : *Torres Amoreiras, Colombo.*

Desenhadores : *Bairro Alto.*

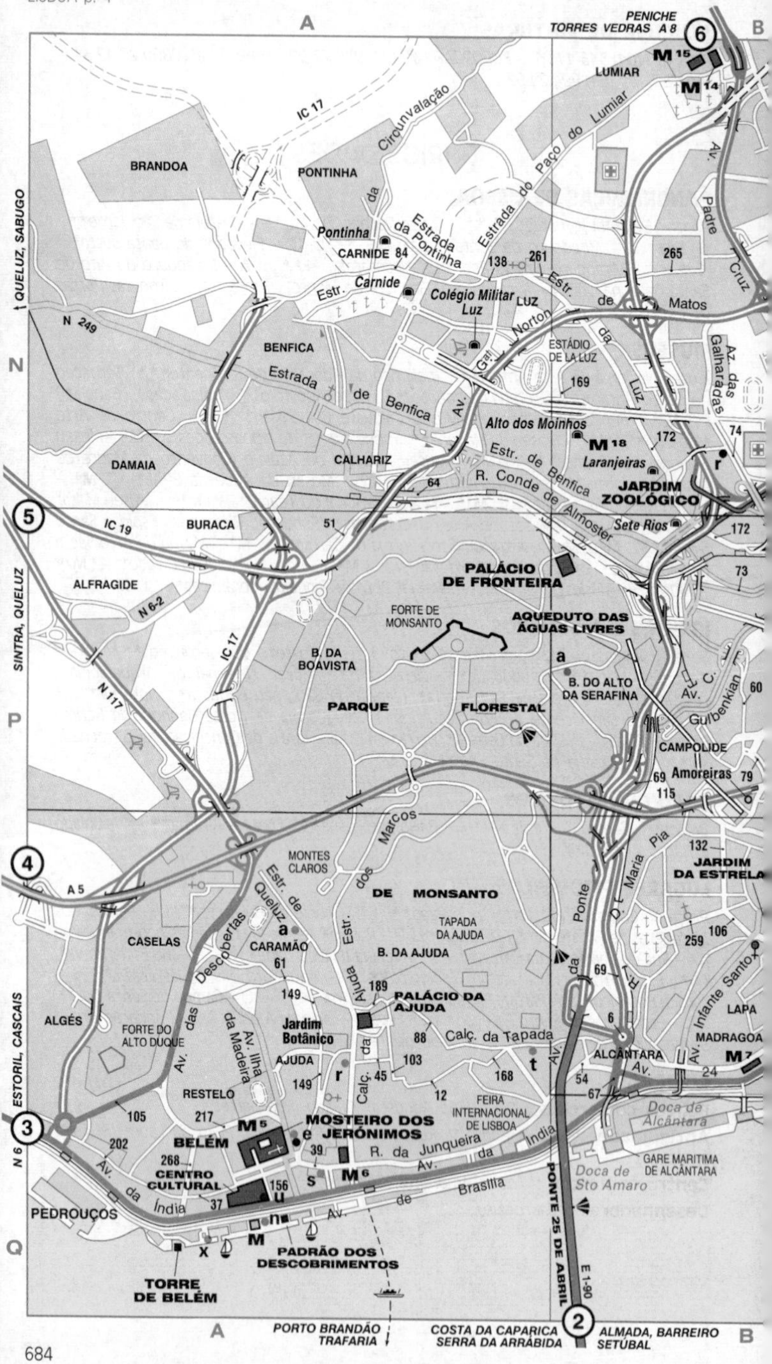
A
B
PENICHE
TORRES VEDRAS A 8
6
LUMIAR
M 15
M 14
IC 17
Circunvalação
Estrada do Paço do Lumiar
BRANDOA
PONTINHA
Pontinha
da Estrada da Pontinha
CARNIDE 84
Carnide
138
261
265
Estr. de Matos
Av. Padre Cruz
QUELUZ, SABUGO
Colégio Militar
Luz
LUZ
Av. Gal Norton
ESTÁDIO DE LA LUZ
Estr. da Luz
Az. das Galhardas
N 249
BENFICA
N
Estrada de Benfica
169
Alto dos Moinhos
M 18
172
74
r
DAMAIA
CALHARIZ
Estr. de Benfica
Laranjeiras
JARDIM ZOOLÓGICO
64
R. Conde de Almoster
5
IC 19
BURACA
51
Sete Rios
172
PALÁCIO DE FRONTEIRA
73
ALFRAGIDE
N 6-2
FORTE DE MONSANTO
AQUEDUTO DAS ÁGUAS LIVRES
SINTRA, QUELUZ
IC 17
B. DA BOAVISTA
a
B. DO ALTO DA SERAFINA
Av. C. Gulbenkian
60
N 117
P
PARQUE
FLORESTAL
CAMPOLIDE
Amoreiras
69
79
115
Marcos
dos
MONTES CLAROS
Pia
132
4
A 5
Estr. de Queluz
DE MONSANTO
D. L. Maria
JARDIM DA ESTRELA
Ponte
TAPADA DA AJUDA
a
CASELAS
CARAMÃO
B. DA AJUDA
259
106
Descobertas
61
da
69
Infante Santo
149
189
Estr. Ajuda
PALÁCIO DA AJUDA
ALGÉS
FORTE DO ALTO DUQUE
Av. das
Av. Ilha da Madeira
Jardim Botânico
88
Calç. da Tapada
LAPA
6
MADRAGOA
ESTORIL, CASCAIS
AJUDA
Calç. da
103
168
t
Av.
ALCÂNTARA
M 7
Av.
24
149
r
45
54
RESTELO
12
67
Doca de Alcântara
FEIRA INTERNACIONAL DE LISBOA
3
105
217
M 5
MOSTEIRO DOS JERÓNIMOS
e
N 6
202
BELÉM
39
R. da Junqueira
Av. da Índia
GARE MARITIMA DE ALCÂNTARA
268
CENTRO CULTURAL
156
M 6
s
PONTE 25 DE ABRIL
Doca de Sto Amaro
37
u
Brasília
Av. da Índia
Av. de
PEDROUÇOS
h
M
Q
x
PADRÃO DOS DESCOBRIMENTOS
TORRE DE BELÉM
E 1-90
2
A
B
PORTO BRANDÃO TRAFARIA
COSTA DA CAPARICA SERRA DA ARRÁBIDA
ALMADA, BARREIRO SETÚBAL

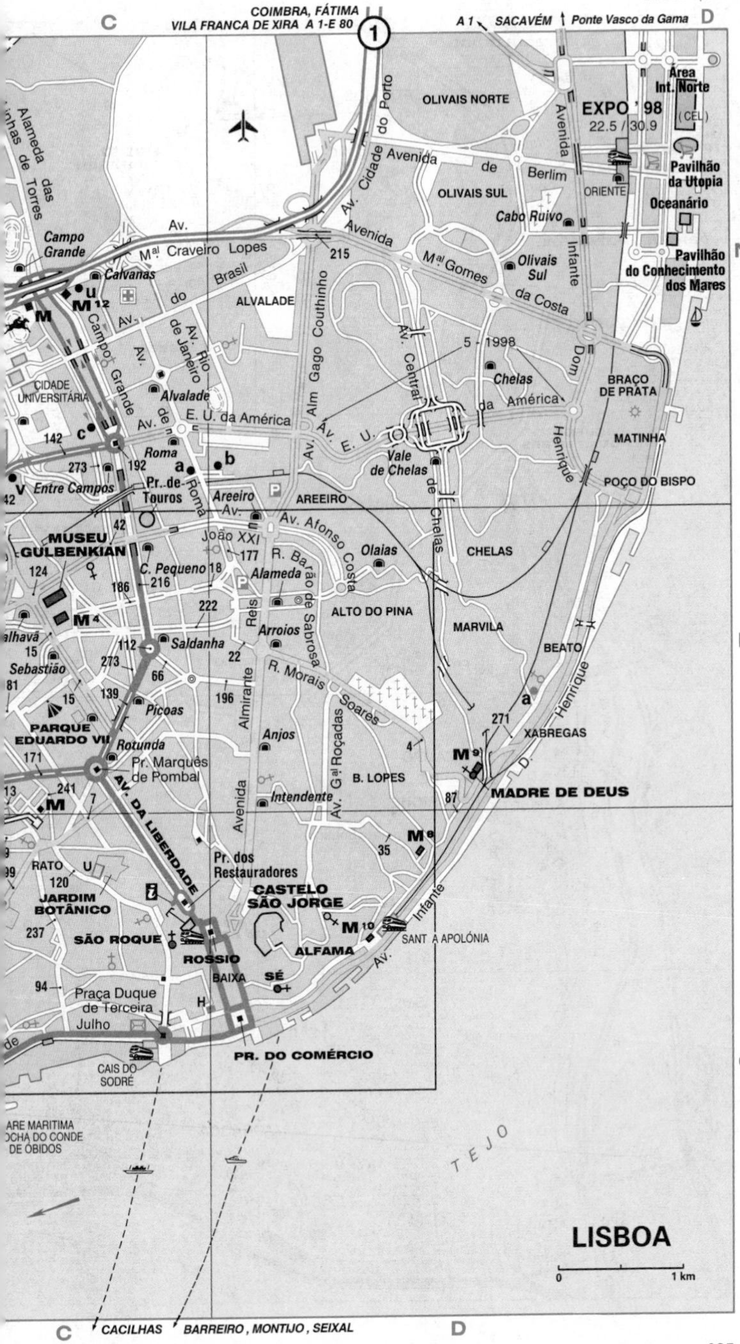

COIMBRA, FÁTIMA
VILA FRANCA DE XIRA A 1-E 80

A 1 SACAVÉM Ponte Vasco da Gama

C D N P Q

OLIVAIS NORTE
Área Int. Norte
EXPO '98
22.5 / 30.9
(CEL)
Avenida de Berlim
OLIVAIS SUL
ORIENTE
Pavilhão da Utopia
Oceanário
Cabo Ruivo
Pavilhão do Conhecimento dos Mares
Alameda das Linhas de Torres
Campo Grande
Calvanas
Av. Mal Craveiro Lopes
Av. do Brasil
Avenida Mal Gomes da Costa
Olivais Sul
Av. Cidade do Porto
215
ALVALADE
Av. Rio de Janeiro
Av. Alm Gago Couthinho
Av. Central
5 - 1998
Chelas
Avenida Infante Dom Henrique
BRAÇO DE PRATA
MATINHA
CIDADE UNIVERSITÁRIA
Alvalade
Av. E. U. da América
Av. de Roma
Vale de Chelas
Av. de Chelas
POÇO DO BISPO
Roma
142
192
273
Entre Campos
Pr. de Touros
Areeiro
AREEIRO
Av. João XXI
Av. Afonso Costa
CHELAS
MUSEU GULBENKIAN
42
177
Olaias
124
C. Pequeno 18
216
186
Alameda
R. Barão de Sabrosa
ALTO DO PINA
222
Reis
Arroios
MARVILA
Saldanha
112
22
BEATO
Sebastião
273
66
R. Morais Soares
139
196
Picoas
PARQUE EDUARDO VII
Rotunda
Almirante Reis
Anjos
Av. Gal Roçadas
271
XABREGAS
Pr. Marquês de Pombal
171
241
Avenida
B. LOPES
4
MADRE DE DEUS
Intendente
87
AV. DA LIBERDADE
35
RATO
120
JARDIM BOTÂNICO
Pr. dos Restauradores
CASTELO SÃO JORGE
237
SÃO ROQUE
ROSSIO
ALFAMA
SANT A APOLÓNIA
Av. Infante D. Henrique
BAIXA
SÉ
94
Praça Duque de Terceira
Julho
PR. DO COMÉRCIO
CAIS DO SODRÉ
GARE MARITIMA ROCHA DO CONDE DE ÓBIDOS
TEJO

LISBOA
0 1 km

CACILHAS BARREIRO, MONTIJO, SEIXAL

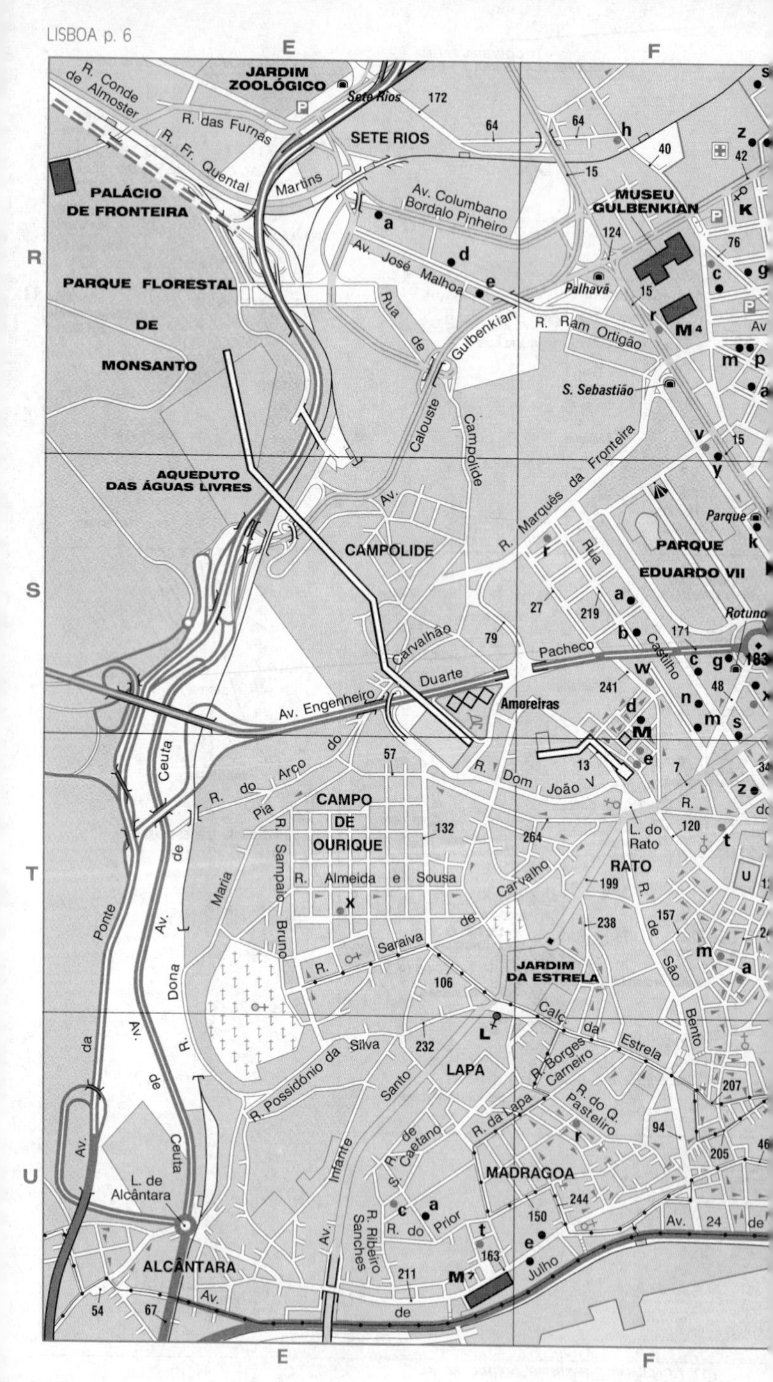

E
F
R
S
T
U
JARDIM ZOOLÓGICO
Sete Rios
SETE RIOS
R. Conde de Almoster
R. das Furnas
R. Fr. Quental
Martins
PALÁCIO DE FRONTEIRA
Av. Columbano Bordalo Pinheiro
Av. José Malhoa
MUSEU GULBENKIAN
Palhavã
R. Ram Ortigão
Rua de Calouste Gulbenkian
S. Sebastião
PARQUE FLORESTAL DE MONSANTO
Campolide
R. Marquês da Fronteira
AQUEDUTO DAS ÁGUAS LIVRES
CAMPOLIDE
Parque
PARQUE EDUARDO VII
Rua Castilho
Rotunda
Av. Engenheiro Duarte Pacheco
Carvalhão
Amoreiras
R. Dom João V
R. do Arco do Pia
CAMPO DE OURIQUE
L. do Rato
RATO
R. Sampaio Bruno
R. Almeida e Sousa
R. de São Bento
R. de Carvalho
Av. Ponte
Av. de Dona Maria
R. Saraiva
JARDIM DA ESTRELA
Calç. da Estrela
R. Possidónio da Silva
Santo
LAPA
R. Borges Carneiro
R. do Q. Pastelino
R. da Lapa
Av. da Ceuta
Av. de Ceuta
R. de S. Caetano
Infante
MADRAGOA
L. de Alcântara
R. do Prior
R. Ribeiro Sanches
Av. 24 de Julho
ALCÂNTARA
Av. de

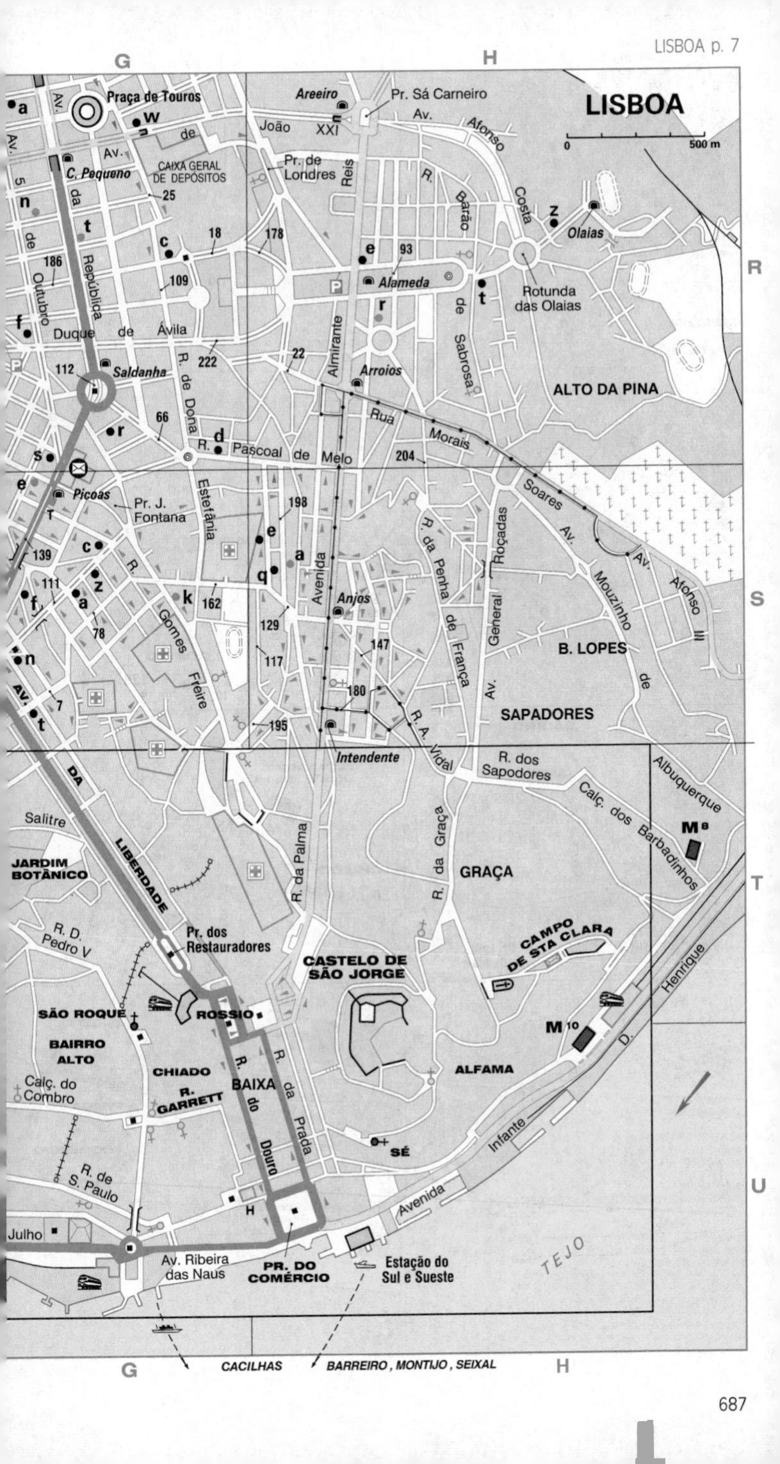
LISBOA
G
H
R
S
T
U
Praça de Touros
Areeiro
Pr. Sá Carneiro
Av. João XXI
Av. Afonso Costa
CAIXA GERAL DE DEPÓSITOS
C. Pequeno
Pr. de Londres
Reis
R. Barão de Sabrosa
Olaias
Rotunda das Olaias
Alameda
Almirante
Av. 5 de Outubro
Av. da República
Duque de Ávila
Saldanha
R. de Dona Estefânia
Arroios
ALTO DA PINA
Rua Morais Soares
R. Pascoal de Melo
Picoas
Pr. J. Fontana
Avenida
R. da Penha de França
Av. General Roçadas
Av. Afonso
Av. Mouzinho de Albuquerque
Anjos
R. Gomes Freire
B. LOPES
SAPADORES
Intendente
R. A. Vidal
R. dos Sapadores
Calç. dos Barbadinhos
M8
AV. DA LIBERDADE
Salitre
JARDIM BOTÂNICO
R. da Palma
R. da Graça
GRAÇA
CAMPO DE STA CLARA
R. D. Pedro V
Pr. dos Restauradores
CASTELO DE SÃO JORGE
SÃO ROQUE
ROSSIO
M10
BAIRRO ALTO
CHIADO
R. GARRETT
BAIXA
R. do Douro
R. da Prada
ALFAMA
Calç. do Combro
SÉ
Av. Infante D. Henrique
R. de S. Paulo
Avenida
Julho
Av. Ribeira das Naus
PR. DO COMÉRCIO
Estação do Sul e Sueste
TEJO
CACILHAS
BARREIRO, MONTIJO, SEIXAL
0
500 m

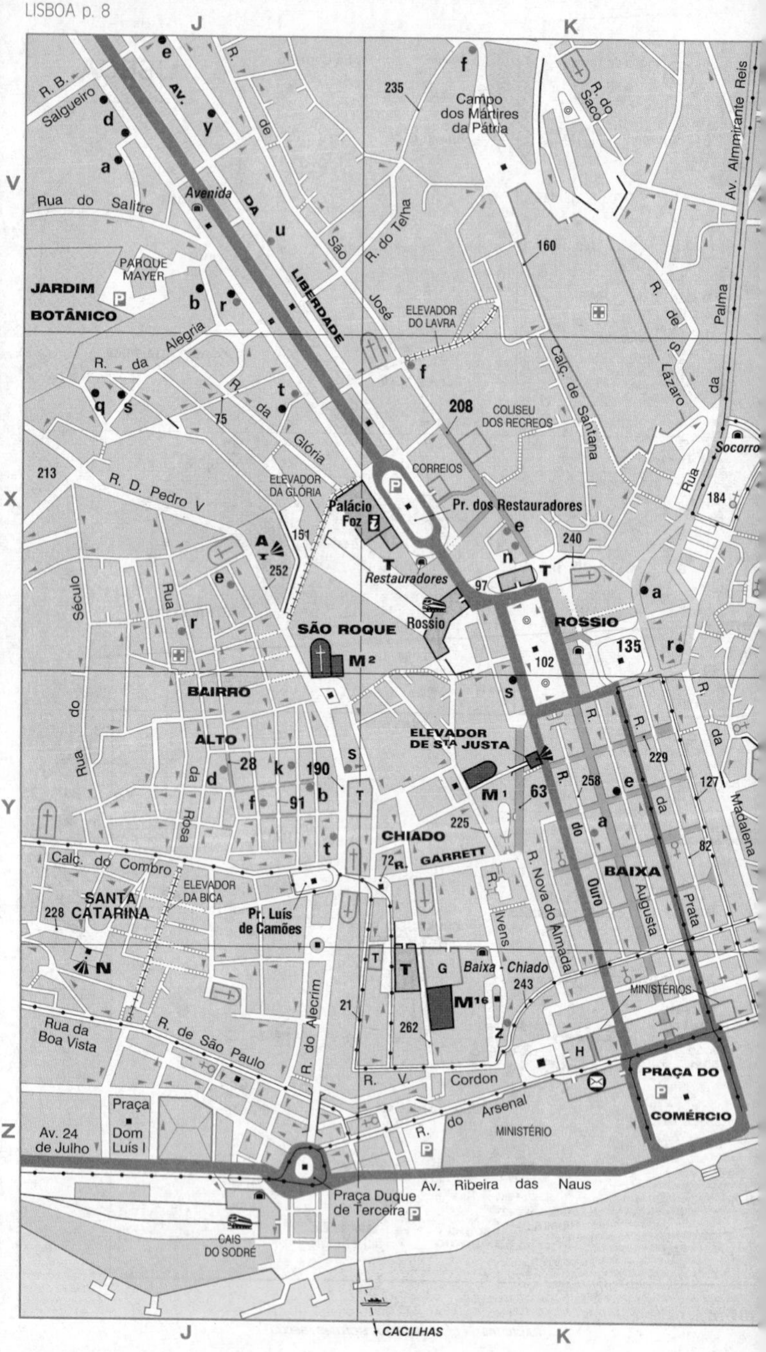

J K V X Y Z

R. B. Salgueiro
Rua do Salitre
Avenida da Liberdade
R. de São José
R. do Telha
Campo dos Mártires da Pátria
R. do Saco
Av. Almirante Reis
PARQUE MAYER
JARDIM BOTÂNICO
ELEVADOR DO LAVRA
R. de S. Lázaro
Rua da Palma
R. da Alegria
R. da Glória
Calç. de Santana
COLISEU DOS RECREIOS
Socorro
R. D. Pedro V
ELEVADOR DA GLÓRIA
Palácio Foz
CORREIOS
Pr. dos Restauradores
Restauradores
Rossio
ROSSIO
Rua do Século
Rua da Rosa
SÃO ROQUE
BAIRRO ALTO
ELEVADOR DE S^TA JUSTA
R. da Madalena
R. do Ouro
R. Augusta
R. da Prata
CHIADO
R. GARRETT
BAIXA
Calç. do Combro
ELEVADOR DA BICA
SANTA CATARINA
Pr. Luís de Camões
R. Ivens
R. Nova do Almada
Baixa - Chiado
MINISTÉRIOS
Rua da Boa Vista
R. de São Paulo
R. do Alecrim
R. V. Cordon
R. do Arsenal
MINISTÉRIO
PRAÇA DO COMÉRCIO
Praça Dom Luís I
Av. 24 de Julho
Av. Ribeira das Naus
Praça Duque de Terceira
CAIS DO SODRÉ
CACILHAS

235 160 208 213 75 151 252 97 240 184 135 102 28 190 91 229 258 127 63 225 82 72 228 243 21 262

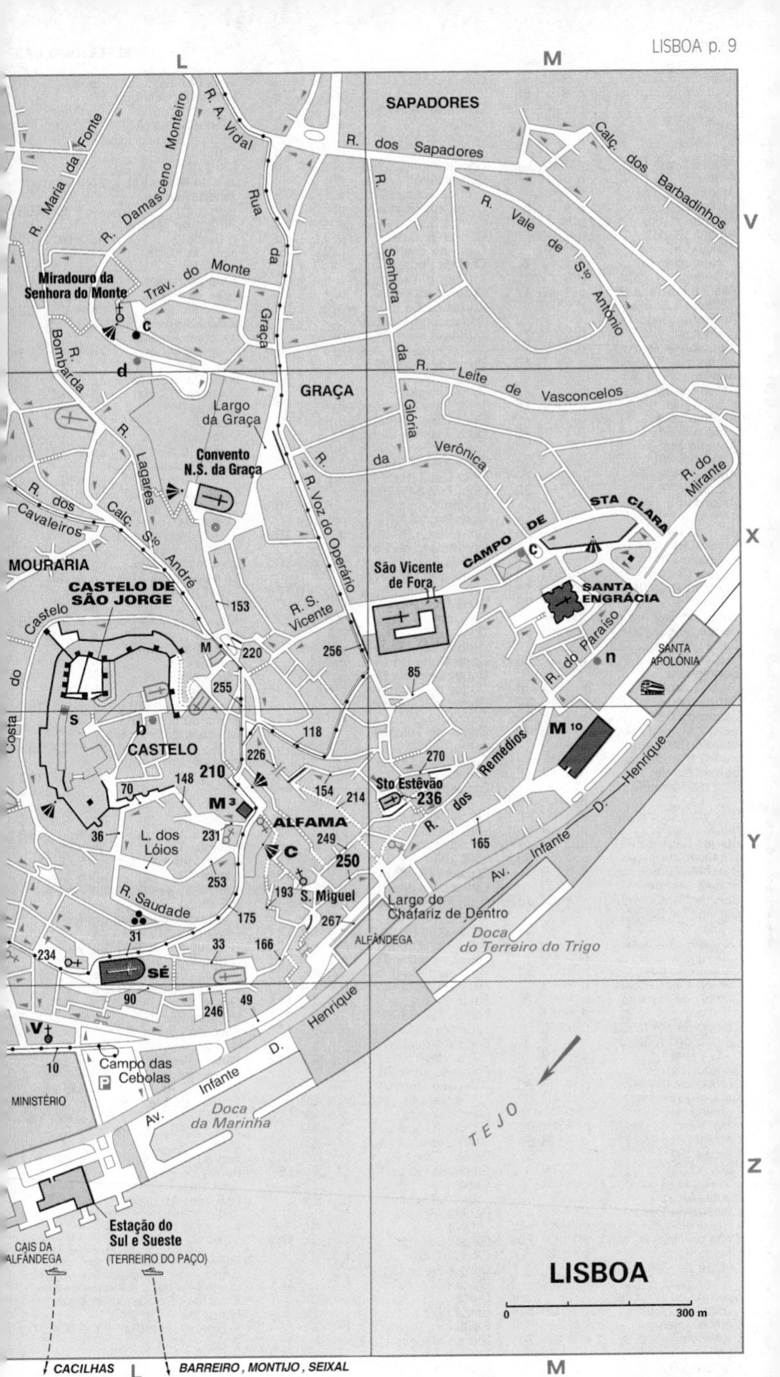
SAPADORES
R. dos Sapadores
Calç. dos Barbadinhos
R. Vale de Sto António
R. Senhora da Glória
R. Leite de Vasconcelos
GRAÇA
R. da Verónica
R. do Mirante
CAMPO DE STA CLARA
São Vicente de Fora
SANTA ENGRÁCIA
R. do Paraíso
SANTA APOLÓNIA
R. dos Remédios
Av. Infante D. Henrique
R. Maria da Fonte
R. Damasceno Monteiro
R. A. Vidal
Rua da Graça
Trav. do Monte
Miradouro da Senhora do Monte
R. Bombarda
Largo da Graça
Convento N.S. da Graça
R. Lagares
R. Voz do Operário
R. dos Cavaleiros
Calç. Sto André
MOURARIA
CASTELO DE SÃO JORGE
R. S. Vicente
Costa do Castelo
CASTELO
ALFAMA
Sto Estêvão
L. dos Lóios
R. Saudade
S. Miguel
Largo do Chafariz de Dentro
ALFÂNDEGA
Doca do Terreiro do Trigo
SÉ
Campo das Cebolas
MINISTÉRIO
Doca da Marinha
TEJO
Estação do Sul e Sueste
(TERREIRO DO PAÇO)
CAIS DA ALFÂNDEGA
CACILHAS
BARREIRO, MONTIJO, SEIXAL
LISBOA
0
300 m

Augusta (R.) p. 8 **KY**
Carmo (R. do) p. 8 **KY** 63
Garrett (R.) (Chiado) p. 8 **KY**
Ouro (R. do) p. 8 **KY**
Prata (R. da) p. 8 **KY**

Afonso Costa (Av.) p. 7 **HR**
Afonso III (Av.) p. 5 **DP** 4
Ajuda (Calç. da) p. 4 **AQ**
Alcântara (L. de) p. 4 **BQ** 6
Alecrim (R. do) p. 8 **JZ**
Alegria (R. da) p. 8 **JX**
Alexandre Herculano (R.) p. 6 **FT** 7
Alfândega (R. da) p. 9 **LZ** 10
Aliança Operária (R.) p. 4 **AQ** 12
Almeida e Sousa (R.) p. 6 **ET**
Almirante Gago Coutinho (Av.) p. 5 **DN**
Almirante Reis (Av.) p. 7 **HR**
Amoreiras (R. das) p. 6 **FT** 13
Angelina Vidal (R.) p. 9 **LV**
António Augusto de Aguiar (Av.) p. 6 **FR** 15
António José de Almeida (Av.) p. 7 **GR** 18
António Maria Cardoso (R.) p. 8 **JZ** 21
António Pereira Carrilho (R.) p. 7 **HR** 22
Arco do Carvalhão (R. do) p. 6 **ET**
Arco do Cego (R.) p. 7 **GR** 25
Arsenal (R. do) p. 8 **KZ**
Artilharia Um (R. da) p. 6 **FS** 27
Atalaia (R. da) p. 8 **JY** 28
Augusto Rosa (R.) p. 9 **LY** 31
Barão (R.) p. 9 **LY** 33
Barão de Sabrosa (R.) p. 7 **HR**
Barata Salgueiro (R.) p. 6 **FT** 34
Barbadinhos (Calç. dos) p. 5 **DQ** 35
Bartolomeu de Gusmão (R.) p. 9 **LY** 36
Bartolomeu Dias (R.) p. 4 **AQ** 37
Belém (R. de) p. 4 **AQ** 39
Beneficência (R. da) p. 6 **FR** 40
Benfica (Estr. de) p. 4 **AN**
Berlim (Av. de) p. 5 **DN**
Berna (Av. de) p. 6 **FR** 42
Bica do Marquês (R. da) p. 4 **AQ** 45
Boa Vista (R. da) p. 6 **FU** 46
Bombarda (R.) p. 9 **LV**
Borges Carneiro (R.) p. 6 **FU**
Braancamp (R.) p. 6 **FS** 48
Brasil (Av. do) p. 5 **DN**
Brasilia (Av. de) p. 4 **AQ**
Cais de Santarém (R.) p. 9 **LZ** 49
Calhariz de Benfica (Estr. do) p. 4 **AP** 51
Calouste Gulbenkian (Av.) p. 6 **ER**
Calvário (L. do) p. 6 **EU** 54
Campo das Cebolas p. 9 **LZ**
Campo de Ourique (R. do) p. 6 **ET** 57
Campo de Santa Clara p. 9 **MX**
Campo dos Mártires da Pátria p. 8 **KV**
Campo Grande p. 5 **CN**
Campolide (R. de) p. 4 **BP** 60
Caramão (Estr. do) p. 4 **AQ** 61
Carolina M. Vasconcelos (R.) p. 4 **AN** 64
Casal Ribeiro (Av.) p. 7 **GR** 66
Cascais (R.) p. 6 **EU** 67
Castilho (R.) p. 6 **FS**
Cavaleiros (R. dos) p. 9 **LX**
Ceuta (Av. de) p. 4 **BQ** 69
Chafariz de Dentro (L. do) p. 9 **MY**
Chão da Feira (R. do) p. 9 **LY** 70
Chiado (L. do) p. 8 **KY** 72
Cidade do Porto (Av.) p. 5 **DN**
Columbano Bordalo Pinheiro (Av.) p. 4 **BP** 73
Combatentes (Av. dos) p. 4 **BN** 74
Combro (Calç. do) p. 8 **JY**
Comércio (Pr. do) (Terreiro do Paço) p. 8 **KZ**

Conceição da Glória (R.) p. 8 **JX** 75
Conde de Almoster (R.) p. 6 **ER**
Conde de Valbom (Av.) p. 6 **FR** 76
Conde Redondo (R.) p. 7 **GS** 78
Conselheiro F. de Sousa (Av.) p. 6 **ES** 79
Correeiros (R. dos) p. 8 **KY** 82
Correia (Estr. da) p. 4 **AN** 84
Corvos (R. dos) p. 9 **MX** 85
Costa do Castelo p. 9 **LX**
Cruz da Pedra (Calç. da) p. 5 **DP** 87
Cruzeiro (R. do) p. 4 **AQ** 88
Cruzes da Sé (R.) p. 9 **LZ** 90
Damasceno Monteiro (R.) p. 9 **LV**
Descobertas (Av. das) p. 4 **AQ**
Diário de Notícias (R. do) p. 8 **JY** 91
Dom Alfonso Henriques (Alameda) p. 7 **HR** 93
Dom Carlos I (Av.) p. 6 **FU** 94
Dom João da Câmara (Pr.) p. 8 **KX** 97
Dom João V (R.) p. 5 **CQ** 99
Dom Luís I (R.) p. 8 **JZ**
Dom Pedro IV (Pr.) (Rossio) p. 8 **KX** 102
Dom Pedro V (R.) p. 8 **JX**
Dom Vasco (R. de) p. 4 **AQ** 103
Dom Vasco da Gama (Av.) p. 4 **AQ** 105
Domingos Sequeira (R.) p. 6 **ET** 106
Dona Estefânia (R. de) p. 7 **GS**
Dona Filipa de Vilhena (Av.) p. 7 **GR** 109
Dona Maria Pia (R.) p. 6 **ET**
Duque de Ávila (Av.) p. 7 **GR**
Duque de Loulé (Av.) p. 6 **GS** 111
Duque de Saldanha (Pr.) p. 7 **GR** 112
Duque de Terceira (Pr.) p. 8 **JZ**
Engenheiro Duarte Pacheco (Av.) p. 4 **BP** 115
Escola do Exército (R.) p. 7 **HS** 117
Escolas Gerais (R. das) p. 9 **LY** 118
Escola Politécnica (R. da) p. 6 **FT** 120
Espanha (Pr. de) p. 6 **FR** 124
Estados Unidos da América (Av.) p. 5 **DN**
Estrela (Calç. da) p. 6 **FU**
Fanqueiros (R. dos) p. 8 **KY** 127
Febo Moniz (R.) p. 7 **HS** 129
Ferreira Borges (R.) p. 6 **ET** 132
Figueira (Pr. da) p. 8 **KX** 135
Filipe da Mata (R.) p. 6 **FR** 136
Fonte (R. da) p. 4 **AN** 138
Fontes Pereira de Melo (Av.) p. 7 **GS** 139
Forças Armadas (Av. das) p. 5 **CN** 142
Forno do Tijolo (R.) p. 7 **HS** 147
Francisco Quental Martins (R.) p. 6 **ER**
Funil (Trav. do) p. 9 **LY** 148
Furnas (R. das) p. 6 **ER**
Galharadas (Az. das) p. 4 **BN**
Galvão (Calç. do) p. 4 **AQ** 149
Garcia da Horta (R.) p. 6 **FU** 150
General Norton de Matos (Av.) p. 4 **BN**
General Roçadas (Av.) p. 7 **HS**
Glória (Calç. da) p. 8 **JX** 151
Glória (R. da) p. 8 **JX**
Gomes Freire (R.) p. 7 **GS**
Graça (Calç. da) p. 9 **LX** 153
Graça (L. da) p. 9 **LX**
Graça (R. da) p. 9 **LV**
Guilherme Braga (R.) p. 9 **LY** 154
Ilha da Madeira (Av.) p. 4 **AQ**
Império (Pr. do) p. 4 **AQ** 156
Imprensa Nacional (R.) p. 6 **FT** 157

Índia (Av. da) p. 4 **AQ**
Infante D. Henrique (Av.) p. 9 **MY**
Infante Santo (Av.) p. 6 **EU**
Instituto Bacteriológico (R.) p. 8 **KV** 160
Ivens (R.) p. 8 **KY**
Jacinta Marto (R.) p. 7 **GS** 162
Janelas Verdes (R. das) p. 6 **EU** 163
Jardim do Tabaco (R. do) p. 9 **MY** 165
João da Praça (R. de) p. 9 **LY** 166
João de Barros (R.) p. 4 **AQ** 168
João de Freitas Branco (R.) p. 4 **BN** 169
João XXI (Av. de) p. 7 **HR**
Joaquim António de Aguiar (R.) p. 6 **FS** 171
José Fontana (Pr.) p. 7 **GS**
José Malhoa (Av.) p. 6 **ER**
Junqueira (R. da) p. 4 **AQ**
Lagares (R.) p. 9 **LX**
Lapa (R. da) p. 6 **EU**
Laranjeiras (Estr. das) p. 6 **ER** 172
Liete de Vasconcelos (R.) p. 9 **MX**
Liberdade (Av. da) p. 8 **JV**
Limoeiro (L. do) p. 9 **LY** 175
Linhas de Torres (Alameda das) p. 5 **CN**
Lóios (L. dos) p. 9 **LY**
Londres (Pr. de) p. 5 **DP** 177
Luís de Camões (Pr.) p. 8 **JY**
Luz (Estrada da) p. 4 **BN**
Madalena (R. da) p. 8 **KY**
Manuel da Maia (Av.) p. 7 **HR** 178
Marcos (Estr. dos) p. 4 **AQ**
Marechal Craveiro Lopes (Av.) p. 5 **CN**
Marechal Gomes da Costa (Av.) p. 5 **DN**
Maria Andrade (R.) p. 7 **HS** 180
Maria da Fonte (R.) p. 9 **LV**
Marquês da Fronteira (R.) p. 5 **CP** 181
Marquês de Pombal (Pr.) p. 6 **FS** 183
Martim Moniz (L.) p. 8 **KX** 184
Miguel Bombarda (Av.) p. 7 **GR** 186
Mirante (Calç. do) p. 4 **AQ** 189
Mirante (R. do) p. 9 **MX**
Misericórdia (R. da) p. 8 **JY** 190
Monte (Trav. do) p. 9 **LV**
Morais Soares (R.) p. 7 **HR**
Mouzinho de Albuquerque (Av.) p. 7 **HS**
Mouzinho de Albuquerque (Pr.) p. 5 **CN** 192
Norberto de Araújo (R.) p. 9 **LY** 193
Nova do Almada (R.) p. 8 **KY**
Olaias (Rotunda das) p. 7 **HR**
Paço da Rainha p. 7 **HS** 195
Paço do Lumiar (Estr. do) p. 4 **AN**
Padre Cruz (Av.) p. 4 **BN**
Palma (R. da) p. 8 **KV**
Paraíso (R. do) p. 9 **MX**
Pascoal de Melo (R.) p. 5 **DP** 196
Passos Manuel (R.) p. 7 **HS** 198
Pedro Álvares Cabral (Av.) p. 6 **FT** 199
Pedrouços (R. de) p. 4 **AQ** 202
Penha de França (R. da) p. 7 **HS**
Poço dos Mouros (Calç. do) p. 7 **HR** 204
Poço dos Negros (R. do) p. 6 **FU** 205
Poiais de S. Bento (R.) p. 6 **FU** 207
Ponte (Av. da) p. 6 **ET**
Pontinha (Estr. da) p. 4 **AN**
Portas de Santo Antão (R.) p. 8 **KX** 208
Portas do Sol (L. das) p. 9 **LY** 210
Possidónio da Silva (R.) p. 6 **EU**

Lista alfabética de hotéis e restaurantes
Lista alfabética de hoteles y restaurantes
Liste alphabétique des hôtels et restaurants
Elenco alfabetico degli alberghi e ristoranti
Alphabetisches Hotel-und Restaurantverzeichnis
Alphabetical list of hotels and restaurants

L

M

N

P

Q – R

S

T

V

X – Y – Z

Centro : Av. da Liberdade, Rua Augusta, Rua do Ouro, Praça do Comércio, Praça Dom Pedro IV (Rossio), Praça dos Restauradores (planos p. 6 e 7)

Tivoli Lisboa, Av. da Liberdade 185, 1250, (01) 353 01 81, *Fax (01) 357 94 61*, « Terraço com cidade », climatizada, – 40/200. AE E VISA JCB. JV d
Grill Terraço : **Refeição** lista 5650 a 8450 - ***Zodíaco*** : **Refeição** lista 5100 a 5300 – **298 qto** 38000/42000, 29 suites.

Sofitel Lisboa, Av. da Liberdade 125, 1250, (01) 342 92 02, Telex 42557, *Fax (01) 342 92 22* – – 25/300. AE E VISA JCB. rest JV r
Refeição (ver rest. ***Cais da Avenida***) – 2500 – **166 qto** 30000/35000, 4 suites.

Lisboa Plaza, Travessa do Salitre 7, 1250, (01) 346 39 22, *Fax (01) 347 16 30* – – 25/140. AE E VISA JCB. JV b
Refeição lista 4400 a 5500 – **94 qto** 24500/26950, 12 suites.

Tivoli Jardim, Rua Julio Cesar Machado 7, 1250, (01) 353 99 71, *Fax (01) 355 65 66*, climatizada, – . AE E VISA JCB. JV a
Refeição lista aprox. 5000 – **119 qto** 23000/27000.

Mundial, Rua D. Duarte 4, 1100, (01) 886 31 01, Telex 12308, *Fax (01) 887 91 29*, – – 25/120. AE E VISA JCB. KX a
Refeição lista 5700 a 8700 – **141 qto** 16380/19760, 6 suites.

Lisboa sem rest. com snack-bar, Rua Barata Salgueiro 5, 1150, (01) 355 41 31, Telex 60228, *Fax (01) 355 41 39* – . AE E VISA. JV e
55 qto 25000/30000, 6 suites.

Veneza sem rest, Av. da Liberdade 189, 1250, (01) 352 26 18, *Fax (01) 352 66 78*, « Instalado num antigo palacete » – . AE E VISA JCB. JV d
36 qto 20000/22000.

Príncipe Real, Rua da Alegria 53, 1250, (01) 346 01 16, *Fax (01) 342 21 04* – . AE E VISA JCB. JX q
Refeição 3000 – **24 qto** 16300/19500 – PA 5000.

Britânia sem rest, Rua Rodrigues Sampaio 17, 1150, (01) 315 50 16, *Fax (01) 315 50 21* – . AE E VISA JCB. JV y
30 qto 21200/22300.

Metropole sem rest, Praça do Rossio 30, 1100, (01) 346 91 64, *Fax (01) 346 91 66* – . AE E VISA JCB KY s
36 qto 22000/25000.

Botánico sem rest, Rua Mãe de Água 16, 1250, (01) 342 03 92, *Fax (01) 342 01 25* – . AE E VISA JCB. JX s
30 qto 13000/16000.

Albergaria Senhora do Monte sem rest, Calçada do Monte 39, 1170, (01) 886 60 02, *Fax (01) 887 77 83*, Castelo de São Jorge, cidade e rio Tejo – . AE E VISA. LV c
28 qto 15000/18500.

Lisboa Tejo sem rest, Poço do Borratém 4, 1100, (01) 886 61 82, *Fax (01) 886 51 63* – . AE E VISA. KX r
58 qto 12500/15500.

Insulana sem rest, Rua da Assunção 52, 1100, (01) 342 76 25 – . AE E VISA. KY e
32 qto 8000/10500.

Residencia Roma sem rest, Travessa da Glória 22-A, 1250, (01) 346 05 57, *Fax (01) 346 05 57* – . AE E VISA. JX t
24 qto 8000/11000.

Tágide, Largo da Académia Nacional de Belas Artes 18, 1200, (01) 342 07 20, *Fax (01) 347 18 80*, – . AE E VISA. KZ z
fechado sábado meio-dia e domingo – **Refeição** lista 6100 a 7600.

Clara, Campo dos Mártires da Pátria 49, 1150, (01) 885 30 53, *Fax (01) 885 20 82*, « Terraço-jardim » – . AE E VISA. KV f
fechado sábado meio-dia, domingo e do 1 ao 15 de agosto – **Refeição** lista aprox. 6100.

Tavares, Rua da Misericórdia 37, 1200, (01) 342 11 12, *Fax (01) 347 81 25*, « Estilo fim do século XIX » – . AE E VISA. JY t
fechado sábado e domingo ao meio-dia – **Refeição** lista 6200 a 9500.

Bachus, Largo da Trindade 9, 1200, (01) 342 28 28, *Fax (01) 342 12 60* – . AE E VISA JCB. JY s
fechado sábado meio-dia e domingo – **Refeição** lista 4500 a 5300.

Gambrinus, Rua das Portas de Santo Antão 25, 1150, (01) 342 14 66, *Fax (01) 346 50 32* – . AE E VISA. KX n
Refeição lista 11000 a 14000.

Escorial, Rua das Portas de Santo Antão 47, ✉ 1100, ✆ (01) 346 44 29, *Fax (01) 346 37 58* – AE VISA JCB. KX e
Refeição lista 4400 a 6820.

Cais da Avenida, Av. da Liberdade 123, ✉ 1250, ✆ (01) 342 92 24, *Fax (01) 342 92 22* – AE VISA JCB. JV r
Refeição lista 4300 a 5100.

Jardim Tropical, Av. da Liberdade 144, ✉ 1250, ✆ (01) 346 88 39, *Fax (01) 342 31 24,* « Jardim interior de inspiração tropical » – AE VISA JCB JV u
Refeição lista 4450 a 6700.

Casa do Leão, Castelo de São Jorge, ✉ 1100, ✆ (01) 887 59 62, *Fax (01) 887 63 29,* ← – AE VISA. LXY s
Refeição lista 4500 a 6950.

Via Graça, Rua Damasceno Monteiro 9-B, ✉ 1170, ✆ (01) 887 08 30, *Fax (01) 887 03 05,* ← Castelo de São Jorge, cidade e rio Tejo – AE VISA JCB.
fechado sábado meio-dia e domingo – **Refeição** lista 3200 a 4900. LV d

O Faz Figura, Rua do Paraiso 15-B, ✉ 1100, ✆ (01) 886 89 81, ←, – AE VISA. MX n
fechado domingo e feriados – **Refeição** lista 3600 a 5550.

Verdemar, Rua das Portas de Santo Antão 142, ✉ 1150, ✆ (01) 346 44 01 – AE VISA. KX f
fechado sábado – **Refeição** lista 2640 a 4640.

Sancho, Travessa da Glória 14, ✉ 1250, ✆ (01) 346 97 80
AE VISA. JX t
fechado domingo – **Refeição** lista 2600 a 3600.

Pap'Açorda, Rua da Atalaia 57, ✉ 1200, ✆ (01) 346 48 11, *Fax (01) 342 97 05* – AE VISA. JY d
fechado do 1 ao 15 de julho e do 1 ao 15 de outubro – **Refeição** lista 6000 a 6700.

Porta Branca, Rua do Teixeira 35, ✉ 1250, ✆ (01) 342 10 24, *Fax (01) 347 92 57* – AE VISA JCB. JX e
fechado sábado meio-dia e domingo – **Refeição** lista 3840 a 5740.

Paris, Rua dos Sapateiros 126, ✉ 1100, ✆ (01) 346 97 97 – AE VISA. KY a
Refeição lista 3200 a 5350.

Mercado de Santa Clara, Campo de Santa Clara (no mercado), ✉ 1170, ✆ (01) 887 39 86, *Fax (01) 887 39 86,* ← – AE VISA. MX c
fechado domingo noite, 2ª feira e agosto – **Refeição** lista 2950 a 4150.

Este : Av. da Liberdade, Av. Almirante Reis, Av. Estados Unidos de América, Av. de Roma, Av. João XXI, Av. da República, Praça Marquês de Pombal (planos p. 3 e 5)

Radisson SAS, Av. Marechal Craveiro Lopes 390, ✉ 1700, ✆ (01) 759 96 39, Telex 61170, *Fax (01) 758 66 05,* – 25/200. AE VISA JCB. CN u
Refeição 4200 – 1600 – **205 qto** 31000/33000, 16 suites – PA 8400.

Holiday Inn Lisboa, Av. António José de Almeida 28-A, ✉ 1000, ✆ (01) 793 52 22, Telex 60330, *Fax (01) 793 66 72,* – 25/250. AE VISA JCB. GR c
Refeição 3400 – 1600 – **161 qto** 24000/28000, 8 suites – PA 7200.

Altis Park H., Av. Engenheiro Arantes e Oliveira 9, ✉ 1900, ✆ (01) 846 08 66, *Fax (01) 846 08 38* – 25/400. AE VISA. rest HR z
Refeição 3200 – **285 qto** 23000/26000, 15 suites – PA 7200.

Lutécia, Av. Frei Miguel Contreiras 52, ✉ 1700, ✆ (01) 840 31 21, Telex 12457, *Fax (01) 840 78 18,* ← – 25/100. AE VISA JCB. DN b
Refeição lista 3700 a 5450 – **142 qto** 18000/21000, 8 suites.

Alif sem rest, Campo Pequeno 51, ✉ 1000, ✆ (01) 795 24 64, Telex 64460, *Fax (01) 795 41 16* – 25/40. AE VISA. GR w
107 qto 14500/16500, 8 suites.

Meliá Confort Lisboa, Av. Duque de Loulé 45, ✉ 1050, ✆ (01) 353 21 08, *Fax (01) 353 18 65,* – AE VISA JCB. GS z
Refeição *(fechado domingo)* lista 4100 a 4800 – **80 qto** 33000/35000, 4 suites.

A.S. Lisboa sem rest, Av. Almirante Reis 188, ✉ 1000, ✆ (01) 847 30 25, *Fax (01) 847 30 34* – 25/80. AE VISA. HR e
75 qto 14000/16000.

Presidente sem rest. com snack-bar, Rua Alexandre Herculano 13, ✉ 1150, ✆ (01) 353 95 07, *Fax (01) 352 02 72* – 25/40. AE VISA. GS t
59 qto 15600/18000.

Embaixador sem rest, Av. Duque de Loulé 73, 1050, (01) 353 01 71, *Fax (01) 355 75 96* – – 25/80. . GS a
96 qto 14000/17200.

Dom Carlos sem rest, Av. Duque de Loulé 121, 1050, (01) 353 90 71, *Fax (01) 352 07 28* – – 25/40. . GS n
76 qto 17500/20800.

Roma, Av. de Roma 33, 1700, (01) 796 77 61, Telex 16586, *Fax (01) 793 29 81*, – – 25/230. . CN a
Refeição 2950 – **263 qto** 15000/17500.

Vip sem rest, Rua Fernão Lopes 25, 1000, (01) 352 19 23, *Fax (01) 315 87 73* – . . GR r
52 qto 8000/9000, 2 suites.

Capitol sem rest, Rua Eça de Queiroz 24, 1050, (01) 353 68 11, *Fax (01) 352 61 65* – . GS f
52 qto 18000/20000, 5 suites.

D. Afonso Henriques sem rest, Rua Cristóvão Falcão 8, 1900, (01) 814 65 74, *Fax (01) 812 33 75* – – 25/80. HR t
39 qto 10950/12950.

Dom João sem rest, Rua José Estêvão 43, 1100, (01) 314 41 71, *Fax (01) 352 45 69* – . . HS e
18 qto 7000/8000.

Alicante sem rest, Av. Duque de Loulé 20, 1050, (01) 353 05 14, *Fax (01) 352 02 50* – . . GS c
42 qto 7900/9700.

Albergaria Pax sem rest, Rua José Estêvão 20, 1150, (01) 356 18 61, *Fax (01) 315 57 55* – . . HS q
34 qto 7000/9000.

Antonio Clara-Clube de Empresários, Av. da República 38, 1050, (01) 796 63 80, *Fax (01) 797 41 44*, « Instalado num antigo palacete » – . . GR t
fechado domingo e do 15 ao 30 de agosto – **Refeição** lista aprox. 5500.

Chez Armand, Rua Carlos Mardel 38, 1900, (01) 847 57 70, *Fax (01) 887 19 19* – . . HR r
fechado sábado meio-dia, domingo e agosto – **Refeição** - cozinha francesa - lista 4180 a 5050.

Vasku's Grill, Rua Passos Manuel 30, 1150, (01) 352 22 93, *Fax (01) 315 54 32* – . . HS a
fechado sábado meio-dia e domingo – **Refeição** - grelhados - lista 3500 a 4500.

Celta, Rua Gomes Freire 148, 1150, (01) 357 30 69 – . . GS k
fechado domingo – **Refeição** lista 3020 a 4440.

Oeste : Av. da Liberdade, Av. 24 de Julho, Av. da India, Av. Infante Santo, Av. de Berna, Av. António Augusto de Aguiar, Largo de Alcântara, Praça Marquês de Pombal, Praça de Espanha (planos p. 2 a 5)

Ritz Four Seasons, Rua Rodrigo da Fonseca 88, 1093, (01) 383 20 20, Telex 12589, *Fax (01) 383 17 83*, – – 25/600. . rest FS b
Varanda : **Refeição** lista 5050 a 8400 – 2500 – **264 qto** 42000/46000, 20 suites.

Sheraton Lisboa H., Rua Latino Coelho 1, 1097, (01) 357 57 57, Telex 12774, *Fax (01) 354 71 64*, climatizada – – 25/550. . GR s
Alfama Grill *(fechado sábado, domingo e agosto)* **Refeição** lista aprox. 7700 - ***Caravela*** : **Refeição** lista aprox. 6000 – 2500 – **377 qto** 35000/38000, 7 suites.

Da Lapa , Rua do Pau de Bandeira 4, 1200, (01) 395 00 05, *Fax (01) 395 06 65*, , « Belo jardim entre árvores com cascata e » – – 25/225. . EU a
Refeição lista 5100 a 7000 – 2350 – **78 qto** 45000/47500, 8 suites.

Le Meridien Park Atlantic Lisboa, Rua Castilho 149, 1070, (01) 381 87 00, *Fax (01) 383 32 31*, – – 25/550. FS a
Refeição 4100 - ***Brasserie des Amis*** : **Refeição** lista 5000 a 6000 – 2400 – **313 qto** 25000, 17 suites.

Alfa Lisboa, Av. Columbano Bordalo Pinheiro, 1070, (01) 726 21 21, Telex 18477, *Fax (01) 726 30 31*, – – 25/600. . ER a
A Aldeia : **Refeição** lista 4650 a 5000 - ***Grill Pombalino*** : ***Refeição*** lista aprox. 5300 – **440 qto** 37000/39000.

Altis, Rua Castilho 11, 1250, (01) 357 92 62, Telex 13314, *Fax (01) 354 86 96*, - - 25/700. AE VISA JCB. FT z
Refeição 4750 - ***Girassol*** *(só almoço salvo domingo)* **Refeição** lista 4200 a 5250 - ***Grill Dom Fernando*** *(fechado domingo)* **Refeição** lista 4700 a 5700 - **290 qto** 32000/35000, 13 suites - PA 9500.

Novotel Lisboa, Av. José Malhoa 1642, 1000, (01) 726 60 22, Telex 40114, *Fax (01) 726 64 96*, - - 25/300. AE VISA. rest ER e
Refeição 3200 - 1200 - **246 qto** 12300/13600.

Holiday Inn Lisboa-Continental, Rua Laura Alves 9, 1050, (01) 793 50 05, Telex 65632, *Fax (01) 797 36 69* - - 25/180. AE VISA JCB. FR q
D. Miguel *(fechado sábado e domingo)* **Refeição** lista 4350 a 5800 - ***Coffee Shop Continental*** : **Refeição** lista 3700 a 4350 - 1600 - **210 qto** 29000/34000, 10 suites.

Real Parque, Av. Luís Bívar 67, 1050, (01) 357 01 01, *Fax (01) 357 07 50* - - 25/100. AE VISA JCB. FR a
Refeição 4500 - ***Cozinha do Real*** : **Refeição** lista 4900 a 6300 - **147 qto** 28000/31000, 6 suites.

Lisboa Penta, Av. dos Combatentes, 1600, (01) 726 40 54, Telex 18437, *Fax (01) 726 42 81*, - - 25/600. AE VISA JCB. rest BN r
Refeição 3300 - ***Grill Passarola*** : **Refeição** lista 4100 a 6600 - ***Verde Pino*** : **Refeição** lista 2050 a 3750 - **584 qto** 20000/24000, 4 suites - PA 6600.

Fénix, Praça Marquês de Pombal 8, 1250, (01) 386 21 21, Telex 12170, *Fax (01) 386 01 31* - - 25/100. AE VISA. rest FS g
Bodegón : **Refeição** lista aprox. 5700 - **119 qto** 22000/25000, 4 suites.

Zurique, Rua Ivone Silva 18, 1050, (01) 793 71 11, Telex 65349, *Fax (01) 793 72 90*, - - 25/150. AE VISA. FR s
Refeição 3250 - **248 qto** 14000/17000, 4 suites - PA 6500.

Diplomático, Rua Castilho 74, 1200, (01) 386 20 41, Telex 13713, *Fax (01) 386 21 55* - - 25/60. AE VISA JCB. qto FS c
Refeição 3000 - **73 qto** 15000/17300, 17 suites - PA 6000.

Flórida sem rest, Rua Duque de Palmela 32, 1250, (01) 357 61 45, *Fax (01) 354 35 84* - - 25/100. AE VISA JCB. FS x
108 qto 16000/19800.

Barcelona sem rest, Rua Laura Alves 10, 1050, (01) 795 42 73, *Fax (01) 795 42 81*, - - 25/230. AE VISA. FR z
120 qto 17000/20000, 5 suites.

Quality H., Campo Grande 7, 1700, (01) 795 75 55, *Fax (01) 795 75 00*, - - 25/50. AE VISA JCB. rest CN c
Refeição 3250 - **80 qto** 16000/17000, 2 suites - PA 6500.

Executive Inn sem rest, Av. Conde Valbom 56, 1050, (01) 795 11 57, Telex 65618, *Fax (01) 795 11 66* - . AE VISA FR g
72 qto 18000/20000.

Metropolitan Lisboa H., Rua Soeiro Gomes-parcela 2, 1600, (01) 798 25 00, *Fax (01) 795 08 64* - - 25/250. AE VISA JCB. CN v
Refeição 3500 - **315 qto** 19000/23000 - PA 6500.

Amazónia Lisboa sem rest. com snack-bar, Travessa Fábrica dos Pentes 12, 1250, (01) 387 70 06, Telex 66361, *Fax (01) 387 90 90*, climatizada - - 25/200. AE VISA. FS d
192 qto 14250/16100.

Dom Manuel I sem rest, Av. Duque de Ávila 189, 1050, (01) 357 61 60, Telex 43558, *Fax (01) 357 69 85*, « Bela decoração » - . AE VISA. FR p
64 qto 13000/15000.

Dom Rodrigo Suite H. sem rest. com snack-bar, Rua Rodrigo da Fonseca 44, 1250, (01) 386 38 00, *Fax (01) 386 30 00*, - . AE VISA FS m
900 - **57 apartamentos** 20000/26000.

Nacional sem rest, Rua Castilho 34, 1250, (01) 355 44 33, *Fax (01) 356 11 22* - . AE VISA. FST s
59 qto 13800/16200, 2 suites.

York House, Rua das Janelas Verdes 32, 1200, (01) 396 25 44, *Fax (01) 397 27 93*, , « Instalado num convento do século XVI decorado num estilo portugués » - . AE VISA JCB. FU e
Refeição lista aprox. 4800 - **31 qto** 27500/32500, 3 suites.

Miraparque, Av. Sidónio Pais 12, 1050, (01) 352 42 86, Telex 16745, *Fax (01) 357 89 20* - . AE VISA. FS k
Refeição 3200 - **101 qto** 15000/16000.

Eduardo VII, Av. Fontes Pereira de Melo 5, ✉ 1050, ✆ (01) 353 01 41, *Fax (01) 353 38 79*, ≤ – 🅰 25/60. AE ⓓ E VISA. FS p
Varanda : **Refeição** lista aprox. 4500 – **127 qto** ☐ 12500/14700, 2 suites.

Marquês de Sá, Av. Miguel Bombarda 130, ✉ 1050, ✆ (01) 791 10 14, *Fax (01) 793 69 86* – 🅰 25/150. AE ⓓ E VISA. FR c
Refeição 3500 – **97 qto** ☐ 18000/20000.

Amazónia Jamor, Av. Tomás Ribeiro 129 Queijas, ✉ 2795 Linda-A-Pastora, ✆ (01) 417 56 38, *Fax (01) 417 56 30*, ≤, – 🅰 25/200. AE ⓓ E VISA. por ④ : 10 km
Refeição 4000 – **93 qto** ☐ 13500/15300, 4 suites – PA 8000.

As Janelas Verdes sem rest, Rua das Janelas Verdes 47, ✉ 1200, ✆ (01) 396 81 43, *Fax (01) 396 81 44*, « Mansão de fim do século XVIII com belo patio » – AE ⓓ E VISA JCB. FU e
17 qto ☐ 26000/28800.

Da Torre, Rua dos Jerónimos 8, ✉ 1400, ✆ (01) 363 62 62, *Fax (01) 364 59 95* – 🅰 25/50. AE ⓓ E VISA JCB. AQ e
Refeição (ver rest. ***São Jerónimo***) – **50 qto** ☐ 12650/15200.

Flamingo, Rua Castilho 41, ✉ 1250, ✆ (01) 386 21 91, *Fax (01) 386 12 16* – AE ⓓ E VISA. FS n
Refeição 2500 – **39 qto** ☐ 14000/17000.

Berna sem rest, Av. António Serpa 13, ✉ 1050, ✆ (01) 793 67 67, Telex 62516, *Fax (01) 793 62 78* – 🅰 25/140. AE ⓓ E VISA. GR a
240 qto ☐ 12000/15000.

Príncipe, Av. Duque de Ávila 201, ✉ 1050, ✆ (01) 353 61 51, *Fax (01) 353 43 14* – AE ⓓ E VISA JCB. rest FR m
Refeição 2600 – **67 qto** ☐ 12650/14300.

Avenida Alameda sem rest, Av. Sidónio Pais 4, ✉ 1050, ✆ (01) 353 21 86, *Fax (01) 352 67 03* – E VISA FS p
28 qto ☐ 7500/9500.

Ibis Lisboa-Centro, Av. José Malhoa-Lote H, ✉ 1070, ✆ (01) 727 31 81, Telex 61013, *Fax (01) 727 32 87* – 🅰 25/120. AE ⓓ E VISA JCB ER d
Refeição 2350 – ☐ 800 – **211 qto** 8900.

Nazareth sem rest, Av. António Augusto de Aguiar 25-4º, ✉ 1050, ✆ (01) 354 20 16, *Fax (01) 356 08 36* – AE ⓓ E VISA FRS y
32 qto ☐ 8500/10000.

Imperador sem rest, Av. 5 de Outubro 55, ✉ 1050, ✆ (01) 352 48 84, *Fax (01) 352 65 37* – AE ⓓ E VISA JCB. GR f
43 qto ☐ 8000/10000.

XXX **Casa da Comida,** Travessa das Amoreiras 1, ✉ 1250, ✆ (01) 388 53 76, *Fax (01) 387 51 32*, « Patio com plantas » – AE ⓓ E VISA. FT e
fechado sábado meio-dia e domingo – **Refeição** lista 5900 a 9000.

XXX **Pabe,** Rua Duque de Palmela 27-A, ✉ 1250, ✆ (01) 353 74 84, *Fax (01) 353 64 37*, « Pub inglês » – AE ⓓ E VISA. FS x
Refeição lista 5100 a 7000.

XXX ✿ **Conventual,** Praça das Flores 45, ✉ 1200, ✆ (01) 390 91 96, *Fax (01) 390 91 96* – AE ⓓ E VISA FT m
fechado sábado meio-dia, feriados meio-dia e domingo – **Refeição** lista aprox. 6300
Espec. Creme de coentros. Bacalhau coentrada. Ensopado de borrego.

XXX **São Jerónimo,** Rua dos Jerónimos 12, ✉ 1400, ✆ (01) 364 87 97, *Fax (01) 363 26 92*, « Decoração moderna » – AE ⓓ E VISA JCB. AQ e
Refeição lista 4530 a 6780.

XXX **Chester,** Rua Rodrigo da Fonseca 87-D, ✉ 1250, ✆ (01) 385 73 47, *Fax (01) 388 78 11* – AE ⓓ E VISA JCB. FS w
fechado sábado meio-dia e domingo – **Refeição** - carnes - lista 3810 a 5900.

XX **Quinta dos Frades,** Rua Luís Freitas Branco 5-D, ✉ 1600, ✆ (01) 759 89 80, *Fax (01) 758 67 18* – AE ⓓ E VISA JCB. CN r
fechado sábado noite, domingo, feriados e agosto – **Refeição** lista aprox. 4800.

XX **Vela Latina,** Doca do Bom Sucesso, ✉ 1400, ✆ (01) 301 71 18, *Fax (01) 301 93 11*, « Agradável terraço com ≤ » – AE ⓓ E VISA. AQ x
fechado domingo – **Refeição** lista 4150 a 5700.

XX **Saraiva's,** Rua Eng. Canto Resende 3, ✉ 1050, ✆ (01) 354 06 09, *Fax (01) 353 19 87*, « Decoração moderna » – AE ⓓ E VISA JCB. FR v
fechado sábado e feriados – **Refeição** lista 3250 a 5350.

XX **Espelho d'Água,** Av. de Brasilia, ✉ 1400, ☎ (01) 301 73 73, *Fax (01) 363 26 92*, ≤, ☂, « Situado num pequeno lago artificial » – ▤. AE ⓓ E VISA JCB. ✻ AQ n
fechado sábado meio-dia e domingo – **Refeição** lista 4780 a 6380.

XX **A Commenda,** Praça do Império (Centro Cultural de Belém-1º) ☎ (01) 364 85 61, *Fax (01) 364 85 90*, ☂, « Esplanada con ≤ » – ▤. AE ⓓ E VISA JCB. ✻ AQ u
fechado sábado e domingo noite – **Refeição** - buffet ao almoço - lista 4300 a 5200.

XX **Adega Tía Matilde,** Rua da Beneficência 77, ✉ 1600, ☎ (01) 797 21 72, *Fax (01) 793 90 00* – ▤. AE ⓓ E VISA. ✻ FR h
fechado sábado noite e domingo – **Refeição** lista 3850 a 5940.

XX **O Nobre,** Rua das Mercês 71, ✉ 1300, ☎ (01) 363 38 27, *Fax (01) 362 21 06* – ▤. AE E VISA AQ r
fechado sábado meio-dia e domingo – **Refeição** lista 4840 a 6310.

XX **Gatsby,** Av. António Augusto de Aguiar 150-C, ✉ 1050, ☎ (01) 387 56 47, *Fax (01) 387 43 08* – ▤. AE ⓓ E VISA JCB. ✻ FR r
fechado feriados meio-dia, sábado meio-dia e domingo – **Refeição** lista aprox. 5100.

XX **O Mercado do Peixe,** Estrada do Casal Pedro Teixeira-Caramão da Ajuda, ✉ 1400, ☎ (01) 362 31 40, *Fax (01) 362 30 23* – ▤. AE ⓓ E VISA. ✻ AQ a
fechado domingo noite e 2ª feira – **Refeição** - peixes e mariscos - lista aprox. 8900.

XX **O Polícia,** Rua Marquês Sá da Bandeira 112, ✉ 1050, ☎ (01) 796 35 05, *Fax (01) 796 02 19* – ▤. AE VISA. ✻ FR c
fechado sábado noite e domingo – **Refeição** lista 3800 a 4550.

XX **Papagaio da Serafina,** Parque Recreativo do Alto da Serafina-Monsanto, ✉ 1500, ☎ (01) 774 28 88, *Fax (01) 778 80 81*, ≤, ☂, « Pavilhão moderno num belo parque » – ▤ Ⓟ. AE ⓓ E VISA. ✻ BP a
Refeição lista aprox. 5900.

XX **São Caetano,** Rua de São Caetano 27, ✉ 1200, ☎ (01) 397 47 92 – ▤. AE ⓓ E VISA. ✻ EU c
fechado sábado meio-dia e domingo meio-dia – **Refeição** lista aprox. 4850.

X **Frei Papinhas,** Rua D. Francisco Manuel de Melo 32, ✉ 1070, ☎ (01) 385 87 57, *Fax (01) 383 14 59*, « Decoração rústica » – ▤. AE ⓓ E VISA JCB. ✻ FS r
Refeição lista aprox. 5700.

X **Mãe d'Água,** Travessa das Amoreiras 10, ✉ 1250, ☎ (01) 388 28 20, *Fax (01) 387 12 66* – ▤. AE ⓓ E VISA. ✻ FT e
fechado sábado meio-dia e domingo – **Refeição** lista aprox. 5700.

X **Solar dos Nunes,** Rua dos Lusíadas 68-72, ✉ 1300, ☎ (01) 364 73 59 – ▤. AE ⓓ E VISA. ✻ AQ t
fechado do 10 ao 25 de agosto – **Refeição** lista aprox. 4800.

X **Coelho da Rocha,** Rua Coelho da Rocha 104-A, ✉ 1350, ☎ (01) 390 08 31 – ▤. AE E VISA. ✻ ET x
fechado domingo e agosto – **Refeição** lista 3650 a 4300.

X **Sua Excelência,** Rua do Conde 34, ✉ 1200, ☎ (01) 390 36 14, *Fax (01) 396 75 85* – ▤. AE ⓓ E VISA JCB EU t
fechado sábado meio-dia, domingo meio-dia, 4ª feira e setembro – **Refeição** lista 3100 a 6250.

X **O Funil,** Av. Elias Garcia 82-A, ✉ 1050, ☎ (01) 796 60 07, *Fax (01) 793 30 51* – ▤. ⓓ E VISA. ✻ GR n
fechado domingo noite e 2ª feira – **Refeição** lista 2380 a 3900.

X **Frei Contente,** Rua de São Marçal 94, ✉ 1200, ☎ (01) 347 59 22 – ▤. E VISA. ✻ FT a
fechado sábado meio-dia, domingo e agosto – **Refeição** lista 3100 a 3800.

X **Delfim,** Rua Nova de São Mamede 25, ✉ 1250, ☎ (01) 383 05 32, *Fax (01) 383 05 32* – ▤. AE ⓓ E VISA FT t
fechado sábado – **Refeição** lista 3130 a 4140.

RESTAURANTES TÍPICOS

XX **O Faia,** Rua da Barroca 56, ✉ 1200, ☎ (01) 342 67 42, *Fax (01) 342 19 23*, Fados – ▤. AE ⓓ E VISA JCB. ✻ JY f
fechado domingo – **Refeição** - só jantar - lista 6900 a 8550.

XX **Sr. Vinho,** Rua do Meio-à-Lapa 18, ✉ 1200, ☎ (01) 397 74 56, *Fax (01) 395 20 72*, Fados – ▤. AE ⓓ E VISA. ✻ FU r
fechado domingo – **Refeição** - só jantar - lista 5160 a 7500.

XX **A Severa,** Rua das Gáveas 51, ✉ 1200, ☎ (01) 342 83 14, *Fax (01) 346 40 06*, Fados ao jantar – ▤. AE ⓓ E VISA JCB. ✻ JY b
fechado 5ª feira – **Refeição** lista 5900 a 8800.

Adega Machado, Rua do Norte 91, ✉ 1200, ☎ (01) 342 87 13, *Fax (01) 346 75 07*, Fados – ▤. AE ⓓ E VISA JCB JY k
fechado 2ª feira – **Refeição** - só jantar - lista 7500 a 9000.

D'Avis, Rua do Grilo 98, ✉ 1900, ☎ (01) 868 13 54, *Fax (01) 868 13 54*, « Decoração típica » – ▤. VISA DP a
fechado domingo e agosto – **Refeição** - cozinha alentejana - lista 2500 a 3150.

O Forcado, Rua da Rosa 221, ✉ 1200, ☎ (01) 346 85 79, *Fax (01) 347 48 87*, Fados – ▤. AE ⓓ E VISA. ✱ JX r
fechado 4ª feira – **Refeição** - só jantar - lista 5500 a 8000.

Caseiro, Rua de Belém 35, ✉ 1300, ☎ (01) 363 88 03, « Decoração rústica » – ▤. AE ⓓ E VISA JCB. ✱ AQ s
fechado domingo e agosto – **Refeição** lista 3080 a 5060.

Ver também: **Cascais** *por ④ : 30 km*
Estoril *por ④ : 28 km*
Queluz *por ⑤ : 12 km*
Sintra *por ⑤ : 28 km.*

MICHELIN, **Companhia Luso-Pneu, Lda** Edifício Michelin, Quinta do Marchante/Prior-Velho, SACAVÉM por ①, ✉ 2685 ☎ (01) 941 13 09, Fax (01) 941 12 90

LOMBO DE BAIXO *Madeira – ver Madeira (Arquipélago da) : Faial.*

LOULÉ *8100 Faro 440 U 5 – 19 398 h.*

Edifício do Castelo ☎ (089) 46 39 00.
Lisboa 299 – Faro 16.

Loulé Jardim H. sem rest, Praça Manuel de Arriaga ☎ (089) 41 30 94, *Fax (089) 46 31 77*, ⛱ – |‡| ▤ TV ☎ ⇔ – 🏔 25/100. AE ⓓ E VISA
52 qto ☕ 8000/11000.

Ibérica sem rest, Av. Marçal Pacheco 157 ☎ (089) 41 41 00 – |‡| TV ☎ Ⓟ. E VISA. ✱
☕ 300 – **54 qto** 4500/7500.

O Avenida, Av. José da Costa Mealha 13 ☎ (089) 46 21 06 – ▤.

Bica Velha, Rua Martin Moniz 17 ☎ (089) 46 33 76, *Fax (089) 46 33 76*, « Decoração rústica » – AE ⓓ E VISA. ✱
fechado domingo meio-dia e do 1 ao 15 de novembro – **Refeição** lista 2710 a 3740.

Aux Bons Enfants, Rua Engenheiro Duarte Pacheco 116 ☎ (089) 39 68 40, *Fax (089) 39 68 40* – ▤. ✱
fechado domingo e 20 janeiro-20 fevereiro – **Refeição** - cozinha francesa, só jantar - lista 3550 a 5650.

na estrada de Quartos a Almancil *S : 4,5 km – ✉ 8100 Loulé :*

Jardim do Vale, Vale Formoso ☎ (089) 39 34 44, *Fax (089) 39 37 84*, ⛱ – ▤ Ⓟ. AE E VISA. ✱
fechado domingo e 15 janeiro-15 fevereiro – **Refeição** - só jantar - lista 2640 a 4510.

LOURINHÃ *2530 Lisboa 440 O 2 – 2 671 h. – Praia.*

Lisboa 74 – Leiria 94 – Santarém 81.

Estalagem Bela Vista ⛰, Rua D. Sancho I - Santo André ☎ (061) 41 41 61, *Fax (061) 41 41 38*, ⛱, 🎾 – ☎ Ⓟ. ✱
Refeição *(fechado domingo)* 2000 – **31 qto** ☕ 9000/12000 – PA 5000.

Figueiredo ⛰ sem rest, Largo Mestre Anacleto Marcos da Silva ☎ (061) 42 25 37 – TV
18 qto ☕ 5500/6000.

LOUSÃ *3200 Coimbra 440 L 5 – alt. 200.*

Lisboa 212 – Coimbra 36 – Leiria 83.

Martinho sem rest, Rua Movimento das Forças Armadas ☎ (039) 99 13 97, *Fax (039) 99 43 35* – TV ☎ Ⓟ. ✱
13 qto ☕ 3000/5500.

Dieser Führer ist kein vollständiges Hotel- und Restaurantverzeichnis.
Um den Ansprüchen aller Touristen gerecht zu werden,
haben wir uns auf eine Auswahl in jeder Kategorie beschränkt.

LUSO *Aveiro* 440 K 4 - *2 726 h. alt. 200* - ✉ *3050 Mealhada - Termas.*
Rua Emídio Navarro ☎ *(031) 93 91 33 Fax (031) 93 91 33.*
Lisboa 230 - Aveiro 44 - Coimbra 28 - Viseu 69.

Grande H. das Termas do Luso, ☎ (031) 93 04 50, *Fax (031) 93 03 50*, - 25/205. AE VISA.
Refeição 2900 - **143 qto** 12700/15500 - PA 5500.

Eden, Rua Emídio Navarro ☎ (031) 93 01 91, *Fax (031) 93 01 93* - - 25/150. AE VISA. rest
Refeição lista aprox. 4380 - **57 qto** 6000/8500 - PA 3400.

MACEDO DE CAVALEIROS *5340 Bragança* 440 H 9 - *4 435 h. alt. 580.*
Lisboa 510 - Bragança 42 - Vila Real 101.

Estalagem do Caçador, Largo Manuel Pinto de Azevedo ☎ (078) 42 63 54, *Fax (078) 42 63 81*, - . AE VISA. rest
Refeição 3500 - **25 qto** 11500/15000.

Muchacho, Pereira Charula 29 ☎ (078) 42 16 40 - rest,
20 qto.

na estrada de Mirandela *NO : 1,7 km* - ✉ *5340 Macedo de Cavaleiros :*

Costa do Sol, ☎ (078) 42 63 75, *Fax (078) 42 63 76* - rest, . AE VISA.
Refeição *(fechado 2ª feira)* 2500 - **30 qto** 4500/7500.

MACHICO *Madeira - ver Madeira (Arquipélago da).*

MADEIRA (Arquipélago da) 440 - *253 426 h.*

MADEIRA

Caniço *9125 - 7 249 h.*
Funchal 8.

A Lareira, Sítio da Vargem ☎ (091) 93 42 84 - - **17 qto.**

em Caniço de Baixo *S : 2,5 km* - ✉ *9125 Caniço :*

Oasis Atlantic, ☎ (091) 93 44 44, *Fax (091) 93 41 11*, ←, climatizada - - 25/250. AE VISA.
Atalaia *(só jantar, fechado 3ª feira)* **Refeição** lista 3400 a 4400 - ***Acquamarina*** **:** Refeição 3900 - 1650 - **55 qto** 12900/15500, 67 apartamentos.

Ondamar, ☎ (091) 93 45 66, *Fax (091) 93 45 55*, ←, - . AE VISA.
Espetada *(Carnes. só jantar, fechado 5ª feira)* **Refeição** lista 2250 a 3020 - **51 qto** 8500/13250, 2 suites.

Tropical, ☎ (091) 93 49 91, *Fax (091) 93 49 93*, ←, - . AE VISA.
Refeição (no Hotel ***Roca Mar***) - 1250 - **33 apartamentos** 11000/14000.

Roca Mar, ☎ (091) 93 43 34, Telex 72391, *Fax (091) 93 40 44*, ←, - . AE VISA JCB.
Refeição 2750 - **100 qto** 15000/18000.

Galomar, ☎ (091) 93 44 10, *Fax (091) 93 45 55*, ←, - . AE VISA.
O Galo *(fechado 2ª feira)* **Refeição** lista 2830 a 4330 - **45 qto** 6400/10000.

Studios Ondamar sem rest. com snack-bar, ☎ (091) 93 45 66, *Fax (091) 93 45 55*, ←, - . AE VISA.
42 apartamentos 8500/13250.

Faial - *2 622 h.* - ✉ *9225 Porto da Cruz.*
Arred. : *Santana★ (estrada ←★) NO : 8 km - Estrada do Porto da Cruz (←★) SE : 8 km.*
Funchal 54.

em Lombo de Baixo *na estrada do Funchal - S : 2,5 km* - ✉ *9225 Porto da Cruz :*

Casa de Chá do Faial, Estrada do Funchal ☎ (091) 57 22 23, ← vale e montanha, -
Refeição - só almoço -.

Funchal *9000 – 99 244 h.*

Ver : *<★ de ponta da angra* BZ **V** - *Sé★ (tecto★)* BZ – *Museu de Arte Sacra (colecção de quadros★)* BY **M1** - *Museu Frederico de Freitas★* BY – *Quinta das Cruzes★★* AY – *Largo do Campo Santo★* DZ – *Jardim Botánico★ <★* Y.

Arred. : *Miradouro do Pináculo★★ 4 km por ② - Pico dos Barcelos★★ (✳★★) 3 km por ③ - Monte (localidade★) 5 km por ① – Quinta do Palheiro Ferreiro★★ 5 km por ② – Câmara de Lobos (local ★, estrada <★) passeio pela levada do Norte★ - Cabo Girão★ 9 km por ③* X – *Eira do Serrado ✳★★★ (estrada <★★, <★) NO : 13 km pela Rua Dr. Pita – Curral das Freiras (local★, <★) NO : 17 km pela Rua Dr. Pita.*

Santo da Serra, 25 km por ② ☎ (091) 55 23 21 Fax (091) 55 23 67.

do Funchal 23 km por ② - Direcção dos aeroportos da Madeira ☎ (091) 52 49 41.

para Porto Santo : Porto Santo Line ☎ (091) 22 65 11.

Av. Arriaga 18 ☎ (091) 22 56 58 Fax (091) 23 21 51 – **A.C.P.** *Rua Dr. Antonio José de Almeida 17 ☎ (091) 22 36 59 Fax (091) 22 05 52.*

FUNCHAL

Carne Azeda (R. da) . . . . V 12
Carvalho Araújo (R.) . . . . X 15
Casa Branca (Caminho da) . . . . X 18
Comboio (R. do) . . . . V 21
Dom João Abel de Freitas (Estr.) . . . . V 27
Favila (R.) . . . . X 31
Gorgulho (R.) . . . . X 33
Lazarêto (Caminho do) . . . . . . X 42
Levada dos Barreiros (R.) . . . X 43
Luís de Camões (Av.) . . . . . . X 45
Maravilhas (R. das) . . . . X 46
Nova (Estr.) . . . . V 54
Palheiro (Caminho do) . . . . . X 55
Pedro José Ornelas (R.) . . . . V 57
Rochinha (R. da) . . . . V 64
São Roque (Caminho de) . . . V 70
V. Cacongo (Estr.) . . . . V 75
Velho da Ajuda (Caminho) . . X 76
Voltas (Caminho das) . . . . . V 79

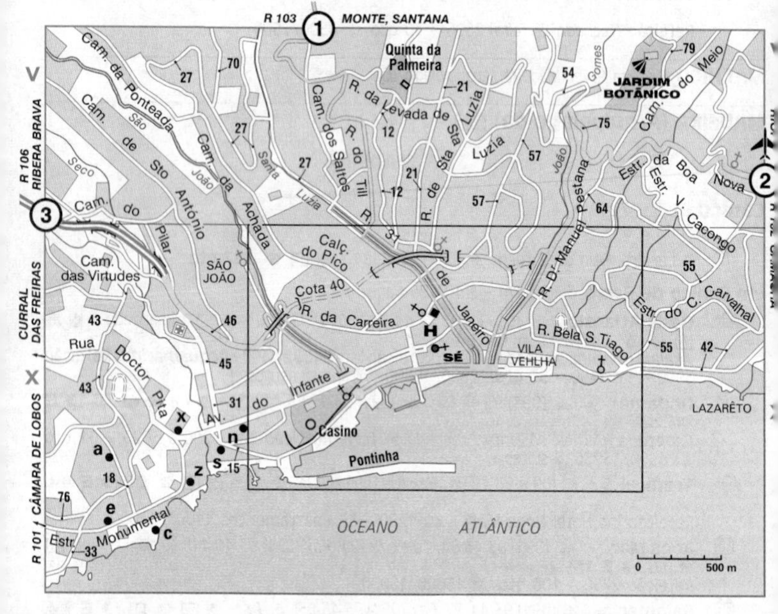

Reid's Palace, Estrada Monumental 139 ☎ (091) 700 71 71, Telex 72139, *Fax (091) 700 71 77,* < baía do Funchal, « Magnífico jardim semi-tropical sob um promontório rochoso », climatizada, – rest
X z

Garden *(só almoço)* **Refeição** lista 4500 a 5800 - ***Villa Cliff*** *(cozinha italiana)* **Refeição** lista 4400 a 6000 - ***Les Faunes*** *(só jantar, fechado domingo)* **Refeição** lista 5800 a 8100 – **148 qto** 52000/77000, 21 suites.

Cliff Bay Resort H. , Estrada Monumental 147 ☎ (091) 707 07 07, Telex 72232, *Fax (091) 76 25 25,* <, , , climatizada, , – 25/80.
X c

Il Gallo D'Oro *(cozinha italiana, só jantar, fechado domingo)* **Refeição** lista 6000 a 12000 - ***The Rose Garden*** *(só jantar)* **Refeição** lista 5000 a 12000 - ***Blue Lagoon*** *(só almoço buffet)* **Refeição** lista 5000 a 12000 – **97 qto** 53500/65500, 4 suites.

Savoy, Av. do Infante ☎ (091) 22 20 31, Telex 72153, *Fax (091) 22 31 03,* ←, « Terraço com piscina climatizada à beira-mar », – 25/300. X n
Grill Fleur de Lys *(só jantar)* **Refeição** lista 5900 a 7600 - **Bellevue : Refeição** lista 4300 a 5100 – **338 qto** 40000/65000, 12 suites.

Madeira Carlton H., Largo António Nobre ☎ (091) 23 10 31, *Fax (091) 22 33 77,* ←, climatizada, – 25/450 X s
Refeição Taverna Grill *(só jantar)* Os Arcos *(só jantar)* Buffet Garden Pool *(só almoço)* – **374 qto.**

Casino Park H., Av. do Infante ☎ (091) 23 31 11, Telex 72118, *Fax (091) 23 20 76,* ← montanha, cidade e mar, « Jardim florido », climatizada, – 25/650. AZ y
Chez Oscar *(fechado domingo e 2ª feira, só jantar)* **Refeição** lista 4550 a 6875 - ***Panorámico*** *(fechado domingo, só jantar)* **Refeição** lista 3950 a 5775 - ***Coffee Shop*** *(só almoço)* **Refeição** lista 2150 a 3200 – **354 qto** 33000/42000, 20 suites.

Quinta do Sol, Rua Dr. Pita 6 ☎ (091) 76 41 51, Telex 72182, *Fax (091) 76 62 87,* ←, climatizada – 25/80. X x
Refeição 4000 – **145 qto** 19000/26000, 6 suites – PA 8000.

Do Carmo, Travessa do Rego 10 ☎ (091) 22 90 01, Telex 72447, *Fax (091) 22 39 19,* – rest, CY f
80 qto.

Madeira sem rest, Rua Ivens 21 ☎ (091) 23 00 71, *Fax (091) 22 90 71,* – 25/70. BZ z
53 qto 9500/10500.

Quinta da Penha de França sem rest. com snack-bar, Rua da Penha de França 2 ☎ (091) 22 90 87, *Fax (091) 22 92 61,* « Jardim », climatizada – . AZ e
40 qto 18000.

Penha França Mar sem rest. com snack bar ao almoço, Rua Carvalho Araújo 1 ☎ (091) 22 90 87, *Fax (091) 22 92 61,* ←, – . AZ b
33 qto 20000.

Windsor sem rest. com snack-bar, Rua das Hortas 4-C, ✉ 9050, ☎ (091) 233 081, *Fax (091) 233 080,* – . CY r
67 qto 9500/11500.

Santa Clara sem rest, Calçada do Pico 16-B ☎ (091) 74 21 94, *Fax (091) 74 32 80,* ←, « Antiga casa senhorial », – . AY b
15 qto 5000/7500.

Albergaria Catedral sem rest, Rua do Aljube 13 ☎ (091) 23 00 91, *Fax (091) 23 19 80* – . BZ u
25 qto 5500/7000.

Casa das Hortas sem rest e sem, Rua das Hortas 55, ✉ 9050, ☎ (091) 428 99, *Fax (091) 23 21 87* – CY a
8 qto, 1 apartamento.

Casa Velha, Rua Imperatriz D. Amélia 69 ☎ (091) 22 57 49, *Fax (091) 22 46 29* – . AZ a
Refeição lista aprox. 4200.

Caravela, Rua das Comunidades Madeirenses 15 ☎ (091) 22 84 64, *Fax (091) 22 20 57,* ← – CZ v
Refeição lista 2550 a 3600.

Casa dos Reis, Rua Imperatriz D. Amélia 101 ☎ (091) 22 51 82, *Fax (091) 23 88 18,* – . AZ t
Refeição lista 3500 a 4250.

Dona Amélia, Rua Imperatriz D. Amélia 83 ☎ (091) 22 57 84, *Fax (091) 22 46 29* – . AZ c
Refeição lista aprox. 3800.

O Celeiro, Rua dos Aranhas 22 ☎ (091) 23 06 22, « Decoração rústica » – BZ a

Solar da Santola, Marina do Funchal ☎ (091) 22 72 91, *Fax (091) 23 39 30,* ←, – BZ b
Refeição lista 2150 a 4100.

ao Suloeste da cidade – ✉ *9000 Funchal :*

Madeira Palácio, Estrada Monumental - 4,5 km ☎ (091) 76 44 76, Telex 72156, *Fax (091) 76 44 77,* ←, climatizada, – 25/220. .
Vice Rei *(só jantar)* **Refeição** lista 6600 a 8600 - ***Cristovão Colombo*** *(só jantar)* **Refeição** lista 5500 - ***Coffee Shop Le Terrace :*** **Refeição** lista 4300 a 5400 – 2000 – **251 qto** 29000/43000, 2 suites.

FUNCHAL

Alfândega (R. da) . . . . BZ 3
Aljube (R. do) . . . . BZ 4
Bettencourt (R. do) . . . . CY 9
Chafariz (Largo do) . . . . CZ 19
Dr Fernão de Ornelas (R.) . . . CZ 28

João Tavira (R.) . . . . BZ 39
Phelps (Largo do) . . . . CY 58
Pretas (R. das) . . . . BY 61

Aranhas (R. dos) . . . . ABZ 6
Autonomia (Pr. da) . . . . CZ 7
Brigadeiro Oudinot (R.) . . . . CY 10

Carne Azeda (R. da) . . . . . . BY 12
Carvalho Araújo (R.) . . . . . . AZ 15
Conceição (R. da) . . . . CY 22
Conselheiro Aires Ornelas (R.) . . . . . . CY 24
Conselheiro José Silvestre Ribeiro (R.) . BZ 25

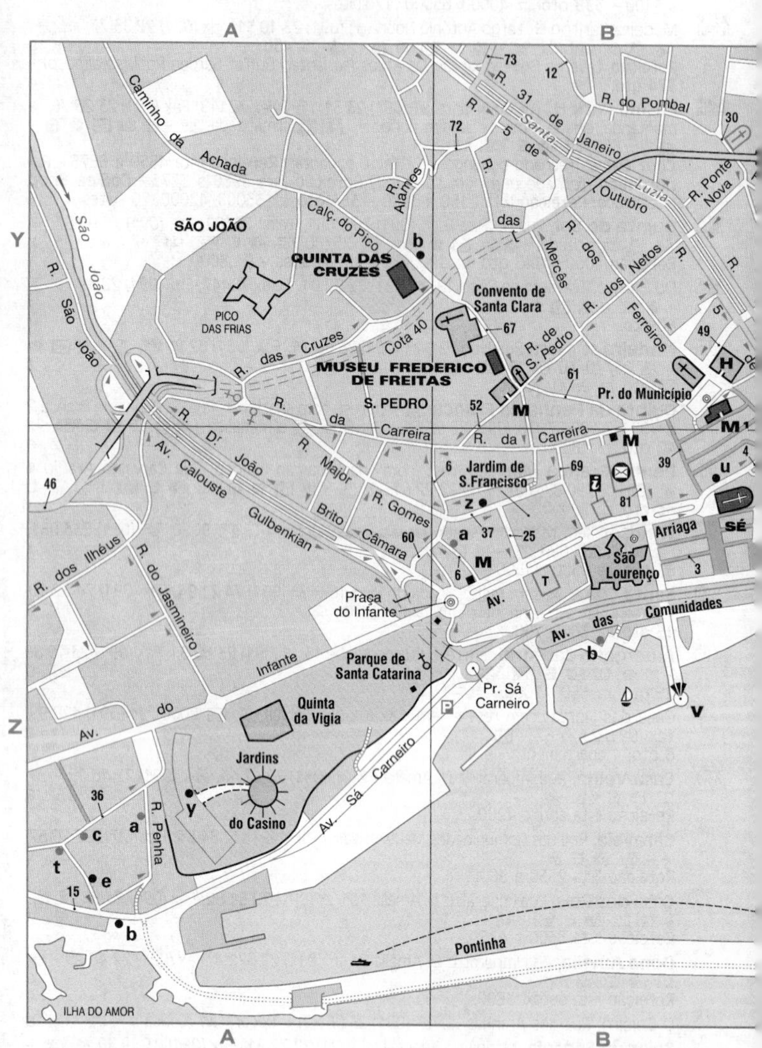

Carlton Palms H., Rua do Gorgulho 17 - 2,7 km (091) 76 61 00, Telex 72276, *Fax (091) 76 62 47*, climatizada – rest.
Refeição lista 2950 a 4150 – 1500 – **78 apartamentos** 20500/21500, 11 suites.

Eden Mar, Rua do Gorgulho 2 - 2,7 Km (091) 76 22 21, Telex 72672, *Fax (091) 76 19 66*, – 25/120.
Refeição 3300 – 1500 – **146 apartamentos** 18500/23000 – PA 6600.

Encarnação (Calç. da) . . . . . BY 30
Hospital Velho (R. do) . . . CYZ 34
Imperatriz D. Amélia (R. da) . . . AZ 36
Ivens (R.) . . . . BZ 37
Latino Coelho (R.) . . . . CZ 40
Lazarêto (Caminho do) . . . . DZ 42
Maravilhas (R. das) . . . . AZ 46
Marquês do Funchal (R.) . . BY 49
Miguel Carvalho (R.) . . . . . . CY 51
Mouraria (R.) . . . . BY 52
Ponte de S. Lázaro (R.) . . . AZ 60
Ribeirinho (R.) . . . . CY 63
Sabão (R. do) . . . . CZ 66
Santa Clara (Calç) . . . . BY 67
São Francisco (R. de) . . . . BZ 69
Saúde (Calç.) . . . . BY 72
Til (R. do) . . . . BY 73
Visconde do Anadía (R.) . . CYZ 78
Zirco (Av.) . . . . BZ 81

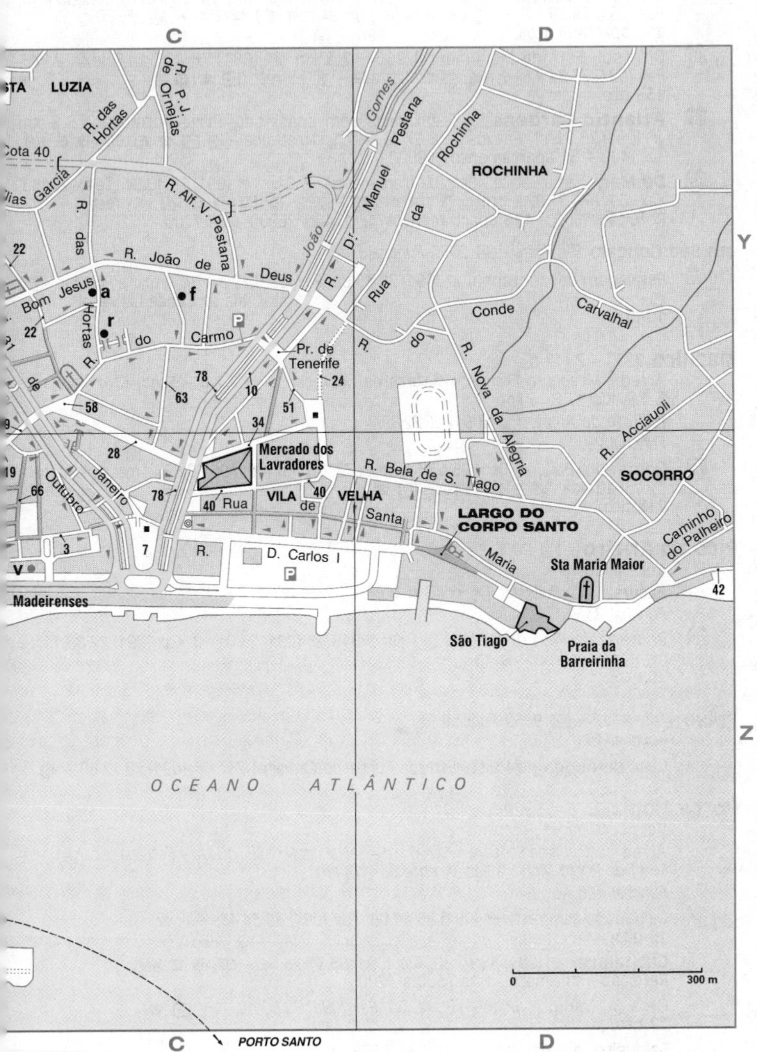

Vila Ramos ⛰, Azinhaga da Casa Branca 7 - 3 km ☎ (091) 76 41 81, Telex 72168, *Fax (091) 76 41 56*, ≤, ⛱ climatizada, 🎾 – |‡| ▤ TV ☎ P. AE ◑ E VISA. ✂
Refeição 3600 – **116 qto** ☕ 11500/15700.

Monumental Lido, Estrada Monumental 284 - 2,7 km ☎ (091) 76 64 66, *Fax (091) 76 63 45*, ≤, 🏋, ⛱ climatizada – |‡|, ▤ rest, TV ☎ 🚗 – 🏛 25/200. AE ◑ E VISA. ✂
Refeição 3500 – **201 qto** ☕ 16200/18400 – PA 6000.

Baía Azul, Estrada Monumental - 3,5 km (091) 76 62 60, Telex 72675, *Fax (091) 76 42 45*, ≤, climatizada – rest, – 25/400. VISA.
Refeição 3400 – **215 qto** 22500/25000 – PA 6800.

Alto Lido, Estrada Monumental 316 - 3,3 km (091) 76 51 97, Telex 72453, *Fax (091) 76 59 50*, ≤, climatizada – rest, – 25/80
118 apartamentos.

Girassol, Estrada Monumental 256 - 2,5 km (091) 76 40 51, Telex 72176, *Fax (091) 76 54 41*, ≤, climatizada – rest, X e
133 qto.

Atlantic Gardens sem rest. com snack-bar, Praia Formosa - 5,8 km (091) 76 21 11, *Fax (091) 76 67 33*, ≤, climatizada – VISA
1400 – **51 apartamentos** 18000.

Do Mar, Quinta Calaça - Estrada Monumental : 3,5 km (091) 76 10 01, Telex 72255, *Fax (091) 76 21 92*, ≤ mar, climatizada – VISA. rest
Refeição 3600 – **125 apartamentos** 15400/26000 – PA 7200.

em São Gonçalo *E : 5 km – 9050 Funchal :*

Estalagem da Montanha, (091) 79 35 00, *Fax (091) 79 36 79*, ≤ mar e Funchal – por Rua do Conde Carvalhal X
10 qto.

Machico *9200 – 2 142 h.*

Arred. : *Miradouro Francisco Álvares da Nóbrega★ SO : 2 km – Santa Cruz (Igreja de S. Salvador★) S : 6 km.*

Forte do Amparo (091) 96 22 89.

Funchal 29.

Dom Pedro Baía, (091) 96 57 51, Telex 72135, *Fax (091) 96 68 89*, ≤ mar e montanha, climatizada, – rest,
218 qto.

Pico do Arieiro – *9006 Funchal.*

Ver : *Mirador★★.*

Excurs. : *Pico Ruivo★★ (★★) 3 h. a pé.*

Funchal 23.

Pousada do Pico do Arieiro, alt. 1 818 (091) 23 01 10, *Fax (091) 22 86 11*, ≤ montanhas e mar –
25 qto.

Poiso – *alt. 1412 – 9050 Funchal.*

Funchal 15.

Casa de Abrigo do Poiso, Estrada Conde de Carvalhal 237 (091) 78 22 69 – .

Porto Moniz *9270 – 3 920 h.*

Ver : *Localidade★, escolhos★.*

Arred. : *Estrada de Santa ≤★ SO : 6 km – Seixal (local★) SE : 10 km – Estrada escarpada★★ (≤★) de Porto Moniz a São Vicente SE : 18 km.*

Funchal 106.

Calhau sem rest, (091) 85 31 04, *Fax (091) 85 34 43*, ≤ –
15 qto.

Cachalote, (091) 85 31 80, *Fax (091) 85 37 25*, ≤ – VISA
Refeição - só almoço - lista 2300 a 3200.

Orca com qto, (091) 85 00 00, *Fax (091) 85 00 19*, ≤ –
12 qto.

Salgueiro com qto, (091) 85 27 78, ≤
3 qto.

Ribeira Brava *9350 – 6 084 h.*

Funchal 30.

Valemar, Sítio do Muro (091) 95 25 63, *Fax (091) 95 11 66*, – . VISA.
Refeição 3000 – **20 apartamentos** 7000/10000.

Bravamar, Rua Gago Coutinho (091) 95 22 20, *Fax (091) 95 11 22*, ≤ –
70 qto.

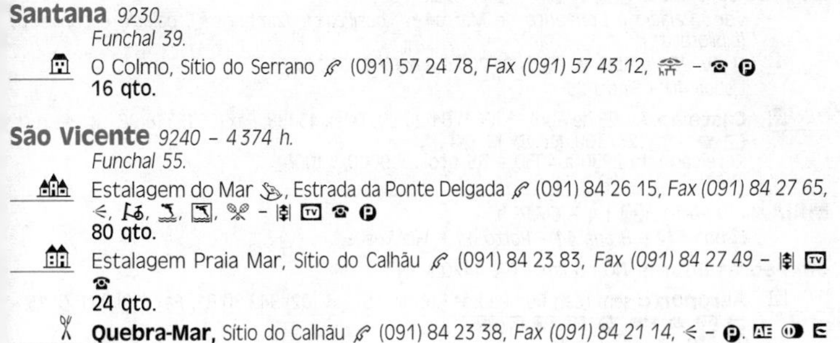

Santana *9230.*
Funchal 39.

O Colmo, Sítio do Serrano (091) 57 24 78, *Fax (091) 57 43 12*, –
16 qto.

São Vicente *9240 – 4 374 h.*
Funchal 55.

Estalagem do Mar, Estrada da Ponte Delgada (091) 84 26 15, *Fax (091) 84 27 65*, –
80 qto.

Estalagem Praia Mar, Sítio do Calhau (091) 84 23 83, *Fax (091) 84 27 49* –
24 qto.

Quebra-Mar, Sítio do Calhau (091) 84 23 38, *Fax (091) 84 21 14*, –
Refeição lista 2050 a 3250.

Serra de Água – *1 426 h.* – *9350 Ribeira Brava.*
Ver : *Sítio*★.
Funchal 39.

na estrada de São Vicente – *9350 Ribeira Brava* :

Pousada dos Vinháticos, N : 2,2 km (091) 95 23 44, *Fax (091) 95 25 40*, montanhas, –
Refeição 4000 – **21 qto** 6000/12000.

Encumeada, N : 3,8 km (091) 95 12 82, *Fax (091) 95 12 81*, –
Refeição 1750 – **36 qto** 5000/6000 – PA 3500.

PORTO SANTO

Vila Baleira – *9400 Porto Santo – Praia.*
do Porto Santo 2 km (091) 98 23 79.
Av. Vieira de Castro (091) 98 23 61 (ext. 203).

Torre Praia Suite H., Rua Goulart Medeiros (091) 98 52 92, Telex 72389, *Fax (091) 98 24 87*, mar e montanha, – rest
Refeição 2600 – **62 qto** 17100/19000, 3 suites – PA 5200.

Praia Dourada, Rua D. Estêvão (d'Alencastre) (091) 98 23 15, Telex 72389, *Fax (091) 98 23 15*, –
Refeição (no Hotel ***Torre Praia Suite H.***) – **110 qto** 11250/12500.

Central sem rest, Rua Abel Magno Vasconcelos (091) 98 22 26, *Fax (091) 98 34 60*, –
38 qto, 4 suites.

ao Suloeste :

Porto Santo, 2 km (091) 98 23 81, *Fax (091) 98 26 11*, –
Refeição 4200 – **97 qto** 18000/24000.

Luamar Suite H. sem rest, Cabeço da ponta - 5,5 km (091) 98 41 21, *Fax (091) 98 31 00*, –
75 qto 16900.

MAFRA *2640 Lisboa 440 P 1 – 13 334 h. alt. 250.*

Ver : *Palácio e Convento de Mafra★★ : basílica★★ (zimbório★), palácio e convento (biblioteca★).*

Av. 25 de Abril (061) 81 20 23 Fax (061) 521 04.

Lisboa 40 – Sintra 23.

Castelão, Av. 25 de Abril (061) 81 20 50, Telex 43488, *Fax (061) 516 98* – rest, – 25/300. AE E VISA.
Refeição lista 2950 a 4050 – **35 qto** 9000/11000.

MAIA *4470 Porto 440 I 4 – 6 734 h.*

Lisboa 314 – Braga 44 – Porto 11 – Vila Real 98.

em Pedras Rubras *NO : 6 km – 4470 Maia :*

Aeroporto sem rest, Rua Pedras Rubras 157 (02) 942 80 81, *Fax (02) 941 77 15* – . AE E VISA
26 qto 6000/7500.

El Asador de Aranda, Largo de Matos 167 (02) 944 31 02, *Fax (02) 944 31 01,* « Antigo armazém decorado em estilo rústico-regional » – . AE E VISA.
fechado domingo noite, 2ª feira e do 5 ao 19 de agosto – **Refeição** - cordeiro assado - lista 3100 a 4550.

MALVEIRA DA SERRA *Lisboa 440 P 1 – 2750 Cascais.*

Lisboa 37 – Sintra 13.

Adega do Zé Manel, Estrada de Alcabideche (01) 487 06 38, « Decoração rústica ».

Quinta do Farta Pão, Estrada de Cascais N 9-1, S : 1,7 km (01) 487 05 68, « Rest. típico. Decoração rústica » – .

O Camponés, (01) 487 01 16, « Rest. típico. Decoração rústica » – AE E VISA.
fechado 2ª feira e do 3 ao 24 de junho – **Refeição** lista 2800 a 3500.

MANGUALDE *3530 Viseu 440 K 6 – 5 113 h. alt. 545.*

(032) 62 32 22.

Lisboa 317 – Guarda 67 – Viseu 18.

Estalagem Casa d'Azurara, Rua Nova 78 (032) 61 20 10, *Fax (032) 62 25 75,* « Antiga casa solarenga », – . AE E VISA.
Refeição lista 4000 a 4500 – **15 qto** 16200/18400.

Estalagem Cruz da Mata, Estrada N 16 (032) 61 19 45, *Fax (032) 61 27 22,* – – 25/150. AE E VISA. rest
Refeição 2200 – **28 qto** 8500/10500.

pela estrada N 16 *E : 2,8 km – 3530 Mangualde :*

Senhora do Castelo , Monte da Senhora do Castelo (032) 61 16 08, *Fax (032) 62 38 77,* Serras da Estrela e Caramulo, , , – – 25/150. AE E VISA.
Refeição 2000 – **83 qto** 8500/10500, 4 suites – PA 4000.

MANTEIGAS *6260 Guarda 440 K 7 – 3 428 h. alt. 775 – Termas – Desportos de Inverno na Serra da Estrela : 3.*

Arred. : *Poço do Inferno★ (cascata★) S : 9 km – S : Vale glaciário do Zêzere★★, ★.*

Rua Dr. Esteves de Carvalho (075) 98 11 29.

Lisboa 355 – Guarda 49.

pela estrada das Caldas *S : 2 km e desvio a esquerda 1,5 km – 6260 Manteigas :*

Albergaria Berne , Santo António (075) 98 13 51, *Fax (075) 98 21 14,* , – , rest, . E VISA.
fechado 20 setembro-5 outubro – **Refeição** 2200 – **17 qto** 5000/7000.

na estrada de Gouveia *N : 13 km – 6260 Manteigas :*

Pousada de São Lourenço , (075) 98 24 50, *Fax (075) 98 24 53,* vale e montanha – rest, . AE E VISA.
Refeição lista aprox. 3650 – **22 qto** 13500/15600.

MARCO DE CANAVESES *4630 Porto 440 I 5 – 46 131 h.*

Alameda Dr. Miranda da Rocha (055) 53 41 01 Fax (055) 53 40 32.

Lisboa 383 – Braga 72 – Porto 53 – Vila Real 83.

Marco sem rest, Rua Dr. Sá Carneiro 684 (055) 52 20 93 – – **19 qto.**

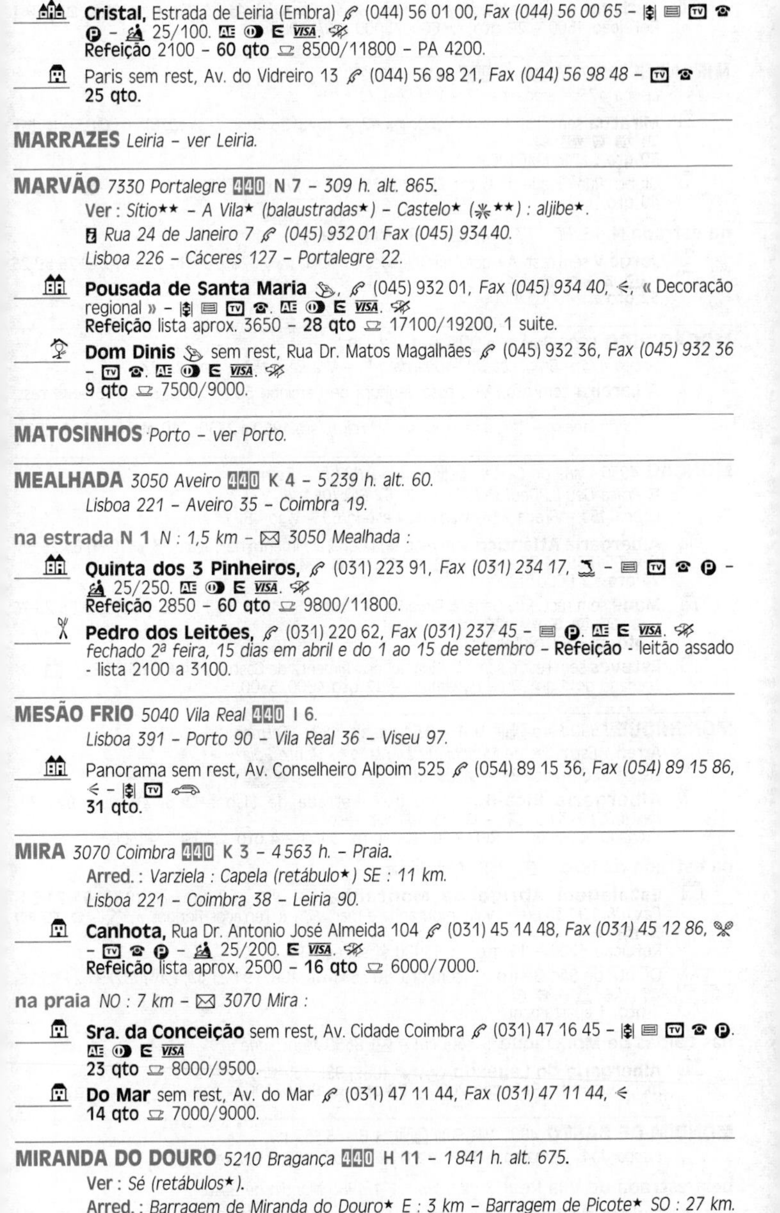

MARINHA GRANDE *2430 Leiria* **440** **M 3** – *25 504 h. alt. 70 – Praia em São Pedro de Moel.*
Av. Dr. José Vareda (044) 56 66 44.
Lisboa 143 – Leiria 12 – Porto 199.

Cristal, Estrada de Leiria (Embra) (044) 56 01 00, *Fax (044) 56 00 65* – 25/100.
Refeição 2100 – **60 qto** 8500/11800 – PA 4200.

Paris sem rest, Av. do Vidreiro 13 (044) 56 98 21, *Fax (044) 56 98 48* –
25 qto.

MARRAZES *Leiria – ver Leiria.*

MARVÃO *7330 Portalegre* **440** **N 7** – *309 h. alt. 865.*
Ver : *Sítio** – A Vila* (balaustradas*) – Castelo* (**) : aljibe*.*
Rua 24 de Janeiro 7 (045) 932 01 Fax (045) 934 40.
Lisboa 226 – Cáceres 127 – Portalegre 22.

Pousada de Santa Maria, (045) 932 01, *Fax (045) 934 40*, « Decoração regional » –
Refeição lista aprox. 3650 – **28 qto** 17100/19200, 1 suite.

Dom Dinis sem rest, Rua Dr. Matos Magalhães (045) 932 36, *Fax (045) 932 36* –
9 qto 7500/9000.

MATOSINHOS *Porto – ver Porto.*

MEALHADA *3050 Aveiro* **440** **K 4** – *5 239 h. alt. 60.*
Lisboa 221 – Aveiro 35 – Coimbra 19.

na estrada N 1 *N : 1,5 km – 3050 Mealhada :*

Quinta dos 3 Pinheiros, (031) 223 91, *Fax (031) 234 17*, – 25/250.
Refeição 2850 – **60 qto** 9800/11800.

Pedro dos Leitões, (031) 220 62, *Fax (031) 237 45* –
fechado 2ª feira, 15 dias em abril e do 1 ao 15 de setembro – **Refeição** - leitão assado - lista 2100 a 3100.

MESÃO FRIO *5040 Vila Real* **440** **I 6.**
Lisboa 391 – Porto 90 – Vila Real 36 – Viseu 97.

Panorama sem rest, Av. Conselheiro Alpoim 525 (054) 89 15 36, *Fax (054) 89 15 86*, –
31 qto.

MIRA *3070 Coimbra* **440** **K 3** – *4 563 h. – Praia.*
Arred. : *Varziela : Capela (retábulo*) SE : 11 km.*
Lisboa 221 – Coimbra 38 – Leiria 90.

Canhota, Rua Dr. Antonio José Almeida 104 (031) 45 14 48, *Fax (031) 45 12 86*, – – 25/200.
Refeição lista aprox. 2500 – **16 qto** 6000/7000.

na praia *NO : 7 km – 3070 Mira :*

Sra. da Conceição sem rest, Av. Cidade Coimbra (031) 47 16 45 –
23 qto 8000/9500.

Do Mar sem rest, Av. do Mar (031) 47 11 44, *Fax (031) 47 11 44*,
14 qto 7000/9000.

MIRANDA DO DOURO *5210 Bragança* **440** **H 11** – *1 841 h. alt. 675.*
Ver : *Sé (retábulos*).*
Arred. : *Barragem de Miranda do Douro* E : 3 km – Barragem de Picote* SO : 27 km.*
Largo Menino Jesus da Cartolinha (073) 411 32.
Lisboa 524 – Bragança 85.

Pousada de Santa Catarina, (073) 412 55, *Fax (073) 410 65*, – . .
Refeição lista aprox. 3650 – **9 qto** 13500/15600, 3 suites.

Turismo, Rua 1º de Maio 5 (073) 43 80 30, *Fax (073) 43 13 35* – .
Refeição 1500 – **29 qto** 6000/8000 – PA 3000.

MIRANDELA *5370 Bragança* 440 H 8 – *7 862 h.*
Lisboa 475 – Bragança 67 – Vila Real 71.

Miratua sem rest, Rua da República 42 (078) 26 50 03, *Fax (078) 26 50 03* – .
.
30 qto 4300/6100.

Globo, Rua Cidade de Ortez 35 (078) 282 10, *Fax (078) 288 71* –
40 qto.

na estrada N 15 *NE : 1,3 km – 5370 Mirandela :*

Jorge V sem rest, Av. das Comunidades Europeias (078) 26 58 26, *Fax (078) 26 59 26* – .
32 qto 4000/7000.

MOGADOURO *5200 Bragança* 440 H 9 – *2 648 h.*
Lisboa 471 – Bragança 94 – Guarda 145 – Vila Real 153 – Zamora 97.

A Lareira com qto, Av. Nossa Senhora do Caminho 58 (079) 34 23 63 – rest,
fechado janeiro – **Refeição** *(fechado 2ª feira)* lista 1950 a 2350 – **10 qto** 3000/6000.

MONÇÃO *4950 Viana do Castelo* 440 F 4 – *2 687 h. – Termas.*
Praça Deu-La-Deu (051) 65 27 57 Fax (051) 65 27 57.
Lisboa 451 – Braga 71 – Viana do Castelo 69 – Vigo 48.

Albergaria Atlântico sem rest, Rua General Pimenta de Castro 13 (051) 65 23 55, *Fax (051) 65 23 76* – . .
24 qto 8000/12000.

Mané sem rest, Rua General Pimenta de Castro 5 (051) 65 24 90, *Fax (051) 65 23 76* – . .
8 qto 6500/9000.

Esteves sem rest e sem , Rua General Pimenta de Castro (051) 65 23 86 – .
fechado do 1 ao 20 de novembro – **22 qto** 4000/5500.

MONCHIQUE *8550 Faro* 440 U 4 – *2 540 h. alt. 458 – Termas.*
Arred. : *Estrada★ de Monchique à Fóia ★, Monte Fóia★ ★.*
Lisboa 260 – Faro 86 – Lagos 42.

Albergaria Bica-Boa com qto, Estrada de Lisboa 266 (082) 922 71, *Fax (082) 923 60*, – . rest
fechado novembro – **Refeição** lista aprox. 3450 – **4 qto** 9000/11500.

na estrada da Fóia – *8550 Monchique :*

Estalagem Abrigo da Montanha, SO : 2 km (082) 91 21 31, *Fax (082) 91 36 60*, vale, montanha e mar, , « Terraços floridos », – .
.
Refeição 3000 – **11 qto** 13000, 4 suites – PA 6000.

Quinta de São Bento com qto, SO : 5 km (082) 91 21 43, *Fax (082) 91 21 43*, ,
, , –
5 qto, 1 apartamento.

nas Caldas de Monchique *S : 6,5 km – 8550 Monchique :*

Albergaria do Lageado, (082) 926 16, , –
maio-outubro – **Refeição** 2000 – **20 qto** 6000/8000.

MONDIM DE BASTO *4880 Vila Real* 440 H 6 – *3 165 h.*
Lisboa 404 – Amarante 35 – Braga 66 – Porto 96 – Vila Real 45.

pela estrada de Vila Real *S : 2,5 km – 4880 Mondin de Basto :*

Quinta do Fundo, Vilar de Viando (055) 38 12 91, *Fax (055) 38 20 17*, , « Quinta agrícola com adegas próprias », , – .
Refeição 2500 – **5 qto** 8500/9500, 2 suites – PA 5000.

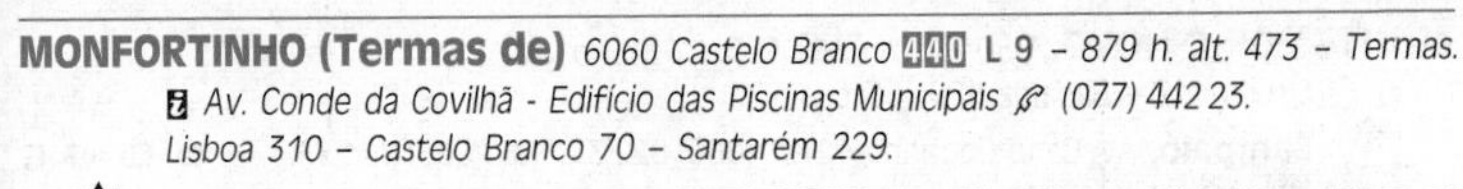

MONFORTINHO (Termas de) *6060 Castelo Branco 440 L 9 – 879 h. alt. 473 – Termas.*

Av. Conde da Covilhã - Edifício das Piscinas Municipais (077) 442 23.

Lisboa 310 – Castelo Branco 70 – Santarém 229.

Astória, (077) 442 05, *Fax (077) 443 30,* – 25/150
83 qto.

Fonte Santa, (077) 441 04, *Fax (077) 443 43,* « Num parque »,
47 qto.

Portuguesa, (077) 442 18, –
2 maio-outubro – **Refeição** 1700 – **63 qto** 4000/6300 – PA 3400.

MONSANTO *Castelo Branco 440 L 8 – alt. 758 – 6085 Medelim.*

Ver : *Aldeia★, Castelo : ★★.*

Madrid 328 – Castelo Branco 73 – Ciudad Rodrigo 132 – Guarda 90.

Pousada de Monsanto, Rua da Capela 1 (077) 344 71, *Fax (077) 344 81,* – AE E VISA.
Refeição lista aprox. 3650 – **10 qto** 13500/15600.

*Un conseil **Michelin** :*
pour réussir vos voyages, préparez-les à l'avance.

*Les **cartes** et **guides Michelin** vous donnent toutes indications utiles sur : itinéraires, visite des curiosités, logement, prix, etc.*

MONTARGIL *7425 Portalegre 440 O 5 – 4 587 h.*

Lisboa 131 – Portalegre 104 – Santarém 72.

Barragem, Estrada N 2 (042) 941 75, *Fax (042) 942 55,* barragem, – – 25/180. AE E VISA.
Refeição 2500 - ***A Panela*** : **Refeição** lista 2450 a 3800 – **18 qto** 12000/14000, 3 suites – PA 5000.

MONTE DO FARO *Viana do Castelo – ver Valença do Minho.*

MONTE ESTORIL *Lisboa – ver Estoril.*

MONTE GORDO *Faro – ver Vila Real de Santo António.*

MONTE REAL *2425 Leiria 440 M 3 – 2 549 h. alt. 50 – Termas.*

Parque Municipal (044) 61 21 67.

Lisboa 147 – Leiria 16 – Santarém 97.

D. Afonso, Rua Dr. Oliveira Salazar (044) 61 12 38, *Fax (044) 61 13 22,* – rest, – 25/600. AE E VISA.
fechado janeiro-fevereiro – **Refeição** 2300 – **74 qto** 9250/10000 – PA 4600.

Flora, Rua Duarte Pacheco (044) 61 21 21, *Fax (044) 81 50 99* – AE E VISA JCB.
abril-outubro – **Refeição** 3000 – **35 qto** 5000/7000 – PA 5000.

Santa Rita, Rua de Leiria (044) 61 21 47, *Fax (044) 61 21 72,* –
abril-outubro – **Refeição** 2000 – **42 qto** 6000/8000.

Colmeia, Estrada da Base Aérea 5 (044) 61 25 33, *Fax (044) 61 19 30* – rest,
maio-outubro – **Refeição** 1800 – **46 qto** 6000/7500 – PA 3600.

em Ortigosa *na estrada N 109 - SE : 4 km – 2425 Monte Real :*

Saloon, (044) 61 34 38, *Fax (044) 61 34 38,* « Rest. típico. Decoração rústica » – AE E VISA.
Refeição lista 3250 a 4500.

MONTE - SÃO PEDRO DA TORRE *Viana do Castelo – ver Valença do Minho.*

MONTECHORO *Faro – ver Albufeira.*

MONTEMOR-O-NOVO *7050 Évora* 440 Q 5 – *6 660 h. alt. 240.*

Lisboa 112 – Badajoz 129 – Évora 30.

Sampaio, Av. Gago Coutinho 12 ☎ (066) 822 37, *Fax (066) 801 95* – ▤ ☎. AE ⓓ E VISA. ✂
Refeição (ver rest. ***Sampaio***) – ☕ 650 – **7 qto** 4700/6500.

Bar Alentejano, Av. Sacadura Cabral 25 ☎ (066) 822 24 – ▤. VISA
Refeição lista aprox. 4000.

Sampaio, Rua Bento Gonçalves 2 ☎ (066) 822 37, *Fax (066) 801 95,* « Decoração rústica regional » – ▤. AE ⓓ VISA. ✂
fechado 2ª feira noite e 3ª feira – **Refeição** lista aprox. 4100.

O Bacalhau, Av. Gago Coutinho 17 ☎ (066) 806 03
▤. AE ⓓ E VISA. ✂
fechado 4ª feira – **Refeição** lista 2750 a 3700.

MONTEMOR-O-VELHO *3140 Coimbra* 440 L 3 – *2 355 h.*

Ver : *Castelo★ (✻★).*

Lisboa 206 – Aveiro 61 – Coimbra 29 – Figueira da Foz 16 – Leiria 77.

Abade João sem rest, Rua dos Combatentes da Grande Guerra 15 ☎ (039) 68 94 58, *Fax (039) 68 94 68,* ≤ – |‡| TV ☎ P. AE E VISA. ✂
☕ 500 – **14 qto** 5000/8000.

Ramalhão, Rua Tenente Valadim 24 ☎ (039) 68 94 35, « Decoracão rústica » – E VISA. ✂
fechado domingo noite, 2ª feira e outubro – **Refeição** lista 4000 a 4500
Espec. Massada de cherne, corvina ou garoupa. Pés de porco albardados. Arroz malandrinho de coelho en vinha d'alhos.

MONTIJO *2870 Setúbal* 440 P 3.

Lisboa 54 – Setúbal 24 – Vendas Novas 45.

Sol Inn Montijo Parque H. 🌳, Av. João XXIII-193 ☎ (01) 231 33 74, *Fax (01) 231 52 61* – |‡| ▤ TV ☎ ♿ 🚗 – 🎤 25/150. AE ⓓ E VISA JCB. ✂
Refeição 2500 – ☕ 500 – **84 qto** 8000/10000.

NAZARÉ *2450 Leiria* 440 N 2 – *13 162 h.* – *Praia.*

Ver : *Sítio★★ - O Sítio ≤★ B - Farol : sítio marinho★★.*

ℹ *Av. da República ☎ (062) 56 11 94 Fax (062) 550 10 49.*

Lisboa 123 ② – Coimbra 103 ① – Leiria 32 ①

Plano página seguinte

Praia, Av. Vieira Guimarães 39 ☎ (062) 56 14 23, *Fax (062) 56 14 36* – |‡| ▤ TV ☎ 🚗. AE ⓓ E VISA JCB — A f
Refeição 2000 – **40 qto** ☕ 17700/21000 – PA 4000.

Da Nazaré, Largo Afonso Zuquete ☎ (062) 56 13 11, *Fax (062) 56 12 38,* ≤ – |‡| ▤ TV ☎. AE ⓓ E VISA JCB. ✂ rest — A z
fechado janeiro – **Refeição** 2000 – **52 qto** ☕ 11990/12500 – PA 4000.

Maré, Rua Mouzinho de Albuquerque 8 ☎ (062) 56 12 26, *Fax (062) 56 17 50* – |‡| TV ☎. AE ⓓ E VISA. ✂ — A r
Refeição 1900 – **36 qto** ☕ 10700/13400 – PA 3400.

Miramar sem rest, Rua Abel da Silva 36 - Pederneira ☎ (062) 56 13 33, *Fax (062) 56 17 34,* 🏊 – TV ☎ 🚗. AE E VISA. ✂ — B t
18 qto ☕ 10350/18000, 4 apartamentos.

Dom Fuas, Av. Manuel Remigio ☎ (062) 56 13 51, *Fax (062) 56 15 00,* ≤ – |‡| TV ☎ P. AE ⓓ E VISA JCB. ✂ rest — B b
Refeição 2550 – **32 qto** ☕ 12500/16570.

Ribamar, Rua Gomes Freire 9 ☎ (062) 55 11 58, *Fax (062) 56 22 24,* ≤, « Decoração regional » – TV. AE ⓓ E VISA JCB — A b
fechado do 16 ao 26 de dezembro – **Refeição** lista aprox. 4150 – **25 qto** ☕ 10000/18500.

A Cubata sem rest, Av. da República 6 ☎ (062) 56 17 06, *Fax (062) 56 17 00* – TV ☎. AE ⓓ E VISA. ✂ — A n
21 qto ☕ 6500/8500.

Mar Bravo com qto, Praça Sousa Oliveira 67-A ☎ (062) 55 11 80, *Fax (062) 55 39 79,* ≤, ☂ – |‡| ▤ TV ☎. AE ⓓ E VISA JCB — A s
Refeição - peixes e mariscos - lista aprox. 4500 – **16 qto** ☕ 16000/18000.

Beira Mar com qto, Av. da República 40 ☎ (062) 56 13 58 – TV. AE ⓓ E VISA JCB — A h
fechado dezembro-fevereiro – **Refeição** lista 1800 a 3850 – **15 qto** ☕ 9000/12000.

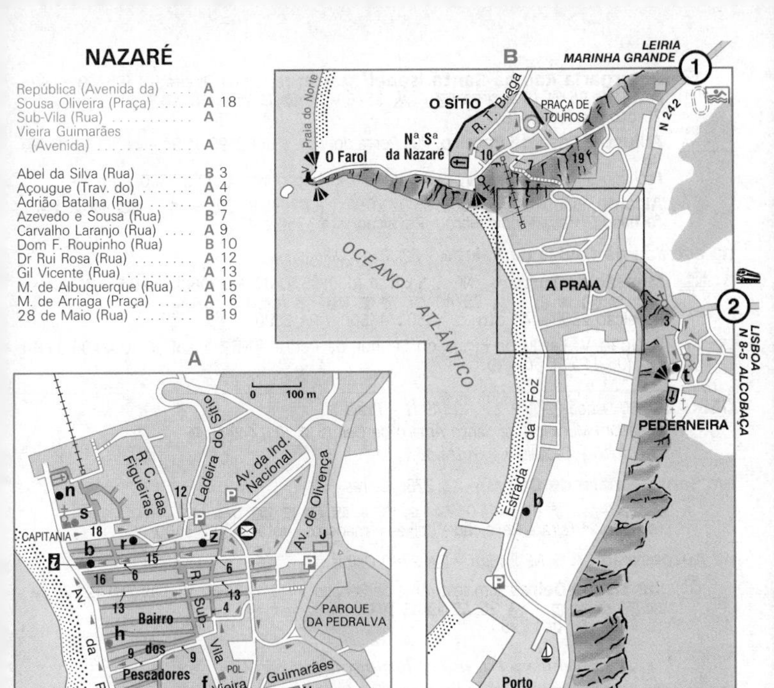

NELAS *3520 Viseu 440 K 6 – 3 453 h.*

Largo Dr. Veiga Simão ✆ (032) 94 43 48. – Lisboa 277 – Coimbra 81 – Viseu 19.

Os Antónios, Largo Vasco da Gama ✆ (032) 94 95 15, *Fax (032) 94 94 91* – ▤. ◑ E VISA. ✂
Refeição lista 2750 a 3750.

em Canas de Senhorim *na estrada N 234 - SO : 4 km – ✉ 3525 Nelas :*

Urgeiriça ⛰, ✆ (032) 67 12 67, *Fax (032) 67 13 28,* Num pinhal, « Decoração elegante », ⛱, ☘, ✕ – |♦| ▤ TV ☎ P – 25/100. AE ◑ E VISA. ✂
Refeição 2750 – **83 qto** ☐ 11000/13200, 2 suites, 4 apartamentos – PA 6400.

ÓBIDOS *2510 Leiria 440 N 2 – 825 h. alt. 75.*

Ver : *A Cidadela medieval★★ (Rua Direita★, Praça de Santa Maria★, Igreja de Santa Maria : Túmulo★) - Murallas★★ (≤★).*

Rua Direita ✆ (062) 95 92 31 Fax (062) 95 50 14.

Lisboa 92 – Leiria 66 – Santarém 56.

Pousada do Castelo ⛰, Paço Real ✆ (062) 95 91 05, *Fax (062) 95 91 48,* « Belas instalações nas muralhas do castelo. Mobiliário de estilo » – ▤ TV ☎. AE ◑ E VISA. ✂
Refeição lista aprox. 3650 – **9 qto** ☐ 26500/29600.

Estalagem do Convento ⛰, Rua D. João d'Ornelas ✆ (062) 95 92 16, Telex 44906, *Fax (062) 95 91 59,* « Decoração estilo antigo » – ☎. AE E VISA JCB. ✂ rest
Refeição *(fechado domingo)* 3200 – **31 qto** ☐ 13500/15800.

Albergaria Josefa d'Óbidos, Rua D. João d'Ornelas ✆ (062) 95 92 28, *Fax (062) 95 95 33* – |♦| ▤ TV ☎. AE ◑ E VISA JCB. ✂
Refeição *(fechado janeiro)* 2300 – **36 qto** ☐ 9000/11000.

Albergaria Rainha Santa Isabel sem rest, Rua Direita (062) 95 93 23, *Fax (062) 95 91 15* – – 25/60. AE E VISA JCB.
20 qto 16870/19125.

A Ilustre Casa de Ramiro, Rua Porta do Vale (062) 95 91 94 – . AE E VISA.
fechado 5ª feira e 5 janeiro-5 fevereiro – **Refeição** lista 4200 a 5300.

Alcaide, Rua Direita (062) 95 92 20, *Fax (062) 95 92 20*, <, – AE E VISA
fechado 2ª feira e novembro – **Refeição** lista 3250 a 4300.

na estrada de Caldas da Rainha – *2510 Óbidos :*

Mansão da Torre , NE : 2,5 km (062) 95 92 47, *Fax (062) 95 90 51*, , , – – 25/40. AE E VISA. rest
Refeição 2500 – **41 qto** 10500/13500 – PA 5000.

D. João V, Largo da Igreja do Senhor da Pedra - NE : 1 km (062) 95 91 34, *Fax (062) 95 96 86* – .

OEIRAS *2780 Lisboa* 440 *P 2 – 40 149 h. – Praia.*
Jardim Municipal de Santo Amaro de Oeiras (01) 442 39 46.
Lisboa 16 – Cascais 8 – Sintra 16.

em Santo Amaro de Oeiras – *2780 Oeiras :*

Saisa, Praia (01) 443 06 34, <, – AE E VISA JCB.
fechado 2ª feira – **Refeição** - peixes e mariscos - lista 2600 a 3400.

na Autoestrada A 5 *NE : 4 km – 2780 Oeiras :*

Ibis Lisboa-Oeiras sem rest, Área de Serviço (01) 421 62 15, *Fax (01) 421 70 39* – – 25. AE E VISA
750 – **61 qto** 7950.

Es ist empfehlenswert, in der Hauptsaison
und vor allem in Urlaubsorten Hotelzimmer im voraus zu bestellen.

OLIVEIRA DE AZEMÉIS *3720 Aveiro* 440 *J 4 – 9 210 h.*
Praça José da Costa (056) 67 44 63.
Lisboa 275 – Aveiro 38 – Coimbra 76 – Porto 40 – Viseu 98.

Dighton, Rua Dr. Albino dos Reis (056) 68 21 91, Telex 23343, *Fax (056) 68 22 48* – – 25/200. AE E VISA.
Refeição 2700 – **99 qto** 10000/12000, 1 suite.

Diplomata, Rua Dr. Simões dos Reis 125 (056) 68 25 90
. AE E VISA JCB.
fechado do 15 ao 31 de agosto – **Refeição** lista 2950 a 3500.

O Camponês com snack-bar, Rua Dr. Albino dos Reis (056) 68 21 55 – AE E VISA.
fechado sábado – **Refeição** lista aprox. 3050.

pela estrada de Carregosa *NE : 2 km – 3720 Oliveira de Azeméis :*

Estalagem São Miguel , Parque de la Salette (056) 68 10 49, *Fax (056) 68 51 41*, < vila, vale e montanha, « Num parque », – . AE E VISA.
Refeição 3000 – **14 qto** 12000/16000.

pela antiga estrada N 1 *N : 2 km e desvío a direita 1 km – 3720 Oliveira de Azeméis :*

Albergaria do Campo sem rest, Rua de S. Miguel (056) 68 27 45, *Fax (056) 68 23 85* – . AE E VISA.
14 qto 7500/9350.

OLIVEIRA DO BAIRRO *3770 Aveiro* 440 *K 4 – 4 351 h.*
Estrada N 235 (034) 74 75 50.
Lisboa 233 – Aveiro 23 – Coimbra 40 – Porto 88.

Paraíso, Estrada N 235 (034) 74 78 65, *Fax (034) 74 73 56*, < –
30 qto.

A Estância, Estrada N 235 - NO : 1,5 km (034) 74 71 15, *Fax (034) 74 83 62* – . AE E VISA.
Refeição 850 – **15 qto** 3000/4500.

OLIVEIRA DO HOSPITAL *3400 Coimbra* 440 K 6 - *2 318 h. alt. 500.*

Ver : *Igreja Matriz★ (estátua★, retábulo★).*

Casa da Cultura ✆ (038) 595 22 Fax (038) 597 39.

Lisboa 284 - Coimbra 82 - Guarda 88.

São Paulo, Rua Dr. Antunes Varela 3 ✆ (038) 590 00, *Fax (038) 590 01,* ← - |‡| ▤ TV ☎ P - 25/80. AE E VISA. rest
Refeição 2250 - **43 qto** 8000/10000.

na Póvoa das Quartas *pela estrada N 17 - E : 7 km - ✉ 3400 Oliveira do Hospital :*

Pousada de Santa Bárbara , ✆ (038) 596 52, *Fax (038) 596 45,* ← vale e Serra da Estrela, , - TV ☎ P. AE E VISA.
Refeição lista aprox. 3650 - **16 qto** 18200/20300.

ORTIGOSA *Leiria - ver Monte Real.*

OVAR *3880 Aveiro* 440 J 4 - *25 518 h. - Praia.*

Rua Elias Garcia ✆ (056) 57 22 15.

Lisboa 294 - Aveiro 36 - Porto 40.

Meia-lua sem rest, Quinta das Luzes ✆ (056) 57 50 31, *Fax (056) 57 52 32,* ←, - |‡| ▤ TV ☎ - 25/80. AE E VISA.
54 qto 11900/14500.

Albergaria São Cristóvão, Rua Aquilino Ribeiro 1 ✆ (056) 57 51 05, *Fax (056) 57 51 07* - |‡|, ▤ rest, TV ☎ - 25/150. AE E VISA.
Refeição *(fechado 2ª feira)* - só jantar - 1850 - **57 qto** 6000/8000.

PAÇO DE ARCOS *Lisboa* 440 P 2 - *✉ 2780 Oeiras - Praia.*

Lisboa 18.

Sol Palmeiras, Av. Marginal ✆ (01) 441 66 77, *Fax (01) 443 07 68,* ←, - |‡| ▤ TV ☎ P. AE E VISA JCB
Refeição (ver rest. ***La Cocagne***) - **35 suites** 25000/28000.

XXX **La Cocagne,** Av. Marginal ✆ (01) 441 42 31, *Fax (01) 441 42 55,* ←, , « Antiga mansão senhorial » - ▤ P. AE E VISA.
Refeição lista 4800 a 6650.

XX **Os Arcos,** Rua Costa Pinto 47 ✆ (01) 443 33 74, *Fax (01) 441 08 77* - ▤. AE E VISA JCB.
Refeição - peixes e mariscos - lista aprox. 5800.

PADRÃO DE MOREIRA *Porto* 440 I 4 - *7 782 h. - ✉ 4470 Maia.*

Lisboa 316 - Amarante 62 - Braga 44 - Porto 11.

X **Tourigalo 2,** Estrada N 13 ✆ (02) 944 90 58, *Fax (02) 948 89 22* - ▤ P. AE E VISA.
Refeição lista 3350 a 3630.

PALMELA *2950 Setúbal* 440 Q 3 - *18 286 h.*

Ver : *Castelo★ (★), Igreja de São Pedro (azulejos★).*

Castelo ✆ (01) 233 21 22.

Lisboa 43 - Setúbal 8.

Pousada de Palmela , Castelo de Palmela ✆ (01) 235 12 26, *Fax (01) 233 04 40,* ←, « Num convento do século XV, nas muralhas dum antigo castelo » - |‡| TV ☎ P - 25/35. AE E VISA.
Refeição lista aprox. 3650 - **28 qto** 26500/29600.

Varanda Azul sem rest, Rua Hermenegildo Capelo 3 ✆ (01) 233 14 51, *Fax (01) 233 14 54* - |‡| ▤ TV ☎
17 qto.

PARADELA *Vila Real* 440 G 6 - *214 h. - ✉ 5470 Montalegre.*

Ver : *Represa★ : sítio★.*

Lisboa 437 - Braga 70 - Porto 120 - Vila Real 136.

Pousadinha Paradela , ✆ (076) 561 65 - P
Refeição 1300 - **7 qto** 5500.

PARCHAL *Faro – ver Portimão.*

PAREDE *2775 Lisboa* 440 P 1 – *19 960 h. – Praia.*
Lisboa 22 – Cascais 7 – Sintra 15.

XX **Dom Pepe,** Rua Sampaio Bruno 2-1º ✆ (01) 457 06 36, *Fax (01) 457 06 36,* ← – ▤. AE ◑ E VISA. ✂
fechado 2ª feira – **Refeição** lista 3150 a 5050.

PAREDES DE COURA *4940 Viana do Castelo* 440 G 4.
ℹ *Largo Visconde de Moselos ✆ (051) 78 35 92 Fax (051) 78 35 92.*
Lisboa 427 – Braga 59 – Viana do Castelo 49.

X **O Conselheiro,** Largo Visconde de Moselos ✆ (051) 78 26 10, ☂ E VISA. ✂
Refeição lista aprox. 2500.

PAUL *Lisboa – ver Torres Vedras.*

PEDRAS RUBRAS *Porto – ver Maia.*

PEDRÓGÃO GRANDE *3270 Leiria* 440 M 5 – *2 830 h.*
Lisboa 150 – Castelo Branco 82 – Coimbra 65 – Leiria 90.

ao Este : *3 km*

X **Lago Verde,** Vale de Góis ✆ (036) 462 40, *Fax (036) 462 44,* ←, « Na margem do rio Zêzere » – ▤ P. E VISA. ✂
Refeição lista aprox. 3100.

Wenn Sie ein ruhiges Hotel suchen,
benutzen Sie zuerst die Karte in der Einleitung
oder wählen Sie im Text ein Hotel mit dem Zeichen 🐎 *bzw.* 🐎*.*

PEGO *2200 Santarém* 440 N 5.
Lisboa 152 – Castelo Branco 102 – Leiria 91.

na estrada N 118 *E : 2,5 km – ✉ 2200 Pego :*

Abrantur 🐎, ✉ apartado 2 - Pego 2201 Abrantes, ✆ (041) 934 64, *Fax (041) 932 87,* ←, ⛱, ✂ – 🛗 ▤ TV ☎ ♿ P – 🏛 25/200. AE ◑ E VISA JCB. ✂
Refeição 2200 – **54 qto** ☕ 8000/12500.

PENAFIEL *4560 Porto* 440 I 5 – *6 886 h. alt. 323.*
Lisboa 352 – Porto 38 – Vila Real 69.

Pena H. sem rest, Parque do Sameiro ✆ (055) 71 14 20, *Fax (055) 71 14 25,* ⛱, ✂ – 🛗 ▤ TV ☎ P – 🏛 25/250. AE ◑ E VISA JCB. ✂
50 qto ☕ 6000/8000.

PENHAS DA SAÚDE *Castelo Branco* 440 L 7 – ✉ *6200 Covilhã – Desportos de inverno na Serra da Estrela : ⛷3.*
Lisboa 311 – Castelo Branco 72 – Covilhã 10 – Guarda 55.

Serra da Estrela 🐎, alt. 1 550, ✉ apartado 314, ✆ (075) 31 38 09, Telex 53829, *Fax (075) 32 37 89,* ←, 🏋, ✂ – ▤ rest, TV ☎ P – 🏛 25/300. AE ◑ VISA. ✂
Refeição 2600 – **40 qto** ☕ 14000/18000 – PA 5200.

PENICHE *2520 Leiria* 440 N 1 – *15 304 h. – Praia.*
Ver : *O Porto : regresso da pesca★.*
Arred. : *Cabo Carvoeiro★ – Papoa (✳★) – Remédios (Nossa Senhora dos Remédios : azulejos★).*
Excurs. : *Ilha Berlenga★★ : passeio em barco★★★, passeio a pé★★ (local★, ←★) 1 h. de barco.*
⛴. *para a Ilha da Berlenga (15 maio- 15 setembro) : Viamar, no porto de Peniche, ✆ (062) 78 21 53.*
ℹ *Rua Alexandre Herculano ✆ (062) 78 95 71 Fax (062) 78 95 71.*
Lisboa 92 – Leiria 89 – Santarém 79.

PERNES *2035 Santarém* 440 N 4.
Lisboa 106 – Abrantes 54 – Caldas da Rainha 72 – Fátima 35.

ao Nordeste - *Autoestrada A 1*

Do Prado, Área de Serviço de Santarém ✆ (043) 44 03 02, *Fax (043) 44 03 40,* – ▤ TV ☎ ♿ Ⓟ – 25/40. AE ⓓ E VISA.
Refeição 1850 – **30 qto** ☐ 9000/9900.

PESO DA RÉGUA *5050 Vila Real* 440 I 6 – *9 291 h.*
Rua da Ferreirinha ✆ (054) 32 22 71.
Lisboa 379 – Braga 93 – Porto 102 – Vila Real 25 – Viseu 85.

Columbano sem rest, Av. Sacadura Cabral ✆ (054) 32 37 04, *Fax (054) 249 45,* ←, – ▤ TV ☎ Ⓟ. ⓓ E VISA.
70 qto ☐ 5000/6500.

Império sem rest, Rua Vasques Osório 8 ✆ (054) 32 01 20, *Fax (054) 32 14 57* – TV. VISA.
33 qto ☐ 4000/6000.

Rosmaninho, Av. de Ovar-Lote 3 ✆ (054) 223 10, *Fax (054) 223 10* – ▤. AE ⓓ E VISA
fechado 2ª feira e 15 janeiro-15 fevereiro – **Refeição** lista 2600 a 4500.

PICO DO ARIEIRO *Madeira – ver Madeira (Arquipélago da).*

PINHANÇOS *Guarda* 440 K 6 – *1 872 h. – ✉ 6270 Seia.*
Lisboa 302 – Coimbra 102 – Guarda 63.

Senhora da Lomba sem rest, Estrada 17 ✆ (038) 48 10 51, *Fax (038) 48 10 90* – ▤ TV ☎ Ⓟ. AE ⓓ E VISA.
20 qto ☐ 5000/9000.

PINHÃO *5085 Vila Real* 440 I 7 – *831 h. alt. 120.*
Arred. : *N : Estrada de Sabrosa★★ ←★.*
Lisboa 399 – Vila Real 30 – Viseu 100.

Douro, Largo da Estação ✆ (054) 724 04, ← – ▤ qto, TV. VISA
fechado dezembro – **Refeição** *(fechado domingo)* 1800 – ☐ 800 – **14 qto** 4000/6000.

POISO *Madeira – ver Madeira (Arquipélago da).*

POMBAL *3100 Leiria* 440 M 4 – *4 760 h.*
Rua Eduardo Gomes ✆ (036) 232 30.
Lisboa 153 – Coimbra 43 – Leiria 28.

Do Cardal sem rest, Largo do Cardal ✆ (036) 282 06, *Fax (036) 281 36* – ▤ TV ☎ – 25/50. AE ⓓ E VISA
29 qto ☐ 4500/8500.

Sra. de Belém sem rest, Av. Heróis do Ultramar 185 - Urb. Sra. de Belém ✆ (036) 281 85, *Fax (036) 255 33* – TV ☎. VISA.
26 qto ☐ 4500/6500.

na estrada N 1 – *✉ 3100 Pombal :*

O Manjar do Marquês com snack-bar, NO : 2 km ✆ (036) 281 94, *Fax (036) 288 18* – Ⓟ. AE ⓓ VISA.
Refeição lista 2000 a 3500.

São Sebastião com snack-bar, SO : 3 km ✆ (036) 287 45 – ▤ Ⓟ. E VISA.
Refeição lista 2050 a 3100.

PONTE DA BARCA *4980 Viana do Castelo* 440 G 4.
Largo da Misericordia 11 ✆ (058) 428 99.
Lisboa 412 – Braga 32 – Viana do Castelo 40.

San Fernando sem rest, Rua de Santo António ✆ (058) 425 80, *Fax (058) 437 66* – TV Ⓟ. E VISA.
24 qto ☐ 4750.

Os Poetas sem rest, Jardim dos Poetas ✆ (058) 435 78, ← – TV ☎. E VISA.
julho-dezembro – **10 qto** ☐ 5400.

Bar do Rio, Praia Fluvial ✆ (058) 425 82, ←, « Bela paragem junto ao rio » – ▤. AE E VISA.
Refeição lista 2500 a 3800.

PONTE DE LIMA *4990 Viana do Castelo* 440 G 4 – *2 438 h. alt. 22.*

Ver : *Ponte★ - Igreja-Museu dos Terceiros (talhas★).*

Praça da República ☎ (058) 94 23 35 Fax (058) 94 23 35.

Lisboa 392 – Braga 33 – Porto 85 – Vigo 70.

Império do Minho, Av. dos Plátanos ☎ (058) 74 15 10, *Fax (058) 94 25 67,* – 25. VISA.
Refeição lista 2750 a 5200 – **50 qto** 7500/9000.

ao Suleste : *3,5 km*

Madalena, Monte de Santa Maria Madalena ☎ (058) 94 12 39, – . VISA.
fechado 4ª feira e novembro – **Refeição** lista 2850 a 4350.

PONTE DE SOR *7400 Portalegre* 440 O 5.

Lisboa 173 – Abrantes 35 – Évora 98 – Fátima 99 – Portalegre 67.

Sor, Rua João Pedro de Andrade ☎ (042) 260 26, *Fax (042) 260 28* – – 25/100. VISA. qto
Refeição 2100 – **39 qto** 7000/9000, 2 suites – PA 4200.

PORTAGEM *Portalegre* 440 N 7 – ✉ *7330 Marvão.*

Lisboa 246 – Cáceres 115 – Castelo de Vide 9 – Portalegre 17.

Sever, Estrada do Rio Sever ☎ (045) 933 18, *Fax (045) 934 12,* – . VISA.
Refeição 1800 – **16 qto** 5500/8500.

PORTALEGRE *7300* P 440 O 7 – *15 383 h. alt. 477.*

Arred. : *Pico São Mamede ★ – Estrada★ escarpada de Portalegre a Castelo de Vide por Carreiras N : 17 km.*

Estrada de Santana 25 ☎ (045) 218 15 Fax (045) 240 53.

Lisboa 238 – Badajoz 74 – Cáceres 134 – Mérida 138 – Setúbal 199.

na estrada da Serra de São Mamede *NE : 4 km* – ✉ *7300 Portalegre :*

Estalagem Quinta da Saude , ☎ (045) 223 24, *Fax (045) 272 34,* , , – rest,
12 qto.

PORTIMÃO *8500 Faro* 440 U 4 – *21 196 h. – Praia.*

Ver : *★ da ponte sobre o rio Arade X.*

Arred. : *Praia da Rocha★★ (miradouro★ Z A).*

18 9 9 *Penina, por ③ : 5 km ☎ (082) 41 54 15 Fax (082) 41 50 00.*

Largo 1º de Dezembro ☎ (082) 41 91 32 Av. Tomás Cabreira (Praia da Rocha) ☎ (082) 222 90 Fax (082) 41 91 32.

Lisboa 290 ③ – Faro 62 ② – Lagos 18 ③

Plano página seguinte

Nelinanda sem rest, Rua Vicente Vaz das Vacas 22 ☎ (082) 41 78 39, *Fax (082) 41 78 43* – . VISA. X d
28 qto 6000/8000.

Mira Foia sem rest, Rua Vicente Vaz das Vacas 33 ☎ (082) 41 78 52, *Fax (082) 41 78 54* – . VISA. X e
24 qto 5000/7500.

Arabi sem rest, Praça Manuel Teixeira Gomes 13 ☎ (082) 260 06, *Fax (082) 260 07* – . VISA X t
17 qto 6000/7500.

O Bicho, Largo Gil Eanes 12 ☎ (082) 229 77, *Fax (082) 824 40* – . VISA JCB. X c
fechado domingo meio-dia – **Refeição** - peixes e mariscos - lista 2780 a 4700.

em Parchal *por ② : 2 km* – ✉ *8500 Portimão :*

O Buque, Estrada N 125 ☎ (082) 246 78 – . VISA.
fechado sábado meio-dia e domingo meio-dia – **Refeição** lista aprox. 4500.

A Lanterna, Estrada N 125 - cruzamento de Ferragudo ☎ (082) 41 44 29 – . VISA.
fechado domingo e 27 novembro-28 dezembro – **Refeição** - só jantar - lista 3340 a 4040.

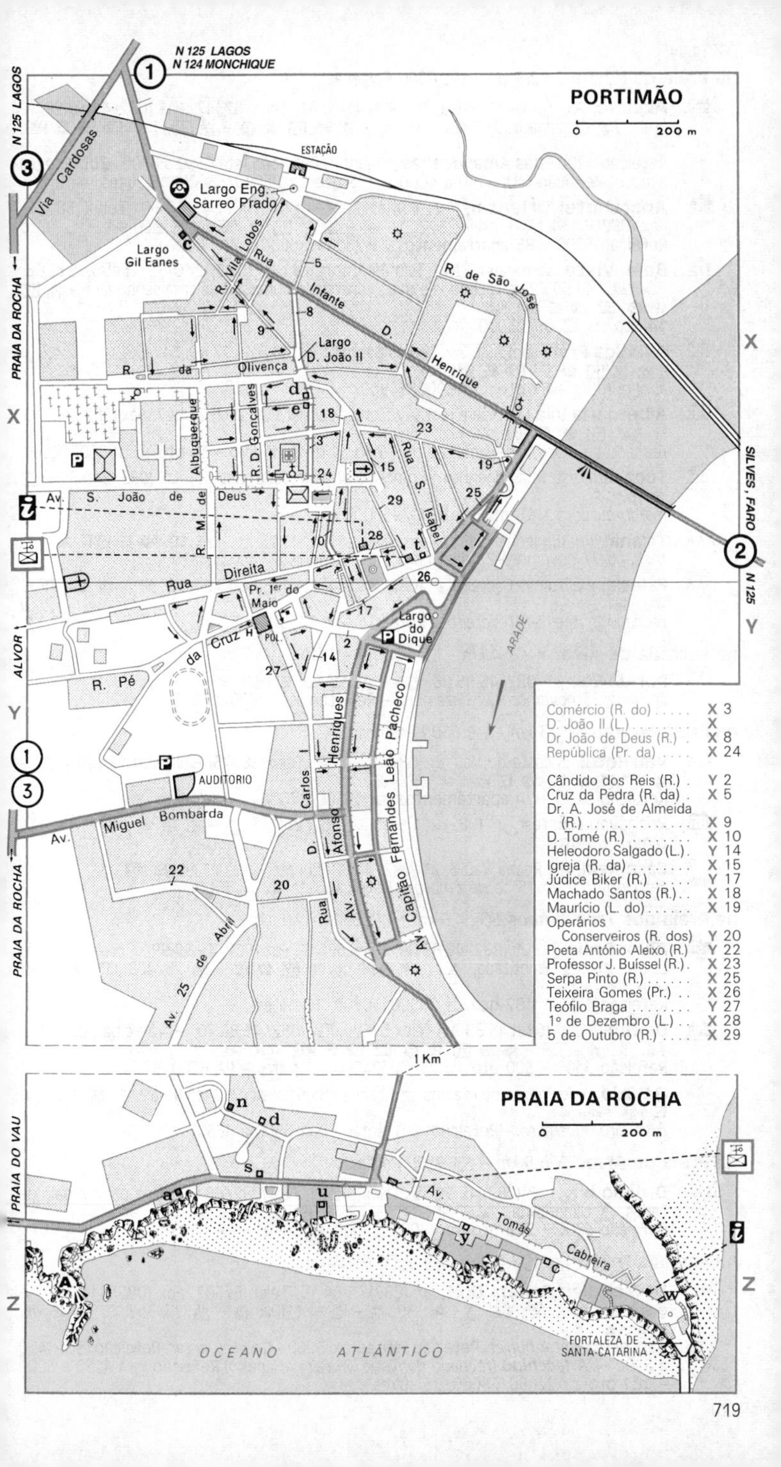

PORTIMÃO
0 200 m
N 125 LAGOS
N 124 MONCHIQUE
N 125 LAGOS
ESTAÇÃO
Via Cardosas
Largo Eng. Sarreo Prado
Largo Gil Eanes
R. Vila Lobos
Rua Infante D. Henrique
R. de São José
Largo D. João II
R. da Olivença
R. D. Gonçalves
Albuquerque
Rua S. Isabel
Av. S. João de Deus
R. M. de
Rua Direita
Pr. 1er do Maio
POL.
da Cruz
Largo do Dique
R. Pé
ARADE
Rua D. Carlos I
Av. Afonso Henriques
Av. Capitão Fernandes Leão Pacheco
AUDITORIO
Av. Miguel Bombarda
Av. 25 de Abril
PRAIA DA ROCHA
ALVOR
SILVES, FARO
N 125
Comércio (R. do) X 3
D. João II (L.) X
Dr João de Deus (R.) X 8
República (Pr. da) X 24
Cândido dos Reis (R.) Y 2
Cruz da Pedra (R. da) X 5
Dr. A. José de Almeida (R.) X 9
D. Tomé (R.) X 10
Heleodoro Salgado (L.) Y 14
Igreja (R. da) X 15
Júdice Biker (R.) Y 17
Machado Santos (R.) X 18
Maurício (L. do) X 19
Operários Conserveiros (R. dos) Y 20
Poeta António Aleixo (R.) Y 22
Professor J. Buíssel (R.) X 23
Serpa Pinto (R.) X 25
Teixeira Gomes (Pr.) X 26
Teófilo Braga Y 27
1º de Dezembro (L.) X 28
5 de Outubro (R.) X 29
1 Km
PRAIA DA ROCHA
0 200 m
PRAIA DO VAU
Av. Tomás Cabreira
FORTALEZA DE SANTA-CATARINA
OCEANO ATLÂNTICO

na Praia da Rocha *S : 2,3 km – ✉ 8500 Portimão :*

Algarve, Av. Tomás Cabreira ☎ (082) 41 50 01, Telex 57347, *Fax (082) 41 59 99,* ≤ praia, climatizada, – 25/120. AE ⓓ E VISA. rest Z y
Refeição 4200 - ***Das Amendoeiras*** *(só jantar)* **Refeição** lista 4350 a 6700 - ***Zodíaco*** *(só almoço)* **Refeição** lista 3150 a 4600 – **193 qto** 25000/33000, 16 suites.

Aparthotel Oriental, Av. Tomás Cabreira ☎ (082) 41 30 00, Telex 58788, *Fax (082) 41 34 13,* ≤ praia, – . AE ⓓ E VISA. Z c
Refeição 3500 – **85 apartamentos** 25300/30800 – PA 7000.

Bela Vista sem rest, Av. Tomás Cabreira ☎ (082) 240 55, Telex 57386, *Fax (082) 41 53 69,* ≤ rochedos e mar, « Instalado numa antiga casa senhorial » – . AE ⓓ E VISA. Z u
14 qto 22000/23000.

Avenida Praia sem rest, Av. Tomás Cabreira ☎ (082) 41 77 40, *Fax (082) 41 77 42,* ≤ – . AE ⓓ E VISA. Z s
abril-outubro – **61 qto** 13900/14900.

Albergaria Vila Lido sem rest, Av. Tomás Cabreira ☎ (082) 241 27, *Fax (082) 242 46,* ≤ – . E VISA. Z w
fechado do 1 ao 15 de janeiro e do 15 ao 31 de dezembro – **10 qto** 10000/14500.

Toca sem rest, Rua Engenheiro Francisco Bívar ☎ (082) 240 35, *Fax (082) 240 35* – . Z d
março-outubro – **15 qto** 8800/9300.

Titanic, Rua Engenheiro Francisco Bívar ☎ (082) 223 71 – . AE ⓓ E VISA. Z n
fechado 27 novembro-27 dezembro – **Refeição** lista 3440 a 4890.

Falésia, Av. Tomás Cabreira ☎ (082) 235 24, *Fax (082) 235 24,* ≤, – . AE ⓓ E VISA. Z a
fechado 8 janeiro-8 fevereiro – **Refeição** lista 3450 a 5050.

na estrada de Alvor Y *O : 4 km – ✉ 8500 Portimão :*

Por-do-Sol, ☎ (082) 45 95 05, – . AE ⓓ E VISA.
fechado 23 novembro-27 dezembro – **Refeição** lista 2600 a 3850.

na Praia do Vau *SO : 3 km – ✉ 8500 Portimão :*

Vau'Hotel, Encosta do Vau ☎ (082) 41 15 92, Telex 58775, *Fax (082) 41 15 94,* – . AE ⓓ E VISA.
Refeição 2250 – **74 apartamentos** 13500/17500.

Rochavau sem rest, ☎ (082) 261 11, *Fax (082) 261 13,* –
temp – **56 qto.**

Casa Real, Av. Rocha Vau 3 ☎ (082) 41 80 83, – . AE ⓓ E VISA.
fechado do 1 ao 15 de dezembro – **Refeição** lista aprox. 3500.

na Praia dos Três Irmãos *SO : 4,5 km – ✉ 8500 Portimão :*

Alvor Praia , ☎ (082) 45 89 00, Telex 57611, *Fax (082) 45 89 99,* ≤ praia e baía de Lagos, climatizada, – 25/400. AE ⓓ E VISA JCB. rest
Refeição 4500 – **182 qto** 29000/30500, 16 suites.

Delfim , ☎ (082) 45 89 01, Telex 57620, *Fax (082) 45 89 70,* ≤ praia e baía de Lagos, – . AE ⓓ E VISA JCB.
Refeição 3300 – **300 qto** 23500/24500, 12 suites – PA 6600.

O Búzio, Aldeamento da Prainha ☎ (082) 45 85 61, *Fax (082) 45 95 69,* ≤, – AE ⓓ E VISA.
fevereiro-novembro – **Refeição** - só jantar - lista 3500 a 4650.

na Praia de Alvor *SO : 5 km – ✉ 8500 Portimão :*

D. João II , ☎ (082) 45 91 35, Telex 57321, *Fax (082) 45 93 63,* ≤ praia e baía de Lagos, climatizada, – . AE ⓓ E VISA JCB.
Refeição 3300 – **228 qto** 24000/25000, 19 suites – PA 6600.

na estrada N 125 *por ③ : 5 km – ✉ 8500 Portimão :*

Le Meridien Penina Golf, ☎ (082) 41 54 15, Telex 57307, *Fax (082) 41 50 00,* ≤ golfe e campo, 18 – 25/350. AE ⓓ E VISA JCB.
Sagres *(só jantar buffet)* **Refeição** lista aprox. 5000 - ***Grill*** *(só jantar)* **Refeição** lista 4450 a 6350 - ***L'Arlecchino*** *(fechado domingo, 2ª feira e janeiro)* **Refeição** lista 4150 a 5500 – **181 qto** 27650/38000, 15 suites.

PORTO *4000* P 440 I 3 - *302 472 h. alt. 90.*

Ver : *Sítio★★ – Vista de Nossa Senhora da Serra do Pilar★* EZ *– As Pontes (ponte Maria Pia★* FZ *, ponte D. Luis I★★* EZ) *– As Caves do vinho do Porto★ (Vila Nova de Gaia)* DEZ *– Sé (altar★) - Claustro (azulejos★)* EZ *– Casa da Misericórdia (quadro Fons Vitae★)* EYZ **B** *– Palácio da Bolsa (Salão árabe★)* EZ *– Igreja de São Francisco★★ (decoração barroca★★, árvore de Jessé★)* EZ *– Cais da Ribeira★* EZ *- Torre dos Clérigos★ ※★* EY *- Museu Soares dos Reis (estátua O Desterrado★)* DY.

Outras curiosidades : *Museu António da Almeida (colecção de moedas de ouro★)* BU **M4** *- Igreja de Santa Clara★ (talhas douradas★)* EZ **E** *Fundação de Serralves★ (Museu Nacional de Arte Moderna) : jardim★, grades de ferro forjado★.*

Miramar, por ⑥ : 9 km ℘ (02) 762 20 67.

Francisco de Sà Carneiro, 17 km por ① ℘ (02) 948 21 41 – T.A.P., Praça Mouzinho de Albuquerque 105 ✉ 4100 ℘ (02) 608 02 00.

℘ (02) 56 56 70.

Rua do Clube Fenianos 25 ✉ 4000 ℘ (02) 31 27 40 Fax (02) 32 33 03 Rua Infante Dom Henrique 63 ✉ 4050 ℘ (02) 200 97 70 e Praça D. João I-43 ✉ 4000 ℘ (02) 31 67 32 Fax (02) 31 66 98 – **A.C.P.** *Rua Gonçalo Cristovão 2 ✉ 4000 ℘ (02) 31 67 32 Fax (02) 31 66 98.*

Lisboa 314 ⑤ – La Coruña/A Coruña 305 ① – Madrid 591 ⑤

Planos páginas seguintes

Sheraton Porto H., Av. da Boavista 1269, ✉ 4150, ℘ (02) 606 88 22, Telex 22723, *Fax (02) 609 14 67*, ≤, - 25/300. AE ① E VISA JCB. BU e
Refeição lista 4100 a 5550 – **234 qto** 27000/30000, 17 suites.

Le Meridien Park Atlantic, Av. da Boavista 1466, ✉ 4100, ℘ (02) 607 25 00, *Fax (02) 600 20 31*, - 25/500. AE ① E VISA JCB. BU a
Refeição lista 4800 a 6000 – 2350 – **226 qto** 28000/31000, 6 suites.

Ipanema Park H., Rua Serralves 124, ✉ 4150, ℘ (02) 610 41 74, *Fax (02) 610 28 09*, ≤, - 25/300. AE ① E VISA JCB. rest AV b
Refeição 3500 – **270 qto** 22000/24000, 11 suites – PA 7000.

Infante de Sagres, Praça D. Filipa de Lencastre 62, ✉ 4050, ℘ (02) 200 81 01, Telex 26880, *Fax (02) 31 49 37*, « Bela decoração interior » – AE ① E VISA JCB. EY b
Refeição lista 6800 a 7300 – **68 qto** 26000/29000, 6 suites.

Tivoli Porto sem rest. com snack bar, Rua Afonso Lopes Vieira 66, ✉ 4100, ℘ (02) 609 49 41, Telex 23159, *Fax (02) 606 74 52*, – 25/100. AE ① E VISA JCB. AU z
52 qto 22000/24000, 6 suites.

Mercure Batalha, Praça da Batalha 116, ✉ 4000, ℘ (02) 200 05 71, *Fax (02) 200 24 68*, ≤ – 25/100. AE ① E VISA JCB FY f
Refeição 3000 – **140 qto** 16000/19000, 9 suites – PA 6000.

Dom Henrique, Rua Guedes de Azevedo 179, ✉ 4000, ℘ (02) 200 57 55, *Fax (02) 201 94 51*, ≤ – 25/80. AE ① E VISA JCB. FX b
Além Mar : Refeição lista 2700 a 3300 – **92 qto** 19000/20500, 20 suites.

Ipanema Porto H., Rua Campo Alegre 156, ✉ 4150, ℘ (02) 606 80 61, Telex 27212, *Fax (02) 606 33 39* – 25/350. AE ① E VISA JCB. rest BV s
Refeição lista aprox. 4500 – **140 qto** 14600/16600, 10 suites.

Casa do Marechal, Av. da Boavista 2674, ✉ 4100, ℘ (02) 610 47 02, *Fax (02) 610 32 41*, « Bela moradia decorada com elegância », – 25/30. AE ① E VISA. AU n
fechado agosto – **Refeição** *(fechado sábado e domingo)* lista aprox. 5200 – **5 qto** 21000/23000.

Inca, Praça Coronel Pacheco 52, ✉ 4050, ℘ (02) 208 41 51, *Fax (02) 31 47 56* – 25/35. AE ① E VISA JCB. EY r
Refeição lista aprox. 2600 – **62 qto** 14000/15200.

Castor, Rua das Doze Casas 17, ✉ 4000, ℘ (02) 57 00 14, *Fax (02) 56 60 76*, « Mobiliário antigo » – 25/80. AE ① E VISA. rest FX g
Refeição 2500 – **63 qto** 13400/14400 – PA 4000.

Beta-Porto, Rua do Amial 601, ✉ 4200, ℘ (02) 82 50 45, Telex 27108, *Fax (02) 82 52 20*, – 25/100. AE ① E VISA. BU b
Refeição 2500 – **120 qto** 14700/17700, 6 suites – PA 5000.

Grande H. do Porto, Rua de Santa Catarina 197, ✉ 4000, ℘ (02) 200 81 76, Telex 22553, *Fax (02) 31 10 61* – 25/150. AE ① E VISA. FY q
Refeição 2400 – **100 qto** 12900/13900 – PA 4800.

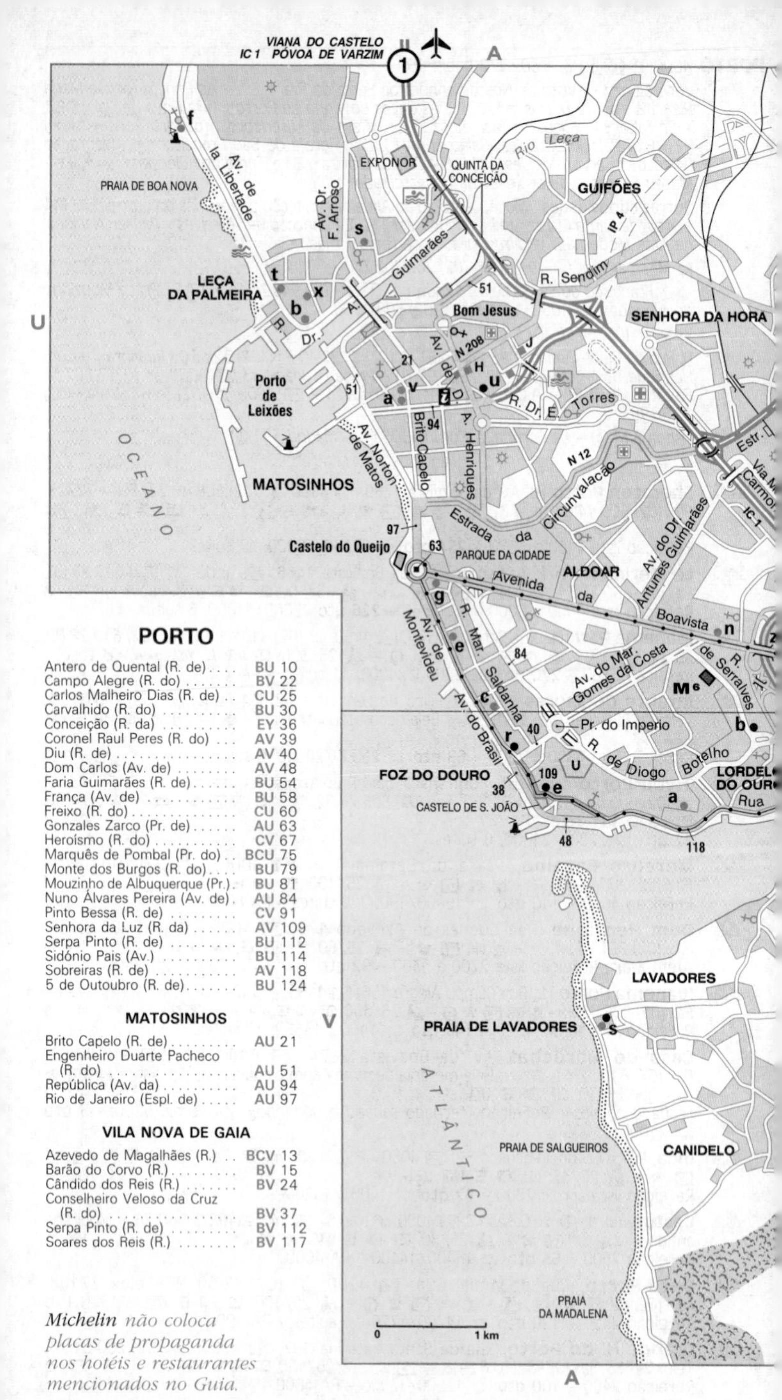
VIANA DO CASTELO
IC 1 PÓVOA DE VARZIM
A
U
V
PRAIA DE BOA NOVA
Av. de la Libertade
Av. Dr. F. Arroso
EXPONOR
QUINTA DA CONCEIÇÃO
Rio Leça
GUIFÕES
IP 4
Guimarães
R. Sendim
LEÇA DA PALMEIRA
Bom Jesus
SENHORA DA HORA
Porto de Leixões
Av. de D. A. Henriques
N 208
R. Dr. E. Torres
Av. Norton de Matos
Brito Capelo
OCEANO
MATOSINHOS
N 12
Circunvalação
Estrada da Circunvalação
Castelo do Queijo
PARQUE DA CIDADE
ALDOAR
Av. do Dr. Antunes Guimarães
Avenida da Boavista
Av. de Montevideu
R. Mar. Saldanha
Av. do Mar. Gomes da Costa
R. de Serralves
Pr. do Imperio
R. de Diogo Botelho
Av. do Brasil
FOZ DO DOURO
CASTELO DE S. JOÃO
LAVADORES
PRAIA DE LAVADORES
ATLÂNTICO
PRAIA DE SALGUEIROS
CANIDELO
PRAIA DA MADALENA
0 1 km
PORTO
Antero de Quental (R. de) . . . . BU 10
Campo Alegre (R. do) . . . . BV 22
Carlos Malheiro Dias (R. de) . . CU 25
Carvalhido (R. do) . . . . BU 30
Conceição (R. da) . . . . EY 36
Coronel Raul Peres (R. do) . . . AV 39
Diu (R. de) . . . . AV 40
Dom Carlos (Av. de) . . . . AV 48
Faria Guimarães (R. de) . . . . . . BU 54
França (Av. de) . . . . BU 58
Freixo (R. do) . . . . CU 60
Gonzales Zarco (Pr. de) . . . . . . AU 63
Heroísmo (R. do) . . . . CV 67
Marquês de Pombal (Pr. do) . . BCU 75
Monte dos Burgos (R. do) . . . . BU 79
Mouzinho de Albuquerque (Pr.) . BU 81
Nuno Álvares Pereira (Av. de) . AU 84
Pinto Bessa (R. de) . . . . CV 91
Senhora da Luz (R. da) . . . . . . AV 109
Serpa Pinto (R. de) . . . . BU 112
Sidónio Pais (Av.) . . . . BU 114
Sobreiras (R. de) . . . . AV 118
5 de Outoubro (R. de) . . . . BU 124
MATOSINHOS
Brito Capelo (R. de) . . . . AU 21
Engenheiro Duarte Pacheco (R. do) . . . . AU 51
República (Av. da) . . . . AU 94
Rio de Janeiro (Espl. de) . . . . . AU 97
VILA NOVA DE GAIA
Azevedo de Magalhães (R.) . . BCV 13
Barão do Corvo (R.) . . . . BV 15
Cândido dos Reis (R.) . . . . BV 24
Conselheiro Veloso da Cruz (R. do) . . . . BV 37
Serpa Pinto (R. de) . . . . BV 112
Soares dos Reis (R.) . . . . BV 117
Michelin não coloca placas de propaganda nos hotéis e restaurantes mencionados no Guia.

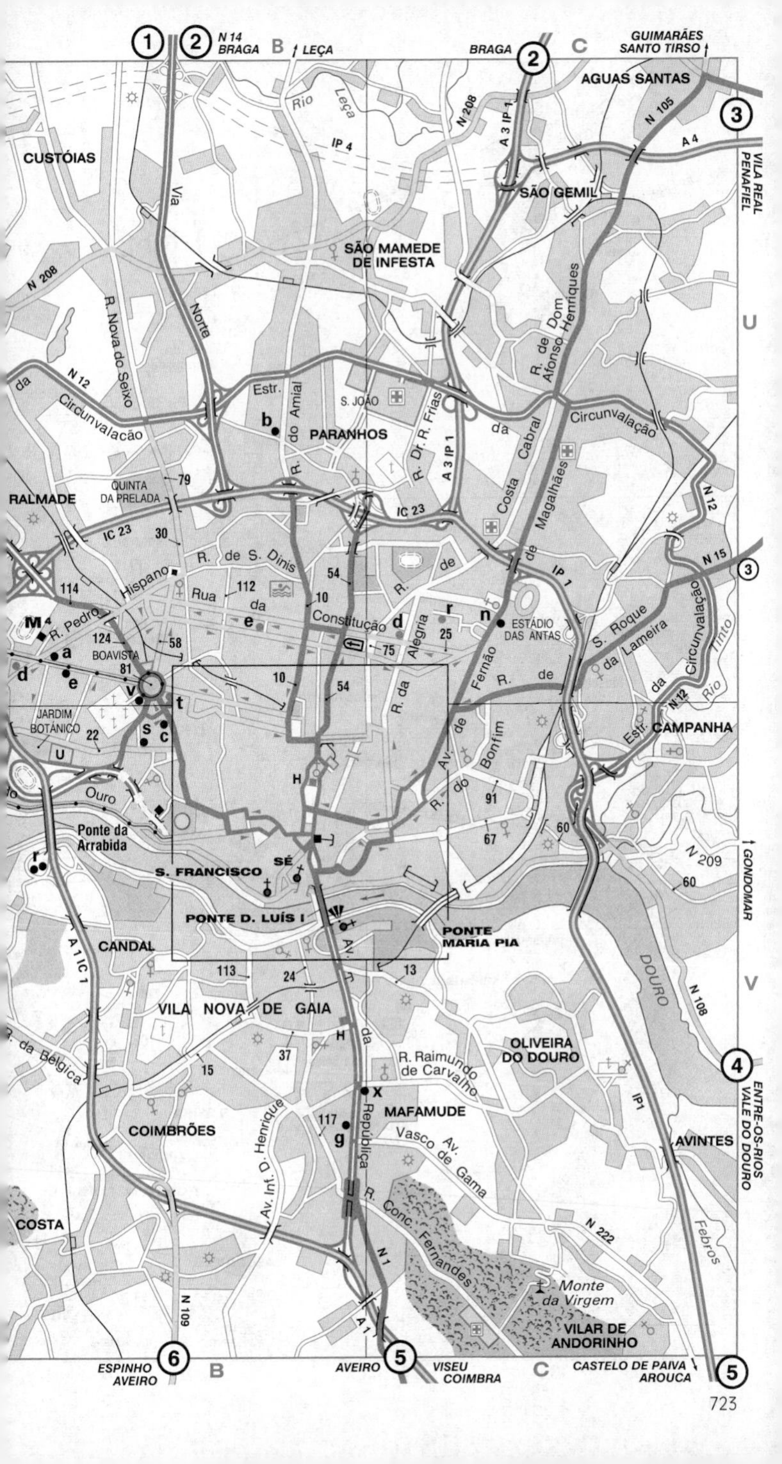
N 14
BRAGA
LEÇA
GUIMARÃES
SANTO TIRSO
AGUAS SANTAS
CUSTÓIAS
SÃO GEMIL
VILA REAL
PENAFIEL
SÃO MAMEDE
DE INFESTA
PARANHOS
S. JOÃO
RALMADE
QUINTA
DA PRELADA
BOAVISTA
JARDIM
BOTÂNICO
ESTÁDIO
DAS ANTAS
CAMPANHA
Ponte da
Arrabida
S. FRANCISCO
SÉ
PONTE D. LUÍS I
PONTE
MARIA PIA
GONDOMAR
CANDAL
VILA NOVA DE GAIA
OLIVEIRA
DO DOURO
DOURO
MAFAMUDE
COIMBRÕES
AVINTES
ENTRE-OS-RIOS
VALE DO DOURO
COSTA
Monte
da Virgem
VILAR DE
ANDORINHO
ESPINHO
AVEIRO
VISEU
COIMBRA
CASTELO DE PAIVA
AROUCA
Via Norte
R. Nova do Seixo
Circunvalação
Estr. do Amial
R. Dr. R. Frias
Costa Cabral
R. de Dom Afonso Henriques
R. de S. Dinis
Rua da Constituição
R. de Alegria
Av. de Fernão de Magalhães
R. do Bonfim
S. Roque da Lameira
Av. da República
R. Raimundo de Carvalho
Av. Vasco de Gama
R. Conc. Fernandes
Av. Inf. D. Henrique
R. da Bélgica
IP 4
IP 1
IC 23
A 3 IP 1
A 4
A 1 IC 1
N 208
N 105
N 12
N 15
N 209
N 108
N 222
N 109
N 1
Febros
Rio Tinto
Rio Leça

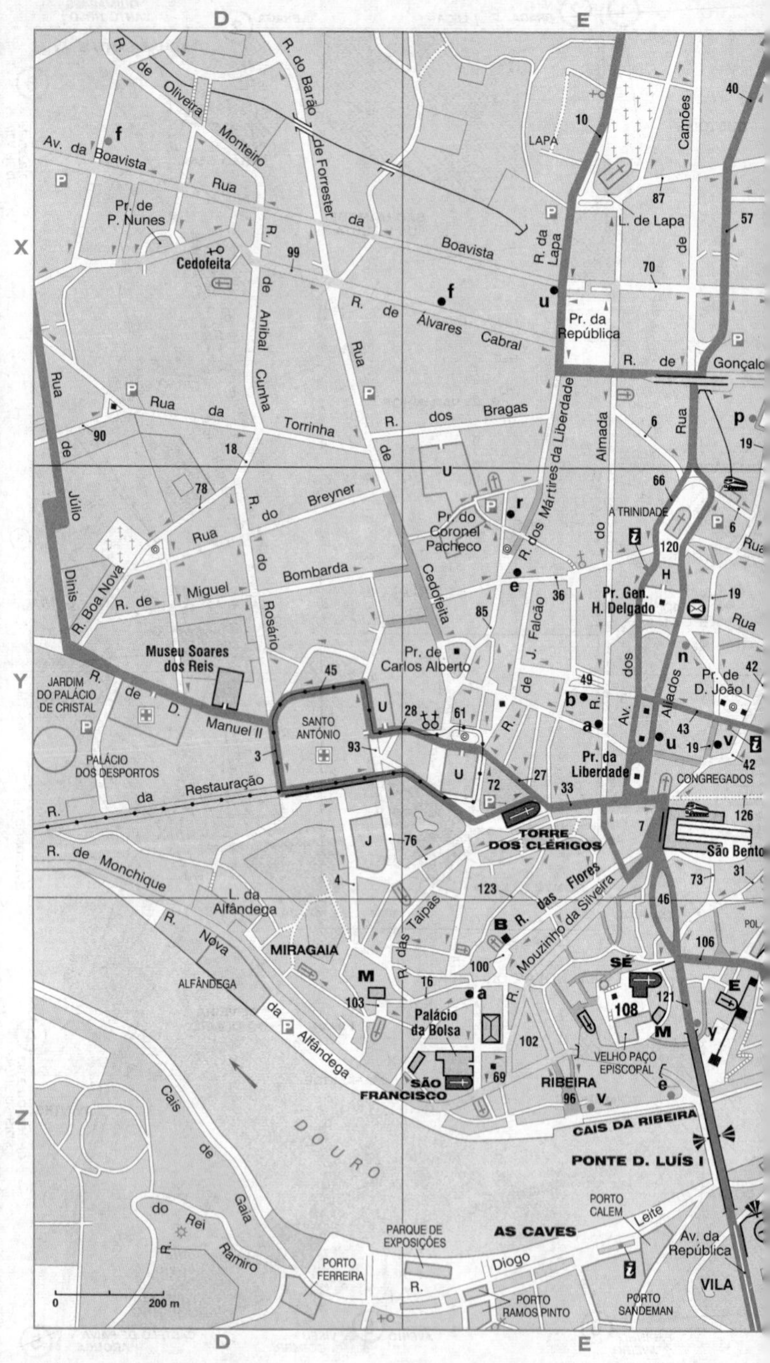
D
E
X
Y
Z
Av. da Boavista
Rua da Boavista
R. de Oliveira Monteiro
R. do Barão de Forrester
Pr. de P. Nunes
Cedofeita
R. de Aníbal Cunha
R. de Álvares Cabral
LAPA
L. de Lapa
R. da Lapa
Camões
Pr. da República
R. de Gonçalo
Rua de Júlio Dinis
Rua da Torrinha
R. dos Bragas
Rua de Cedofeita
R. dos Mártires da Liberdade
Almada
R. do Breyner
Rua de Miguel Bombarda
R. Boa Nova
R. do Rosário
Pr. do Coronel Pacheco
A TRINDADE
Pr. Gen. H. Delgado
J. Falcão
Museu Soares dos Reis
JARDIM DO PALÁCIO DE CRISTAL
R. de D. Manuel II
SANTO ANTÓNIO
Pr. de Carlos Alberto
Pr. da Liberdade
Av. dos Aliados
Pr. de D. João I
PALÁCIO DOS DESPORTOS
R. da Restauração
TORRE DOS CLÉRIGOS
CONGREGADOS
São Bento
R. de Monchique
L. da Alfândega
R. Nova da Alfândega
ALFÂNDEGA
MIRAGAIA
R. das Taipas
R. das Flores
Mouzinho da Silveira
SÉ
Palácio da Bolsa
VELHO PAÇO EPISCOPAL
SÃO FRANCISCO
RIBEIRA
CAIS DA RIBEIRA
PONTE D. LUÍS I
DOURO
Cais de Gaia
R. do Rei Ramiro
PARQUE DE EXPOSIÇÕES
PORTO FERREIRA
AS CAVES
PORTO CALEM
R. Diogo Leite
PORTO RAMOS PINTO
PORTO SANDEMAN
Av. da República
VILA
0
200 m

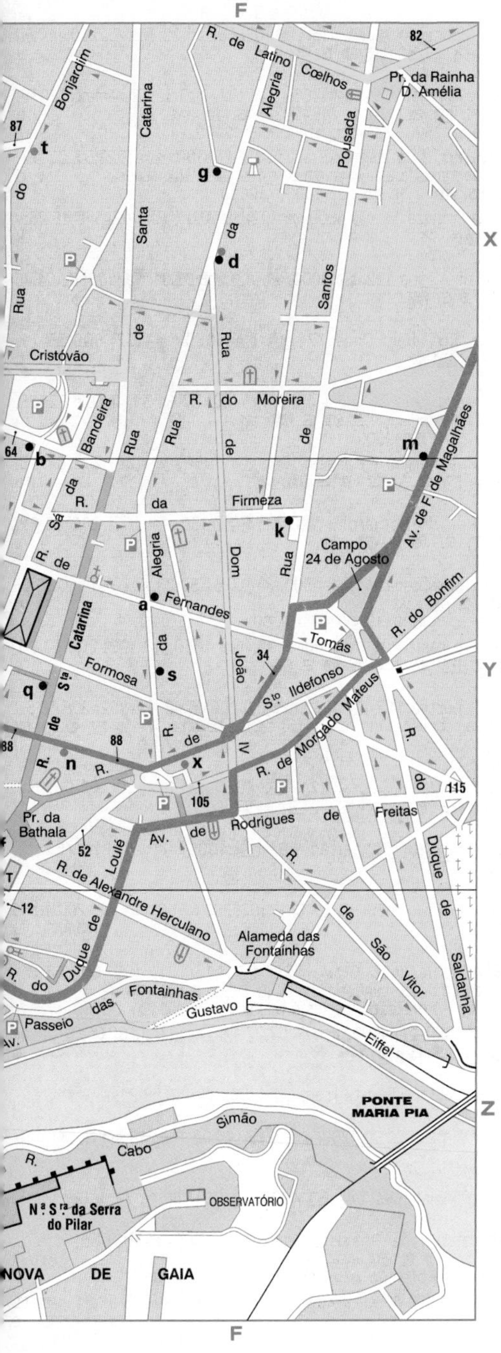

PORTO

Rua	Quadrícula	N.º
Almada (R. do)	EXY	
Carmelitas (R. das)	EY	27
Clérigos (R. dos)	EY	33
Dr António Emilio de Magalhães (R. do)	EY	42
Dr Magalhães Lemos (R. do)	EY	43
Fernandes Tomás (R. de)	EFY	
Flores (R. das)	EYZ	
Formosa (R.)	EFY	
Passos Manuel (R. de)	FY	88
Sá da Bandeira (R. de)	FXY	
Santa Catarina (R. de)	FY	
31 de Janeiro (R. de)	EY	126
Alberto Aires Gouveia (R. de)	DY	3
Albuquerque (R. Af. de)	DYZ	4
Alferes Malheiro (R. do)	EXY	6
Almeida Garrett (Pr. de)	EY	7
Antero de Quental (R. de)	EX	10
Augusto Rosa (R. de)	FZ	12
Belomonte (R. de)	EZ	16
Boa Hora (R. da)	DXY	18
Bonjardim (R. do)	EXY	19
Carmo (R. do)	DEY	28
Cimo da Vila (R. de)	EY	31
Coelho Neto (R. de)	FY	34
Dr. Tiogo de Almeida (R. do)	DY	45
Dom Afonso Henriques (Av.)	EYZ	46
Dona Filipa de Lencastre (Pr. de)	EY	49
Entreparedes (R. de)	FY	52
Faria Guimarães (R. de)	EX	54
Fonseca Cardoso (R. de)	EX	57
Gomes Teixeira (Pr. de)	EY	61
Guedes de Azevedo (R. de)	FXY	64
Heróis e Mártires de Angola (R. dos)	EY	66
Infante Dom Henrique (Pr. e R. do)	EZ	69
João das Regras (R. de)	EX	70
Lisboa (Pr. de)	EY	72
Loureiro (R. do)	EY	73
Mártires da Pátria (Campo dos)	DEY	76
Maternidade (R. da)	DY	78
Nova de São Crispim (R.)	FX	82
Oliveiras (R. das)	EY	85
Paraíso (R. do)	EFX	87
Piedade (R. da)	DX	90
Prov. Vicente José de Carvalho (R. do)	DY	93
Ribeira (Pr. da)	EZ	96
Sacadura Cabral (R.)	DX	99
São Domingos (L. de)	EZ	100
São João (R. de)	EZ	102
São João Novo (Pr. de)	DZ	103
São Lázaro (Passeio de)	FY	105
Saraiva de Carvalho (R. de)	EZ	106
Sé (Terreiro da)	EZ	108
Soares dos Reis (L. de)	FY	115
Trinidade (R. da)	EY	120
Vimara Peres (Av.)	EZ	121
Vitória (R. da)	EYZ	123

Em certos restaurantes de grandes cidades, é muitas vezes difícil encontrar uma mesa livre. É aconselhado reservar com antecedência.

Douro sem rest, Rua da Meditação 71, 4150, (02) 600 11 22, *Fax (02) 600 10 90* – 25/30. BU v
44 qto 12000/13000, 1 suite.

Internacional, Rua do Almada 131, 4050, (02) 200 50 32, Telex 21076, *Fax (02) 200 90 63* – 25/45. EY a
Refeição *(fechado domingo)* 2500 – 35 qto 10000/12000.

Albergaria Miradouro, Rua da Alegria 598, 4000, (02) 57 07 17, *Fax (02) 57 02 06,* cidade e arredores – FX d
Refeição (ver rest. ***Portucale***) – 30 qto 10000/12000.

Menfis sem rest, Rua da Firmeza 13, 4000, (02) 58 00 03, *Fax (02) 510 18 26* – FY k
24 qto 9500/11000, 2 suites.

São José sem rest, Rua da Alegria 172, 4000, (02) 208 02 61, *Fax (02) 32 04 46* – FY a
43 qto 9650/11200.

Do Vice-Rei sem rest, Rua Júlio Dinis 779-4º, 4050, (02) 609 53 71, *Fax (02) 609 26 97* – BV c
45 qto.

Nave, Av. Fernão de Magalhães 247, 4300, (02) 57 61 31, Telex 22188, *Fax (02) 56 12 16* – FXY m
Refeição 2500 – 81 qto 8000/9500.

Da Bolsa sem rest, Rua Ferreira Borges 101, 4050, (02) 202 67 68, *Fax (02) 31 88 88* – EZ a
36 qto 11000/13000.

São João sem rest, Rua do Bonjardim 120-4º, 4050, (02) 200 16 62, *Fax (02) 31 61 14* – EY v
14 qto 10000/12000.

Antas, Rua Padre Manuel da Nóbrega 111, 4300, (02) 52 50 00, *Fax (02) 550 05 03* – CU n
Refeição 2500 – 30 qto 10800/12000 – PA 5000.

Solar São Gabriel sem rest, Rua da Alegria 98, 4050, (02) 200 54 99, *Fax (02) 32 39 57* – FY s
28 qto 6900/8400.

Rex sem rest, Praça da República 117, 4050, (02) 200 45 48, *Fax (02) 208 38 82,* « Antiga moradia particular conservando os bonitos tectos originais » – EX u
21 qto 6500/8000.

Brasília sem rest, Rua Álvares Cabral 221, 4050, (02) 200 60 95, *Fax (02) 200 65 10,* « Antiga casa senhorial » – EX f
12 qto 5500/6500.

Malaposta sem rest, Rua da Conceição 80, 4000, (02) 200 62 78, *Fax (02) 200 62 95* – EY e
37 qto.

Universal sem rest, Av. dos Aliados 38, 4000, (02) 200 67 58, *Fax (02) 200 10 55* – EY u
46 qto 6100/7600.

Churrascão do Mar, Rua João Grave 134, 4150, (02) 609 63 82, *Fax (02) 600 43 37,* « Antiga moradia senhorial » – BU d
fechado domingo e agosto – **Refeição** - peixes e mariscos - lista 3480 a 5080.

Portucale, Rua da Alegria 598, 4000, (02) 57 07 17, *Fax (02) 57 02 06,* cidade e arredores – FX d
Refeição lista aprox. 8500.

Lima 5, Ângulo das Ruas Alegria e Constituição, 4200, (02) 59 23 60 – CU d
Refeição - espec. em rodizio brasileiro.

Lider, Alameda Eça de Queiroz 126, 4200, (02) 52 00 89 – CU r
Refeição lista 4000 a 5700.

O Escondidinho, Rua Passos Manuel 144, 4000, (02) 200 10 79, « Decoração regional » – FY n

Churrascão Gaúcho, Av. da Boavista 313, 4050, (02) 609 17 38, *Fax (02) 600 43 37* – BU t
fechado domingo e agosto – **Refeição** lista 2430 a 4770.

D. Tonho, Cais da Ribeira 13, 4050, (02) 200 43 07, *Fax (02) 208 57 91* – EZ e
Refeição lista 2880 a 4700.

XX **King Long,** Largo Dr. Tito Fontes 115, ✉ 4000, ☎ (02) 31 39 88, *Fax (02) 606 64 44* – ▤. AE E VISA. ✻ EX p
Refeição - rest. chinês - lista 1440 a 1700.

XX **Mesa Antiga,** Rua de Santo Ildefonso 208, ✉ 4000, ☎ (02) 200 64 32 – ▤. ◑ E VISA. ✻ FY x
fechado sábado e outubro – **Refeição** lista 2600 a 3500.

X **Chez Albert,** Rua da Constituição 1365, ✉ 4200, ☎ (02) 59 23 18 – ▤. E VISA BU e
fechado domingo – **Refeição** lista 3300 a 5200.

X **Aquário Marisqueiro,** Rua Rodrigues Sampaio 179, ✉ 4000, ☎ (02) 200 22 31 – ▤. ◑ E VISA. ✻ EY n
fechado domingo – **Refeição** lista 2600 a 4400.

X **Dom Castro,** Rua do Bonjardim 1078, ✉ 4000, ☎ (02) 31 11 19, « Taberna regional » – ✻ FX t
fechado domingo, feriados e do 10 ao 30 de agosto – **Refeição** lista aprox. 2400.

X **Casa Victorino,** Rua dos Canasteiros 44, ✉ 4000, ☎ (02) 208 06 68 – ▤. AE ◑ E VISA. ✻ EZ v
fechado domingo – **Refeição** - peixes e mariscos - lista aprox. 4700.

X **Toscano,** Rua Dr. Carlos Cal Brandão 22, ✉ 4050, ☎ (02) 609 24 30, *Fax (02) 600 22 53* – ▤. AE ◑ E VISA. ✻ DX f
fechado domingo e do 10 ao 30 de agosto – **Refeição** - cozinha italiana - lista 3900 a 8800.

X **Chinês,** Av. Vimara Peres 38, ✉ 4000, ☎ (02) 200 89 15, *Fax (02) 606 64 44* – ▤. AE ◑ E VISA JCB. ✻ EZ y
Refeição - rest. chinês - lista 1450 a 2630.

X **Orfeu** com snack-bar, Rua de Júlio Dinis 928, ✉ 4050, ☎ (02) 606 43 22, *Fax (02) 600 03 60* – ▤. AE ◑ E VISA BUV t
fechado domingo de junho a setembro – **Refeição** lista 3700 a 5400.

na Foz do Douro – ✉ *4100 Porto* :

🏨 **Boa Vista,** Esplanada do Castelo 58 ☎ (02) 618 31 75, Telex 25574, *Fax (02) 617 38 18*, « Ambiente acolhedor » – |⇕| ▤ TV ☎. AE ◑ E VISA. ✻ AV e
Refeição *(fechado domingo)* 2500 – **39 qto** ☕ 12900/14000 – PA 5000.

🏨 **Portofoz** sem rest, Rua do Farol 155-3º ☎ (02) 617 23 57, *Fax (02) 617 08 87* – |⇕| TV ☎. AE ◑ E VISA. ✻ AV r
19 qto ☕ 9000/11000.

XXX **Don Manoel,** Av. Montevideu 384 ☎ (02) 617 01 79, *Fax (02) 610 44 37*, ≤, 🏞, « Instalado num antigo palacete » – ▤ 🅟. AE ◑ E VISA. ✻ AU e
fechado domingo – **Refeição** lista 6980 a 8980.

XX **Portofino,** Rua do Padrão 103 ☎ (02) 617 73 39, *Fax (02) 617 73 39*, 🏞 – ▤. AE ◑ E VISA. ✻ AU c
fechado sábado meio-dia e do 1 ao 15 de agosto – **Refeição** lista 2550 a 4000.

XX **O Bule,** Rua do Timor 128 ☎ (02) 618 87 77, « Terraço junto do jardim », 🏞 – ◑ E VISA AU g
fechado domingo e do 1 ao 15 de agosto – **Refeição** lista 2750 a 3950.

em Matosinhos – ✉ *4450 Matosinhos* :

🏨 **Amadeos** sem rest, Rua Conde Alto Mearim 1229 ☎ (02) 939 97 00, *Fax (02) 939 97 19* – |⇕| ▤ TV ☎ ♿ 🚗. AE ◑ E VISA JCB AU u
50 qto ☕ 11000/13000.

X **Esplanada Marisqueira Antiga,** Rua Roberto Ivens 628 ☎ (02) 938 06 60, *Fax (02) 937 89 12*, Viveiro próprio – ▤ 🚗. AE ◑ E VISA JCB. ✻ AU v
fechado 2ª feira – **Refeição** - peixes e mariscos - lista aprox. 4150.

X **O Gaveto** com snack-bar, Rua Roberto Ivens 826 ☎ (02) 937 87 96, *Fax (02) 938 38 12* – ▤. AE ◑ E VISA JCB AU a
Refeição lista 3300 a 5200.

X **Marujo** com snack-bar, Rua Tomaz Ribeiro 284 ☎ (02) 938 37 32 – ▤. AE ◑ E VISA. ✻ AU v
fechado 3ª feira salvo feriados – **Refeição** lista 3450 a 7550.

Ver também : **Vila Nova de Gaia** *por ⑥ : 2 km*
Leça do Balio *por ① : 7 km*
Leça da Palmeira *NO : 8 km*
Santo Tirso *por ② : 22 km*

PORTO MONIZ *Madeira - ver Madeira (Arquipélago da).*

PORTO SANTO *Madeira - ver Madeira (Arquipélago da).*

PÓVOA DAS QUARTAS *Coimbra - ver Oliveira do Hospital.*

PÓVOA DE LANHOSO *4830 Braga* 440 H 5.
Lisboa 375 - Braga 19 - Caldelas 24 - Guimarães 21 - Porto 68 - Viana do Castelo 69.

El Gaucho, Av. 25 de Abril 207-11º (053) 63 11 44, ←, - . AE E VISA
fechado domingo e do 1 ao 15 de outubro - **Refeição** lista 3000 a 5000.

Quando os nomes dos hotéis e restaurantes figuram em caracteres destacados, significa que os hoteleiros comunicaram todos os seus preços e comprometeram-se a aplicá-los aos turistas de passagem possuidores do nosso guia.
Estes preços, estabelecidos no final do ano de 1997, são, não obstante, susceptíveis de serem modificados se o custo de vida sofrer variações importantes.

PÓVOA DE VARZIM *4490 Porto* 440 H 3 - *23 851 h. - Praia.*
Ver : *O bairro dos pescadores★* AZ.
Arred. : *Rio Mau : Igreja de S. Cristóvão (capitéis★) por ② : 12 km.*
Av. Mouzinho de Albuquerque 166 (052) 61 46 09 Fax (052) 61 78 72.
Lisboa 348 ② - Braga 40 ① - Porto 30 ②

Plano página seguinte

Sopete Vermar, Rua Alto de Martim Vaz (052) 61 55 66, Telex 25261, *Fax (052) 61 51 15*, ←, - TV - 25/700. AE E VISA. AY a
Refeição 3000 - **196 qto** 12200/15000, 12 suites - PA 6000.

Sopete Grande H., Passeio Alegre 20 (052) 61 54 64, *Fax (052) 61 55 65*, ← - , qto, TV - 25/50. AE E VISA JCB. AZ r
Refeição 2500 - **88 qto** 9800/12400, 4 suites - PA 5000.

Luso-Brasileiro sem rest, Rua dos Cafés 16 (052) 61 51 61, *Fax (052) 62 47 13* - TV . AE E VISA. AZ r
62 qto 7700/9900.

Costa Verde sem rest, Av. Vasco da Gama 56 (052) 61 55 31, *Fax (052) 61 59 31*, ← - TV . AE E VISA. AY e
50 qto 7700/9900.

Gett sem rest, Av. Mouzinho de Albuquerque 54 (052) 68 32 06, *Fax (052) 61 72 95* - TV. AE E VISA. AZ n
22 qto 7000/8500.

Avô Velino sem rest, Av. Vasco da Gama (052) 68 16 28 - TV AY b
10 qto.

pela estrada N 13 AY - *4490 Póvoa de Varzim :*

Sopete Santo André Estal. , Aguçadoura - N : 7 km (052) 61 56 66, *Fax (052) 61 58 66*, ←, - TV . AE E VISA.
Refeição 2500 - **46 qto** 15000/16500, 4 suites - PA 5000.

Torre Mar sem rest, N : 2,3 km (052) 61 36 77, *Fax (052) 68 26 02* - TV . AE E VISA.
31 qto 7200/9800.

Estalagem Estela Sol, N : 8,7 km (052) 60 21 12, *Fax (052) 60 21 12* - TV - 25/300
35 qto, 3 suites.

Contriz, N : 9 km (052) 60 10 50, *Fax (052) 60 10 19* - TV - 25/300. AE E VISA.
Refeição 2600 - **21 qto** 6500/7500, 2 suites - PA 5200.

O Marinheiro, N : 2 km (052) 68 21 51, *Fax (052) 68 21 51*, « Imitação dum barco » - . AE E VISA.
Refeição - peixes e mariscos - lista 3840 a 4650.

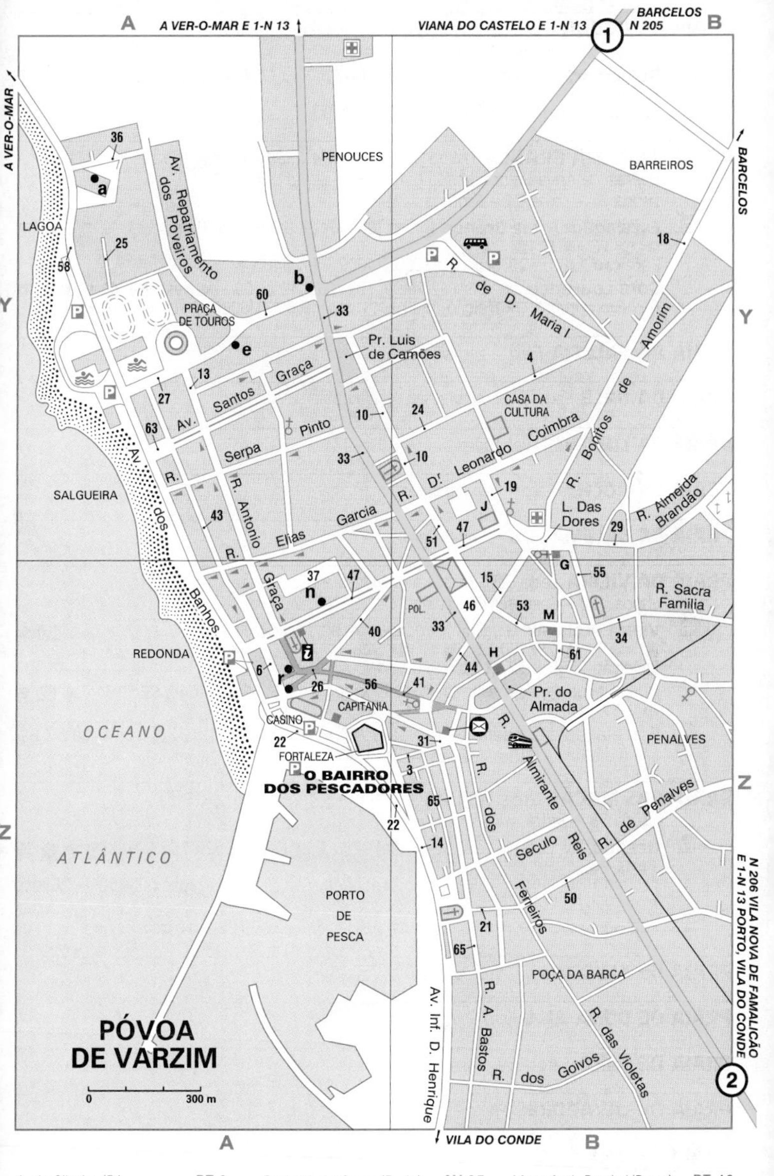

A. da Silveira (R.) . . . . BZ 3
Alberto Sampaio (R.) . . . . . BY 4
Alegre (Passeio) . . . . AZ 6
Camilo (R. de) . . . . ABY 10
Casa dos Poveiros (R.) . . . AY 13
Caverneira (R. da) . . . . BZ 14
Cidade do Porto (R.) . . . . . BZ 15
Comendador Francisco
A. Quintas (R. do) . . . . . BY 18
Cons. Abel Andrade (R.) . . BY 19
Coronel Oudinot (R.) . . . . . BZ 21
Descobrimentos (Av. dos) . AZ 22
Dr Alberto Pimentel (R.) . . BY 24
Dr Armindo Graça (R. do) . AY 25
Dr D. Alves (Largo) . . . . . . AZ 26
Dr José Pontes (Largo) . . . AY 27
Dr Josué Trocado (R.) . . . . BY 29
Elísio da Nova (Largo) . . . . BZ 31
Gomes de Amorim (R.) . . ABYZ 33
Igreja (R. da) . . . . BZ 34
Impresa Regional (R. da) . . AY 36
João XXIII (Praça) . . . . AZ 37
José Malgueira (R.) . . . . . . AZ 40
Junqueira (R. da) . . . . BZ 41
Latino Coelho (R.) . . . . AY 43
Manuel Silva (R.) . . . . BZ 44
Marquês de Pombal (Praça) . BZ 46
Mouzinho
de Albuquerque (Av.) . ABYZ 47
Pereira Azurar (R.) . . . . BZ 50
Ramalho Ortigão (R.) . . . . . BY 51
Rocha Peixoto (R.) . . . . BZ 53
S. Pedro (R. de) . . . . BZ 55
Tenente Valadim (R.) . . . . . AZ 56
Varzim S. Club (R. do) . . . . AY 58
Vasco de Gama (Av.) . . . . . AY 60
Visconde (R. do) . . . . BZ 61
5 de Outubro (Praça) . . . . . AY 63
31 de Janeiro (R.) . . . . BZ 65

PRAIA DA AGUDA *Porto* 440 I 4 - ✉ *4405 Valadares - Praia.*
Lisboa 303 - Porto 15.

XX **Dulcemar,** Av. Gomes Guerra 960 ✆ (02) 762 40 77, *Fax (02) 762 78 24* - ▤. AE ⓓ E VISA. ✂
fechado 4ª feira - **Refeição** lista 2450 a 4400.

PRAIA DA AREIA BRANCA *Lisboa* 440 O 1 - ✉ *2530 Lourinhã - Praia.*
Praia da Areia Branca ✆ (061) 42 21 67 Fax (061) 41 20 82.
Lisboa 77 - Leiria 91 - Santarém 78.

Estalagem Areia Branca ⦻, ✆ (061) 41 24 91, *Fax (061) 41 31 43*, ≤, ⛱ - |‡| TV ☎ Ⓟ. AE ⓓ E VISA. ✂
Refeição 2200 - **29 qto** ⊐ 12000/14000 - PA 4400.

Dom Lourenço, ✆ (061) 42 28 09, *Fax (061) 42 28 09* - ▤ rest, TV. AE E VISA. ✂
fechado outubro - **Refeição** 1500 - **11 qto** ⊐ 5000/6000, 7 suites - PA 3000.

PRAIA DA FALÉSIA *Faro - ver Albufeira.*

PRAIA DA GALÉ *Faro - ver Albufeira.*

PRAIA DA LUZ *Faro - ver Lagos.*

PRAIA DA ROCHA *Faro - ver Portimão.*

PRAIA DA SALEMA *Faro - ver Budens.*

PRAIA DA VIEIRA *Leiria* 440 M 3 - ✉ *2430 Marinha Grande - Praia.*
Lisboa 152 - Coimbra 95 - Leiria 24.

Vieira Praia, Av. Marginal ✆ (044) 69 79 00, *Fax (044) 69 52 11*, ≤, ✂ - |‡| ▤ TV ☎ ♿ 🚗 - 🏛 25/150. AE ⓓ E VISA JCB. ✂
Refeição 2250 - **32 qto** ⊐ 9700/11900, 1 suite.

Ouro Verde ⦻ sem rest, Rua D. Dinis ✆ (044) 69 71 56, *Fax (044) 69 59 31* - |‡| TV ☎ Ⓟ - **32 qto.**

Estrela do Mar sem rest, Rua José Loureiro Botas 18 ✆ (044) 69 57 62, *Fax (044) 69 54 04*, ≤ - |‡| TV ☎ - **24 qto.**

PRAIA DAS MAÇÃS *Lisboa* 440 P 1 - *606 h.* - ✉ *2710 Sintra - Praia.*
Lisboa 38 - Sintra 10.

Océano, Av. Eugenio Levy 52 ✆ (01) 929 23 99, *Fax (01) 929 21 23*, ≤ - TV ☎ Ⓟ. AE ⓓ E VISA
fechado novembro - **Refeição** *(fechado 3ª feira)* lista aprox. 3950 - **26 qto** ⊐ 11000/12000.

Real sem rest, Rua Fernão de Magalhães ✆ (01) 929 20 02 - **12 qto.**

PRAIA DE ALVOR *Faro - ver Portimão.*

PRAIA DE DONA ANA *Faro - ver Lagos.*

PRAIA DE FARO *Faro - ver Faro.*

PRAIA DE LAVADORES *Porto - ver Vila Nova de Gaia.*

PRAIA DE OFIR *Braga - ver Fão.*

PRAIA DE SANTA CRUZ *Lisboa* 440 O 1 - *615 h.* - ✉ *2560 Torres Vedras - Praia.*
Lisboa 70 - Santarém 88.

Santa Cruz, Rua José Pedro Lopes ✆ (061) 93 71 48, *Fax (061) 93 25 85* - |‡| ☎ Ⓟ - 🏛 25/150. AE ⓓ E VISA JCB. ✂ rest
Refeição *(fechado 2ª feira salvo junho-agosto)* 1700 - **32 qto** ⊐ 7800/9000.

X **O Galarós,** Urb. do Pisão Lote 2 - Loja 1 ✆ (061) 93 17 65, 🏖. ✂
fechado 2ª feira, do 15 ao 21 de novembro e do 9 ao 28 de dezembro - **Refeição** lista 3250 a 4350.

PRAIA DO CARVOEIRO *Faro - ver Lagoa.*

PRAIA DO GUINCHO *Lisboa - ver Cascais.*

PRAIA DO PORTO NOVO *Lisboa - ver Vimeiro (Termas do).*

PRAIA DO VAU *Faro - ver Portimão.*

PRAIA DOS TRES IRMÃOS *Faro - ver Portimão.*

QUARTEIRA *8125 Faro* 440 U 5 - *8 905 h. - Praia.*

Vilamoura, NO : 6 km (089) 38 07 22.

Av. Infante de Sagres 53 (089) 38 92 09.

Lisboa 308 - Faro 22.

Atis, Av. Dr. Francisco Sá Carneiro (089) 38 97 71, Telex 56802, *Fax (089) 38 97 74,*
Refeição 2000 - **97 qto** 9700/13000 - PA 4000.

Zodíaco, Estrada de Almancil (089) 38 95 89, *Fax (089) 38 81 58,*
Refeição 1500 - **60 qto** 10000/13500 - PA 3000.

Claudiana sem rest, Rua Torre de Água (089) 30 03 40, *Fax (089) 30 03 41,*
24 qto 7500/9500.

Alphonso's, Centro Comercial Abertura Mar (089) 31 46 14,
Refeição lista 2750 a 3650.

Cataplana, Av. Infante de Sagres 107 (089) 38 86 63,
fechado dezembro e janeiro - **Refeição** lista 2750 a 4300.

em Vilamoura - *8125 Quarteira :*

Vilamoura Marinotel, O : 3,5 km (089) 38 99 88, Telex 58979, *Fax (089) 38 98 69,* - 25/1200.
Aries : Refeição lista 4550 a 5400 - ***Grill Sirius :*** Refeição lista 6300 a 7550 - **364 qto** 36900/49250, 21 suites.

Atlantis Vilamoura, O : 3 km (089) 38 99 77, *Fax (089) 38 99 62,* « Relvado repousante com », - 25/350.
Refeição 5000 - **302 qto** 31400/41900, 8 suites.

Ampalius, O : 3,5 km (089) 38 80 08, Telex 56992, *Fax (089) 38 09 11,* - 25/200.
Refeição 3500 - **357 qto** 33850/35900.

Vila Galé Marina, O : 3 km (089) 320 00 00, *Fax (089) 320 00 50,* - 25/90.
Refeição 3200 - **229 qto** 19000/26500, 14 suites.

Dom Pedro Marina, O : 3,5 km (089) 38 98 02, Telex 56307, *Fax (089) 31 32 70,* - 25/150.
Refeição 3000 - **121 qto** 18500/26400, 34 suites.

Dom Pedro Golf, O : 3 km (089) 38 96 50, Telex 56149, *Fax (089) 31 54 82,* « Relvado repousante com », - 25/600.
Refeição 3000 - **252 qto** 20500/29400, 9 suites.

Motel Vilamoura Golf, NO : 6 km (089) 30 29 77, Telex 56833, *Fax (089) 38 00 23,* - qto,
Refeição lista aprox. 4500 - **52 qto** 13000/15000.

Casa da Madeira, Edifício Delta Marina - O : 2,5 km (089) 30 17 54,
fechado 4ª feira, janeiro e fevereiro - **Refeição** - só jantar - lista 2650 a 4340.

QUATRO ÁGUAS *Faro - ver Tavira.*

QUELUZ *2745 Lisboa* 440 P 2 - *47 864 h. alt. 125.*

Ver : *Palácio Nacional de Queluz★★ (sala do trono★) - Jardins do Palácio (escada dos Leões★).*

Largo do Palácio ☎ (01) 435 00 39 Fax (01) 435 25 75.

Lisboa 12 - Sintra 15.

Pousada de D. Maria I, Largo do Palácio ☎ (01) 435 61 58, *Fax (01) 435 61 89*, « Belo palacete » - ... 25/60.
Refeição (ver rest. ***Cozinha Velha***) - **24 qto** 26500/29600, 2 suites.

Cozinha Velha, Largo do Palácio ☎ (01) 435 61 58, *Fax (01) 435 61 89*, « Instalado nas antigas cozinhas do palácio » - ...
Refeição lista aprox. 7000.

em Tercena *O : 4 km - ✉ 2745 Queluz :*

O Parreirinha, Av. Santo António 5 ☎ (01) 437 93 11, *Fax (01) 439 33 30* - ...
fechado domingo e agosto - **Refeição** lista aprox. 3500.

QUINTA DO LAGO *Faro - ver Almancil.*

QUINTAS DO SIROL *Leiría - ver Leiria.*

REDONDO *7170 Évora* 440 Q 7 - *3 623 h. alt. 306.*

Lisboa 179 - Badajoz 69 - Estremoz 27 - Évora 34.

em Aldeia da Serra *N : 10 km - ✉ 7170 Redondo :*

Convento de São Paulo ⑤, Estrada N 381 ☎ (066) 99 91 00, *Fax (066) 99 91 04*, ≤, « Antigo convento », ... 25/100.
Refeição lista 4050 a 5800 - **17 qto** 27000/31500.

RETAXO *6000 Castelo Branco* 440 M 7 - *1 182 h.*

Lisboa 240 - Castelo Branco 13 - Castelo de Vide 81.

Motel da Represa ⑤, N : 1,5 km ☎ (072) 999 21, *Fax (072) 986 68*, ≤, « Típica ambientação exterior », ... 25/200.
Refeição 1800 - 500 - **42 qto** 6000/8000.

RIBAMAR *Lisboa* 440 O 1 - ✉ *2640 Mafra - Praia.*

Lisboa 55 - Santarém 92 - Sintra 20 - Torres Vedras 22.

Viveiros do Atlântico, Estrada N 247 ☎ (061) 868 03 00, *Fax (061) 868 03 09*, ≤, Viveiro próprio - ...
fechado 2ª feira noite, 3ª feira e outubro - **Refeição** - mariscos - lista 3400 a 5500.

RIBEIRA BRAVA *Madeira - ver Madeira (Arquipélago da).*

RIBEIRA DE SÃO JOÃO *Santarém - ver Rio Maior.*

RIO DE MOINHOS *Santarém* 440 N 5 - *1 882 h.* - ✉ *2200 Abrantes.*

Lisboa 137 - Portalegre 88 - Santarém 69.

Cristina, Estrada N 3 ☎ (041) 981 77, *Fax (041) 983 43* - ...
fechado domingo noite, 2ª feira, 15 dias en março e 15 dias en agosto - **Refeição** lista 3050 a 4050.

RIO MAIOR *2040 Santarém* 440 N 3 - *6 686 h.*

Lisboa 77 - Leiria 50 - Santarém 31.

R M sem rest, Rua Dr. Francisco Barbosa ☎ (043) 920 87, *Fax (043) 920 88* - ...
36 qto.

Adega da Raposa, Travessa da Estalagem ☎ (043) 911 66
...
fechado domingo e do 15 ao 31 de julho - **Refeição** lista 2750 a 3300.

no Alto da Serra *NO : 4,5 km - ✉ 2040 Rio Maior :*

Cantinho da Serra, Antiga Estrada N 1 ☎ (043) 99 13 67, *Fax (043) 99 13 67*, « Rest. típico » - ...
fechado 2ª feira e julho - **Refeição** lista 3180 a 3600.

em Ribeira de São João *SE : 7,5 km – ✉ 2040 Rio Maior :*

Quinta da Ferraria ⑤, Estrada N 114 ✆ (043) 950 01, *Fax (043) 956 96,* « Antigo moinho de água e museu rural », ⛱, 🌳 – ▤ ☎ ⓟ – 🏛 25/200. AE E VISA. ✂
Refeição 3800 – **13 qto** ☐ 13000/15500, 2 apartamentos – PA 7600.

ROMEU *5370 Bragança* 440 H 8 – *936 h.*
Lisboa 467 – Bragança 59 – Vila Real 85.

Maria Rita, Rua da Capela ✆ (078) 931 34, *Fax (078) 931 34,* « Decoração rústica regional » – ▤. E VISA
fechado 2ª feira e 4ª feira ao jantar – **Refeição** lista 2250 a 2900.

SABROSA *5060 Vila Real* 440 I 7.
Lisboa 419 – Braga 115 – Bragança 115 – Vila Real 20 – Viseu 114.

Quality Inn, Av. Dos Combatentes da Grande Guerra ✆ (059) 93 02 40, *Fax (059) 93 02 60,* ≤, ⛱ – |‡| ▤ TV ☎ ♿ 🚗 – 🏛 25/70. AE ⓓ E VISA JCB. ✂ rest
Refeição 2500 – **49 qto** ☐ 10000/13000, 1 suite.

SABUGO *2715 Lisboa* 440 P 2.
Lisboa 11 – Sintra 14.

em Vale de Lobos *SE : 1,7 km – ✉ 2715 Sabugo :*

Vale de Lobos ⑤, ✆ (01) 962 34 01, *Fax (01) 962 46 56,* ≤, ⛱, 🌳, 🎾 – |‡|, ▤ rest, TV ☎ ⓟ – 🏛 25/400. AE ⓓ E VISA. ✂ rest
Refeição 2500 – **52 qto** ☐ 8600/11000.

SAGRES *Faro* 440 U 3 – *2 032 h.* – ✉ *8650 Vila do Bispo – Praia.*
Arred. : Ponta de Sagres★★ SO : 1,5 km – Cabo de São Vicente★★ (≤★★).
ℹ *Praça da República* ✆ *(082) 62 00 03 Fax (082) 62 00 04.*
Lisboa 286 – Faro 113 – Lagos 33.

Pousada do Infante ⑤, ✆ (082) 642 22, *Fax (082) 642 25,* ≤ falésias e mar, ⛱, 🎾 – ▤ TV ☎ ⓟ – 🏛 25/50. AE ⓓ E VISA. ✂
Refeição lista aprox. 3650 – **39 qto** ☐ 20200/23400.

Aparthotel Navigator ⑤, Rua Infante D. Henrique ✆ (082) 643 54, *Fax (082) 643 60,* ≤ falésias e mar, ⛱ – |‡| ▤ TV ☎ 🚗 ⓟ. AE ⓓ E VISA. ✂ rest
Refeição 2300 – ☐ 750 – **56 apartamentos** 15000/16000.

Baleeira ⑤, ✆ (082) 642 12, *Fax (082) 644 25,* ≤ falésias e mar, 🏖, ⛱, 🎾 – ▤ rest, ☎ ⓟ. AE ⓓ E VISA. ✂ rest
Refeição 2300 – **120 qto** ☐ 14100/18000 – PA 4400.

na estrada do Cabo São Vicente *NO : 5 km – ✉ 8650 Vila do Bispo :*

Fortaleza do Beliche ⑤ com qto, ✆ (082) 641 24, « Instalado numa fortaleza sobre uma falésia dominando o mar » – ▤ qto, ☎. AE ⓓ E VISA. ✂
Refeição lista aprox. 3650 – **4 qto** ☐ 13500/15600.

SAMEIRO *Braga – ver Braga.*

SANGALHOS *Aveiro* 440 K 4 – *4 067 h.* – ✉ *3780 Anadía.*
Lisboa 234 – Aveiro 25 – Coimbra 32.

Estalagem Sangalhos ⑤, ✆ (034) 74 36 48, *Fax (034) 74 32 74,* ≤ vale e montanha, ⛱, 🎾 – ▤ rest, TV ☎ ⓟ. AE E VISA. ✂
Refeição - so jantar - 1750 – ☐ 500 – **32 qto** 4500/8000.

SANTA BÁRBARA DE NEXE *Faro – ver Faro.*

Pleasant hotels or restaurants are shown
in the Guide by a red sign.
Please send us the names
of any where you have enjoyed your stay.
Your **Michelin Guide** will be even better.

SANTA CLARA-A-VELHA *7665 Beja* 440 T 4.

Lisboa 219 – Beja 110 – Faro 92 – Portimão 56 – Sines 86.

na barragem de Santa Clara *E : 5,5 km – ✉ 7665 Santa-Clara-A-Velha :*

Pousada de Santa Clara , *(083) 982 50, Fax (083) 984 02,* barragem e montanhas, , – .
Refeição lista aprox. 3650 – **18 qto** 15500/17600, 1 suite.

SANTA LUZIA *Viana do Castelo – ver Viana do Castelo.*

Per l'inscrizione nelle sue Guide,
***Michelin** non accetta*
nè favori, nè denaro !

SANTA MARIA DA FEIRA *4520 Aveiro* 440 J 4 – *4 877 h. alt. 125.*

Ver : *Castelo*★.

Rua dos Descobrimentos (056) 37 20 32.

Lisboa 291 – Aveiro 47 – Coimbra 91 – Porto 20.

Novacruz sem rest, Rua S. Paulo da Cruz (056) 37 23 11, *Fax (056) 37 23 16* – – 25/130.
60 qto 10900/12700, 5 suites.

pela estrada N 223 *O : 4 km – ✉ 4520 Santa Maria da Feira :*

Ibis Porto Sul Europarque , Europarque (056) 33 25 07, *Fax (056) 33 25 09,* – – 25/60.
Refeição lista aprox. 2400 – 800 – **63 qto** 6800.

na estrada N 1 – *✉ 4520 Santa Maria da Feira :*

Pedra Bela, NE : 5 km (056) 91 15 13, *Fax (056) 91 15 95,* , , – .
Refeição (ver rest. ***Pedra Bela***) – **50 qto** 5500/7500.

Pedra Bela, NE : 5 km (056) 91 13 38, *Fax (056) 91 15 95* – .
Refeição lista 2200 a 3500.

Tigre com snack-bar, Lugar de Albarrada - São João de Ver - NE : 5,5 km (056) 31 22 04, *Fax (056) 31 28 28* – .
Refeição - mariscos - lista 2550 a 3400.

SANTA MARTA DE PENAGUIÃO *5030 Vila Real* 440 I 6.

Lisboa 400 – Peso da Régua 6 – Braga 95 – Porto 93 – Vila Real 17.

Oásis, Estrada N 2 (054) 915 32 –
12 qto.

SANTA MARTA DE PORTUZELO *Viana do Castelo – ver Viana do Castelo.*

SANTANA *Setúbal – ver Sesimbra.*

SANTARÉM *2000* P 440 O 3 – *28 547 h. alt. 103.*

Ver : *Miradouro de São Bento* ★ B – *Igreja de São João de Alporão (Museu Arqueológico*★*)* B – *Igreja da Graça*★ *(nave*★*)* B.

Arred. : *Alpiarça : Casa dos Pátudos*★ *(tapeçarias*★*, faianças e porcelanas*★*) 10 km por ②.*

Rua Capelo Ivens 63 (043) 39 15 12.

Lisboa 80 ③ – Évora 115 ② – Faro 330 ② – Portalegre 158 ② – Setúbal 130 ③

Plano página seguinte

Alfageme sem rest, Av. Bernardo Santareno 38 (043) 37 08 70, *Fax (043) 37 08 50* – – 25/200. . A e
67 qto 8150/9500.

Victoria sem rest, Rua 2º Visconde de Santarém 21 (043) 225 73, *Fax (043) 282 02* – . . A u
23 qto 5000/8000.

Solar, Largo Emílio Infante da Câmara 9 (043) 222 39 – . A c
fechado sábado e agosto – **Refeição** lista 1800 a 2500.

SANTARÉM

Capelo Ivens (Rua) . . . . AB 9
Serpa Pinto (Rua) . . . . AB

Alex. Herculano (Rua) . . . . . A 3
Alf. de Santarém (Rua) . . . . B 4
Braamcamp Freire (Rua) . . . B 6
Cândido dos Reis (Largo) . . A 7
G. de Azevedo (Rua) A 10
João Afonso (Rua) . . . . A 12
Miguel Bombarda (Rua) B 13
Piedade (Largo da) . . . . A 15
São Martinho (Rua de) . . . . B 16
Teixeira Guedes (Rua) . . . . . A 18
Tenente Valadim (Rua) . . . . B 19
Vasco da Gama (Rua) . . . . . A 21
Zeferino Brandão (Rua) . . . . A 22
1° de Dezembro (Rua) . . . . B 24
5 de Outubro (Avenida) . . . B 25
31 de Janeiro . . . . A 27

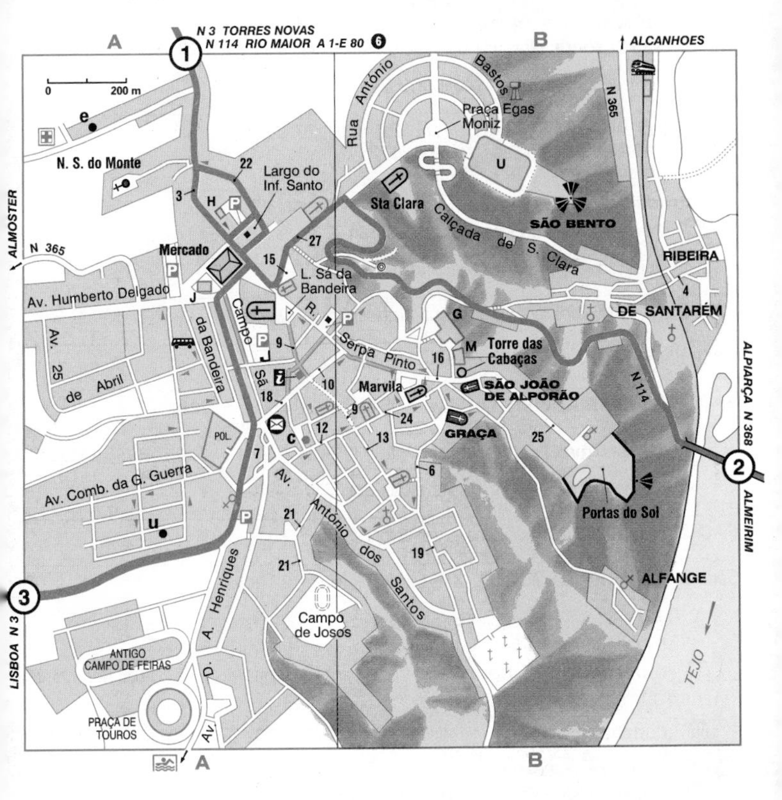

Si vous cherchez un hôtel tranquille,
consultez d'abord les cartes de l'introduction
ou repérez dans le texte les établissements indiqués avec le signe 🐎 *ou* 🐎

SANTIAGO DO CACÉM *7540 Setúbal* 440 R 3 – *18 354 h. alt. 225.*

Ver : *Á saida sul da Vila* <★.
ℹ *Largo do Mercado* ✆ *(069) 82 66 96.*
Lisboa 146 – Setúbal 98.

Pousada de Santiago, Estrada de Lisboa ✆ (069) 224 59, *Fax (069) 224 59,* , « Decoração regional », , – ▤ qto, TV ☎ P. AE ⓓ E VISA. –
possível fecho para obras – **Refeição** lista aprox. 3650 – **8 qto** ☕ 13500/15600.

Albergaria D. Nuno sem rest, Av. D. Nuno Álvares Pereira 88 ✆ (069) 233 25, *Fax (069) 233 28,* <, – ▤ TV ☎ P – 25/50. AE ⓓ E VISA.
75 qto ☕ 8000/12000.

Gabriel sem rest, Rua Professor Egas Moniz 24 ✆ (069) 222 45, *Fax (069) 82 61 02* – TV ☎. AE E VISA.
23 qto ☕ 5500/9000.

SANTO AMARO DE OEIRAS *Lisboa – ver Oeiras.*

SANTO TIRSO *4780 Porto* 440 H 4 – *11 708 h. alt. 75.*

Praça 25 Abril *(02) 85 20 64.*
Lisboa 345 – Braga 29 – Porto 22.

Cidnay, Praça do Município (052) 85 93 00, *Fax (052) 85 93 20,* – 25/175.
Refeição 2850 – **64 qto** 15000/18000, 1 suite – PA 5000.

São Rosendo, Praça do Município 6 (052) 85 30 54, *Fax (052) 85 30 54* –
fechado 2ª feira – **Refeição** lista 1650 a 3450.

SÃO BRÁS DE ALPORTEL *8150 Faro* 440 U 6 – *2 763 h.*

Rua Dr. Evaristo Gago *(089) 84 22 11.*
Lisboa 293 – Faro 19 – Portimão 63.

na estrada N 2 *N : 2 km – 8150 São Brás de Alportel :*

Pousada de São Brás, (089) 84 23 05, *Fax (089) 84 17 26,* cidade, campo e colinas, – qto,
Refeição lista aprox. 3650 – **24 qto** 18200/20300.

SÃO GONÇALO *Madeira – ver Madeira (Arquipélago da) : Funchal.*

SÃO JÕAO DA CAPARICA *Setúbal – ver Costa da Caparica.*

SÃO JÕAO DA MADEIRA *3700 Aveiro* 440 J 4 – *18 452 h. alt. 205.*

Lisboa 286 – Aveiro 46 – Porto 32.

O Executivo, Rua Oliveira Júnior 918 (056) 83 27 85, *Fax (056) 83 27 86,* « Instalado num belo palacete do início de século », –
fechado 4ª feira e agosto – **Refeição** lista 2750 a 4900.

SÃO JOÃO DO ESTORIL *Lisboa – ver Estoril.*

SÃO MARTINHO DO PORTO *2465 Leiria* 440 N 2 – *2 318 h. – Praia.*

Ver : ★.
Av. 25 de Abril *(062) 98 91 10.*
Lisboa 108 – Leiria 51 – Santarém 65.

Albergaria São Pedro sem rest, Largo Vitorino Frois 7 (062) 98 93 28, *Fax (062) 98 93 27* –
abril-setembro – **25 qto** 13000/15000.

Concha sem rest, Largo Vitorino Frois 21 (062) 98 92 20, *Fax (062) 98 98 35* – – 25/50.
31 qto 13000/15000.

Albergaria Sto. António da Baía sem rest, Rua da Independência (062) 98 96 66, *Fax (062) 98 98 38,* – – 25/100.
22 qto 8000/14000.

A Casa, Av. Marginal (062) 98 96 33, *Fax (062) 98 99 89,* –
Refeição lista 3000 a 3450.

SÃO PEDRO DE MOEL *Leiria* 440 M 2 – *2430 Marinha Grande – Praia.*

Lisboa 135 – Coimbra 79 – Leiria 22.

Mar e Sol, Av. da Liberdade 1 (044) 59 91 82, *Fax (044) 59 94 11,* – – 25/180.
Refeição *(fechado 2ª feira e outubro-novembro)* 2750 – **63 qto** 9500/12000.

São Pedro, Rua Dr. Adolfo Leitão 22 (044) 59 91 20, Telex 18136, *Fax (044) 59 91 84* – – 25/300.
Refeição 2500 – **53 qto** 9000/14000.

Santa Rita sem rest, Praceta Pinhal do Rei 1 (044) 59 94 98 –
9 qto 9000/11000.

Brisamar, Rua Dr. Nicolau Bettencourt 23 (044) 59 92 50, *Fax (044) 59 95 80* –
fechado 2ª feira (dezembro-maio) e novembro – **Refeição** lista 2250 a 3050.

SÃO PEDRO DE SINTRA *Lisboa – ver Sintra.*

SÃO PEDRO DO SUL *3660 Viseu* 440 **J 5** – *2 464 h. alt. 169 – Termas.*
Termas de S. Pedro (032) 71 13 20. – Lisboa 321 – Aveiro 76 – Viseu 22.

nas termas *SO : 3 km – 3660 São Pedro do Sul :*

Do Parque, (032) 72 34 61, *Fax (032) 72 30 47*, – – 25/70. AE VISA. rest
Refeição 1900 – **53 qto** 7200/12000, 3 suites – PA 3800.

Grande H. Lisboa, Estrada N 16 (032) 72 33 60, *Fax (032) 72 33 61* – – 25/140 – **142 qto.**

Lafões sem rest, Rua do Correio (032) 71 16 16 – .
março-novembro – **21 qto** 11000/13000.

Adega da Ti Fernanda, Av. da Estação (032) 71 24 68, , « Decoração rústica » –
fechado 2ª feira e novembro – **Refeição** lista 1900 a 2500.

SÃO VICENTE *Madeira – ver Madeira (Arquipélago da).*

SEIA *6270 Guarda* 440 **K 6** – *7 971 h. alt. 532.*
Arred. : *Estrada★★ de Seia à Covilhã (<★★, Torre ★★, <★) 49 km.*
Largo do Mercado (038) 222 72. – Lisboa 303 – Guarda 69 – Viseu 45.

Camelo, Av. 1º de Maio 16 (038) 255 55, Telex 53630, *Fax (038) 255 50*, <, , – – 25/50. AE E VISA
Refeição *(fechado 2ª feira e outubro)* 2500 – **79 qto** 8000/11600, 5 suites.

Estalagem de Seia, Av. Dr. Afonso Costa (038) 258 66, *Fax (038) 255 38*, – – 25/30. VISA. qto – *fechado do 15 ao 30 de agosto* – **Refeição** *(fechado 5ª feira)* lista 2100 a 3150 – **34 qto** 11000/11500.

na estrada N 339 *E : 6 km – 6270 Seia :*

Albergaria Senhora do Espinheiro , sem rest, (038) 220 73, *Fax (038) 238 81*, < vale – . AE E VISA JCB.
24 qto 10000/12000.

SEIXAS *Viana do Castelo – ver Caminha.*

SERRA DA ESTRELA *Castelo Branco* 440 **K y L 7** – *Desportes de inverno 3.*
Ver : ★ *(Torre★★, ★★).* – *(075) 249 33.*
Hotéis e restaurantes ver : **Covilhã e Penhas da Saúde.**

SERRA DE ÁGUA *Madeira – ver Madeira (Arquipélago da).*

SERTÃ *6100 Castelo Branco* 440 **M 5** – *5 247 h.*
Lisboa 248 – Castelo Branco 72 – Coimbra 86.

Lar Verde sem rest, Recta do Pinhal (074) 635 84, *Fax (074) 630 95*, <, – . E VISA.
22 qto 6000/8000.

Pontevelha, Alameda da Carvalha (074) 615 29, *Fax (074) 623 84*, < – . AE E VISA JCB.
fechado 2ª feira e maio – **Refeição** lista 2100 a 2850.

Santo Amaro, Rua Bombeiros Voluntários (074) 635 87, *Fax (074) 623 84*, – . AE E VISA JCB. – *fechado 4ª feira e maio* – **Refeição** lista 2100 a 2850.

Lagar, Rua 1º de Dezembro (074) 635 86, *Fax (074) 634 08*, , « Rest. típico instalado numa prensa de azeite » – .

SESIMBRA *2970 Setúbal* 440 **Q 2** – *14 530 h. – Praia.*
Ver : *Porto★.* – **Arred.** : *Castelo <★ NO : 6 km – Cabo Espichel★ (local★) O : 15 km – Serra da Arrábida★ (Portinho de Arrábida★, Estrada de Escarpa★★) E : 30 km.* – *Largo da Marinha (01) 223 57 43 Fax (01) 223 38 55. – Lisboa 43 – Setúbal 26.*

Do Mar , Rua General Humberto Delgado 10 (01) 223 33 26, *Fax (01) 223 38 88*, < mar, « Relvado com rodeado de árvores », , – – 25/220. AE E VISA.
Refeição 4200 – **168 qto** 20600/26000, 2 suites.

Villas de Sesimbra , Altinho de São João (01) 228 00 05, Telex 16190, *Fax (01) 223 15 33*, <, « Relvado com », , , – – 25/100. AE E VISA JCB. – **Refeição** lista aprox. 3600 – **207 apartamentos** 18000.

XX **Ribamar,** Av. dos Náufragos 29 ☎ (01) 223 48 53, *Fax (01) 223 43 17,* - ▤. AE E VISA.
Refeição - peixes e mariscos - lista 4000 a 4850.

X **O Pirata,** Rua Heliodoro Salgado 3 ☎ (01) 223 04 01, ≤, - AE ◎ E VISA
fechado 4ª feira e dezembro - **Refeição** lista aprox. 3800.

em Santana *N : 3,5 km - ✉ 2970 Sesimbra :*

XX **Angelus,** Praça Duques de Palmela ☎ (01) 268 13 40, *Fax (01) 223 43 17* - ▤. AE E VISA.
Refeição lista 2180 a 4330.

SETÚBAL

Álvaro Castelões (Rua) .... BZ 7
António Girão (Rua) ...... BZ 9
Augusto Cardoso (Rua de) . BZ 13
Bocage (Rua do) .... BZ 18
Dr Paula Borba (Rua) ..... BZ 25
Santo António (Largo de) .. BZ 44

Alexandre Herculano (Av. de) .... BY 3
Almirante Reis (Praça do) .. AZ 4
Almocreves (Rua dos) .... BZ 6
António José Batista (Rua) . CY 10
Arronches Junqueiro (Rua) . BZ 12
Bela Vista (Travessa da) ... AZ 15
Bocage (Praça do) .... BZ 16
Ciprestes (Estrada dos) .... CY 19
Clube Naval (Rua) .... AZ 20
Combatentes da Grande Guerra (Av. dos) .... AZ 21
Defensores da República (Largo dos) .... CZ 22
Dr António J. Granjo (Rua) . BZ 24
Exército (Praça do) .... BZ 27
José Filipe (Rua) .... AZ 30
Machado dos Santos (Praça) .... AZ 31
Major Afonso Pala (Rua do) .... BZ 33
Mariano de Carvalho (Av.) . BY 34
Marquês da Costa (Rua) ... AZ 36
Marquês de Pombal (Praça) .... AZ 37
Mirante (Rua do) .... CY 38
Ocidental do Mercado (Rua) .... AZ 39
Paulino de Oliveira (Rua de) .... AZ 40
República de Guiné-Bissau (Av.) .... BY 42
Tenente Valadim (Rua) .... AZ 43
Trabalhadores do Mar (Rua dos) .... AZ 45
22 de Dezembro (Av.) .... BY 46

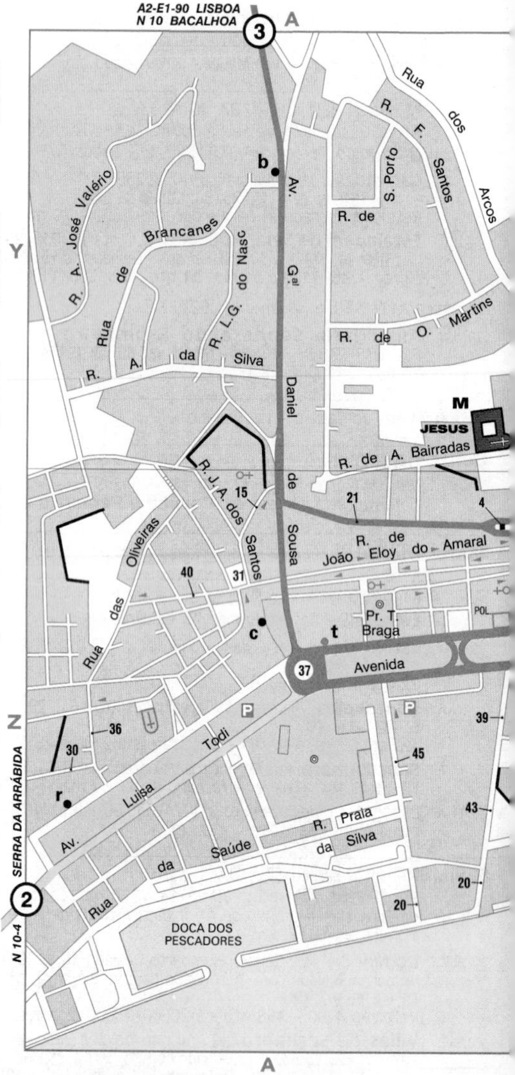

SETÚBAL *2900* 🅿 440 Q 3 - *89 106 h.*

Ver : *Castelo de São Felipe★ (✻★) por Rua São Filipe* AZ – *Igreja de Jesus★* AY.

Arred. : *Serra da Arrábida★ (Estrada de Escarpa★★) por ② – Quinta da Bacalhoa★ : jardins (azulejos★) por ③ : 12 km.*

para Tróia, Cais de Setúbal ☎ (065) 351 01. – *Rua do Corpo Santo ☎ (065) 53 42 22* – **A.C.P.** *Av. Bento Gonçalves 18 - A ☎ (065) 53 22 92 Fax (065) 39237.*

Lisboa 55 ① – Badajoz 196 ① – Beja 143 ① – Évora 102 ① – Santarém 130 ①

Bonfim sem rest, Av. Alexandre Herculano 58, ✉ 2900, ☎ (065) 53 41 11, *Fax (065) 53 48 58,* ≤ – 25/40 BY b
100 qto.

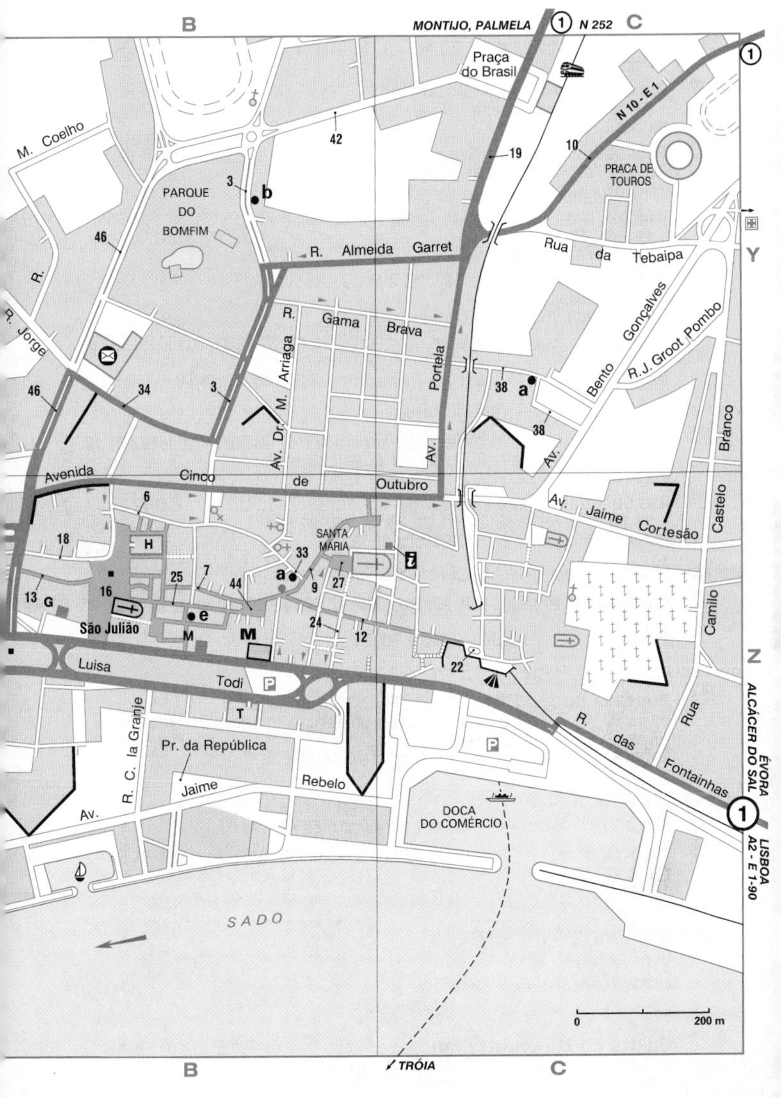

Isidro, Rua Professor Augusto Gomes 3, 2910, (065) 53 50 99, *Fax (065) 53 51 18* - - 25/90. VISA por Av. Jaime Cortesão CZ
Refeição (ver rest. ***Isidro***) - **85 qto** 7500/9000.

Albergaria Laitau sem rest. com snack bar, Av. General Daniel de Sousa 89, 2900, (065) 534 031, *Fax (065) 360 95* - - 25/200. VISA
41 qto 8500/10000. AY b

Aranguês sem rest, Rua José Pedro da Silva 15, 2910, (065) 52 51 71, *Fax (065) 52 68 77*, , - . VISA. CY a
48 qto 10000/12000, 2 suites.

Albergaria Solaris sem rest, Praça Marquês de Pombal 12, 2900, (065) 52 21 89, *Fax (065) 52 20 70* - . VISA. AZ c
30 qto 8000/10000.

Mar e Sol sem rest, Av. Luisa Todi 606-612, 2900, (065) 53 46 03, *Fax (065) 53 20 36* - . VISA. AZ r
71 qto 6000/8000.

Bocage sem rest, Rua de São Cristóvão 14, 2900, (065) 215 98, *Fax (065) 218 09* - . VISA. BZ e
38 qto 5500/6800.

Setubalense sem rest, Rua do Major Afonso Pala 17-1º, 2900, (065) 52 57 90, *Fax (065) 52 57 89* - . VISA. BZ a
24 qto 6000/7500.

Isidro, Rua Professor Augusto Gomes 1, 2910, (065) 53 50 99, *Fax (065) 53 51 18* - . VISA. por Av. Jaime Cortesão CZ
Refeição lista 2500 a 4100.

Novoreno, Av. Luisa Todi 440, 2900, (065) 301 15, *Fax (065) 301 15*, - .
VISA. AZ t
Refeição lista 2600 a 3850.

O Beco, Rua da Misericórdia 24, 2900, (065) 52 46 17, *Fax (065) 52 56 10* - .
VISA BZ a
fechado 3ª feira e 15 setembro-10 outubro - **Refeição** lista 2400 a 3600.

na estrada N 10 *por ① - 2910 Setúbal :*

Novotel Setúbal, Monte Belo - 2,5 km (065) 52 28 09, *Fax (065) 52 29 12*, - - 25/250. VISA. rest
Refeição 2400 - 1150 - **105 qto** 10900 - PA 6000.

Ibis Setúbal , Vale da Rosa - 5,5 km (065) 77 22 00, *Fax (065) 77 24 47*, , - - 25/60. VISA. rest
Refeição 2400 - 800 - **102 qto** 6600.

na estrada de Algerus *por ① : 5 km - 2910 Setúbal :*

Campanile, (065) 75 26 72, *Fax (065) 77 24 64* - - 25. VISA
Refeição 1850 - 650 - **70 qto** 7000.

no Castelo de São Filipe *O : 1,5 km - 2900 Setúbal :*

Pousada de São Filipe , (065) 52 38 44, *Fax (065) 53 25 38*, Setúbal e Foz do Sado, , « Dentro das muralhas de uma antiga fortaleza. Decoração rústica » - . VISA. por Rua São Filipe AZ
Refeição lista aprox. 3650 - **14 qto** 26500/29600.

SEVER DO VOUGA *3740 Aveiro* 440 J 4 - *2 598 h.*

Lisboa 278 - Aveiro 40 - Coimbra 80 - Porto 67 - Viseu 63.

O Cortiço sem rest, Rua do Matadouro (034) 55 54 80, *Fax (034) 55 54 82*, - . VISA.
19 qto 5500/7000, 1 suite.

SILVES *8300 Faro* 440 U 4 - *11 020 h.*

Ver : *Castelo★ - Sé★.*

Lisboa 265 - Faro 62 - Lagos 33.

ao Noreste : *6 km*

Quinta do Rio-Country Inn sem rest, Sítio de São Estévão, apartado 217, (082) 44 55 28, *Fax (082) 44 55 28* - .
fechado do 15 ao 31 de dezembro - **6 qto** 8500.

SINES *7520 Setúbal* 440 S 3 - *9 314 h. - Praia.*

Arred. : Santiago do Cacém ⩽★. - *Av. General Humberto Delgado (Jardim das Descobertas)* ✆ *(069) 63 44 72 Fax (069) 63 30 22. - Lisboa 165 - Beja 97 - Setúbal 117.*

Aparthotel Sinerama sem rest, Rua Marquês de Pombal 167 ✆ (069) 86 25 20, *Fax (069) 63 45 51,* ⩽ - 🛗 ▤ TV ☎ - 🏊. AE ⓞ E VISA. ✻
☕ 650 - **105 apartamentos** 11750/12750.

Búzio sem rest, Av. 25 de Abril 14 ✆ (069) 86 25 58, *Fax (069) 63 51 51* - TV ☎. AE ⓞ E VISA. ✻
43 qto ☕ 9000/12000.

SINTRA *2710 Lisboa* 440 P 1 - *20 574 h. alt. 200.*

Ver : *Palácio Real*★★ *(azulejos*★★, *tecto*★★*)* Y. – **Arred.** : *S : Parque da Pena*★★ Z , *Cruz Alta*★★ Z , *Castelo dos Mouros*★ *(*⩽★*)* Z , *Palácio Nacional da Pena*★★ ⩽★★ *- Convento dos Capuchos*★ *– Parque de Monserrate*★ *O : 3 km – Peninha* ⩽★★ *SO : 10 km – Azenhas do Mar*★ *(sítio*★*) 16 km por* ① *- Cabo da Roca*★ *16 km por* ①. - *Praça da República 23* ✆ *(01) 923 11 57 Fax (01) 923 51 76. – Lisboa 28*③ *– Santarém 100*③ *– Setúbal 73*③

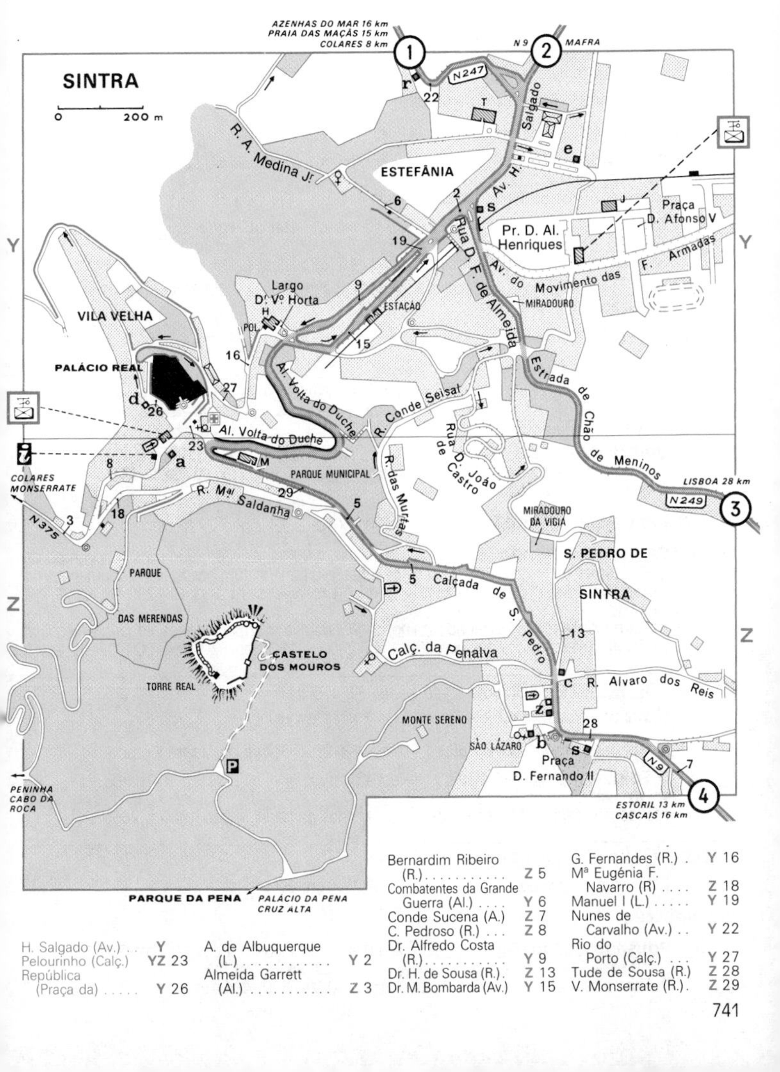

H. Salgado (Av.) . . . Y
Pelourinho (Calç.) YZ 23
República (Praça da) . . . . . Y 26
A. de Albuquerque (L.) . . . . Y 2
Almeida Garrett (Al.) . . . . Z 3
Bernardim Ribeiro (R.) . . . . Z 5
Combatentes da Grande Guerra (Al.) . . . . Y 6
Conde Sucena (A.) Z 7
C. Pedroso (R.) . . . Z 8
Dr. Alfredo Costa (R.) . . . . Y 9
Dr. H. de Sousa (R.). Z 13
Dr. M. Bombarda (Av.) Y 15
G. Fernandes (R.) . Y 16
Mª Eugénia F. Navarro (R) . . . . Z 18
Manuel I (L.) . . . . . Y 19
Nunes de Carvalho (Av.) . . Y 22
Rio do Porto (Calç.) . . . Y 27
Tude de Sousa (R.) Z 28
V. Monserrate (R.). Z 29

Tivoli Sintra, Praça da República (01) 923 35 05, *Fax (01) 923 15 72,* – . Y d
Refeição 4100 – **75 qto** 19500/23500 – PA 8200.

Tacho Real, Rua da Ferreira 4 (01) 923 52 77, *Fax (01) 923 09 69,* – Z a
fechado 4ª feira – **Refeição** lista 3050 a 4550.

em São Pedro de Sintra – *2710 Sintra :*

Estalagem Solar dos Mouros, Calçada de São Pedro 64 (01) 923 32 16, *Fax (01) 923 32 16* – . Z z
Refeição (ver rest. *Dos Arcos*) – **7 qto** 12500/15500, 1 suite.

Solar S. Pedro, Praça D. Fernando II-12 (01) 923 18 60, *Fax (01) 924 06 78* – . Z s
fechado 4ª feira – **Refeição** lista aprox. 5500.

Dos Arcos, Rua Serpa Pinto 4 (01) 923 02 64 – . Z z
fechado 5ª feira, do 2 ao 17 de junho e do 5 ao 20 de outubro – **Refeição** lista 3300 a 4000.

Cantinho de S. Pedro, Praça D. Fernando II-18 (01) 923 03 17, *Fax (01) 923 03 17* – . Z b
fechado domingo noite e 2ª feira – **Refeição** lista 2890 a 4360.

D. Fernando, Rua Higino de Sousa 6 (01) 923 33 11, *Fax (01) 923 33 11* Z c

na Estefânia – *2710 Sintra :*

Wiesbaden, Av. General J.E. Morais Sarmento 1 (01) 924 82 00, *Fax (01) 924 82 05,* – . Y e
fechado 2ª feira – **Refeição** lista aprox. 4100.

Cintrália com snack-bar, Largo Afonso de Albuquerque 2 (01) 924 22 99, *Fax (01) 923 23 19* – . Y s
fechado 2ª feira – **Refeição** lista 3100 a 4000.

Orixás, Av. Adriano Julio Coelho 7 (01) 924 16 72, *Fax (01) 924 16 73,* Y r
Refeição - rest. brasileiro.

na estrada de Colares *pela N 375* – *2710 Sintra :*

Palácio de Seteais, Rua Barbosa do Bocage 8 - O : 1,5 km (01) 923 32 00, *Fax (01) 923 42 77,* campos em redor, « Luxuosas instalações num palácio do século XVIII rodeado de jardins », climatizada, – .
Refeição 6100 – **29 qto** 42000/45000, 1 suite – PA 12200.

Quinta da Capela sem rest, O : 4,5 km (01) 929 01 70, *Fax (01) 929 34 25,* « Antiga quinta rodeada dum belo jardim », – .
5 qto 23000/26000, 3 suites.

na estrada da Lagoa Azul-Malveira *por ④ : 7 km* – *Linhó 2710 Sintra :*

Caesar Park Penha Longa, (01) 924 90 11, *Fax (01) 924 90 07,* campo de golfe e Serra de Sintra, « Numa bela reserva natural com históricos monumentos do século XV », – – 25/280.
Jardim Primavera : **Refeição** lista aprox. 7300 - Midori *(rest. japonês, só jantar, fechado 2ª feira)* **Refeição** lista aprox. 5400 – 2000 – **159 qto** 37000/41000, 17 suites.

SOBRAL DE MONTE AGRAÇO *2590 Lisboa* 440 O 2.

Lisboa 51 – Santarém 61 – Sintra 42 – Torres Vedras 17.

em Folgados *na estrada N 248 - SE : 1,5 km* – *2590 Sobral de Monte Agraço :*

O Folgado, (061) 94 20 89, « Rest típico »
.
fechado 5ª feira e agosto – **Refeição** - carnes na pedra - lista 1980 a 2650.

SOUSEL *7470 Portalegre* 440 P 6.

Lisboa 185 – Badajoz 73 – Évora 63 – Portalegre 59.

ao Suloeste : *3,5 km*

Pousada de São Miguel, Estrada Particular (068) 55 11 60, *Fax (068) 55 11 55,* oliveiras, – – 25/40. .
Refeição lista aprox. 3650 – **28 qto** 15500/17600, 4 suites.

TÁBUA *3420 Coimbra* 440 K 5 - *2416 h. alt. 225.*
Lisboa 254 - Coimbra 52 - Viseu 47.

Turismo de Tábua sem rest, Rua Profesor Dr. Caeiro da Mata (035) 430 40, *Fax (035) 431 66,* - . AE E VISA.
62 qto 5500/8500, 12 suites.

TALEFE *Lisboa* 440 O 1 - *2640 Mafra.*
Lisboa 60 - Sintra 33.

Estalagem D. Fernando, Quinta da Calada (061) 85 52 04, *Fax (061) 85 52 64,* , « Extraordinária localização sobre o mar » - . AE E VISA.
Refeição *(fechado 2ª feira)* - só jantar salvo sábado e domingo - 2250 - **12 qto** 10000/13000.

TAVIRA *8800 Faro* 440 U 7 - *8892 h. - Praia.*
Ver : *Localidade*★.
Rua da Galeria 9 (081) 225 11.
Lisboa 314 - Faro 31 - Huelva 72 - Lagos 111.

Convento de Santo António sem rest, Atalaia 56 (081) 32 56 32, *Fax (081) 32 56 32,* « Antigo convento »,
fechado dezembro-janeiro - **6 qto** 18000/19500, 1 suite.

Quinta do Caracol sem rest, Bairro de São Pedro (081) 32 24 75, *Fax (081) 32 31 75,* « Bungalows num jardim com », -
7 apartamentos.

Avenida, Av. Dr. Mateus T. de Azevedo 6 (081) 811 13, - . AE E VISA.
fechado 3ª feira e maio - **Refeição** lista 1800 a 3200.

em Quatro Águas *S : 2 km - 8800 Tavira :*

Portas do Mar, (081) 812 55, - . AE E VISA.
Refeição - peixes e mariscos - lista 2550 a 3400.

4 Águas, (081) 32 53 29, - . AE E VISA.
fechado 2ª feira e novembro - **Refeição** - peixes e mariscos - lista 2070 a 3020.

na estrada N 125 *NE : 2,5 km - 8800 Tavira :*

Da Bairrada, (081) 32 44 67, *Fax (081) 32 44 67* - . E VISA.
fechado 4ª feira, do 3 ao 21 de maio e do 3 ao 15 de dezembro - **Refeição** - espec. em leitão assado - lista 3000 a 3960.

TERCENA *Lisboa - ver Queluz.*

TERRUGEM *Portalegre* 440 P 7 - *1384 h. - 7350 Elvas.*
Lisboa 193 - Badajoz 37 - Evora 73 - Portalegre 63 - Setubal 162.

A Bolota Castanha, Quinta das Janelas Verdes (068) 65 61 18, *Fax (068) 65 75 04,* campo - . E VISA.
fechado 2ª feira, do 1 ao 15 de janeiro e do 1 ao 15 de agosto - **Refeição** lista 3700 a 5250.

TOLEDO *Lisboa* 440 O 2 - *2530 Lourinhã.*
Lisboa 69 - Peniche 26 - Torres Vedras 14.

O Pão Saloio, (061) 98 43 55, *Fax (061) 98 47 32,* « Rest. típico » - . AE E VISA.
fechado 2ª feira, do 1 ao 15 de maio e do 1 ao 15 de outubro - **Refeição** - grelhados - lista 2250 a 3450.

TOMAR *2300 Santarém* 440 N 4 - *14022 h. alt. 75.*
Ver : *Convento de Cristo*★★ *: igreja*★ *(charola dos Templários*★★*) edifícios conventuais*★ *(janela*★★★*) - Igreja de São João Baptista (portal*★*).*
Av. Dr. Cândido Madureira (049) 32 24 27 Fax (049) 32 24 27.
Lisboa 145 - Leiria 45 - Santarém 65.

Dos Templários, Largo Cândido dos Reis 1 (049) 32 17 30, *Fax (049) 32 21 91,* , , , - - 25/600. AE E VISA.
Refeição 3000 - **171 qto** 14500/17400, 5 suites.

Estalagem de Santa Iria, Parque do Mouchão (049) 31 33 26, *Fax (049) 32 10 82,* « Num parque » - - 25/70. AE E VISA.
Refeição 2100 - **14 qto** 12000/15000.

Sinagoga sem rest, Rua Gil Avó 31 ✆ (049) 32 30 83, *Fax (049) 32 21 96* – AE E VISA
23 qto 5000/8600.

Trovador sem rest, Rua 10 de Agosto de 1385 ✆ (049) 32 25 67, *Fax (049) 32 21 94* – AE E VISA.
30 qto 7000/9000.

Cavaleiros de Cristo sem rest, Rua Alexandre Herculano 7 ✆ (049) 32 12 03, *Fax (049) 32 11 92* – AE E VISA.
17 qto 6000/8000.

Bela Vista, Fonte do Choupo 6 - Ponte Velha ✆ (049) 31 28 70,
fechado 2ª feira noite, 3ª feira e novembro – **Refeição** lista aprox. 3550.

em Castelo de Bode *SE : 14 km – ✉ 2300 Tomar :*

Pousada de São Pedro, ✆ (049) 38 11 59, *Fax (049) 38 11 76* – AE E VISA.
Refeição lista aprox. 3650 – **25 qto** 18200/20300.

TONDELA *3460 Viseu 440 K 5 – 6 962 h.*
Lisboa 271 – Coimbra 72 – Viseu 24.

São José, Av. Francisco Sá Carneiro ✆ (032) 81 34 51, *Fax (032) 81 34 42*, – 25/200. AE VISA.
Refeição 3500 – **19 qto** 6000/8000.

Tondela sem rest, Rua Dr. Simões de Carvalho ✆ (032) 82 24 11 – AE VISA
26 qto 3500/4500.

TORRÃO *7595 Setúbal 440 R 5.*
Lisboa 126 – Beja 51 – Évora 46 – Faro 168 – Setubal 95.

ao Suloeste *pela estrada N 5 : 13,6 km – ✉ 7595 Torrão :*

Pousada de Vale de Gaio, junto da Barragem Trigo de Morais ✆ (065) 66 96 10, *Fax (065) 66 95 45*, – AE E VISA.
14 qto 13500/15600.

TORRE DE MONCORVO *5160 Bragança 440 I 8 – 2 457 h. alt. 399.*
Ver : *desde a Estrada N 220. – Rua Manuel Seixas ✆ (079) 25 22 89 Fax (079) 25 27 28. – Lisboa 403 – Bragança 98 – Vila Real 109.*

Brasília sem rest, Estrada N 220 ✆ (079) 25 40 94, *Fax (079) 25 42 55*, – AE E VISA.
27 qto 6500/10500, 2 suites.

TORREIRA *Aveiro 440 J 3 – 2 308 h. – ✉ 3870 Murtosa – Praia.*
Av. Hintze Ribeiro ✆ (034) 482 50.
Lisboa 290 – Aveiro 42 – Porto 54.

Estalagem Riabela, Estrada N 327 ✆ (034) 481 37, *Fax (034) 481 47*, ria de Aveiro, – rest, – 25/150. AE E VISA.
Refeição 2500 – **37 qto** 9000/11000.

Alber-Tina sem rest, Travessa Arrais Faustino ✆ (034) 483 06, *Fax (034) 482 06* – AE E VISA.
20 qto 6000/8500.

na estrada N 327 *S : 5 km – ✉ 3870 Murtosa :*

Pousada da Ria (possível fecho para obras), ✆ (034) 483 32, *Fax (034) 483 33*, ria de Aveiro, – AE E VISA.
Refeição 3650 – **19 qto** 18200/20300.

TORRES NOVAS *2350 Santarém 440 N 4 – 14 267 h.*
Largo do Paço ✆ (049) 81 29 10 Fax (049) 81 29 10.
Lisboa 118 – Castelo Branco 138 – Leiria 52 – Portalegre 120 – Santarém 38.

Dos Cavaleiros, Praça 5 de Outubro ✆ (049) 81 24 20, Telex 61238, *Fax (049) 81 20 52* – 25/80. AE E VISA
Refeição *(fechado sábado noite e domingo)* 2200 – **60 qto** 6000/8750.

Artur's, Av. de São José ✆ (049) 217 21, *Fax (049) 217 21* – AE E VISA.
fechado domingo noite, 2ª feira e agosto – **Refeição** lista 3150 a 4100.

TORRES VEDRAS *2560 Lisboa* 440 O 2 – *13 394 h. alt. 30 – Termas.*
Rua 9 de Abril (061) 31 40 94 Fax (061) 31 30 82.
Lisboa 55 – Santarém 74 – Sintra 62.

Imperio Jardim, Praça 25 de Abril (061) 31 42 32, *Fax (061) 32 19 01* – – 25/180. AE E VISA.
Refeição 1800 – **47 qto** 6000/7500 – PA 3600.

Dos Arcos sem rest, Bairro Arenes - Estrada do Cadaval (061) 31 24 89, *Fax (061) 238 70* – – 25/40. E VISA
28 qto 8000.

São Pedro sem rest, Rua Dias Neiva (061) 31 61 44 – . AE.
16 qto 4000/6500.

Moderna sem rest e sem, Av. Tenente Valadim 18 (061) 31 41 46 – .
14 qto 4000/7500.

em Paul *pela estrada N 9 - O : 3,5 km – 2560 Torres Vedras :*

O Barracão, (061) 249 08 – . **Refeição** - grelhados.

TROFA *4785 Porto* 440 H 4.
Lisboa 330 – Amarante 73 – Braga 26 – Porto 29.

na estrada N 104 *E : 3,5 km – 4785 Trofa :*

A Cêpa com qto, Abelheira (052) 434 77, *Fax (052) 465 65,* – rest, . E VISA.
Refeição *(fechado domingo)* lista 3200 a 3600 – 400 – **9 qto** 3500/4000.

na autoestrada A 3 *S : 14 km – 4785 Trofa :*

Ibis Porto-Norte sem rest, Área de Serviço Santo Tirso (02) 982 50 00, *Fax (02) 982 50 01* – . AE VISA.
800 – **61 qto** 7000.

TRÓIA *Setúbal* 440 Q 3 – *2900 Setúbal – Praia.*
Tróia, (065) 441 12.
para Setúbal, Ponta do Adoxe (065) 441 51.
Lisboa 181 – Beja 127 – Setúbal 133.

na estrada N 253-1 *S : 1,5 km – 2900 Setúbal :*

Bar Golf, Clube de Golf (065) 441 11, ≤, , « Ao pé do campo de golf » – .
AE E VISA JCB.
Refeição lista aprox. 4200.

TUIDO-GANDRA *Viana do Castelo – ver Valença do Minho.*

TURCIFAL *Lisboa* 440 O 2 – *2560 Torres Vedras.*
Lisboa 49 – Estoril 69 – Sintra 41 – Torres Vedras 9.

Lampião, junto à igreja (061) 95 11 42 – .
fechado 2ª feira noite, 3ª feira e do 15 de julho ao 6 de agosto – **Refeição** lista aprox. 4100.

VAGOS *3840 Aveiro* 440 K 3 – *2 865 h.*
Lisboa 233 – Aveiro 12 – Coimbra 43.

Santiago sem rest, Rua Padre Vicente Maria da Rocha (034) 79 37 86, *Fax (034) 79 37 86* – . AE E VISA
21 qto 5500/7900.

A Marisqueira, Praça da República 54 (034) 79 15 75 – .

VALE DA TELHA *Faro – ver Aljezur.*

VALE DE AREIA *Faro – ver Ferragudo.*

VALE DE LOBOS *Lisboa – ver Sabugo.*

VALE DO LOBO *Faro – ver Almancil.*

VALENÇA DO MINHO *4930 Viana do Castelo 440 F 4 - 2 810 h. alt. 72.*

Ver : *Vila Fortificada★ (≤★).*
Arred. : *Monte do Faro★★ (※★★) E : 7 km e 10 mn. a pé.*
Estrada N 13 ✆ (051) 233 74 Fax (051) 233 74.
Lisboa 440 - Braga 88 - Porto 122 - Viana do Castelo 52.

Valença do Minho, Av. Miguel Dantas ✆ (051) 82 41 44, *Fax (051) 82 43 21,* - AE E VISA.
Refeição 1100 - **33 qto** 4500/8000, 3 suites - PA 2200.

Lara, São Sebastião ✆ (051) 82 43 48, *Fax (051) 82 43 58* - - 25/70. AE E VISA. rest
Refeição *(fechado sábado e domingo)* - só jantar - 1000 - **53 qto** 7000/11500, 1 suite.

Val-Flores sem rest, Esplanada ✆ (051) 82 41 06, *Fax (051) 82 41 29* - . AE E VISA.
32 qto 4800/8000.

dentro das muralhas :

Pousada do São Teotónio , ✆ (051) 82 42 42, *Fax (051) 82 43 97,* ≤ vale do Minho, Tuy e montanhas de Espanha, - . AE E VISA.
Refeição lista aprox. 3650 - **16 qto** 18200/20300.

Fortaleza, Rua Apolinário da Fonseca 5 ✆ (051) 231 46, - . AE E VISA.
fechado 3ª feira e 15 janeiro-14 fevereiro - **Refeição** lista aprox. 3450.

Baluarte, Rua Apolinário da Fonseca ✆ (051) 82 40 42, .

Bom Jesus, Largo do Bom Jesus ✆ (051) 220 88, .

em Tuido-Gandra *S : 3 km - ✉ 4930 Valença do Minho :*

Lido, Estrada N 13 ✆ (051) 82 52 90, *Fax (051) 82 52 98* - . AE E VISA.
fechado 3ª feira - **Refeição** lista 2300 a 3750.

no Monte do Faro *E : 7 km - ✉ 4930 Valença do Minho :*

Monte do Faro com qto, ✆ (051) 82 58 07, , « Num parque » - . AE E VISA.
Refeição *(fechado 2ª feira)* lista aprox. 3700 - **6 qto** 7500/9000.

em Monte-São Pedro da Torre *SO : 7 km - ✉ 4930 Valença do Minho :*

Padre Cruz sem rest, Estrada N 13 ✆ (051) 83 92 39, *Fax (051) 83 96 47* - .
31 qto 4000/6000.

VIANA DO CASTELO *4900 P 440 G 3 - 13 157 h. - Praia.*

Ver : *Praça da República★* B - *Hospital da Misericórdia★* B - *Museu Municipal★ (azulejos★★, faianças portuguesas★)* A **M.**
Arred. : *Monte de Santa Luzia★★, Basílica de Santa Luzia ※★★ N : 6 km.*
Rua do Hospital Velho ✆ (058) 82 26 20 Fax (058) 82 78 73.
Lisboa 388 ② - Braga 53 ② - Orense/Ourense 154 ③ - Porto 74 ② - Vigo 83 ③

Plano página seguinte

Estalagem Casa Melo Alvim , Av. Conde da Carreira 28 ✆ (058) 810 82 00, *Fax (058) 810 82 20,* « Conjunção de diferentes estilos numa elegante casa senhorial » - - 25/80. AE E VISA. A v
Refeição 3000 - **17 qto** 17500/20000, 3 suites - PA 6000.

Do Parque, Praça da Galiza ✆ (058) 82 86 05, *Fax (058) 82 86 12,* ≤, - - 25/180. AE E VISA. B h
Refeição lista 3300 a 3700 - 1650 - **124 qto** 13950/16950.

Viana Sol sem rest, Largo Vasco da Gama ✆ (058) 82 89 95, *Fax (058) 82 34 01,* , - - 25/145. AE E VISA. B f
65 qto 9950/12500.

Rali sem rest, Av. Afonso III-180 ✆ (058) 82 97 70, *Fax (058) 82 00 60,* - - 25/50. AE E VISA JCB. B d
38 qto 7600/10500.

Calatrava sem rest, Rua M. Fiúza Júnior 157 ✆ (058) 82 89 11, *Fax (058) 82 86 37* - . AE E VISA. B n
15 qto 5000/7500.

Jardim sem rest, Largo 5 de Outubro 68 ✆ (058) 82 89 15, *Fax (058) 82 89 17* - . AE E VISA. B c
20 qto 6500/9000.

Laranjeira sem rest, Rua General Luís do Rego 45 ✆ (058) 82 22 61, *Fax (058) 82 19 02* - . AE E VISA. B a
27 qto 7000/8500.

VIANA DO CASTELO

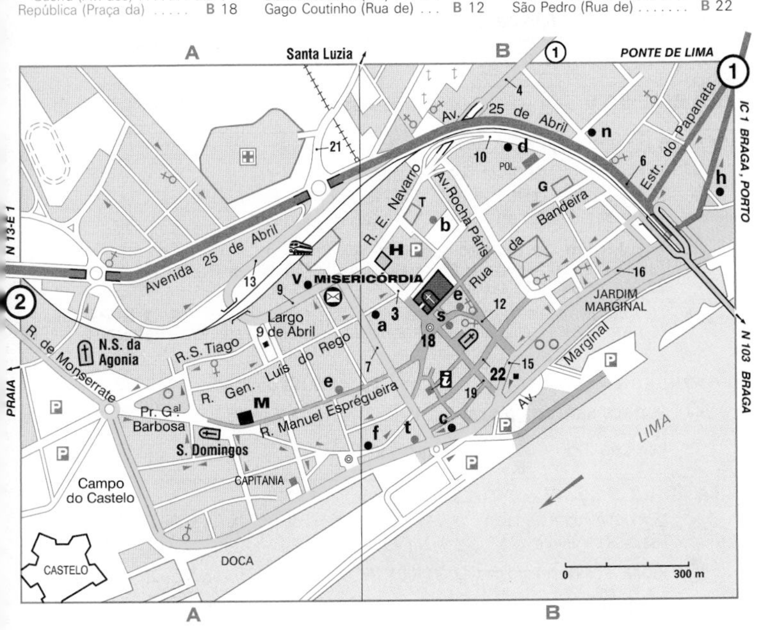

XX	**Casa d'Armas,** Largo 5 de Outubro 30 ☎ (058) 249 99 – ⊟. ① E VISA. ✂ *fechado 4ª feira e novembro* – **Refeição** lista 2900 a 5800.	B t
XX	**Cozinha das Malheiras,** Rua Gago Coutinho 19 ☎ (058) 82 36 80 – ⊟. ✂ *fechado 3ª feira* – **Refeição** lista 2700 a 4600.	B e
X	**Verde Viana,** Praça 1º de Maio ☎ (058) 82 99 32, *Fax (058) 258 65* – ⊟. AE ① E VISA. ✂ **Refeição** lista 2500 a 3500.	B b
X	**Os 3 Potes,** Beco dos Fornos 7 ☎ (058) 82 99 28, *Fax (058) 252 50*, « Decoração rústica regional » – ⊟. E VISA *fechado 2ª feira* – **Refeição** lista 2250 a 3725.	B s
X	**Alambique** com qto, Rua Manuel Espregueira 86 ☎ (058) 82 38 94, « Decoração rústica regional » – ⊟ TV ☎. AE ① E VISA. ✂ qto **Refeição** *(fechado 3ª feira de setembro a julho)* lista aprox. 3250 – **17 qto** ☐ 6000/6500.	A e

em Santa Luzia *N : 6 km* – ✉ *4900 Viana do Castelo :*

Pousada do Monte de Santa Luzia ⛰, ☎ (058) 82 88 89, *Fax (058) 82 88 92*, ⌂, « Bela situação com ≤ mar, vale e estuário do Lima », ⛱, 🌳, 🎾 – |¤| TV ☎ P – 🧑 25/40. AE ① E VISA. ✂
Refeição lista aprox. 3650 – **50 qto** ☐ 18200/20300, 3 suites.

em Santa Marta de Portuzelo *por ① : 6,5 km* – ✉ *4900 Viana do Castelo :*

X **Camelo,** Estrada N 202 ☎ (058) 83 05 17, *Fax (058) 83 19 54* – ⊟. E VISA
fechado 2ª feira e 17 outubro-2 novembro – **Refeição** lista 2300 a 4700.

VIDAGO *5425 Vila Real* 440 **H 7** – *alt. 350 – Termas.*
Largo Miguel Carvalho ☎ (076) 974 70.
Lisboa 447 – Braga 108 – Bragança 109 – Porto 140 – Vila Real.

Vidago Palace ⛰, ☎ (076) 973 56, *Fax (076) 973 59*, ⌂, « Majestuoso edifício do princípio do século num frondoso parque », ⛱, 🌳, 🎾, ⛳9 – |¤| ⊟ TV ☎ P – 🧑 25/200. AE ① VISA. ✂
Refeição 3500 – **73 qto** ☐ 18400/21000, 9 suites.

VIEIRA DO MINHO 4850 Braga 440 H 5 – 2 229 h. alt. 390.

Lisboa 402 – Braga 34 – Porto 84.

em Caniçada *NO : 7 km – ✉ 4850 Vieira do Minho :*

Pousada de São Bento, Estrada N 304 ☎ (053) 64 71 90, *Fax (053) 64 78 67*, ≤ Serra do Gerês e rio Cávado, , , , – ▤ TV ☎ P. AE ⓓ E VISA.
Refeição lista aprox. 3650 – **29 qto** ⊡ 20200/23400.

VILA BALEIRA *Madeira – ver Madeira (Arquipélago da) : Porto Santo.*

VILA DO CONDE 4480 Porto 440 H 3 – 22 259 h. – Praia.

Ver : *Convento de Santa Clara★ (túmulos★).*

Rua 25 de Abril 103 ☎ (052) 64 27 00 Fax (052) 64 18 76.

Lisboa 342 – Braga 40 – Porto 27 – Viana do Castelo 42.

Estalagem do Brasão sem rest, Av. Dr. João Canavarro ☎ (052) 64 20 16, *Fax (052) 64 20 28* – ▤ TV ☎ P – 25/150. AE ⓓ E VISA.
26 qto ⊡ 9900/13800, 4 suites.

Le Villageois, Praça da República 94 ☎ (052) 63 11 19, – AE ⓓ E VISA JCB.
fechado 2ª feira (salvo julho-setembro) e do 15 ao 30 de setembro – **Refeição** lista 1870 a 3040.

em Azurara *pela estrada N 13 - SE : 1 km – ✉ 4480 Vila do Conde :*

Sopete Santana Motel , ☎ (052) 64 17 17, *Fax (052) 64 26 93*, ≤, – TV ☎ P. AE ⓓ E VISA.
Refeição 2250 – ⊡ 650 – **35 qto** 13500.

VILA FRANCA DE XIRA 2600 Lisboa 440 P 3 – 19 823 h.

Av. Almirante Cândido dos Reis 147 ☎ (063) 260 53 Fax (063) 27 15 16.

Lisboa 31 – Évora 111 – Santarém 49.

Flora, Rua Noel Perdigão 12 ☎ (063) 27 12 72, *Fax (063) 265 38* – ▤ rest, TV ☎. AE ⓓ E VISA.
Refeição *(fechado domingo e setembro)* 2500 – **21 qto** ⊡ 6500/7500.

O Redondel, Estrada de Lisboa (Praça de Touros) ☎ (063) 229 73, « Debaixo das bancadas da Praça de Touros » – ▤. AE ⓓ E VISA.
fechado 2ª feira – **Refeição** lista 3500 a 4100.

O Forno, Rua Dr. Miguel Bombarda 143 ☎ (063) 321 06 – ▤. AE E VISA.
fechado 3ª feira e agosto – **Refeição** lista 2950 a 4100.

na estrada N 1 *N : 2 km – ✉ 2600 Vila Franca de Xira :*

Lezíria Parque, ☎ (063) 266 70, *Fax (063) 269 90* – ▤ TV ☎ P – 25/80. AE ⓓ E VISA.
Refeição 3000 - ***Aquárius*** : **Refeição** lista 2800 a 4500 – **67 qto** ⊡ 12600/14700, 4 suites – PA 6000.

pela estrada do Miradouro de Monte Gordo – *✉ 2600 Vila Franca de Xira :*

Quinta do Alto sem rest, N : 3,5 km ☎ (063) 268 50, *Fax (063) 260 27*, ≤, « Casa de campo senhorial rodeada duma quinta », , , , – TV ☎ P. AE ⓓ E VISA
10 qto ⊡ 16000/18500, 1 apartamento.

São Jorge sem rest, Quinta de Santo André - N : 2,5 km ☎ (063) 221 43, ≤, « Instalado numa quinta. Bela decoração interior », , – P.
5 qto ⊡ 6000/12000, 1 suite, 1 apartamento.

pela estrada de Cadafais *N : 6 km – ✉ 2600 Vila Franca de Xira :*

Quinta das Covas sem rest, Cachoeiras ☎ (063) 330 31, « Casa solarenga instalada numa quinta » – P
8 qto ⊡ 8000/15000.

VILA FRESCA DE AZEITÃO *Setúbal* 440 Q 2 y 3 – *✉ 2925 Azeitão.*

Lisboa 33 – Sesimbra 14 – Setúbal 12.

Club d'Azeitão sem rest, Estrada N 10 ☎ (065) 218 22 67, *Fax (065) 219 16 29*, « Antiga casa senhorial », , – TV ☎ P. AE ⓓ E VISA.
10 qto ⊡ 16000/18000.

VILA NOGUEIRA DE AZEITÃO *2925 Setúbal* 440 Q 2.

Lisboa 37 – Sesimbra 13 – Setúbal 24.

S. Lourenço, Estrada N 10 (01) 219 10 56 – .

VILA NOVA DE CERVEIRA *4920 Viana do Castelo* 440 G 3 – *1 034 h.*

Rua Dr. António Duro (051) 79 57 87 Fax (051) 79 57 87.

Lisboa 425 – Viana do Castelo 37 – Vigo 46.

Pousada D. Diniz, Praça da Liberdade (051) 79 56 01, *Fax (051) 79 56 04*, « Instalações dentro dum conjunto amuralhado » – TV – 25/50. AE E VISA.
Refeição lista aprox. 3650 – **25 qto** 15500/17600, 3 suites.

em Gondarém *pela estrada N 13 - SO : 4 km – 4920 Vila Nova de Cerveira :*

Estalagem da Boega, Quinta do Outeiral (051) 790 05 00, *Fax (051) 790 05 09*, « Antiga casa senhorial rodeada duma quinta », , , – . AE E VISA.
Refeição *(fechado domingo noite)* - só buffet - 2850 – **26 qto** 13100/14100, 2 suites.

VILA NOVA DE FAMALICÃO *4760 Braga* 440 H 4 – *7 147 h. alt. 88.*

Rua Adriano Pinto Basto 75 (052) 31 25 64 Fax (052) 32 37 51.

Lisboa 350 – Braga 18 – Porto 32.

Francesa sem rest, Av. General Humberto Delgado 227 (052) 31 12 41, *Fax (052) 31 12 71* – TV . E VISA.
300 – **38 qto** 5600/8000.

Iris, Rua Adriano Pinto Basto (052) 300 02 00, *Fax (052) 31 66 48* – .

Tanoeiro, Praça Dª Maria II-720 (052) 32 21 62
. E VISA.
Refeição lista 2470 a 3610.

na estrada N 206 *NE : 1,5 km – 4760 Vila Nova de Famalicão :*

Moutados, (052) 31 23 77, *Fax (052) 31 18 81* – TV – 25/350. AE E VISA.
Refeição (ver tanbém rest. ***Moutados de Baixo***) 2950 – **57 qto** 7500/10500.

Moutados de Baixo, (052) 32 22 76, *Fax (052) 31 18 81* – . AE E VISA.
fechado 2ª feira – **Refeição** lista 2650 a 3550.

VILA NOVA DE GAIA *4400 Porto* 440 I 4 – *63 177 h.*

Av. Diogo Leite 242 (02) 370 37 35 Fax (02) 30 19 02.

Lisboa 316 – Porto 2.

ver plano de Porto aglomeração

Holiday Inn Porto, Av. da República 2038, 4430, (02) 379 60 51, Telex 24957, *Fax (02) 379 24 35*, – TV – 25/200. AE E VISA. BV g
Refeição 2650 – 950 – **90 qto** 12900, 2 suites.

Quinta S. Salvador, Rua Silva Tapada 200, 4430, (02) 370 25 75, *Fax (02) 370 36 21*, « Antiga casa senhorial » – TV – 25/100. AE E VISA.
Refeição lista aprox. 3600 – **7 qto** 14500/16000. CV e

Davilina sem rest, Av. da República 1571, 4430, (02) 30 75 96, *Fax (02) 30 75 71* – TV . AE E VISA. BCV x
28 qto 5500/6500.

junto a Autoestrada A 1 – *4400 Vila Nova de Gaia :*

Novotel Porto Gaia, Lugar das Chãs - Afurada (02) 772 42 42, *Fax (02) 772 25 90*, – TV – 25/200. AE E VISA JCB BV r
Refeição 3200 – 1200 – **93 qto** 12500/13500.

Ibis Porto-Gaia, Lugar das Chãs - Afurada (02) 772 07 72, *Fax (02) 772 07 88* – TV – 25/80. AE VISA BV r
Refeição 2200 – 800 – **108 qto** 6900.

na Praia de Lavadores *O : 7 km – 4400 Vila Nova de Gaia :*

Casa Branca Praia, Rua da Bélgica 86 (02) 781 35 16, *Fax (02) 781 36 91*, « Ambiente acolhedor em elegantes instalações », , , – TV – 25/150. AE E VISA JCB AV s
Refeição (ver rest. ***Casa Branca***) – **56 qto** 16000/19000.

Casa Branca, Av. Beira Mar 413 (02) 781 02 69, *Fax (02) 781 36 91*, « Colecção de estatuetas de terracota » – . AE E VISA JCB. AV s
Refeição lista 2650 a 4050.

VILA PRAIA DE ÂNCORA *4910 Viana do Castelo 440 G 3 – 3 801 h. – Termas – Praia.*

Av. Dr. Ramos Pereira (058) 91 13 84 Fax (058) 91 13 84.

Lisboa 403 – Viana do Castelo 15 – Vigo 68.

Meira, Rua 5 de Outubro 56 (058) 91 11 11, *Fax (058) 91 14 89*, – 25/250. VISA
Refeição 2500 – **52 qto** 10000/15000, 3 suites – PA 4000.

Albergaria Quim Barreiros sem rest, Av. Dr. Ramos Pereira (058) 95 12 18, *Fax (058) 95 12 20*, – . AE VISA.
28 qto 10000/12000.

VILA REAL *5000 P 440 I 6 – 13 649 h. alt. 425.*

Ver : *Igreja de São Pedro (tecto★).*

Arred. : *Solar de Mateus★★ (fachada★★) E : 3,5 Km – Estrada de Vila Real a Amarante ★ – Estrada de Vila Real a Mondim de Basto (★, descida escarpada ★).*

Av. Carvalho Araujo 94 (059) 32 28 19 Fax (059) 32 17 12 – **A.C.P.** *Av. 1º de Maio 199 (059) 756 50 Fax (059) 756 50.*

Lisboa 400 – Braga 103 – Guarda 156 – Orense/Ourense 159 – Porto 119 – Viseu 108.

Mira Corgo, Av. 1º de Maio 76 (059) 32 50 01, *Fax (059) 32 50 06*, – 25/200. AE VISA.
Refeição lista 3000 a 3800 – **144 qto** 7500/10800, 22 suites.

Cabanelas sem rest, Rua D. Pedro de Castro (059) 32 31 53, Telex 24580, *Fax (059) 32 30 28* – . AE VISA JCB
26 qto 6000/9000.

Real sem rest, Rua Serpa Pinto 25 (059) 32 58 79, *Fax (059) 32 46 13* – .
12 qto 4500/6500.

Espadeiro, Av. Almeida Lucena (059) 32 23 02, *Fax (059) 724 22*, – . AE VISA JCB.
fechado 4ª feira e novembro – **Refeição** lista aprox. 6050.

junto a estrada IP 4 *O : 12,5 km – 5000 Vila Real :*

Casa da Campeã , Vale de Campeã (059) 97 96 40, *Fax (059) 97 97 60*, , – rest, . AE VISA JCB.
Refeição 2750 – **34 qto** 8000/11200, 2 suites – PA 5000.

Jährlich eine neue Ausgabe, jährlich eine Ausgabe, die lohnt : jährlich für Sie !

VILA REAL DE SANTO ANTÓNIO *8900 Faro 440 U 7 – 10 950 h. – Praia.*

para Ayamonte (Espanha), Av. da República 21 (081) 51 20 35.

Av. Infante Dom Henrique (em Monte Gordo) (081) 444 95.

Lisboa 314 – Faro 53 – Huelva 50.

Guadiana sem rest, Av. da República 94 (081) 51 14 82, *Fax (081) 51 14 78* – . AE VISA.
37 qto 11500/14500.

Apolo sem rest, Av. dos Bombeiros Portugueses (081) 51 24 48, Telex 56902, *Fax (081) 51 24 50* – . AE VISA.
42 qto 12000.

em Monte Gordo *O : 4 km – 8900 Vila Real de Santo António :*

Casablanca sem rest, Rua 7 (081) 51 14 44, *Fax (081) 51 19 99*, , – . AE VISA.
42 qto 15000/17500.

Baía de Monte Gordo, Rua Diogo Cão (081) 51 18 51, *Fax (081) 51 20 15* – . AE VISA.
Refeição - só jantar - 2000 – **108 qto** 10000/14000.

Paiva sem rest, Rua Onze (081) 51 11 87, *Fax (081) 51 16 68* – . AE VISA.
26 qto 9400/12300.

Copacabana, Av. Infante Dom Henrique 13 (081) 415 36, Telex 56054, *Fax (081) 51 28 72*, – . AE VISA.
março-outubro – **Refeição** - grelhados - lista 2630 a 3980.

Monte Gordo, Rua Pedro Álvares Cabral 5 (081) 51 23 63 – .

VILA VERDE *4730 Braga 440 H 4 - 2 690 h.*

Lisboa 370 - Braga 14 - Porto 64 - Viana do Castelo 64.

Recreio com snack-bar, Praça do Município 86-96 ✆ (053) 31 11 34 - ▤. E VISA. ✻

Refeição lista aprox. 2500.

VILA VIÇOSA *7160 Évora 440 P 7.*

Lisboa 185 - Badajoz 53 - Évora 56 - Portalegre 76.

Pousada de D. João IV ⛰, Terreiro do Paço ✆ (068) 987 42, *Fax (068) 987 47*, « No real convento das Chagas de Cristo », - ▤ ☎ P - 25/50. AE ⓓ E VISA. ✻

Refeição 3500 - **34 qto** 26500/29600, 2 suites.

VILAMOURA *Faro - ver Quarteira.*

VILAR DO PINHEIRO *4480 Porto 440 I 4.*

Lisboa 330 - Braga 43 - Porto 16.

Rio de Janeiro, Estrada N 13 - NO : 1 km ✆ (02) 927 02 04, *Fax (02) 600 43 37* - ▤ P. AE ⓓ E VISA JCB. ✻

fechado 2ª feira - **Refeição** - rest. brasileiro - lista 2140 a 4100.

VILAR FORMOSO *6355 Guarda 440 K 9.*

Lisboa 382 - Ciudad Rodrigo 29 - Guarda 43.

Lusitano, Av. de la Fronteira ✆ (071) 535 03, *Fax (071) 533 38* - ▤ TV ☎ P - 25/100. AE ⓓ E VISA. ✻ rest

Refeição 1400 - **30 qto** 10500/11700, 4 suites.

VIMEIRO (Termas do) *Lisboa 440 O 2 - 1 146 h. alt. 25 - ✉ 2560 Torres Vedras - Termas.*

Vimeiro Praia do Porto Novo, ✆ (061) 98 41 57.

Lisboa 67 - Peniche 28 - Torres Vedras 12.

Das Termas ⛰, Maceira ✆ (061) 98 00 50, *Fax (061) 98 42 18*, de água termal, - P - *temp* - **83 qto**, 3 suites.

Rainha Santa sem rest, Estrada de A. dos-Cunhados - Quinta da Piedade ✆ (061) 98 42 34, *Fax (061) 98 42 76* - TV P. E VISA. ✻

19 qto 5000/6500.

na Praia do Porto Novo *O : 4 km - ✉ 2560 Torres Vedras :*

Golf Mar ⛰, ✆ (061) 98 41 57, *Fax (061) 98 46 21*, ≤, - ☎ P - 25/400. AE ⓓ E VISA. ✻

Refeição 3500 - **269 qto** 13650/17850, 9 suites.

VISEU *3500 P 440 K 6 - 23 672 h. alt. 483.*

Ver : *Vila Velha★ : Adro da Sé★ Museu Grão Vasco★★* **M** *(Trono da Graça★, primitivos★★) - Sé★ (liernes★, retábulo★) - Igreja de São Bento (azulejos★).*

Av. Gulbenkian ✉ 3510 ✆ (032) 42 20 14 Fax (032) 42 18 64 - **A.C.P.** *Rua da Paz 36 ✆ (032) 42 24 37 Fax (032) 42 24 70.*

Lisboa 292 ④ - Aveiro 96 ① - Coimbra 92 ④ - Guarda 85 ② - Vila Real 108 ①

Plano página seguinte

Montebelo ⛰, Urb. Quinta do Bosque ✆ (032) 420 00 00, *Fax (032) 41 54 00*, ≤, - ▤ TV ☎ ♿ P - 25/250. AE ⓓ E VISA JCB. ✻

Refeição 2750 - **92 qto** 10800/12600, 8 suites - PA 5500. por Av. Infante D. Henrique Z

Grão Vasco, Rua Gaspar Barreiros ✆ (032) 42 35 11, *Fax (032) 42 64 44*, « Relvado com » - ▤ TV ☎ P - 25/180. AE ⓓ E VISA. ✻ rest Z u

Refeição lista aprox. 3800 - **106 qto** 11500/13500, 4 suites.

Moinho de Vento sem rest, Rua Paulo Emílio 13 ✆ (032) 42 41 16, Telex 52698, *Fax (032) 42 96 62* - ▤ TV ☎. VISA Z a

30 qto 6000/7500.

Avenida, Av. Alberto Sampaio 1 ✆ (032) 42 34 32, *Fax (032) 256 43* - TV ☎. AE ⓓ E VISA. ✻ rest Z z

Refeição 1800 - **30 qto** 7000/9500 - PA 3600.

Churrasqueria Santa Eulália, Bairro de Santa Eulália - 1,5 km ✆ (032) 262 83 - ▤ por ④

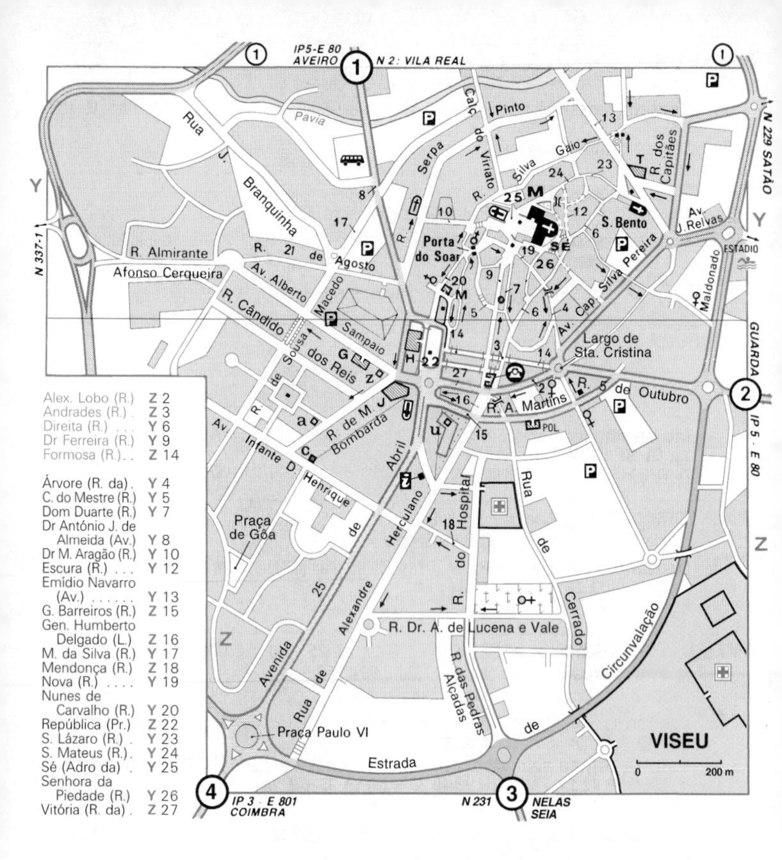

em Cabanões *por ③ : 3 km – ✉ 3500 Viseu :*

Príncipe Perfeito, Bairro da Misericórdia ℘ (032) 46 92 00, *Fax (032) 46 92 10*, – 25/300. AE VISA.
O Grifo : **Refeição** lista 2800 a 3700 – **38 qto** 8500/11000, 5 suites.

Magalhães, Urb. da Misericórdia Lote A-5 ℘ (032) 46 91 75, *Fax (032) 46 91 75* – . AE VISA.
Refeição lista 1850 a 3050.

na estrada N 16 *por ② : 4 km – ✉ 3500 Viseu :*

Onix, Via Caçador ℘ (032) 47 92 43, *Fax (032) 47 87 44*, – – 25/300. AE VISA. rest
Refeição *(fechado 2ª feira e dezembro)* lista aprox. 2900 – **75 qto** 7000/8500.

Quinta da Magarenha, Via Caçador ℘ (032) 47 91 06, *Fax (032) 47 94 22* – .
fechado 2ª feira e do 15 ao 30 de junho – **Refeição** lista aprox. 3500.

na estrada N 2 *por ① : 4 km – ✉ 3500 Viseu :*

Comfort Inn, Vernum-Campo ℘ (032) 45 12 58, *Fax (032) 45 13 71* – – 25/60. AE VISA. rest
Refeição lista aprox. 2500 – **60 qto** 9500/11000.

Prefijos telefónicos internacionales
Indicativos telefónicos internacionais
Indicatifs téléphoniques internationaux

desde/da/d'/ dalla/von/from — a/para/en/in nach/to	AND	A	B	CH	CZ	D	DK	E	FIN	F	GB	GR
AND Andorra		0043	0032	0041	00420	0049	0045	0034	00358	0033	0044	0030
A Austria	00376		0032	0041	00420	0049	0045	0034	00358	0033	0044	0030
B Belgium	00376	0043		0041	00420	0049	0045	0034	00358	0033	0044	0030
CH Swizerland	00376	0043	0032		00420	0049	0045	0034	00358	0033	0044	0030
CZ Czech Republic.	00376	0043	0032	0041		0049	0045	0034	00358	0033	0044	0030
D Germany	00376	0043	0032	0041	00420		0045	0034	00358	0033	0044	0030
DK Denmark	00376	0043	0032	0041	00420	0049		0034	00358	0033	0044	0030
E Spain	07376	0743	0732	0741	07420	0749	0745		07358	0733	0744	0730
FIN Finland	00376	0043	0032	0041	00420	0049	0045	0034		0033	0044	0030
F France	00376	0043	0032	0041	00420	0049	0045	0034	00358		0044	0030
GB United Kingdom	00376	0043	0032	0041	00420	0049	0045	0034	00358	0033	044	0030
GR Greece	00376	0043	0032	0041	00420	0049	0045	0034	00358	0033	0044	
H Hungary	00376	0043	0032	0041	00420	0049	0045	0034	00358	0033	0044	0030
I Italy	00376	0043	0032	0041	00420	0049	0045	0034	00358	0033	0044	0030
IRL Ireland	00376	0043	0032	0041	00420	0049	0045	0034	00358	0033	0044	0030
J Japan	001376	00143	00132	00141	001420	0149	00145	00134	001358	00133	00130	0030
L Luxembourg	00376	0043	0032	0041	00420	05	0045	0034	00358	0033	0044	0030
N Norway	00376	0043	0032	0041	00420	0049	0045	0034	00358	0033	0044	0030
NL Netherland	00376	0043	0032	0041	00420	0049	0045	0034	00358	0033	0044	0030
PL Poland	00376	0043	0032	0041	00420	0049	0045	0034	00358	0033	0044	0030
P Portugal	00376	0043	0032	0041	00420	0049	0045	0034	00358	0033	0044	0030
RUS Russia		81043	81032	81041	6420	81049	81045	*	009358	81033	81044	*
S Sweden	009376	0043	0032	0041	00420	0049	0045	00934	00358	0033	0044	0030
USA	011376	1143	01132	01141	011420	01149	01145	01134	01358	01133	01144	01130

** No es posible la conexión automática*
** Não é possível a ligação automática*
** Pas de sélection automatique*

Importante: Para las llamadas desde el extranjero no se debe marcar el primer número del prefijo telefónico provincial: España (9), Portugal (0).

Importante: Nas chamadas desde o estrangeiro, não deve marcar o primeiro número do indicativo telefónico regional: Espanha (9), Portugal (0).

Important : Pour les communications d'un pays étranger, ne pas composer le premier numéro de l'indicatif interurbain : Espagne (9), Portugal (0).

Indicativi telefonici internazionali
Internationale Telefon-Vorwahlnummern
International dialling codes

H	I	IRL	J	L	N	NL	PL	P	RUS	S	USA	
0036	0039	00353	0081	00352	0047	0031	0048	00351	007	0046	001	**Andorra AND**
0036	0039	00353	0081	00352	0047	0031	0048	00351	007	0046	001	**Austria A**
0036	0039	00353	0081	00352	0047	0031	0048	00351	007	0046	001	**Belgium B**
0036	0039	00353	0081	00352	0047	0031	0048	00351	007	0046	001	**Swizerland CH**
0036	0039	00353	0081	00352	0047	0031	0048	00351	007	0046	001	**Czech Republic. CZ**
0036	0039	00353	0081	00352	0047	0031	0048	00351	007	0046	001	**Germany D**
0036	0039	00353	0081	00352	0047	0031	0048	00351	007	0046	001	**Denmark DK**
0736	0739	07353	0781	07352	0747	0731	0748	07351	077	0746	071	**Spain E**
0036	0039	00353	0081	00352	0047	0031	0048	00351	9907	0046	001	**Finland FIN**
0036	0039	00353	0081	00352	0047	0031	0048	00351	007	0046	001	**France F**
0036	0039	00353	0081	00352	0047	0031	0048	00351	007	0046	001	**United Kingdom GB**
0036	0039	00353	0081	00352	0047	0031	0048	00351	007	0046	001	**Greece GR**
	0039	00353	0081	00352	0047	0031	0048	00351	007	0046	001	**Hungary H**
0036		00353	0081	00352	0047	0031	0048	00351	*	0046	001	**Italy I**
0036	0039		0081	00352	0047	0031	0048	00351	007	0046	001	**Ireland IRL**
00136	00139	001353		01352	00147	00131	00148	01351	*	01146	0011	**Japan J**
0036	0039	00353	0081		0047	0031	0048	00351	007	0046	001	**Luxembourg L**
0036	0039	00353	0081	00352		0031	0048	00351	007	0046	001	**Norway N**
0036	0039	00353	0081	00352	0047		0048	00351	007	0046	001	**Netherland NL**
0036	0039	00353	0081	00352	0047	0031		00351	007	0046	001	**Poland PL**
0036	0039	00353	0081	00352	0047	0031	0048		007	0046	001	**Portugal P**
636	*	*	*	*	*	81031	648	*		*	*	**Russia RUS**
0036	0039	00353	00981	00352	0047	0031	0048	00935	097		0091	**Sweden S**
01136	01139	011353	01181	011352	01147	01131	01148	011351	*	01146		**USA**

** Selezione automatica impossibile*
** Automatische Vorwahl nicht möglich*
** Direct dialling not possible*

Importante: Per comunicare da un paese straniero, non comporre il primo numero del prefisso telefonico interurbano: Spagna (9), Portogallo (0).

Wichtig: Bei Gesprächen vom Ausland darf die erste Zahl der Ortsvorwahl: Spanien (9), Portugal (0) nicht mitgewählt werden.

Note: When making an international call, do not dial the first number of the city code: Spain (9), Portugal (0).

Distancias **Algunas precisiones**

En el texto de cada localidad encontrará la distancia a las ciudades de los alrededores y a la capital del estado.

Las distancias entre capitales de este cuadro completan las indicadas en el texto de cada localidad. Utilice también las distancias marcadas al margen de los planos.

El kilometraje está calculado a partir del centro de la ciudad por la carretera más cómoda, o sea la que ofrece las mejores condiciones de circulación, pero que no es necesariamente la más corta.

Distâncias **Algumas precisões**

No texto de cada localidade encontrará a distância até às cidades dos arredores e à capital do país.

As distâncias deste quadro completam assim as que são dadas no texto de cada localidade. Utilize também as indicações quilométricas inscritas na orla das plantas.

A quilometragem é contada a partir do centro da localidade e pela estrada mais prática, ou seja, aquela que oferece as melhores condições de condução, mas que não é necessàriamente a mais curta.

Distances **Quelques précisions**

Au texte de chaque localité vous trouverez la distance des villes environnantes et de sa capitale d'état.

Les distances intervilles de ce tableau complètent ainsi celles données au texte de chaque localité. Utilisez aussi les distances portées en bordure des plans.

*Les distances sont comptées à partir du centre-ville et par la route la plus pratique, c'est-à-dire
celle qui offre les meilleures conditions de roulage, mais qui n'est pas nécessairement la plus courte.*

Distanze **Qualche chiarimento**

Nel testo di ciascuna località troverete la distanza dalle città viciniori e dalla capitale.

Le distanze fra le città di questa tabella completano cosi quelle indicate nel testo di ciascuna località. Utilizzate anche le distanze riportate a margine delle piante.

Le distanze sono calcolate a partire dal centro delle città e seguendo la strada più pratica, ossia quella che offre le migliori condizioni di viaggio ma che non é necessariamente la più breve.

Entfernungen **Einige Erklärungen**

In jedem Ortstext finden Sie die Entfernungsangaben nach weiteren Städten in der Umgebung und nach der Landeshauptstadt.

Die Kilometerangaben dieser Tabelle ergänzen somit die Angaben des Ortstextes. Eine weitere Hilfe sind auch die am Rande der Stadtpläne erwähnten Kilometerangaben.

Die Entfernungen gelten ab Stadtmitte unter Berücksichtigung der günstigsten (nicht immer Kürzesten) Strecke.

Distances **Commentary**

The text on each town includes its distance from its immediate neighbours and from the capital.

The distances in the table completes that given under individual town headings in calculating total distances. Note also that some distances appear in the margins of town plans.

Distances are calculated from centres and along the best roads from a motoring point of view – not necessarily the shortest.

Distancias entre las cuidades principales
Distancias entre as cidades principais
Distances entre principales villes
Distanze tra le principali città
Entfernungen zwischen den größeren Städten
Distances between major towns

	Albacete	Alicante/Alacant	Almeria	Andorra la Vella	Badajoz	Barcelona	Bilbao/Bilbo	Burgos	Cáceres	Cádiz	Coimbra	Córdoba	La Coruña/ A Coruña	Faro	Granada	León	Lérida/Lleida	Lisboa	Logroño	Madrid	Málaga	Murcia	Oviedo	Pamplona/Iruñea	Porto	Salamanca	San Sebastián/Donastia	Santander	Segovia	Sevilla	Toledo	Valencia	Vallodolid	Vigo	Vitoria/Gasteiz
Alicante/Alacant	168																																		
Almeria	347	290																																	
Andorra la Vella	626	643	892																																
Badajoz	600	769	624	1012																															
Barcelona	518	534	783	189	1012																														
Bilbao/Bilbo	639	807	940	553	701	613																													
Burgos	481	650	783	601	542	601	163																												
Cáceres	502	671	674	914	95	914	608	449																											
Cádiz	589	639	448	1240	341	1107	1017	860	391																										
Coimbra	765	934	926	1132	301	1132	705	545	344	643																									
Córdoba	351	515	331	1002	275	870	780	622	325	244	577																								
La Coruña/ A Coruña	858	1027	1153	1122	697	1123	566	495	740	1083	406	992																							
Faro	691	810	615	1342	315	1210	1120	962	439	325	459	346	855																						
Granada	351	350	167	952	467	844	806	648	490	291	769	169	1018	458																					
León	598	766	892	782	512	783	345	182	420	809	497	731	314	856	759																				
Lérida/Lleida	482	498	747	158	856	158	457	445	758	1086	976	847	966	1188	808	627																			
Lisboa	829	998	806	1241	227	1241	883	724	319	524	198	500	594	296	649	685	1085																		
Logroño	551	646	879	479	661	480	137	123	568	957	664	719	642	1060	746	305	324	843																	
Madrid	250	419	550	617	393	618	394	236	295	628	514	389	604	730	416	341	462	622	334																
Málaga	464	472	203	1074	427	966	919	761	477	257	729	165	1131	419	124	865	930	610	858	528															
Murcia	149	86	217	688	712	580	792	634	655	566	918	441	1011	733	277	746	543	940	691	403	399														
Oviedo	709	877	1003	836	623	896	288	301	531	920	602	843	290	968	870	120	740	789	420	458	983	862													
Pamplona/Iruñea	554	649	898	482	795	483	160	215	660	1024	757	786	722	1127	813	396	327	936	92	401	926	694	443												
Porto	827	995	1076	1130	408	1131	690	530	451	794	116	680	292	566	919	383	974	304	650	571	880	980	488	743											
Salamanca	458	626	752	824	307	825	395	235	214	603	311	592	463	651	619	201	669	489	355	207	732	611	312	446	360										
San Sebastián/Donastia	699	726	1000	452	761	559	102	223	668	1078	765	839	664	1181	867	405	403	944	168	454	979	771	385	78	752	454									
Santander	634	802	935	652	667	712	103	152	574	1013	670	775	470	1116	802	270	556	849	236	389	915	787	191	259	619	360	201								
Segovia	348	517	643	714	394	715	357	199	302	721	471	482	539	823	509	277	559	619	317	97	622	501	388	409	507	163	417	352							
Sevilla	492	598	407	1143	218	1010	920	762	268	124	520	146	916	202	250	680	987	400	859	529	211	525	792	926	626	480	980	915	622						
Toledo	240	409	505	686	360	686	464	306	262	583	510	344	671	685	371	408	530	589	402	71	484	393	520	469	590	237	524	459	164	485					
Valencia	184	179	427	465	741	357	602	578	643	760	862	521	955	863	488	690	320	970	468	347	610	224	801	471	925	555	548	700	445	663	366				
Vallodolid	442	610	736	716	423	717	279	119	330	720	426	575	445	767	603	138	561	605	239	190	715	595	257	330	413	117	338	244	123	596	257	539			
Vigo	849	1018	1143	1113	545	1114	673	514	588	931	254	818	156	704	1010	353	957	442	633	595	1017	1002	395	725	141	416	733	574	530	764	662	946	436		
Vitoria/Gasteiz	595	763	896	567	657	567	70	119	564	974	660	736	638	1077	763	301	411	839	91	350	876	748	353	95	647	351	104	169	313	877	420	556	235	629	
Zaragoza	403	498	747	309	704	309	309	297	606	934	824	695	817	1036	722	479	153	933	175	310	835	543	592	178	826	517	255	407	407	836	378	320	412	808	263

595 km

Madrid - Vigo

CARRETERAS PRINCIPALES

Nº de carretera .... *N 63.C 535*

Distancia en kilómetros 12

Establecimientos administrados por el Estado :
Parador (España), Pousada (Portugal)

Periodo probable de nieve (ej : Nov. a Abril) 11-4

ESTRADAS PRINCIPAIS

Nº da estrada .... *N 63.C 535*

Distancia em quilómetros 12

Estabelecimentos dirigidos pelo Estado :
Parador (Espanha), Pousada (Portugal)

Periodo provável de neve (ex : Nov. a Abril) 11-4

PRINCIPALES ROUTES

Nº de route .... *N 63.C 535*

Distance en kilomètres 12

Etablissements gérés par l'État :
Parador (Espagne), Pousada (Portugal)

Période approximative d'enneigement (ex : Nov. à Avril) 11-4

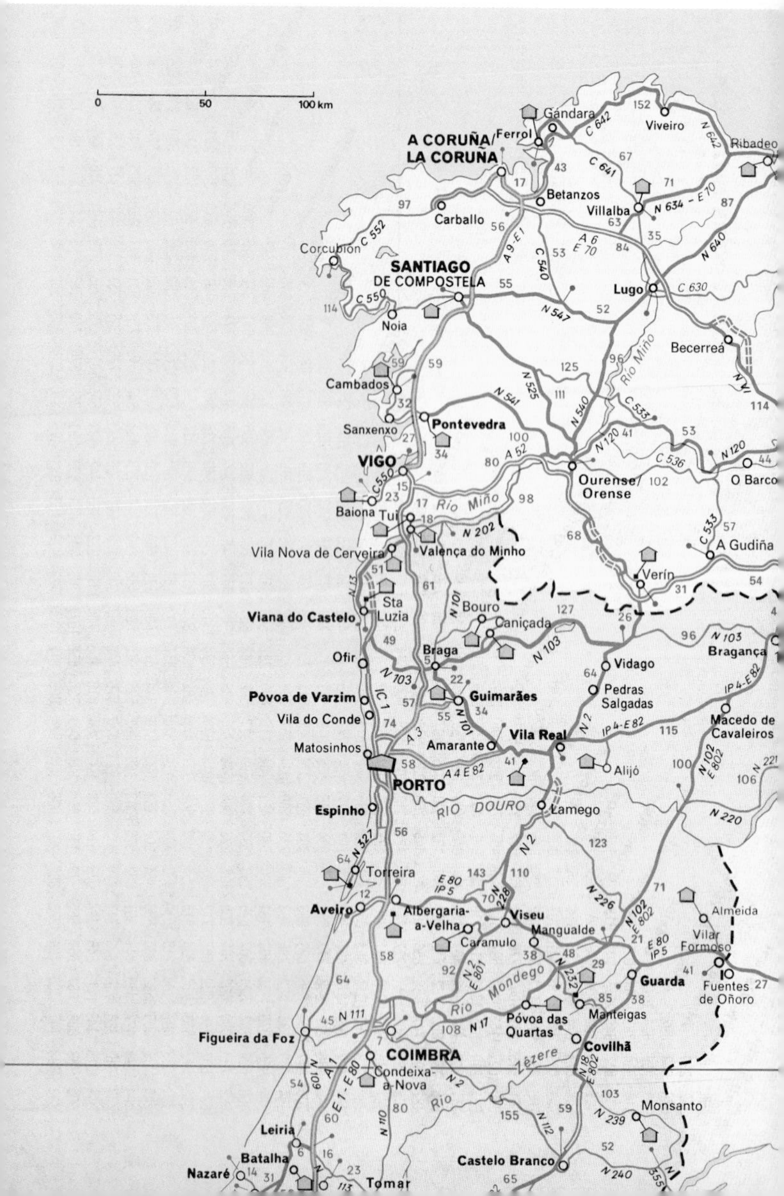

0 50 100 km

Gándara
Viveiro
A CORUÑA/Ferrol
LA CORUÑA
Ribadeo
Betanzos
Villalba
Carballo
Corcubión
SANTIAGO DE COMPOSTELA
Lugo
Noia
Becerreá
Cambados
Pontevedra
Sanxenxo
VIGO
Ourense/Orense
O Barco
Baiona
Tui
Valença do Minho
Vila Nova de Cerveira
A Gudiña
Verín
Sta Luzia
Viana do Castelo
Bouro
Caniçada
Bragança
Ofir
Braga
Vidago
Póvoa de Varzim
Guimarães
Pedras Salgadas
Vila do Conde
Macedo de Cavaleiros
Matosinhos
Amarante
Vila Real
Alijó
PORTO
Espinho
Lamego
Rio Douro
Rio Miño
Torreira
Aveiro
Albergaria-a-Velha
Viseu
Almeida
Caramulo
Mangualde
Vilar Formoso
Guarda
Fuentes de Oñoro
Rio Mondego
Manteigas
Figueira da Foz
Póvoa das Quartas
Covilhã
COIMBRA
Condeixa-a-Nova
Zêzere
Monsanto
Leiria
Batalha
Nazaré
Castelo Branco
Tomar

PRINCIPALI STRADE

Nº di strada . . . . N 63.C 535

Distanza chilometrica 12

Esercizi gestiti dallo Stato :
Parador (Spagna), Pousada (Portogallo)

Periodo approssimativo d'innevamento (esempio : Novembre-Aprile) 11-4

HAUPTVERKEHRSSTRASSEN

Straßennummer . . . . N 63.C 535

Entfernung in Kilometern 12

Staatlich geleitete Hotels :
Parador (Spanien), Pousada (Portugal)

Voraussichtliche Wintersperre (z.B. : Nov.-April) 11-4

MAIN ROADS

Road number . . . . N 63.C 535

Distance in kilometres 12

State operated hotels :
Parador (Spain), Pousada (Portugal)

Period when roads are likely to be blocked by snow (11-6 : Nov.-April) 11-4

MAR CANTABRICO

Gijón
Avilés
Pola de Siero
OVIEDO
Mieres
Llanes
Fuente Dé
Santillana del Mar
SANTANDER
Laredo
Torrelavega
Baracal
BILBO/BILBAO
Reinosa
Cervera de Pisuerga
Villarcayo
Villafranca del Bierzo
Ponferrada
LEÓN
Astorga
Río Sil
Río Ebro
Miranda de Ebro
La Bañeza
Osorno
BURGOS
Sto Doming de la Calzad
Puebla de Sanabria
Benavente
Palencia
Río Pisuerga
VALLADOLID
Aranda de Duero
Zamora
Miranda do Douro
Río Duero
Tordesillas
Cuéllar
Medina del Campo
Río Eresma
Río Tormes
SALAMANCA
Madrigal de las Altas Torres
Segovia
Sigüe
Ciudad Rodrigo
Villacastín
Ávila
Guadalajara
El Escorial
Alcalá de Henares
Béjar
Gredos
MADRID
Río Alagón
Jarandilla de la Vera
Arganda
Plasencia
Chinchón
Aranjuez
Talavera

N 634, N 632, E 70, A 8, AS 28, AS 221, N 634 E 70, N 625, AS 17, N 621, C 627, C 631, A 66, A 6, N 611, N 623, A 8 E 70, N 627, C 629, N 232, A 1-E 5, E 80, N 120, CL 231, C 615, N 601, N 630, N 525, A 52, N 631, N 610, N 620 E 80, N I-E 5, C 113, E 82 N 122, N 218, N VI, C 619, N 234, C 611, N 122, C 601, N 110, C 114, N 620-E 80, N 403, N 501, C 610, C 515, N 502, N 630-E 803, C 501, M 501, N V-E 90, N 401, N IV E 5, N III-E 901, E 90 N II, N 320, CM 200

Barcelona	Lisboa	Madrid	Málaga	Donastia	
1552	2270	1779	2305	1327	**Amsterdam**
1019	2242	1618	1975	1091	**Basel**
1856	2818	2327	2812	1875	**Berlin**
924	2147	1523	1880	1171	**Bern**
1649	2066	1575	2101	1123	**Birmingham**
566	1180	690	1215	237	**Bordeaux**
1842	3065	2441	2797	2089	**Bratislava**
1861	3084	2461	2817	2109	**Brindisi**
1365	2077	1587	2113	1135	**Bruxelles/Brussel**
1201	1823	1332	1858	880	**Cherbourg**
627	1549	1058	1583	602	**Clermont-Ferrand**
1920	2347	1857	2383	1405	**Dublin**
1388	2262	1771	2297	1319	**Düsseldorf**
1324	2333	1843	2279	1390	**Frankfurt am Main**
761	1983	1360	1716	1008	**Genève**
2123	2550	2059	2585	1607	**Glasgow**
1778	2670	2180	2705	1727	**Hamburg**
2091	2983	2493	3018	2040	**København**
1266	1991	1500	2026	1048	**Lille**
1445	2170	1680	2205	1227	**London**
1153	2113	1622	2109	1170	**Luxembourg**
634	1857	1234	1590	882	**Lyon**
504	1727	1104	1460	752	**Marseille**
982	2205	1581	1937	1229	**Milano**
1347	2570	1947	2303	1595	**München**
881	1504	1013	1539	561	**Nantes**
1551	2774	2150	2506	1798	**Napoli**
2359	3252	2761	3287	2309	**Oslo**
1557	2780	2157	2513	1805	**Palermo**
1040	1765	1274	1800	822	**Paris**
1700	2784	2299	2655	1841	**Praha**
1352	2575	1951	2307	1599	**Roma**
2698	3590	3100	3626	2648	**Stockholm**
1123	2249	1723	2079	1306	**Strasbourg**
323	1294	701	1226	351	**Toulouse**
2339	3374	2883	3294	2431	**Warszawa**
1793	3016	2393	2749	2046	**Wien**
1592	2815	2192	2548	1840	**Zagreb**

Madrid - Birmingham **1575 km**

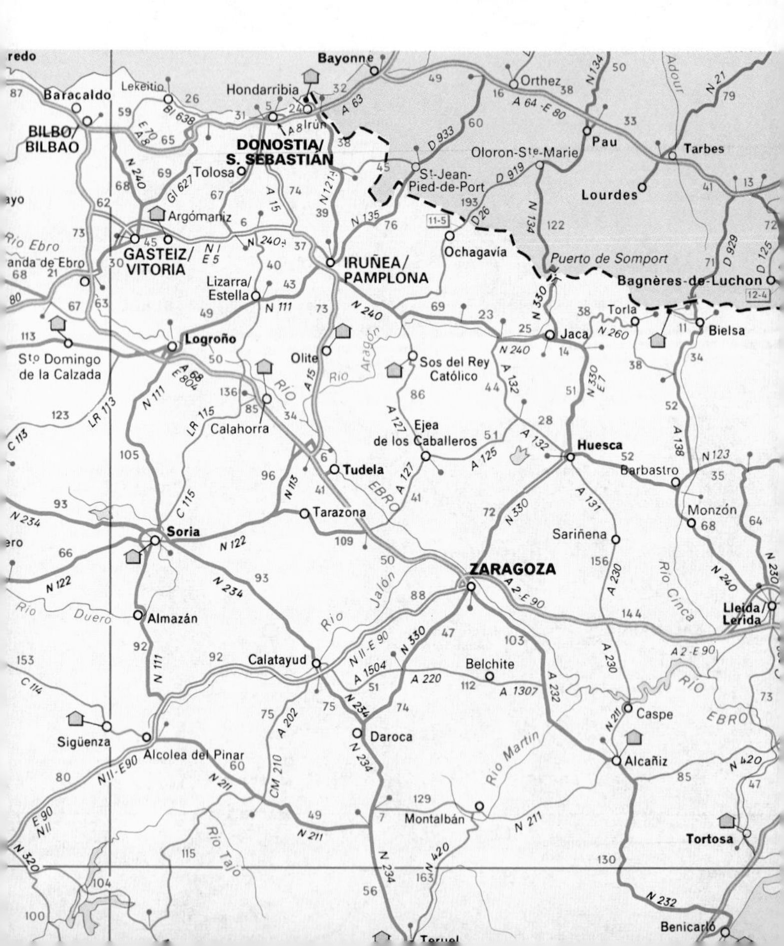

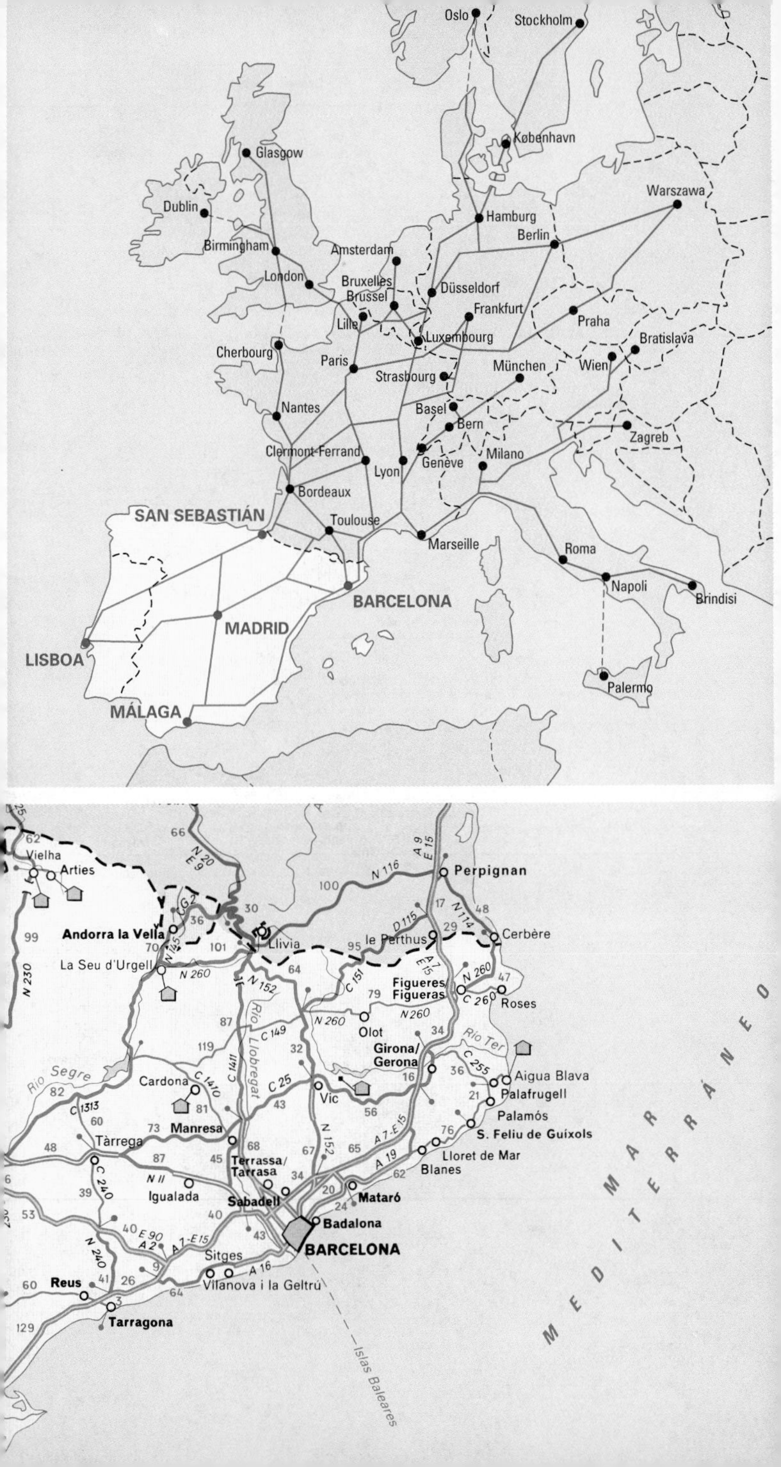

Oslo
Stockholm
København
Glasgow
Dublin
Birmingham
Warszawa
Hamburg
Berlin
Amsterdam
London
Bruxelles
Brussel
Düsseldorf
Frankfurt
Lille
Praha
Luxembourg
Bratislava
Cherbourg
Paris
Strasbourg
München
Wien
Nantes
Basel
Bern
Zagreb
Clermont-Ferrand
Lyon
Genève
Milano
Bordeaux
SAN SEBASTIÁN
Toulouse
Marseille
Roma
Napoli
Brindisi
BARCELONA
MADRID
LISBOA
Palermo
MÁLAGA
Vielha
Arties
Perpignan
Andorra la Vella
Llivia
le Perthus
Cerbère
La Seu d'Urgell
Figueres/
Figueras
Roses
Olot
Río Llobregat
Río Ter
Girona/
Gerona
Aigua Blava
Río Segre
Cardona
Vic
Palafrugell
Palamós
Manresa
S. Feliu de Guíxols
Tàrrega
Terrassa/
Tarrasa
Lloret de Mar
Blanes
Igualada
Sabadell
Mataró
Badalona
BARCELONA
Sitges
Reus
Vilanova i la Geltrú
Tarragona
Islas Baleares
MAR MEDITERRÁNEO

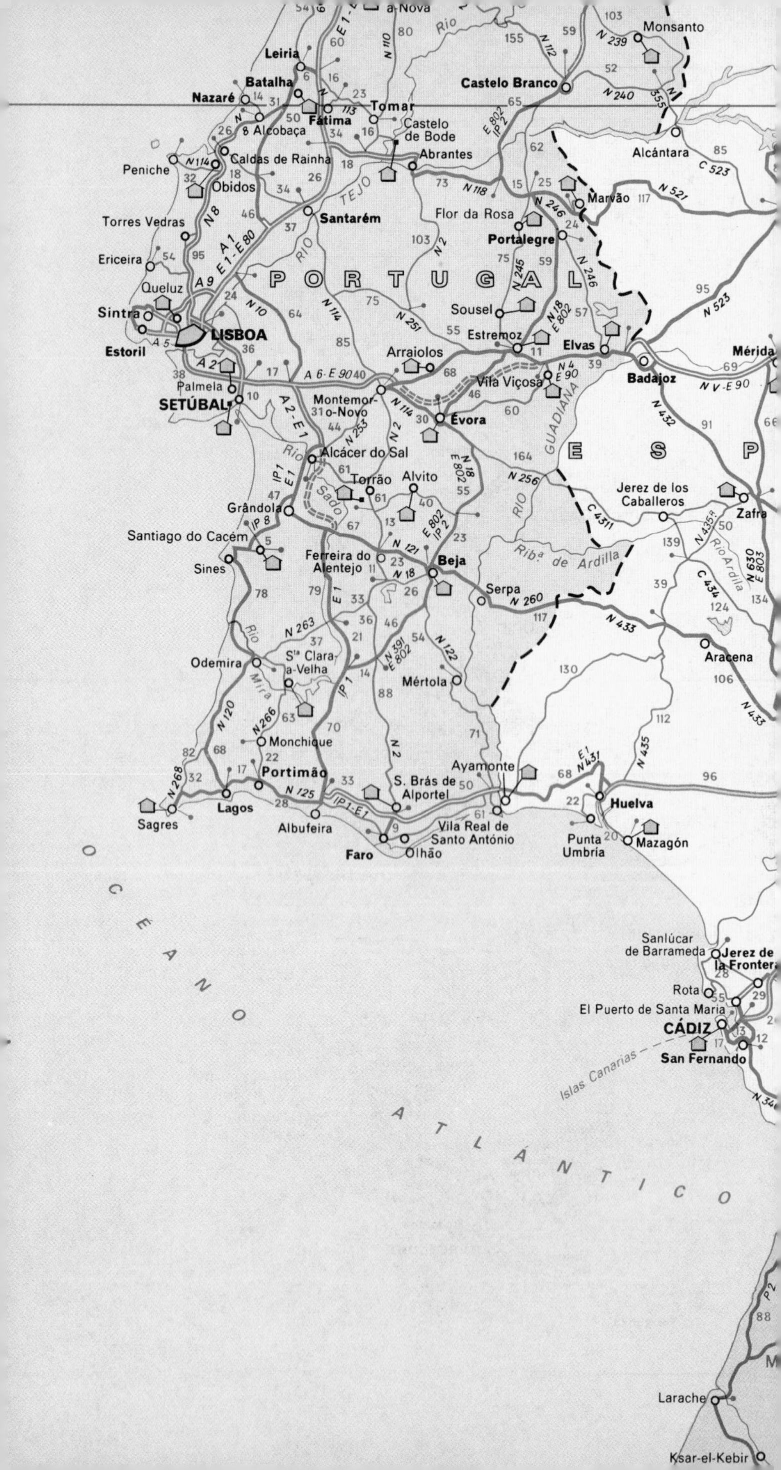

Monsanto
Leiria
Batalha
Castelo Branco
Nazaré
Fátima
Tomar
Alcobaça
Castelo de Bode
Alcántara
Caldas de Rainha
Abrantes
Peniche
Óbidos
Marvão
Santarém
Flor da Rosa
Torres Vedras
Portalegre
Ericeira
PORTUGAL
Queluz
Sousel
Sintra
LISBOA
Estremoz
Elvas
Mérida
Estoril
Arraiolos
Badajoz
Palmela
Vila Viçosa
SETÚBAL
Montemor-o-Novo
Évora
ESP
Alcácer do Sal
Torrão
Alvito
Jerez de los Caballeros
Zafra
Grândola
Santiago do Cacém
Ferreira do Alentejo
Beja
Sines
Serpa
Odemira
Sta Clara-a-Velha
Aracena
Mértola
Monchique
Ayamonte
Portimão
S. Brás de Alportel
Huelva
Sagres
Lagos
Albufeira
Vila Real de Santo António
Punta Umbría
Mazagón
Faro
Olhão
Sanlúcar de Barrameda
Jerez de la Frontera
Rota
El Puerto de Santa Maria
CÁDIZ
San Fernando
Islas Canarias
OCEANO ATLÁNTICO
Larache
Ksar-el-Kebir
Rio Tejo
Rio Guadiana
Rio Sado
Rio Mira
Ribª de Ardilla
Rio Ardilla

Plasencia
Jarandilla de la Vera
Arganda
Chinchón
Aranjuez
Tarancón
Oropesa
Talavera de la Reina
TOLEDO
Río Tajo
Cáceres
Trujillo
Guadalupe
Zorita
Madridejos
Alcázar de San Juan
Puerto Lápice
Río Guadiana
Ciudad Real
Manzanares
Almagro
Valdepeñas
Río Jabalón
Puertollano
A Ñ A
Llerena
Peñarroya
Andújar
Bailén
Linares
Úbeda
Río Guadalquivir
Sierra de Cazorla
R. Guadiana Menor
CÓRDOBA
Río Guadalquivir
SEVILLA
Carmona
Écija
Martos
Jaén
Baena
Aguilar de la Frontera
Lucena
Río Genil
Baza
Utrera
Estepa
Morón de la Frontera
Guadix
Loja
GRANADA
Sierra Nevada
Antequera
Alhama de Granada
Arcos de la Frontera
Ronda
MÁLAGA
Vélez-Málaga
Nerja
Motril
Torremolinos
Fuengirola
Marbella
Estepona
Melilla
San Roque
La Línea de la Concepción
Algeciras
Gibraltar
Tarifa
TANGER
Ceuta
MAR MEDITERRÁNEO
Alborán
Málaga Almería
Tétouan
A R O C
Chefchaouen
Al Hoceima
Melilla
Nador

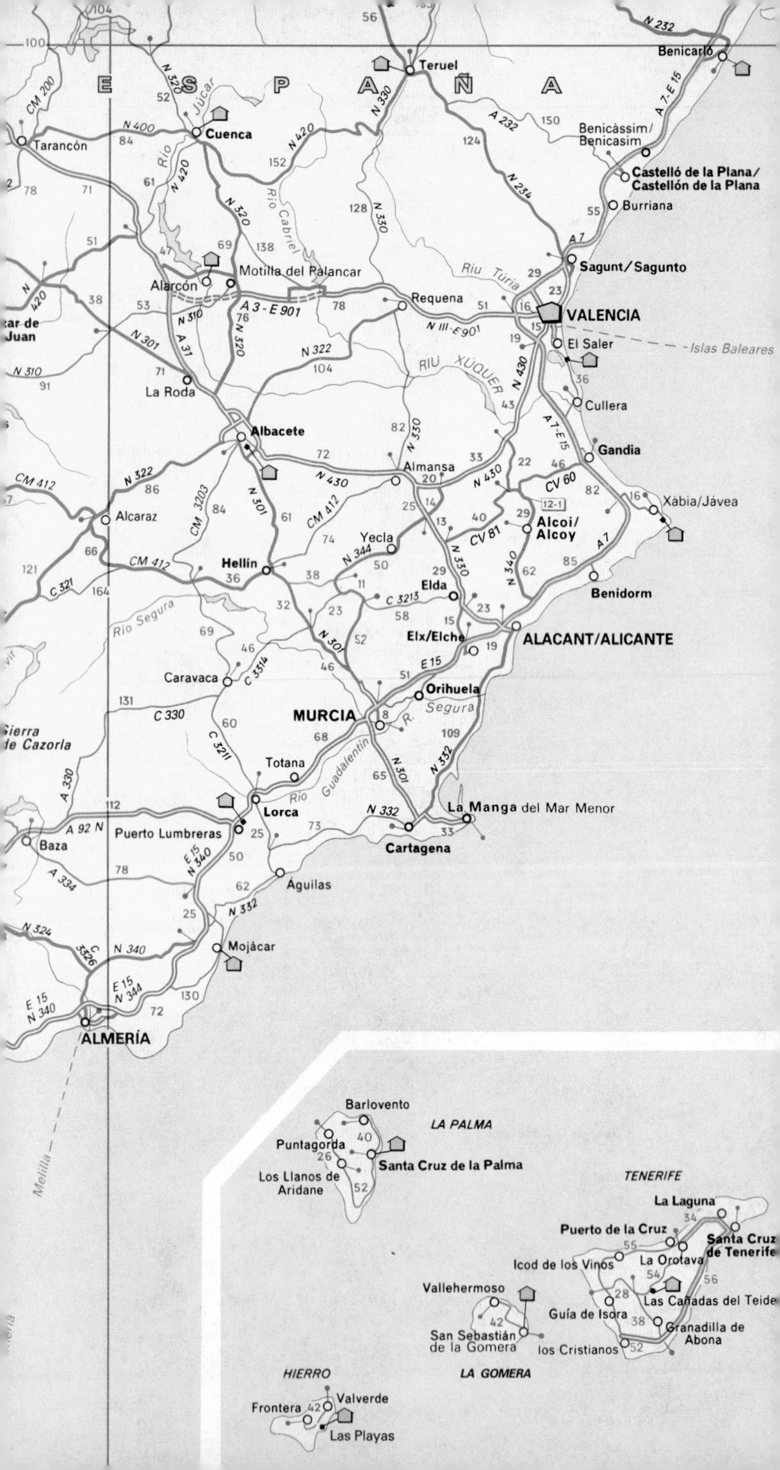

E S P A Ñ A
Teruel
Benicarló
Tarancón
Cuenca
Río Júcar
Benicàssim/
Benicasim
Castelló de la Plana/
Castellón de la Plana
Burriana
Río Cabriel
Sagunt/Sagunto
Riu Túria
Motilla del Palancar
Alarcón
Requena
VALENCIA
El Saler
Islas Baleares
Riu Xúquer
La Roda
Cullera
Albacete
Gandia
Almansa
Xàbia/Jávea
Alcaraz
Alcoi/
Alcoy
Yecla
Hellín
Benidorm
Elda
Río Segura
Elx/Elche
ALACANT/ALICANTE
Caravaca
Orihuela
MURCIA
Segura
Sierra
de Cazorla
Totana
Río Guadalentín
Lorca
La Manga del Mar Menor
Puerto Lumbreras
Baza
Cartagena
Águilas
Mojácar
ALMERÍA
Melilla
Barlovento
LA PALMA
Puntagorda
Santa Cruz de la Palma
Los Llanos de
Aridane
TENERIFE
La Laguna
Puerto de la Cruz
Santa Cruz
de Tenerife
La Orotava
Icod de los Vinos
Vallehermoso
Las Cañadas del Teide
Guía de Isora
Granadilla de
Abona
San Sebastián
de la Gomera
los Cristianos
HIERRO
LA GOMERA
Valverde
Frontera
Las Playas

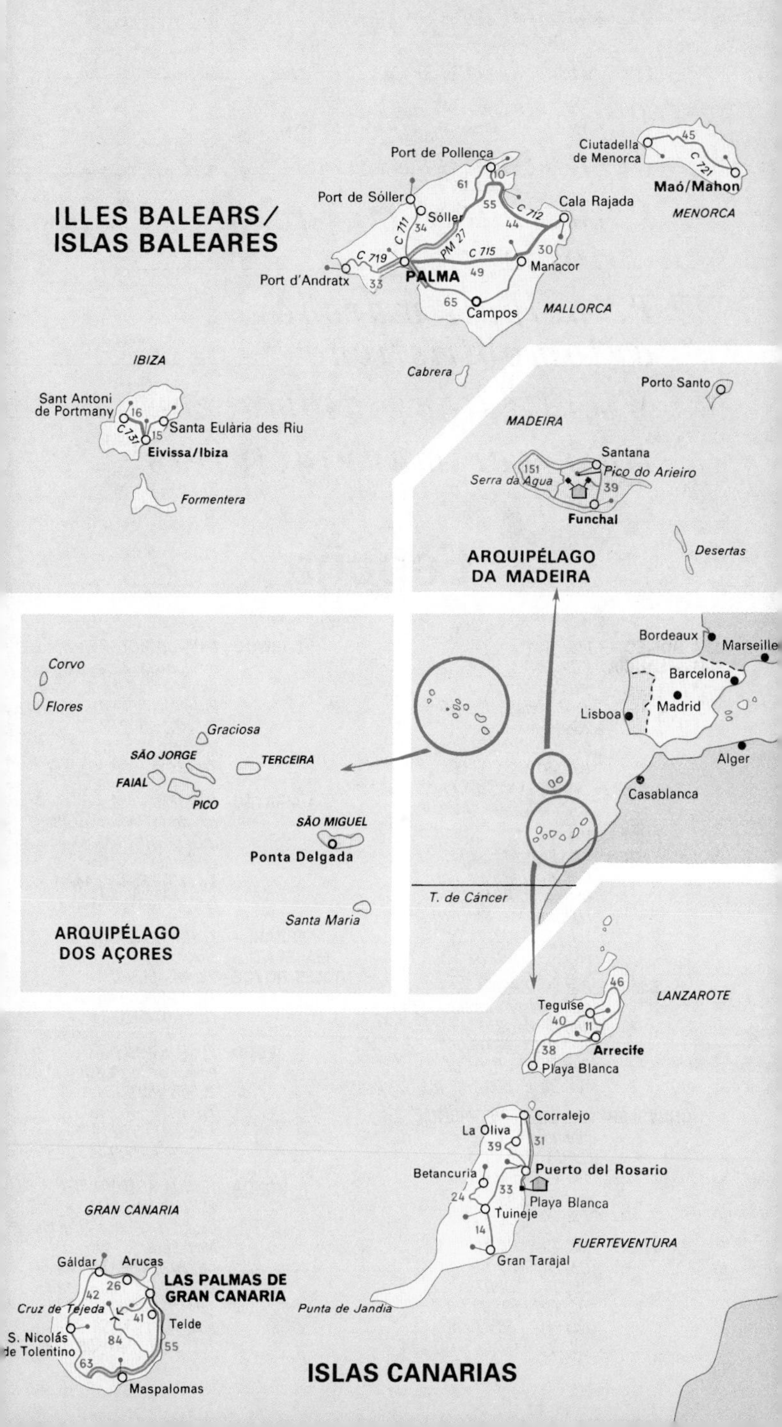

ILLES BALEARS/
ISLAS BALEARES
Port de Pollença
Port de Sóller
Sóller
Cala Rajada
Ciutadella
de Menorca
Maó/Mahon
MENORCA
C 711
C 712
C 715
C 719
C 721
PM 27
PALMA
Port d'Andratx
Manacor
Campos
MALLORCA
Cabrera
IBIZA
Sant Antoni
de Portmany
C 731
Santa Eulària des Riu
Eivissa/Ibiza
Formentera
Porto Santo
MADEIRA
Santana
Pico do Arieiro
Serra da Agua
Funchal
Desertas
ARQUIPÉLAGO
DA MADEIRA
Bordeaux
Marseille
Barcelona
Madrid
Lisboa
Alger
Casablanca
Corvo
Flores
Graciosa
SÃO JORGE
TERCEIRA
FAIAL
PICO
SÃO MIGUEL
Ponta Delgada
Santa Maria
ARQUIPÉLAGO
DOS AÇORES
T. de Câncer
LANZAROTE
Teguise
Arrecife
Playa Blanca
Corralejo
La Oliva
Puerto del Rosario
Betancuria
Playa Blanca
Tuineje
FUERTEVENTURA
Gran Tarajal
Punta de Jandia
GRAN CANARIA
Gáldar
Arucas
LAS PALMAS DE
GRAN CANARIA
Cruz de Tejeda
Telde
S. Nicolás
de Tolentino
Maspalomas
ISLAS CANARIAS

Principales marcas de automóviles
Principais marcas de automóveis
Principales marques automobiles
Principali marche automobilistiche
Wichtigsten Automarken
Main car manufacturers

España

ALFA ROMEO - FIAT - LANCIA
FIAT AUTO ESPAÑA S.A.
antigua carret. de Barcelona km. 27,5
28804 ALCALÁ DE HENARES (Madrid)
Tel. (91) 885 37 00
Fax. (91) 885 39 45
Tel. 24 h. 900 211 018

AUDI - VOLKSWAGEN
VAESA
La Selva 2 - edificio Geminis Business Park
08820 EL PRAT DE LLOBREGAT (Barcelona)
Tel. (93) 402 89 55
Fax. (93) 402 89 57

B.M.W.
B.M.W. IBÉRICA S.A.
paseo de la Castellana 149
28046 MADRID
Tel. (91) 335 05 05
Fax. (91) 335 05 06
Tel. 24 h. 900 100 482

CHRYSLER
CHRYSLER - JEEP IBERIA S.A.
Montalbán 7
28014 MADRID
Tel. (91) 532 06 09
Fax. (91) 532 87 09
Tel. 24 h. 900 101 577

CITROËN
CITROËN HISPANIA S.A.
Dr. Esquerdo 62
28007 MADRID
Tel. (91) 585 11 00
Fax. (91) 585 14 46
Tel. 24 h. (91) 519 13 14

DAEWOO
DAEWOO MOTOR IBERIA S.A.
av. Europa 22 - Parque Empressarial La Moraleja
28108 ALCOBENDAS (Madrid)
Tel. (91) 657 83 00
Fax. (91) 657 83 22
Tel. 24 h. 900 303 900

DAIHATSU
EUROEMPRESA
av. de la Industria 28
28760 TRES CANTOS (Madrid)
Tel. (91) 803 42 44
Fax. (91) 803 86 83

FERRARI - MASERATI - ROLLS ROYCE
TESTARROSA CARS S.A.
Moreto 15
28014 MADRID
Tel. (91) 369 46 70
Fax. (91) 420 35 59

FORD
FORD ESPAÑA S.A.
passeo de la Castellana 135
28046 MADRID
Tel. (91) 336 91 00
Fax. (91) 579 14 23
Tel. 24 h. 900 145 145

HONDA
HONDA AUTOMÓVILES ESPAÑA S.A.
Osona 1 - urbanización Mas Blau
08820 EL PRAT DE LLOBREGAT (Barcelona)
Tel. (93) 370 80 07
Fax. (93) 370 79 52
Tel. 24 h. 900 308 080

HYUNDAI *HYUNDAI ESPAÑA D.A., S.A.*
Antonio Maura 12
28014 MADRID
Tel. (91) 522 49 14
Fax. (91) 522 55 84
Tel. 24 h. 900 153 315

JAGUAR *JAGUAR HISPANIA S.A.*
av. Dos Castillas 33 – Complejo Atica 7 – edificio 2
28224 POZUELO DE ALARCÓN (Madrid)
Tel. (91) 352 94 00
Fax. (91) 352 16 38

MAZDA *MAZDA MOTOR ESPAÑA S.A.*
av. de Burgos 118
28050 MADRID
Tel. (91) 302 99 41
Fax. (91) 766 53 09
Tel. 24 h. 901 116 124

MERCEDES BENZ *MERCEDES BENZ ESPAÑA*
José Ortega y Gasset 22-24
28006 MADRID
Tel. (91) 322 60 00
Fax. (91) 322 60 01
Tel. 24 h. 900 268 888

MITSUBISHI *MMC AUTOMÓVILES ESPAÑA, S.A.*
travesía Costa Brava 6 – 5ª
28034 MADRID
Tel. (91) 387 74 00
Fax. (91) 387 74 58
Tel. 24 h. 902 201 030

NISSAN *NISSAN MOTOR ESPAÑA*
General Almirante 4-10
Torre Nissan
08014 BARCELONA
Tel. (93) 290 74 49
Fax. (93) 290 75 14
Tel. 24 h. 900 200 094

OPEL – GENERAL MOTORS *OPEL ESPAÑA DE AUTOMÓVILES, S.A.*
paseo de la Castellana 91 – 2ª
28046 MADRID
Tel. 900 202 520
Fax. (91) 456 93 15
Tel. 24 h. 900 142 142

PEUGEOT *PEUGEOT ESPAÑA*
carret. Madrid-Villaverde, km 7,5
28041 MADRID
Tel. (91) 347 20 00
Fax. (91) 347 22 43
Tel. 24 h. 900 442 424

PORSCHE – SAAB *PORSCHE ESPAÑA S.A.*
av. de Burgos 87
28050 MADRID
Tel. (91) 382 87 77
Fax. (91) 382 87 51
Tel. 24 h. 900 212 223

RENAULT *RENAULT ESPAÑA COMERCIAL S.A.*
av. de Burgos 89
28050 MADRID
Tel. (91) 374 22 00
Fax. (91) 374 10 32
Tel. 24 h. 900 365 000

ROVER *ROVER ESPAÑA S.A.*
Mar Mediterráneo 2
Polígono Industrial
28850 SAN FERNANDO DE HENARES (Madrid)
Tel. (91) 678 90 00
Fax. (91) 656 43 53
Tel. 24 h. 900 116 116

SANTANA – SUZUKI *SANTANA MOTOR S.A.*
av. 1º de Mayo s/n
23700 LINARES (Jaén)
Tel. (953) 69 30 50
Fax. (953) 65 32 01

SEAT *SEAT, S.A.*
Sector A – Calle 2 – 1al 25
Zona Franca
08040 BARCELONA
Tel. (93) 3 31 00 00
Fax. (93) 4 02 88 44

SSANGYONG *INTERNED S.A.*
av. de la Industria 28
28760 TRES CANTOS (Madrid)
Tel. (91) 803 16 46
Fax. (91) 803 02 52

SUBARU *IMPANIP*
av. de la Industria 28
28760 TRES CANTOS (Madrid)
Tel. (91) 803 52 21
Fax. (91) 803 02 52

TOYOTA *TOYOTA ESPAÑA S.L.*
pl. Cánovas del Castillo 4 – 6ª
28014 MADRID
Tel. (91) 429 59 46
Fax. (91) 420 33 59
Tel. 24 h. 900 101 575

VOLVO *VOLVO ESPAÑA S.A.*
paseo de la Castellana 130
28046 MADRID
Tel. (91) 566 61 00
Fax. (91) 566 61 31

Principais marcas de automóveis
Principales marcas de automóviles
Principales marques automobiles
Principali marche automobilistiche
Wichtigsten Automarken
Main car manufacturers

Portugal

ALFA ROMEO *MOCAR*
Estrada Nacional 249/4
Abrunheira
2710 SINTRA
Tel. (01) 915 81 00
Fax (01) 915 81 19

AUDI – VOLKSWAGEN – SKODA *SIVA*
Quinta Mina
Casa S. Pedro Arneiro
2050 AZAMBUJA
Tel. (063) 400 00 00
Fax (063) 400 00 99

B.M.W. *BAVIERA S.A.*
Rua Coronel Bento Roma
18 A/B
1700 LISBOA
Tel. (01) 940 76 50
Fax (01) 847 26 68
Serviço móvel :
(02) 830 11 39

CITROËN *AUTOMÓVEIS CITROËN S.A.*
Av. Praia da Vitória 9
1000 LISBOA
Tel. (01) 353 41 31
Fax (01) 354 01 67

DAIHATSU *SOCIEDADE ELECTRO-MECÂNICA DE AUTOMÓVEIS, LDA.*
Rua Nova de S. Mamede 7
1250 LISBOA
Tel. (01) 387 81 31
Fax (01) 387 65 15

FERRARI *VIAUTO – AUTOMÓVEIS E ACESSÓRIOS, LDA.*
Rua Carvalho Araújo 72 A
1900 LISBOA
Tel. (01) 813 74 63
Fax (01) 815 30 93

FIAT – LÂNCIA *FIAT AUTO PORTUGUESA S.A.*
Av. Eng. Duarte Pacheco 15
1070 LISBOA
Tel. (01) 388 51 51
Fax (01) 388 41 88

FORD *FORD LUSITANIA*
Rua Rosa Araújo 2
1250 LISBOA
Tel. (01) 353 91 41
Fax (01) 353 69 96

HONDA *HONDA AUTOMÓVEL DE PORTUGAL, S.A.*
Abrunheira
2710 SINTRA
Tel. (01) 915 00 54
Fax (01) 925 88 87

HYUNDAI- NISSAN- SUBARU *ENTREPOSTO DE LISBOA*
Praça José Queiroz 1
1800 LISBOA
Tel. (01) 854 11 33
Fax (01) 854 11 91
Serviço 24 h. (01) 347 91 99

JAGUAR *JAGUAR PORTUGAL S.A.*
Rua Monte dos Burgos
1062/1070
4200 PORTO
Tel. (02) 830 37 59
Fax (02) 610 38 57

LADA *LADA-COMÉRCIO DE AUTOMÓVEIS, LDA.*
Rua do Progresso 145
4460 PERAFITA
Tel. (02) 996 12 03
Fax (02) 995 99 50

MAZDA *MAZDA MOTOR DE PORTUGAL*
Rua do Espido 164 F
Edifício Via Norte
4470 MAIA
Tel. (02) 943 86 50
Fax (02) 943 86 60

MERCEDES-BENZ *MERCEDES BENZ PORTUGAL-COMÉRCIO DE AUTOMÓVEIS, S.A.*
Abrunheira
2725 MEM-MARTINS
Tel. (01) 915 10 10
Fax (01) 915 10 73

MITSUBISHI *MITSUBISHI MOTORS DE PORTUGAL, S.A.*
Estrada N 1, km 1
2600 VILA FRANCA DE XIRA
Tel. (01) 200 61 00
Fax (91) 200 62 32

OPEL *OPEL PORTUGAL-COMÉRCIO E INDÚSTRIAS DE VEÍCULOS, S.A.*
Quinta da Fonte
Edifício Fernão de Magalhães-2º
Porto Salvo
2780 OEIRAS
Tel. (01) 440 75 00
Fax (01) 440 75 58

PEUGEOT *PEUGEOT PORTUGAL AUTOMÓVEIS, S.A.*
Rua Quinta do Paizinho 5
2795 CARNAXIDE
Tel. (01) 416 66 11
Fax (01) 417 62 53

PORSCHE *ENTREPOSTO LISBOA*
Rua D. Estefânia 118 A
1000 LISBOA
Tel. (01) 352 32 71
Fax (01) 354 43 04

RENAULT *RENAULT PORTUGUESA*
Av. Marechal Gomes da Costa 21
1800 LISBOA
Tel. (01) 836 10 00
Fax (01) 836 12 70

ROVER *ROVER PORTUGAL-VEÍCULOS E PEÇAS, LDA.*
Rua Vasco da Gama 11
2685 SACAVÉM
Tel. (01) 940 60 00
Fax (01) 940 60 97

SAAB-SUZUKI *CIMPROMÓVEL-VEÍCULOS LIGEIROS. S.A.*
Edifício Cimpromóvel
Estrada Nacional 10, km 11
2685 SANTA IRIA DA AZÓIA
Tel. (01) 956 49 00
Fax (01) 959 30 70

SEAT *SOC. HISPÂNICA DE AUTOMÓVEIS, S.A.*
Estrada Nacional 249/4, km 5,9
Trajouce
2775 CARCAVELOS
Tel. (01) 445 56 60
Fax (01) 444 30 03

TOYOTA *SALVADOR CAETANO S.A.*
Edifício Salvador Caetano
Rua Guiné
Prior Velho
2685 SACAVÉM
Tel. (01) 940 76 00
Fax (01) 940 76 12

VOLVO *VOLSUL, S.A.*
Rua José Estêvão 74 A
1150 LISBOA
Tel. (01) 353 95 91
Fax (01) 353 77 04

Notas
Anotações
Notes
Appunti
Notizen
Notes

Notas
Anotações
Notes
Appunti
Notizen
Notes

Manufacture française des pneumatiques Michelin
Société en commandite par actions au capital de 2 000 000 000 de francs
Place des Carmes-Déchaux – 63 Clermont-Ferrand (France)
R.C.S. Clermont-Fd B 855 200 507

Michelin et Cie, propriétaires-éditeurs, 1998
Dépôt légal décembre 1998 – ISBN 2-06-063089-4

Printed in France 11-97
Photocomposition : MAURY Imprimeur SA, Malesherbes
Impression : MAURY Imprimeur SA, Malesherbes et KAPP, LAHURE, JOMBART, Évreux
Reliure : S.I.R.C., Marigny-le-Châtel

Pages 5 à 11, 14 à 21, 24 à 31, 34 à 41, 44 à 51, 54 à 61 : Cécile Imbert
Pages 140, 166, 226, 314, 361, 496, 522, 568, 683 : Rodolphe Corbel.
Pages 616 à 620 : Narratif Systèmes/Genclo.